PATRICIA CORNWELL

1

PATRICIA
CORNWELL

1

Présentation de François Rivière

POSTMORTEM

MÉMOIRES MORTES

ET IL NE RESTERA QUE POUSSIÈRE...

UNE PEINE D'EXCEPTION

LES TRAVAUX ET LES JOURS DE PATRICIA CORNWELL

par François Rivière

La déjà longue histoire du roman criminel américain est prodigue en aventures personnelles captivantes, particulièrement éclairantes quant au choix décisif opéré, souvent très tôt dans leur existence, par ces écrivains qui n'ont pas œuvré sans raisons dans la « catégorie » littéraire la moins reconnue, voire la plus méprisée. Les femmes se sont rapidement imposées dans une pratique supposée bien à tort appartenir au champ clos des rapports virils mais que, pour des motifs alors obscurs, elles avaient décidé d'investir. Chronologiquement, c'est Anna-Katharine Green qui ouvrit le feu en publiant à New York, en 1878, *Le Crime de la cinquième avenue*, un roman qui, selon les dires de son auteur, devait au *Monsieur Lecoq* d'Émile Gaboriau. Toutefois, c'est à un monde judiciaire typiquement américain, et qu'elle connaissait de l'intérieur – elle était la fille d'un avocat réputé – que cette femme audacieuse entendait confronter ses lecteurs. Premier best-seller du roman policier de son pays, A.K. Green reléguait d'une pichenette les petits « romans mystérieux » de Louisa May Alcott au rang d'ancêtres du genre. Elle affirmait une volonté délibérée de s'attaquer au corps social de l'Amérique, d'en débusquer les peurs et les tabous. Elle le faisait à sa façon, bien sûr, très « victorienne », soumise à une morale répressive et sous le couvert d'une forme de fiction sur laquelle allaient régner durablement des hommes... Il est tout de même intéressant de noter que, presque dix ans avant la première enquête de Sherlock Holmes, cet indécrottable misogyne, un détective newyorkais du nom d'Ebenezer Gryce, juvénile et attendrissant, obéissait aux injonctions d'une forte femme... Par la suite, Carolyn Wells, à la fois praticienne et la première théoricienne du genre policier, s'appliquait à orchestrer de très habiles *whodunits* dans lesquels des personnages du sexe dit faible jouaient un rôle non négligeable. Plutôt « bas-bleu », Miss Wells ouvrait quant à elle la voie d'un récit criminel assez artificiel, soumis à la logique induite par Edgar Poe dans ses textes fondateurs. Mais l'arrivée sur le marché, au début de ce siècle, de l'intrépide Mary Roberts Rinehart, avec *L'escalier en colimaçon*, dont l'héroïne, Rachel Innes, renouait de manière très moderne et plutôt malicieuse, avec les tourments gothiques des protagonistes d'Ann Radcliffe, prouva d'évidence que le roman de mystère était une affaire de femmes. L'aisance avec laquelle Rinehart – qui écrivait, disait-elle, pour gagner de l'argent – nouait ses intrigues, farfelues et attachantes, démontrait que la psychologie féminine était parfaitement à même, non seulement d'ourdir de machiavéliques intrigues, mais aussi de créer des ambiances terrifiantes d'ailleurs destinées à capturer un auditoire lui-même essentiellement féminin. Durant des décennies, Mary Roberts Rinehart incarna, pour un vaste public qu'elle tenait sous son charme par le biais de publications en feuilletons dans les principaux magazines familiaux américains, la Grande Prêtresse du Mystère. Seule, Agatha Christie, parvint, à l'orée des années trente, à battre en brèche cette suprématie. Mais, déjà, de nouveaux talents surgissaient, assez discrètement d'abord. Ainsi, vers la fin des années trente, alors que leurs consœurs anglaises – Christie, Dorothy Sayers, Margery Allingham – tenaient le haut du pavé, les romancières américaines reflétaient les différents courants d'un genre devenu très prospère. Tandis qu'Elizabeth Daly créait son très bibliophile Henry Gamadge, Margaret Millar – épouse de Ross McDonald – montrait déjà sa grande maîtrise du suspense psychologique. Dans le même temps, Charlotte Armstrong ou l'excentrique Craig Rice affirmaient des tempéraments très différents. En vérité, ces écrivains ne s'associèrent jamais en chapelle, comme ce fut souvent le cas chez les « durs-à-cuire » masculins du roman noir ou de la détection classique. En revanche, les dames en noir eurent l'idée ingénieuse d'infiltrer le roman sentimental d'intrigues acidulées. Phyllis Whitney et Phoebe Atwood Taylor se révélèrent les plus assidues pourvoyeuses de la « gothic romance ». La survenue de Patricia Highsmith, en 1949, changea la donne. En un éclair, un tempérament profondément insoumis avait choisi de s'exprimer par le truchement du roman criminel sans pour autant se captiver pour la procédure policière. De ce fait, une voie nouvelle s'ouvrait, qui rendait presque naïves les enquêtes du psychanalyste Basil Willing imaginé par Helen McCloy, pourtant non dépourvue de talent. Mais, avec Highsmith, les lecteurs pénétraient enfin de plain-pied dans le monde pulsionnel de ces êtres malmenés par la vie qui sont les véritables protagonistes du récit criminel. *L'Inconnu du Nord-Express*, *Le Meurtrier*, mais aussi les romans mettant en scène Ripley, double fictionnel de l'auteur, faisaient entendre une voix qui n'était plus celle de démiurge embusqué derrière le masque de l'écriture de genre. D'autres voix, bientôt, répondirent à celle de Patricia Highsmith qui, incomprise en son propre pays, choisit de s'exiler en Europe où un public assidu lui fit bientôt fête. C'est que les États-Unis, toujours prompts à voir éclore de nouvelles mythologies, n'acceptent pas de laisser s'épancher la marginalité, hormis dans le ghetto de l'art.

Des années passèrent... Mais déjà grandissait, sous le soleil implacable de la Floride, une fillette nommée Patricia Daniels née le 9 juin 1956 à Miami. À cinq ans, l'enfant qui subissait le triste spectacle d'un couple détruit, ne put empêcher son père de prendre la tangente. Elle en conçut un sentiment de mort qui la hanta longtemps. Un peu plus tard, elle ne dut qu'à la présence de son frère aîné de ne pas être abusée sexuellement par un agent de sécurité du voisinage, avec lequel elle se croyait en confiance. À l'âge de sept ans, elle accompagne sa mère et ses deux frères à Montreat, une petite ville de Caroline du Nord. Mrs Daniels, depuis le départ de son mari, est en dépression et ne parvient plus à subvenir aux besoins de ses enfants. Elle décide alors de les confier au célèbre prêcheur Billy Graham, qui réside non loin de là. Patricia est ainsi recueillie par un couple de missionnaires, Manfred et Lenore Saunders, qui tentent d'éduquer cette petite sauvageonne. Celle-ci s'oppose de toute sa force à ce qu'elle appellera plus tard une « éducation victorienne ». C'est au cours de ce séjour auprès d'une communauté pétrie de morale austère et de règles strictes que Patricia, conquise à son insu, développe un goût certain pour l'écriture. Ruth Graham l'incite à consigner ses expériences et ses pensées intimes. Plus tard, en toute logique,

Patricia consacrera son premier véritable travail littéraire à sa bienfaitrice en devenant sa biographe.

Mais, peu à peu, l'adolescente éprouve le besoin d'inventer des histoires. Elle écrit des nouvelles qui mettent en scène des personnages surgis de son entourage. Le monde qui l'entoure la submerge déjà : la violence, la misère qui règnent autour d'elle et de sa famille. Elle crée un monde de fiction dans lequel elle figure elle-même sous l'armure invisible d'un « agent secret », impliquée dans de périlleuses missions ayant pour décor celui qui l'étouffe et qu'elle tente pathétiquement d'éloigner d'elle. Elle s'invente des compagnons, pour la plupart de l'espèce animale, infiniment moins malfaisante à ses yeux que la gent humaine... Mais, dès 1974, la grande passion qui parvient à la ravir à l'ambiance délétère de sa vie quotidienne est le tennis. Elle rêve de pouvoir jouer plus tard à Forest Hills et, pour ce faire, s'entraîne six heures par jour dès qu'elle le peut. Elle parvient ainsi à se hisser à la quatorzième place de la sélection de Caroline du Nord. Mais de Forest Hills, elle ne connaîtra jamais que les gradins...

Inscrite au King College de Bristol, dans le Tennessee, Patricia Daniels, poursuit cependant son rêve et s'entraîne interminablement sur les courts, unique fille de l'équipe du collège. Elle abandonnera enfin à dix-neuf ans, pour raisons de santé. Elle est en effet sujette à des crises de boulimie qui succèdent à une période d'anorexie. Elle est soignée à l'hôpital d'Appalachia Hall, celui-là même qui, quelques années plus tôt, avait accueilli sa mère. Au cours de l'été 76, elle rencontre à Montreat où elle donne des cours de tennis, Ed White, l'un des directeurs du Davidson College. Elle y fera sa « senior year », tout en effectuant ses premières armes dans le journalisme au *Charlotte Observer*. Elle est d'abord chargée de la rubrique télévision, mais bientôt elle accède à la rédaction et peut ainsi effectuer des reportages. C'est au cours de la même année qu'elle fait la connaissance, à Davidson, d'un professeur d'anglais nommé Charles L. Cornwell. Celui-ci a dix-sept ans de plus qu'elle, ce qui ne l'empêchera pas de tomber éperdument amoureuse de ce fanatique de Chaucer et des classiques de la littérature américaine. Diplômée en 1979, Patricia épouse Charlie Cornwell le 14 juin de l'année suivante.

Entre-temps, elle est devenue un reporter émérite, travaillant pour le *Charlotte Observer* comme spécialiste des faits-divers criminels. Elle s'est découvert un véritable talent pour la recherche des indices, de même qu'un penchant pour les armes à feu qui ne se démentira jamais. Elle signe Patsy Daniels ses articles et remporte en 1980 un prix décerné par la *North Carolina Press Association* pour une série de reportages consacrés à la prostitution. C'est au cours de ses investigations que Patricia est agressée par un membre de l'encadrement social dont elle suit les travaux. Elle n'en fera état que des années plus tard, sans donner de détails. C'est également à cette époque qu'elle entend parler d'une certaine madame Scarpetta, une ancienne logeuse de Charlie, héroïne involontaire d'un certain nombre d'anecdotes que son mari lui rapporte...

Patricia est décidée à s'essayer à une œuvre littéraire et l'idée lui vient immédiatement de la consacrer au récit de la vie de sa bienfaitrice, Ruth Bell Graham. *A Time For Remembering* sera publié en 1983 chez l'éditeur new-yorkais Harper & Row, avec un certain succès puisqu'il s'en vendra plus de deux cent mille exemplaires.

En 1981, Charles Cornwell, qui veut devenir pasteur, s'est inscrit au Séminaire de l'Union Théologique de Richmond, en Virginie. Patricia l'y accompagne. À nouveau, elle consacre l'essentiel de son temps à l'écriture, décidée à s'essayer au genre policier. Agatha Christie est son auteur préféré, aussi la jeune femme s'ingénie-t-elle à bâtir de savantes intrigues dignes de rivaliser avec celles de la Reine du Crime anglaise. Son acharnement lui permet de venir à bout d'un roman qu'elle envoie en 1984 à différents éditeurs qui le lui retournent tous... Entre-temps, elle a été engagée comme informaticienne au Medical Examiner's Office de Richmond, sur les conseils d'un ami médecin. Celui-ci lui a fait rencontrer Marcelle Fierro, qui dirige la morgue de Richmond, un lieu qu'une simple visite a aussitôt changé en épicentre de la fascination pour Patricia. Elle prend conscience de la distance qui sépare la fiction de ce qui, dans la vie réelle, constitue pour elle la source, terrifiante et magique à la fois, de sa curiosité constante. Par ailleurs, la personnalité du Dr Fierro lui inspire le personnage qui, dans le roman, pourrait l'aider à accéder enfin à une pratique originale, convaincante. L'héroïne de son véritable premier roman, Kay Scarpetta, naîtra ainsi, au comble d'une authentique assomption de son don d'écriture.

Simultanément, Patricia découvre sa vocation et l'échec de son union avec Charles Cornwell. Elle décide donc d'engager une procédure de divorce. Le manuscrit du roman où Scarpetta n'apparaît qu'au second plan de l'action est expédié à Sara Freed, éditeur de Mysterious Press à New York. Miss Freed l'engage vivement à renoncer au séduisant détective Joe Constable et à donner le premier rôle de l'histoire au médecin légiste Kay Scarpetta... Patricia s'exécute. Alors qu'elle procède à la réécriture du roman, la ville de Richmond est le théâtre d'une série de crimes odieux qui terrorisent la population : Patricia fait l'acquisition de sa première arme, mais aussi, et surtout, les événements dont elle subit le choc émotionnel lui inspirent des modifications qui aboutiront à la version définitive de *Postmortem*.

« Je me suis posé la question de savoir ce que ferait vraiment Scarpetta dans les circonstances présentes. Il m'est alors venu à l'esprit qu'elle devrait s'identifier à la victime du premier meurtre. » Dans le livre, la victime du serial-killer sévissant à Richmond est elle-même médecin et travaille au service des urgences de l'Hôpital. Le transfert psychologique ainsi établi entre les deux personnages permet à l'auteur de se couler à son tour dans une sorte de moule hypnotique dont jaillira spontanément sa manière propre. Scarpetta partagera ses propres peurs. Divorcée, le médecin-légiste vit dans une maison isolée où elle a pris en pension la jeune Lucy, dix ans, la fille de sa sœur, auteur de livres pour enfants. Kay fait équipe avec l'inspecteur Pete Marino, un être assez fruste, macho et borné. Les réticences de Kay à l'encontre des représentants les plus caricaturaux du monde masculin s'émoussent pourtant à la vue de Wesley, agent du FBI en compagnie duquel l'enquête va progresser. Elle associe ce « profiler » cultivé, subtil dans ses raisonnements, à un « magicien » dont la précision analytique la séduit. Kay Scarpetta est une femme écorchée vive hantée par le désordre du monde qui l'entoure. Et, dès les premières pages de *Postmortem*, l'auteur de ses jours conjugue avec une rare maîtrise l'art de nous rendre palpable le moindre de ses états d'âme de façon behaviouriste. Les dialogues sont d'un réalisme laconique propre à gommer le superflu romanesque, à donner à la démarche de l'héroïne toute sa valeur symbolique tout en évacuant la pomposité d'un propos sous-jacent : les flics des romans américains ont si souvent un discours emphatique... Patricia vit trop intensément au cœur même du maelström de fiction qu'elle a déclenché pour le charger d'un contenu réflexif qui n'est pas le sien. De cette carence naît la fluidité du texte, son caractère quotidien qui tranche sur l'extrême densité du fond. « Patricia Cornwell a inventé quelque chose de totalement nouveau dans le champ du roman criminel », dira quelques années plus tard Ruth Rendell, sensible à l'audace, peut-être naïve, en tout cas consacrée par le public, de sa jeune consœur. Le combat de Kay Scarpetta contre l'hydre moderne du tueur en série ne sera qu'ajournée à l'issue d'un premier roman que, pour d'obscures raisons, sept éditeurs refusent en 1988. Patricia est pourtant la cliente d'un prestigieux agent littéraire, Michael Gongdon. Ce n'est que deux ans plus tard que la maison Scrimer's accepte enfin de publier *Postmortem*. Au cours des mois qui suivent, le livre remporte successivement toutes les récompenses attribuées aux meilleurs romans policiers, de l'Edgar Poe Award américain au Prix du Roman d'Aventures en passant par le John Creasy Award décerné à Londres.

En 1991, un certain John Waterman est arrêté en Floride pour le meurtre de Jackie Galloway. On retrouve sur lui un exemplaire de *Postmortem*. Sa victime a subi le même sort que Lori Petersen, dont le cadavre est découvert au début du roman. Patricia s'expliquera auprès des media, indiquant : « Je n'ai pas créé une nouvelle méthode d'homicide. Mon livre ne fait qu'utiliser des pratiques malheureusement éprouvées... »

Le second roman de Cornwell, *Mémoires mortes*, paraît en 1991. Le succès est immédiat. Portée par l'engouement que suscitent à la fois sa personne et la matière de ses livres, la jeune romancière peut définitivement tirer un trait sur sa vie passée. Elle ne quittera pas Richmond, qui demeure le théâtre privilégié des actes de la vie de son héroïne et de ses co-équipiers. Mais le personnage de Beryl Madison, une romancière assassinée à Key West, permet en vérité au lecteur d'élargir sa vision du monde intérieur de l'auteur. Commence – pour un groupe d'initiés, d'abord, puis pour un nombre de plus en plus grand d'observateurs du phénomène Cornwell – un petit jeu certainement voyeuriste favorisé par le comportement de l'écrivain. Dans le troisième roman, *Et il ne restera que poussière...* publié en 1992, le *background* des enquêtes à haut risque de Kay Scarpetta est à présent bien établi. Le Dr Benton Wesley occupe un terrain psychologique de plus en plus prenant dans le « feuilleton » que Patricia Cornwell a instauré. Cette année-là, l'ex-informaticienne de la morgue de Richmond devient l'une des femmes les plus en vue d'Amérique. Elle est même l'objet de menaces, reçoit d'innombrables lettres dont les auteurs la confondent à l'évidence avec l'héroïne qu'elle met si bien en scène dans sa fiction. De passage à Paris, elle affirme se sentir traquée par d'invisibles ennemis... Elle tente d'endiguer les méfaits sur son activité d'une sournoise dépression à l'aide d'un médicament nouveau, le Prozac, et boit énormément. « À cette époque, dira-t-elle en 1997 dans une interview au *New York Times*, je fréquentais beaucoup les bars, les bars gays comme les autres. C'était devenu une habitude. » Cette habitude aurait pu lui être fatale. En 1993, alors qu'elle regagne sa villa de Malibu à bord d'un coupé Mercedes 190, après un repas arrosé, elle perd le contrôle de son véhicule et fait plusieurs tonneaux. Elle sera lourdement condamnée et devra fréquenter durant plusieurs mois la clinique de Edgehill Newport afin d'y suivre une cure de désintoxication.

Dès lors, la vie de Patricia Cornwell se met à ressembler à un véritable rodéo. Les honneurs que lui valent une carrière littéraire internationale en plein essor – certainement sans précédents dans le domaine du roman policier – ne parviennent pas à apaiser ses angoisses. Son médecin personnel, le Dr Erika Blanton, lui a prescrit du Lithium et déclaré au *Richmond Times-Dispatch* que sa cliente était atteinte de symptômes maniaco-dépressifs. Patricia pourtant s'en défend au cours de l'émission *Today* de la chaîne NBC : « Je suis ce qu'on appelle une cyclique rapide, c'est-à-dire que je passe très vite d'un état à un autre, et je me soigne pour cela. » Ces aveux dissimulent la vraie raison du malaise qui, peu à peu, a fait de l'existence de la jeune femme un enfer. La vérité sur la vie très privée de la romancière à succès, lorsqu'elle éclate, fait l'effet d'un scandale. Tout a commencé avec l'envoi de lettres anonymes à différents journaux américains. Ces textes laconiques font allusion à la liaison que miss Cornwell entretiendrait avec une autre femme, agent du FBI. Selon le mystérieux correspondant, une lecture attentive des romans de Cornwell permettrait de se convaincre de cette réalité. Interrogée, Patricia nie ces allégations. Elle va jusqu'à prétendre : « Si tout ceci était vrai, ma vie serait beaucoup plus captivante... » À la mi-juin 1996, les choses se précipitent. Eugene Bennett, un ex-membre du FBI, fait irruption dans la nef déserte d'une église méthodiste de Manassas, un faubourg de Washington et se précipite sur le révérend Edwin Clever qui se trouve là, le menotte puis lui ordonne de téléphoner à sa propre épouse, Marguerite Bennett, dont il est séparé depuis deux ans, afin de la prier de venir les rejoindre. Mrs Bennett arrive peu après, armée. Durant la confrontation, Marguerite tire en direction de son mari, sans l'atteindre. Ce fait-divers sordide en serait peut-être resté là, si, peu après, une radio locale ne s'en était fait l'écho, en précisant que Mrs Bennett, elle-même ancien agent du FBI, ne s'était séparée de son mari pour vivre une liaison tumultueuse avec une romancière célèbre spécialisée dans le roman policier... La nouvelle fait rapidement son chemin. On apprend que Patricia Cornwell et Marguerite Bennett se sont connues en 1991 à Quantico, le célèbre centre d'entraînement du FBI où, comme son héroïne Kay Scarpetta, l'auteur se rend fréquemment. N'est-ce pas à Quantico que la nièce de Scarpetta, Lucy, à présent adulte, entame une carrière d'informaticienne particulièrement brillante ? Cette Lucy qui fait jaser son entourage par ses penchants homosexuels... Les observateurs attentifs auront par ailleurs remarqué, à la lecture d'*Une peine d'exception*, daté de 1993 – l'année où le couple Bennett s'est séparé –, que Scarpetta a entamé une relation avec le séduisant Dr Benton Wesley. Benton, Bennett... À présent, la chasse aux indices est ouverte. L'année suivante, dans *La Séquence des corps*, Cornwell écrit : « Je savais que Lucy avait conçu une espèce de honte secrète qui naissait de son abandon et de son isolement. Je le savais parce que, moi aussi, je traînais cette souffrance sous ma carapace. En tentant de soigner ses blessures, je soignais en réalité les miennes... » La liaison de Scarpetta et du Dr Wesley devient torride : « Nous dérobâmes nos baisers comme on dérobe le feu. Je me savais face à l'impardonnable péché, celui que je ne parvenais pas à nommer, et cela m'était égal. »

Désormais, Patricia Cornwell affrontera courageusement son destin. À Richmond, elle déménage pour vivre dans une maison qui ressemble à un camp retranché. Elle accumule autour d'elle un véritable arsenal et, plus que jamais, son fidèle garde du corps – une femme au physique impressionnant, ayant appartenu à la police locale – redouble de vigilance. Les colossales avancés sur droits d'auteur consentis par son nouvel éditeur G.P. Putnam – 24 millions de dollars pour trois nouveaux Scarpetta – lui permettent d'installer à l'extérieur de la ville, dans un somptueux immeuble de béton et de verre fumé, les bureaux de la « Cornwell Enterprises ». Patricia n'est plus seulement romancière. Elle dirige également une maison de production cinématographique et télévisuelle chargée de l'adaptation de ses best-sellers. Huit personnes travaillent en permanence auprès d'elle. Elle a créé une fondation de charité et fait don de 250 000 dollars au *Virginia Sciences Museum* pour permettre la construction d'une aile nouvelle destinée à la vulgarisation des plus récentes découvertes en matière de médecine légale. En mai 1997, elle fait également une donation importance au Davidson College afin d'aider les étudiants nécessiteux.

La romancière a pris la décision d'alterner l'écriture des enquêtes de Dr Scarpetta avec celle de nouveaux protagonistes. Dans *Hornet's Net*, paru en 1997, elle met en scène Andy Brazil, reporter au *Charlotte Observer* et une femme-policier du nom de Virginia West. (Serait-il possible de lire dans le nom de cette dernière une fine allusion au célèbre couple littéraire Virginia Woolf/ Vita Sackville-West ?) Une note d'humour teinte cette nouvelle partie de l'œuvre de Cornwell qui, à l'issue des huit premiers Scarpetta, présente tous les signes d'un certain essoufflement. La déflagration momentanément dévastatrice de l'affaire Bennett a contraint Patricia à revoir sa stratégie, à se ressaisir en somme... Mais ce n'est sans doute qu'un accident de parcours dont les lecteurs ne lui tiendront pas rigueur. Son tempérament hors du commun lui permet encore de se tenir à distance du peloton de ses consœurs. Celles-ci, depuis la fin des années quatre-vingt, ont d'ailleurs éprouvé le besoin de se regrouper au sein d'une association, les

Sisters In Crime (Sœurs dans le Crime), née en 1987. Nancy Pickard, Teri White, Susan Dunlap, Sara Paretsky, Marcia Muller et Sue Grafton sont quelques-unes des étoiles montantes du polar américain à avoir voulu revendiquer une reconnaissance égale à celle d'ordinaire réservée à leurs collègues mâles. Patricia Cornwell s'est battu en solitaire, avec un acharnement rare, sans revendiquer d'autre idéologie que celle du vieux « rêve américain » qui, par moments, s'est avéré proche d'un authentique cauchemar. Sa démarche a ceci de particulier qu'elle s'est en vérité davantage appuyé sur des convictions profondes – l'existence, dans la société de son pays, de forces du mal qu'il convient d'éradiquer par tous les moyens – mais sans souci littéraire particulier. Comme beaucoup d'outsiders du roman d'action, Patricia Cornwell ne s'est jamais encombrée de références à ses prédécesseurs, mais elle a pris le risque majeur de s'impliquer totalement elle-même dans son entreprise de fiction. Dépassée parfois par l'ampleur de sa tâche, elle n'a, jusqu'ici, montré que quelques signes de faiblesse. Les quatre premiers épisodes de la fascinante saga Kay Scarpetta prouvent qu'elle a eu raison de ne jamais céder devant l'adversité.

François Rivière,
août 1998

1990

POSTMORTEM

Traduit de l'anglais par
Gilles Berton

Ce roman a paru sous le titre original :

POSTMORTEM

1

Il pleuvait à Richmond, ce vendredi 6 juin.

Les trombes d'eau qui s'abattaient sans interruption depuis l'aube avaient plumé les lilas et jonché de feuilles la chaussée et les trottoirs. Les caniveaux débordaient et les terrains de jeux étaient inondés. Je m'étais endormie au son des gouttes qui tambourinaient sur le toit d'ardoise, mais les premières heures de ce samedi me jetèrent dans un rêve terrifiant.

Une face blême oscillait derrière les vitres noires et ruisselantes de pluie. Inhumain, c'était le visage informe d'une poupée confectionnée avec un bas Nylon, qui plongeait son regard mauvais dans ma chambre. J'ouvris brusquement les yeux. Je ne compris pas ce qui m'avait réveillée jusqu'à ce que le téléphone se remette à sonner.

– Dr Scarpetta ?

– Oui, fis-je en allumant la lampe de chevet.

Il était 2 h 33 du matin. Mon cœur cognait.

– Pete Marino à l'appareil. Il a remis ça. Je suis au 5602, Berkley Avenue. Feriez mieux de rappliquer.

La victime était une certaine Lori Petersen, une Blanche d'une trentaine d'années. Son mari l'avait trouvée morte une demi-heure plus tôt.

Dès que j'avais reconnu la voix de Marino au bout du fil, j'avais compris. Peut-être même dès la sonnerie du téléphone. Les gens qui croient aux loups-garous appréhendent les nuits de pleine lune. Moi, je m'étais mise à redouter les trois heures après minuit, le vendredi, lorsque la ville était endormie.

D'habitude, on appelle le médecin expert de garde, mais après le deuxième meurtre, j'avais exigé qu'on m'appelle quelle que soit l'heure s'il y avait un nouvel assassinat. Ce qui ne plaisait guère à Marino. Depuis qu'on m'avait nommée, moins de deux ans plus tôt, médecin expert général du Commonwealth de Virginie, il ne m'avait jamais vraiment acceptée. Était-ce une animosité envers les femmes en général, ou des griefs personnels ? Mystère.

– Berkley Downs, dans le Southside, ajouta-t-il d'un ton condescendant. Vous savez y aller ?

Je lui avouai que non et notai ses indications sur un calepin. Mes pieds touchèrent le sol avant que j'aie raccroché, et l'adrénaline me fit l'effet d'un plein bol d'expresso. La maison était silencieuse. Je pris ma vieille mallette usée.

Aucune lumière ne brillait aux fenêtres des maisons. Je montai dans mon break bleu marine et, tout en effectuant une marche arrière, jetai un coup d'œil à la lampe allumée au-dessus de ma porte, et à la fenêtre de la chambre d'amis du rez-de-chaussée, où dormait ma nièce de 10 ans, Lucy. J'allais encore rater un jour de sa vie. Depuis que j'étais allée la chercher à l'aéroport, le mercredi soir précédent, nous avions à peine eu l'occasion de manger ensemble.

Je ne croisai personne jusqu'au Parkway. Bientôt, je traversai la James River. Les feux arrière des voitures scintillaient comme des rubis, et la ville dansait, fantomatique, dans mon rétroviseur. Des lacs d'ombre bordaient la route, troués çà et là de chapelets de lumière sale. Dans une de ces maisons, pensai-je, vit un type qui marche sur deux jambes, dort dans un lit et possède le même nombre de doigts et d'orteils que tout le monde. Un Blanc, probablement, et beaucoup plus jeune que mes 40 ans. Un individu tout ce qu'il y a d'ordinaire, qui ne roule pas en BMW, ne hante pas les bars chics du Slip, ni les magasins à la mode de Main Street.

Encore que... Ce pourrait être n'importe qui, ou personne. Monsieur Personne. Le genre de type avec qui vous montez vingt étages en ascenseur sans voir son visage.

Il avait décidé de terroriser la ville et était devenu l'obsession de milliers de personnes, de moi en particulier. Monsieur Personne.

Les meurtres ayant commencé deux mois auparavant, il pouvait s'agir d'un individu récemment sorti de prison ou d'hôpital psychiatrique. C'était la dernière hypothèse en date.

J'avais ma propre théorie depuis le début. Pour moi, il était installé en ville depuis peu, avait déjà fait ça ailleurs, et n'avait connu ni la prison ni l'asile. Il n'agissait pas au hasard, ce n'était pas un amateur, ni, j'en étais persuadée, un « fou ».

Wilshire était la deuxième à gauche, ensuite Berkley, la première à droite.

J'étais encore loin quand j'aperçus les clignotements blancs et bleus des gyrophares. Toute la portion de rue devant le 5602 était illuminée comme le site d'une catastrophe naturelle. Une ambulance au ralenti mal réglé était rangée entre deux voitures de police banalisées et trois voitures de patrouille blanches. L'équipe de télévision de la douzième chaîne venait d'arriver. Les fenêtres s'allumaient et les gens sortaient en pyjama et robe de chambre, pour voir.

Je me garai derrière le camion de la télé et, le col de mon imperméable kaki relevé, je longeai rapidement le mur de brique jusqu'à la grille du pavillon. J'ai toujours détesté me voir au journal du soir. Depuis que des femmes se faisaient étrangler à Richmond, les journalistes me bombardaient de questions brutales.

– Si c'est un tueur en série, ça veut dire qu'il va remettre ça, n'est-ce pas ? demandaient-ils, gourmands.

– Doc, est-il exact que vous avez constaté des traces de morsures sur le corps de la dernière victime ?

C'était faux, mais quelle que soit ma réponse, j'étais perdante. « Pas de commentaire », et ils penseraient aussitôt que c'était vrai. « Non », et les journaux titreraient : « Le Dr Kay Scarpetta nie que des marques de morsures, etc. » Une nouvelle idée pour le tueur, qui lit la presse comme tout le monde.

Les articles les plus récents se complaisaient dans des descriptions détaillées. Les femmes, en particulier celles qui vivaient seules, étaient terrorisées. Les ventes d'armes de poing et de verrous sophistiqués avaient augmenté de 50 % durant la semaine qui avait suivi le troisième meurtre, et les chenils de la SPA avaient été dévalisés. L'événement avait fait les gros titres et pas plus tard que la veille, l'infâme mais célèbre Abby Turnbull – journaliste de faits divers – avait menacé mon personnel des foudres du *Freedom of Information Act* dans le vain espoir d'obtenir un exemplaire des rapports d'autopsie.

Le journalisme criminel était florissant à Richmond, 220 000 habitants, vieille capitale de la Virginie, classée deuxième pour le taux de criminalité par tête, selon le FBI. Il n'était pas rare de voir des médecins légistes du Commonwealth britannique passer un mois avec mon équipe pour se familiariser avec les blessures par balle. Et des flics comme

Pete Marino, croyant fuir le chaos de New York ou de Chicago, se faisaient muter à Richmond, où ils découvraient l'enfer.

Ce qui était plus inhabituel, c'étaient ces meurtres sexuels. Les règlements de comptes entre drogués ou les fusillades familiales ne font pas partie du monde du citoyen normal, pas plus qu'une rixe mortelle entre deux clochards ivres. Mais, comme les trois autres victimes, la femme qui venait de se faire assassiner aurait pu être une collègue de bureau, une copine avec qui on fait des courses ou on boit un verre, l'inconnue avec qui on sympathise dans une soirée, ou en faisant la queue dans un magasin. Elle était la voisine, la sœur, la fille, la maîtresse de quelqu'un. Elle dormait paisiblement dans sa chambre quand Mr Personne avait enjambé l'appui de la fenêtre.

Deux policiers flanquaient la porte d'entrée grande ouverte et barrée par un ruban jaune qui en empêchait l'accès.

Le gamin en uniforme bleu marine qui leva le ruban pour me laisser passer aurait pu être mon fils.

Le salon, d'un ordre impeccable, était peint d'un ton de rose chaleureux. Dans un coin, un élégant meuble en cerisier contenait un petit téléviseur et un lecteur de disques compacts. À côté, un pupitre avec quelques partitions et un violon. Devant une fenêtre donnant sur la pelouse, un divan, et, sur la table basse, une pile de magazines. Parmi eux, le *Scientific American* et le *New England Journal of Medicine*. Un tapis chinois orné d'un dragon et d'une rose en médaillon sur fond sable, était jeté devant une petite bibliothèque en noyer.

Du salon, on passait dans un couloir qui desservait à droite quelques chambres, et à gauche la cuisine. Marino et un jeune officier s'y trouvaient en compagnie du mari.

Je notai la propreté des lieux et des appareils ménagers. Le tout était blanc cassé avec un papier peint et des rideaux jaune pâle. Mais mon attention se fixa aussitôt, troublée, sur la table, où était posé un sac à dos de Nylon rouge, dont la police avait déjà inventorié le contenu : un stéthoscope, une torche-stylo, un Tupperware ayant renfermé un plat tout préparé ou un sandwich, et des numéros récents des *Annals of Surgery*, du *Lancet* et du *Journal of Trauma*.

Marino me décocha un regard peu amène en me voyant examiner ces objets, puis il me présenta à Matt Petersen, le mari de la victime, tassé sur son siège, le visage défait. C'était un homme séduisant et bronzé, presque beau, avec des traits réguliers et des cheveux noirs. Bien découplé, il portait avec décontraction une chemise à col ouvert et un jean délavé. Il gardait les yeux baissés, les mains serrées entre ses cuisses.

– C'était à elle ? voulus-je savoir.

Les instruments médicaux appartenaient peut-être au mari. Marino m'assura qu'il n'en était rien.

Petersen releva des yeux d'un bleu profond tout injectés de sang. Ma vue parut le rassurer. Le docteur était là. Première lueur d'espoir.

Il fournit quelques explications.

– Je lui ai parlé au téléphone. Hier soir. Elle devait rentrer vers minuit et demi. Du *Virginia Medical College*. Elle était de service aux urgences. Je suis arrivé, tout était éteint, j'ai cru qu'elle était déjà couchée. (Sa voix grimpa dans les aigus.) Je suis entré dans la chambre. (Son regard désespéré s'embua de larmes. Sa voix se fit suppliante.) Je vous en supplie. Je ne veux pas qu'on la voie comme ça.

– Nous devons l'examiner, Mr Petersen, fis-je d'un ton apaisant.

Il abattit son poing sur la table et hurla.

– Je sais ! Mais pas tout le monde ! Tous ces journalistes qui vont fouiner partout ! Je ne veux pas que ces fils de pute la voient dans cet état !

– Hé ! Matt, moi aussi j'ai une femme, fit Marino. Je vous comprends. Je vous donne ma parole qu'on la respectera. Autant que si c'était ma femme, et que si j'étais à votre place.

Les morts sont sans défense et le viol de Lori Petersen ne faisait que commencer. Je savais qu'il se poursuivrait tant que chaque centimètre carré de son corps, scruté et photographié sous tous les angles, n'aurait pas été soumis à tous les experts, policiers, avocats, juges et membres du jury. Tout ce beau monde émettrait des réflexions sur ses charmes. Et peu à peu, de plaisanteries douteuses en apartés cyniques, ce serait la victime, et non le tueur, qui serait jugée. Le moindre aspect de sa personne, et de sa vie serait soupesé, jugé et parfois sali.

La mort violente est toujours un événement public, et ce n'est pas ce côté de ma profession qui me plaît le plus. Je fais mon possible pour préserver la dignité des victimes, mais je ne peux plus grand-chose lorsqu'elles deviennent un dossier numéroté qu'on se repasse de main en main. Un assassinat tue la vie privée aussi sûrement que la vie tout court.

Je sortis de la cuisine avec Marino.

– Vous avez fini avec les photos ? demandai-je.

– Les types de l'identification judiciaire sont là. Je leur ai dit de ne pas toucher au corps.

Les murs du couloir étaient ornés de quelques aquarelles, deux photos montrant Matt et Lori parmi leurs condisciples, l'année de leur diplôme, et d'un cliché artistique en couleur représentant le couple à la plage, les cheveux au vent, le visage bruni par le soleil. C'était une jolie femme aux traits délicats et au sourire engageant. D'abord inscrite à Brown, elle avait fini ses études de médecine à Harvard. Son mari, plus jeune qu'elle, avait fait toute sa formation à Harvard. C'est probablement là où ils s'étaient rencontrés.

Lori Petersen. Brown. Harvard. Brillante. Trente ans. Son rêve était sur le point de se réaliser. Devenir chirurgien. Un rêve détruit en quelques minutes par un inconnu cherchant à satisfaire un plaisir malsain.

Marino me montra une porte ouverte, un peu plus loin sur notre gauche.

– C'est par là qu'il est entré, dit-il. Les toilettes.

Dans la petite pièce au sol carrelé de blanc, je vis une corbeille à linge en osier sous le lavabo. La fenêtre au-dessus de la cuvette était grande ouverte, carré d'ombre par où entrait un air frais et humide qui faisait onduler le voilage. Dehors, dans les arbres noirs, les cigales stridulaient.

– Il a arraché la moustiquaire, m'expliqua Marino, impassible. On l'a retrouvée contre le mur de derrière. Il a sans doute utilisé un banc pour escalader l'appui.

Je regardai le sol, le lavabo, le couvercle de la cuvette. Pas trace de terre ou de boue, pas d'empreintes, mais il était difficile de juger depuis le seuil, et je n'avais pas l'intention de vérifier au risque d'effacer une trace.

– La fenêtre était-elle verrouillée ?

– Apparemment, non. Toutes les autres le sont. On a vérifié, m'expliqua Marino. Elle aurait dû faire attention. C'est la plus vulnérable. Pas très haute, située sur l'arrière, invisible de la rue. Discrète, quoi. Le type a pu découper la moustiquaire et entrer sans qu'elle l'entende.

– Et la porte ? Elle était fermée à clé quand le mari est rentré ?

– Il dit que oui.

– Donc le tueur est reparti par le même chemin.

– On dirait. Drôlement consciencieux, le salopard, pas vrai ? (Marino non plus ne voulait pas entrer. Appuyé d'une main au chambranle, il scrutait la pièce.) Il a laissé aucune trace, comme s'il avait essuyé derrière lui pour pas laisser d'empreintes sur le chiotte ou le carrelage. Il a quand même plu toute la journée, hier. (Il tourna vers moi des yeux sans expression.) Il devait avoir les chaussures mouillées, boueuses.

Je me demandai où Marino voulait en venir. Je n'arrivais pas à savoir si c'était un bon joueur de poker ou s'il avait tout simplement l'esprit lent. Le genre d'inspecteur que j'évitais quand j'avais le choix. Pas loin de la cinquantaine, le visage buriné, il rabattait quelques longues mèches de cheveux grisonnants sur son crâne dégarni. Il mesurait au moins 1 m 80 et son estomac proéminent témoignait de plusieurs décennies de bière et de bourbon engloutis. Sa large cravate à rayures rouges et bleues démodée était imprégnée de la sueur de plusieurs étés. Marino était un personnage de films de série B – un flic épais qui devait avoir un perroquet obscène pour compagnon, et un canapé jonché de vieux numéros de *Hustler*.

Je gagnai le bout du couloir et m'arrêtai sur le seuil de la chambre. Je me sentais vidée.

Un officer de l'IJ était occupé à répandre de la poudre à empreintes noire sur les moindres surfaces, tandis qu'un de ses collègues filmait la pièce en vidéo.

Lori Petersen était sur le lit. Le couvre-lit blanc et bleu pendait. Le drap de dessus était roulé en boule sous ses pieds. Le drap-housse, défait, découvrait le matelas, et les oreillers étaient entassés à droite de sa tête. Le désordre du lit contrastait avec le reste de la chambre, modèle d'intimité petite-bourgeoise aux meubles de chêne poli.

Elle était nue. Sa chemise de nuit de coton jaune pâle, qui gisait sur la descente de lit aux couleurs vives, avait été coupée de haut en bas, comme dans les trois premiers meurtres. Les fils du téléphone sur la table proche de la porte, avaient été arrachés. Les deux lampes de chevet ne marchaient plus : les cordons électriques avaient été sectionnés. L'un avait servi à attacher les poignets dans le dos de la victime. L'autre était sinistrement disposé comme dans les meurtres précédents. Enroulé autour du cou, il passait sous le nœud qui entravait les poignets et descendait lier les chevilles. Tant qu'elle avait gardé les genoux pliés, la boucle passée autour de son cou était restée lâche. Mais lorsqu'elle avait tendu les jambes sous la douleur ou sous le poids de son agresseur, le fil s'était serré comme un nœud coulant.

La mort par asphyxie prend quelques minutes. C'est long quand chaque cellule hurle pour une bouffée d'air.

– Vous pouvez entrer, doc, disait l'officier à la caméra.

Je m'approchai du lit avec précaution, posai ma mallette par terre et en sortis une paire de gants chirurgicaux. Ensuite je pris mon appareil photo et fis quelques clichés du corps. Le visage, violet foncé, était grotesquement gonflé. Un liquide sanguinolent avait coulé du nez et de la bouche sur le drap. Les cheveux blonds étaient en désordre. Elle devait mesurer 1 m 70 et était beaucoup plus enveloppée que la jeune fille des photos du couloir.

Les quatre femmes étranglées paraissaient n'avoir aucun point physique commun. Pas même la race, puisque la troisième était noire et très mince, alors que la première était une rousse bien en chair, et la deuxième une petite brune. L'une était professeur, l'autre écrivain, la troisième réceptionniste, et cette fois c'était une étudiante en médecine. Enfin, aucune ne vivait dans le même quartier.

Je pris la température de la pièce, puis celle du corps. Il faisait 21° C dans la chambre, et le corps était à 34° C. L'heure du décès est plus difficile à déterminer qu'on ne le croit. Impossible de la situer avec précision à moins d'avoir un témoin oculaire. Il arrive aussi que la montre de la victime soit arrêtée à l'heure du crime. Lori Petersen était morte depuis trois heures au maximum. Son corps s'était refroidi d'environ un à deux degrés par heure, et la rigidité avait déjà gagné les petits muscles.

Je cherchai les indices matériels qui risquaient de disparaître durant le transport à la morgue. Ni poil ni cheveu, mais de nombreuses fibres, dont la plupart devaient provenir du couvre-lit et des draps. À l'aide d'une pince j'en prélevai quelques échantillons minuscules, certains blancs, d'autres d'un tissu bleu foncé ou noir. Je les enfermai dans de petites boîtes métalliques. Mais l'indice le plus évident était l'odeur musquée qui flottait dans la pièce et les traînées d'un blanc transparent qui maculaient le haut et l'arrière des cuisses comme de la colle séchée.

On avait retrouvé du liquide séminal dans tous les cas, mais il n'était pas d'une grande utilité sérologique. Le tueur faisait partie des 20 % de la population ayant la particularité d'être non-sécréteurs. Ce qui voulait dire qu'on ne retrouvait ses antigènes de groupe sanguin dans aucun autre liquide corporel : salive, sperme ou sueur. En d'autres termes, sans un échantillon de sang, on ne pouvait déterminer son groupe.

Jusqu'à deux ans auparavant, cette caractéristique aurait réduit à néant tout espoir de l'identifier grâce aux analyses médico-légales. Mais nous disposons désormais de la méthode d'identification par l'ADN, récemment introduite et si précise qu'elle suffit à identifier formellement un individu, à condition toutefois que la police l'arrête, qu'elle obtienne des échantillons biologiques, et qu'il n'ait pas de frère jumeau.

– La fenêtre du cabinet de toilette... dit Marino derrière moi, en regardant le cadavre. D'après le mari... elle était ouverte parce qu'il l'a bricolée le week-end dernier. Il dit qu'ils se servaient pas de cette pièce. Sauf quand ils recevaient, ajouta-t-il comme je restais silencieuse. Il dit qu'il a remplacé la moustiquaire pendant le week-end et qu'il a dû oublier de verrouiller la fenêtre. Comme ils s'en servaient jamais, il n'avait aucune raison de s'inquiéter. Pour elle, elle était fermée, point final. (Il marqua une pause.) Curieux que la seule fenêtre que le tueur ait essayé d'ouvrir, ce soit justement celle-là. Les autres moustiquaires sont intactes.

– Combien y a-t-il de fenêtres sur l'arrière ?

– Trois. Celle de la cuisine, celle-là et celle de la salle de bains à côté de la chambre.

– Toutes à guillotine, avec un loquet en haut ?

– Exact.

– Ce qui veut dire qu'en éclairant le loquet de l'extérieur avec une lampe de poche, on peut voir s'il est verrouillé ou pas ?

– Peut-être. (Nouveau regard vide, hostile.) Mais dans ce cas, il faudrait grimper sur quelque chose pour accéder aux fenêtres.

– Vous avez parlé d'un banc.

– Le problème, c'est que là derrière, le sol est mou comme une éponge. Un banc aurait laissé des trous dans la pelouse. Deux de mes hommes sont en train de vérifier, mais ils ont pas trouvé de trace sous les deux autres fenêtres, comme si le type ne s'en était même pas approché.

– Il est possible que celle-là ait été entrouverte, ce qui expliquerait qu'il l'ait repérée tout de suite.

– Mouais... admit Marino. Tout est possible. Mais si elle était restée entrouverte, elle aussi aurait pu le remarquer pendant la semaine.

Possible. Pas sûr. Facile de se montrer observateur après coup, mais chez eux, les gens ne prêtent guère attention à ces détails.

Un nouveau frisson me parcourut lorsque je remarquai, sur un bureau installé devant une fenêtre en façade, des objets qui me rappelèrent que Lori et moi exercions le même métier. Des revues médicales encombraient le sous-main. Près du pied élancé d'une lampe en cuivre, je vis deux disquettes datées « 1-6 » au feutre noir, et numérotées « I » et « II ». C'étaient des disquettes standard double densité, pour IBM et compatibles. Elles contenaient peut-être des documents sur lesquels Lori travaillait au VMC. Je n'avais pas remarqué d'ordinateur personnel dans la maison.

Des vêtements étaient soigneusement pliés sur un fauteuil en osier entre la commode et la fenêtre : un pantalon de coton blanc, une chemise à manches courtes et à rayures rouges et blanches, un soutien-gorge. Les vêtements étaient un peu froissés, comme s'ils avaient été portés et laissés là le soir.

J'inspectai rapidement la penderie et la salle de bains attenante. Tout y était en ordre. Seul le lit détonnait. Il n'entrait pas dans le *modus operandi* du tueur de saccager les appartements.

Marino regardait un officier qui examinait les tiroirs de la commode.

– Que savez-vous d'autre sur le mari ? lui demandai-je.

– Il termine ses études à Charlottesville. Il y reste toute la semaine et revient du vendredi soir au dimanche soir.

– Il fait quoi, comme études ?

– Littérature, rétorqua Marino dont le regard s'arrêtait sur tout sauf sur moi. Doctorat.

– En quoi ?

– Littérature, scanda Marino, vindicatif.

– Quel genre de littérature ?

Ses yeux marron se décidèrent à me regarder.

– Américaine, à ce qu'il m'a dit. Mais j'ai l'impression qu'il s'intéresse surtout au théâtre. Il joue dans une pièce de Shakespeare en ce moment. *Hamlet*, si je me souviens bien. Il a eu des petits rôles dans des films et des publicités pour la télé.

Les officiers de l'IJ s'interrompirent. L'un d'eux se retourna, la brosse pointée en l'air. Marino venait de désigner les disquettes sur le bureau.

– On devrait jeter un coup d'œil dans ces trucs-là, déclara-t-il d'une voix forte. Il est p't'être en train d'écrire une pièce, hein ?

– On peut essayer de les lire dans mon bureau, proposai-je. On a deux ou trois PC compatibles.

– Des PC, fit-il d'une voix traînante. Z'en avez de la chance. Ma RC n'a qu'à bien se tenir. Ouais ! Une *Royal Crapola*, version standard, carrée, noire, avec de grosses taches graisseuses et un tank en guise de chariot.

Un des types de l'IJ venait de trouver quelque chose dans le tiroir du bas, sous une pile de pulls : un couteau de survie à longue lame, avec une boussole sertie dans la poignée et une petite pierre à aiguiser dans une poche cousue au fourreau. Il glissa le tout dans un sac plastique. Au même endroit, on trouva une boîte de préservatifs, ce qui m'étonna puisque Lori Petersen, d'après ce que j'avais vu dans la salle de bains, prenait la pilule.

Marino et les autres y allèrent d'un commentaire perfide. Je fourrai mes gants dans ma mallette.

– Vous pouvez la faire emmener, dis-je.

Les hommes se retournèrent d'un bloc, comme si je leur avais brutalement rappelé la présence du cadavre de la femme violentée gisant sur le lit. La souffrance avait retroussé ses lèvres sur ses dents, et à travers les fentes des paupières gonflées, ses yeux aveugles fixaient le plafond.

Un message radio prévint l'ambulance, et quelques minutes plus tard deux infirmiers en salopette bleue entrèrent avec un brancard.

On souleva Lori Petersen selon mes indications, le drap replié sur elle, pour que même les mains gantées ne touchent pas sa peau. On la déposa délicatement sur le brancard. Les bandes Velcro crissèrent autour du coton blanc.

Marino me suivit hors de la chambre et, à mon grand étonnement, proposa de me raccompagner.

Matt Petersen se leva en nous voyant passer dans le couloir. Livide, les yeux vitreux, il me jeta un regard implorant. Je devais le rassurer. Le réconforter d'un mot, lui promettre que sa femme était morte rapidement, sans souffrir. Qu'elle avait été ligotée et violée après. Je fus incapable de trouver les mots qu'il attendait.

Les projecteurs de la télé, qui illuminaient le devant de la maison flottaient sur les éclairs des gyrophares. Les phrases impersonnelles des communications radios se mêlaient au ronronnement des moteurs tandis qu'une pluie fine faisait fondre la brume.

Des hordes de journalistes bardés de calepins et de magnétophones attendaient le moment où le corps apparaîtrait. Devant une caméra de télévision installée dans la rue, une femme en imperméable chic serré à la taille, le visage grave, égrenait les informations du samedi soir dans son micro.

Bill Boltz, l'avoué du Commonwealth, qui venait d'arriver, descendit de voiture. Hébété et endormi, il comptait laisser la presse dans le vague. Il n'avait rien à dire parce qu'il ne savait rien. Qui l'avait prévenu ? Marino ? On voyait des flics partout. Boltz remonta la fermeture de son blouson, hocha la tête en croisant mon regard, puis se dirigea rapidement vers la maison.

Le chef de la police et un commandant étaient assis dans une voiture beige banalisée au plafonnier allumé, bavardaient avec

Abby Turnbull, penchée par leur vitre ouverte. Dès qu'elle nous aperçut, elle trottina vers nous.

Marino l'arrêta d'un geste et lâcha un « Pas de commentaire » qui voulait dire : « Va te faire foutre ».

Il pressa le pas. Je l'aurais presque remercié.

– Bonté divine, marmonna-t-il en tâtant ses poches à la recherche de ses cigarettes. Quel cirque !

À présent la pluie tombait plus dru. Les gouttes m'avaient rafraîchie. Je mettais le contact lorsque Marino se pencha vers moi en grimaçant un sourire.

– Soyez prudente avec cette pluie, doc, fit-il avant de claquer la portière.

2

Au-dessus du dôme de la gare, des voies entrelacées et du pont de l'I-95, la grosse horloge blanche flottait comme une pleine lune dans le ciel noir. Ses aiguilles en filigrane s'étaient immobilisées en même temps que le dernier train de passagers des années plus tôt, sur 12 h 17. Désormais il serait toujours 12 h 17 dans ce quartier de la ville qui abritait l'hôpital pour les morts.

Ici le temps s'est arrêté. Les immeubles condamnés sont peu à peu démolis. La circulation et le passage continuel des trains de marchandises font une perpétuelle rumeur d'océan en furie. Le sol ressemble à une plage polluée et aveugle. Aucun signe de vie en dehors des poids lourds, de quelques rares voitures et des trains cahotant sur leurs rails.

Le cadran de la grosse horloge blanche me fixa comme le visage livide de mon rêve.

Je garai le break derrière le bâtiment en stuc où je passais pratiquement toutes mes journées depuis deux ans. Le seul autre véhicule garé dans le parking était la Plymouth grise de Neils Vander, le spécialiste des empreintes digitales. Je l'avais appelé aussitôt après le coup de téléphone de Marino. Dès le deuxième meurtre, on avait convenu qu'en cas de nouvelle agression, Vander me rejoindrait à la morgue. Il réglait le laser dans la place réservée aux radioscopies.

Un flot de lumière provenant du hall éclairait deux infirmiers occupés à retirer d'une ambulance un sac sombre contenant un corps. Les cadavres arrivaient jour et nuit. Toute victime de mort violente, subite ou suspecte du centre de la Virginie était expédiée ici, quels que soient l'heure et le jour.

J'entrai et tins la porte ouverte devant les hommes en salopette bleue surpris de me voir.

– Vous commencez bien tôt, aujourd'hui, doc.

– Un suicidé de Mecklenburg, fit le second sans que je ne lui demande rien. Il s'est jeté sous un train.

– Ouais. Un vrai puzzle... sur trente mètres de long !

Le sac devait être défectueux car il laissait échapper des gouttes de sang sur le carrelage blanc.

La morgue avait son odeur habituelle de mort qu'aucun déodorant ne pouvait chasser. Les yeux bandés, j'aurais pu dire où j'étais. Et à cette heure matinale, le relent était plus écœurant que jamais. Les infirmiers poussèrent le brancard grinçant jusque dans la chambre réfrigérée en acier inoxydable.

Je pénétrai dans le bureau de la morgue, où Fred, le préposé à la sécurité, buvait du café dans un gobelet en plastique, en attendant que les infirmiers viennent signer le registre. Une fesse sur le rebord de son bureau, il s'abstenait de regarder le hall, comme chaque fois qu'on apportait un cadavre. Il n'avait jamais mis les pieds dans la chambre froide. La vue des petites étiquettes accrochées aux orteils glacés le rendait nerveux.

Il jeta un coup d'œil à la pendule murale. Cela faisait bientôt dix heures qu'il était là.

– On va vous amener une autre femme étranglée, lui dis-je.

– Mon Dieu ! Mon Dieu ! fit-il en secouant la tête. Je vous jure... Comment peut-on faire des choses pareilles ? Toutes ces pauvres jeunes dames...

– Elle sera là d'une minute à l'autre. Une fois que le corps sera dans la chambre, je veux que vous fermiez la porte du hall au nez d'une horde de journalistes. Je ne veux voir *personne* à moins de cent mètres du corps. C'est clair, Fred ?

J'eus conscience de la dureté de ma voix. Mes nerfs vibraient comme une ligne à haute tension.

– Oui, m'dame, fit le Noir avec un vigoureux hochement de tête. J'ouvrirai l'œil.

J'allumai une cigarette et décrochai le téléphone.

Bertha décrocha à la deuxième sonnerie.

– Allô ? fit-elle d'une voix ensommeillée.

– Je venais aux nouvelles.

– Je suis là, Dr Kay. Lucy dort toujours.

– Merci, Bertha. Je ne sais comment vous remercier. Je ne peux pas vous dire quand je rentrerai.

– Ça ne fait rien. Je vous attendrai, Dr Kay.

Bertha aussi était mobilisée depuis quelque temps. Si on m'appelait au milieu de la nuit, je l'appelai à mon tour. Elle avait une clé de la maison et savait comment fonctionnait l'alarme. Elle avait dû arriver à la maison quelques minutes après mon départ. Lucy se réveillerait dans quelques heures et trouverait Bertha dans la cuisine, au lieu de tante Kay.

Je lui avais promis de l'emmener à Monticello.

Sur un chariot, le générateur bleu avec ses témoins verts qui brillaient sur le devant flottait comme un satellite dans l'obscurité de la salle. Un cordon en spirale le reliait à un tube de la taille d'un crayon, rempli d'eau de mer. L'appareil laser que nous avions acheté l'hiver précédent était tout simple.

Dans des conditions normales, les atomes et les molécules émettent chacun leur propre lumière, et ce sur des longueurs d'onde différentes. Mais si un atome est excité par la chaleur, et si une lumière d'une certaine longueur d'onde est dirigée sur lui, on peut lui faire émettre de la lumière en phase.

– Je n'en ai plus que pour une minute, fit Neils Vander qui tripotait des interrupteurs et des manettes. Il est long à chauffer ce matin. Moi aussi, d'ailleurs, marmonna-t-il.

Je me tenais de l'autre côté de la table, distinguant sa silhouette grâce à une paire de lunettes aux verres couleur ambre. Le corps de Lori Petersen était étendu sur son drap. J'attendis un long moment dans le noir, mais je me sentais calme. Le corps de Lori était encore chaud. La vie flottait encore autour de lui, comme un parfum.

Vander appuya sur un bouton. Le petit tube émit une lumière synchronisée et clignotante, aussi brillante que du chrysobéryl liquide. La lumière, au lieu de dissoudre l'obscurité, paraissait l'absorber. Elle ne brillait pas mais coulait sur les surfaces qu'elle rencontrait. Je vis clignoter la blouse de Vander lorsqu'il se pencha par-dessus la table pour braquer le tube vers la tête de la victime.

Le faisceau lumineux n'explorait que quelques centimètres carrés de peau à la fois. De minuscules fibres s'illuminèrent comme des fils de fer chauffés à blanc. Je les prélevai avec ma pince. Mes mouvements, décomposés par le clignotement, me donnaient l'impression de bouger au ralenti lorsque je portais les fibres jusqu'au chariot où étaient disposés les petites boîtes et les sacs plastiques où je les glissais. Aller, retour. Tout était fragmenté. Le bombardement du laser isolait une partie du visage après l'autre, illuminant un coin de lèvre, une pommette piquetée de taches rouges, l'aile du nez. Mes doigts gantés ne m'appartenaient plus.

La syncope de la lumière était étourdissante, et la seule façon de conserver son équilibre était de se concentrer.

– Un des types qui l'a amenée, fit Vander, m'a dit qu'elle était étudiante au VMC. Vous la connaissiez ? insista-t-il devant mon silence.

La question me prit au dépourvu. Je donnais des cours au VMC, mais le collège recevait des centaines d'étudiants et de résidents. Il y avait peu de chances que je l'aie rencontrée.

Je ne répondis pas mais continuai à donner des indications à Vander : « Plus à droite » ou : « Restez là-dessus une minute. » Vander se mouvait avec lenteur. Il était aussi concentré et tendu que moi. Nous nous sentions gagnés par le découragement et la frustration. Jusqu'ici le laser ne nous avait servi qu'à ramasser des débris.

Nous l'avions déjà utilisé dans une vingtaine de cas, dont quelques-uns seulement en méritaient l'usage. Outre son utilité pour collecter des indices matériels, il met en évidence certains composants de la transpiration, qui brillent comme des néons lorsque le faisceau les illumine. Théoriquement, il permet de repérer et d'identifier une empreinte digitale sur la peau, ce que la poudre à empreintes ou les méthodes chimiques sont impuissantes à réaliser. Mais je ne connaissais qu'un seul exemple d'identification de ce genre : le cas d'une femme assassinée dans un sauna en Floride, parce que son agresseur avait de la crème à bronzer sur les mains. Ni Vander ni moi n'espérions rien.

C'est pourquoi nous ne comprîmes pas tout de suite l'importance de notre découverte.

Le faisceau balayait l'épaule droite de Lori Petersen lorsque, juste au-dessous de la clavicule, il révéla trois taches irrégulières, aussi nettes que si elles avaient été peintes au phosphore. Nous nous figeâmes. Puis Vander siffla entre ses dents, et un frisson courut le long de ma colonne vertébrale.

À l'aide de poudre et d'un pinceau Magna, Vander fit apparaître les trois empreintes de doigts.

– Elles sont utilisables ? demandai-je.

– Elles sont incomplètes, dit-il en commençant à prendre des photos à l'aide d'un Polaroïd MP-4. Mais le détail des stries est parfait. On va pouvoir les classer. Je les rentre dans mon ordinateur.

– On dirait le même produit, fis-je.

Le monstre aurait-il signé son crime ? Trop beau pour être vrai. Les empreintes étaient si parfaites que nous n'osions y croire.

– On dirait bien que c'est le même truc. Mais cette fois-ci, il en avait plein les mains.

Jusqu'ici le tueur n'avait jamais laissé ses empreintes, mais le résidu scintillant ne nous était pas inconnu. Et il n'y en avait pas que sur l'épaule. Lorsque Vander dirigea le faisceau sur le cou de la victime, il fit surgir une constellation de minuscules étoiles blanches. J'allai chercher en hâte un tampon de gaze stérile.

Nous avions découvert le même produit sur les corps des trois premières victimes, en quantité de plus en plus importante à chaque fois. On en avait envoyé des échantillons au labo. Jusqu'alors, personne n'avait réussi à l'identifier. La seule certitude était qu'il ne s'agissait pas d'une substance organique.

Seule s'allongeait la liste de ce que le résidu *n'était pas*. Au cours des semaines précédentes, Vander et moi avions procédé à des séries de tests, nous enduisant les avant-bras de quantité de produits, depuis la margarine jusqu'à diverses lotions corporelles, afin de déterminer lesquels réagissaient au laser. À notre grande surprise, peu de ces produits s'illuminèrent, et aucun ne brilla aussi puissamment que le résidu inconnu.

Je glissai un doigt sous le fil électrique qui enserrait le cou de Lori Petersen, découvrant le sillon rouge vif qui mordait la peau. Les bords n'étaient pas nets, j'en déduisis que l'étranglement avait été plus lent que je ne l'avais supposé. On avait laissé du mou à la boucle avant de serrer d'un seul coup. Le laser ne révéla que deux ou trois points scintillants sur le fil.

– Examinons le lien qu'elle a aux chevilles, dis-je d'une voix calme mais l'estomac noué.

Mêmes points lumineux, quoique peu nombreux. Pas de trace du produit sur le visage, les cheveux ou les jambes. Nous trouvâmes plusieurs paillettes sur les avant-bras, les bras et la poitrine. Un semis d'étoiles scintilla sur les fils qui ligotaient les poignets dans le dos, et sur la chemise de nuit.

Je m'éloignai de la table et allumai une cigarette.

Le produit que l'agresseur avait sur les mains s'était déposé partout où il avait touché sa victime. Après avoir déchiré la chemise de nuit de Lori Petersen, il l'avait saisie aux épaules d'où la concentration de produit sur la clavicule.

Ce qui m'étonnait, c'était que cette pièce magique du puzzle ne collait pas du tout en réalité.

Depuis le début, je pensais que le tueur commençait par immobiliser ses victimes, les soumettre, peut-être sous la menace d'un couteau, et qu'ensuite il les ligotait avant de déchirer leurs vêtements. Plus il les touchait, moins il avait de produit sur les mains. Pourquoi cette forte concentration de résidu sur la clavicule ? Cette zone était-elle découverte lorsqu'il avait agressé Lori Petersen ? Je ne le pensais pas. La chemise de nuit était un ample T-shirt en coton à manches longues. Ni bouton, ni fermeture Éclair. On l'enfilait par la tête. Donc la clavicule était couverte. Il n'avait pu la toucher. Pourquoi une telle concentration de produit ? Nous n'en avions jamais trouvé autant.

Dans le couloir, plusieurs policiers en uniforme bavardaient, appuyés contre le mur. Je demandai à l'un d'eux de contacter Marino par radio. Sa réponse me parvint dans le grésillement des parasites : « Dix-quatre. » En attendant, je fis les cent pas entre les tables en acier inoxydable, les lavabos et les chariots encombrés d'instruments chirurgicaux. J'entendais goutter un robinet. L'odeur du désinfectant, qui n'est tolérable que lorsqu'elle dissimule une puanteur pire encore, me donnait la nausée. Posé sur un bureau, le téléphone noir et silencieux semblait me narguer. Marino lambinait.

Bien qu'il me parût futile de m'échiner à comprendre ce qui lui déplaisait en moi, j'y repensai de temps en temps. Je m'étais pourtant montrée polie la première fois que nous nous étions rencontrés. Mais ma poignée de main l'avait fait se fermer comme une huître.

J'attendis la sonnerie vingt minutes.

Marino était encore chez Petersen. Il interrogeait le mari, « con comme un rat », dit-il.

Je lui parlai des taches brillantes et lui répétai mon hypothèse. Il était possible que ces points lumineux soient provoqués par quelque produit ménager courant, un accessoire bizarre que le tueur trouvait sur place et intégrait à son macabre rituel : talc pour bébé, lotion, cosmétique, produit nettoyant.

Et s'il ne trouvait pas ce produit au domicile des victimes, comme je le pensais, alors il l'apportait avec lui, peut-être involontairement, ce qui nous permettrait peut-être d'identifier son domicile ou son lieu de travail.

– D'accord, fit Marino au bout du fil. Je jette un coup d'œil dans les placards. J'ai ma petite idée.

– À savoir ?

– Le mari fait du théâtre. Il répète tous les vendredis soir, c'est pour ça qu'il rentre si tard. Les acteurs se maquillent, pas vrai ?

– Seulement pour les répétitions en costume et les représentations.

– Exact, coassa-t-il. Et d'après ce qu'il raconte, ils ont justement eu une représentation en costume hier soir. Et j'ai mon petit doigt qui me démange...

– Vous avez pris ses empreintes ? le coupai-je.

– Bien sûr.

– Alors mettez-les sous plastique et apportez-les.

Il dut être surpris, mais je n'ajoutai rien. Je n'étais pas d'humeur à me lancer dans des explications.

– J'ai comme l'impression que je vais être ficelé ici jusqu'à ce soir. Sans jeu de mots, doc.

J'avais donc peu de chances de le voir, pas plus que le jeu d'empreintes, avant lundi. Marino tenait son suspect. Il poussait son cheval sur la piste favorite des flics. Même si le mari était saint Antoine en personne et se trouvait en Angleterre au moment des faits, les flics le considéreraient comme le suspect numéro un.

Les meurtres domestiques par arme à feu, empoisonnement, tabassage ou coup de couteau n'ont rien à voir avec les meurtres sexuels. Peu de maris pourraient ligoter, violer et étrangler leur propre femme.

Je mis ma nervosité sur le compte de l'épuisement.

J'étais debout depuis 2 h 33 et il était presque 18 heures. Vander était rentré chez lui vers midi. Wingo, l'un de mes assistants pour les autopsies, était parti peu après, et je m'étais retrouvée seule.

Le silence, que j'avais habituellement tendance à rechercher, me mettait les nerfs à vif et je n'arrivais pas à me réchauffer. Chaque fois que le téléphone sonnait dans le bureau, je sursautais.

L'absence presque totale de mesures de sécurité autour de mon bureau n'inquiétait que moi. Nos demandes étaient systématiquement rejetées. Le commissaire craignait avant tout les vols, alors qu'il était évident qu'aucun cambrioleur ne se risquerait à pénétrer dans la morgue, même si nous laissions jour et nuit les portes grandes ouvertes. Un cadavre est beaucoup plus dissuasif qu'un chien de garde.

Les morts ne m'effraient pas. C'est des vivants que j'ai peur.

Depuis que, quelques mois auparavant, un détraqué était entré dans la salle d'attente d'un médecin et avait tiré à l'aveuglette sur les patients qui s'y trouvaient, j'avais payé de ma poche une chaîne et un verrou, que nous utilisions le soir et durant les week-ends pour renforcer les doubles portes vitrées.

Or ce soir-là, alors que je travaillais à mon bureau, quelqu'un les secoua si violemment que la chaîne oscillait encore lorsque je finis par descendre voir. Il arrivait que des vagabonds viennent utiliser nos toilettes, mais lorsque je regardai dans la rue, je ne vis personne.

Je regagnai mon bureau, mais j'étais si nerveuse que lorsque j'entendis coulisser les portes de l'ascenseur, je saisis une paire de ciseaux, bien décidée à m'en servir. C'était le gardien de jour.

– C'est vous qui avez essayé d'entrer par le hall, il y a quelques minutes ? lui demandai-je.

Il regarda les ciseaux d'un drôle d'air et me dit que non. Les portes étaient cadenassées et il avait les clés des autres entrées du bâtiment. Il n'avait aucune raison d'essayer d'entrer par-devant.

Dans le silence pesant qui s'ensuivit, je retournai m'asseoir à ma table, incapable de poursuivre l'enregistrement du rapport d'autopsie de Lori Petersen. J'eus soudain le sentiment que personne ne devait entendre ce que j'avais à dire, pas même Rose, ma secrétaire. Personne ne devait avoir connaissance du résidu brillant, du liquide séminal, des empreintes digitales, du profond sillon au cou – ni, surtout, des signes hideux de torture.

Le viol et le meurtre ne lui suffisaient plus. Ce n'est qu'après avoir ôté les liens qui immobilisaient Lori, après avoir pratiqué de petites incisions dans des zones suspectes et palpé la peau à la recherche d'os brisés, que je compris ce qui s'était passé avant sa mort.

Les contusions étaient récentes et presque invisibles, mais les incisions que j'avais pratiquées avaient révélé sous la peau des vaisseaux sanguins éclatés, que j'attribuai à de violents coups de genou ou de pied. Trois côtes avaient été brisées au côté gauche, ainsi que quatre doigts. Les fibres dans la bouche indiquaient qu'on avait bâillonné Lori pour l'empêcher de hurler.

Je revis le violon posé sur le pupitre du salon, les revues et les ouvrages médicaux. Ses mains. Elles étaient ses plus précieux instruments. Avec elles, elle pouvait soulager la douleur, jouer de la musique. Il avait dû lui casser les doigts un à un.

Le magnéto tournait toujours. Je l'éteignis, fis pivoter ma chaise face à mon ordinateur. L'écran noir vira au bleu lorsque j'appelai le traitement de texte. Je tapai moi-même le texte du rapport d'autopsie.

Je ne consultai pas mes notes griffonnées au dos de l'emballage des gants que j'avais utilisés pour pratiquer l'autopsie. Je savais tout d'elle. Par cœur. L'expression « en bonne condition » dansait dans ma tête. Son cœur, ses poumons, son foie. « En bonne condition. » Je tapai, tapai, tapai. Jusqu'au moment où je levai brusquement les yeux. Fred, le gardien de nuit, se tenait sur le seuil.

Je n'avais aucune idée du temps qui s'était écoulé depuis que j'avais commencé à travailler. Fred reprenait son travail à 20 heures. La journée entière m'apparut comme un rêve, un très mauvais rêve.

– Z'êtes encore là ? fit-il avant de poursuivre d'un ton hésitant : Euh... il y a un fourgon des pompes funèbres en bas. Ils venaient chercher un corps mais ils le trouvent pas. Ils sont venus de Mecklenburg exprès. Et j'sais pas où est Wingo.

– Wingo est parti depuis longtemps. Quel corps ?

– Un nommé Roberts, qu'est passé sous un train. Je réfléchis un instant. En comptant Lori Petersen, nous avions six pensionnaires ce jour-là.

– Il est dans la chambre froide, dis-je.

– Ils disent que non.

J'ôtai mes lunettes et me frottai les yeux.

– Avez-vous vérifié ?

Fred eut un sourire embarrassé et recula.

– Dr Scarpetta, vous savez bien que j'entre pas au frigo !

3

Je me garai devant la maison et constatai avec soulagement que l'énorme Pontiac de Bertha était toujours là.

– Quel temps il a fait ? demandai-je quand la porte s'ouvrit.

Bertha savait ce que je voulais dire. Je lui posai la question chaque fois qu'elle avait gardé Lucy.

– Il a fait *mauvais*, Dr Kay. Cette enfant est restée toute la journée dans votre bureau à taper sur le clavier de l'ordinateur. Vous vous rendez compte ! Et dès que j'entrais dans le bureau pour lui apporter un sandwich ou lui demander si tout allait bien, elle me reprochait de la déranger ! Mais au fond, elle était déçue de ne pas vous avoir avec elle.

Je ressentis une petite morsure de culpabilité.

– J'ai vu le journal du soir, Dr Kay. Que Dieu nous protège. (Elle enfila son manteau sans précipitation.) Je me doute de ce que vous avez dû faire toute la journée. Seigneur... Espérons que la police va l'arrêter. C'est de la méchanceté.

Bertha savait ce que je faisais pour gagner ma vie et ne me posait jamais de questions. Même si la victime habitait son quartier.

– J'ai laissé le journal là-bas, dit-elle en montrant vaguement le salon avant de prendre son sac. Je l'ai caché sous un coussin pour qu'elle ne tombe pas dessus.

Elle me tapota l'épaule avant de sortir.

Je la regardai monter dans sa voiture et manœuvrer pour sortir de l'allée. Que Dieu la protège. J'avais renoncé depuis longtemps à lui présenter des excuses au nom de mes nièce, sœur et mère qui l'avaient si souvent insultée, de vive voix ou au téléphone. Bertha savait et n'avait aucune animosité. Je la soupçonnais même de me plaindre, ce qui m'accablait encore plus. Je refermai la porte et allai dans la cuisine.

C'était ma pièce préférée. Haute de plafond, elle était dotée d'un minimum d'appareils électroménagers, car je préfère couper les pâtes fraîches ou pétrir la pâte à la main. Un billot de boucher en érable trônait à une hauteur exactement calculée pour une femme de 1 m 67 pieds nus. La table du petit déjeuner était installée devant une grande fenêtre donnant sur les arbres du jardin et la mangeoire aux oiseaux. Des bouquets de roses provenant de mes plates-bandes jalousement entretenues égayaient le bois blond des placards.

Lucy n'était pas à la cuisine. Elle avait dû retourner dans mon bureau.

Je pris une bouteille de chablis au frais et m'en servis un verre. Appuyée contre le bar, je dégustai le vin à petites gorgées. Que faire de Lucy ?

Elle était venue chez moi l'été précédent pour la première fois depuis que j'avais quitté et le cabinet du médecin expert du comté de Dade, et ma ville natale, où j'étais retournée après mon divorce. Lucy est ma seule nièce. Dix ans. Niveau d'une lycéenne en maths et sciences. Un petit génie. Une adorable petite terreur qui avait de mystérieux ancêtres latins, et dont le père était mort précocement. Elle n'avait que sa mère, mon unique sœur, Dorothy, laquelle, trop occupée à écrire des livres pour enfants, négligeait sa propre fille. Lucy me vouait une adoration aussi totale qu'irrationnelle. Ce soir-là, en voiture, je m'étais demandé s'il ne valait pas mieux la renvoyer à Miami dès que possible. Mais je ne pouvais m'y résoudre.

Elle serait bouleversée et ne comprendrait pas. Ce serait pour elle l'ultime rejet couronnant toute une vie de rejets. Elle avait attendu ce séjour une année entière. Moi aussi, d'ailleurs.

Je bus une gorgée de vin, attendant que le profond silence apaise mes nerfs et chasse mes soucis.

J'habitais, à l'ouest de la ville, un lotissement récent de pavillons spacieux bâtis sur des parcelles boisées d'un demi-hectare. Le voisinage était si calme, les cambriolages et le vandalisme si rares que cela faisait une éternité que je n'avais pas vu de voiture de police dans le secteur. Cette sérénité était inestimable. Le matin, c'était pour moi un apaisement que de prendre mon petit déjeuner en sachant que la seule violence qui s'exerçait sous mes fenêtres était le fait d'un écureuil et d'un geai se disputant la mangeoire.

J'inspirai un grand coup et avalai une autre gorgée de vin. Je commençai à redouter l'obscurité de ma chambre avant le sommeil, le relâchement de la vigilance de mon esprit, sa vulnérabilité. Je ne pouvais m'empêcher de songer à Lori Petersen. Le barrage mental avait cédé, et les images déferlaient en moi, atroces.

Je les voyais dans sa chambre. Le tueur au visage sans traits, vision furtive, imprécise. Une fois passée l'angoisse d'être réveillée par le contact glacé d'une lame sur sa gorge, ou par le son d'une voix inconnue, Lori avait probablement essayé de le raisonner. Elle avait dû parler, parler, tenter de le dissuader. Et pendant ce temps, il arrachait les fils électriques et commençait à l'attacher. Elle était diplômée de Harvard, voulait devenir chirurgien. Elle avait utilisé sa raison contre une force qui ne connaissait pas la raison.

Ensuite les images s'accéléraient, la bobine s'emballait, le film cassait tandis que Lori sombrait dans la pure terreur. L'indicible. Je ne pouvais pas regarder. Impossible d'en supporter davantage.

Mon bureau donnait sur la forêt, et les stores étaient baissés, comme à l'accoutumée. Je m'arrêtai un instant à la porte et laissai mon regard errer dans la pièce tandis que Lucy, qui me tournait le dos, pianotait avec ardeur sur le clavier de mon ordinateur. Cela faisait des semaines que je n'avais pas fait le ménage, et j'eus honte de l'état de la pièce. Les livres étaient rangés n'importe comment sur les étagères, des numéros de

Law Reporters étaient empilés par terre. Mes diplômes et mes certificats encadrés étaient alignés contre un mur : universités de Cornell, John Hopkins, Georgetown, etc. J'avais depuis longtemps l'intention de les accrocher dans mon bureau en ville, mais je n'avais jamais pris le temps de le faire. Entassés sur un coin du tapis T'ai-Ming bleu foncé, des articles attendaient d'être lus et archivés. Ma réussite professionnelle grignotait mon temps, moi qui détestais le désordre.

– Pourquoi tu m'espionnes ? marmonna Lucy sans se retourner.

– Je ne t'espionne pas, rétorquai-je en souriant avant de déposer un baiser sur ses cheveux roux.

– Si, tu m'espionnes, fit-elle sans cesser de taper. J'ai vu ton reflet. Tu me surveillais depuis la porte.

Je l'enlaçai et posai mon menton sur le sommet de son crâne. Je ne m'étais jamais avisée que l'écran faisait miroir. Je compris brusquement pourquoi Margaret, ma programmatrice, pouvait, le dos à la porte, interpeller par leur nom les gens qui passaient dans le couloir. Je distinguai les lunettes à monture d'écaille de Lucy. D'habitude elle m'accueillait en me sautant au cou. Ce soir elle était de mauvaise humeur.

– Désolée de n'avoir pas pu t'emmener à Monticello.

Haussement d'épaules.

– J'ai été aussi déçue que toi, insistai-je.

Nouveau haussement d'épaules.

– De toute façon je préférais rester à l'ordinateur.

Elle mentait mais la remarque me piqua au vif.

– Quelle pagaille, là-dedans ! dit-elle en enfonçant la touche « retour ». Ton disque avait besoin d'un bon nettoyage. Je parie que tu l'avais pas initialisé depuis au moins un an... (Elle pivota.) J'ai arrangé ça.

– Tu as fait *quoi* ?

Non, Lucy n'aurait jamais fait ça. Initialiser signifiait « formater », c'est-à-dire effacer toutes les données d'un disque dur. Sur le mien se trouvaient – la veille encore, en tout cas – une demi-douzaine de tableaux de statistiques dans lesquels je piochais pour mes articles destinés à des revues médicales. Les dernières copies remontaient à plusieurs mois.

Lucy me fixait avec des yeux verts que l'épaisseur de ses verres faisait ressembler à ceux d'une chouette.

– J'ai regardé dans tes manuels pour voir comment il fallait faire. Il suffit de taper IORI quand tu vois apparaître le message C, et quand c'est initialisé, tu appuies sur Addall et Catalog. C'est simple. Le premier connard venu peut le faire.

Je fis mine de ne pas avoir entendu, mais sentis une faiblesse dans mes genoux.

Dorothy m'avait appelée, quelques années auparavant, complètement hystérique. Elle était sortie faire une course et Lucy s'était installée à l'ordinateur. Elle avait entrepris de formater ses disquettes et avait tout effacé. Tous les chapitres d'un livre que Dorothy était en train d'écrire avaient disparu. Elle n'avait pas pris la précaution d'imprimer ou de faire des copies. Un motif d'assassinat...

– Lucy, tu n'as pas fait ça.

– Oh ! mais ne t'inquiète pas, lâcha-t-elle, renfrognée. J'ai sauvegardé tes données comme le conseille le manuel. Ensuite je les ai récupérées et j'ai raccordé les zones mémoire. Tout est là. Mais nettoyé. L'espace mémoire est réorganisé, si tu veux.

J'approchai un fauteuil. C'est alors que j'aperçus, sous une pile de disquettes, le journal du soir. Il était clair qu'elle l'avait lu. Je le dépliai. Le gros titre à la une était la dernière chose que j'aurais voulu voir.

LA JEUNE INTERNE ASSASSINÉE EST-ELLE LA QUATRIÈME VICTIME DE L'ÉTRANGLEUR ?

Une interne en chirurgie de 30 ans a été sauvagement assassinée dans sa résidence de Berkley Downs, peu après minuit. D'après la police, l'assassinat pourrait être l'œuvre de l'individu déjà responsable du meurtre de trois autres femmes, étranglées chez elles au cours des deux derniers mois, à Richmond.

La dernière victime est Lori Anne Petersen, diplômée de la Harvard Medical School. *Elle a été vue pour la dernière fois hier, peu après minuit, alors qu'elle quittait la salle des urgences du VMC, où elle effectuait son service en chirurgie traumatique. Elle serait rentrée directement chez elle et aurait été assassinée entre minuit et demi et 2 heures du matin. Le tueur s'est introduit dans la maison par la fenêtre non verrouillée d'un cabinet de toilette...*

Je terminai ma lecture. Sur une photo noir et blanc à gros grain, des infirmiers descendaient les quelques marches du seuil en portant le corps. Un cliché, plus petit, représentait une silhouette en imperméable kaki dans laquelle je me reconnus. La légende disait : « Le Dr Kay Scarpetta était sur les lieux. »

Lucy me considérait, les yeux écarquillés. Bertha avait eu raison de cacher le journal, mais ma nièce n'était pas tombée de la dernière pluie. Qu'est-ce qui peut se passer dans la tête d'une enfant de 10 ans quand elle lit des choses pareilles. Sans compter la photo de « Tante Kay » ?

Je n'avais jamais expliqué à Lucy en quoi consistait mon travail. Je m'étais toujours abstenue de lui dévoiler crûment la sauvagerie du monde où nous vivons. Je voulais qu'elle garde son innocence, son idéalisme.

– C'est comme dans le *Miami Herald*, l'entendis-je déclarer. Tous les jours il y a des gens qui se font tuer. La semaine dernière, ils ont retrouvé un type dans le canal. Sans tête. Tu crois qu'il était méchant ?

– Peut-être. Mais ça n'est pas une raison pour lui couper la tête. Et parfois on se fait tuer quand on est gentil.

– Maman dit que non. Il n'y a que les prostituées, les trafiquants de drogue et les cambrioleurs qui se font tuer. (Elle réfléchit un instant.) Et quelquefois les policiers, parce qu'ils essaient d'attraper les méchants.

C'était bien le genre de choses que pouvait dire Dorothy. Et le pire, c'est qu'elle y croyait. Une bouffée de ma vieille animosité envers elle m'envahit.

– Pourtant... Cette femme qui s'est fait étrangler... C'était un docteur, tante Kay. Elle était gentille ? Toi aussi tu es docteur. Elle était comme toi, alors ?

Soudain consciente de l'heure, j'éteignis l'ordinateur et pris la main de Lucy jusqu'à la cuisine. Lorsque je me tournai vers elle pour lui proposer de grignoter quelque chose avant d'aller au lit, je vis avec stupéfaction qu'elle se mordait la lèvre.

– Lucy ! Pourquoi pleures-tu ?

Elle m'étreignit très fort.

– Je ne veux pas que tu meures ! sanglota-t-elle d'une voix éperdue. Je ne veux pas que tu meures !

– Lucy...

Prise de court, je la regardai, stupéfaite. Ses colères, ses emportements, son impertinence étaient une chose. Mais ça !... je sentais ses larmes à travers mon chemisier. Elle s'agrippait à moi, désespérée.

– Lucy, Lucy, calme-toi, ma chérie.

– Je ne veux pas que tu meures, tante Kay !

– Mais je ne vais pas mourir, Lucy.

– Papa est bien mort, lui.

– Il ne m'arrivera rien, je t'assure.

Elle était inconsolable. L'article l'avait bouleversée. Elle l'avait lu avec l'intelligence d'une adulte encore teintée de l'imagination d'une enfant. Il avait ravivé son sentiment d'abandon et d'insécurité.

Mon Dieu ! Je cherchai en vain une réponse. Les reproches de ma mère me revinrent à l'esprit. Je n'avais pas d'enfant. J'aurais fait une mère déplorable. « Tu aurais dû être un homme, m'avait déclaré ma mère lors d'une de nos récentes – et lamentables – entrevues. Tu ne penses qu'à ta carrière. Tu es trop ambitieuse. Ce n'est pas normal chez une femme. »

Et dans mes moments de cafard, quand je touche le fond de l'autodépréciation, me vient immanquablement à l'esprit ce malheureux jugement maternel.

Il n'est pourtant pas dans mes habitudes d'offrir une goutte de vin à une fillette de 10 ans... Je l'accompagnai dans sa chambre, et nous bûmes de conserve. Elle me posa des questions auxquelles il m'était impossible de répondre : « Pourquoi les gens se font-ils du mal ? » ou bien : « Est-ce qu'il fait ça pour s'amuser comme à la télé ? »

– Peut-être qu'il ne veut pas leur faire de mal, hein, tante Kay ?

– Il y a des gens tordus, Lucy. C'est comme les chiens. Il y a des chiens qui mordent sans raison et on ne peut rien y changer.

– Ils mordent parce qu'ils ont eu des maîtres méchants.

– Ça arrive, oui. Mais pas toujours. Parfois il n'y a pas d'explication. Et d'un certain côté, ça n'a aucune importance. Les gens font des choix. Certains préfèrent être mauvais. Ça existe. C'est laid et c'est triste.

– Comme Hitler, murmura-t-elle en avalant une gorgée de vin.

Je lui caressai les cheveux.

Elle continua à parler d'une voix ensommeillée.

– Et comme Jimmy Groome. C'est un garçon qui habite près de chez nous. Il tue les oiseaux avec sa carabine, et puis il cherche les nids, vole les œufs et s'amuse à les écraser. Je déteste Jimmy Groome. Je lui ai lancé une pierre un jour où il passait devant chez nous en vélo, mais il ne m'a pas vue.

Je buvais mon verre à petites gorgées.

– Le bon Dieu ne permettra pas qu'il t'arrive quelque chose, hein ?

– Il ne m'arrivera rien, Lucy, la rassurai-je. Je te le jure.

– Si on fait des prières pour qu'il s'occupe de quelqu'un, il le fait ?

– Il s'occupe de tout le monde, fis-je sans y croire.

Elle fronça les sourcils.

– Tu n'as jamais peur ? fit-elle.

– Tout le monde a peur à un moment ou à un autre, répondis-je en souriant. Mais je suis parfaitement en sécurité. Il ne peut rien m'arriver.

– J'aimerais rester toujours ici, tante Kay, murmura-t-elle en s'endormant. Et être comme toi.

Deux heures plus tard, je ne dormais toujours pas. Couchée dans ma chambre au premier étage, j'essayais de lire quand le téléphone sonna.

Je sursautai, puis réagis d'instinct. Je décrochai, le cœur battant, craignant d'entendre de nouveau la voix de Marino.

Allô ?

Silence.

– Allô ?

En arrière-fond, je distinguai une musique vaguement inquiétante : la bande son d'un film d'épouvante ou un vieux phonographe. Puis brusquement, ce fut la tonalité.

– Café ?

– Volontiers, fis-je en guise de bonjour.

Dès que j'entrais dans son labo, Neils Vander m'accueillait avec un inévitable : « Café ? » Ma réponse était invariablement oui. La caféine et la nicotine sont deux vices auxquels je m'adonne sans scrupule.

Pour moi, une voiture doit être solide comme un tank, et je ne démarre pas sans avoir bouclé ma ceinture. J'ai fait installer des détecteurs de fumée dans toute la maison, et un système d'alarme dernier-cri. Je préfère le train à l'avion.

Mais la caféine, les cigarettes et le cholestérol, mornes moissonneurs du plus grand nombre – Dieu me pardonnera de ne pas y renoncer. Je participe à des conventions nationales et à des banquets professionnels où sont présents les plus grands experts mondiaux en matière de maladies et de mortalité. Soixante-quinze pour cent des participants, dont je suis, ne pratiquent ni le jogging ni l'aérobic, ne font pas cinquante mètres sans leur voiture, préfèrent s'asseoir que rester debout, évitent soigneusement les escaliers et les côtes, sauf en descente, fument, boivent et se goinfrent comme s'ils devaient mourir le lendemain.

Stress ? Dépression ? Compensation ? Qui en connaît la raison ? L'un de mes amis, parmi les plus cyniques, médecin à Chicago, dit souvent : « C'est mauvais pour la santé ? C'est mortel ? Et alors ? Nous y passerons tous. Pourquoi vouloir mourir en bonne santé ? »

Vander nous servit deux tasses. Malgré le nombre incalculable de cafés que nous avons pris ensemble, il ne se souvient jamais que je bois le mien noir et sans sucre.

Mon ex-mari non plus n'avait jamais pu se le mettre dans la tête, même au bout de nos six ans de vie commune. Il ne se souvenait jamais que je buvais mon café noir et sans sucre, que j'aimais le steak presque saignant, que je faisais du 40 et que je peux porter à peu près n'importe quoi sauf de la fourrure, des fanfreluches et des volants. Tony m'offrait toujours des trucs en dentelle, taille 36, transparents et généralement destinés à être portés au lit. La mère de Tony faisait du 46, raffolait du vert pomme et des jabots, détestait les pull-overs, préférait les fermetures Éclair, était allergique à la laine, n'acceptait rien qui dût être nettoyé à sec ou repassé, avait une répulsion viscérale pour le mauve, affirmait que le blanc et le beige n'allaient avec rien, refusait les rayures horizontales et le cachemire, aurait préféré mourir plutôt que d'être obligée de porter du daim, pensait que les tissus plissés ne lui allaient pas, et enfin adorait les poches. Eh bien, quand il s'agissait de sa mère, Tony ne se trompait jamais.

Vander arrosa généreusement nos cafés de lait en poudre et de sucre.

Comme d'habitude, ses cheveux gris étaient en bataille sur son crâne ovoïde, sa blouse maculée de poudre à empreintes, et une gamme complète de stylos feutre et de marqueurs dépassait de sa poche de poitrine. Il était grand et maigre, avec un estomac anormalement proéminent. Ses yeux bleu délavé lui donnaient un air de perpétuelle méditation.

Le premier hiver, il était passé me voir dans mon bureau pour m'annoncer qu'il neigeait. Il portait autour du cou une longue écharpe rouge, et sur la tête un ridicule casque de pilote en cuir. Il aurait été parfait aux commandes d'un Fokker. Au bureau, nous l'avions surnommé le Hollandais volant. Toujours pressé, il sillonnait les couloirs au pas de course, les pans de sa blouse voletant derrière lui.

– Vous avez vu les journaux ? demanda-t-il en soufflant sur son café.

– Tout le monde a vu les journaux, malheureusement, répliquai-je d'un ton lugubre.

La une de ce dimanche était pire que celle de la veille au soir. Imprimé en caractères de trois centimètres de haut, le titre occupait toute la largeur de la page. L'article comportait un encadré sur Lori Petersen, illustré d'un cliché qui devait provenir d'une photo de classe. Abby Turnbull avait tenté d'interviewer les membres de la famille installés à Philadelphie. Ils étaient « trop effondrés pour répondre à nos questions », déclarait-elle, indécente.

– Ça ne va pas arranger nos affaires, fit Vander. J'aimerais pincer celui qui les renseigne.

– Les flics ne savent pas se taire. Quand ils apprendront à la boucler, les fuites cesseront.

– Peut-être bien que ça vient des flics. En tout cas, cette histoire rend ma femme dingue. Heureusement que nous n'habitons pas Richmond.

Il s'approcha de son bureau qui disparaissait sous les listings, les photos et les messages. Deux sacs en plastique scellés, portant chacun un numéro, renfermaient une canette de bière et un carreau de céramique décoré d'une empreinte de pas sanglante. Une dizaine de petits flacons remplis de formol étaient éparpillés çà et là, contenant des phalanges carbonisées. Quand on retrouve des corps gravement brûlés ou décomposés, il n'est pas toujours possible d'obtenir des empreintes selon les méthodes habituelles. Incongru, un tube de vaseline trônait au-dessus de ce bric-à-brac macabre.

Après s'être enduit les doigts d'une noix de vaseline, Vander enfila une paire de gants blancs en coton. Ses mains étaient abîmées par l'acétone, le xylène et les nettoyages minutieux qu'exigeait son travail. Quand je le voyais pendant une semaine avec des mains violettes, je savais qu'il avait oublié de mettre ses gants. Ayant accompli son rituel matinal, il me fit signe de le suivre.

La salle des ordinateurs était située plusieurs étages plus bas. C'était une pièce d'une propreté impeccable qui évoquait quelque « lavomatic » de l'ère spatiale. L'appareil qui ressemblait le plus à une machine à laver était le processeur d'empreintes grâce auquel on comparait une empreinte inconnue avec des millions d'autres. Le *Fingerprint matching processor*, le FMP, comme on l'appelait, était capable d'effectuer huit cents comparaisons par seconde. Vander n'aimait pas rester assis en attendant le résultat. Il avait pris l'habitude de laisser la machine régler le problème toute seule, pendant la nuit, de sorte qu'il arrivait au travail avec plus d'entrain le lendemain.

Chaque samedi, Vander entrait de nouvelles empreintes. Pour cela, il lui fallait d'abord les photographier, les agrandir cinq fois, placer une feuille de papier millimétré sur chacun des clichés, et à l'aide d'un feutre noir, en souligner les caractéristiques. Ensuite il réduisait les croquis à la dimension réelle, puis les collait sur une feuille de comparaison, qu'il faisait lire à l'ordinateur. Il ne restait plus qu'à attendre le résultat sous forme d'un feuillet craché par l'imprimante.

Vander s'installa devant la machine comme un pianiste qui s'apprête à donner un récital. Je m'attendis presque à le voir relever les pans de sa blouse et se délier les doigts devant le clavier de son Steinway. Le scanner était capable de lire et les empreintes complètes des dix doigts et les empreintes latentes. Le processeur d'image d'empreintes ou FIP, détectait automatiquement les caractéristiques d'une empreinte donnée.

Je regardai Vander taper quelques commandes. Puis il appuya sur la touche impression, et une liste de suspects potentiels fut rapidement imprimée. Il n'avait plus qu'à séparer les dix feuillets comportant chacun les références d'un suspect.

C'est le 88-01651 qui nous intéressait, le numéro d'identification des empreintes relevées sur le corps de Lori Petersen. La comparaison informatique des empreintes comporte quelques analogies avec des élections politiques. Les correspondances possibles, que nous appelons « candidats », sont classées selon leur score. Plus un candidat accumule de ressemblances avec les empreintes non identifiées soumises à l'examen, plus son score est élevé. En ce qui concernait le 88-01651, il apparut qu'un candidat arrivait largement en tête, avec plus d'un millier de points de ressemblance.

En plein dans le mille. « Le jackpot », dit Vander. Notre gagnant était identifié sous l'appellation impersonnelle de NIC112.

– Ça veut dire que celui qui a laissé ses empreintes sur le corps de Lori Petersen figure dans la banque de données ? demandai-je, incrédule.

– Exact !

– Il aurait un casier ?

– Peut-être, mais pas nécessairement, dit-il en se dirigeant vers le terminal de vérification relié au fichier d'identité. (Ses doigts effleurèrent le clavier.) Il est peut-être là-dedans pour d'autres raisons, reprit-il. Il fait peut-être partie de la police, à moins qu'il n'ait déposé une demande de licence de taxi...

Des profondeurs de la machine, il fit surgir une fiche d'empreintes qui se juxtaposa à l'image de l'empreinte candidate. Sur la droite figurait une colonne indiquant le sexe, la race, la date de naissance et d'autres informations permettant l'identification. Vander tira une épreuve des empreintes sur papier et me la tendit.

J'étudiai l'identité de NIC112. Marino allait se frotter les mains.

Sans aucun risque d'erreur, les empreintes latentes que le laser avait mises en évidence sur l'épaule de Lori Petersen appartenaient à Matt Petersen.

4

Le fait que son mari l'ait touchée ne m'étonnait guère. On a le réflexe de toucher quelqu'un qui paraît mort, de lui tâter le pouls ou de le secouer, pour la réveiller. Mais deux choses me gênaient. En premier lieu, les empreintes détectées par le laser étaient celles de l'individu qui avait sur les doigts des traces de ce résidu brillant que nous n'arrivions pas à identifier, également présent sur les trois premières victimes. Deuxièmement, le relevé complet des empreintes de Matt Petersen n'étant pas encore parvenu au labo, l'ordinateur avait retrouvé sa fiche parce qu'elle figurait *déjà* dans la banque de données.

J'étais en train de dire à Vander qu'il fallait découvrir quand et pour quelle raison on avait entré les empreintes de Matt, et s'il avait un casier judiciaire, lorsque Marino apparut, un beignet à la main.

– Votre secrétaire m'a dit que vous étiez ici, dit-il en guise de salutation.

Tout en jetant un regard sur les périphériques d'ordinateurs qui meublaient la pièce, Marino me tendit nonchalamment une enveloppe de papier kraft.

– Désolé, Neils, mais la toubib a demandé la priorité, rit-il.

Vander me regarda avec curiosité tandis que je décachetais l'enveloppe. J'y découvris une pochette plastique contenant le relevé des dix empreintes de Matt Petersen. Marino m'avait possédée, et ça ne me plaisait pas du tout. Selon la procédure normale, il aurait dû remettre la fiche directement au labo des empreintes, pas à moi. C'est le genre d'entourloupes propres à susciter l'animosité de vos collègues. Ils croient que vous marchez sur leurs plates-bandes.

– Je ne voulais pas que cette fiche traîne sur votre bureau, où n'importe qui aurait pu la tripoter, expliquai-je à Vander. Il est probable que Matt Petersen a manipulé des fards avant de rentrer chez lui. S'il en avait sur les mains, on le verra sur cette fiche.

– Bonne idée. On va la passer au laser, fit Vander, gourmand.

Marino me regarda d'un air sombre.

– Et le couteau ? lui demandai-je.

Il tira une deuxième enveloppe de l'épaisse liasse qu'il serrait sous son coude.

– J'allais le donner à Frank.

– On va d'abord y jeter un coup d'œil avec le laser, proposa Vander.

Il imprima un deuxième exemplaire du NIC112 et le tendit à Marino, qui l'examina.

– Nom de Dieu ! grommela-t-il en m'adressant un regard triomphal.

Je m'attendais à ce regard, que je connaissais bien. Un regard qui voulait dire : « Alors, madame la médecin-chef ? On connaît peut-être ses manuels par cœur, mais Marino, lui, il connaît la rue. »

Le filet se resserrait autour du mari, mais je restais persuadée que la victime avait été assassinée par un inconnu.

Un quart d'heure plus tard, nous étions dans la chambre noire contiguë au labo des empreintes. La fiche des empreintes de Matt Petersen et le couteau étaient posés sur la paillasse d'un évier. L'obscurité était totale. Je sentais non sans un certain malaise l'estomac de Marino frôler mon coude gauche, tandis que les pulsations aveuglantes du laser révélaient une constellation de points brillants sur l'encre noire des empreintes. Les mêmes points apparurent sur le manche du couteau, fait d'un caoutchouc dur trop grossier pour que la poudre habituelle puisse y révéler des empreintes.

Sur la lame apparurent des débris microscopiques et plusieurs fragments d'empreintes que Vander saupoudra pour les relever. Il se pencha sur la fiche d'empreintes de Matt Petersen et effectua un examen rapide de son œil de faucon.

– Je peux affirmer que les empreintes sur la lame sont celles de Petersen.

Le laser s'éteignit, nous replongeant brièvement dans l'obscurité complète.

Marino alluma une cigarette et j'ôtai mes lunettes pour me lancer dans une litanie d'objections.

– Les empreintes relevées sur le couteau ne signifient peut-être rien. S'il appartient à Petersen, il est normal qu'il porte ses empreintes. Quant à la présence de résidu brillant, elle confirme qu'il avait quelque chose sur les doigts quand il a touché l'épaule de sa femme et quand on lui a pris ses empreintes.

Rien ne nous permet d'affirmer qu'il s'agit de la même substance que dans les trois premiers meurtres. Il faut en vérifier la composition et la comparer à ceux du résidu trouvé ailleurs sur le corps de Lori Petersen et à celui constaté sur les trois autres victimes.

– Quoi ? fit Marino, stupéfait. Vous voulez dire que Petersen avait un produit sur les mains et le tueur un autre ?!

– Presque tous les produits qui réagissent fortement au laser ont le même aspect, coupai-je.

– Peut-être, mais à ma connaissance, tout le monde ne se balade pas avec ça sur les doigts.

– C'est vrai, concédai-je.

– Drôle de coïncidence pour Petersen, non ?

– Vous m'avez dit qu'il revenait d'une répétition.

– C'est ce qu'il dit.

– Apportez les fards qu'il a utilisés vendredi soir au labo pour les analyser, ordonnai-je.

Marino me toisa d'un air dédaigneux.

Mon bureau était équipé d'un des rares ordinateurs personnels du deuxième étage, relié à l'ordinateur central installé au bout du couloir. Même si ce dernier était éteint, je pouvais utiliser mon PC, au moins pour entrer du texte.

Marino me tendit les deux disquettes trouvées sur le bureau de la chambre des Petersen. Je les introduisis dans les lecteurs.

Un index des chapitres apparut à l'écran. De toute évidence, il s'agissait de la thèse de Matt Petersen sur Tennessee Williams. « Ses meilleures pièces dévoilent un monde de frustration dans lequel sexe et violence s'agitent derrière le masque de la distinction romantique », disait l'introduction.

Marino, qui lisait par-dessus mon épaule, secoua la tête.

– De mieux en mieux, grommela-t-il. Pas étonnant qu'il ait balisé quand je lui ai dit qu'on embarquait ses disquettes. Regardez-moi ça !

Je fis défiler le texte, notant des passages sur les controverses autour de l'homosexualité et du cannibalisme. Le bestial Stanley Kowalski et le gigolo castré de *Doux oiseau de la jeunesse* étaient mentionnés. Le jugement de Marino était parfaitement simpliste. Pour lui, c'était de la pornographie pour intellectuels, le genre de trucs dont se délectent des psychopathes nourris de fantasmes sur les déviations sexuelles et la violence. Marino ne comprendrait jamais la différence entre la rue et la scène.

Alors que les gens qui conçoivent de tels scénarios, que ce soit Tennessee Williams ou Petersen, les mettent très rarement en pratique.

– Que diriez-vous si Petersen faisait une étude de l'Ancien Testament ? demandai-je à Marino.

Il haussa les épaules et reporta son regard sur l'écran.

– Ça ressemble pas à ce qu'on enseigne au catéchisme.

– Les viols, les lapidations, les pendaisons et les prostituées des Écritures non plus. Truman Capote n'a jamais massacré une famille entière, sergent.

Il s'éloigna de l'ordinateur pour aller s'asseoir sur une chaise. Je fis pivoter mon siège et le regardai par-dessus mon large bureau. En général, quand il passait me voir, il préférait rester debout, pour me dominer de toute sa taille. Aujourd'hui pourtant, il s'était assis, et nous nous faisions face. J'en déduisis qu'il avait l'intention de rester.

– Si vous imprimiez ce truc-là, hein ? fit-il avec un sourire ironique. Je le lirai avant de m'endormir. Qui sait ? Peut-être que ce grand spécialiste de littérature américaine cite le marquis de Sade.

– Le marquis de Sade était français.

– Et alors ?

Je m'efforçai de garder mon calme. Que se passerait-il si la femme d'un de mes collaborateurs était assassinée ? Marino penserait-il tenir le coupable en découvrant dans ma bibliothèque plusieurs volumes sur la médecine légale ou les crimes pervers dans l'histoire ?

Il plissa les yeux, alluma une cigarette, tira une longue bouffée et souffla la fumée.

– Vous avez une haute opinion de Petersen. Sur quoi vous basez-vous ? Sur ses qualités d'artiste, ou sur son brillant avenir ?

– Je n'ai pas d'opinion, répliquai-je. Je ne sais rien de lui, à part qu'il n'a pas le profil d'un étrangleur.

Marino prit l'air pensif.

– Eh bien, moi, je le connais bien, doc. J'ai parlé plusieurs heures avec lui, voyez-vous.

Il plongea la main dans la poche intérieure de son blouson de sport écossais et sortit deux microcassettes qu'il posa devant moi, sur le sous-main. Je sortis mes cigarettes et en allumai une.

– J'vais vous dire ce qui s'est passé. Becker et moi, on était à la cuisine avec lui, vous vous souvenez ? Dès que notre équipe a emporté le corps, Petersen a complètement changé. Tout d'un coup, il s'est redressé, son esprit s'est éclairci comme par miracle. On aurait dit un acteur. Incroyable ! De temps en temps, il larmoyait, sa voix se cassait, ou bien il devenait tout rouge et ensuite blanc comme un linge. Et moi je me disais : « Un interrogatoire, ça ? Il nous joue la comédie, ouais ! » (Il desserra sa cravate avant de poursuivre.) Je me demandais où j'avais déjà vu ça. Eh bien, ça me rappelait New York, les types du genre Johnny Andretti, dégoulinant de charme avec ses costumes en soie et ses cigarettes d'importation. Tellement sympa que vous vous mettez en quatre pour lui faire plaisir, et qu'il vous fait oublier qu'il a buté plus de vingt personnes dans sa carrière. Ou bien Phil le Mac qui battait ses filles à coups de cintre. Un jour qu'il venait d'en tuer deux comme ça, il a fondu en larmes dans le restaurant qui lui servait de couverture. Retourné d'avoir perdu deux de ses putes, et il s'est penché vers moi par-dessus la table : « Pete, je veux que tu retrouves le salaud qui a fait ça. Tiens, goûte-moi un peu ce chianti, Pete. Tu m'en diras des nouvelles... »

» Je suis pas tombé de la dernière pluie, doc. Petersen m'a fait la même impression. Il était là, à me débiter son baratin, et je me demandais s'il me prenait pour un con.

J'enclenchai une des cassettes.

– Premier acte, annonça-t-il. Décor : la cuisine des Petersen. Personnage principal : Matt. Dans un rôle tragique, pâle, les yeux cernés. Il contemple le mur. Moi ? J'ai jamais été à Boston, je ferais pas la différence entre Harvard et une station-service, mais j'm'imagine des vieilles briques et du lierre.

La cassette commença au beau milieu d'une phrase de Petersen. Il parlait de Harvard, de sa rencontre avec Lori. J'avais entendu pas mal d'interrogatoires de police mais celui-ci me laissait perplexe. Quel était le rapport entre la cour que Matt faisait à Lori du temps de leurs études et son assassinat ? Pourtant, au fond, je comprenais.

Marino le sondait. Il cherchait quelque chose – *n'importe quoi* – indiquant que Petersen était tordu ou carrément psychopathe.

Pendant que la voix posée de Petersen poursuivait son récit, je me levai et allai fermer la porte.

–... Je l'avais remarquée tout de suite, cette blonde sur le campus, toujours chargée de livres, absorbée et pressée.

Marino : Pourquoi l'aviez-vous remarquée ?

– Difficile à dire. Elle m'intriguait. Peut-être parce qu'elle était toujours seule et pressée, qu'elle avait toujours l'air d'aller quelque part. Sûre d'elle.

Marino : Ça vous arrive souvent ? Je veux dire, vous remarquez une jolie femme, comme ça, de loin, et elle excite votre curiosité ?

– Euh... je ne pense pas. Enfin, je suis comme tout le monde. Mais avec Lori, c'était différent.

Marino : Continuez. Donc, vous finissez par la rencontrer. Où ça ?

– Dans une fête. Au début mai. En ville, chez un copain du type avec qui je partageais ma chambre. Il travaillait dans le labo de Lori et l'avait invitée. Elle est arrivée vers 9 heures, comme j'allais partir. Son collègue de labo, Tim, je crois, lui a offert une bière et ils ont commencé à bavarder. C'était la première fois que j'entendais le son de sa voix. Un contralto apaisant, très agréable. Le genre de voix qui vous fait dresser l'oreille. Elle racontait des trucs sur un prof et les gens riaient. Lori était magnétique.

Marino : Donc, si je comprends bien, vous avez décidé de rester quand vous l'avez vue ?

– C'est ça.

– À quoi elle ressemblait à cette époque ?

– Elle avait les cheveux plus longs et raides, comme les danseuses classiques. Elle était mince, très séduisante...

– Vous aimez les femmes blondes et minces ?

– Je la trouvais attirante, mais ce n'était pas tout. Elle était intelligente.

Marino : Quoi d'autre ?

– Je ne comprends pas. Que voulez-vous dire ?

Marino : Je veux simplement savoir ce qui vous attirait chez elle. C'est intéressant.

– Je ne peux pas répondre à cette question. C'est quelque chose de mystérieux. On rencontre quelqu'un et tout s'éclaire. C'est comme si quelque chose s'ouvrait en vous. Je ne sais pas pourquoi... mon Dieu... je ne sais pas.

Long silence.

Marino : C'était le genre de femmes qu'on remarque.

– Absolument. Tout le temps. Partout où nous allions, même entre amis. Elle m'éclipsait, mais ça ne me faisait rien. J'aimais ça, au contraire. J'aimais m'installer et regarder. J'essayais d'analyser, de comprendre ce qui attirait les gens vers elle. On a du charisme ou on n'en a pas. On ne peut pas faire semblant. C'est comme ça, c'est tout.

Marino : Vous avez dit que quand vous la voyiez sur le campus, elle avait l'air réservé. Et en dehors de l'université ? Elle se montrait amicale avec les inconnus ? Elle parlait facilement ? Si quelqu'un se présentait chez elle, un livreur par exemple, elle était du genre à lui offrir un verre ?

– Non, elle parlait rarement à des inconnus, et je sais qu'elle ne faisait entrer personne à la maison. Jamais. Surtout lorsque je n'étais pas là. Elle avait vécu à Boston, et connaissait les dangers d'une grande ville. Elle avait travaillé au service des urgences, et savait ce qui peut arriver. Elle n'était pas du genre à courir des risques. Depuis que ces meurtres ont commencé, elle avait peur. Elle détestait le moment où il fallait que je reparte... elle ne supportait pas. Elle avait peur de se retrouver seule la nuit.

Marino : Si elle était inquiète, elle avait dû s'assurer que les fenêtres étaient verrouillées...

– Je vous ai déjà répondu. Elle pensait certainement qu'elles l'étaient.

Marino : Or vous l'aviez laissée ouverte le week-end dernier, cette fenêtre, quand vous aviez remplacé la moustiquaire.

– Je ne suis pas sûr. C'est la seule explication.

Becker : Vous a-t-elle parlé d'un rôdeur ? Vous rappelez-vous quoi que ce soit ? Une voiture suspecte dans le voisinage, l'impression d'être suivie ou surveillée ? Un type qui la draguait ?

– Non, rien de tout ça.

Becker : Vous en aurait-elle parlé ?

– Bien sûr. Elle me disait tout. Il y a une semaine ou deux, elle a entendu du bruit derrière la maison. Elle a appelé la police. Une voiture de patrouille est venue. C'était juste un chat.

Marino : Qu'est-ce qu'elle faisait en dehors de son travail ?

– Elle avait quelques amies, des médecins avec qui elle travaillait à l'hôpital. Elle sortait avec elles au restaurant ou dans les magasins, parfois au cinéma. C'était à peu près tout. Elle était très occupée. Elle travaillait le soir ou jouait du violon. D'habitude, elle rentrait et se couchait. Elle me réservait tous les week-ends.

Marino : Vous l'avez donc vue pour la dernière fois le week-end dernier ?

– Oui, dimanche après-midi, vers 3 heures. Juste avant de repartir à Charlottesville. Nous ne sommes pas sortis ce jour-là. Il pleuvait des cordes.

Marino : Vous lui téléphoniez souvent pendant la semaine ?

– Plusieurs fois. Chaque fois que je pouvais.

Marino : La dernière fois, c'était hier soir, jeudi ?

– Je l'ai appelée pour lui dire que je rentrerais après la répétition, et que je serais peut-être un peu plus long parce qu'on était en costume. Nous avions prévu d'aller à la plage.

Silence.

Petersen essayait de ne pas craquer. Je l'entendis inspirer un grand coup et tenter de se ressaisir.

Marino : Quand vous lui avez parlé, hier soir, a-t-elle mentionné un problème quelconque ? Vous a-t-elle dit si quelqu'un s'était approché de la maison, l'importunait à son travail ? Recevait-elle des coups de téléphone bizarres ?

– Rien. Absolument rien de tout ça. Elle était de bonne humeur, elle riait, elle... avait hâte... hum !... de voir le week-end arriver.

Marino : Parlez-nous un peu plus d'elle, Matt. Le moindre détail peut avoir son importance. Sa vie, sa personnalité, ce qu'elle considérait comme important.

– Elle est de Philadelphie, son père place des assurances et elle a deux frères plus jeunes qu'elle. Elle considérait la médecine comme une vocation, récita-t-il d'un ton machinal.

Marino : Dans quoi voulait-elle se spécialiser ?

– Chirurgie esthétique.

Becker : Intéressant. Pourquoi cette branche ?

– Quand elle avait 10 ou 11 ans, sa mère a eu un cancer et a subi une ablation des seins. Elle a survécu, mais le traumatisme a été rude. Elle se croyait devenue intouchable. Lori en parlait parfois. Je crois qu'elle voulait aider les gens.

Marino : Elle jouait aussi du violon.

– Oui.

Marino : Elle faisait partie d'un orchestre ?

– À mon avis, elle aurait pu. Mais le temps...

Marino : Quoi d'autre ? Vous, par exemple, vous jouez dans des pièces. Le théâtre l'intéressait ?

– Beaucoup. C'est ce que j'appréciais chez elle. Après avoir quitté la fête où nous nous étions rencontrés, nous avons marché pendant des heures. Quand je lui ai parlé des cours que je suivais, j'ai compris qu'elle connaissait très bien le théâtre. Je lisais Ibsen à cette époque. Nous en avons discuté : la réalité et l'illusion, la beauté et la laideur chez les individus et dans la société... Le sentiment d'éloignement. La... séparation.

» Et là, elle m'a surpris. Je n'oublierai jamais cette discussion. Elle a ri et m'a dit : « Vous autres, artistes, pensez que vous êtes les seuls à pouvoir comprendre, alors que beaucoup de gens éprouvent ce même sentiment de vide et de solitude. C'est juste que nous n'avons pas les outils verbaux pour en parler. Alors nous continuons à nous débattre. Les sentiments sont les sentiments, et ils sont à peu près les mêmes partout dans le monde. »

» Nous nous sommes alors engagés dans un débat, amical mais animé, parce que je n'étais pas d'accord. Certaines personnes ressentent les choses plus profondément que d'autres, et certaines ressentent des choses que les autres ne ressentent pas du tout. C'est ce qui crée ce sentiment d'isolement. Cette sensation d'être à part.

Marino : C'est ce que vous éprouvez ?

– En tout cas, je le comprends. Je ne ressens peut-être pas tout ce que les autres ressentent, mais je les comprends. Rien ne me surprend. Si vous étudiez la littérature vous êtes en contact avec toutes les émotions humaines, tous les désirs, bons ou mauvais. Je trouve naturel d'entrer dans la peau des autres, de ressentir ce qu'ils ressentent, d'agir comme ils agissent, ce qui ne veut pas dire que ces sentiments sont les miens. Je me sens différent des autres car j'ai besoin d'analyser et de comprendre toutes les émotions humaines.

Marino : Pouvez-vous comprendre les émotions de celui qui a fait ça à votre femme ?

– Mon Dieu ! Bien sûr que non, souffla-t-il d'une voix presque inaudible.

Marino : Vous êtes sûr ?

– Non. Enfin, oui, je veux dire, j'en suis sûr ! Je ne *veux* pas le comprendre !

Marino : Je sais que c'est difficile pour vous, Matt, mais vous pourriez beaucoup nous aider. Si vous aviez à écrire le rôle d'un tueur comme celui-ci, comment le verriez-vous...

– Je ne sais pas ! Le salopard ! Le salopard ! cria-t-il d'une voix brisée par la colère. C'est pas à moi qu'il faut demander ça ! C'est vous les flics !

Il se tut et il y eut un étrange silence, comme si on venait d'arrêter un disque.

La bande tourna un long moment. Marino s'éclaircit la gorge avant de demander à Becker :

– T'aurais pas une cassette vierge dans ta voiture ?

C'est Petersen qui répondit. Sa voix hachée me fit penser qu'il pleurait.

– J'en ai une ou deux dans la chambre.

– C'est sympa de nous les proposer, Matt, fit Marino d'une voix traînante.

Vingt minutes plus tard, Matt Petersen en arriva au moment où il avait découvert le corps.

C'était terrible d'entendre sa voix sans le voir. Aucune distraction possible. Je me laissai porter. Ses paroles m'emmenaient dans des régions obscures où je n'avais aucune envie d'aller.

–... Euh, j'en suis sûr. Je n'ai pas téléphoné avant de partir. Je ne le faisais jamais. Je suis parti dès qu'on a fini. Je n'ai pas traîné. J'ai quitté Charlottesville à la fin de la répétition. Il devait être minuit et demi. J'avais hâte de rentrer.

» Il était presque 2 heures quand je me suis garé devant la maison. Comme tout était éteint, je me suis dit qu'elle était déjà couchée. Son travail était très fatigant. Elle était de service douze heures de suite, puis de repos pendant vingt-quatre heures, ce qui contredit les rythmes biologiques de l'organisme, et en plus, ses horaires variaient d'une semaine à l'autre. Elle devait être libre samedi, enfin... aujourd'hui. Et reprendre dimanche, de minuit à lundi midi. Repos mardi, puis de nouveau de service le mercredi, de midi à minuit, etc.

» Je suis entré et j'ai allumé la lampe du salon. Tout semblait normal. Rétrospectivement. La lumière du couloir était éteinte. Je l'ai remarqué, parce que d'habitude elle la laissait allumée pour quand je rentrais. J'avais l'habitude d'aller directement dans la chambre. Si elle n'était pas trop fatiguée, elle s'asseyait dans le lit et nous parlions en buvant un verre. Nous... enfin nous nous couchions très tard, et le lendemain nous faisions la grasse matinée.

» Je me sentais bizarre. Je... La chambre. D'abord, je n'ai pas vu grand-chose parce que les lampes... ne marchaient pas. Mais j'ai tout de suite senti que quelque chose clochait. C'est comme si je l'avais senti avant de le voir. Tout d'un coup j'ai senti une odeur, sans en être sûr, et ça n'a fait qu'ajouter à ma confusion.

Marino : Quel genre d'odeur ?

Silence.

– J'essaie de me souvenir. D'abord, ça m'a intrigué. Une odeur désagréable. Douceâtre. Bizarre.

Marino : Un genre d'odeur corporelle ?

– Un peu, mais pas exactement. Sucrée. Désagréable. Âcre, comme une odeur de transpiration.

Becker : Vous aviez déjà senti cette odeur ?

– Non, je ne crois pas. Et puis ça ne sentait pas très fort. Je l'ai remarquée parce que quand je suis entré dans la chambre, je n'ai rien vu ni entendu. Silence total. La première chose qui m'a frappé, c'est cette odeur étrange. Et tout d'un coup, j'ai pensé que Lori avait mangé quelque chose au lit. Ça pouvait rappeler l'odeur des gaufres, avec un sirop. Ou des crêpes. Je me suis dit qu'elle était peut-être malade, qu'elle avait mangé des cochonneries et que ça l'avait rendue malade. Elle était parfois... boulimique. Elle... dévorait des trucs sucrés quand elle était angoissée. Elle avait beaucoup grossi depuis que je faisais la navette entre Charlottesville et la maison. (Sa voix tremblait de plus en plus.) L'odeur était déplaisante, malsaine, comme si elle avait été malade et qu'elle soit restée au lit toute la journée. Ce qui expliquait aussi que toutes les lampes soient éteintes.

Silence.

Marino : Et ensuite, Matt, que s'est-il passé ?

– Ensuite, mes yeux se sont accommodés à l'obscurité, et je n'ai pas cru à ce que je voyais. Je devinais les contours du lit, mais je ne comprenais pas pourquoi les couvertures pendaient. Et puis je l'ai vue. Sur les draps, dans une position bizarre, et sans rien sur elle. Mon Dieu ! J'ai cru que j'allais éclater. Et quand j'ai allumé... Je me suis mis à hurler, et pourtant je n'entendais pas mes hurlements. Comme si mon cerveau m'était sorti du crâne. J'ai vu les draps souillés, le sang qui lui sortait de la bouche et du nez. Son visage. J'ai cru que ce n'était pas elle. Et ce n'était pas elle. C'était quelqu'un d'autre. Un canular, une horrible farce. Ce n'était pas elle.

Marino : Qu'avez-vous fait ensuite, Matt ? L'avez-vous touchée, avez-vous touché à quoi que ce soit ?

Une longue pause, et puis la respiration oppressée, saccadée de Petersen.

– Non. Enfin, si. Oui, je l'ai touchée. Je ne pensais à rien. J'ai touché son épaule, son bras. Je ne me souviens pas. Sa peau était encore chaude. Mais quand j'ai voulu lui tâter le pouls... elle avait les mains liées dans le dos. Et puis j'ai vu le fil électrique qui mordait la peau, au cou. J'ai essayé d'écouter son cœur mais je ne suis pas sûr. Je savais. Je savais qu'elle était morte. Il n'y avait qu'à la regarder. Je me suis précipité dans la cuisine. Je ne me souviens plus de ce que j'ai dit à la police, même pas d'avoir téléphoné. Mais j'ai appelé la police et je me suis mis à marcher. J'allais dans la chambre. Je m'appuyais contre le mur. Je pleurais. Je lui parlais. Je lui ai parlé jusqu'à ce que la police arrive. Je la suppliais. J'allais vers elle et je reculais. J'attendais que quelqu'un arrive. Ça a duré une éternité...

Marino : Les fils électriques, la façon dont elle était ligotée, avez-vous dérangé quelque chose ? Vous en souvenez-vous ?

– Non. Je ne me rappelle pas. Il... Je ne crois pas. Quelque chose m'en empêchait. Je voulais la couvrir, mais quelque chose m'a arrêté.

Marino : Possédez-vous un poignard ?

Silence.

Marino : Un poignard, Matt. Nous avons trouvé un couteau de survie avec une pierre à aiguiser sur le fourreau et une boussole dans le manche.

– Ah ? Ah, oui ! Je l'ai depuis des années, dit-il, dérouté. Ça coûtait dans les cinq ou six dollars par correspondance. Je l'emportais avec moi en randonnée. Il y a aussi du fil de pêche et des allumettes à l'intérieur du manche.

Marino : Où était-il quand vous l'avez vu pour la dernière fois ?

– Sur le bureau. Lori s'en servait comme coupe-papier. Il est resté là des mois. Peut-être que ça la rassurait de l'avoir à portée de main. Quand elle était seule la nuit. Je lui avais proposé d'acheter un chien, mais elle y était allergique.

Marino : Si je vous ai bien suivi, Matt, vous venez de nous dire que ce couteau était sur le bureau la dernière fois que vous l'avez vu. Ça remonte à quand ? Samedi ou dimanche dernier, quand vous avez remplacé la moustiquaire des toilettes ?

Silence.

Marino : Voyez-vous une raison pour que votre femme déplace ce poignard, qu'elle le range dans un tiroir ou dans un endroit quelconque ?

– Non. Il était sur le bureau, près de la lampe, depuis des mois.

Marino : Pouvez-vous expliquer pourquoi nous l'avons retrouvé dans le tiroir du bas de la commode, sous une pile de pull-overs, à côté d'une boîte de préservatifs ? C'était votre tiroir, non ?

Silence.

– Je ne peux pas l'expliquer. Vous l'avez trouvé là ?

Marino : Oui.

– Les capotes ? (Un rire bref, comme un hoquet.) Elles dataient de l'époque où Lori ne prenait pas encore la pilule.

Marino : Vous êtes sûr ?

– Elle a pris la pilule trois mois après notre mariage. Nous nous sommes mariés juste avant de venir nous installer ici. Il y a moins de deux ans.

Marino : Bien. Et maintenant, Matt, je dois vous poser quelques questions personnelles. Je ne veux ni vous accabler ni vous embarrasser. Mais j'ai mes raisons. C'est dans votre intérêt. D'accord ?

Silence.

Marino (après avoir allumé une cigarette) : Bon ! Ces capotes. Aviez-vous une ou plusieurs relations intimes en dehors de votre mariage ?

– Absolument pas.

Marino : Vous passiez toute la semaine loin de chez vous. À votre place, j'aurais été tenté...

– Ce n'est pas mon genre ! Lori était tout pour moi. Je n'avais aucune autre liaison.

Marino : Même pas avec une actrice de votre troupe, par exemple ?

– Non.

Marino : Écoutez, tout le monde peut avoir des moments de faiblesse. C'est humain, hein ? Un type séduisant comme vous... Les femmes sont à vos pieds, non ? On pourrait pas le leur reprocher. Alors, si vous fréquentiez quelqu'un, dites-le. C'est important.

– Non. Je vous ai dit que non. De quoi m'accusez-vous, à la fin ?

Becker : Personne ne vous accuse de rien, Matt.

On entendit le bruit d'un objet raclant le bois de la table. Un cendrier, sans doute.

Marino : Quand avez-vous fait l'amour avec votre femme pour la dernière fois ?

– Mon Dieu... bégaya-t-il d'une voix brisée.

Marino : Je sais, c'est personnel. Mais vous devez nous le dire.

– Dimanche matin. Dimanche dernier.

Marino : Vous savez qu'il y aura des tas d'analyses, Matt. Les gars du labo vont tout examiner. Vous devrez nous donner... hum ! des échantillons, comme pour vos empreintes. Pour que nous puissions mettre les choses au point, savoir ce qui est à elle, ce qui est à vous, et, peut-être, ce qui vient de...

La bande s'interrompit. Je clignai des yeux, et pour la première fois depuis des heures, je pris conscience de ce qui m'entourait.

Marino éteignit le magnétophone.

– Après ça, conclut-il, on l'a emmené au *Richmond General* pour les prélèvements habituels. Betty fait l'analyse de sang.

Je hochai la tête, regardai la pendule murale. Il était midi. J'avais la nausée.

– Il y a quelque chose, non ? fit Marino en étouffant un bâillement. Vous n'êtes pas d'accord ? Moi, je vous dis qu'il est pas net. Pour causer comme ça après avoir trouvé sa femme dans cet état, faut pas être net. D'habitude, ils sont pas capables d'aligner trois mots. Il aurait continué jusqu'à la saint-glinglin si je l'avais pas arrêté. Et de la poésie, et des grands mots ! C'est un petit malin. Tellement malin qu'il me donne la chair de poule.

J'ôtai mes lunettes et me massai les tempes. Mon cerveau bouillait, les muscles de mon cou étaient brûlants. Sous ma blouse, mon chemisier était trempé. J'avais les circuits si survoltés que je n'avais qu'une envie : dormir.

– Il vit dans un monde de mots, Marino, m'entendis-je dire. Un peintre vous aurait fait un dessin. Lui, il a décrit la situation avec des mots. Des mots, toujours plus de mots. Les types comme lui ne peuvent pas avoir une idée sans l'exprimer avec des mots.

Je remis mes lunettes et regardai Marino. Il avait l'air perplexe. Son visage gras et ridé était tout rouge.

– Écoutez, doc, on a retrouvé ses empreintes sur le poignard, alors qu'il dit que depuis des mois il n'y a que sa femme qui s'en servait. On a retrouvé ce machin brillant sur le manche et sur ses mains. Et le couteau était dans son tiroir, comme si on avait voulu le cacher. Ça fait réfléchir, non ?

– Il se peut que le couteau se soit trouvé sur le bureau de Lori, comme il y était depuis longtemps. Elle s'en servait à l'occasion, pour ouvrir une enveloppe, et n'avait aucune raison de toucher la lame. (Tout était si net dans mon esprit que j'eus un moment l'impression que je racontais une scène à laquelle j'avais assisté.) Il est possible que l'assassin l'ait vu, lui aussi. Il l'a peut-être retiré du fourreau pour le regarder. Il l'a peut-être même utilisé...

– Pourquoi ?

– Pourquoi pas ? fis-je.

Haussement d'épaules.

– Peut-être pour brouiller les pistes, hasardai-je. Par pure perversité. On ne sait pas ce qui s'est passé, bon sang ! Il l'a peut-être interrogée à propos de ce couteau, il l'a peut-être torturée avec. Et si elle a parlé, comme c'est probable, il a appris que le couteau appartenait au mari. Et il s'est dit qu'il allait le cacher dans le tiroir, où les flics le trouveraient à coup sûr. Ou alors il s'en est servi pour des raisons pratiques. Peut-être était-il plus grand que celui qu'il avait apporté avec lui. Il l'a remarqué, il lui a plu, il s'en est servi, il l'a fourré dans un tiroir en espérant qu'on ne devinerait pas qu'il s'en était servi. C'est peut-être aussi simple que ça.

– À moins que ce soit Matt, rétorqua Marino.

– Mais réfléchissez ! Vous croyez qu'un mari pourrait ligoter et violer sa femme comme ça ? Lui fracturer les côtes, lui casser les doigts ? L'étrangler lentement ? Une femme qu'il aime ou qu'il a aimée ? Une femme avec qui il couche, mange, parle, vit ? Un être humain, sergent ! Pas une chose. Quel est le lien avec les trois autres crimes, selon vous ?

Naturellement, il avait réfléchi à la question.

– Ils se sont tous produits un vendredi après minuit, dans les premières heures du samedi. À peu près à l'heure où Matt revient de Charlottesville. Peut-être que sa femme avait commencé à avoir des soupçons, et qu'il a décidé de la supprimer. Sa petite mise en scène était peut-être destinée à nous faire croire que c'était encore un coup de l'étrangleur. Ou alors il voulait la liquider depuis le début, et il a buté les trois autres comme s'il s'agissait du même tueur.

– Excellent scénario pour Agatha Christie, fis-je en me levant. Mais comme vous le savez, dans la réalité, le meurtre est une chose désespérément simple. Ces meurtres sont exactement ce qu'ils paraissent : les victimes ont été choisies au hasard, mais le tueur les a surveillées suffisamment longtemps pour savoir à quel moment frapper.

Marino se leva à son tour.

– Ouais, sauf que dans la réalité, Dr Scarpetta, les cadavres ne sont pas couverts de paillettes qui ressemblent à s'y méprendre à celles qu'on retrouve sur les mains du mari, lequel a justement découvert le cadavre de la victime en laissant ses putains d'empreintes partout. Et les victimes n'ont pas pour mari des acteurs séduisants et bidons qui pondent des thèses sur le sexe, la violence, les cannibales et les pédés.

– L'odeur... lui demandai-je calmement. L'avez-vous sentie quand vous êtes arrivé sur les lieux ?

– Non. J'ai rien senti du tout. À mon avis, c'est le sperme qu'il a senti, s'il dit la vérité.

– J'imagine qu'il aurait reconnu l'odeur.

– Il s'y attendait pas. Pourquoi y aurait-il pensé en arrivant ? Moi, quand je suis entré, j'ai rien senti.

– Et sur les lieux des autres meurtres ?

– Non, m'dame. Ce qui renforce mon opinion : Matt se fait des idées ou nous mène en bateau.

– Les trois premières victimes n'ont été retrouvées que le lendemain, alors qu'elles étaient mortes depuis une douzaine d'heures, observai-je.

Incrédule, Marino s'arrêta sur le seuil.

– Vous pensez que Matt est arrivé juste après le départ du tueur et que ce type est affligé d'une odeur corporelle bizarre ?

– Possible !

– Foutues bonnes femmes... l'entendis-je grommeler tandis qu'il s'éloignait à grands pas.

5

Le Sixth Street Marketplace est un vaste centre commercial de verre et d'acier, aéré et inondé de soleil, situé à la limite nord du quartier des banques, en plein centre-ville. Je déjeunais rarement au restaurant et n'avais pas le temps de faire les boutiques cet après-midi-là. Dans moins d'une heure, on nous livrait deux morts subites et un suicidé, mais j'avais grand besoin de me détendre.

Marino m'agaçait à jouer les machos.

Nous étions quatre femmes dans ma classe, à Hopkins. Au début, j'étais trop naïve pour comprendre. On entendait de brusques raclements de chaises et des bruits divers chaque fois qu'un professeur m'interrogeait. On ne me proposait jamais les corrigés des exercices que les étudiants se passaient en vue des examens. Quand j'avais raté un cours, on trouvait systématiquement des raisons pour refuser de me passer les notes. Ce n'était pas un hasard. Je n'étais qu'une petite mouche devant l'immense toile d'araignée du pouvoir masculin. Si on ne pouvait pas me virer, on pouvait du moins me prendre au piège.

L'isolement est le plus cruel des traitements, et il ne m'était jamais venu à l'esprit que je n'étais pas tout à fait humaine du fait que je n'étais pas un homme. L'une de mes condisciples finit par abandonner la partie, une autre fut victime d'une dépression nerveuse. Mon seul espoir était de tenir le coup jusqu'à la revanche.

J'avais cru cette époque-là révolue, mais Marino ne cessait de me la remettre en mémoire. En plus, vulnérable, ces quatre meurtres m'avaient affreusement affectée. J'aurais aimé me sentir moins seule, mais Marino s'était fait une opinion, non seulement sur Matt Petersen, mais aussi sur moi.

La promenade me calmait. Les portes vitrées du Marketplace étaient ouvertes pour laisser entrer la brise printanière, et le self-service bondé. Attendant mon tour devant les salades, je regardai la foule, les jeunes couples qui parlaient et riaient à leur table, les femme seules, des « femmes actives » en costumes chic, l'air responsable, sirotant des boissons sans calories ou grignotant des sandwiches allégés.

C'est dans ce genre d'endroit public qu'il avait pu repérer ses premières victimes. Toutes les quatre avaient peut-être en commun d'avoir commandé une salade au comptoir où il travaillait.

L'énigme était que les femmes assassinées ne travaillaient ni ne vivaient dans le même quartier. Il était peu probable qu'elles fassent leurs courses dans les mêmes magasins, mangent dans le même restaurant et soient à la même banque. Richmond est très étalé, mais chaque quartier a ses commerces, son mini « centre-ville », les habitants de chaque secteur ont tout sur place. En ce qui me concerne, par exemple, en dehors du travail, je ne fréquente pratiquement que les commerces et les restaurants du West End.

La serveuse qui me passa une salade grecque me dévisagea avec insistance, comme si elle me connaissait. Je me demandai si elle avait vu ma photo dans le journal du samedi soir. Ou si elle m'avait reconnue aux actualités ou en voyant les croquis pris au tribunal, que la télévision exhumait chaque fois qu'il était question d'un meurtre en Virginie.

J'aurais préféré passer inaperçue, mais c'était impossible. Il y avait peu de femmes médecins experts dans le pays. Les journalistes ne se gênaient pas pour braquer leurs caméras sur moi et m'assaillir de questions pour m'extorquer une « petite phrase ». On me remarquait aussi parce que j'étais « blonde et jolie », paraît-il. Mes ancêtres, Italiens du nord, avaient les yeux bleus et les cheveux clairs, caractères qu'ils partageaient avec les Savoyards, les Suisses et les Autrichiens.

Les Scarpetta forment un groupe relativement homogène en Amérique. Ils se marient avec d'autres Italiens afin de préserver la pureté du sang. Ma mère m'a toujours dit que la plus grosse déception de sa vie avait été de ne pas avoir eu de fils, et de constater que ses deux filles avaient interrompu la longue lignée. Pour elle, Dorothée avait souillé le sang des Scarpetta en donnant naissance à Lucy, qui n'était qu'à moitié latine. Quant à moi, vu mon âge et mon état de célibataire, je ne souillerais plus grand-chose apparemment.

Ma mère avait les larmes aux yeux lorsqu'elle évoquait la prochaine extinction de la famille. « Un sang si riche ! » se lamentait-elle, surtout en vacances, quand elle regrettait de ne pas être entourée d'une horde de petits-enfants. « Quand je pense à nos ancêtres ! Des architectes, des peintres ! Kay, c'est comme laisser perdre un bon vin ! »

Toujours d'après ma mère, notre arbre généalogique s'enracinait à Vérone, province natale de Roméo et Juliette, de Dante, de Pisano, du Titien, de Bellini et de Paolo Cagliari. Elle persistait à croire que nous étions apparentés à ces lumières, même si je lui rappelais à chaque fois que Bellini, Pisano et le Titien étaient vénitiens et que Dante était florentin. En vérité, nos véritables ancêtres étaient des paysans et des ouvriers des chemins de fer, humbles immigrés en Amérique depuis deux générations.

Mon sachet de papier blanc à la main, je retrouvai avec plaisir la chaleur de l'après-midi. Les trottoirs étaient encombrés de mangeurs et, tandis que j'attendais pour traverser, je tournai instinctivement la tête vers deux hommes qui sortaient du restaurant chinois, de l'autre côté de la rue. C'étaient les cheveux blonds d'un des deux hommes qui avaient attiré mon attention. Il s'agissait de Bill Boltz, l'avoué du Commonwealth pour la ville de Richmond. Tout en chaussant ses lunettes noires, il poursuivait une conversation animée avec Norman Tanner, directeur de la sécurité publique. Pendant quelques secondes, Boltz parut me regarder mais il ne répondit pas à mon salut. Peut-être ne m'avait-il pas vue. Je baissai le bras. Les deux hommes disparurent aussitôt, engloutis par la foule.

Après une attente interminable, le feu passa au rouge et je traversai. J'aperçus une boutique de logiciels et entrai acheter quelque chose pour Lucy : non pas un jeu vidéo mais un cours d'histoire complet, avec musique, schémas et exercices de mémoire. La veille, au parc, nous avions fait le tour du petit lac dans une barque de location. Elle avait fait exprès de passer sous la fontaine pour m'arroser d'eau tiède, et je m'étais surprise, telle une gamine, à vouloir lui rendre la pareille. Nous avions donné du pain aux oies et nous étions gavées de barbes à papa. Lucy devait reprendre l'avion pour Miami le jeudi matin suivant, et au mieux je ne la reverrai pas avant Noël.

Il était une heure moins le quart lorsque j'entrai dans le hall du bâtiment occupé par le bureau du médecin expert général, ou, comme tout le monde l'appelait, le BMG. Benton Wesley avait un quart d'heure d'avance. Assis sur un canapé, il lisait le *Wall Street Journal.*

– J'espère que vous avez quelque chose à boire là-dedans, fit-il en repliant son journal.

– Du formol. Vous allez adorer.

– Dommage, j'aurais bien bu un petit coup. J'ai tellement envie de picoler qu'il m'arrive de rêver que le distributeur d'eau du couloir est rempli de gin.

– Drôle de fantasme, si vous voulez mon avis.

– C'est le seul dont je puisse parler devant une femme.

Wesley était « profileur » au FBI où il élaborait le profil psychologique des criminels recherchés. Mais il n'était pas souvent à Richmond. Quand il n'était pas en déplacement, il travaillait à l'Académie nationale de Quantico, où il donnait des cours d'enquête criminelle et faisait son possible pour sortir le *Violent Criminal Apprehension Program* – ou VICAP – de ses errements de jeunesse. Le dada du VICAP consistait en la mise en place d'équipes régionales composées d'un profileur du FBI et d'un inspecteur expérimenté. La police de Richmond avait fait appel au VICAP dès le deuxième meurtre. En dehors de ses fonctions de sergent dans la police de la ville, Marino avait été désigné comme associé de Wesley.

– Je suis en avance, s'excusa Wesley en me suivant dans le couloir. Je suis venu directement de chez mon dentiste. Allez-y ! Cassez la croûte.

– Ça me gêne, figurez-vous.

– J'oubliais, dit-il avec un sourire embarrassé. Vous n'êtes pas comme Cagney. Il gardait toujours des biscuits au fromage dans son bureau de la morgue. Il lui arrivait de s'arrêter au beau milieu d'une autopsie pour en grignoter quelques-uns.

Nous entrâmes dans une pièce minuscule, pourvue d'un réfrigérateur, d'un distributeur de Coca-Cola et d'une machine à café.

– Il a eu de la chance d'éviter l'hépatite ou le sida.

– Le sida ! s'exclama Wesley en s'étouffant de rire.

Comme la majorité des toubibs de la vieille génération, le Dr Cagney était connu pour sa réprobation de l'homosexualité. « Encore un pédé », disait-il lorsqu'il avait à autopsier certains clients.

– Le sida ! (Wesley ricanait encore à cette idée, pendant que je mettais ma salade au réfrigérateur.)

J'avais fini par apprécier Wesley. La première fois que je l'avais rencontré, j'étais restée sur une impression mitigée. À première vue, il cultivait les stéréotypes. Tout en lui, jusqu'à ses souliers, portait la signature du FBI. C'était un homme aux traits acérés, avec des cheveux prématurément grisonnants qui semblaient indiquer, à tort, une certaine faiblesse de caractère. Il était mince, nerveux, et ressemblait à un avocat avec son costume vert de bonne coupe et sa cravate de cachemire bleu. Je ne l'avais jamais vu qu'en chemise blanche amidonnée.

Il était nanti d'une maîtrise de psychologie et avait dirigé un lycée à Dallas avant d'entrer au FBI. D'abord agent sur le terrain, il avait ensuite infiltré la mafia avant de revenir à son point de départ. Les profileurs doivent en effet conjuguer des talents d'universitaire, de penseur, d'analyste. Et de magicien.

Notre café à la main, nous filâmes à gauche, dans la salle de conférence. Assis à la longue table, Marino était plongé dans un épais dossier. J'en fus surprise. Pour je ne sais quelle raison, je m'attendais à ce qu'il soit en retard.

– Je viens de passer en sérologie. Petersen est A positif et non-sécréteur, m'annonça-t-il tout de go.

– C'est le mari ? demanda Wesley avec un regard perçant.

– Ouais. Un non-sécréteur. Comme le type qui liquide ces bonnes femmes.

– Vingt pour cent des gens sont non-sécréteurs, fis-je posément.

– Ouais, fit Marino. Deux sur dix.

– Soit quarante-quatre mille individus pour une ville comme Richmond, rétorquai-je. Vingt-deux mille si l'on considère que la moitié sont des femmes.

– Je vais vous dire, doc. (Sa cigarette tressautait à chaque syllabe.) Vous parlez de plus en plus comme un putain d'avocat.

Une demi-heure plus tard, nous étions installés tous les trois autour de la table. Je présidais. Les photos des quatre femmes assassinées étaient étalées entre nous.

C'était la partie la plus difficile et la plus longue de l'enquête. Il s'agissait d'ébaucher les profils respectifs du tueur et des victimes.

Wesley était en train de le décrire. C'était un domaine où il excellait, atteignant parfois à un degré de précision presque inquiétant. Dans le cas qui nous occupait, l'assassin semblait dominé par une rage froide et calculatrice.

– À mon avis il est blanc, disait Wesley. Mais je n'en mettrais pas ma main au feu. Cecile Tyler était noire, et le mélange des races dans le choix des victimes est inhabituel.

Il prit une photo de Cecile Tyler, une très jolie Noire, réceptionniste dans une société d'investissement du Northside. Comme Lori Petersen, elle était attachée, étranglée, nue sur son lit.

– C'est une tendance en matière de crimes sexuels. Le plus souvent, l'assassin est noir, la victime blanche. Le contraire, un Blanc violant et tuant des Noires, est beaucoup plus rare. Les victimes ne sont presque jamais des prostituées. En tout cas, ces femmes n'en étaient pas sinon notre travail serait plus facile.

– Ça n'aurait rien changé pour elles, fit Marino.

Wesley ne sourit pas.

– Nous aurions pu au moins établir un rapport entre les victimes, Pete, et ça nous aurait aidés.

– Qu'est-ce qu'en dit Fortosis ? reprit Marino.

Fortosis était le psychiatre qui étudiait les meurtres.

– Pas grand-chose, répliqua Wesley. Je l'ai vu ce matin. Il n'a pas voulu se mouiller. Le meurtre de la toubib l'a forcé à reconsidérer ses hypothèses. Mais pour lui, c'est un Blanc.

Le visage que j'avais vu en rêve fit brusquement irruption dans mon esprit. Une face blanche et lisse.

– Il a probablement entre 25 et 35 ans, poursuivit Wesley les yeux sur sa boule de cristal mentale. Il est sans doute motorisé : voiture, moto, camion, camionnette. À mon avis, il se gare dans un coin tranquille et continue à pied. Son véhicule est assez ancien, de marque américaine, discret, peut-être gris ou beige. Pas une voiture de flic en civil.

Wesley ne cherchait pas à faire de l'humour. Ce type de tueur est souvent fasciné par le travail des policiers, qu'il va jusqu'à imiter. Il n'est pas rare qu'aussitôt après son arrestation, un psychopathe veuille participer à l'enquête. Il n'hésitera pas à donner un coup de main à l'équipe chargée de récupérer le cadavre qu'il a enterré au fond d'un bois. C'est le genre de type qui adore boire une bière avec des flics.

D'après les estimations, environ un pour cent de la population est psychopathe. Des individus génétiquement insensibles à la peur, qui savent manipuler les gens. Quand ils sont du bon côté de la barrière, ils deviennent de fantastiques espions, des héros de guerre, des généraux cinq étoiles ou des capitaines d'industrie. Mais s'ils passent du mauvais côté, ils commettent d'affreux dégâts. Ce sont les Néron, les Hitler, les Richard Speck, les Ted Bundy, tous ces asociaux cliniquement sains qui se livrent sans vergogne à des atrocités.

– C'est un solitaire, poursuivait Wesley. Il a des difficultés à établir de vraies relations, même s'il peut paraître charmant à ceux qui le connaissent. Il est seul. C'est le genre à draguer une femme dans un bar et à coucher, mais à trouver ça très frustrant.

– J'connais ça, fit Marino en bâillant.

– Il tire du plaisir de la pornographie sadique et doit avoir ce genre de fantasmes depuis toujours. L'idée de passer aux actes a pu lui venir en épiant les femmes seules par la fenêtre de leur maison. C'est la première étape. Ensuite il se met à violer. Et la brutalité finit un jour par un meurtre. C'est l'escalade. Il devient de plus en plus violent et le viol n'est plus le mobile principal. C'est le meurtre qui le devient. Et puis le meurtre à son tour ne lui suffit plus.

Il tendit le bras, dévoilant une manchette immaculée, et prit les photos de Lori Petersen. Il les examina une à une, le visage impassible.

– Il me paraît clair que dans le cas du Dr Petersen, il a utilisé pour la première fois la torture, dit-il à mon adresse.

– En effet, fis-je.

– Les doigts cassés ? grogna Marino qui poursuivait son idée. La mafia fait des trucs comme ça. Pas les obsédés sexuels. Elle jouait du violon, non ? Affaire de vengeance personnelle. Il la connaissait.

– Il y avait des ouvrages de chirurgie sur son bureau, fis-je en m'efforçant au calme. Et un violon. Il ne fallait pas être très malin pour comprendre ce qui l'intéressait.

– Les fractures des doigts et des côtes sont peut-être des blessures défensives, occasionnées pendant qu'elle se débattait, fit remarquer Wesley.

– Impossible, dis-je d'un ton catégorique. Je n'ai trouvé aucun élément indiquant qu'elle s'est battue.

Marino tourna vers moi ses yeux hostiles.

– Vraiment ? C'est curieux. Qu'entendez-vous par blessures défensives ? D'après votre rapport, elle était couverte d'ecchymoses.

– Ongles cassés, griffures, ecchymoses sur les bras et les mains exposées lorsqu'une victime essaie de se protéger ou de se débattre. Voilà des blessures défensives incontestables. Ce n'est absolument pas le cas ici, tranchai-je.

– Donc nous sommes d'accord, résuma Wesley. Il s'est montré encore plus violent cette fois-ci.

– Disons plutôt brutal, s'empressa de rectifier Marino qui tenait à sa version. Le cas de Lori Petersen est différent des trois autres.

Je fis un effort pour contrôler ma fureur. Les trois premières victimes avaient été ligotées, violées et étranglées. Ce n'était donc pas assez ? Fallait-il encore qu'on leur casse les doigts ?

– S'il tue une nouvelle fois, prédit Wesley d'un ton lugubre, nous découvrirons des signes encore plus évidents de violence et de torture. Il tue parce que quelque chose le pousse, par besoin. Et plus il tue, plus ce besoin se fait impérieux, plus il est frustré, et plus violente devient l'envie de tuer à nouveau. Il s'endurcit et la satisfaction est de plus en plus éphémère. Les meurtres risquent de s'accélérer. Il pourrait finir, comme Bundy, par se livrer à une orgie de meurtres et de sang.

Je songeai à la chronologie des meurtres. La première femme avait été tuée le 19 avril, la deuxième le 10 mai, la troisième le 31 mai. Lori Petersen avait été tuée une semaine plus tard, le 7 juin.

Wesley enchaîna. Le tueur avait sans doute grandi dans un « foyer désuni » et avait peut-être été maltraité par sa mère. En présence de ses victimes, il laissait libre cours à sa colère, inextricablement liée à son plaisir.

C'était un homme d'une intelligence supérieure à la moyenne, organisé, méticuleux, peut-être enclin à des comportements obsessionnels, à des phobies ou à des rituels, maniaque de l'ordre et de la propreté.

Il devait être mécanicien, réparateur, ouvrier du bâtiment ou exercer un autre métier manuel.

Je remarquai que le visage de Marino virait peu à peu à l'écarlate. Il ne cessait de jeter des regards nerveux autour de lui.

– La phase la plus jouissive pour lui, précisait Wesley, est la période de préparation, d'élaboration du fantasme, la découverte de l'élément objectif qui le déclenche. Où déniche-t-il ses victimes ?

Nous ne le savions pas. Elles-mêmes n'auraient peut-être pas su nous le dire si elles avaient été encore en vie. Le facteur déclenchant tenait peut-être à un fil. Il les apercevait peut-être une seule fois, Dieu sait où. Dans un supermarché. Arrêtées dans leur voiture à un feu rouge.

– Qu'est-ce qui le pousse à choisir telle ou telle femme ? insistait Wesley. Pourquoi celle-ci et pas une autre ?

Ça aussi, nous l'ignorions. Nous ne savions qu'une seule chose. Elles étaient vulnérables parce qu'elles vivaient seules. Ou du moins, comme dans le cas de Lori Petersen, c'est ce qu'il croyait.

– Bref ! C'est n'importe qui, fit Marino d'un ton acerbe.

Il secoua la cendre de sa cigarette et se pencha en avant, agressif.

– Tout ça, c'est bien beau, mais c'est pas en suivant les cailloux du Petit Poucet qu'on attrapera le Grand Méchant Loup. Il est plombier d'après vous, hein ? Eh bien, Ted Bundy était étudiant en droit. Et il y a deux ans de ça, à Washington, on a arrêté un violeur fou qu'était dentiste. Merde ! Notre étrangleur pourrait aussi bien être boy-scout !

Ça faisait un moment que j'attendais ça.

– Pourquoi y serait pas étudiant, hein ? Ou acteur ? Y'a rien qui ressemble plus à un crime sexuel qu'un autre crime sexuel, quel que soit le tueur, à moins que ce soit un dingo qui boit le sang de ses victimes ou qui les fait griller au barbecue. La raison pour laquelle ces crimes sexuels se ressemblent, si vous voulez mon avis, c'est que sauf exception, les gens sont les gens, voilà tout ! Qu'ils soient toubib, avocat ou chef indien, ils pensent et font à peu près tous la même chose, et ça remonte au temps où les hommes des cavernes embarquaient leurs femmes par les cheveux.

Wesley avait les yeux dans le vague.

– Où veux-tu en venir, Pete ? lui demanda-t-il calmement.

– Je vais t'le dire, où j'veux en venir ! (Il pointait un menton vindicatif.) Tout ce baratin sur les mecs qui collent avec ton profil, je me le carre où j'pense. Moi je tiens un type qu'a pondu une putain de thèse sur le sexe et la violence, les cannibales et les pédés. Il a un truc brillant sur les mains qui ressemble salement à ce qu'on a trouvé sur les autres cadavres. Ses empreintes étaient sur le corps de sa femme et sur le couteau planqué dans un tiroir. Il rentre chez lui tous les samedis à peu près à l'heure où sa femme s'est fait buter. Et ça serait pas lui, bordel ! Parce que c'est pas un prolo. Il a pas le profil assez crade !

Wesley avait toujours les yeux dans le vague. Mon regard tomba sur les photos étalées entre nous, des agrandissements couleur de femmes qui n'auraient jamais imaginé qu'elles finiraient comme ça, même dans leurs pires cauchemars.

– Laissez-moi vous dire une chose, poursuivit Marino qui n'avait pas fini sa tirade. Ce cher petit Matt est pas exactement blanc comme neige. Pendant que j'étais là-haut, en sérologie, je suis repassé dans le bureau de Vander. Les empreintes de Petersen étaient déjà fichées, hein ? Et vous savez pourquoi ? (Il me jeta un regard dur.) Parce qu'il a été arrêté il y a six ans à La Nouvelle-Orléans. Pendant l'été, juste avant qu'il entre à l'université, bien avant qu'il rencontre sa femme. Elle ne l'a peut-être même jamais su.

– Elle n'a jamais su quoi ? demanda Wesley.

– Que son mari avait été accusé de viol. Voilà ce que Vander a trouvé.

Personne ne parla pendant un très long moment.

Wesley, la mâchoire contractée, tournait et retournait son stylo Montblanc entre ses doigts. Marino ne jouait pas franc jeu. Il ne communiquait pas ses informations. Il s'en servait pour nous tendre des pièges, comme s'il était au tribunal, avec Wesley et moi dans le camp adverse.

– Si Petersen a été accusé de viol, finis-je par dire, il a dû être acquitté.

Les yeux de Marino me tenaient en joue.

– Vous croyez ? fit-il. J'ai pas encore étudié le dossier.

– Une université comme Harvard, sergent Marino, n'a pas la réputation d'accepter des criminels.

– À moins qu'ils soient pas au courant.

– Il est difficile de croire qu'ils ne l'aient pas été si l'accusation a été maintenue.

– Il faudra vérifier, fit Wesley pour clore le débat.

Sur ce, Marino s'excusa comme pour aller aux toilettes. Wesley fit comme s'il n'y avait rien d'extraordinaire, ni dans l'éclat de Marino, ni dans ses révélations.

– Kay, avez-vous reçu quelque chose de New York ? fit-il d'un ton neutre. Les résultats du labo ?

– L'examen ADN prend du temps, répondis-je. Nous ne leur avons rien envoyé pour le premier meurtre. Je devrais recevoir les résultats du deuxième d'ici peu. Quant à ceux de Cecile Tyler et Lori Petersen, nous n'aurons rien avant le mois prochain.

Wesley embraya avec l'air de tout trouver normal.

– Dans les quatre cas, le type est un non-sécréteur.

– C'est à peu près la seule chose de sûre.

– Pour moi, il s'agit du même tueur.

– J'en suis convaincue, moi aussi, répliquai-je.

Nous restâmes silencieux quelques instants, attendant, tendus, le retour de Marino, tandis que ses paroles agressives résonnaient encore à nos oreilles. Je transpirai et sentai mon cœur cogner.

Wesley dut lire ma fureur sur mon visage. Il dut sentir que j'avais relégué Marino dans l'abîme où je précipite ceux que je juge insupportables, déplaisants et professionnellement dangereux.

– Il faut le comprendre, Kay, dit-il.

– Je n'y arrive pas.

– C'est un bon policier, un très bon policier.

Je restai muette. Le silence se prolongea.

La colère bouillonnait en moi. J'essayai de me contrôler, mais je fus incapable d'empêcher les mots de jaillir de ma bouche.

– Enfin, merde, Benton ! Ces femmes méritent qu'on fasse de notre mieux. Si on cafouille, une autre risque d'y passer ! Et je ne veux pas qu'il fasse tout foirer sous prétexte qu'il a des problèmes !

– Il ne fera pas tout foirer.

– Il a déjà commencé, rétorquai-je en baissant la voix. Il a passé un nœud coulant autour du cou de Matt Petersen. Il ne cherche pas ailleurs.

Marino n'avait pas l'air pressé de revenir.

Welsey fuyait mon regard.

– Je n'écarte pas l'hypothèse Petersen. Tuer sa propre femme ne colle pas avec les trois autres meurtres, d'accord. Mais celui que nous recherchons est un cas à part. Prenez Gacy, par exemple. On ne sait toujours pas combien de personnes il a tuées. On est sûr du meurtre de trente-trois gamins. Mais il en a peut-être tué des centaines. Des gosses inconnus. Jusqu'au jour où il a tué sa mère et l'a balancée en morceaux dans le vide-ordures...

Je n'en croyais pas mes oreilles. Il était en train de me servir un cours d'initiation à l'usage des bleus, il me baratinait.

– Chapman se balade avec *L'Arrache-cœur* quand il descend John Lennon. Reagan et Brady se font tirer dessus par un cinglé obsédé par une actrice. Ce sont des schémas qu'on découvre après coup. On essaie de prévoir, mais il est impossible de tout prévoir.

Ensuite il se mit à me débiter des statistiques. Douze ans auparavant, le taux de résolution des meurtres atteignait une moyenne de 95 ou 96 %. Il avait baissé à 74 % et ne cessait de diminuer. Les crimes commis au hasard l'emportaient sur les crimes passionnels, etc. Je l'écoutais à peine.

– ... et pour vous parler franchement, Kay, Matt Petersen m'inquiète.

Il s'interrompit. Je tendis l'oreille.

– C'est un acteur. Les psychopathes sont les Rembrandt de l'assassinat. Nous ne savons pas quel rôle il se donne dans ses fantasmes. Nous ne savons pas s'il est passé aux actes. Nous ne savons pas s'il est ou non diaboliquement intelligent. Il a pu tuer sa femme dans un but utilitaire.

– *Utilitaire* ?

Je le regardai fixement, incrédule, puis retournai aux photos de Lori Petersen. Son visage déformé par la souffrance, ses jambes tordues, le fil électrique tordant ses bras et entaillant son cou. Je voyais tout ce que le monstre lui avait fait. Utilitaire ? Je n'en croyais pas mes oreilles.

– Utilitaire dans le sens où il a peut-être eu besoin de se débarrasser d'elle, Kay, expliqua Wesley. Sa femme le soupçonnait peut-être d'être l'auteur des trois premiers meurtres. Pris de panique, il a pu décider de la tuer. Et a maquillé son crime pour le faire ressembler aux trois autres.

– J'ai déjà entendu ça dans la bouche de votre partenaire.

– Tous les scénarios sont possibles, Kay. Il faut les envisager tous, dit-il, têtu.

– Je suis d'accord. Encore faut-il que Marino les envisage *tous*, lui aussi.

Wesley jeta un coup d'œil vers la porte ouverte.

– Pete a des préjugés, je ne dis pas le contraire.

– Vous feriez peut-être mieux de me dire lesquels.

– Il vous suffira d'apprendre que quand le FBI a décidé qu'il ferait un bon candidat pour le VICAP, nous avons fait une petite enquête à son sujet. J'ai appris où il avait grandi, et comment. Il y a des choses qu'on n'oublie pas facilement. Qui vous marquent pour la vie. Ça arrive.

Il ne m'apprenait rien que je n'avais déjà supposé. Marino était né dans un milieu défavorisé et avait eu une enfance difficile. Il se sentait mal à l'aise avec les autres. Les belles filles du coin ne l'avaient jamais regardé parce que c'était un minable et parce que son père avait les ongles en deuil.

J'avais entendu ces histoires de flics malheureux des centaines de fois. Pour un type dont les seuls atouts sont la carrure et la couleur de la peau, la seule solution consiste à se faire respecter en étant encore plus costaud et encore plus blanc, avec son pétard à la ceinture et sa plaque de flic.

– Il n'est pas question de se chercher des excuses, Benton, rétorquai-je. On n'excuse pas les criminels parce qu'ils ont eu une enfance tordue. Et on n'est pas censés utiliser nos pouvoirs pour nous venger de ceux qui ont gâché notre enfance.

Je comprenais d'où venait Marino. Et je comprenais sa colère. Je l'avais moi-même éprouvée plus d'une fois au cours d'un procès. Quelle que soit la gravité des charges pesant sur un inculpé, s'il a une bonne tête, les cheveux et un costume bien coupés, les douze prolos du jury sont prêts à penser qu'il est innocent.

J'en étais arrivée à m'attendre à n'importe quoi de la part de n'importe qui, moi aussi. Mais uniquement si les preuves étaient là. Marino avait-il ces preuves ?

Wesley repoussa sa chaise et se leva pour s'étirer.

– De temps en temps, Pete fait sa crise. On s'y habitue. Ça fait des années que je le connais.

Il alla jusqu'à la porte et explora le couloir.

– Mais bon dieu ! il est tombé dans les chiottes ou quoi ?

Wesley me raccompagna jusqu'à mon bureau, puis sortit dans la lumière de la fin d'après-midi. D'autres délits, d'autres crimes réclamaient ses compétences.

Nous avions renoncé à attendre Marino. Je ne savais pas où il avait pu aller. Tout indiquait qu'il avait quitté le bâtiment. Je n'eus d'ailleurs guère de temps pour y réfléchir. À peine avais-je mis mes dossiers sous clé que Rose apparut dans le petit couloir qui reliait mon bureau au sien.

Au pli de sa bouche, je compris qu'elle avait quelque chose de désagréable à m'annoncer.

– Dr Scarpetta, Margaret vous cherche. Elle m'a dit de vous prévenir dès que vous auriez fini.

Je ne pus réprimer un geste agacé. Plusieurs autopsies m'attendaient en bas, sans compter la multitude de gens qui m'avaient téléphoné et que je devais rappeler. J'avais du travail pour six, et aucune envie qu'on m'en colle un peu plus.

Rose me tendit une pile de lettres à signer puis, m'observant par-dessus ses lunettes comme une institutrice implacable, ajouta :

– Elle est dans son bureau. C'est urgent.

Je savais que Rose ne lâcherait pas le morceau. Je ne pouvais lui en tenir rigueur mais je la soupçonnais d'être au courant de tout. Elle avait pour principe de m'aiguiller directement à la source. Elle évitait autant que possible d'être le porteur de mauvaises nouvelles. Il faut dire qu'elle avait été à rude école, ayant travaillé presque toute sa vie pour mon prédécesseur, Cagney.

Le bureau de Margaret, situé à mi-couloir, était une petite pièce spartiate aux murs peints de la même teinte verdâtre que le reste du bâtiment. Le sol carrelé, vert foncé, avait invariablement le même aspect poussiéreux. La table de Margaret ainsi que la moindre surface plane étaient envahies de listings. Les étagères débordaient de manuels informatiques, de cordons d'imprimantes, de réserves de rubans et de boîtes de disquettes. La pièce ne comportait aucune touche personnelle, aucune photo, aucune affiche, aucun bibelot. Je me demandais comment Margaret supportait ce bric-à-brac impersonnel d'analystes informatiques asexués.

Le dos à la porte, elle était assise devant un moniteur, un manuel de programmation ouvert sur les genoux. M'entendant entrer, elle fit pivoter son fauteuil et s'écarta pour me faire de la place. Elle avait le visage tendu sous ses courts cheveux noirs en désordre. Ses yeux sombres étaient soucieux.

– J'ai passé presque toute la matinée à une réunion, dit-elle. Quand je suis revenue, j'ai trouvé ça.

Elle me tendit un feuillet imprimé. En haut, figuraient les commandes qui permettaient à l'opérateur d'interroger une banque de données. Je regardai, l'esprit vide. La moitié supérieure de la page était occupée par des colonnes de noms. En dessous, je vis plusieurs commandes de recherche au nom de « Petersen », prénom « Lori ». La réponse figurait en face : « Pas de dossier correspondant ». Une deuxième commande visait à obtenir les numéros de dossier et prénom de la personne décédée dont le nom de famille était « Petersen ».

Lori Petersen ne figurait pas dans notre banque de données puisque son dossier se trouvait encore dans le tiroir de mon bureau.

– Ce n'est pas vous qui avez tapé ces commandes, Margaret ?

– Ni moi ni personne de notre service, répliqua-t-elle. C'était impossible.

Je fus aussitôt sur le qui-vive.

– Quand je suis partie, vendredi soir, poursuivit-elle, j'ai fait ce que je fais toujours en fin de journée. J'ai laissé l'ordinateur en mode veille, de façon à ce que vous puissiez l'interroger de chez vous. Personne n'a pu l'utiliser pendant mon absence à moins de l'interroger à partir d'un autre PC, avec un modem.

C'était une explication. Les terminaux de nos services étaient reliés au serveur de Margaret. Et, en dépit de l'insistance du commissaire, nous n'étions toujours pas reliés au HHSD – *Health and Human Services Department* – installé de l'autre côté de la rue. J'avais toujours refusé cette liaison à cause de la sensibilité de nos données concernant des affaires en cours. Des dizaines d'agences du HHSD y auraient eu accès. Et nous n'aurions pu faire face aux problèmes de sécurité.

– Je ne l'ai pas appelé de chez moi, dis-je à Margaret.

– Je m'en doutais, fit-elle. Vous êtes bien placée pour savoir que le dossier Lori Petersen n'est pas encore entré. Mais ce n'est ni une de nos secrétaires ni un des médecins. À part votre PC et celui de la morgue, tous les terminaux sont muets.

Un terminal muet, me rappela-t-elle, n'était composé que d'un moniteur et d'un clavier, reliés au serveur de Margaret. Quand ce serveur était éteint ou « gelé », ce qui était le cas en mode veille, les terminaux l'étaient eux aussi. Or ils l'avaient été depuis vendredi en fin d'après-midi – c'est-à-dire *avant* le meurtre de Lori Petersen.

L'effraction que Margaret avait constatée dans la banque de données avait été commise soit durant le week-end, soit le vendredi.

Quelqu'un de l'extérieur avait interrogé notre banque.

Quelqu'un qui connaissait le fonctionnement de notre banque de données. Laquelle, il est vrai, était d'un modèle courant. Le numéro d'appel était celui du poste de Margaret, qui figurait dans le répertoire interne du HHSD. Pour quelqu'un disposant d'un ordinateur équipé d'un logiciel de communication, d'un modem compatible, et du numéro de poste de Margaret, c'était un jeu d'enfant d'entrer en communication avec son ordinateur. Mais impossible d'accéder à nos applications et à nos données. Impossible même d'accéder aux boîtes à lettres électroniques sans connaître les noms et les mots de passe de leurs propriétaires.

Soucieuse, Margaret fixait l'écran à travers ses lunettes teintées, et se mordillait un ongle.

Je tirai une chaise et m'assis.

– Comment est-ce possible ? Il faut le nom et le mot de passe.

– C'est bien ce que je me dis. Nous ne sommes pas nombreux à les connaître, Dr Scarpetta. Vous, moi, les autres médecins, et ceux qui entrent les données. Et en plus, nos noms d'utilisateurs et nos mots de passe sont différents de ceux que j'ai assignés aux circonscriptions.

Bien que toutes les circonscriptions géographiques que couvraient mes services disposent d'un réseau identique au nôtre, elles stockaient leurs propres données et n'avaient pas d'accès direct aux données du bureau central. Il était improbable – et même, à mes yeux, impossible – que cette intervention ait pu être le fait d'un des responsables de circonscription.

– Peut-être que quelqu'un a essayé et a tout simplement eu de la chance, hasardai-je.

– Impossible ! Je le sais d'expérience. Il m'arrive d'essayer, quand je change un mot de passe et que j'oublie le nouveau. L'ordinateur n'a aucune patience. Au bout de trois essais infructueux, la communication est coupée. De plus, cette version de la banque de données n'aime pas les tentatives d'effraction. Dès que vous essayez de pirater le SQL ou d'entrer dans un tableau, vous provoquez une erreur système, déréglez les curseurs et détruisez les données.

– Les mots de passe ne peuvent pas se trouver ailleurs ? demandai-je. Quelque part où quelqu'un pourrait aller les récupérer ? Imaginez qu'un programmeur...

– Ça ne marcherait pas. J'ai vérifié. Il existe *effectivement* dans le système une liste des noms d'utilisateurs et des mots de passe, mais il faut être un petit génie pour y accéder. De toute façon, je me suis débarrassée de cette liste depuis longtemps.

Je restai silencieuse.

Elle m'observait, cherchant à détecter sur mon visage un signe de colère ou de reproche.

– C'est terrible, fit-elle, oppressée. Je ne sais même pas tout ce que cette personne a pu faire. Le DBA ne marche plus.

– Il ne marche plus !

Le *Data Base Administrator* était une sorte de laissez-passer qui permettait à quelques personnes, dont Margaret et moi, d'avoir accès à toutes les données et d'y intervenir à notre guise. C'était comme si je venais d'apprendre que la clé de chez moi n'ouvrait plus ma porte.

– Que voulez-vous dire ? ajoutai-je, incrédule.

– Il ne marche plus. Je n'ai pu avoir accès à aucun tableau. Le mot de passe ne fonctionne plus. J'ai dû reconnecter l'autorisation d'accès.

– Mais comment est-ce possible ?

– Je ne sais pas, fit-elle, de plus en plus affolée. Je devrais peut-être changer toutes les autorisations d'accès et distribuer de nouveaux mots de passe ?

– Ce n'est pas le moment. Nous allons nous abstenir d'entrer le dossier Lori Petersen dans l'ordinateur. Quel que soit l'auteur de cette effraction, il n'a pas eu ce qu'il cherchait. (Je me levai.) Cette fois-ci, en tout cas.

Je regardai Margaret. Deux taches rouges s'étaient formées sur ses joues.

– Impossible de savoir. Peut-être a-t-il eu ce qu'il cherchait. L'écho était éteint. Le feuillet imprimé correspond à l'écho des commandes tapées sur le clavier de l'ordinateur d'où l'on a interrogé la banque. D'habitude, je débranche l'écho, comme ça, si vous l'interrogez de chez vous, il ne garde pas trace de vos opérations. Mais vendredi dernier, j'étais pressée. J'ai peut-être laissé l'écho branché, ou alors je l'ai allumé par inadvertance. Je ne sais plus. En tout cas, il était en marche. D'une certaine façon, nous avons eu de la chance, ajouta- t-elle, lugubre.

Nous nous retournâmes en même temps.

Rose se tenait dans l'encadrement de la porte. Avec cet air que je lui connaissais bien.

– *Rose, s'il te plaît, ce n'est vraiment pas le moment* !

Elle m'attendit dans le couloir.

– Le médecin expert de *Colonial Heights*, est sur la une, me dit-elle. Un inspecteur d'Ashland attend sur la deux. Et la secrétaire du commissaire vient d'appeler pour...

– Quoi ? m'exclamai-je. La secrétaire d'Amburgey ?

Elle me tendit plusieurs messages.

– Le commissaire veut vous voir.

– Et pourquoi ? hurlai-je, au bord de l'explosion.

– Je ne sais pas, fit Rose. Sa secrétaire ne m'a rien dit.

6

Impossible de rester assise à mon bureau. Il fallait que je bouge, sinon j'allais devenir folle.

Quelqu'un avait piraté le serveur, et Amburgey voulait me voir dans une heure et demie. Quelque chose me disait que ce n'était pas pour prendre le thé.

Je décidai donc de faire la tournée des services. C'est ce que je faisais pour me faire communiquer des résultats d'analyses par les différents labos. Ou pour bavarder un moment et savoir où en étaient les recherches. Mais ce jour-là, ce fut un simple prétexte, une pérégrination désespérée.

Le bâtiment de la médecine légale était une véritable ruche, composée d'une multitude de cellules minuscules encombrées de matériel, où s'affairait un personnel en blouses blanches et lunettes de sécurité en plastique.

Quelques collègues m'adressèrent un signe de tête ou un sourire. La plupart ne levèrent même pas la tête, trop occupés pour prêter attention aux allées et venues. Je songeai à Abby Turnbull et à d'autres journalistes de son acabit.

Quelque reporter ambitieux avait-il soudoyé un pirate informatique pour pénétrer dans nos données ?

Depuis quand se livrait-on à ces effractions ?

Je pénétrai dans le laboratoire de sérologie et mon regard tomba sur les meubles noirs remplis de coupes en verre, de tubes à essai et de becs Bunsen. J'aperçus, regroupés dans des armoires vitrées, des flacons de produits chimiques et des sachets en plastique contenant des indices matériels. Au centre de la pièce, trônait la longue table où étaient étalés le couvre-lit et les draps de Lori Petersen.

– Vous arrivez juste à temps pour une indigestion d'acide, me dit Betty.

– Merci bien !

– Moi, c'est déjà fait. Vous êtes immunisée ?

Bientôt à la retraite, Betty avait des cheveux argentés, des traits fermes et des yeux noisette qui, selon que vous preniez ou non la peine de mieux la connaître, pouvaient vous paraître impénétrables ou au contraire délicatement sensibles. Je l'avais appréciée dès notre première rencontre. Chef du service de sérologie, c'était une scientifique ordonnée et perspicace. Ornithologue amateur passionnée dans le privé, elle était aussi une excellente pianiste. Elle n'avait jamais été mariée et ne l'avait jamais regretté. Elle me rappelait sœur Martha, que j'adorais, à l'école paroissiale Sainte-Gertrude.

Elle avait roulé les manches de sa blouse et enfilé des gants. Cernée par les tubes à essai, elle attira à elle un nécessaire pour la collecte d'indices physiologiques – ou PERK, *Physical Evidence Recovery Kit* – comprenant le classeur à lamelles et des enveloppes renfermant les échantillons de cheveux de Lori Petersen, le tout dûment étiqueté par mes soins.

Les rumeurs qui avaient agité un de nos récents séminaires me revinrent. Dans les semaines qui avaient suivi le décès brutal du maire de Chicago, pas moins de quatre-vingt-dix tentatives de pirater l'ordinateur du médecin chargé de l'autopsie avaient eu lieu. On soupçonnait les journalistes toujours friands de résultats d'autopsie et d'examens sérologiques.

Mais qui avait pu violer mon ordinateur ? Et pourquoi ?

– ... nous fournir les résultats... disait Betty.

– Excusez-moi, fis-je avec un sourire navré.

– J'ai parlé avec le Dr Glassman ce matin, répéta-t-elle. L'examen des échantillons des deux premiers cas a avancé et il devrait pouvoir nous fournir les résultats dans les jours qui viennent.

– Il a les échantillons des deux derniers ?

– Ils viennent de partir, dit-elle en dévissant le bouchon d'un petit flacon brun. Bo Friend va les lui remettre en main propre et...

– *Bo Friend* ? l'interrompis-je.

– C'est son nom. Bo Friend. Parole de scout. Voyons... il faut environ six heures pour aller à New York en voiture. Le labo devrait les avoir avant ce soir. Je crois savoir qu'ils ont tiré à la courte paille.

– À la courte paille ? répétai-je, l'air absent.

Que me voulait Amburgey ? Était-ce les examens ADN qui l'intéressaient ? Les gens ne pensaient plus qu'à ça depuis quelque temps.

– Les flics veulent tous aller à New York. Certains n'y ont jamais mis les pieds, disait Betty.

– Quand ils l'auront vu une fois, ils comprendront. Ça leur plaira jusqu'à ce qu'ils essaient de changer de file ou de trouver une place pour se garer.

Amburgey aurait pu m'envoyer un mot par la messagerie électronique. Il le faisait souvent. D'habitude...

– ... En plus, Bo a passé son enfance dans le Tennessee et ne se déplace jamais sans son flingue.

– J'espère qu'il est parti à New York sans ça.

À part mes lèvres qui poursuivaient la conversation, j'étais ailleurs.

– Son capitaine l'a mis au courant des lois sur les armes à Yankeeville. Mais Bo nous a montré son holster quand il est venu chercher les échantillons. Il se prend pour John Wayne avec son canon de quinze centimètres. Ah ! Les hommes et leurs flingues ! C'est freudien !

Dans mon esprit défilaient des articles sur des gamins piratant les ordinateurs de banques et des entreprises.

À la maison, sous mon téléphone, j'avais un modem qui me permettait d'interroger l'ordinateur du bureau. C'était *off-limits, strict verboten*. Lucy savait qu'elle pouvait tout se permettre, sauf ça.

Je revis le journal que Lucy avait découvert sous les coussins du canapé, l'expression qu'elle avait eue quand elle m'avait interrogée sur le meurtre de Lori Petersen, la liste des numéros de téléphone personnels et professionnels de mes collaborateurs – y compris celui de Margaret – épinglé à la maison, sur le tableau de liège, au-dessus de mon bureau.

Je m'aperçus que Betty ne disait plus rien depuis un moment. Elle me regardait même d'un drôle d'air.

– Ça va, Kay ?

– Je suis désolée, soupirai-je.

Elle resta un instant silencieuse.

– Je sais, toujours pas de suspect, finit-elle par lâcher, compréhensive. Moi aussi, ça me tape sur les nerfs.

– C'est difficile de penser à autre chose.

Puis je m'avisai que cela faisait une bonne heure que je n'y avais pas songé une seconde.

– Je ne voudrais pas vous décourager, mais à mon avis, la méthode à l'ADN ne vaut pas tripette sans suspect.

– Et tant que les empreintes génétiques ne sont pas stockées dans une banque centrale, comme les empreintes digitales aujourd'hui, grommelai-je.

– Et ça, pas question d'y arriver tant que l'*American Civil Liberties Union* aura son mot à dire.

Personne ne me remonterait le moral aujourd'hui. Je sentis monter une migraine.

– C'est bizarre, commença-t-elle. (Elle fit tomber des gouttes d'acide phospho-naphtylique sur de petits filtres circulaires en papier.) Quelqu'un a dû voir ce type quelque part. C'est pas l'homme invisible. Il n'apparaît pas chez ces femmes sur un courant d'air. Il a bien fallu qu'il les rencontre un jour ou l'autre pour les suivre jusque chez elles. S'il traîne dans les parages, on aurait dû le repérer.

– En tout cas, si quelqu'un l'a repéré, il ne nous l'a pas dit. Pourtant les gens appellent. Le standard du *Crime Watch* est saturé. Mais ça n'a rien donné.

– À part des fausses pistes.

– Des tas !

Betty en était à une phase relativement simple. Elle prit les tampons de coton dans les tubes à essai que je lui avais fait parvenir, les humecta d'eau et les frotta sur les filtres de papier. Procédant par groupes, elle versait quelques gouttes d'acide phospho-naphtylique, puis ajoutait des gouttes de sel B qui faisait virer les taches au violet si on était en présence de sperme.

Au bout de quelques secondes, la plupart des filtres se teintèrent de violet.

– Le salaud, fis-je.

– Il ne sait même pas s'y prendre, ajouta Betty qui m'expliqua la signification de ce que je voyais. Ceux-là sont des prélèvements effectués au dos des cuisses. Ils ont viré aussitôt. La réaction n'a pas été aussi rapide avec les prélèvements anaux et vaginaux. Rien de surprenant car les sécrétions de la victime interfèrent dans les tests. Les prélèvements opérés dans la bouche sont également positifs.

– Le salaud, répétai-je.

– En revanche, ceux que vous avez effectués sur les parois de l'œsophage sont négatifs. La plus grande partie du sperme a été répandue à l'extérieur du corps. Éjaculation précoce, sans doute. Ça recoupe ce que j'ai découvert pour Brenda, Patty et Cecile.

C'étaient les trois premières victimes. La familiarité de Betty me frappa. Elles faisaient partie de la famille, en somme. Nous ne les avions jamais rencontrées vivantes, mais nous les connaissions bien.

Tandis que Betty revissait le compte-gouttes sur le petit flacon brun, je m'approchai d'un microscope, collai mon œil dans l'oculaire et déplaçai la préparation sur le porte-lame. Je distinguai, dans le champ de lumière polarisée, plusieurs fibres colorées, plates comme des rubans et torsadées à intervalles irréguliers. Ce n'était pas des poils d'animaux.

– C'est ce que j'ai récolté sur le couteau ? demandai-je avec appréhension.

– Du coton. Les taches roses, vertes et blanches ne veulent rien dire. Les textiles sont souvent teints avec des couleurs impossibles à identifier à l'œil nu.

La chemise de nuit de Lori était en coton jaune pâle.

J'affinai la mise au point.

– Est-ce que par hasard ces fibres ne pourraient pas provenir de papier fait à partir de vieux chiffons ? Lori se servait du couteau comme coupe-papier.

– Impossible, Kay. J'ai examiné un échantillon de fibres prélevées directement sur la robe de chambre de Lori. Ce sont les mêmes que sur le couteau.

C'était un avis d'expert. Irréfutable. C'est le couteau de Matt qui avait servi à découper la robe de chambre de Lori. Et Marino allait avoir le rapport du labo entre les mains. Merde !

– Ces fibres ne sont pas les mêmes que celles que nous avons relevées sur le corps de Lori et sur le cadre de la fenêtre par où le tueur est probablement entré, poursuivit Betty. Celles-là sont noir, bleu marine et rouge, c'est un mélange de polyester et coton.

Le soir où j'avais vu Matt Petersen, il portait une chemise d'un blanc aveuglant en coton, et un jean en coton.

Les fibres de Betty ne venaient pas de lui, à moins qu'il ne se soit changé avant l'arrivée de la police.

J'entendais déjà Marino : « D'accord ! Mais Petersen est pas idiot, vous savez. Depuis Wayne Williams, tous les assassins savent qu'on peut les coincer à cause des fibres. »

Je quittai Betty et allai au bout du couloir, au labo chargé des tests sur les armes et des analyses de traces laissées par les outils. Il était encombré de pistolets, de carabines, de machettes, de fusils de chasse et d'Uzi, tous étiquetés en attendant le jour du procès. Des balles de pistolet et des cartouches de fusil de chasse traînaient dans tous les coins et j'aperçus la cuve d'acier galvanisé qu'on utilisait pour les essais de balistique. Un canard en caoutchouc flottait paisiblement à la surface.

Retraité des services criminels de l'armée, Frank était maigre et coiffé de cheveux blancs. Il était penché sur le microscope comparatif. Il ralluma sa pipe lorsque j'entrai, mais ne m'apprit rien qui aurait pu me remonter le moral.

On n'avait rien tiré de la moustiquaire des toilettes des Petersen. Le grillage synthétique n'avait pu renseigner les experts sur l'outil utilisé. On ne pouvait même pas savoir s'il avait été découpé de l'extérieur ou de l'intérieur de la maison. Ce qui aurait été de première importance pour déduire si le tueur était passé par la fenêtre pour s'enfuir ou pour entrer. Et par conséquent, pour valider les soupçons de Marino à l'égard du mari.

– Tout ce que je peux vous dire, dit Frank en rejetant des volutes de fumée aromatique, c'est que la coupure est nette. C'est l'œuvre d'un rasoir ou d'un couteau.

– Le même que celui qui a coupé la chemise de nuit ?

Il ôta ses lunettes et entreprit de les nettoyer.

– On s'est bien servi d'un outil tranchant pour couper la chemise de nuit, mais je ne peux vous dire si c'est le même que pour la moustiquaire. Ce pourrait être un stylet, un sabre, une paire de ciseaux...

Mais les fils électriques tranchés et le couteau de survie contredisaient cette version.

D'après la comparaison effectuée au microscope, Frank avait de bonnes raisons de penser que les fils électriques avaient été sectionnés avec le couteau de Matt Petersen. Les marques relevées sur la lame coïncidaient avec celles laissées à l'extrémité des fils électriques. Je songeai de nouveau à Marino. Ces indices n'auraient pas signifié grand-chose si le couteau avait été retrouvé à côté du lit, et non dissimulé dans le tiroir de la commode de Matt.

Je fis défiler mon scénario. Si le tueur avait aperçu le couteau sur la table de Lori et avait décidé de s'en servir, pourquoi l'avait-il caché ensuite ? S'il s'était servi du couteau pour couper la chemise de nuit de Lori et trancher les fils électriques, alors les événements ne s'étaient pas déroulés comme je l'avais pensé initialement.

J'avais en effet imaginé que lorsque le tueur était entré dans la chambre, il avait à la main l'arme qui lui avait servi à découper la moustiquaire. Dans ce cas, pourquoi ne l'avait-il pas utilisée pour couper la chemise de Lori et les fils électriques ? Pourquoi avait-il préféré le poignard de Matt ? L'avait-il repéré dès qu'il était entré ?

Impossible. Le bureau était loin du lit, et la chambre était plongée dans l'obscurité. Il n'aurait pu le voir qu'une fois les lumières allumées, alors que Lori était déjà neutralisée, le couteau sur la gorge.

À moins qu'il n'ait été dérangé. Que son rituel n'ait été perturbé et qu'il n'ait dû changer ses plans.

Frank et moi envisageâmes les hypothèses.

– Dans ce cas, le tueur n'est pas le mari, fit remarquer Frank.

– Et Lori ne le connaissait pas. L'assassin a un *modus operandi* immuable. Mais une fois dans la chambre, quelque chose l'a dérangé.

– Un geste qu'elle a fait...

– Ou un mot qu'elle a dit.

– Peut-être. Et là il aurait aperçu le couteau sur le bureau et aurait eu l'idée de s'en servir ? À mon avis, il l'avait pris plus tôt, car il était déjà dans la maison quand elle est rentrée.

– Je ne pense pas.

– Pourquoi ?

– Parce qu'elle était rentrée depuis un bon moment quand il l'a agressée.

J'y avais réfléchi à plusieurs reprises.

Lori était rentrée de l'hôpital et avait verrouillé sa porte de l'intérieur. Elle était allée poser son sac à dos sur la table de la cuisine, puis elle avait mangé un morceau. Le contenu de son estomac nous avait appris qu'elle avait mangé des biscuits au fromage peu de temps avant l'agression. La digestion avait à peine commencé. La terreur qu'elle avait éprouvée à la vue de son agresseur avait bloqué le processus. C'est un mécanisme de défense instinctif, commun à l'homme et aux animaux. La digestion s'interrompt pour permettre au sang de se diriger vers l'extrémité des membres plutôt que vers l'estomac, et préparer à la fuite et au combat. Mais Lori n'avait eu aucune chance de fuir ou de se défendre.

Après avoir mangé, elle était allée dans sa chambre pour avaler sa pilule avant de se coucher, comme d'habitude. L'alvéole du vendredi était vide sur la plaquette de pilules retrouvée dans la salle de bains. Elle s'était peut-être lavé les dents et le visage, puis elle avait enfilé sa chemise de nuit après avoir empilé ses vêtements sur une chaise avec soin. Selon moi, elle était déjà au lit lorsque le tueur avait surgi. Avait-il surveillé la maison, tapi derrière les buissons ? Attendu que les lumières s'éteignent et qu'elle s'endorme ?

Je revis les draps et le couvre-lit retournés. Elle était couverte quand il était entré, et il n'y avait pas trace de lutte dans la maison.

L'odeur dont avait parlé Matt Petersen, l'odeur âcre et sucrée me revint aussi.

Si le tueur avait une odeur corporelle particulièrement forte, elle le suivait partout. Lori l'aurait sentie s'il avait été dissimulé dans la chambre.

Les odeurs trahissent soit des maladies, soit des poisons. Les médecins sont entraînés à prêter attention aux odeurs. Moi-même, j'y étais devenue si sensible que je devinais aussitôt si la victime d'un crime était ivre au moment de la mort. L'odeur de musc et d'amande du sang ou du contenu gastrique peut indiquer la présence de cyanure. Une haleine dégageant une odeur de feuilles mouillées est sans doute celle d'un tuberculeux.

Lori Petersen était médecin, comme moi. Si donc elle avait décelé une odeur inhabituelle dans sa chambre, elle ne se serait pas déshabillée avant d'en découvrir l'origine.

Cagney n'avait pas mes soucis. J'étais parfois hantée par ce prédécesseur que je n'avais pas connu, et qui évoquait pour moi la puissance et l'invulnérabilité que je n'atteindrais jamais. Je crois qu'une partie de moi enviait ce chevalier qui n'avait rien de chevaleresque.

Il était mort brutalement sur le tapis de son salon, alors qu'il allait allumer la télévision pour suivre le Super Bowl. Dans le silence des premières heures d'un lundi grisâtre, le visage couvert d'une serviette, il avait été à son tour soumis au scalpel du médecin chargé de l'autopsier, dans une salle bien gardée. Pendant trois mois, personne n'avait touché à son bureau.

La première chose que j'avais faite en arrivant à Richmond avait été de faire le vide dans ce sanctuaire jusqu'alors inviolé. J'avais fait disparaître jusqu'à la dernière trace de l'ancien occupant. Son portrait en toge, accroché derrière son imposant bureau, avait atterri au *Pathology Department* du VMC, avec une armoire remplie d'objets macabres que les médecins légistes passent pour aimer collectionner.

Son bureau – devenu le mien – était à présent une pièce bien éclairée au sol moquetté de bleu roi et aux murs décorés de paysages anglais et autres scènes du monde civilisé. J'avais peu de bibelots. La seule touche morbide était constituée par le moulage en argile du visage d'un jeune garçon assassiné, dont on n'avait jamais découvert l'identité. Perché au sommet d'une armoire à dossiers, il contemplait la porte de ses yeux de plastique, attendant tristement qu'on l'appelle une dernière fois par son nom.

J'avais fait de mon bureau un endroit neutre, confortable mais fonctionnel. J'essayais de me convaincre qu'il valait mieux être considéré comme un médecin expert compétent que comme une légende vivante, mais j'en doutais.

Le fantôme de Cagney rôdait en ces lieux.

Les gens ne cessaient de le rappeler à mon souvenir par des histoires abracadabrantes. Il pratiquait les autopsies sans gants, arrivait sur les lieux d'un meurtre en mangeant un sandwich, allait à la chasse avec les flics, organisait des barbecues avec les juges. On assurait que le précédent commissaire était accommodant jusqu'à l'obséquiosité parce qu'il avait peur de Cagney.

Je devais paraître bien pâle en comparaison, et je n'ignorais pas qu'on faisait constamment des comparaisons. Les seules parties de chasse auxquelles on me conviait étaient les séances au tribunal et les conférences où je devais essuyer le feu croisé des critiques et éviter les pétards qu'on me lançait dans les jambes. Après un an de fonction du commissaire Alvin Amburgey, je devais m'attendre à vivre trois ans d'enfer. Il n'avait qu'un seul objectif : marcher sur mes plates-bandes. Il contrôlait mes moindres faits et gestes. Il ne se passait pas une semaine sans que je reçoive un message comminatoire exigeant que je lui fournisse telle statistique, ou telle explication de la hausse des homicides, comme si j'en étais responsable !

Mais il ne m'avait encore jamais convoquée à l'improviste.

Jusque-là, quand il avait besoin de moi, il m'envoyait un message informatique ou un de ses assistants. J'étais persuadée qu'il ne m'avait pas appelée pour me féliciter de mon travail.

Mon regard errait sur les papiers qui encombraient mon bureau, à la recherche d'une arme de défense : dossiers, bloc-notes, classeur à pince. Je ne voulais pas me présenter dans son bureau les mains vides. J'aurais eu l'impression d'être nue. Je vidai les poches de ma blouse et décidai de prendre un paquet de cigarettes, de la « graine de cancer », comme disait Amburgey.

Il régnait au vingt-quatrième étage du *Monroe Building*, de l'autre côté de la rue. À part quelques pigeons roucoulant sur le toit, il n'avait personne au-dessus de lui. Ses subordonnés travaillaient aux étages inférieurs, où étaient regroupés les services du HHSD. Je ne connaissais pas son bureau.

La porte de l'ascenseur s'ouvrit sur une entrée spacieuse où trônait une secrétaire dont le bureau en forme de U émergeait d'une moquette couleur paille. C'était une rousse pourvue d'un postérieur généreux, à peine sortie de l'adolescence.

Lorsqu'elle quitta son écran pour me gratifier d'un sourire guilleret, je m'attendis presque à l'entendre me demander si j'avais réservé et si j'avais besoin d'un porteur pour mes bagages.

Je lui dis mon nom, qui lui était parfaitement inconnu.

– J'ai rendez-vous à 4 heures, ajoutai-je.

Elle consulta l'agenda électronique de son patron.

– Asseyez-vous, je vous prie, Mrs Scarpetta, me dit-elle sur le même ton allègre. Le Dr Amburgey va vous recevoir.

Je m'installai dans un canapé de cuir crème et cherchai en vain un cendrier parmi les magazines et les bouquets de fleurs en soie qui encombraient la table basse. J'aperçus deux pancartes : « Prière de s'abstenir de fumer. Merci. » Les minutes s'égrenèrent.

La secrétaire tapait avec application sur son clavier tout en sirotant un Perrier avec une paille.

Le paquet de cigarettes faisait une bosse dans ma poche. Je faillis demander où étaient les toilettes pour aller en griller une.

À 4 heures et demie, le téléphone sonna. La rousse se tourna vers moi avec son sourire faussement chaleureux.

– Le Dr Amburgey vous attend, Mrs Scarpetta.

D'une humeur massacrante, je tournai la poignée de cuivre. Je m'attendais à trouver le commissaire seul, mais à ma grande surprise, ce furent trois hommes qui se levèrent à mon entrée. Il y avait déjà Norman Tanner et Bill Boltz. Lorsque ce dernier me tendit la main, je le fusillai du regard jusqu'à ce qu'il détourne les yeux d'un air gêné.

J'étais vexée et furieuse. Pourquoi ne m'avait-il pas prévenue ? Pourquoi ne m'avait-il donné aucune nouvelle depuis que nous nous étions croisés chez Lori Petersen ?

Amburgey m'accueillit d'un hochement de tête qui aurait tout aussi bien pu être destiné à me congédier, et marmonna un « Merci d'être venue » sans conviction.

C'était un petit bonhomme aux yeux fuyants. Il avait occupé son dernier poste à Sacramento, ce qui lui avait permis de s'imprégner des manières de la côte Ouest afin de dissimuler ses origines. En effet, il n'était pas très fier d'être le fils d'un fermier de Caroline du Nord. Il avait un goût prononcé pour les costumes à rayures et les cravates étroites ornées d'une pince. Il portait une turquoise à l'annulaire droit. Ses yeux étaient grisâtres et glacés, et on distinguait nettement les os de son crâne chauve sous la peau translucide.

Le fauteuil à oreilles ivoire au centre de la pièce paraissait m'être destiné. Je m'y installai. Le cuir crissa lorsque Amburgey se rassit à son bureau, un très ancien et très chinois chef-d'œuvre en bois de rose, monumental et tarabiscoté.

Derrière s'ouvrait une vaste baie offrant une vue splendide sur le patchwork du Southside, avec, au loin, le ruban scintillant de la James River. Amburgey ouvrit bruyamment une serviette en cuir d'autruche, dont il sortit un bloc-notes aux pages couvertes de sa petite écriture irrégulière. C'était un homme qui ne faisait rien à la légère.

– Je suppose que vous avez conscience du stress que provoquent ces crimes dans le public, me dit-il.

– Je m'en rends parfaitement compte.

– Bill, Norm et moi avons réuni hier après-midi ce qu'on pourrait appeler une cellule de crise. Nous avons parlé de ce que les journaux de samedi soir et dimanche ont publié, Dr Scarpetta. Comme vous le savez peut-être, la nouvelle du quatrième meurtre s'est répandue dans le pays comme une traînée de poudre.

Cela ne me surprenait pas.

– Je me doute que les journalistes ont dû vous cuisiner, poursuivit Amburgey en gardant un visage impassible. Il faut mettre un terme à ces affaires, sinon ça va barder. Nous en avons discuté tous les trois.

– Si vous arrivez à mettre un terme aux meurtres, vous méritez le prix Nobel, rétorquai-je tout aussi imperturbable.

– C'est notre premier souci, intervint Boltz. Les flics y travaillent sans répit, Kay. Mais nous en avons un autre, non moins sérieux : stopper les fuites dans la presse. Tous ces articles sèment la panique dans le public et renseignent le tueur sur nos moindres faits et gestes.

– En effet. Je puis vous assurer que mes services n'ont publié que le communiqué obligatoire et habituel exposant la cause et les circonstances de la mort, ajoutai-je étourdiment.

Je me défendais contre une accusation qui n'avait même pas été formulée. J'aurais voulu ravaler mes paroles. Si l'on m'avait convoquée pour me reprocher d'avoir commis des indiscrétions, j'aurais dû obliger Amburgey à lâcher lui-même une accusation aussi outrageante. Au lieu de quoi ma réaction ne faisait que les conforter dans leur idée.

– Justement, fit Amburgey saisissant la balle au bond. Vous évoquez une question que nous aimerions tirer au clair.

– Je n'ai fait que souligner un point.

On entendit alors un léger coup à la porte, et la secrétaire apparut avec le café. Nous nous figeâmes dans un silence pesant. La rousse, qui ne parut pas remarquer la tension qui régnait, prit tout son temps, demanda à chacun s'il ne lui manquait rien, et entoura Boltz d'une attention particulière. Il n'était peut-être pas l'avocat le plus brillant du barreau de la ville, mais c'était sans aucun doute le plus séduisant, un de ces blonds qui accrochent le regard des femmes. Il ne perdait ni ses cheveux ni sa prestance, et seules les rides au coin de ses yeux indiquaient qu'il approchait de la quarantaine.

– Nous savons tous que les flics sont parfois un peu trop bavards. Mais personne ne voit d'où peuvent provenir ces fuites, lança-t-il à la cantonade.

Je me contraignis au silence. À quoi s'attendaient-ils ? À voir le gradé qui était en cheville avec Abby Turnbull avouer spontanément qu'il avait craché le morceau ?

– Jusqu'à présent, une fuite « de source médicale » a été citée dix-sept fois dans la presse depuis le premier meurtre, Dr Scarpetta, dit Amburgey. C'est beaucoup. La description des victimes ligotées et violées, la manière dont le tueur est entré, les lieux où ont été trouvés les corps et les recherches d'identification par l'ADN sont autant d'éléments attribués à cette fameuse « source médicale ». (Il leva les yeux vers moi.) Dois-je en conclure que ces détails sont exacts ?

– Pas tous. Il y a quelques petites inexactitudes.

– Telles que ?

Je ne voulais pas le lui dire. Je n'avais aucune envie de parler de ces meurtres avec lui. Pourtant j'étais obligée de lui rendre des comptes. Lui-même n'en rendait qu'au gouverneur.

– Pour le premier meurtre, les journaux ont dit que Brenda Steppe avait été étranglée avec une ceinture en moleskine. En réalité, c'était une paire de collants.

Amburgey nota cette précision.

– Quoi d'autre ?

– Les journaux ont dit que le visage de Cecile Tyler était en sang et que le couvre-lit était maculé. Or elle ne portait aucune plaie ni blessure, à part un léger saignement du nez et de la bouche, ce qui est un phénomène courant après la mort.

– Ces détails, fit Amburgey en continuant à prendre des notes, figuraient-ils dans les rapports CME-1 ?

Je dus me ressaisir avant de répondre. Je comprenais peu à peu ce qu'il avait en tête. Les CME-1 étaient les premiers rapports rédigés par le médecin expert d'après les observations qu'il effectuait sur les lieux. Les détails n'étaient pas toujours exacts car il opérait dans la confusion, avant toute autopsie en bonne et due forme.

En outre, les médecins experts ne sont pas des légistes mais des médecins privés volontaires qui, pour cinquante dollars le déplacement, peuvent être tirés du lit au milieu de la nuit et voir leurs week-ends gâchés par un accident de voiture, un suicide ou un homicide. Ils assurent une sorte de service public et sont les fantassins de la profession. Leur travail consiste avant tout à déterminer si le cadavre exige une autopsie, à prendre un tas de photos et à noter le plus de renseignements possibles. Même si l'un de mes médecins experts avait confondu une paire de collants avec une ceinture, ça n'aurait pas dû porter à conséquence. Ils ne parlaient pas aux journalistes.

– Cette histoire de ceinture et ce couvre-lit taché de sang figuraient-ils dans les CME-1 ? insista Amburgey.

– Pas sous la forme dont la presse en a rendu compte, répliquai-je avec fermeté.

– Nous connaissons tous les méthodes de la presse, fit remarquer Tanner. Ils grossissent tout.

– Écoutez, fis-je en dévisageant tour à tour les trois hommes. Si vous pensez qu'un de mes médecins est responsable des fuites que vous avez constatées, vous faites fausse route. Je connais les deux médecins qui ont été appelés sur les lieux des deux premiers meurtres. Ils travaillent depuis des années à Richmond et sont tous deux irréprochables. Quant aux deux meurtres suivants, c'est moi qui m'en suis chargée personnellement. Les fuites n'émanent pas de mon bureau. Tous ces détails ont pu être rapportés par n'importe qui. Un membre des équipes de secours, par exemple.

Amburgey changea de position.

– J'ai étudié la question, dit-il. En tout, trois équipes sont intervenues. Aucun ambulancier n'était présent sur les quatre interventions.

– Les sources anonymes, argumentai-je d'un ton égal, sont souvent un savant mélange. Cette « source médicale » est peut-être la combinaison des confidences d'un ambulancier et d'un policier, pimentées de ragots glanés ici ou là.

– C'est vrai, opina Amburgey. Et je pense qu'aucun d'entre nous ne soupçonne le bureau du médecin expert d'être la source de ces fuites. Du moins pas intentionnellement, et...

– Suggérez-vous que ces fuites peuvent provenir de mon bureau de manière non intentionnelle ? m'exclamai-je.

La parole me manqua soudain.

Je me sentis devenir écarlate tandis qu'un frisson me parcourait la nuque. Ma base de données ! Elle avait été piratée. Était-ce à cela qu'Amburgey faisait allusion ? Comment aurait-il pu être au courant ?

Mais Amburgey poursuivait, impassible.

– Les gens bavardent, les employés parlent à leur famille, à leurs amis. Sans penser à mal, remarquez ! Mais ces bavardages peuvent aussi bien atterrir sur le bureau d'un journaliste. Ce sont des choses qui arrivent. Je suis sûr que vous comprenez qu'un certain nombre d'éléments divulgués par ces fuites sont de nature à porter un tort considérable à l'enquête.

– L'administrateur de la ville et le maire, renchérit Tanner, ne voient pas ça d'un très bon œil. Le taux des assassinats a déjà écorné l'image de Richmond. Voir les journaux de tout le pays reprendre des articles à sensation sur le tueur en série qui sévit ici est la dernière chose dont la ville a besoin. Les grands hôtels attendent des séminaires, des touristes. Or les gens n'aiment pas se rendre là où ils craignent pour leur vie.

– C'est exact, acquiesçai-je avec froideur. Mais je ne pense pas que les habitants de Richmond apprécieraient d'apprendre que la seule préoccupation du maire soit la baisse de la fréquentation touristique.

– Voyons, Kay ! fit Boltz, on n'a jamais dit ça.

– Bien sûr que non, ajouta aussitôt Amburgey. Mais il faut voir la réalité en face. Le feu couve. Si nous ne prenons pas toutes les mesures, nous courons à la catastrophe.

– Quelle catastrophe ? demandai-je avec lassitude en tournant mon regard vers Boltz.

Il avait le visage tendu, les yeux pleins d'une émotion contenue.

– Le meurtre de Lori Petersen est explosif, Kay, finit-il par m'expliquer. Il y a des éléments dans cette affaire dont personne n'a parlé. Des choses que, Dieu merci, les journalistes ne savent pas encore. Mais qu'ils apprendront, tôt ou tard. Et si, d'ici là, nous n'avons pas résolu ce problème avec tact et discrétion, ça va exploser.

Tanner tourna vers moi son long visage lugubre.

– La ville risque même d'être... hum !... traînée devant les tribunaux pour ça. (Il jeta un coup d'œil à Amburgey qui, d'un hochement de tête, l'engagea à poursuivre.) Il s'est passé un truc très ennuyeux, figurez-vous. Lori Petersen a appelé la police une fois rentrée chez elle, dans la nuit de vendredi. C'est un de nos agents radio qui nous l'a appris. À 0 h 49, samedi, un opérateur a reçu un appel 911. L'ordinateur a juste eu le temps d'indiquer que l'appel provenait de chez Petersen, puis la communication a été coupée.

– Si vous vous souvenez bien, enchaîna Boltz, il y avait un téléphone sur la table de nuit. Le cordon avait été arraché. Le Dr Petersen a dû se réveiller au moment où le tueur entrait. Elle a voulu téléphoner mais n'a pu composer que le 911 avant d'être immobilisée. Son adresse s'est inscrite sur l'écran, c'est tout. Elle n'a rien pu dire. Dès qu'ils reçoivent un 911, les agents le signalent aux voitures de patrouille. Neuf fois sur dix, ce sont des blagues, des mômes qui s'amusent avec le téléphone. Mais comment être sûr ? Ça peut être une personne victime d'une crise cardiaque, d'un malaise. Ou d'une agression. Les opérateurs ont pour consigne de considérer les 911 comme prioritaires. Les agents répercutent les appels et une voiture de patrouille se rend sur place. Or, vendredi soir, la consigne n'a pas été respectée. L'opérateur a fait passer l'appel en quatrième position. Il a été suspendu.

– Il faut dire que la soirée était mouvementée, intervint Tanner. Les appels radio n'arrêtaient pas. Le problème, c'est qu'une fois que vous avez donné un ordre de priorité à une intervention, vous ne pouvez pas revenir en arrière. L'agent répartit les appels aux voitures en fonction des indications de priorité. Il ne connaît pas la nature des appels, mais personne ne s'occupera d'un appel en quatrième position s'il y a des urgences.

– C'est une erreur, admit Amburgey, mais ça peut arriver, hein ?

J'étais tellement tendue que je respirais à peine.

– Ce n'est que quarante-cinq minutes plus tard, reprit Boltz de sa voix monotone, qu'une voiture est arrivée à la résidence Petersen. L'officier a examiné la façade avec sa torche. Les lumières étaient éteintes, tout paraissait normal. À ce moment-là un autre appel lui a signalé une violente dispute ailleurs. Il est reparti. C'est peu après que Petersen est rentré chez lui pour découvrir sa femme dans les conditions qu'on sait.

Les trois hommes continuèrent à parler entre eux.

– Des tribunaux de Washington et de New York ont établi que le gouvernement d'un État ne peut pas être tenu responsable de son incapacité à protéger ses citoyens contre les agressions criminelles.

– On ne peut pas toujours incriminer la police.

– Mais même si on gagne le procès, la ville est perdante, à cause de tout ce tapage.

Je n'entendais plus rien. Des scènes d'horreur se télescopaient dans mon esprit. L'appel 911 brutalement interrompu... je comprenais tout !

Lori Petersen était rentrée épuisée après son service aux urgences, et son mari l'avait prévenue qu'il serait là plus tard que d'habitude. Elle s'était donc couchée, avec peut-être l'intention de dormir jusqu'à son retour. Elle s'était réveillée en entendant quelqu'un dans la maison, peut-être le bruit étouffé de pas dans le couloir, venant vers la chambre.

Étonnée, elle appelle son mari.

Pas de réponse.

C'est alors que dans le silence et l'obscurité, elle comprend qu'il y a quelqu'un dans la maison et que ce n'est pas Matt.

Prise de panique, elle allume pour téléphoner.

À peine a-t-elle enfoncé les touches du 911 que le tueur est sur elle. Il arrache le cordon avant qu'elle ait pu appeler à l'aide.

Peut-être lui arrache-t-il le combiné des mains. Peut-être commence-t-il à l'insulter, et elle à le supplier.

Il est furieux. C'est peut-être à ce moment-là qu'il la frappe. Qu'il lui fracture les côtes et, tandis qu'elle se tord de douleur, il regarde autour de lui, affolé. La lampe est toujours allumée. Il voit le couteau sur le bureau.

La mort de Lori aurait pu être évitée !

Si l'opérateur avait donné la priorité à son appel, une voiture serait arrivée quelques minutes après. Le policier aurait vu la lumière dans la chambre – le tueur avait besoin de lumière pour ligoter sa victime avec les fils électriques. Le policier se serait peut-être approché. Il aurait entendu des bruits suspects. S'il avait pris le temps d'inspecter l'arrière de la maison, il aurait vu la moustiquaire découpée, le banc, la fenêtre ouverte. L'assassin prend son temps pour accomplir son sinistre rituel. On aurait pu l'empêcher de tuer !

J'avais la bouche si sèche que je dus avaler plusieurs gorgées de café avant de pouvoir articuler un mot.

– Combien de personnes le savent ? demandai-je.

– Très peu, fit Boltz. Même pas le sergent Marino. Il n'était pas de service quand l'appel a été répercuté. Il y avait déjà un policier sur place quand on l'a appelé chez lui. On a fait passer une consigne dans les services : silence total sur ce détail.

Le candidat au bavardage ferait sa carrière à la circulation ou à la surveillance des vestiaires, ça ne faisait pas un pli.

– Si nous vous informons de cette délicate situation, reprit Amburgey en choisissant ses mots, c'est pour vous faire comprendre le contexte qui nous pousse à prendre les mesures que nous avons décidées.

Droite sur mon siège, je le fixai d'un regard dur. Nous y voilà, songeai-je.

– J'ai parlé hier soir au Dr Spiro Fortosis, le psychiatre qui a eu l'amabilité de nous faire partager quelques-unes de ses conclusions. J'ai parlé avec ceux du FBI. Tous ces experts sont convaincus que la publicité ne fait qu'aggraver le problème et exciter l'assassin. Il jouit quand il voit ses exploits étalés dans les colonnes des journaux. Et il recommence aussitôt.

– Impossible d'empêcher les journalistes d'écrire ce qu'ils veulent, lui rappelai-je.

– Bien sûr que si, fit Amburgey en regardant par la fenêtre d'un air songeur. Si nous leur disons le strict minimum, ils n'ont plus grand-chose à raconter. Jusqu'à maintenant, malheureusement, nous leur en avons trop dit. (Il se tut un instant.) Quelqu'un leur en a trop dit.

Je ne voyais pas où il voulait en venir, mais tous les panneaux étaient dirigés dans ma direction.

– Les détails exclusifs, reprit-il, autrement dit les fuites ont permis des articles plus que réalistes et une débauche de gros titres. Le Dr Fortosis en déduit que c'est peut-être la raison qui a poussé le tueur au quatrième meurtre aussitôt après le troisième. Le tapage fait autour de ses crimes l'excite, le met sous pression. Il doit aussitôt trouver une nouvelle proie pour se soulager. Comme vous le savez, il ne s'est écoulé qu'une semaine entre le meurtre de Cecile Tyler et celui de Lori Petersen.

– En avez-vous parlé à Benton Wesley ?

– Inutile. J'ai vu Susling, un de ses collègues à l'unité d'étude du comportement de Quantico. Une autorité en la matière.

Je fus soulagée. Je n'aurais pas supporté que Wesley, avec qui j'avais parlé quelques heures auparavant, n'ait fait aucune allusion devant moi à ce que j'étais en train d'apprendre. J'étais persuadée qu'il allait être aussi exaspéré que je l'étais. Le commissaire voulait me neutraliser, passer par-dessus Marino et doubler Wesley pour s'approprier l'affaire.

– La publicité tapageuse à cause des fuites, reprit Amburgey, et le risque de mise en cause de la ville pour l'incident du 911 nous contraignent à prendre des mesures draconiennes, Dr Scarpetta. À partir de maintenant, toutes les informations communiquées à l'extérieur devront obligatoirement passer par Norm et Bill. Et tout ce qui sortira de votre bureau devra passer par moi. C'est clair ?

Il n'y avait jamais eu de problème avec mon service, et il savait que j'étais très circonspecte avec la presse.

Comment les journalistes – et les autres – réagiraient-ils lorsqu'on les aiguillerait sur le commissaire pour obtenir des informations qu'ils avaient l'habitude jusqu'ici d'obtenir de mon bureau ? C'était la première fois que le fait se produisait en quarante-deux ans de service des médecins experts en Virginie. En me réduisant au silence, on donnait l'impression que j'étais écartée parce qu'indigne de confiance.

Je regardais tour à tour les trois hommes. Aucun n'osait me regarder en face. La mâchoire contractée, Boltz examinait le fond de sa tasse.

Amburgey s'était remis à parcourir ses notes.

– La pire, c'est Abby Turnbull. On ne peut pas dire qu'elle ait le triomphe modeste. Vous la connaissez ? me demanda-t-il.

– Ma secrétaire ne la laisse pas passer.

– Je vois, fit-il en tournant une page.

– Elle est dangereuse, fit Tanner. Le *Times* appartient à l'un des plus grands groupes du pays.

– C'est elle qui cause les plus gros dégâts, commenta Boltz d'une voix lente. Les autres se contentent de broder sur ses scoops. Ce qu'il faut que nous sachions, c'est *où* elle trouve ses infos. (Se tournant vers moi :) À part vous Kay, qui a accès à vos dossiers ?

– J'envoie des doubles à l'avoué du Commonwealth et à la police, fis-je d'un ton égal. (En l'occurrence à lui et à Tanner.)

– Les familles des victimes ?

– Jusqu'à présent, les familles des quatre victimes ne me l'ont pas demandé. Et si elles l'avaient fait, je vous les aurais envoyées.

Les compagnies d'assurances ?

– Si elles en font la demande. Mais après le deuxième meurtre, j'ai ordonné de ne plus faire circuler les rapports provisoi res, sauf à votre bureau et à la police.

– Qui d'autre ? demanda Tanner. Le bureau des Statistiques ne vous avait pas réclamé vos CME-1 et vos rapports d'autopsie pour les mettre en mémoire ?

Je fus si étonnée que je ne répondis pas tout de suite. Tanner avait dû étudier sérieusement la question, sinon pourquoi se serait-il intéressé à de telles procédures ?

– Nous avons cessé nos envois aux Statistiques dès que nous avons été informatisés, lui expliquai-je. Aujourd'hui, on ne leur communique des données que lorsqu'ils préparent leur rapport annuel, mais...

Tanner me coupa la parole.

– Dans ce cas, il ne reste plus que votre ordinateur, dit-il en remuant paresseusement son café dans sa tasse en carton. Je suppose que l'accès à votre base de données est strictement limité ?

– J'allais poser la question, marmonna Amburgey.

On n'aurait pas pu me la poser à un pire moment.

J'aurais même préféré ne rien savoir.

Je luttai contre la panique tout en cherchant désespérément une réponse. Le tueur serait-il déjà sous les verrous, et Lori Petersen toujours en vie si les fuites n'avaient pas eu lieu ? Était-il possible que la « source médicale » fût mon propre ordinateur ?

Je dus me résoudre à admettre la vérité.

– Malgré toutes nos précautions, il semble que quelqu'un ait pu accéder à nos données. Nous avons eu aujourd'hui la preuve qu'on avait essayé d'ouvrir le fichier de l'affaire Petersen. La tentative a échoué, le dossier n'avait pas encore été entré.

Un long silence s'établit. J'allumai une cigarette. Amburgey la fixa d'un air indigné avant de me demander :

– Les trois premiers dossiers l'avaient-ils été ?

– Oui.

– Êtes-vous sûre qu'il ne s'agit pas d'un membre de votre personnel, ou d'un de vos responsables de circonscription ?

– J'en suis raisonnablement sûre.

Nouveau silence.

– Est-il possible que ce ne soit pas la première fois que cette violation se produise ? demanda-t-il.

– Impossible de le savoir. Nous laissons l'ordinateur en mode veille pour que Margaret ou moi puissions l'interroger de chez nous. Nous ne comprenons pas comment on a pu se procurer le mot de passe.

– Comment avez-vous décelé l'effraction ? demanda Tanner, dérouté. Vous l'auriez certainement découverte si elle s'était déjà produite, non ?

– Mon analyste informatique l'a découverte parce qu'elle avait par inadvertance laissé l'écho branché. Les commandes sont restées inscrites à l'écran.

Les yeux d'Amburgey lançaient des éclairs et son visage était écarlate. Il s'empara d'un coupe-papier émaillé et fit courir son pouce sur la lame.

– Bon ! finit-il par dire, nous ferions mieux d'aller jeter un coup d'œil à votre machine pour savoir quel genre d'informations a pu apprendre cet individu. Ça n'a peut-être rien à voir avec ce que les journaux ont publié. J'en suis d'ailleurs presque sûr. Je veux également que nous examinions ensemble ces quatre meurtres, Dr Scarpetta. On me pose des tas de questions. Je veux savoir de quoi il retourne.

J'étais écrasée, impuissante. Amburgey occupait le terrain. Il allait soumettre à son examen bureaucratique l'activité privée et très sensible à laquelle se livrait mon bureau. L'idée qu'il allait tripoter les photos de ces femmes martyrisées me faisait trembler de rage.

– Vous pourrez les étudier dans mon bureau. Il est hors de question d'en faire des photocopies ou de les faire circuler, ajoutai-je d'un ton glacial.

– Allons-y tout de suite. Bill ? Norm ?

Les trois hommes se levèrent. En sortant, Amburgey prévint sa secrétaire qu'il ne reviendrait pas à son bureau. Elle suivit Boltz des yeux d'un air rêveur.

7

Il faisait un soleil resplendissant et la circulation était très dense. Nous dûmes attendre un répit pour traverser la rue. Personne ne parlait. J'ouvrais la marche. Nous empruntâmes l'entrée sur l'arrière, car à cette heure-ci l'entrée principale était fermée.

Je priai les trois hommes d'attendre dans la salle de conférence et allai chercher les dossiers dans le tiroir verrouillé de mon bureau. Rose manipulait des papiers dans la pièce voisine. Je lui fus reconnaissante d'être encore là à 5 heures passées. Elle avait compris que si Amburgey m'avait convoquée, c'est que j'avais un problème.

Lorsque je regagnai la salle de conférence, je me plantai face à mes trois hôtes et, la cigarette au bec, défiai silencieusement Amburgey de me demander de sortir. Il s'en abstint. Je m'assis. Une heure s'écoula.

Le silence n'était troublé que par le bruit des pages qu'on feuilletait, les commentaires et observations échangés à voix basse. Ils étalèrent les photos devant eux comme des cartes à jouer. Amburgey ne cessait de prendre des notes. À un moment, quelques chemises tombèrent devant Boltz sur la moquette.

– Je les ramasse, fit Tanner en repoussant sa chaise.

– Ça ira, rétorqua Boltz en se penchant.

Il prit l'air dégoûté pour récupérer les documents éparpillés par terre. Qu'il reclassa toutefois suivant leur numérotation. Pendant ce temps, Amburgey continua de lire et de prendre des notes, comme si de rien n'était.

Les minutes me paraissaient des heures.

Ils me posèrent une ou deux questions, mais parlèrent surtout entre eux, comme si je n'existais pas.

À 6 heures et demie, nous allâmes dans le bureau de Margaret. Je m'installai devant l'ordinateur et désactivai le mode veille. Sur l'écran apparut la fenêtre d'accès aux fichiers, artistiquement colorée d'orange et de bleu par Margaret. Amburgey me rappela le numéro de fichier de Brenda Steppe, la première victime.

J'entrai le numéro et enfonçai la touche d'exécution.

Le fichier était composé d'un tableau comportant cinq ou six colonnes. Les trois hommes parcoururent les données figurant dans les rectangles orange, hochant la tête quand ils avaient fini, pour que je fasse défiler le texte jusqu'à la page suivante.

Nous tombâmes dessus deux pages plus loin.

Dans la colonne « Vêtements, effets personnels, etc. » figurait la liste de tout ce qu'on avait retrouvé sur le corps de Brenda Steppe, y compris ses liens. L'indication était en gros caractères : « ceinture de moleskine foncée autour du cou ».

Sans un mot, Amburgey souligna la phrase de son doigt.

Je pris le dossier de Brenda Steppe et lui montrai que cette indication ne correspondait pas à ce que j'avais dicté dans mon rapport d'autopsie, qui précisait « une paire de collants transparents nouée autour du cou ».

– Peut-être, fit Amburgey, mais c'est bien une ceinture qui est indiquée dans le rapport de l'équipe.

Je cherchai le rapport et le parcourus. Amburgey avait raison. L'infirmier indiquait que la victime avait les poignets et les chevilles attachés avec des fils électriques, et qu'« une sorte de ceinture foncée » était passée autour de son cou.

– Peut-être, suggéra Boltz comme pour me venir en aide, qu'une de vos secrétaires a tapé cette phrase du rapport de l'équipe sans s'apercevoir qu'elle contredisait le vôtre.

– C'est peu probable, objectai-je. Mes secrétaires n'entrent pas les données qui figurent dans le rapport d'autopsie, le rapport du labo et le certificat de décès.

– Mais c'est une possibilité, insista Amburgey.

– Disons qu'il y a une possibilité.

– La source de cette histoire de ceinture, telle qu'elle a été citée par les journaux, provient donc peut-être de votre ordinateur, déclara Tanner. Un journaliste a pu pénétrer dans votre base de données. Et il a publié une information erronée parce que votre ordinateur contenait une information erronée.

– Il a pu aussi obtenir cette information erronée par l'infirmier, objectai-je.

– Je compte sur vous pour assurer la sécurité des informations contenues dans votre machine à l'avenir, fit Amburgey en s'éloignant de l'écran. Demandez à celle qui s'en occupe de changer le mot de passe. Faites le nécessaire, Dr Scarpetta. J'attends un rapport exhaustif.

Il se dirigea vers la porte et se retourna sur le seuil.

– J'enverrai des doubles aux parties concernées, et nous verrons si d'autres mesures sont nécessaires.

Sur ce il disparut, Tanner sur les talons.

Quand tout s'écroule autour de moi, je fais la cuisine.

Après une journée déprimante, certains vont taper dans une balle ou faire trois fois le tour du pâté de maisons au pas de course. J'avais une amie juge de district à Coral Gables, qui préférait aller à la plage avec sa chaise pliante et faire fondre son stress au soleil, en lisant un roman porno. Beaucoup de flics de ma connaissance avaient, eux, l'habitude de noyer leurs chagrins dans la bière au foyer du *Fraternel Order of Police.*

Moi, je ne suis ni sportive, ni alcoolique, et il n'y a pas de plage à proximité. En revanche, la cuisine est une activité à laquelle je regrette de ne pouvoir consacrer plus de temps. Et même si la cuisine italienne n'est pas, tant s'en faut, ma seule passion, ça a toujours été ce que je fais de mieux.

– Sers-toi de la râpe la plus fine, conseillai-je à Lucy.

– C'est trop dur ! se plaignit-elle avec un soupir excédé.

– Le vieux parmesan est toujours dur.

Je rinçai le poivre vert, les oignons et les champignons, les séchai dans un torchon et posai le tout sur la planche à découper. Sur la cuisinière gargouillait une sauce confectionnée l'été précédent avec des tomates fraîches, du basilic, de l'origan et de l'ail. J'en gardai toujours en réserve au congélateur pour des jours comme celui-ci. Après les avoir fait revenir, j'avais mis des morceaux de bœuf et des rondelles de saucisses de Lugano à égoutter sur du papier absorbant. De la pâte levait sous un torchon humide. Dans un bol, j'avais émietté de la mozzarella au lait entier que j'achetais à New York, dans une petite boutique de West Avenue.

– Maman achète toujours de la sauce toute prête, haleta Lucy, et elle y ajoute des tas de trucs.

– C'est une hérésie, déplorai-je. (Je me mis à hacher mes condiments.) Ta grand-mère aurait préféré nous laisser mourir de faim que de nous faire avaler un truc tout prêt.

Ma sœur n'a jamais aimé faire la cuisine. Les moments les plus merveilleux de notre enfance se sont pourtant déroulés autour de la table. Quand mon père n'était pas encore malade, il présidait et nous servait cérémonieusement d'énormes assiettes de *spaghetti*, de *fettucine* ou – le vendredi – de *frittata*. On avait du mal à joindre les deux bouts mais il y avait toujours à boire et à manger et, lorsque je revenais de l'école, j'étais accueillie par les effluves appétissants et les bruits qui provenaient de la cuisine.

Outre qu'il s'agissait d'une véritable rupture de la tradition familiale, je regrettais que Lucy ne sache rien de tout ça. Lorsqu'elle revenait de l'école, la maison était silencieuse et le dîner n'était qu'une corvée dont il fallait se débarrasser au plus vite. Ma sœur n'aurait jamais dû avoir d'enfant. Ma sœur n'aurait jamais dû naître italienne.

Je m'enduisis les mains d'huile d'olive et entrepris de pétrir la pâte longuement.

– Tu peux la faire sauter comme à la télé ? me demanda Lucy.

Je lui fis une petite démonstration, qu'elle suivit avec des yeux admiratifs.

– Ce n'est pas très difficile, tu sais, fis-je en souriant pendant que la pâte s'aplatissait. Le truc, c'est de garder les doigts souples pour ne pas la trouer.

– Laisse-moi essayer.

– Finis de râper le parmesan, fis-je sévèrement.

– Oh ! s'il te plaît, laisse-moi essayer !

Elle descendit de son tabouret et s'approcha. Je lui pris les mains, les huilai et lui fis serrer les poings. Je fus surprise de constater qu'ils étaient presque aussi gros que les miens. Quand elle était bébé, ils n'étaient pas plus gros qu'une noix. Je posai la boule de pâte sur ses poings et lui montrai comment la faire tourner.

– Elle est de plus en plus large ! s'exclama-t-elle. C'est génial !

– C'est la force centrifuge. Autrefois, on faisait le verre à vitre de cette façon. Tu as déjà vu de ces carreaux qui ont comme des rides à la surface ? (Hochement de tête.) On commençait par faire un grand disque de verre puis...

Nous levâmes simultanément la tête en entendant des pneus crisser sur le gravier de l'allée. Une Audi blanche s'arrêta devant la maison, et l'humeur de Lucy s'assombrit.

– Oh ! fit-elle d'un air désappointé, c'est lui...

Bill Boltz sortit de la voiture et prit deux bouteilles de vin sur le siège passager.

– Je suis sûre que tu l'aimeras beaucoup. Il a très envie de te connaître.

– C'est ton fiancé ?

Je me rinçai les doigts.

– On se voit de temps en temps. Et on travaille ensemble...

– Il n'est pas marié ?

– Sa femme est morte l'année dernière.

– Ah ! (Silence.) Morte de quoi ?

Je lui embrassai les cheveux et allai ouvrir. Ce n'était pas le moment de le lui apprendre.

– Ça va ? fit Bill en m'effleurant la joue de ses lèvres.

– Comme ça, rétorquai-je en refermant la porte.

– Attends d'avoir bu quelques verres de cette potion magique, dit-il en brandissant les bouteilles comme des trophées. Réserve personnelle !

Je lui fis signe de me suivre jusqu'à la cuisine.

Juchée sur un tabouret haut, le dos à la porte, Lucy s'était remise à râper du fromage.

– Lucy ?

Shruttt... shruttt...

– Lucy ? répétai-je en m'approchant. Je te présente Mr Boltz. Bill, voici ma nièce.

Elle s'interrompit à contrecœur et se retourna.

– Je me suis fait mal, tante Kay.

Elle me montra sa main gauche où perlait une goutte de sang.

– Oh ! ma chérie... Attends, je vais arranger ça.

– Il en est tombé dans le fromage ! ajouta-t-elle au bord des larmes.

– Il faut appeler l'ambulance, déclara Bill d'un ton solennel. (À la grande surprise de Lucy, il la souleva du tabouret et la coucha dans ses bras.) PIN PON ! PIN PON ! PIN PON ! lança-t-il en la transportant jusqu'à l'évier. Ici voiture 306. Je vous amène une urgence. Une jolie petite fille blessée à la main. Prévenez le Dr Scarpetta !

Lucy riait à gorge déployée. Elle oublia aussitôt sa coupure et, cinq minutes après regardait avec adoration Bill déboucher une bouteille.

– Il faut le laisser respirer, lui expliquait-il. Dans une heure, son goût sera plus doux. Comme toutes les choses dans la vie, le vin s'adoucit avec le temps.

– Je peux goûter ?

– Alors là.... fit-il avec gravité. Il faut demander à tante Kay. Moi, je n'y vois aucun inconvénient.

Je versai la garniture sur la pâte avant d'ajouter les rondelles de saucisse, la viande, les légumes, le parmesan et la mozzarella, puis je mis la pizza au four. Bientôt, le parfum de l'ail se répandit dans la cuisine. Je préparai la salade et mis la table pendant que Bill et Lucy bavardaient.

Nous mangeâmes tard. Le doigt de vin que Bill avait versé à Lucy se révéla un excellent somnifère. À peine me mettais-je à desservir que ses paupières s'alourdirent. Elle était prête à aller au lit.

– Je ne sais pas comment tu as fait, mais tu l'as conquise, dis-je à Bill un peu plus tard. (J'avais couché Lucy et nous étions tous deux assis dans la cuisine.) J'avais peur de sa réaction.

– Tu pensais qu'elle serait jalouse ?

– Ça ne m'aurait pas étonnée. Tu sais, sa mère est une grande consommatrice de relations éphémères.

– Et elle n'a guère de temps pour s'occuper de sa fille, c'est ça ? fit-il en remplissant nos verres.

– C'est le moins qu'on puisse dire.

– C'est dommage. C'est une gamine adorable, astucieuse. Elle tient de toi. (Il but une gorgée avant d'ajouter :) Qu'est-ce qu'elle fait toute la journée pendant que tu n'es pas là ?

– Bertha reste ici. Lucy passe le plus clair de son temps à pianoter sur mon micro.

– Tu as des jeux dessus ?

– Pas du tout. Elle en connaît plus long que moi en informatique. La dernière fois, elle programmait en Basic et avait nettoyé toute ma base de données.

Pendant un instant, il examina le fond de son verre.

– On peut se servir de cet ordinateur pour interroger celui de ton bureau ?

– Je te vois venir ! Oublie ça.

– Dommage, fit-il en levant les yeux vers moi. Ça aurait peut-être mieux valu.

– Lucy ne ferait jamais ça, dis-je avec conviction. De toute façon, qu'est-ce que ça changerait ?

– Au moins tu n'aurais plus Amburgey sur le dos.

– Il n'est pas près de me ficher la paix, dis-je avec amertume.

– Tu as raison. La seule chose qui le décide à se lever le matin, c'est de te chercher des poux.

– Je m'en suis aperçue.

Amburgey avait été nommé à son poste au moment où la communauté noire de la ville accusait la police de ne s'intéresser sérieusement à un meurtre que si la victime était blanche. Peu de temps après, un conseiller municipal noir s'était fait tuer dans sa voiture. Amburgey et le maire avaient alors eu l'idée d'effectuer une visite surprise à la morgue, le lendemain matin. Histoire d'améliorer leur image de marque.

L'histoire n'aurait pas eu de conséquences si Amburgey avait pensé à me poser quelques questions pendant que je pratiquais l'autopsie, et s'il avait gardé sa langue. Il avait cru bon d'informer confidentiellement les journalistes qui se pressaient à la porte de mon bureau que « les impacts » relevés sur le conseiller municipal défunt « indiquaient que le coup de fusil de chasse avait été tiré à bout portant ». Aussi diplomatiquement que possible, j'avais dû expliquer plus tard aux journalistes que ces soi-disant « impacts » étaient en réalité les marques des aiguilles de gros calibre que les internes du service des urgences enfonçaient dans les artères sous-clavières pour effectuer des transfusions de sang. Le conseiller était mort d'une blessure par balle. L'arme était un pistolet de petit calibre. Et on lui avait tiré dans la nuque.

Les journalistes s'en étaient donné à cœur joie.

– Le problème, c'est qu'il est médecin, dis-je à Bill. Il en sait juste assez pour penser qu'il est expert en médecine légale ou qu'il dirigerait mon bureau mieux que moi. En réalité, ce gros plein de soupe n'y connaît rien.

– Et tu le lui fais sentir. C'est là ton erreur.

– Que voudrais-tu que je fasse ? Que je dise *amen ?*

– Rivalité professionnelle, conclut-il en haussant les épaules. Ça n'est pas la première fois que ça arrive.

– C'est un peu court comme explication ! Si ça se trouve, je lui rappelle sa mère ! Qu'est-ce que j'en sais ?

Ma colère était montée d'un seul coup.

– Hé ! fit-il en levant la main. Ne t'en prends pas à moi. Je t'ai rien fait !

– Tu étais présent, cet après-midi, non ?

– Et alors ? Tu voulais peut-être que j'annonce à Amburgey et Tanner que je ne pouvais pas assister à la réunion parce qu'on se voit au-dehors ?

– Bien sûr que non, dis-je, l'air contrit. Et pourtant, c'est peut-être ce que j'attendais de toi. Que tu lui rentres dans le lard.

– Génial ! Ça m'aurait beaucoup aidé pour les prochaines élections. En plus, tu m'aurais probablement laissé moisir en taule sans payer ma caution.

– Ça aurait dépendu de la somme.

– Merde !

– Pourquoi ne m'as-tu rien dit ?

– Sur quoi ?

– Sur la réunion. Tu le savais depuis hier, non ?

Peut-être même que tu étais au courant depuis plus longtemps, eus-je envie de dire, et que c'est pour ça que tu ne m'as pas appelée de tout le week-end ! Mais je me retins.

Il scrutait de nouveau le fond de son verre.

– Je ne voyais pas l'utilité de te le dire, finit-il par avouer. Tu te serais inquiétée, alors que cette réunion a été une pure formalité.

– Une *formalité* ! m'exclamai-je, incrédule. Amburgey me met sur la touche et fout mon bureau sens dessus dessous, et c'est une *formalité* ?

– Kay, je suis sûr qu'une partie de ce qu'il a fait n'a été motivée que par l'annonce de l'effraction de ton ordinateur. Et ça, je ne le savais pas hier. Merde ! Toi-même, tu l'ignorais.

– Je vois, dis-je, sceptique. Personne n'était au courant avant que j'en parle.

– Qu'est-ce que tu veux dire ?

– C'est une sacrée coïncidence que nous ayons découvert le piratage quelques heures avant qu'il me convoque. Il était peut-être déjà au courant...

– Peut-être.

– Voilà qui me rassure !

– Comment savoir ? Et qu'est-ce que ça peut faire ? Peut-être que quelqu'un a parlé. Ta programmatrice, par exemple. Et de fil en aiguille, la rumeur est remontée jusqu'au vingt-quatrième étage. (Il haussa les épaules.) Ça n'a fait qu'ajouter un souci à ceux qu'il avait déjà. En tout cas, tu as bien fait de dire la vérité.

– Je dis toujours la vérité.

– Pas toujours, rétorqua-t-il avec un petit sourire. Tu mens tous les jours par omission en ce qui nous concerne.

– Donc il était peut-être au courant, le coupai-je. J'aimerais que tu me dises que toi, tu ne l'étais pas.

– Je te le jure, m'assura-t-il en me regardant dans les yeux. Si j'avais entendu quoi que ce soit, je t'aurais prévenue, Kay. Je t'aurais appelée.

– Et tu aurais volé à mon secours, Superman ?

– Merde, marmonna-t-il. Moque-toi de moi.

Le voilà qui me servait la grande scène de l'homme blessé. Bill avait un vaste répertoire de rôles au gré des circonstances. J'avais même parfois du mal à croire qu'il était amoureux.

Il était au cœur des fantasmes de la moitié des femmes de la ville, et son directeur de campagne jouait de cet atout à la perfection. Des photos de Bill avaient été placardées dans les restaurants, les vitrines et sur les poteaux téléphoniques de toute la ville. Qui pouvait résister au charme de ce visage séduisant, de ces cheveux blonds et de ce bronzage entretenu grâce à plusieurs heures de tennis par semaine ?

– Je ne me moque pas, Bill. Et je ne veux pas de dispute.

– Moi non plus.

– Je suis découragée. Je ne sais pas quoi faire.

Il avait apparemment réfléchi à la question.

– Il faudrait que tu aies une idée de la personne qui a piraté tes données. Ou que tu puisses le prouver.

– Le prouver ? fis-je d'un air las. Tu as un suspect ?

– Sans aucune preuve.

– Qui ? fis-je en allumant une cigarette.

Son regard erra à travers la cuisine.

– Abby Turnbull est ma candidate numéro un.

– Je pensais que tu allais me proposer un nom original.

– Je suis sérieux, Kay.

– Écoute, c'est une journaliste ambitieuse, tout le monde le sait, rétorquai-je avec irritation. Mais franchement, j'en ai par-dessus la tête d'entendre citer son nom à toutes les sauces. Elle n'est pas aussi dangereuse qu'on le dit.

D'un geste brusque, Bill reposa son verre sur la table.

– Ça alors ! s'exclama-t-il en me fusillant du regard. Ce n'est pas une question d'ambition. C'est une vipère. Elle est vicieuse, manipulatrice, dangereuse. Cette salope est prête à tout !

Sa colère me laissa sans voix. Je n'étais pas habituée à l'entendre insulter une femme. Une femme qu'il connaissait à peine, croyais-je.

– Tu te souviens de l'article qu'elle a écrit sur moi, il y a un mois ou deux ?

Obéissant à la tradition, le *Times* avait en effet publié le portrait du nouvel avoué du Commonwealth nommé à Richmond.

L'article, assez long, était sorti un dimanche. Je m'en souvenais vaguement. Insipide.

– C'était un papier plutôt inoffensif, non ? demandai-je.

– Et pour cause, répliqua-t-il vivement. Elle n'avait pas très envie de l'écrire.

Non pas qu'elle ait trouvé le sujet ennuyeux. De toute évidence, il s'agissait d'autre chose et j'attendais la suite, sur le qui-vive.

– Ça a été très pénible. Elle a passé une journée entière avec moi, je l'ai transportée en voiture de réunion en réunion. Elle m'a même accompagné chez le teinturier ! Tu connais les journalistes. Ils te suivraient aux chiottes si tu les laissais faire. Bref ! au fur et à mesure que l'après-midi passait, les choses ont pris une tournure aussi désagréable qu'inattendue.

Il se tut pour voir si je pigeais. Je pigeais parfaitement.

– Je ne l'ai pas vu venir, reprit-il, tendu. Nous sommes sortis de la dernière réunion vers 8 heures. Elle a insisté pour que nous allions au restaurant, aux frais de son journal et elle avait encore quelques questions à me poser. Après le repas, nous étions à peine sortis du parking qu'elle m'a annoncé qu'elle ne se sentait pas bien. C'était le vin qui ne passait pas, disait-elle. Elle m'a demandé de la déposer chez elle plutôt que de la ramener au journal où elle avait laissé sa voiture. Je l'ai donc raccompagnée. Et quand je me suis garé devant chez elle, elle m'a sauté dessus.

– Et ensuite ? fis-je d'un air faussement détaché.

Je ne savais pas comment m'en sortir. Je crois que je lui ai dit des choses humiliantes. Et maintenant, elle veut ma peau.

– Comment ça ? Elle t'appelle la nuit ? Elle t'envoie des lettres de menaces ?

Je ne parlais pas sérieusement, mais sa réponse me désarçonna.

– Tu as vu ses putains d'articles ? Et les fuites de « source médicale » ? C'est peut-être dingue, mais elle agit pour des raisons personnelles...

– Tu penses qu'elle pirate mon ordinateur et expose mes dossiers au grand jour pour se venger de toi ?

– Si le procès foire à cause des fuites, qui est-ce qui trinque ? (Je restai muette et le regardai, incrédule.) C'est moi, poursuivit-il. C'est moi qui poursuivrai au nom du ministère public. Si le salaud qui tue ces femmes s'en tire à cause des conneries parues dans les journaux, tu penses bien que personne ne m'enverra des fleurs ou un mot de remerciement. Et tu peux être sûre qu'elle le sait, Kay. Elle cherche à me faire tomber.

– Bill, fis-je d'une voix sourde. C'est son boulot d'être agressive. C'est son boulot de publier ce qui lui tombe sous la main. Le dossier ne pourrait foirer en justice que si des aveux signés constituaient la seule preuve. La défense s'emploierait alors à faire revenir le criminel sur ses déclarations et il finirait par se rétracter. La défense dirait ensuite que son client est psychotique et qu'il connaît les détails des meurtres parce qu'il les a lus dans les journaux. On entendrait le baratin habituel : le suspect a imaginé qu'il avait commis les meurtres, de toute façon le monstre responsable de ces horreurs ne se livrera et n'avouera jamais.

Il vida son verre et se resservit.

– D'accord ! Imaginons que les flics arrêtent un suspect et lui fassent signer des aveux. Ses aveux sont la seule chose qui le lie aux meurtres. Il n'existe aucune preuve matérielle qui...

– Aucune preuve matérielle ? le coupai-je. (Je doutai d'avoir bien compris. Ou était-ce le vin ?) Et le sperme. Si on l'arrête, l'analyse ADN prouvera sans l'ombre d'un...

– N'y compte pas ! On n'a retenu cette méthode qu'une fois ou deux devant les tribunaux de Virginie. Les précédents sont rares dans le pays, et les condamnations encore plus, puisque les quelques types condamnés sur ces bases ont fait appel. Va expliquer à un jury de Richmond que le mec est coupable à cause de son ADN. On aura de la chance si on trouve un seul juré qui sait de quoi on parle ! Dès qu'il y en a un qui a un QI supérieur à quarante, la défense le fait révoquer. Je me coltine ça tous les jours.

– Bill...

– Merde, alors ! lâcha-t-il en se levant. C'est déjà dur d'obtenir une condamnation quand cinquante témoins ont vu le coupable appuyer sur la détente ! La défense fera défiler les experts qui s'emploieront à tout embrouiller. Tu es bien placée pour savoir que cette méthode par l'ADN est très compliquée, non ?

– J'ai déjà expliqué des choses plus difficiles à un jury.

Il voulut ajouter un mot mais se tut. Le regard dans le vague, il but une gorgée de vin.

Si l'issue du procès dépendait uniquement de l'identification par l'ADN, une bonne partie de l'accusation reposait sur mes épaules. Ça m'était déjà arrivé et je ne me souvenais pas que Bill en ait été le moins du monde inquiet.

– Qu'y a-t-il ? me forçai-je à demander. C'est de coucher avec moi qui te met mal à l'aise ? Quelqu'un va le deviner et en tirer des conséquences professionnelles ? Par exemple que je trafique les résultats des analyses pour arranger l'accusation ?

Il me regarda, écarlate.

– Je n'y ai pas pensé une seconde, fit-il. On sort ensemble, et alors ? On va au restaurant, au théâtre...

Personne n'était au courant. Il venait chez moi ou nous partions à Williamsburg ou à Washington, où nous étions sûrs de ne rencontrer personne de notre connaissance.

À moins qu'il ne fasse allusion à quelque chose de beaucoup plus grave.

Ce n'était pas l'amour fou entre nous, et ça créait une subtile mais réelle tension dans nos rapports.

Dès notre première rencontre nous avions été conscients d'une forte attraction réciproque, mais nous n'avions concrétisé que quelques semaines plus tôt. C'est après un procès, en fin d'après-midi, qu'il m'avait proposé d'aller boire un verre. Après deux whiskies pris dans un bar, nous étions allés chez moi. Ç'avait été aussi simple que ça. Nous étions comme deux adolescents, notre désir était palpable. La conscience de transgresser un interdit nous avait rendus encore plus frénétiques, mais soudain j'avais paniqué.

Sa voracité m'avait effrayée. Je n'avais pas fondu sous ses caresses. Il m'avait submergée de son désir brutal. Et j'avais eu l'esprit envahi par la vision de sa femme allongée sur leur lit, reposant telle une poupée délicate sur les coussins de satin bleu pâle, une tache rouge sombre souillant le devant de son négligé blanc, le neuf millimètres près de sa main droite.

Quand j'étais arrivée sur les lieux, je savais seulement que la femme du candidat au poste d'avoué du Commonwealth avait, selon toute apparence, fait une tentative de suicide. Je ne connaissais pas encore Bill. J'avais examiné sa femme. J'avais littéralement tenu son cœur entre mes mains. C'étaient toutes ces images qui avaient défilé dans mon esprit quelques mois plus tard, dans l'obscurité de mon salon.

Je m'étais soustraite à l'étreinte de Bill, sans explication. Notre attraction réciproque persistait, mais désormais un mur invisible nous séparait.

J'entendais à peine ce qu'il me disait.

– ... et d'ailleurs je ne vois pas comment tu pourrais truquer les résultats de l'analyse ADN, à moins d'avoir monté une vaste conspiration avec le labo privé chargé des tests et soudoyé la moitié de ton personnel.

– Truquer les résultats ADN ? répétai-je, ébahie.

– Tu ne m'écoutais pas, me reprocha-t-il.

– Quelque chose m'a échappé, c'est vrai.

– Je disais que personne ne pourrait t'accuser d'avoir truqué quoi que ce soit. Notre relation n'a rien à voir là-dedans. À part... enchaîna-t-il, penaud.

– À part quoi ? demandai-je. (Le voyant vider à nouveau son verre, j'ajoutai :) Bill, souviens-toi que tu dois prendre le volant...

Il balaya mon conseil d'un geste impatient.

– À part quoi ? répétai-je. Que se passe-t-il ?

Il pinça les lèvres en évitant mon regard.

– Je me demande... lâcha-t-il, quelle opinion auront de toi les jurés au moment du procès.

Je n'aurais pas été plus stupéfaite s'il m'avait giflée.

– Bon Dieu ! Tu sais quelque chose, hein ? Qu'est-ce que c'est ? Qu'est-ce que tu me caches ? Qu'est-ce que ce fils de pute est en train de manigancer ? Il compte me sacquer à cause de cette histoire d'effraction sur mes données ? C'est ça qu'il t'a dit ?

– Amburgey ? Mais non ! Il n'y pense même pas. D'ailleurs, c'est inutile. S'il est prouvé que c'est de ton bureau que provenaient les fuites, et que les articles saignants qu'elles ont alimentés ont poussé le tueur à frapper de plus en plus souvent, ta tête ne vaudra pas cher. Les gens ont besoin de bouc émissaire. Et je ne peux pas me permettre d'avoir un témoin principal dont la crédibilité est sujette à caution.

– C'est de ça que tu parlais avec Tanner en sortant du restaurant ? demandai-je, au bord des larmes. Je vous ai vus sortir du *Peking* ce matin.

Long silence. Il m'avait vue lui aussi, mine de rien. Et ils étaient en train de parler de moi, tiens !

– Nous discutions de l'affaire, fit-il, évasif.

J'étais si furieuse, si blessée dans mon amour-propre que je préférais me taire plutôt que de dire des choses qui auraient dépassé ma pensée.

– Écoute, reprit-il en desserrant sa cravate. Je n'ai pas voulu te vexer. Je n'avais pas l'intention de te le dire comme ça. Je te le jure. Maintenant, tu es toute retournée, et moi je ne sais plus où me mettre. Je suis désolé.

Je lui opposai un silence hostile.

– C'est simplement, reprit-il après une profonde inspiration, qu'il se passe des choses graves et que nous devons y faire face ensemble. J'évoque les scénarios-catastrophes uniquement pour qu'on soit préparés.

– Qu'attends-tu exactement de moi ?

– Réfléchis avant de prendre la moindre décision. Comme au tennis. Quand tu es fatiguée ou déprimée, il faut jouer prudemment. Concentre-toi sur chaque coup, ne quitte pas la balle des yeux.

Ses références au tennis me portaient sur les nerfs.

– Je réfléchis toujours à ce que je fais, répliquai-je d'un ton irrité. Pas la peine de me dire comment je dois travailler. Je ne rate pas souvent les balles, que je sache.

– C'est pas le moment de les rater. Abby Turnbull est dangereuse. Elle cherche à nous piéger. Toi et moi. Par des moyens détournés. Elle t'utilise, toi ou ton ordinateur, pour me faire tomber. Elle se fout pas mal d'entraver la justice par la même occasion. Si le procès foire, on saute tous les deux.

Peut-être avait-il raison, mais je n'arrivais pas à croire au machiavélisme d'Abby Turnbull. Si elle avait une once d'humanité, elle voulait elle aussi voir le tueur derrière des barreaux. Elle n'utiliserait pas quatre femmes torturées comme les pions d'une machination diabolique. Si machination il y avait, ce dont je doutais.

J'allais reprocher à Bill d'exagérer mais quelque chose m'en empêcha.

Je ne voulais plus parler de cette histoire.

J'en avais peur.

Quelque chose m'intriguait. Il avait attendu jusqu'à cet instant pour me mettre au courant. Pourquoi ? Ce qui s'était passé entre Abby et lui remontait à plusieurs semaines. Si elle voulait nous piéger, pourquoi avait-il attendu si longtemps pour lâcher le morceau ?

– Je crois que ce qu'il te faut, c'est une bonne nuit de sommeil, lui dis-je d'un ton calme. Et à mon avis, nous devrions oublier cette conversation.

– Tu as raison. Je suis crevé. Et tu ne vaux guère mieux. Bon sang ! Dieu sait que je ne voulais pas que ça tourne comme ça... Dire que je suis venu pour te remonter le moral. Je me sens en dessous de tout...

Il continua à s'excuser dans le couloir et m'embrassa avec fougue. Son haleine sentait le vin et sa peau était brûlante. Comme d'habitude, ma réaction physique fut immédiate. Un double frisson de désir et de panique monta le long de mon dos. Je me dégageai instinctivement en marmonnant un vague « Bonsoir ».

Dans l'obscurité, je vis sa silhouette se diriger vers sa voiture. Le plafonnier éclaira brièvement son profil lorsqu'il ouvrit sa portière. Je restai debout sur le seuil, l'esprit vide, longtemps après que ses feux arrière eurent disparu derrière les arbres, au bout de la rue déserte.

8

L'intérieur de la Plymouth Reliant gris métallisé de Marino était exactement dans l'état que j'avais imaginé.

À l'arrière, s'entassaient des cartons vides et des serviettes en papier froissées, des sachets de Burger King et des gobelets en carton tachés de café. Le cendrier débordait. Pendue au rétroviseur, une plaquette parfumée censée dégager un parfum de sous-bois était à peu près aussi efficace qu'un jet de déodorant dans une benne à ordures. Partout où se posait le regard, ce n'était que poussière, crasse et miettes diverses. Le pare-brise lui-même était troublé par une couche grasse qui le rendait opaque. La fumée de cigarettes, sans doute.

– Vous ne la nettoyez jamais ? demandai-je.

– Plus maintenant. Une voiture de fonction, c'est jamais vraiment à vous. J'ai pas le droit de rentrer à la maison avec, ni de la garder pendant le week-end. Avant, je l'astiquais. Qu'est-ce que j'y gagnais ? Un cochon s'en servait pendant que j'étais de repos, et quand j'la reprenais, j'la retrouvais dans l'état où vous la voyez aujourd'hui. J'ai laissé tomber. J'm'en sers comme poubelle, comme tout le monde.

Les messages de routine défilaient au milieu des parasites. Marino sortit du parking. C'était notre première rencontre depuis qu'il avait déserté sans crier gare la salle de conférence, le lundi précédent. Nous étions mercredi en fin d'après-midi, et il m'avait passablement décontenancée lorsqu'il avait surgi dans mon bureau en annonçant qu'il « m'emmenait faire un petit tour ».

La balade en question s'avéra une tournée sur les lieux des quatre crimes. L'objectif de Marino, d'après ce que je crus comprendre, était que je puisse graver leur répartition géographique dans mon esprit. Trouvant l'idée efficace, je ne discutai pas. C'était néanmoins la dernière chose que j'attendais de lui. Depuis quand m'incluait-il dans ses initiatives ?

– Il y a certaines choses que vous devez savoir, déclara-t-il en ajustant le rétroviseur latéral.

– Et si j'avais refusé de faire un « tour » avec vous, vous ne me les auriez jamais apprises ?

– Ça se pourrait.

Il alluma une cigarette et se trémoussa un bon moment sur son siège avant de se carrer dans une position confortable. J'attendais patiemment.

– Ça vous intéressera peut-être de savoir que nous avons passé Petersen au détecteur de mensonges hier et que ce p'tit malin l'a subi avec succès. Un bon point pour lui, mais ça le blanchit pas pour autant. On en a vu d'autres, des psychopathes qui mentent comme ils respirent, mais se plantent pas au détecteur. C'est un acteur, faut pas l'oublier.

– C'est très difficile, pour ne pas dire impossible de tromper un détecteur.

– Ça s'est déjà vu. C'est pour ça que le test n'est pas considéré comme une preuve devant les tribunaux.

– C'est vrai. Je n'irais pas jusqu'à dire que c'est infaillible.

– Toujours est-il qu'on n'a aucune raison valable pour le boucler, ni même pour lui interdire de quitter la ville. Alors je le fais surveiller. On cherche à savoir ce qu'il fait quand il travaille pas. Où il passe ses soirées. S'il prend sa voiture pour aller se balader dans certains quartiers, tout ça.

– Il n'est pas retourné à Charlottesville ?

Marino secoua la cendre de sa cigarette par la vitre.

– Il préfère rester en ville. Trop secoué pour reprendre le travail. Il a loué un appartement dans Freemont Avenue. Il peut pas rentrer chez lui après ce qui s'est passé. À mon avis, il va finir par vendre la baraque. C'est pas qu'il ait besoin d'argent, remarquez. Sa femme avait une bonne petite assurance-vie. Petersen va toucher dans les deux cent mille dollars. Il aura tout son temps pour écrire des pièces sans s'inquiéter du lendemain. Il ne nous reste plus qu'à oublier qu'il a été inculpé de viol l'année où il est sorti du lycée.

– Vous vous êtes renseigné ?

Je me doutais que oui, sinon il n'en aurait pas parlé.

– Ouais, j'ai interrogé le flic qui s'en est occupé. Petersen jouait le premier rôle dans une pièce pendant l'été, à La Nouvelle-Orléans, et il a commis l'erreur de prendre un peu trop au sérieux une jeune admiratrice qui venait voir la pièce tous les soirs, lui envoyant des billets doux, etc. Un soir, elle le retrouve dans les coulisses et les voilà partis faire la tournée des bars dans le Quartier français. À 4 heures du matin, complètement hystérique, elle appelle les flics en racontant qu'elle vient de se faire violer. Voilà notre collègue dans de beaux draps ! Le sperme qu'on a trouvé était non-sécréteur, comme le sien.

– L'affaire a-t-elle été devant les tribunaux ?

– Un foutu grand jury l'a refusé. Petersen a admis avoir couché avec la gamine chez elle. D'après lui, non seulement elle était consentante, mais elle l'avait provoqué. Elle avait des hématomes un peu partout, et même des marques sur le cou, mais personne n'a pu déterminer si elles étaient récentes ou pas. Un grand jury a toujours de l'indulgence pour un type comme lui. Un comédien ! Et puis, c'est la gamine qui lui avait fait des avances. Il avait gardé les petits mots qu'elle lui avait adressés. Il a affirmé qu'elle était déjà couverte de bleus avant, et qu'elle lui avait raconté qu'elle s'était battue avec un petit copain. On n'allait pas jeter la pierre à Petersen. La môme avait des mœurs douteuses. C'était peut-être une michetonneuse, elle l'avait cherché.

– Ce genre d'affaire est presque impossible à débrouiller, commentai-je avec calme.

– Ouais ! On peut jamais savoir. Mais c'est quand même une sacrée coïncidence, ajouta-t-il avec désinvolture, que Renton m'ait appelé l'autre soir pour me dire que l'ordinateur de Quantico avait fait tilt quand on lui a soumis le *modus operandi* du boucher qui opère dans notre bonne ville de Richmond. Il a craché un précédent qui y ressemble drôlement.

– Où ?

– Hé, hé ! à Waltham, dans le Massachusetts. Il y a deux ans de ça, quand Petersen terminait ses études à Harvard, à vingt kilomètres de là. En avril et en mai, deux femmes ont été violées et étranglées chez elles. Toutes les deux vivaient seules, au rez-de-chaussée. Elles avaient été ligotées avec des ceintures et du fil électrique. Le tueur était entré par la fenêtre. Les deux meurtres ont eu lieu pendant le week-end. Copie conforme...

– Les crimes ont-ils cessé quand Petersen est venu s'installer ici ?

– Pas vraiment. Il y en a eu un autre pendant l'été. Mais Petersen était déjà ici, avec sa femme qui commençait à travailler au VMC. La victime était une adolescente qui n'habitait pas dans le même coin. Elle ne vivait pas seule. Elle habitait avec un type qui n'était pas en ville au moment du crime. Pour les flics, c'était l'œuvre d'un imitateur qui avait lu les articles sur les deux meurtres précédents. On l'a découverte une semaine après. Aucun espoir de retrouver la moindre goutte de sperme, et donc d'identifier le groupe sanguin du coupable.

– Et dans les deux premiers cas ?

– C'était un non-sécréteur, répondit-il, le regard fixe.

Silence. Je me répétai qu'il y avait des millions d'hommes non-sécréteurs dans le pays, et que des crimes sexuels survenaient chaque année dans presque toutes les grandes villes. Néanmoins...

Nous venions d'emprunter une rue étroite dans un quartier récent. Les maisons, style ranch, étaient presque toutes identiques, construites avec des matériaux bon marché. Certaines étaient encore en construction. Les pelouses exiguës étaient plantées de cornouillers et d'arbres fruitiers.

Deux rues plus loin, sur la gauche, nous arrivâmes à la petite maison grise dans laquelle Brenda Steppe avait été assassinée, moins de deux mois auparavant. La maison n'avait été ni relouée ni vendue. Les candidats ne se bousculent pas pour emménager sur les lieux d'un meurtre. Même les deux maisons voisines portaient des pancartes « À vendre ».

Marino stoppa devant la porte et nous restâmes dans la voiture, vitres baissées. La rue comportait de rares réverbères. Il devait faire noir comme dans un four à la nuit tombée.

– Il est entré par la fenêtre de la cuisine sur l'arrière, m'expliqua Marino. D'après les conclusions de l'enquête, elle est rentrée vers 9 heures, 9 h 30 ce soir-là. On a retrouvé un sac à provisions. Le ticket de caisse indiquait que son dernier achat avait eu lieu à 20 h 50. Elle rentre et se prépare à manger. Comme il fait assez chaud, elle laisse la fenêtre ouverte. Surtout qu'elle fait frire un steak et des oignons. On a retrouvé le papier d'emballage de la viande, une boîte de sauce tomate vide, des pelures d'oignons et une poêle mise à tremper.

L'analyse du contenu gastrique de Brenda Steppe me revint. Je hochai la tête.

– Le genre de truc qui vous enfume une cuisine à tous les coups, enchaîna Marino. (Il s'interrompit un instant avant d'ajouter un air songeur :) C'est bizarre de penser que c'est peut-être ce qu'elle avait choisi pour dîner qui a causé sa mort. Si elle avait fait une salade de thon, peut-être qu'elle aurait pas eu l'idée d'aérer...

C'est un des exercices favoris des enquêteurs : « Que se serait-il passé si... ? » Si la victime n'était pas entrée dans le magasin pour acheter des cigarettes juste au moment où deux cambrioleurs prenaient le vendeur en otage... Si Mr Untel n'était pas sorti de chez lui pour vider la litière du chat juste au moment où un type en cavale approchait de la maison... Si Mr Machin ne s'était pas disputé avec sa femme, et s'il n'était pas parti en voiture juste au moment où un chauffard ivre surgissait à contresens, au coin de la rue...

– Vous avez remarqué que l'autoroute passe à un kilomètre d'ici ? fit Marino.

– Oui. Et il y a un supermarché pas loin, juste avant le lotissement. L'assassin a pu y laisser sa voiture et finir à pied.

– Ouais. Mais le supermarché ferme à minuit.

J'allumai une cigarette et me remémorai le principe qui veut que, pour être efficace, un flic doit raisonner comme celui qu'il pourchasse.

– Qu'auriez-vous fait à la place du tueur ?

– Genre artiste bidon, comme Matt Petersen, ou maniaque, qui jouit en étranglant une femme ?

– Maniaque.

C'était un piège et il éclata d'un rire cassé.

– Perdu, doc ! Ça fait aucune différence. Que je sois un artiste ou un maniaque, j'aurais agi à peu près de la même façon. Comme n'importe qui d'ailleurs. Si je suis sur un coup, je deviens comme n'importe quel cinglé qui fait ce genre de truc. Que je sois toubib, avocat ou chef indien.

– Je vous écoute.

– Je commence par la repérer. Puis j'entre en contact avec elle, quelque part. Ça peut être en sonnant chez elle, parce que je suis représentant ou que je livre des fleurs. Dès qu'elle m'a ouvert, j'entends une petite voix dans ma tête : « La voilà, c'est elle. » Ou alors je travaille sur un chantier, dans le coin, et je la vois aller et venir, toujours seule. Je l'observe. Je la suis jour après jour, pendant une semaine. J'en apprends le plus possible sur elle, sur ses habitudes. Par exemple, je sais que quand elle allume telle lumière, c'est qu'elle est réveillée, et quand telle autre est éteinte, c'est qu'elle dort. Je repère sa voiture.

– Mais pourquoi elle ? demandai-je.

Marino réfléchit quelques secondes.

– Parce qu'elle déclenche quelque chose en moi.

– À cause de son apparence physique ?

– Peut-être. Ou de son attitude. C'est une femme qui travaille. Elle a une chouette baraque, donc elle est pas bête et se débrouille bien. Des fois, ces femmes-là sont des prétentieuses. Peut-être que j'ai pas aimé la façon dont elle m'a traité. Peut-être qu'elle a froissé ma virilité, que je suis pas assez bien pour elle.

– Toutes les victimes travaillaient, c'est vrai. Mais presque toutes les femmes qui vivent seules travaillent.

– Vous avez raison. Et je vais vérifier qu'elle vit bien seule, m'en assurer, m'en convaincre. Et je vais lui donner une leçon, lui montrer qui c'est qui commande dans ce pays. Arrive le week-end et je me sens en forme pour passer à l'action. J'attends minuit et je prends ma voiture. Mon scénario est au point. Je pourrais laisser ma voiture au parking du supermarché, mais il est tard et ma bagnole se verra comme le nez au milieu de la figure. J'ai repéré une station-service un peu plus loin. J'y laisserais ma voiture. Pourquoi ? Elle ferme à 10 heures, mais on a l'habitude de voir des voitures passer la nuit dehors devant un garage, en attendant une réparation. Personne y fera gaffe, même pas les flics, puisque c'est eux qui m'inquiètent le plus. Un flic en patrouille qui verrait ma bagnole sur un parking de supermarché désert s'arrêterait pour y jeter un coup d'œil. Peut-être même qu'il chercherait à savoir à qui elle est.

Il poursuivit sa fiction à grand renfort de détails réalistes. Vêtu de noir, il reste dans les zones d'ombre pour arriver jusqu'à la maison. L'adrénaline afflue dans ses veines lorsqu'il voit que sa proie, dont il ne connaît sans doute même pas le nom, est chez elle : sa voiture est garée dans l'allée. Toutes les lumières sont éteintes, sauf celle de l'entrée : le gibier est au lit.

Il prend son temps pour évaluer la situation, examine les alentours et se faufile derrière la maison. Il est maintenant invisible de la rue, les maisons voisines sont suffisamment éloignées, pas une lumière dans les parages, aucun insomniaque dans cette nuit d'encre.

Très calme, il s'approche et remarque qu'une fenêtre est restée ouverte. Il découpe la moustiquaire avec son couteau et pousse le battant, se hisse sur le rebord, fouille la cuisine du regard.

– Une fois à l'intérieur, poursuivit Marino, je fais une pause, l'oreille aux aguets. Aucun bruit. Je cherche la chambre. Dans une baraque si petite, il y a pas trente-six possibilités. Je repère la porte, j'écoute, je l'entends respirer. J'ai dissimulé mon visage sous une cagoule de ski.

– Pourquoi cette précaution ? Elle va mourir. Elle ne pourra jamais vous identifier.

– Attention ! J'suis pas un imbécile. Peut-être même que je potasse mes bouquins de médecine légale. J'ai pigé le truc des flics. J'tiens pas à ce qu'on retrouve un de mes cheveux sur elle ou dans la maison.

– Si vous êtes si malin, pourquoi ne vous inquiétez-vous pas des tests ADN ? Vous ne lisez pas les journaux ?

– J'vais quand même pas mettre une capote, non ? Et puis vous me coincerez jamais comme suspect, parce que je suis plus malin que vous. Pas de suspect, pas de comparaison possible, et votre truc à l'ADN vaut pas un pet d' lapin. Les cheveux, c'est différent. C'est plus révélateur. Je tiens pas à vous apprendre si je suis blanc, noir, blond ou roux.

– Et les empreintes ?

– Des gants, ma chère. Les mêmes que ceux que vous mettez quand vous autopsiez mes victimes, précise-t-il, souriant.

– Matt Petersen ne portait pas de gants. S'il en avait porté, il n'aurait pas laissé ses empreintes sur le corps de sa femme.

– S'il est l'assassin, rétorqua Marino sans se démonter, il n'a pas de raison d'éviter de laisser des empreintes dans sa propre maison, parce que de toute façon on en trouvera partout. Le fait est qu'on cherche un tordu. Le fait est que Matt *est* tordu. Le fait est qu'il n'est pas le seul de cette espèce : le monde en est farci. Le fait est que je sais pas qui a buté sa femme.

Je revis le visage livide et indistinct de mon rêve. Le soleil était brûlant à travers le pare-brise, mais j'avais froid.

– Le reste, reprit Marino, vous l'imaginez facilement. Surtout ne pas donner l'alarme. Je m'approche du lit en silence et je la réveille en lui plaquant une main sur la bouche, mon couteau sur sa gorge. Pas d'arme à feu, parce que si elle se débat, le coup peut partir et je me fais trouer la peau, ou alors c'est elle qui meurt avant que j'aie pu faire quoi que ce soit. Et ça, pas question, c'est trop important pour moi. Tout doit se passer comme je l'ai prévu, sinon c'est la panne. Et puis, pas question de réveiller les voisins avec un coup de feu en pleine nuit.

– Vous lui parlez ? demandai-je après m'être éclairci la gorge.

– Je lui parle doucement. Je lui répète que si elle crie, je la tue. Pour qu'elle se le mette dans le crâne.

– Quoi d'autre ?

– Rien. Y' a rien d'autre à dire.

Il remit le contact et fit demi-tour. Je jetai un dernier regard à la petite maison où s'était déroulée une scène sans doute très semblable à celle qu'il venait de me décrire. Plus qu'une fiction, on aurait dit la déposition d'un témoin. Ou les aveux glacés, dépourvus de tout remords ou de toute émotion, du tueur lui-même.

Mon opinion sur Marino évoluait. Il n'était ni lourdaud ni stupide. Je l'aimais encore moins qu'avant.

Nous prîmes vers l'est. Le soleil perçait le feuillage. Le trafic était très dense et nous restâmes un bon moment bloqués dans un embouteillage. Je me sentais dans un autre monde. Tous ces gens pensaient au dîner qui les attendait, à leurs enfants, à ceux qui les attendaient, à un événement qui avait marqué leur journée.

Marino reprit son récit.

– Deux jours avant le meurtre, elle a reçu un paquet par la poste. On a retrouvé le gars qui l'avait livré. Rien à dire. Quelque temps avant, un plombier était venu faire des travaux chez elle. Un type correct, lui aussi. Jusqu'à maintenant, on n'a rien retrouvé de bizarre. Pareil pour les trois autres meurtres. Pas de dénominateur commun. Aucune similitude dans le travail des quatre victimes. Rien.

Brenda Steppe enseignait à *Quinton Elementary*, non loin de là où elle habitait. Elle s'était installée à Richmond cinq ans auparavant et venait de rompre avec un entraîneur d'équipe de football. C'était une rousse bien en chair, brillante et pleine de vie. Elle courait plusieurs kilomètres par jour, ne buvait ni ne fumait.

J'en savais probablement plus sur sa vie que sa propre famille en Georgie. Baptiste pratiquante, elle allait à la messe tous les dimanches et communiait tous les mercredis soir. Elle jouait de la guitare et dirigeait la chorale des jeunes de la paroisse. Elle était professeur d'anglais. En dehors du jogging, son passe-temps favori était la lecture. Elle avait lu un livre de Doris Betts avant de s'endormir, le soir du crime.

– Un truc m'a frappé, me dit Marino. Un détail qui pourrait établir un rapport entre elle et Lori Petersen : Brenda Steppe a été soignée aux urgences du VMC peu de temps avant sa mort.

– Soignée de quoi ? fis-je, surprise.

– Un petit accident de voiture. Un accrochage un soir où elle sortait de chez elle en marche arrière. Rien de grave. Elle a appelé les flics, elle s'était cogné la tête et était un peu dans les vapes. On lui a envoyé une ambulance. On l'a gardée quelques heures en observation, mais elle n'avait rien.

– Lori Petersen était de service ?

– Figurez-vous que oui ! C'est peut-être notre premier indice sérieux. J'ai vu le directeur. J'essaie d'avoir les noms de tous ceux avec qui elle travaillait, médecins, infirmières, etc. Ça n'a rien donné jusqu'à maintenant, mais ça fait bizarre de penser que ces deux femmes se sont peut-être rencontrées.

Cette idée me fit l'effet d'un électrochoc.

– Et Matt Petersen ? Est-ce qu'il a pu se trouver à l'hôpital ce soir-là ? Est-il passé chercher sa femme ?

– Il dit qu'il était à Charlottesville, répliqua Marino. C'était un mercredi entre 21 h 30 et 22 heures.

L'hôpital était peut-être le lien que nous cherchions, songeai-je. Quelqu'un y travaillant avait souvent l'occasion de côtoyer Lori Petersen. Il aurait pu remarquer Brenda Steppe et relever son adresse dans le dossier d'admission.

Il fallait cuisiner toute personne s'étant trouvée à l'hôpital le soir où Brenda avait été examinée. Je le dis à Marino.

– Ben voyons ! Ça fait dans les cinq mille personnes, rétorqua-t-il. En plus, le salopard qui l'a butée a peut-être été admis aux urgences en même temps. Je vérifie mais c'est pas concluant. Ce soir-là, la moitié des admissions étaient des femmes. Pour les autres, c'étaient des vieux victimes d'une crise cardiaque, des gamins qu'avaient pris le volant avec un coup dans le nez. Ceux qui ont survécu sont encore dans le coma à l'heure qu'il est. Bref, y' a eu pas mal d'allées et venues, sans compter que le registre des entrées est tenu en dépit du bon sens. Impossible de savoir au juste qui était là ou pas. Y' en a peut-être qui sont arrivés à pied. Notre type est peut-être le genre de vautour qui fait la tournée des hostos pour repérer ses proies – infirmières, toubibs, jeunes femmes à problèmes. À moins que ce soit le livreur d'un fleuriste...

– Ça fait deux fois que vous en parlez, remarquai-je.

Marino haussa les épaules.

– J'ai travaillé chez un fleuriste avant de devenir flic. C'est surtout les femmes qui reçoivent des fleurs. Et si j'étais le genre à chercher des femmes à dérouiller, je me ferais livreur de fleurs.

Je regrettai d'avoir posé la question.

– C'est comme ça que j'ai rencontré ma femme, si vous voulez le savoir. Je lui avais livré un beau bouquet d'œillets rouges. De la part d'un type avec qui elle sortait. Ça s' passait dans le New Jersey, deux ans avant que je m'installe à New York et que je rentre dans la police.

J'envisageai sérieusement de ne plus jamais accepter de livraisons de fleurs.

– C'est une idée qui me revient sans arrêt, ajouta-t-il. Ce type doit faire un truc qui le met en contact avec des femmes. C'est clair comme de l'eau de roche.

Nous dépassâmes le centre commercial d'Eastland et prîmes à droite, dans Brookfields Heights – The Heights comme on dit ici – et la circulation se fit aussitôt plus fluide. Le quartier est sur un mamelon qui pourrait presque passer pour une colline. Les jeunes cadres ont commencé à l'investir depuis une dizaine d'années. Certaines maisons sont condamnées, mais la plupart, joliment restaurées, ont conservé leurs balcons en fer forgé et leurs fenêtres aux vitres teintées. Au nord, The Heights dégénère en terrain vague peuplé de clochards. Le gouvernement a l'intention d'y bâtir des immeubles pour revenus modestes.

– Certaines de ces piaules se vendent cent mille dollars et plus, m'informa Marino en se mettant à rouler au pas. Moi, on m'en donnerait une que j'en voudrais pas. Croyez-le si vous voulez, y' a pas mal de femmes seules qui vivent ici. C'est dingue.

Si j'en croyais le compteur, Patty Lewis habitait à dix kilomètres de Brenda Steppe. Mais dans des quartiers très différents. Ici aussi il y avait des chantiers, mais les entreprises n'étaient pas les mêmes que dans le quartier de Brenda.

La maison de Patty Lewis, coincée entre ses deux voisines, était une charmante construction de grès rouge, avec une fenêtre teintée au-dessus de la porte peinte en rouge vif. Le toit était en ardoise, et la balustrade en fer forgé de l'entrée venait d'être repeinte. L'arrière-cour était ombragée par des magnolias.

J'avais vu les photos prises par la police. Difficile de croire que des événements aussi horribles s'étaient déroulés dans cette élégante bicoque fin de siècle. Patty Lewis venait d'une grande famille de Shenandoah Valley, ce qui expliquait qu'elle ait les moyens de vivre dans ce quartier. Elle était écrivain et s'était accrochée jusqu'à ce que les lettres de refus des éditeurs deviennent des mauvais souvenirs. *Harper's* avait publié une de ses nouvelles au printemps précédent. Son premier roman devait sortir à l'automne. Ce serait une œuvre posthume.

Marino me décrivit une nouvelle fois l'itinéraire du tueur. Cette fois-ci, il était entré directement dans la chambre, par la fenêtre donnant sur la cour.

– C'est celle du bout, là-bas, au premier.

– Il a escaladé le magnolia et est passé par le toit pour atteindre la fenêtre ?

– J'en suis sûr. Impossible de faire autrement, à moins d'avoir apporté une échelle. Grimper dans l'arbre, passer par le toit et ouvrir la fenêtre, c'est pas sorcier. Je l'ai fait. À partir de cette branche basse.

La maison était équipée de ventilateurs fixés au plafond. Selon une de ses amies, Patty dormait souvent la fenêtre ouverte. Entre le confort et la sécurité, elle avait choisi le premier.

Marino fit demi-tour et nous prîmes au nord-est.

Cecile Tyler vivait à Ginter Park, le vieux quartier résidentiel de Richmond. On y trouve de monstrueuses bâtisses de style victorien avec des porches si vastes qu'on peut y faire du patin à roulettes. Magnolias, chênes et rhododendrons poussent en abondance. De la vigne vierge monte à l'assaut des vérandas et des tonnelles dans les cours. J'imaginai, derrière les façades silencieuses, des salons plongés dans la pénombre, des tapis d'Orient décolorés, des meubles biscornus, des moulures et des bibelots. Tout comme les ficus en pot et la mousse espagnole, la simple idée de vivre ici me donnait la chair de poule.

La maison de Cecile Tyler était une construction en brique d'un étage, aspect modeste par rapport à ses voisines. Elle était distante de huit kilomètres de chez Patty Lewis. Dans le soleil pâlissant, le toit d'ardoise brillait comme du plomb.

L'assassin était entré par un soupirail de la cave, dissimulé derrière une haie de buis, au nord de la maison. Le loquet, cassé, attendait d'être réparé.

Cecile était une ravissante Noire récemment divorcée d'un dentiste, qui vivait à présent à Tidewater. Employée dans une agence de travail temporaire, elle suivait des cours du soir pour passer un diplôme de commerce. On l'avait vue pour la dernière fois en vie aux alentours de 22 heures, le vendredi 31 mai, c'est-à-dire, d'après mes estimations, environ trois heures avant sa mort. Elle avait dîné avec une amie dans un restaurant mexicain du quartier, puis était rentrée directement chez elle.

On avait retrouvé le corps le lendemain après-midi. Cecile devait aller faire des courses avec la même amie. Inquiète de voir ses coups de sonnette sans réponse, celle-ci avait jeté un coup d'œil par l'interstice des rideaux de la chambre. Il est probable qu'elle n'oublierait jamais la vision, sur le lit en désordre, du corps nu et entravé de Cecile.

– Bobbi, me dit Marino. Vous saviez qu'elle était blanche ?

– L'amie de Cecile ? (J'avais oublié son nom.)

– Ouais ! Bobbi. Une garce pleine aux as. C'est elle qu'a découvert le corps. Elles étaient tout le temps ensemble. Bobbi, c'est une blonde canon, un mannequin qui roule en Porsche rouge. Des fois, elle passait la nuit chez Cecile. Si vous voulez mon avis, elles fricotaient toutes les deux. Ça me renverse. C'est pas croyable ! Deux super nanas comme ça. Les types devaient se bousculer, non ?

– Elles en avaient peut-être marre, fis-je, moi-même à bout de patience.

Marino eut un sourire malin. Il me cherchait.

– Bref, d'après moi, reprit-il, un soir tard, le type passe dans le quartier et voit Bobbi monter dans sa Porsche rouge, devant chez Cecile. Il en déduit qu'elle habite ici. Ou bien il la prend en filature un jour qu'elle va chez Cecile.

– Et il tue Cecile par erreur ? Parce qu'il croit que c'est la maison de Bobbi ?

– C'est une hypothèse. Comme je vous ai dit, Bobbi est blanche, et les trois autres victimes aussi.

Nous regardâmes la maison en silence.

Ce mélange des races m'intriguait, moi aussi. Trois Blanches, une Noire. Pourquoi ?

– Je vous livre une autre de mes hypothèses, reprit Marino. Je me demande si le tueur n'a pas plusieurs candidates pour chacun de ses meurtres, un menu où il choisit au dernier moment. C'est quand même bizarre que chaque fois qu'il décide de passer à l'action, il y a justement une fenêtre ouverte, non verrouillée ou cassée. Soit il procède au hasard : il se balade sans but jusqu'à ce qu'il repère une maison qui paraît habitée par une femme seule et où il est facile d'entrer. Soit il a une liste d'adresses et il fait sa tournée jusqu'à ce qu'il tombe sur ce qui lui paraît possible.

Ça ne me plaisait pas.

– Je crois qu'il file ses victimes, dis-je. Il fait plusieurs tentatives, abandonne quand elles ne sont pas chez elles ou que les fenêtres sont fermées, revient rôder autour de la maison jusqu'à ce que l'occasion se présente.

Marino haussa les épaules en retournant cette idée.

– Patty Lewis a été tuée plusieurs semaines après Brenda Steppe. Et Patty était en visite chez des amis la semaine d'avant. Il est possible qu'il ait fait chou blanc le week-end précédent. Qui sait ? Ensuite, trois semaines après, il bute Cecile, et très vite, au bout d'une semaine, Lori Petersen. Pourquoi ? Peut-être parce qu'il a trouvé la fenêtre que le mari avait oublié de verrouiller. Il avait peut-être repéré Lori Petersen quelques jours avant de la tuer, et s'il n'y était pas arrivé ce jour-là, il aurait essayé une deuxième fois ce week-end.

– Il frappe le vendredi soir, ou au plus tard dans les toutes premières heures du samedi. C'est important, le week-end.

– C'est sûr, acquiesça Marino. Tout ça est très calculé. Il travaille du lundi au vendredi, et il lui faut tout le week-end pour récupérer. Probable aussi qu'il veut jouer avec nos nerfs. Quand vient le vendredi, les gens deviennent nerveux.

Après quelques secondes d'hésitation, j'abordai un sujet qui me tenait à cœur.

– À votre avis, l'intervalle entre les meurtres se réduit parce qu'il est soumis à une pression grandissante, peut-être à cause de tout le tapage qu'on fait dans la presse ?

Il ne répondit pas tout de suite.

– Il est accro, doc, finit-il par dire d'un ton presque solennel. Il peut plus s'arrêter.

– Donc, tout ce qu'on dit de lui dans les journaux n'a pas d'influence sur sa conduite ? C'est ça ?

– Ce n'est pas ce que je veux dire. Sa ligne de conduite, c'est profil bas et bouche cousue. Il serait peut-être pas aussi discret si les journalistes lui facilitaient pas les choses. Les articles à sensation, c'est du pain bénit pour lui. Il a pas à se fouler. Les journalistes font tout le foin à sa place, il a rien à faire. Si personne parlait de lui, il serait frustré, il deviendrait nerveux. Il finirait par envoyer des lettres aux journaux, téléphoner, faire des trucs pour qu'on parle de lui. Et là, il pourrait faire une connerie.

Nous nous tûmes quelques instants. C'est alors que Marino me balança une chose que je n'attendais pas.

– On dirait que vous avez causé avec Fortosis.

– Pourquoi ?

– C'est ce que vous dites sur l'accélération des meurtres, sur la presse qui l'excite.

– Il vous en a parlé ?

Marino ôta ses lunettes noires et les posa sur le tableau de bord. Ses yeux lançaient des éclairs.

– Non. Mais il en a parlé à certaines personnes qui sont chères à mon cœur. Boltz, par exemple. Et Tanner.

– Comment le savez-vous ?

– Parce que j'ai autant d'indics chez les flics que dans la rue. Je sais exactement ce qui se prépare et dans quelle direction le vent souffle.

Le silence retomba. Le soleil était descendu derrière les toits et l'ombre envahissait peu à peu les pelouses. D'une certaine façon, Marino venait d'entrouvrir la porte des confidences mutuelles. Il savait. Il m'avouait qu'il savait. Oserai-je ?

– Boltz, Tanner et les autres sont inquiets des fuites rapportées dans la presse, avançai-je.

– Autant se flanquer une dépression nerveuse à cause du temps qu'il fait. Ce sont des choses qui arrivent. Surtout avec Abby Chérie.

J'eus un petit sourire triste. C'était bien trouvé. « Abby Chérie, j'ai un secret à vous confier... » Et le lendemain, toute la ville était au courant.

– Cette fille est une calamité, poursuivit-il. Elle a une source dans la police. Elle sait tout.

– Qui la renseigne ?

– J'ai ma petite idée mais pas assez de preuves pour en dire plus, d'accord ?

– Vous savez qu'on pirate mon ordinateur ? annonçai-je comme si tout le monde ne parlait que de ça.

– Depuis quand ? fit-il avec un coup d'œil oblique.

– Je ne sais pas. Il y a quelques jours, on a essayé d'ouvrir le fichier Lori Petersen. Nous avons découvert l'effraction par hasard.

– Vous voulez dire qu'on a pu fouiner dans vos données depuis des mois à votre insu ?

– Exactement... (Son visage se durcit.) Ça modifie vos soupçons ?

– Hum !

– C'est tout ? m'emportai-je.

– Non. Sauf que vous devez avoir chaud aux fesses ces jours-ci. Amburgey est au courant ?

– Oui.

– Tanner aussi, je suppose ?

– Tanner aussi.

– Hum ! répéta-t-il. Maintenant je comprends.

– Vous comprenez quoi ?

Ma parano galopait et j'étais sûre que Marino s'en rendait compte. Il ne répondit pas.

– Qu'est-ce que vous comprenez ? insistai-je.

Il tourna lentement la tête vers moi.

– Vous voulez vraiment le savoir ?

– Il vaudrait mieux.

L'assurance, dans ma voix, dissimulait une angoisse qui tournait à la panique.

– Disons que si Tanner apprenait que nous avons fait un petit tour aujourd'hui, il me sacquerait.

– Quoi ? demandai-je, stupéfaite.

– Je l'ai rencontré ce matin, au QG. Il m'a pris à part pour me dire que lui et les pontes allaient tout faire pour boucher les fuites. Il m'a dit de la boucler sur l'enquête. Comme si j'avais besoin qu'on me le dise. Merde ! Et puis il a ajouté une petite phrase que j'ai pas comprise sur le coup. On veut plus que je transmette quoi que ce soit à votre bureau. C'est-à-dire à vous.

– Qu'est-ce que...

– Plus aucune information sur l'enquête, enchaîna-t-il, ni sur nos dernières hypothèses de travail. Vous devez plus rien savoir. Tanner a ordonné qu'on continue à collecter l'info médicale auprès de votre service, mais sans rien vous dire, même pas l'heure qu'il est. D'après lui, on n'a pas pris assez de précautions. On ne parle qu'à ceux qui doivent absolument être au courant pour pouvoir continuer à travailler sur l'enquête...

– Mais cette enquête relève aussi de ma compétence ! m'emportai-je. On l'oublie un peu vite, non !

– Hé, fit-il. On est en train de parler, non ?

– Oui, fis-je d'un ton radouci. On est en train de parler.

– Moi, je m'en fous, de ce que raconte Tanner. Il est peut-être à cran à cause de cette histoire d'ordinateur. Il tient pas à ce qu'on accuse les flics d'avoir communiqué des informations sensibles au Bureau des fuites du médecin expert.

– Je vous en prie...

– Ou alors il y a une autre raison, marmonna-t-il.

Quelle qu'elle soit, il n'avait pas l'intention de m'en faire part.

Il démarra brutalement en direction de Berkley Downs.

Nous ne prononçâmes plus un mot pendant un bon quart d'heure. J'avais perdu la notion du temps. Je ruminais de sombres pensées en regardant défiler les rues. J'étais victime d'un complot. J'étais seule au monde. Si angoissée que je n'avais même plus confiance en mon propre jugement. À vrai dire, je n'étais plus sûre de rien.

Mon avenir professionnel, radieux il y a quelques jours encore, s'écroulait. On faisait porter à mon service la responsabilité des fuites. Mes tentatives de modernisation n'avaient abouti qu'à ruiner les règles du secret professionnel auxquelles je tenais tant...

Bill doutait de ma crédibilité. Et voilà que les flics eux-mêmes avaient reçu l'ordre de ne plus me parler. Et cela ne cesserait que le jour où on ferait de moi le bouc émissaire responsable des atrocités accompagnant les meurtres. Amburgey n'aurait alors pas d'autre choix que de me vider avec pertes et fracas.

Marino s'était tourné vers moi.

Je m'étais à peine rendu compte qu'il s'était garé sur le bas-côté.

– On est à quelle distance ? demandai-je.

– À quelle distance d'où ?

– De chez Cecile ?

– Onze kilomètres, répliqua-t-il, laconique.

Je mis un moment à reconnaître la maison de Lori Petersen à la lumière du jour.

Elle paraissait abandonnée. La peinture blanche était écaillée, les volets bleus délavés. Les fleurs plantées sous les fenêtres avaient été piétinées par les enquêteurs qui avaient tout passé au peigne fin. Des lambeaux de l'adhésif jaune qu'on utilise pour délimiter le périmètre adhéraient encore à l'encadrement de la porte, et sur la pelouse gisait une boîte de bière vide qu'un automobiliste avait dû jeter en passant.

C'était la maison petite-bourgeoise américaine typique, semblable à des milliers d'autres. Le genre de refuge où on passe son enfance et où on revient des années plus tard, une fois ses propres enfants élevés, pour y couler une retraite paisible.

Elle ressemblait comme deux gouttes d'eau à la maison des Johnson, elle aussi peinte en blanc, où j'avais logé à Baltimore pendant mes études. Comme Lori Petersen, j'avais mené une existence contraignante, debout à l'aube pour ne rentrer souvent que tard le lendemain soir. Une existence consacrée aux livres, aux labos, aux examens, aux gardes et à l'entretien des ressources physiques et émotionnelles qu'elle exigeait. Tout comme Lori, je n'aurais jamais imaginé qu'un inconnu s'en prenne à ma vie.

– Hé...

Je réalisai brusquement que Marino me parlait.

– Ça va, doc ? s'enquit-il, intrigué.

– Je suis désolée. Je n'ai pas suivi.

– Je vous demandais ce que vous en pensiez. Maintenant que vous avez une carte dans la tête, je voulais connaître votre avis.

– Leur assassinat n'a rien à voir avec l'endroit où elles habitaient, répliquai-je.

Impassible, il annonça dans son micro qu'il avait fini sa journée.

– Dix-quatre, sept-dix, crachota une voix. Dix-huit heures 45 demain, le soleil se couche à cette heure-là. Le cirque recommence...

Il y aurait d'autres sirènes, d'autres coups de feu, d'autres accidents de voiture.

– Quand j'ai débuté, y suffisait de répondre « Ouais » au lieu de « Dix-quatre » pour que l'inspecteur vous colle un avertissement, ricana Marino.

Je fermai les yeux et me massai les tempes.

– C'est plus c' que c'était, conclut-il.

9

Je rentrai par les rues tranquilles de mon quartier. La lune luisait comme un globe de verre entre les arbres.

Leurs silhouettes noires défilaient de chaque côté, et la chaussée piquetée d'éclats de mica scintillait dans la lumière des phares. Il faisait clair, la température était agréable : le moment idéal pour se balader en décapotable. Pourtant, je roulais portières verrouillées et vitres remontées.

Je trouvais la soirée sinistre.

Les images qu'avait ressuscitées cette journée dansaient devant mes yeux et me hantaient. Je revoyais chacune de ces maisons banales dispersées dans différents quartiers de la ville. Comment les avait-il choisies ? Pourquoi ? Pas par hasard. J'en étais convaincue. Le seul point commun restait toujours cet étrange résidu retrouvé sur les cadavres. J'étais persuadée que ce produit était le chaînon qui le liait à chacune de ses victimes.

Mon intuition ne m'en disait pas plus. Au-delà, c'était le vide. Était-ce l'indice qui nous mènerait jusqu'au lieu où il habitait ? Avait-il un rapport avec sa profession, ou avec une activité quelconque qui lui permettait d'entrer en contact avec ses victimes ? Ou, plus étrange encore, le résidu était-il fourni par les femmes elles-mêmes ?

Peut-être était-ce un produit qu'elles lui avaient acheté. Nous ne pouvions pas tester tous les produits retrouvés chez les victimes ou à leur bureau, surtout sans savoir ce que nous cherchions.

Je garai ma voiture dans l'allée.

Avant que j'aie coupé le contact, Bertha apparut sur le seuil avec son sac à la main, les mains sur les hanches. Elle avait hâte de partir. J'aurais parié que Lucy s'était mal conduite pendant la journée.

– Alors ? fis-je en rejoignant Bertha.

– Ça a été terrible, Dr Kay. Je ne sais pas quelle mouche l'a piquée, mais elle a été insupportable.

J'avais touché le fond ce jour-là. C'était de ma faute si Lucy n'allait pas bien. Je l'avais abandonnée à la maison.

Je ne l'avais même pas interrogée au sujet de la violation de mon ordinateur. Quand Bill était parti, le lundi soir précédent, je m'étais contentée de débrancher le modem pour le ranger dans un placard.

Je m'étais dit que si elle remarquait qu'il manquait, Lucy penserait que je l'avais emporté pour le faire réparer ou m'en servir. La veille, elle n'en avait pas parlé mais, alors que nous regardions un film au magnétoscope, j'avais surpris son regard blessé fixé sur moi.

J'avais cru agir en toute logique. S'il existait la plus petite possibilité que Lucy ait piraté mes données, je l'empêchais de recommencer en débranchant mon modem. Et je m'évitais une scène qui aurait gâché la fin de son séjour. Si l'effraction se reproduisait, ce serait la preuve indéniable que Lucy n'y était pour rien.

Ce que j'avais fait était si intelligent que c'en était complètement idiot.

Lorsque j'étais enfant, j'avais détesté les simagrées de ma mère quand elle avait entrepris de m'expliquer pourquoi mon père était malade. Dans sa première version, il avait eu « un microbe dans le sang », qui lui donnait des crises. Après, ç'avait été « quelque chose qu'un Noir ou un Cubain » lui avait refilé en venant dans son épicerie. Enfin, c'est qu'il avait travaillé trop dur et qu'il était très fatigué. « Tu comprends, Kay ? » Mensonges !

Mon père était atteint de leucémie lymphoïde chronique. On l'avait su avant que j'entre à la maternelle. Ce n'est qu'à 12 ans, quand il était passé du stade de la lymphocytose à celui de l'anémie, qu'on m'avait dit qu'il se mourait.

Et pourtant, devenus adultes, nous mentons aux enfants à notre tour. Je ne savais pas pourquoi j'avais dissimulé la vérité à Lucy, qui était largement aussi intelligente qu'un adulte.

À 8 heures et demie nous étions assises à la table de la cuisine, elle devant un milk-shake, moi sirotant un scotch bien mérité. Son changement d'attitude me rendait nerveuse et irritable.

Plus aucune agressivité chez elle, plus aucun reproche. Je ne parvins même pas à la dérider. La perspective de voir Bill suscita à peine une lueur d'intérêt dans ses yeux. Fuyant mon regard, elle resta murée dans son silence.

– T'as l'air malade, finit-elle par marmonner.

– Comment le sais-tu ? Tu ne m'as même pas regardée depuis que je suis rentrée.

– T'as quand même l'air malade.

– Je suis seulement très fatiguée.

– Quand maman est fatiguée, elle a pas l'air malade, dit-elle, vindicative. À moins qu'elle se soit disputée avec Ralph. C'est un con. Il trouve jamais la solution des mots croisés.

Je ne relevai pas. Je ne prononçai pas un mot.

– Tu t'es disputée avec un Ralph ? insista-t-elle.

– Je ne connais pas de Ralph.

– Je sais ! fit-elle en fronçant les sourcils. Je parie que Mr Boltz est en colère contre toi.

– Je ne crois pas.

– Il t'en veut parce que je suis ici.

– Lucy ! C'est ridicule. Bill t'aime beaucoup.

– Il est en rogne parce qu'il peut rien faire avec toi tant que j'suis là !

– Lucy...

– Je suis sûre que c'est ça ! Il est en rogne parce qu'il est obligé de rester tout habillé quand il vient.

– Lucy ! fis-je avec sévérité. Tu vas me faire le plaisir de te taire.

Elle paraissait hors d'elle.

– Je le savais ! dit-elle avec un rire méchant. Et toi aussi, tu aimerais bien que j'sois pas là ! Comme ça il pourrait coucher ici. Mais j'm'en fous. Y a toujours un type qui couche à la maison, et ça m'est bien égal !

– Lucy ! *Je ne suis pas ta mère* !

Sa lèvre trembla comme si je l'avais giflée.

– Je voudrais pas que tu le sois ! Je te déteste !

Nous restâmes toutes deux immobiles.

Je restai interdite. On ne m'avait jamais dit qu'on me détestait, même si c'était le cas.

– Lucy, bafouillai-je, au bord de la nausée. Ce que je veux dire, c'est que je ne suis pas comme ta mère. Tu comprends ? On a toujours été très différentes, elle et moi. Mais ça ne veut pas dire que je ne t'aime pas, au contraire, je t'aime beaucoup.

Elle ne dit rien.

– Je sais que tu ne me détestes pas vraiment, ajoutai-je.

Silence de mort.

Je me levai pour remettre un glaçon dans mon verre. Les enfants disent des choses sans les penser. J'essayai de me souvenir. Je n'avais jamais dit à ma mère que je la détestais. Pourtant je la haïssais secrètement quand j'étais toute petite, à cause de ses mensonges, et aussi parce que quand j'ai perdu mon père, je l'ai perdue, elle aussi. Sa mort acheva de la consumer, et il ne resta plus rien de chaud et de vivant en elle pour Dorothy et moi.

Quant à moi, je me consumais, non pour les agonisants mais pour les morts. Je me battais pour la justice. Mais quelle justice y avait-il pour une petite fille bien vivante qui se sentait mal aimée ?

J'abordai le sujet aussi délicatement que possible.

– Je suis inquiète, Lucy. C'est peut-être pour ça que tu me trouves bizarre. Quelqu'un a réussi à pirater l'ordinateur du bureau.

Elle s'était calmée, elle attendait. Je bus une gorgée.

– J'ignore si cette personne a pu lire des choses importantes, mais si je savais qui a fait le coup, ça m'enlèverait un sacré poids.

Aucune réaction.

– Si je n'éclaircis pas ce mystère, je risque de gros ennuis.

Elle parut tout de même alarmée.

– Quels ennuis ?

– Les données que nous stockons au bureau sont confidentielles. Les gens de la mairie et de l'entourage du gouverneur sont furieux de voir ces informations s'étaler dans les journaux. Ils pensent qu'elles proviennent de mon ordinateur.

– Ah !

– Si, par exemple, un journaliste avait accès à...

– C'est des informations sur quoi ? coupa-t-elle.

– Sur des affaires récentes.

– La femme médecin qui s'est fait tuer ?

J'acquiesçai de la tête.

Silence. Puis elle prit un air renfrogné.

– C'est pour ça que tu as caché le modem ? Tu penses que j'ai fait quelque chose de mal ?

– Si tu l'as utilisé pour consulter l'ordinateur de mon bureau, je sais que tu ne l'as pas fait en pensant à mal. C'est normal d'être curieuse.

Elle leva vers moi des yeux embués de larmes.

– Tu as débranché le modem parce que tu n'as plus confiance en moi.

Je ne sus que répondre. Je ne pouvais pas lui mentir, et lui dire la vérité aurait été admettre que je n'avais pas vraiment confiance en elle.

Lucy ne s'intéressait plus du tout à son milk-shake. Elle restait immobile, les yeux baissés, se mordillant la lèvre.

– C'est vrai que j'ai débranché le modem parce que je pensais que ça pouvait être toi, avouai-je. J'ai eu tort. J'aurais dû te poser la question. Peut-être que j'étais blessée à l'idée que tu avais peut-être brisé notre confiance.

Elle me regarda un long moment, puis parut étrangement satisfaite, presque heureuse.

– Tu veux dire que quand je fais quelque chose de mal, tu te sens blessée ?

C'était comme si cela lui donnait une sorte de pouvoir.

– Oui. Parce que je t'aime beaucoup, Lucy. (C'était la première fois que je le lui disais aussi clairement.) Je ne voulais pas te faire du mal. Pas plus que tu ne voulais m'en faire à moi. On fait la paix ?

– On fait la paix.

La cuillère tinta contre le bord de son verre.

– De toute façon, je savais que tu l'avais caché, tante Kay ! Je l'ai vu dans le placard. Sur le rayon, juste à côté de ton .38.

– Comment sais-tu que c'est un .38 ?

– Parce qu'Andy en avait un. Andy, c'était celui avant Ralph. Il porte un .38 à la ceinture. Il tient un bureau de prêt, c'est pour ça qu'il trimbale toujours un .38. Il m'a fait voir comment ça marche. Il enlevait toutes les balles et je visais la télé.

Bang ! Bang ! C'est super ! (Elle visait le réfrigérateur.) Je l'aimais plus que Ralph, mais maman en a eu marre.

J'étais atterrée. Je commençai un sermon sur les armes à feu quand le téléphone sonna.

– Au fait ! fit Lucy tandis que je me levai. Mamy a appelé deux fois avant que t'arrives.

Ma mère était bien la dernière personne à laquelle j'avais envie de parler à ce moment-là. J'avais beau m'appliquer à dissimuler mon humeur, elle avait un flair infaillible et m'assaillait de questions dès qu'elle sentait que quelque chose n'allait pas.

– Tu as l'air déprimée, me dit-elle au bout de deux phrases.

– Je suis juste un peu fatiguée.

Je la voyais comme si elle était devant mes yeux. Elle était assise dans son lit, adossée à un tas de coussins, la télévision en sourdine. J'ai le teint clair de mon père. Ma mère a le teint mat et les cheveux noirs. Ils sont blancs, à présent, et entourent son visage rond et plein aux yeux marron, agrandis par ses lunettes de myope.

– Tu travailles trop, enchaîna-t-elle. On ne parle que de ces horribles meurtres à Richmond. Il y avait un article dans le *Herald* d'hier. J'ai eu un choc, Kay. Remarque, je l'ai vu seulement hier après-midi, quand Mrs Martinez me l'a apporté. Parce que je l'achète plus le dimanche, à cause des publicités. Mais Mrs Martinez me l'a apporté parce qu'il y avait ta photo.

J'émis un grognement.

– Je ne t'aurais jamais reconnue ! La photo n'est pas très nette mais enfin, il y a ton nom dessous. Tu n'avais pas de bonnet. Il pleuvait pourtant. Dire que je t'en ai tricoté tout un tas et que tu ne penses même pas à en mettre un ! C'est un coup à attraper une pneumonie, ça...

– Maman...

C'est insupportable. Pas ce soir ! Je serais Maggie Thatcher en personne, ma mère continuerait à me traiter comme une gamine de 5 ans.

Ensuite ce fut un feu nourri de questions sur mon régime, mon sommeil, etc.

Je l'interrompis brutalement.

– Comment va Dorothy ?

Un temps d'hésitation.

– À vrai dire, c'est pour ça que je t'appelais.

Je tirai une chaise et m'assis pendant que la voix de ma mère grimpait d'une octave.

– Dorothy est partie en avion dans le Nevada, pour se marier.

– Pourquoi le Nevada ? demandai-je stupidement.

– J'en sais rien ! Dis-moi un peu comment ton unique sœur peut se mettre avec un artiste qu'elle n'a jamais vu, avec qui elle a seulement parlé deux ou trois fois au téléphone, et m'appeler un beau matin de l'aéroport pour me dire qu'elle va se marier avec lui dans le Nevada ? Elle n'a rien dans le crâne !

– Quel genre d'artiste ?

Je levai les yeux. Lucy me regardait, anxieuse.

– Je ne sais pas. Elle m'a parlé d'un illustrateur. Je crois qu'il fait des dessins pour les livres de Dorothy. Il est venu à Miami pour un congrès. Il lui a téléphoné pour son travail, et voilà ! Je n'en sais pas plus. Il s'appelle Jacob Blank. Un Juif, apparemment. Mais c'est pas Dorothy qui va me le dire. Pourquoi irait-elle raconter à sa mère qu'elle épouse un Juif que j'ai jamais vu, qui a deux fois son âge et qui gagne sa vie en faisant des dessins pour enfants ?

Pourquoi, en effet ?

Renvoyer Lucy chez sa mère en pleine crise était impensable. Ce ne serait pas la première fois qu'une séparation se prolongerait un peu. Dorothy partait souvent pour « de petits voyages professionnels » qui nous surprenaient toujours par leur durée. Lucy restait chez sa grand-mère jusqu'à ce que son écrivain errant de mère rentre au bercail. Nous avions fini par accepter ces escapades irresponsables. Lucy elle-même les avait peut-être acceptées. Mais de là à annoncer qu'elle prenait le large pour se marier...

– Elle n'a pas dit quand elle rentrerait ? fis-je à mi-voix sans regarder Lucy.

– Tu plaisantes ! s'exclama ma mère. Mon Dieu, Kay ! Elle recommence. Avec un type qui a le double de son âge ! Armando, c'était pareil, et regarde un peu ce qui lui est arrivé. Il est tombé raide mort au bord de la piscine. Lucy n'avait pas encore appris à faire du vélo...

La crise de nerfs n'était pas loin. Ça me prit un bon moment pour la calmer. Quand j'eus raccroché, le plus dur restait à faire. Je ne savais pas comment annoncer la nouvelle.

– Lucy, ta mère est partie pour quelque temps. Elle vient d'épouser un Mr Blank qui fait des illustrations pour ses livres...

Lucy était raide comme une statue. Je lui tendis les bras.

– Ils sont dans le Nevada...

Sa chaise heurta violemment le mur tandis qu'elle s'enfuyait dans sa chambre.

Faire ça à une petite fille... Je ne pourrais jamais le pardonner à Dorothy. Pas cette fois. Ça avait déjà été pénible quand elle avait épousé Armando, à 18 ans à peine. Nous l'avions mise en garde. Il parlait à peine anglais, il aurait pu être son père, et nous évoquions avec un certain malaise sa fortune suspecte, sa Mercedes, sa Rolex en or et son appartement luxueux sur le front de mer, à Miami.

J'en voulais à Dorothy. Elle savait que mon travail était dur, épuisant même. Surtout en ce moment. Mais le séjour de Lucy chez moi était prévu depuis longtemps, et Dorothy m'avait un peu forcé la main.

« Si tu vois que tu es trop occupée, tu n'auras qu'à me la renvoyer, m'avait-elle dit d'une voix sucrée. Tu sais, elle est *tellement* impatiente. Elle ne parle que de toi depuis une semaine. C'est simple, elle *t'adore*. Elle a tant d'admiration pour toi... »

Lucy était assise au bord de son lit, raide, les yeux fixés sur la moquette.

– J'espère qu'ils se tueront en avion.

Ce fut la seule phrase qu'elle prononça pendant que je l'aidais à mettre son pyjama.

– Ne dis pas ça, Lucy, fis-je en essuyant la glace à la fraise sur son menton. Tu vas rester ici quelques jours de plus. C'est bien, non ?

Elle ferma les yeux et se tourna vers le mur.

Rien de ce que j'aurais pu dire n'aurait pu soulager son chagrin. Je restai un moment assise sur son lit, à la regarder, et à caresser ses cheveux. Bientôt sa respiration régulière m'indiqua qu'elle s'était endormie. Je l'embrassai doucement et fermai la porte sans bruit.

Je regagnais la cuisine quand j'entendis la voiture de Bill. Je fus à la porte avant son coup de sonnette.

– Lucy vient de s'endormir, chuchotai-je.

– Ah, bon ? Dommage. Elle trouve que je ne vaux pas la peine qu'on m'attende...

Il se retourna en me voyant scruter la rue d'un air intrigué. Des phares venaient d'apparaître au carrefour. Ils s'éteignirent aussitôt, tandis que la voiture, impossible à reconnaître dans l'obscurité, freinait brutalement et repartait à toute vitesse en marche arrière.

Cachée à notre vue par un rideau d'arbres, elle fit un bruyant demi-tour dans le gravier et disparut.

– Tu attendais quelqu'un ? fit Bill en essayant de percer l'obscurité.

Je secouai lentement la tête.

Il jeta un coup d'œil à sa montre et nous rentrâmes.

Chaque fois qu'il venait au BMG, Marino ne manquait pas de tourmenter Wingo, qui était sans doute le meilleur technicien en autopsie avec lequel il m'ait été donné de travailler, et de loin le plus fragile.

– ... Ouais ! C'est ce qu'on appelle une rencontre de troisième tripe ! était en train de brailler Marino.

Le flic ventru qui l'accompagnait s'esclaffa.

Écarlate, Wingo enfonça la prise de la scie Stryker dans la fiche suspendue au-dessus de la table métallique.

J'avais du sang jusqu'aux poignets.

– Ne l'écoutez pas, Wingo, murmurai-je.

Marino coula un regard de côté vers le gros flic et, comme je m'y attendais, mima un geste efféminé d'un revers de poignet.

Wingo s'identifiait tellement aux victimes qu'il lui arrivait de pleurer devant des cadavres particulièrement maltraités.

La veille, une jeune femme de la campagne était allée passer la soirée dans un bar d'un comté voisin, et en rentrant chez elle, vers 2 heures du matin, elle avait été renversée par une voiture qui ne s'était pas arrêtée. En examinant son portefeuille, le gros flic était tombé sur un de ces horoscopes qu'on trouve dans les paquets de biscuits. « Vous ferez bientôt une rencontre qui changera le cours de votre vie », disait la prédiction.

– J'parie qu'elle était à la recherche de Mr Goodyear...

J'étais à deux doigts d'éclater, mais la voix de Marino fut couverte par le bruit de la scie, semblable à celui d'une roulette de dentiste. De la poussière d'os voleta vers Marino et son acolyte. Ils battirent en retraite vers le fond de la salle, où se pratiquait l'autopsie du dernier mort par balle de Richmond.

Quand la scie se tut et que Wingo eut ôté la calotte crânienne, j'examinai rapidement le cerveau. Pas d'hémorragie subdurale ou subarachnoïde.

– Ce n'est pas drôle, fit Wingo indigné. Il n'y a pas de quoi rire, vraiment !

Le cuir chevelu de la femme était lacéré, mais ce qui l'avait tuée, c'étaient de multiples fractures pelviennes. Le choc qu'elle avait reçu au niveau des reins avait été si violent que le dessin de la calandre s'était imprimé dans sa chair. Elle avait dû être heurtée par un camion.

– C'est peut-être à cause de la prédiction qu'elle est allée dans un bar, hier soir. Pour chercher l'âme sœur. Et en guise de rencontre, c'est un chauffard qui la massacre sans la voir.

– Wingo, fis-je d'un ton las en prenant quelques photos. Vous avez trop d'imagination.

Blessé et furieux, il regarda Marino, qui n'était satisfait que quand il avait fait sortir Wingo de ses gonds. Pauvre Wingo ! Ceux qui évoluaient dans le monde sans pitié du crime et de la police étaient décontenancés face à lui. Leurs plaisanteries ne le faisaient pas rire. Il n'appréciait pas leurs anecdotes douteuses. Il était différent.

Grand, brun et mince, il avait les cheveux noirs coupés court sur les côtés, en crête de Sioux sur le sommet du crâne, et ramenés en queue de rat sur la nuque. D'une beauté délicate, il ressemblait à un mannequin dans les amples vêtements de marque et les chaussures européennes en cuir fin qu'il affectionnait. Il arrivait même à paraître élégant dans ses blouses bleues qu'il lavait et repassait lui-même. Il ne cherchait pas à faire du charme. Il ne s'offusquait pas de travailler sous les ordres d'une femme. Il n'avait jamais montré le moindre intérêt à l'égard de ce que cachait ma blouse ou mon tailleur. J'étais tellement à l'aise avec lui que les rares fois où il était entré par hasard dans le vestiaire au moment où je me changeais, c'est à peine si j'avais fait attention à lui.

Je suppose que si je m'étais interrogée sur ses penchants lorsqu'il avait postulé à ce poste, quelques mois auparavant, je n'aurais pas été très favorable à sa candidature. Je n'aimais pas m'en souvenir.

Il est vrai qu'il est difficile de ne pas échapper aux généralisations quand on a l'occasion, comme moi, d'examiner de près les pires spécimens de chaque espèce. J'avais vu défiler des travestis bardés de faux seins et de faux culs, des homos qui tuaient leur amant dans un accès de jalousie, des dragueurs solitaires habitués des parcs et des salles vidéo qui se font lacérer par des brutes ne supportant pas les pédés, des prisonniers couverts de tatouages obscènes, qui se vantent de sodomiser tout ce qui leur tombe sous la main en cellule, des prostitués familiers des bains-douches et des bars spéciaux, qui se fichaient pas mal de refiler le sida au premier venu.

Wingo n'appartenait à aucune de ces catégories.

– Vous prenez le relais ? me demanda-t-il, furieux, en rinçant ses mains gantées de caoutchouc sanguinolent sous le robinet.

– Je finirai, répondis-je, occupée à mesurer une large déchirure du mésentère.

Un quart d'heure plus tard, les écouteurs sur les oreilles, il nettoyait le petit réfrigérateur où nous stockons pour le week-end les indices récoltés au cours des autopsies. Je remarquai vaguement qu'il examinait quelque chose avec attention.

Quand il s'approcha de ma table, il avait ôté ses écouteurs et arborait une expression intriguée sinon carrément soucieuse. Il tenait à la main un petit classeur à lamelles.

– Hum ! Dr Scarpetta, fit-il en s'éclaircissant la gorge. J'ai trouvé ça au frigo.

Pas d'autres explications. C'était inutile.

Je posai mon scalpel et sentis mon estomac se nouer. Imprimé sur l'étiquette du classeur se trouvait le numéro de dossier, le nom et la date correspondant à l'autopsie de Lori Petersen, dont tous les éléments, sans exception, étaient rangés et classés depuis quatre jours.

– Vous avez trouvé ça dans le réfrigérateur ?

– Sur le rayon du bas, expliqua-t-il avant d'ajouter d'une voix hésitante : Ce n'est... euh... pas initialisé. Enfin, je veux dire, pas par vous.

Il fallait qu'il y ait une explication.

– Je ne vois pas pourquoi je l'aurais initialisé, rétorquai-je d'une voix tendue. Je n'ai récolté qu'une seule série de prélèvements sur cette autopsie, Wingo.

Au moment même où je prononçai ces mots, je me mis à douter. Il fallait que je me souvienne.

J'avais mis les prélèvements de Lori Petersen – le fameux PERK – dans le réfrigérateur pendant le week-end, en même temps que ceux effectués le samedi. Je me souvenais parfaitement avoir livré moi-même ceux de Lori aux différents labos le lundi matin, y compris un classeur à lamelles comportant des prélèvements anaux, oraux et vaginaux. J'étais sûre de n'avoir rempli qu'un seul classeur. De plus, je n'envoyais jamais au labo un classeur tel quel. Je le mettais toujours dans un sachet en plastique contenant les tampons de coton utilisés pour les prélèvements, les enveloppes contenant poils et cheveux, les tubes à essai et tout le nécessaire.

– Je ne comprends pas ce qui a pu se passer.

Il se dandina d'un pied sur l'autre et détourna le regard. Je savais ce qu'il pensait : j'avais merdé et il était désolé de me le faire remarquer.

C'était un danger qui ne datait pas d'hier. Nous en avions parlé des dizaines de fois depuis que Margaret avait intégré un logiciel d'étiquetage à l'ordinateur de la salle d'autopsie.

Avant de pratiquer une autopsie, nous devions entrer dans l'ordinateur un certain nombre d'informations concernant le cadavre. Une série d'étiquettes était alors imprimée automatiquement pour tous les échantillons susceptibles d'être relevés : sang, bile, urine, contenu stomacal, et autres prélèvements et indices matériels. Ce procédé économisait beaucoup de temps et était parfaitement fiable. Tant que le médecin collait la bonne étiquette sur la bonne éprouvette et n'oubliait pas de l'initialiser.

Il n'y avait qu'un aspect dans cette procédure qui m'inquiétait : il restait toujours des étiquettes non utilisées, car tous les échantillons n'étaient pas systématiquement collectés, surtout lorsque nous étions débordés. Par exemple, je n'allais pas m'amuser à envoyer au labo des rognures d'ongle d'un octogénaire mort d'un infarctus en tondant sa pelouse.

Or que faire de ce surplus d'étiquettes ? Il fallait à tout prix éviter de les laisser traîner, de peur d'en coller une par erreur sur le mauvais tube à essai. La plupart de mes collègues les déchiraient et les jetaient. Pour ma part, je les joignais au dossier. C'était un moyen rapide de savoir ce qui avait été testé, ce qui avait été laissé de côté, et combien de tubes à essai j'avais envoyés au labo.

Wingo parcourait la page du samedi dans le cahier de bord de la salle d'autopsie. Les yeux fixés sur moi, Marino attendait de récupérer les balles extraites du corps dont il avait la charge.

– Nous avons eu six corps ce samedi, me rappelait Wingo comme si Marino n'était pas là. Je m'en souviens. Peut-être qu'une des étiquettes...

– Non, coupai-je. Je n'ai laissé traîner aucune étiquette inutilisée la concernant. Elles étaient épinglées avec mes papiers.

– Merde ! fit Marino en regardant par-dessus mon épaule. Est-ce que c'est bien ce que je pense ?

J'ôtai mes gants, pris le classeur des mains de Wingo et, d'un coup d'ongle, coupai l'adhésif qui le fermait. Le classeur contenait quatre lamelles, dont trois portant trace de frottis, mais aucune n'indiquant la nature du prélèvement. La seule indication était l'étiquette informatique collée sur la couverture.

– Peut-être comptiez-vous les utiliser, puis avez-vous changé d'avis, suggéra Wingo.

Impossible de me souvenir !

– Quand avez-vous utilisé le réfrigérateur pour la dernière fois ? lui demandai-je.

– La semaine dernière. Le lundi, quand j'ai sorti les trucs pour que les toubibs les montent au labo. Ce lundi, je ne travaillais pas. Je n'avais pas encore ouvert le frigo cette semaine.

Le lundi précédent, c'est moi qui avais sorti les prélèvements de Lori Petersen avant de les distribuer aux différents labos. Aurais-je oublié ce classeur par inadvertance ? Était-il possible que j'aie été fatiguée ou distraite au point de mélanger ses prélèvements avec ceux d'un des cinq autres corps que nous avions autopsiés ce jour-là ? Dans ce cas, quels étaient les bons prélèvements de Lori Petersen ? Ceux de ce classeur ou ceux que j'avais récupérés en haut ? Je n'arrivais pas à y croire. Moi qui étais toujours si méticuleuse !

Je ne sortais jamais en tablier d'autopsie. Même pendant les exercices d'alerte au feu. C'est pourquoi les laborantins me suivirent avec des regards étonnés lorsqu'ils me virent, quelques minutes plus tard, traverser le couloir du troisième dans mon tablier vert éclaboussé de sang. Betty se figea quand elle me vit.

– Nous avons un problème, lui annonçai-je.

Elle détailla l'étiquette sans un mot.

– Wingo a trouvé ça au frigo.

– Bon sang de bon sang ! souffla-t-elle.

Je la suivis au labo de sérologie et lui expliquai que je ne me souvenais pas avoir fait deux classeurs sur Lori Petersen.

Elle enfila ses gants et sortit quelques flacons tout en essayant de me rassurer.

– Ceux que vous m'avez remis étaient les bons, Kay. Les lamelles correspondaient aux tampons. Tout indiquait un non-sécréteur. Tout était logique. Ceux-là sont à quelqu'un d'autre.

Nouveau doute. Oui ou non avais-je fait un seul classeur de prélèvements ? En mettrais-je ma main au feu ? Le souvenir de ce samedi-là était flou dans mon esprit.

– Pas de tampons cette fois, si je comprends bien ?

– Aucun, répliquai-je. Wingo n'a trouvé que ça.

– Hum ! fit-elle songeuse. Voyons ce que c'est. (Elle plaça les lamelles l'une après l'autre sous le microscope à phases puis, après un long silence, déclara :) Grosses cellules squameuses, ce sont des prélèvements oraux ou vaginaux, mais pas anaux. Mais... (Elle leva les yeux vers moi.)... je ne vois aucune trace de sperme.

– Bon Dieu ! grommelai-je.

– Laissez-moi vérifier.

Elle déchira un paquet de tampons stérilisés, les humidifia et, avec précaution, les passa l'un après l'autre sur les frottis étalés sur les trois lamelles. Puis elle frotta les tampons sur des filtres en papier. Elle sortit ensuite ses pipettes et laissa tomber quelques gouttes d'acide phosphonaphtylique sur les filtres. Ensuite elle ajouta le sel B et nous attendîmes, hypnotisées, les premiers signes de réaction mauve.

Il n'y eut aucune réaction. Je scrutai, atterrée, ces banales auréoles sombres, comme pour y faire surgir du liquide séminal. J'aurais voulu m'être trompée dans l'autopsie de Lori.

J'aurais voulu avoir fait deux séries de prélèvements. J'aurais voulu croire n'importe quoi sauf ce qui s'imposait peu à peu comme une évidence.

Les lamelles qu'avait trouvées Wingo ne provenaient pas de l'autopsie de Lori.

L'expression de Betty m'apprit qu'elle était aussi stupéfaite que moi.

Elle dut se résoudre à énoncer sa conclusion.

– Il est très peu probable que ces prélèvements proviennent de Lori Petersen. Je vais les analyser, voir s'ils comportent des corps de Barr.

– Bonne idée, fis-je en déglutissant.

– Les fluides que j'ai isolés des fluides du tueur correspondent aux échantillons sanguins de Lori. Vous n'avez aucune raison de vous inquiéter. Je n'ai aucun doute quant aux premiers prélèvements.

– La question a pourtant déjà été soulevée, dis-je, complètement abattue.

Du pain bénit pour les avocats. Ils allaient s'y jeter dessus. Ils amèneraient le jury à douter qu'aucun des prélèvements ne provenait du corps de Lori, à se demander si les échantillons envoyés à New York pour analyse de l'ADN étaient les bons. Qui pouvait certifier qu'ils ne provenaient pas d'un autre cadavre ?

– Nous avions six autopsies ce jour-là, Betty, fis-je d'une voix mal assurée. Trois corps nécessitaient des prélèvements en raison des possibilités de violence sexuelle.

– Trois femmes ?

– Trois femmes, murmurai-je.

Ce qu'avait dit Bill mercredi soir me revint. Qu'arriverait-il si ma crédibilité était remise en cause dans ces affaires ? Ce ne serait pas seulement le dossier de Lori qui serait mis en doute, mais tous les autres. J'étais coincée. Je ne pouvais pas faire comme si ce classeur n'existait pas. Et son existence même m'empêchait de jurer devant un tribunal que la chaîne de manipulation des indices était fiable.

Il n'y avait pas de seconde chance possible. Je ne pouvais pas tout recommencer à zéro. Le corps de Lori, embaumé, avait été enterré mardi. Pas question de l'exhumer. Ça ne servirait à rien, sauf à déclencher une intense agitation médiatique qui exciterait encore davantage la curiosité du public.

Nous tournâmes la tête lorsque Marino entra.

– Je viens d'avoir une idée qui m' donne froid dans le dos, doc, me dit-il.

Je le fixai d'un air absent.

– À votre place, je porterais ce truc-là à Vander. P't-être que c'est pas vous qui l'avez mis au frigo.

– Quoi ? m'exclamai-je comme s'il était fou. C'est quelqu'un d'autre qui les aurait mis là ?

– Faut envisager toutes les possibilités.

– Mais qui ?

– Aucune idée.

– C'est impossible ! Il aurait fallu entrer dans la salle d'autopsie, avoir accès au réfrigérateur. Et la pochette est étiquetée...

Les étiquettes : une lueur se fit dans mon esprit. Les étiquettes en surnombre de l'autopsie de Lori. Je les avais mises dans le dossier. Personne n'y avait accès sauf Amburgey, Tanner et Bill.

Quand les trois hommes avaient quitté mon bureau lundi soir, la porte d'entrée était bouclée. Ils avaient dû traverser la morgue. Amburgey et Tanner étaient partis les premiers. Bill un peu plus tard.

La salle d'autopsie était fermée à clé mais pas la chambre froide. Les pompes funèbres et les ambulanciers y avaient accès à toute heure. Cette pièce avait deux portes, l'une donnant sur le couloir, l'autre sur la salle d'autopsie. L'un d'eux avait-il pénétré dans la salle d'autopsie par la chambre froide ? Sur une étagère proche de la première table se trouvait tout le matériel destiné aux prélèvements. Wingo veillait à ce qu'on ait toujours tout sous la main.

Je décrochai le téléphone pour demander à Rose de regarder dans le dossier Lori Petersen.

– Cherchez des étiquettes pour les prélèvements, lui dis-je.

Pendant qu'elle allait vérifier, j'essayai de me souvenir. Il y avait six ou sept étiquettes en surnombre, non pas parce que je n'avais pas recueilli suffisamment d'échantillons, mais parce que j'en avais prélevé deux fois plus que d'habitude, de sorte que j'avais dû imprimer deux séries d'étiquettes au lieu d'une.

Les étiquettes non utilisées concernaient le cœur, le poumon, les reins et d'autres organes, ainsi, bien sûr, qu'une deuxième étiquette pour un PERK.

– Dr Scarpetta ? fit Rose au bout du fil. Les étiquettes sont bien là.

– Combien y en a-t-il ?

– Euh... voyons. Cinq !

– Pour quels prélèvements ?

– Cœur, poumon, rate, bile et foie, récita-t-elle.

– Vous êtes sûre qu'il n'y en a pas une pour un PERK ?

– Non. Il n'y a que ces cinq-là.

– Si c'est vous qu'avez collé l'étiquette, il devrait y avoir vos empreintes, intervint Marino.

– Pas si elle avait des gants, fit remarquer Betty qui suivait la scène, le regard éperdu.

– En général, je quitte mes gants, marmonnai-je. Parce qu'ils sont pleins de sang.

– Donc vous portiez pas de gants, reprit Marino, mais Dingo...

– Wingo, rectifiai-je avec irritation.

– Comme vous voudrez, lâcha Marino. De toute façon, vous avez touché ce truc, donc il doit y avoir vos empreintes. (Il était déjà dans le couloir quand il ajouta :) À moins que vous n'en trouviez d'autres...

10

Il n'y en avait pas d'autres. Les seules empreintes qu'on put relever sur le petit classeur en carton étaient les miennes.

Il y avait aussi quelques taches indéfinissables, et puis quelque chose de si inattendu que j'en oubliai un instant la pénible raison pour laquelle j'étais venue voir Vander.

– C'est incroyable ! s'exclama-t-il pour la troisième fois en bombardant le classeur au laser.

– Ce truc devait se trouver sur mes mains, dis-je, incrédule. Wingo portait des gants, et Betty aussi...

Vander alluma la lampe au-dessus de sa table.

– Si vous étiez un type, je dirais aux flics de vous embarquer pour interrogatoire.

– Et vous n'auriez pas tort.

– Essayez de vous rappeler tout ce que vous avez fait ce matin, Kay, me pressa-t-il. Nous devons déterminer si ce résidu vient de vous, car dans ce cas il nous faut revoir toutes nos conclusions.

– Il est impossible que ce soit moi qui aie déposé ce résidu sur les corps, Neils. J'ai toujours pratiqué les autopsies avec des gants. Je les ai quittés ensuite. J'ai touché le classeur à mains nues.

– C'est peut-être de la laque pour vos cheveux, du fard ? insista-t-il. Un truc que vous utilisez tous les jours ?

– Impossible, répétai-je. Nous n'avons pas observé ce résidu quand j'ai examiné d'autres corps. Il n'est apparu que dans les quatre meurtres par étranglement.

– Vous avez raison.

Chacun se plongea dans ses pensées.

– Vous êtes sûre que Wingo et Betty portaient des gants quand ils ont manipulé ce classeur ?

– Absolument sûre. C'est pourquoi ils n'ont pas laissé d'empreintes.

– Le résidu ne peut pas venir d'eux ?

– Il vient obligatoirement des miennes. À moins que quelqu'un d'autre n'ait touché le classeur.

– Vous pensez toujours que quelqu'un a déposé le classeur dans le frigo à votre insu ? rit Vander, sceptique. Mais il n'y a que vos empreintes, Kay.

– Et les taches, Neils ? N'importe qui a pu les déposer.

C'était évident, mais il n'y croyait pas.

– Qu'étiez-vous en train de faire avant de monter ici, Kay ?

– J'autopsiais une femme victime d'un accident de la route.

– Et ensuite ?

– Ensuite Wingo m'a montré le classeur et je l'ai porté tout de suite à Betty.

Il regarda mon tablier sanguinolent.

– Vous portiez des gants pour l'autopsie de l'accidentée ?

– Je les ai enlevés quand Wingo m'a apporté le classeur.

– Vos gants sont talqués, n'est-ce pas ?

– Oui, mais je ne crois pas que ça vienne du talc.

– Peut-être, mais c'est un point de départ.

Je redescendis en salle d'autopsie et remontai des gants en latex identiques à ceux que je portais. Vander les déchira, les retourna et les passa au laser.

Aucune lueur. Comme nous nous y attendions, le talc ne réagit pas. D'ailleurs nous avions déjà testé des poudres corporelles trouvées sur les lieux des crimes. Sans résultat.

Vander ralluma. Je réfléchis en fumant une cigarette. Je tentai de me remémorer chacun de mes gestes depuis que Wingo m'avait apporté le classeur jusqu'au moment où j'étais arrivée dans le bureau de Vander. J'examinais les artères coronaires quand Wingo s'était approché avec le classeur. J'avais posé le scalpel, ôté mes gants et ouvert le classeur pour regarder les lamelles. J'étais allée me laver les mains dans l'évier et m'étais essuyée avec une serviette en papier. Ensuite j'étais montée voir Betty. Avais-je touché quelque chose dans son labo ? Non.

Je ne voyais qu'une possibilité.

– Est-ce que ce serait le savon ?

– Peu probable, rétorqua Vander. Surtout si vous vous êtes rincée avant de vous sécher. Si le savon que vous utilisez tous les jours réagissait même après rinçage, on trouverait la substance brillante sur tous les cadavres et sur tous les vêtements. Je suis presque convaincu que ce résidu provient d'une matière granulée ou en poudre. Vous utilisez un désinfectant liquide, non ?

C'est exact, mais cette fois-ci, trop pressée pour aller me laver les mains au vestiaire, je m'étais servie de l'évier de la salle d'autopsie, pourvu d'un distributeur du savon gris en poudre qu'on utilisait dans tout le bâtiment. Un produit peu coûteux que l'État achetait par tonnes, presque inodore, qui ne se dissolvait pas, ne moussait pas, et vous donnait l'impression de vous laver avec du papier de verre.

Il y avait des toilettes au bout du couloir. J'allai y chercher une poignée de poudre grise. Vander éteignit et mit le laser en marche.

Le savon s'illumina comme un néon.

– Nom de Dieu !

Vander était ravi. Ce n'était pas mon cas. Résolue depuis le début à déterminer la nature du résidu brillant, jamais, même dans mes hypothèses les plus folles, je n'avais envisagé qu'il s'agissait du banal savon utilisé dans les toilettes de notre bâtiment ! Je n'étais pas convaincue. Le résidu trouvé sur le classeur provenait-il bien de mes mains ! Sinon que devait-on en conclure ?

Nous procédâmes à des expériences. Comme des experts en balistique, nous testâmes la façon dont il fallait se rincer les mains après lavage pour que le laser ne fasse plus apparaître aucune trace de savon en poudre.

Vander se frictionna vigoureusement avec la poudre, se rinça avec soin et se sécha avec une serviette en papier. Le laser ne fit apparaître que deux ou trois grains brillants. Quant à moi, j'essayai de me laver exactement comme je m'étais lavée avant de monter voir Vander. Le laser illumina une quantité assez importante de grains brillants qui, lorsque je bougeais les bras, se déposaient sur la table, la manche de Vander et tout ce que je touchais. Plus je me déplaçais, et moins il y avait d'étincelles.

Nous nous lavâmes plusieurs fois de suite. Le laser jaillissait dans le noir, et le pourtour de l'évier finit par ressembler à Richmond vue d'avion pendant un vol de nuit.

Nous découvrîmes un phénomène intéressant. Plus nous nous lavions et nous séchions les mains, plus les points brillants devenaient nombreux. Ils se glissaient sous nos ongles, s'accrochaient à nos manches, se mêlaient à nos cheveux, adhéraient à notre visage, à tout ce que nous touchions. Au bout de trois quarts d'heure, pendant lesquels nous répétâmes des dizaines de fois l'expérience, Vander et moi ressemblions à deux sapins de Noël sous l'éclairage laser.

– Merde ! s'exclama-t-il dans l'obscurité. (C'est la première fois que je l'entendais jurer.) Ce salopard doit être un maniaque de la propreté. Sûr qu'il se lave les mains au moins vingt fois par jour.

– Si le résidu provient bien de ce savon.

– Bien sûr, bien sûr !

Je priai pour que la magie des experts du labo opère. Pourtant, ni eux ni personne ne pourraient déterminer qui avait déposé la substance sur le classeur – ni comment celui-ci avait atterri au frigo.

Tu refuses d'admettre que tu as commis une erreur, me reprochais-je. Tu es incapable de regarder la vérité en face. Tu t'es trompée en étiquetant ce classeur. Et c'est toi qui as déposé le résidu.

Peut-être... Mais si la réalité était plus machiavélique ? me dis-je. Si c'était quelqu'un d'autre qui avait mis le classeur au frigo. Et si le résidu provenait de ses mains, et non des miennes ? Je perdais les pédales.

Jusqu'ici, un résidu similaire avait été retrouvé sur les quatre femmes étranglées.

Wingo, Betty, Vander et moi avions touché le classeur. Seuls Tanner, Amburgey et Bill avaient pu le toucher aussi.

Le visage de Bill m'apparut. Un sentiment désagréable s'insinua en moi. Bill avait été terriblement distant au cours de la réunion avec Amburgey et Tanner, le lundi précédent. Il ne m'avait même pas adressé un regard, ni dans la salle de conférence, quand les trois hommes avaient examiné les dossiers.

Je revis les chemises tomber à terre en désordre devant Bill. Tanner s'était spontanément proposé pour les ramasser, mais c'est Bill qui avait rassemblé les papiers, parmi lesquels se trouvaient les étiquettes non utilisées. Avec Tanner, il avait ensuite remis les dossiers en ordre. L'un ou l'autre aurait pu déchirer une étiquette et la glisser dans sa poche...

Amburgey et Tanner étaient ensuite partis ensemble, tandis que Bill restait avec moi. Nous avions bavardé pendant dix minutes dans le bureau de Margaret. Il s'était montré très tendre et m'avait proposé de passer la soirée avec moi.

Il était parti avant moi, seul. Il aurait pu aller n'importe où avant de sortir du bâtiment...

Je refusai de m'aventurer plus loin. C'était insensé. Pas Bill ! D'abord, il n'y aurait eu aucun intérêt. Quel bénéfice aurait-il tiré d'un tel sabotage ? Des prélèvements mal étiquetés ne pouvaient que saboter les dossiers qu'il devrait exposer au tribunal. Et donc lui porter tort. Ç'aurait été suicidaire.

Tu cherches un coupable pour éviter de reconnaître que tu t'es plantée ! songeai-je.

Ces meurtres étaient les dossiers les plus difficiles de ma carrière, et je commençais à avoir peur de trop m'impliquer. J'étais peut-être en train de perdre ma belle assurance. Et ma confiance en moi.

– Il faut qu'on analyse la composition de ce truc-là, disait Vander.

Comme des consommateurs avertis, nous décidâmes d'examiner un emballage de savon intact.

– Je m'occupe des toilettes pour femmes, proposai-je.

– Et moi de celles des hommes.

Nous fouillâmes même les poubelles à tous les étages. En vain. Puis j'eus l'idée d'aller trouver Wingo. C'était lui qui était chargé de ravitailler les distributeurs de savon de la morgue. Il me conseilla d'aller voir dans le débarras du gardien, au rez-de-chaussée, à quelques mètres de mon propre bureau. Là, sur le rayon du haut, je découvris un gros carton gris de savon Borawash.

Le principal composant en était le borax.

Une rapide vérification dans un manuel de chimie me donna la solution. La poudre à savon scintillait comme un feu d'artifice car le borax est un composé de bore, une substance cristalline qui, à haute température, est aussi conductrice d'électricité que le métal.

Ironie du sort, une grande partie du borax utilisé dans le monde est extrait à la vallée de la Mort.

La nuit du vendredi passa sans un appel de Marino.

À 7 heures le lendemain matin, je me garai sur le parking de la morgue et parcourus le cahier de bord, le cœur battant.

Je n'aurais pas dû ressentir ce besoin de m'en assurer. Ça n'avait pas de sens. J'aurais été la première avertie. Aucun corps n'avait été réceptionné, que ceux que nous attendions. Mais ce calme même me parut de mauvais augure.

Je ne parvenais pas à me défaire de la sensation que je devais pratiquer une cinquième autopsie, que le tueur avait encore frappé. Je m'attendais d'une minute à l'autre à un coup de fil de Marino.

Vander m'appela de chez lui à 7 h 30.

– Du nouveau ? s'enquit-il.

– Je vous appellerai tout de suite.

– Je reste près du téléphone.

Le laser était en haut, dans son bureau, posé sur un chariot, prêt à être descendu dans la salle de radio au cas où nous en aurions besoin. J'avais réservé la table d'autopsie n° 1, et la veille, en fin d'après-midi, Wingo l'avait astiquée comme un miroir. Il avait également disposé sur deux chariots tous les instruments chirurgicaux et tout le matériel de prélèvement d'indices imaginable.

Mes deux autres autopsies concernaient une mort par overdose de cocaïne, en provenance de Fredericksburg, et une par noyade, de James City County.

Les chaussures de sport de Wingo crissèrent sur le carrelage humide lorsqu'il appuya son balai contre le mur.

– Il paraît qu'ils ont mobilisé une centaine de flics en heures sup' hier soir, me dit-il.

– Espérons que ça aura eu un effet dissuasif, fis-je en achevant de remplir un certificat de décès.

– Moi, si j'étais lui, ça me ferait réfléchir, fit-il en dirigeant son jet d'eau sur une table maculée de sang. Il faudrait être dingue pour se montrer. Les vérifications d'identité n'ont pas arrêté. Si vous vous baladiez un peu tard, vous étiez sûr d'être contrôlé. Et ils ont relevé le numéro de toutes les voitures.

Nous n'avions eu aucun cadavre de Richmond ce matin, et aucun flic de la ville n'était passé.

– Quel flic vous a dit ça ? demandai-je.

– Un de ceux qui ont amené le noyé.

– De James City County ? Comment pouvait-il savoir ce qui se passait à Richmond hier soir ?

Wingo me jeta un regard curieux.

– Il a un frère qui est flic ici.

Les gens parlaient trop. Un flic qui avait son frère flic à Richmond racontait ça à Wingo, qu'il ne connaissait ni d'Ève ni d'Adam. Et puis quoi encore ? On parlait trop. Je prenais la moindre remarque de travers, je me mettais à soupçonner tout et tout le monde.

– À mon avis, le type se planque, ajouta Wingo. Il s'est mis au vert jusqu'à ce que ça se tasse. À moins qu'il n'ait tué hier soir et qu'on n'ait pas encore trouvé le corps.

Je restai silencieuse, de plus en plus irritée.

– Mais enfin ça m'étonnerait qu'il ait essayé de remettre ça. Trop risqué ! Certaines théories affirment que les types dans son genre n'ont plus peur au bout d'un moment. On croit qu'ils narguent les flics, alors qu'en réalité, tout ce qu'ils veulent, c'est se faire prendre.

– Wingo...

Il ne parut pas m'entendre.

– C'est une maladie, poursuivit-il. Il sait qu'il est malade. J'en suis presque sûr. Peut-être même qu'il veut qu'on le protège contre lui-même...

– Wingo ! (J'avais crié en faisant pivoter mon siège. Wingo avait arrêté l'eau, mais il était trop tard. Mes paroles résonnèrent dans la salle vide.) Il ne veut pas se faire prendre !

Il ouvrit la bouche, surpris.

– Je disais ça comme ça, Dr Scarpetta. Je...

– Les salopards comme lui n'ont pas envie de se faire arrêter ! Il n'est pas *malade* ! Il est antisocial, il est mauvais et il fait ça parce qu'il *veut* le faire, vous entendez ?

Sans me regarder, Wingo entreprit de laver les flancs de la table.

Je le considérai, désolée. Il ne leva pas la tête.

Je me sentais mal.

– Wingo ? (Il s'approcha à contrecœur. Je lui touchai le bras.) Je m'excuse. Je n'ai aucune raison de vous parler comme ça.

– Ce n'est pas grave, dit-il avec un regard qui me décontenança. Vous savez, je comprends ce que vous endurez en ce moment. Je sais ce qui s'est passé ces jours-ci. Ça me rend malade. Je voudrais vous aider mais je ne sais pas quoi faire. Tout ce qui vous tombe dessus en ce moment... et je peux rien faire. Je... enfin j'aimerais bien pouvoir être utile...

Ainsi c'était donc ça ! J'avais moins blessé son amour-propre que renforcé ses inquiétudes ! Wingo se faisait du souci pour moi. Il savait que j'étais sur le point de craquer. D'ailleurs, peut-être que tout le monde le savait. Les fuites, le piratage de l'ordinateur, les prélèvements mal étiquetés. Personne ne serait surpris si j'étais virée pour incompétence...

On le voyait venir, dirait-on. Elle ne savait plus où elle en était !

D'abord, je dormais mal. Mon esprit était comme emballé. Ça carburait sans arrêt. Je frôlais la surchauffe.

La veille au soir, j'avais voulu remonter le moral de Lucy en l'emmenant au restaurant et au cinéma. Toute la soirée, j'avais guetté un signal de mon bip électronique. J'avais vérifié les piles dix fois.

À 15 heures j'avais dicté deux rapports d'autopsie et détruit une série de cassettes où j'avais enregistré de précédents rapports. J'allais prendre l'ascenseur quand j'entendis mon téléphone.

C'était Bill.

– Tu m'invites ?

Je ne pus pas dire non.

– Volontiers, fis-je avec un empressement feint. Mais je ne suis pas très rigolote en ce moment.

– Tant pis, je ne rigolerai pas.

Il faisait encore plus chaud que la veille. L'herbe, autour du bâtiment, jaunissait. Nous avions eu un printemps bizarre, avec de longues périodes de chaleur et de vent, brutalement interrompues par des masses de nuages noirs surgis de nulle part. La ville était soudain privée d'électricité à cause de la foudre pendant que la pluie tombait à torrents. Il n'y avait plus de saisons. Ma relation avec Bill ressemblait à cette météorologie folle. Il m'avait eue avec sa séduction brutale, alors que j'avais envie d'une petite pluie fine, reposante. J'étais impatiente de le voir ce soir, et en même temps cela me laissait indifférente.

Toujours ponctuel, il arriva à 17 heures tapantes.

– C'est à la fois bien et mauvais signe, déclara-t-il en allumant le gril installé dans le patio, derrière la maison.

– Mauvais signe ? fis-je. Tu ne penses pas ce que tu dis, Bill ?

Le soleil brillait encore, mais des écharpes de nuages le cachaient à intervalles réguliers, de sorte que nous étions tour à tour plongés dans l'ombre ou exposés en pleine lumière. Le vent s'était levé et le temps pouvait changer d'un instant à l'autre.

Bill s'essuya le front avec sa manche et me jeta un coup d'œil. Une bourrasque plia brusquement les arbres. Une serviette en papier s'envola à travers le patio.

– Mauvais signe, Kay, parce que s'il ne fait plus parler de lui, c'est peut être qu'il a quitté la région.

Nous nous éloignâmes des charbons rougeoyants et bûmes notre bière à même la bouteille. Je ne supportais pas l'idée que le tueur ait pu partir. Je voulais qu'il reste dans le secteur. Nous commencions à le connaître. Mon angoisse était qu'il recommence à tuer dans une ville où la police et les experts médicaux en sauraient moins que nous. Si l'enquête était répartie entre plusieurs juridictions, c'était fichu. Chaque corps de police voudrait garder son os à ronger. Chaque enquêteur voudrait procéder à l'arrestation pour montrer qu'il était plus malin que les autres. Chaque responsable de la police penserait que cette affaire était la sienne.

À vrai dire, je n'étais moi-même pas loin de revendiquer un certain droit de propriété. Les victimes étaient en quelque sorte sous ma responsabilité, et le seul espoir de leur rendre justice était que leur assassin soit arrêté et jugé à Richmond. On ne peut accuser un individu que d'un nombre donné d'assassinats, et une condamnation dans un autre État risquerait d'empêcher qu'un procès ne se tienne en Virginie. Cette éventualité m'effrayait. Ce serait comme si la mort des femmes de Richmond n'avait été qu'un entraînement, un échauffement aussi atroce qu'inutile. Inutile, comme ce qui m'arrivait.

Bill activait le charbon de bois. Il s'écarta et tourna vers moi un visage rougi par la chaleur.

– Du nouveau pour ton ordinateur ? demanda-t-il.

J'hésitai. À quoi bon rester dans le vague ? Bill savait que j'avais ignoré les ordres d'Amburgey, que je n'avais pas changé le mot de passe ni pris aucune autre mesure pour, selon ses propres termes, « assurer la sécurité » de mes données. Le lundi précédent, j'avais mis mon ordinateur en mode veille sous les yeux de Bill, avec l'écho activé, comme si j'invitais le pirate à tenter une nouvelle incursion.

– On ne l'a pas interrogé depuis.

– Intéressant, fit-il d'un air songeur en buvant une gorgée de bière. Parce qu'illogique. Il doit être impatient d'accéder au dossier de Lori Petersen.

– On ne l'a pas encore entré, lui rappelai-je. On ne mettra rien sur ordinateur jusqu'à ce que ces meurtres soient résolus.

– Donc le dossier n'est pas dans l'ordinateur. Mais comment le savoir, à moins qu'elle ne tente d'y entrer ?

– *Elle* ?

– Elle ou il, peu importe !

– Eh bien, elle ou il a déjà consulté l'ordinateur une fois et n'a pas trouvé le dossier de Lori Petersen.

– Ça ne tient pas debout, Kay. Tout bien réfléchi, je ne comprends même pas pourquoi on a essayé. Il faut être novice en informatique pour croire que les résultats d'une autopsie pratiquée un samedi se trouveraient dans la base de données dès le lundi.

– Qui ne risque rien n'a rien, marmonnai-je.

Je restais sur mes gardes avec Bill. Incapable de me détendre.

Les côtelettes attendaient à la cuisine. Une bouteille de vin rouge était débouchée sur le bar. Lucy préparait la salade. Elle était de très bonne humeur, ce qui était plutôt inattendu vu que sa mère n'avait donné aucun signe de vie depuis son départ avec l'illustrateur. Peut-être commençait-elle à entrevoir la possibilité de rester indéfiniment chez moi, et de me voir devenir Mrs Boltz.

Tôt ou tard, il me faudrait détruire son rêve : elle retournerait à Miami dès que sa mère serait rentrée, et je n'avais aucune intention d'épouser Bill.

Pour l'heure, celui-ci contemplait pensivement le charbon de bois incandescent, sa bière à la main. Je l'observais à travers un voile tremblotant de fumée et de chaleur qui me parut symboliser la distance qui ne cessait de croître entre nous.

Pourquoi sa femme s'était-elle tuée avec l'arme de service de Bill ? Était-ce parce que l'arme lui était tombée sous la main ? Ou bien pour le punir ? Et dans ce cas, quelles fautes voulait-elle lui faire expier ?

Sa femme s'était tirée une balle dans la poitrine alors qu'elle était assise sur le lit, sur leur lit. Un lundi après qu'ils avaient fait l'amour. Les prélèvements avaient révélé la présence de sperme. Elle était parfumée lorsque je l'avais examinée. Quelles avaient été les dernières paroles que Bill lui avait adressées avant de partir au travail, ce matin-là ?

– Planète Terre à Kay... vous m'entendez ? (Je me ressaisis. Bill me regardait.) Tu étais loin ? demanda-t-il en m'enlaçant. Puis-je te rejoindre ?

– Je réfléchissais.

– À quoi ? Et ne me parle pas de ton travail...

– Bill, il manque quelque chose aux dossiers que vous avez consultés l'autre jour, toi, Amburgey et Tanner... dis-je tout de go.

Sa main, au creux de mes reins, se figea. Je sentis sa colère à la pression de ses doigts sur ma peau.

– De quoi s'agit-il ?

– Je ne sais pas exactement, répliquai-je avec nervosité. Mais je me demandais si tu les avais vus emporter quelque chose par inadvertance...

– Merde ! lâcha-t-il. Tu ne peux pas passer une soirée avec moi sans penser à ton foutu boulot ?

– Bill...

– Ça suffit ! (Il plongea ses mains dans ses poches et se détourna.) Bon Dieu ! Tu me rends dingue. Elles sont mortes, tu comprends ? Mortes ! Et nous, nous sommes vivants. Tu vas finir par dérailler – et nous faire dérailler tous les deux – si tu continues à être obsédée par ces meurtres.

Pendant tout le reste de la soirée, tandis que Bill et Lucy bavardaient, j'attendis la sonnerie du téléphone. J'étais persuadée qu'il sonnerait. J'attendais l'appel de Marino.

Lorsqu'il sonna enfin, très tôt dans la matinée, la pluie tambourinait sur le toit.

Je décrochai à tâtons dans le noir. Silence.

– Allô ? répétai-je en allumant ma lampe.

En arrière-fond, je perçus le son de la télévision. Mon cœur s'emballa et, submergée de dégoût, je raccrochai violemment.

En début d'après-midi, je parcourais les résultats préliminaires des tests des labos de la morgue.

Tous accordaient à la série de meurtres par étranglement une priorité absolue. Tout le reste – taux d'alcool dans le sang, analyse des drogues et barbituriques saisis dans la rue – passait au second plan. J'avais chargé quatre experts d'étudier le résidu brillant qui ne provenait peut-être pas d'autre chose que d'un banal savon en poudre mis à la disposition du public dans les toilettes municipales.

Les rapports préliminaires n'étaient guère excitants. Jusqu'à présent, nous n'avions pas découvert grand-chose concernant le fameux savon Borawash. Il était composé à 25 % d'un « abrasif inerte », et à 75 % de borate de sodium. Et ça, nous le savions parce que le fabricant nous l'avait dit. Le microscope à balayage électronique n'aurait jamais pu nous le dire aussi précisément. Il définissait simplement les traces du résidu brillant comme du sodium. On était bien avancés... C'était comme de rechercher des traces de plomb dans une mort par balle. Ça ne nous apprenait rien. En d'autres termes, tout ce qui brille n'est pas du borax.

La substance que nous avions prélevée sur le corps des femmes assassinées pouvait être aussi bien du nitrate de sodium, utilisé dans de nombreux produits allant de l'engrais à la dynamite, du carbonate cristallisé, qui entre dans la composition des révélateurs photos. C'est dire que le tueur pouvait travailler aussi bien dans un laboratoire photographique que dans une serre ou une exploitation agricole. Combien existait-il de produits sur le marché contenant du sodium ? Dieu seul le savait.

Vander passait son temps à tester au laser des tas de composés sodiques, et rayait un à un les produits qui ne réagissaient pas.

De mon côté, je recherchai quelle administration municipale, à part la nôtre, utilisait du savon Borawash. Le distributeur, dans le New Jersey se fit tirer l'oreille. La secrétaire me passa le service des ventes, qui me passa la comptabilité, qui me passa le service des données, qui me passa les relations publiques, qui me repassa la comptabilité.

Ensuite, je dus discuter pied à pied.

– Notre fichier clientèle est confidentiel. Dans quelle branche travaillez-vous ?

– Je suis médecin expert, fis-je en pesant mes mots. Dr Scarpetta, médecin expert général de l'État de Virginie.

– Je vois, vous êtes professeur...

– J'examine des cadavres et pas des étudiants.

– Vous voulez dire que vous êtes coroner ?

À quoi bon le détromper ? Lui expliquer que je n'étais pas coroner ? Ceux-ci sont élus et n'ont, en général, aucune formation médico-légale. Dans certains États, vous pouvez être gérant de station-service et élu coroner. Le malentendu s'aggrava.

– Je ne comprends pas. Quelqu'un accuse le Borawash d'être mortel ? C'est impossible ! Le Borawash n'est pas toxique, à moins de l'ingérer. Nous n'avons jamais eu de problème avec ce savon. Je vais être obligé de vous passer mon supérieur...

J'expliquai au supérieur en question que du Borawash avait été retrouvé sur plusieurs victimes de meurtres, que le produit n'était en rien responsable des décès, que je ne m'intéressais pas à la toxicité du Borawash en tant que tel, et que je pouvais obtenir un mandat du parquet, mais que je n'avais – pas plus que lui – intérêt à perdre mon temps. Finalement, je l'entendis taper sur un clavier.

– Nous avons soixante-treize clients à Richmond.

– J'apprécierais beaucoup si vous pouviez m'en envoyer la liste. Mais pourriez-vous me la lire tout de suite ?

Il s'exécuta à contrecœur. La plupart des entreprises m'étaient inconnues, sauf le Département des véhicules automobiles, les Magasins généraux et, bien sûr, le IIISD. En tout, dix mille personnes au bas mot, depuis les juges et les avocats jusqu'aux mécaniciens du parc auto. Et parmi tous ces gens-là, un individu était obsédé par l'hygiène corporelle.

Je venais de regagner mon bureau, un peu après 15 heures, quand Rose me passa une communication.

– Ça fait un moment qu'elle est morte, m'annonça Marino.

11

D'après Marino, la police n'avait pas encore pu mettre la main sur quelqu'un ayant vu la victime durant le week-end. Une de ses collègues avait essayé plusieurs fois de l'appeler le samedi et le dimanche. En vain. Mais ce n'est que lorsqu'elle ne s'était pas présentée à son poste, pour le cours de 13 heures, qu'on avait appelé la police. Un policier s'était rendu à son adresse, et c'est en contournant la maison qu'il avait découvert, au deuxième étage, une fenêtre grande ouverte. La victime logeait avec une autre jeune femme, qui s'était absentée pour le week-end.

La maison se trouvait à un kilomètre du centre-ville, à côté des bâtiments de l'université, un gigantesque complexe abritant plus de vingt mille étudiants, des maisons de style victorien le long de West Main, pour la plupart. Les sessions d'été avaient commencé et les étudiants grouillaient dans les rues, profitant de ce délicieux après-midi de juin.

Marino m'avait appris que Henna Yarborough avait 31 ans et qu'elle enseignait le journalisme à la *School of Broadcas-*

ting. Venue de Caroline du Nord, elle était installée à Richmond depuis l'automne précédent. Nous ne savions pas grand-chose à son sujet, sinon qu'elle était morte depuis plusieurs jours.

Une nuée de flics et de journalistes avaient envahi les lieux. Les automobilistes ralentissaient devant la maison de deux étages en brique sombre. Des géraniums roses et blancs ornaient le rebord des fenêtres, et le dessin d'une fleur se distinguait en jaune pâle sur le toit d'ardoise gris-bleu.

La rue était si encombrée que je dus me garer assez loin de la maison. La presse se montrait plus réservée, me sembla-t-il. Ni micro ni caméra sur mon passage. Tout le monde arborait une attitude presque militaire, gênée, comme s'ils avaient senti que c'était le cinquième meurtre de l'étrangleur.

Un policier en uniforme souleva le ruban jaune barrant l'entrée en haut des quelques marches de granite usé. Je pénétrai dans un hall obscur et montai les trois volées de marches de bois. En haut se pressaient le chef de la police, plusieurs gradés, des enquêteurs en civil et des hommes en uniforme. Bill était là, livide, regardant par une porte ouverte. Ses yeux croisèrent brièvement les miens.

Détournant le regard, je jetai à mon tour un coup d'œil dans la pièce. Une odeur de putréfaction bien reconnaissable flottait. Marino me tournait le dos. Accroupi, il fouillait les tiroirs d'une commode.

Le dessus de la commode était encombré de flacons et d'objets de toilette. À gauche, un bureau était poussé contre le mur, envahi de papiers et de livres par-dessus lesquels trônait une machine à écrire électrique. Les livres s'entassaient aussi sur les étagères et le parquet. La porte du cabinet de toilette était entrebâillée, la lumière éteinte à l'intérieur. L'austérité des lieux semblait indiquer que l'occupante venait de s'installer ou n'avait pas l'intention de rester.

À droite, je découvris deux lits jumeaux, des draps défaits et une masse de cheveux noirs, emmêlés. Je m'approchai avec précaution.

Son visage, tourné vers moi, était si gonflé et décomposé qu'il était impossible de savoir à quoi elle ressemblait vivante. Une Blanche aux cheveux châtain foncé qui lui descendaient jusqu'aux épaules. C'est tout ce qu'on pouvait dire. Elle était allongée, nue, sur le côté gauche, les genoux relevés, les mains ligotées dans le dos. Le tueur avait utilisé les cordons des stores vénitiens, cette fois. Tout était atrocement familier. Un dessus-de-lit bleu foncé avait été jeté sur elle, trahissant la désinvolture méprisante de l'étrangleur. Un pyjama gisait au pied du lit. Le haut, encore boutonné, avait été coupé du col à la taille. Le bas paraissait avoir été découpé de chaque côté.

– Il est monté par l'échelle, m'annonça Marino.

– Quelle échelle ?

Il désigna de la tête la fenêtre la plus proche du lit. Ouverte.

– Dehors, contre le mur, expliqua-t-il. Une vieille échelle d'incendie rouillée. C'est comme ça qu'il est entré. On a retrouvé de la rouille sur le rebord de la fenêtre. C'est lui qui l'aura laissée.

– Et il est reparti par le même chemin ?

– Pas sûr, mais on dirait. La porte d'en bas était fermée à clé. On a dû la forcer pour entrer. Pourtant, il y a de l'herbe haute au pied de l'échelle, dehors, mais on n'a trouvé aucune empreinte. Faut dire qu'il a plu comme vache qui pisse samedi soir, et ça nous facilite pas le boulot.

– La maison est équipée de l'air conditionné ?

Je transpirai dans la chaleur moite et empuantie.

– Non. Et y'a pas de ventilateur non plus.

Marino s'essuya le visage. Ses cheveux lui collaient au front. Il avait les yeux injectés de sang et cernés. On aurait dit qu'il ne s'était pas couché ni changé depuis une semaine.

– Les fenêtres étaient fermées ? lui demandai-je.

– Ni l'une ni l'autre, et je... (Du vacarme nous parvint du couloir.) Mais bon Dieu, qu'est-ce qui ?

Au rez-de-chaussée, une femme hurlait. On entendit des bruits de pas, des éclats de voix masculines.

– Sors d'ici ! hurlait la femme. Sors de chez moi, fils de pute !

Les pas lourds de Marino firent trembler les marches de bois. Je l'entendis dire quelques mots à quelqu'un, puis les hurlements cessèrent.

Je procédai à l'examen externe du corps.

Le cadavre était à la température ambiante, et la *rigor mortis* avait disparu. Il s'était refroidi et raidi juste après la mort, puis sa température était montée en même temps que la température extérieure. La raideur avait fini par disparaître, comme si le choc initial de la mort s'était résorbé avec le temps.

Je soulevai le dessus-de-lit. Pendant un instant, le souffle me manqua et j'eus l'impression que mon cœur s'arrêtait de battre. Je remis le tissu en place et ôtai mes gants. Inutile de poursuivre mes examens ici.

Quand j'entendis revenir Marino, je voulus lui demander de faire transporter le corps à la morgue tel qu'il était, enroulé dans le dessus-de-lit, mais les mots me restèrent dans la gorge.

Abby Turnbull était à côté de lui. Quelle mouche avait piqué Marino ? Avait-il perdu la tête ? Abby Turnbull, la vipère qui faisait passer le requin des *Dents de la mer* pour un inoffensif poisson rouge !

Mais je remarquai qu'elle était en nu-pieds, avec un jean et un corsage blanc chiffonné, les cheveux noués en queue de cheval, sans maquillage et, au lieu de son magnétophone, elle portait un grand sac en toile. Elle regarda le lit et ses yeux s'agrandirent de terreur.

– Mon Dieu, non ! articula-t-elle en portant la main à sa bouche.

– C'est bien elle ? fit Marino.

– Mon Dieu... Henna. Oh ! mon Dieu...

– C'était sa chambre ?

– Oui. Oh ! Mon Dieu !

Marino adressa un bref signe de tête à un policier en uniforme, qui raccompagna Abby Turnbull en bas. J'entendis leurs pas dans l'escalier, entrecoupés des gémissements de la jeune femme.

– J'espère que vous savez ce que vous faites, dis-je à Marino.

– Je sais toujours ce que je fais, rétorqua-t-il.

– C'est elle qui criait tout à l'heure ?

– Oui. Boltz était en bas. C'est après lui qu'elle en avait.

– Boltz ? dis-je comme si je ne le connaissais pas.

– Faut le comprendre. Elle est chez elle, après tout. On peut pas lui en vouloir de râler parce qu'on envahit sa maison et qu'on lui interdit d'entrer...

– Boltz lui a interdit d'entrer ? répétai-je, stupide.

– Pas seulement lui, répondit-il en haussant les épaules. En tout cas, ça va être difficile d'en tirer quelque chose. Elle est salement secouée. C'était sa sœur, conclut-il avec un coup d'œil vers le lit.

Le salon, au premier étage, était inondé de soleil et envahi de plantes en pot. Il avait été repeint récemment. Le parquet ciré disparaissait sous un tapis indien à motifs géométriques dans des tons de bleu et de vert très pâles. De petits coussins pastel contrastaient avec le blanc des meubles. Les murs blancs étaient ornés d'une collection de monotypes abstraits de l'artiste local, Gregg Carbo. Ce n'était pas une pièce pour vivre, mais un espace conçu à la gloire d'Abby Turnbull, glacial et m'as-tu-vu.

Recroquevillée dans l'angle du canapé en cuir blanc, elle fumait nerveusement une longue et fine cigarette. Je n'avais jamais vu Abby d'aussi près, et je fus frappée par ses traits. Elle avait les yeux dissemblables, l'un plus foncé que l'autre, et des lèvres épaisses qui ne semblaient pas appartenir au même visage que son long nez étroit. Ses cheveux bruns, qui frôlaient ses épaules, grisonnaient par endroits. Elle avait les pommettes hautes et de petites rides aux coins des yeux et de la bouche. Elle était mince, avec de longues jambes, et devait avoir à peu près mon âge, peut-être quelques années de moins.

Elle nous regardait avec des yeux de biche aux abois.

– Je suis désolé, je sais que c'est très dur pour vous... commença Marino.

Il insista pour qu'elle réponde à toutes les questions, qu'elle se souvienne du moindre détail concernant sa sœur, de ses habitudes, de ses amis. Assise en face de moi, tendue, Abby l'écoutait en silence.

– On m'a dit que vous rentriez de voyage ?

– Oui, répondit-elle en frissonnant. Je suis partie vendredi après-midi à New York pour une réunion.

– Quel genre de réunion ?

– Je suis en train de négocier un contrat pour un livre. J'avais rendez-vous avec mon agent. J'ai logé chez des amis.

Le magnétophone tournait silencieusement. Abby le regardait sans le voir.

– Avez-vous appelé votre sœur de là-bas ?

– J'ai essayé hier soir pour lui dire à quelle heure arrivait mon train. J'ai été étonnée qu'elle ne réponde pas. J'ai pensé qu'elle avait dû sortir. Je n'ai pas rappelé. Je savais qu'elle avait des cours cet après-midi. J'ai pris un taxi. Je ne me suis pas inquiétée. Et puis je suis arrivée et j'ai vu les voitures de police.

– Depuis quand habitiez-vous ensemble ?

– Henna s'est séparée de son mari l'année dernière. Elle voulait respirer, réfléchir. Je lui ai proposé d'habiter ici jusqu'à ce qu'elle décide de prendre un appartement ou de retourner avec son mari. C'était à la fin août. Quand elle a commencé à enseigner à l'université.

– Quand l'avez-vous vue pour la dernière fois ?

– Vendredi après-midi, dit-elle d'une voix étranglée. Quand elle m'a accompagnée à la gare.

Ses yeux s'emplirent de larmes. Marino tira un mouchoir froissé de sa poche et le lui tendit.

– Elle avait des projets pour le week-end ?

– Elle avait à préparer ses cours. Henna ne sortait pas beaucoup. Elle ne voyait que quelques amis parmi ses collègues. Elle comptait faire des courses samedi. C'est tout.

– Où faisait-elle ses courses ?

– Je ne sais pas. Peu importe. Elle n'y est pas allée. Le frigo est vide, comme quand je suis partie. Ça a dû se passer vendredi soir. Comme pour les autres. Elle a dû rester comme ça tout le temps que j'étais à New York.

Pendant quelques instants, personne ne parla. Marino regardait autour de lui, impénétrable. Abby alluma une cigarette d'une main tremblante et se tourna vers moi. Je saisis la question avant même qu'elle ne parle.

– C'est comme pour les autres ? Je sais que vous l'avez vue. (Elle hésita, essaya de conserver son calme, mais elle était près de craquer.) Qu'est-ce qu'il lui a fait ?

– Je ne peux rien vous dire avant de l'avoir examinée, m'entendis-je ânonner.

– C'est ma sœur ! gémit-elle. Je veux savoir ce que ce salaud lui a fait ! A-t-elle souffert ? Je vous en supplie, dites-moi qu'elle n'a pas souffert !

Nous la laissâmes pleurer à gros sanglots, déchirée par l'angoisse et seule face à l'horreur. Marino ne cillait pas.

Je me détestais dans des moments comme celui-ci. J'avais le sentiment d'être une spécialiste glaciale, insensible au malheur des autres. Mais qu'aurais-je pu lui dire ? Bien sûr qu'elle avait souffert ! Et sa terreur avait dû être d'autant plus horrible qu'elle avait lu, sous la plume de sa propre sœur, les descriptions de ce qui allait se passer. Ensuite il y avait eu la souffrance physique.

Abby recommença à parler par phrases hachées.

– Vous n'allez rien me dire. Je sais comment ça se passe. C'est parce que je suis sa sœur. Vous préférez cacher votre jeu. Pourquoi ? Combien ce salopard devra-t-il en tuer, hein ? Six ? Dix ? Cinquante ? Combien de temps les flics vont-ils attendre avant de se remuer, hein ?

Marino continuait de la regarder, impassible.

– N'accusez pas la police, miss Turnbull. Nous sommes avec vous, nous essayons de vous aider...

– C'est ça ! le coupa-t-elle avec véhémence. Vous m'aidez ! Comme la semaine dernière, peut-être ?

– La semaine dernière ? Je ne vois pas...

– Je fais allusion au connard qui m'a suivie, du journal jusqu'ici. Il était juste derrière moi. Il tournait quand je tournais. Je me suis même arrêtée dans un magasin pour le dissuader, mais quand je suis ressortie, vingt minutes plus tard, il était toujours là. Avec sa foutue bagnole ! J'ai appelé les flics dès que je suis rentrée. Et qu'est-ce qu'ils ont fait ? Rien ! Absolument *rien* ! C'est au bout de *deux heures* qu'une voiture de police est passée pour voir si tout allait bien. J'ai décrit la voiture, donné le numéro. Est-ce qu'on m'a rappelée ? Pensez-vous ! Si ça se trouve, c'est le type qui m'a suivie qui a tué ma sœur ! Elle a peut-être été assassinée parce qu'un flic n'a pas voulu se donner la peine de faire des recherches !

– Ça s'est passé quand, exactement ? demanda Marino avec intérêt.

– Mardi, je crois. Il était 10 heures, 10 heures et demie. Je suis rentrée tard parce que j'avais un article à finir...

Marino avait l'air sceptique.

– Hum ! Vous n'étiez pas de l'équipe de nuit, de 6 heures à 2 heures du matin ?

– Je m'étais fait remplacer. J'allais travailler tôt et je devais finir un papier pour le lendemain.

– D'accord. Revenons-en à cette voiture. Quand a-t-elle commencé à vous suivre ?

– Difficile à dire. Je ne l'ai remarquée que quelques minutes après être sortie du parking. Est-ce qu'il m'a attendue ou repérée à ce moment-là ? Je n'en sais rien. En tout cas il me collait, les phares allumés. J'ai ralenti en espérant qu'il allait me doubler. Il a ralenti aussi. J'ai accéléré, il a accéléré. Impossible de le semer. Je me suis arrêtée à Farm Fresh. Je ne voulais pas qu'il me suive jusqu'à la maison. Mais il a dû m'attendre sur le parking ou dans une rue derrière. Il était là quand je suis repartie.

– Vous êtes sûre que c'était la même voiture ?

– Une Cougar noire, toute neuve. J'ai donné son numéro à un ami qui travaille au DMV, puisque la police ne levait pas le petit doigt. C'est une voiture de location. J'ai l'adresse de l'agence si ça vous intéresse.

– Bien sûr que ça m'intéresse, fit Marino.

Elle fouilla dans son sac et en ressortit un bout de papier qu'elle lui tendit d'une main tremblante.

– Et ensuite ? Il vous a suivie jusque chez vous ?

– Je n'avais pas le choix. Je n'allais tout de même pas rouler toute la nuit. Il a vu où j'habitais. Dès que je suis rentrée, j'ai téléphoné à la police. Quand j'ai regardé par la fenêtre, il n'était plus là.

– Vous aviez déjà repéré cette voiture ?

– J'ai déjà vu des Cougar noires, mais je ne peux pas assurer que j'avais vu celle-ci en particulier.

– Vous avez pu voir le chauffeur ?

– Il faisait trop sombre, et il était juste derrière moi. Il était seul.

– Vous êtes sûre que c'était un homme ?

– Tout ce que j'ai vu, c'est une silhouette massive avec des cheveux courts. Bien sûr que c'était un homme. Il restait immobile, les yeux fixés sur moi. Juste cette silhouette, derrière moi, en train de me regarder. J'en avais parlé à Henna. Je lui avais dit d'être prudente, et d'appeler le 911 si elle voyait cette Cougar noire dans les parages. Elle était au courant des meurtres. Nous en avions parlé. Oh ! Je n'arrive pas à le croire ! Je l'avais prévenue, pourtant ! Je lui avais dit de bien fermer les fenêtres !

– Vous voulez dire qu'elle avait tendance à laisser tout ouvert ?

Abby hocha la tête et s'essuya les yeux.

– Elle dormait toujours les fenêtres ouvertes. Il fait très chaud dans la maison. Dire que je devais faire installer l'air conditionné au mois de juillet ! Elle est venue s'installer ici dès que j'ai emménagé, en août dernier. Il y avait beaucoup de choses à faire, et comme l'hiver approchait... Oh ! mon Dieu ! Je lui ai dit cent fois ! Mais elle oubliait tout. Comme pour la ceinture de sécurité, impossible de la lui faire mettre. C'était ma cadette. Les conseils lui glissaient dessus. Je l'avais mise en garde, pourtant. Je lui avais parlé des crimes. Pas seulement des meurtres, mais aussi des viols, des cambriolages, tout ça. Ça la mettait en rogne. Elle ne voulait pas m'écouter, elle me reprochait de ne voir que le côté noir des choses. J'ai un pistolet ici. Je lui disais de le garder à portée de main quand j'étais absente. Mais elle ne voulait pas y toucher. Je lui avais proposé de lui apprendre à tirer, et même de lui en acheter un. Pas question ! Impossible ! Et maintenant, elle est morte ! Ça ne sert à rien que je vous en raconte davantage sur elle, parce que je sais que ce n'est pas après elle qu'il en avait ! Il ne la connaissait même pas ! C'est après moi !

– Qu'est-ce qui vous fait penser ça ? lui demanda Marino d'une voix posée, après un silence.

– Si c'est le chauffeur de la voiture noire, c'est évident. Je ne sais pas qui c'est, mais lui, il sait que c'est moi qui écris sur lui. Il a vu ma signature.

– Peut-être.

– C'est à moi qu'il en voulait ! À moi !

Peut-être, en effet, fit Marino d'un ton léger. Mais nous ne pouvons pas en être sûrs, miss Turnbull. Moi, je dois envisager toutes les hypothèses. Peut-être avait-il repéré votre sœur sur le campus, dans un restaurant, une boutique ou je ne sais où. Peut-être qu'il ne savait pas qu'elle habitait avec quelqu'un, surtout s'il l'avait suivie pendant que vous étiez au travail. Peut-être qu'il ne savait même pas que c'était votre sœur. Ça pourrait être une coïncidence. Avait-elle l'habitude d'aller dans un restaurant précis, par exemple ?

Abby s'essuya de nouveau les yeux et fouilla ses souvenirs.

– Dans un snack, Ferguson Street pas loin de l'école de journalisme où elle enseignait. Je crois qu'elle allait y déjeuner une ou deux fois par semaine. Elle ne fréquentait pas les bars. De temps en temps nous allions manger toutes les deux chez *Angela*, dans le Southside, mais elle n'y allait jamais seule. Elle allait peut-être dans des magasins, je ne sais pas. Elle ne me disait pas tout, vous savez.

– Vous avez dit qu'elle avait emménagé ici en août dernier. Est-ce qu'il lui arrivait de s'absenter, de partir en week-end ou en voyage ?

– Pourquoi ? fit-elle d'un air égaré. Vous pensez qu'un étranger l'aurait suivie ?

– J'essaie simplement de savoir à quel moment elle était là et à quel moment elle était absente.

– Jeudi dernier, reprit-elle d'une voix brisée, elle est retournée à Chapel Hill pour voir son mari et rendre visite à une amie. Elle y est restée presque toute la semaine. Elle est rentrée mercredi. Les cours de la session d'été ne reprenaient qu'aujourd'hui.

– Il est déjà venu ici, le mari ?

– Non, répondit-elle d'un ton las.

– Est-ce qu'il lui arrivait de la brutaliser...

– Non ! Jeff n'a jamais été violent avec elle. Ils étaient d'accord pour se séparer pendant quelque temps. Il n'y avait aucune animosité entre eux. Le salaud qui a fait ça est le même qui a tué les autres !

Marino regarda le magnétophone sur la table. Un témoin rouge clignotait sur l'appareil. Il fouilla dans sa poche avec une grimace de dépit.

– Faut que j'aille à ma voiture, dit-il.

Il me laissa seule avec Abby dans le salon blanc.

Il y eut un long silence pesant. Elle avait les yeux rouges, le visage bouffi.

– Combien de fois j'ai voulu vous parler ! dit-elle d'une voix pleine de tristesse et d'amertume. Et maintenant, voilà... Je sais ce que vous pensez de moi. Vous vous dites que je le mérite. Qu'à mon tour j'ai ma dose d'horreur, à force d'en avoir parlé dans mes articles. C'est la justice, hein !

Ses paroles me firent frémir.

– Vous ne méritiez pas ça, Abby. Jamais je n'irais souhaiter ça à quiconque, ni à vous ni à personne.

La tête baissée sur ses mains jointes, elle reprit d'une voix implorante :

– Prenez soin d'elle. Je vous en supplie, prenez soin de ma petite sœur ! Oh ! Prenez soin d'Henna...

– Je vous promets que j'en prendrai soin...

– Vous ne pouvez pas le laisser s'en tirer !

Je ne sus que répondre à ça. Soudain elle leva la tête et je fus frappée par la terreur que je lus dans ses yeux.

– Je ne comprends plus rien. Toutes ces rumeurs... Et ça, tout d'un coup. J'ai essayé de comprendre. J'ai même voulu vous demander de m'aider. Et maintenant je ne sais plus qui est avec qui !

– Je ne suis pas sûre d'avoir bien compris, Abby.

– L'autre soir. Cette semaine. J'ai voulu vous parler. Mais il était là... répondit-elle très vite.

Je commençais à comprendre.

– Quel soir ? lui demandai-je.

– Mercredi, dit-elle enfin. Mercredi soir.

– C'est vous qui êtes venue en voiture devant chez moi et qui êtes repartie à toute allure ? Pourquoi ?

– Vous... vous n'étiez pas seule.

J'étais devant la porte, en pleine lumière, et la voiture de Bill était garée devant la maison. C'est la voiture d'Abby que nous avions vue ce soir-là. Et c'est parce qu'elle m'avait vue avec Bill qu'elle avait fait demi-tour. Mais ça n'expliquait pas sa panique.

– Ces enquêtes, bafouillait-elle. J'ai entendu des rumeurs. Les flics ne doivent plus vous parler. Personne ne doit plus vous parler. Il y a quelque chose qui cloche et c'est pour ça que toutes les demandes d'informations sont soumises à Amburgey. Mais c'est à vous que je voulais parler ! Et maintenant ils disent que vous avez foiré l'examen sérologique dans le dossier de... du Dr Lori Petersen. Que toute l'enquête est foutue à cause de vous et de votre bureau, et que sans ça, les flics auraient déjà arrêté l'assassin... (Malgré sa colère, elle ne paraissait pas très sûre de ce qu'elle disait.) Je veux savoir si c'est vrai ou pas. Je veux savoir ce qu'on va faire de ma sœur !

Comment était-elle au courant des prélèvements mal étiquetés ? Ce n'était certainement pas Betty qui le lui avait dit. En revanche, *tous* les exemplaires de *tous* les rapports de Betty étaient désormais transmis à Amburgey. Était-ce lui qui avait informé Abby ? Ou quelqu'un de son bureau ? Tanner ? Bill ?

– Qui vous a dit ça ?

– J'entends des tas de trucs, souffla-t-elle.

Je regardai son visage bouffi de chagrin, son corps contracté par la douleur et l'horreur.

– Abby, lui dis-je d'une voix posée, je sais que vous entendez beaucoup de choses. Et beaucoup de choses fausses. Même celles qui comportent une once de vérité sont interprétées de manière erronée. Vous feriez mieux de vous demander pourquoi telle ou telle personne vous dit telle ou telle chose.

– Je veux juste savoir si votre service a commis une erreur, dit-elle, ébranlée.

Je ne sus quoi répondre.

– Dites-vous bien que je finirai par le savoir, reprit-elle. Ne me sous-estimez pas, Dr Scarpetta. Les flics ont déjà fait des boulettes, et pas des petites. Ils ont fait une grosse erreur quand ce salaud m'a suivie jusque chez moi. Comme ils avaient fait une grosse erreur avec Lori Petersen, quand elle a fait le 911 et qu'ils ont mis une heure pour arriver. Trop tard !

Je ne pus dissimuler ma surprise.

– Et quand j'étalerai tout ça au grand jour, poursuivit-elle avec des yeux pleins de larmes et de colère, tout le monde regrettera que j'aie vu le jour ! Parce qu'il y en a qui vont payer ! Croyez-moi. Et vous voulez savoir pourquoi ?

Je la regardai, interdite.

– Parce que tous ces gros lards se fichent pas mal que des femmes se fassent violer et tuer ! Tous ces flics adorent voir des films où les femmes se font violer, étrangler et charcuter. Ils trouvent ça excitant ! Ça pimente leurs fantasmes. Ça les fait bander de regarder les photos des victimes de ce salaud. Ils en rigolent entre eux. Je les ai entendus. Je les ai entendus rire sur place et dans la salle des urgences !

J'avais la bouche sèche.

– Ça ne veut rien dire, lui assurai-je. C'est une façon de prendre leurs distances.

On entendit des pas dans l'escalier.

Après un coup d'œil furtif en direction de la porte, elle fouilla dans son sac et griffonna un numéro de téléphone sur un bristol.

– Si jamais vous pouvez me dire quelque chose quand... quand vous aurez fini... Appelez-moi ! C'est le numéro de mon répondeur. Je ne sais pas où je serai. En tout cas pas ici. Je n'y reviendrai pas.

Marino rentra sous le regard hostile d'Abby.

– Je sais ce que vous allez me demander, lui lança-t-elle tandis qu'il fermait la porte. La réponse est non ! Il n'y avait pas d'hommes dans la vie d'Henna, elle n'avait personne ici, à Richmond. Elle ne sortait avec personne et ne couchait avec personne.

Sans un mot, il remit le magnétophone en marche et releva la tête.

– Et en ce qui vous concerne, miss Turnbull ?

Abby fut prise de court.

– Je... j'ai une relation stable avec quelqu'un. À New York. Mais personne ici. À part des relations professionnelles.

– Qu'entendez-vous par « professionnelles » ?

– Que voulez-vous dire ?

Marino réfléchit un moment, puis reprit sur un ton anodin :

– Ce que je me demande, c'est si vous savez que le « connard » qui vous a suivie l'autre jour vous surveille depuis plusieurs semaines. Le type à la Cougar noire, c'est un flic en civil, de la brigade des Mœurs.

Elle le regarda fixement, incrédule.

– Vous voyez, poursuivit Marino, c'est pour ça que personne s'est affolé quand vous avez téléphoné. Remarquez que ça m'aurait mis en rogne si je l'avais su, parce qu'il était censé faire ça discrètement.

À mesure qu'il parlait, sa voix se faisait de plus en plus cassante, ses paroles de plus en plus mordantes.

– Mais il se trouve que ce flic vous aime pas beaucoup. Je l'ai contacté par radio et il a vidé son sac. Il vous a délibérément harcelée, il avait perdu son calme ce soir-là.

– Qu'est-ce que ça veut dire ? s'exclama Abby, outrée. On me harcèle sous prétexte que je suis *journaliste* ?

– Bon, dans le cas présent, c'est plus personnel, disons, fit Marino en allumant nonchalamment une cigarette. Vous vous rappelez un article que vous avez fait, il y a environ deux ans, à propos d'un flic des mœurs qui traficotait et qui a fini accro à la coke ? Il a fini par se faire sauter la cervelle. Ça vous dit rien ? Eh bien, ce flic était le partenaire de celui qui vous file.

J'avais pensé qu'il ferait du bon boulot, mais il a poussé le bouchon un peu loin, on dirait.

– C'est vous qui me l'avez collé aux fesses ? fit-elle avec colère. Et pourquoi ?

– Je vais vous le dire. Comme il a perdu son sang-froid, le gag est terminé. De toute façon, vous auriez fini par découvrir que c'était un flic. Alors autant mettre cartes sur table devant le Dr Scarpetta. D'une certaine manière, ça la concerne aussi.

Abby me jeta un regard affolé. Marino prit tout son temps pour secouer la cendre de sa cigarette.

– Il se trouve que le bureau du médecin expert est sur la sellette en ce moment parce qu'on veut lui faire porter le chapeau pour ces fuites, dans la presse. Or ces fuites ne peuvent passer que par vous, miss Turnbull. Quelqu'un a piraté l'ordinateur du Dr Scarpetta. Amburgey lui est tombé dessus et en profite pour balancer toutes sortes d'accusations qui causent des problèmes à tout le monde. Moi, je ne suis pas de son avis. Pour moi, les fuites n'ont rien à voir avec l'ordinateur. Quelqu'un pirate l'ordinateur du toubib pour faire croire que les fuites viennent de là, mais en fait, la seule base de données qui ait des fuites se trouve entre les deux oreilles de Bill Boltz.

– Mais c'est insensé !

Marino tira sur sa cigarette. Il prenait plaisir à voir Abby se tortiller au bout de sa ligne.

– Je n'ai rien à voir avec ce piratage ! explosa-t-elle. Même si je savais comment m'y prendre, je ne ferais jamais une chose pareille ! Ma sœur a été assassinée... (Ses yeux inondés de larmes lançaient des éclairs.) Qu'est-ce que tout ça a à voir avec Henna ?

– Je sais pas ce qui a à voir avec quoi, poursuivit Marino d'un ton glacial. Tout ce que je sais, c'est que vous avez écrit des choses que vous n'auriez pas dû savoir. Quelqu'un de très au courant vous parle, à vous. Et sabote l'enquête. Et je voudrais bien savoir ce que le petit malin qui fait ça veut cacher ou espère gagner dans l'affaire...

– Je ne comprends pas où vous voulez en venir...

– Figurez-vous que je trouve un peu bizarre qu'il y a un peu plus d'un mois, juste après le deuxième meurtre, vous ayez fait un grand papier sur Boltz, style « Une journée avec Bill Boltz, un homme plein d'avenir ». Vous avez passé une journée ensemble, tous les deux, pas vrai ? Et il se trouve que ce soir-là, j'étais de patrouille, et que je vous ai vus sortir de chez *Franco* vers 10 heures. Les flics aiment bien fouiner, vous savez, surtout quand on n'a rien de mieux à faire, et que la soirée est plutôt calme. C'est pour ça que j'ai décidé de vous filer le train...

– Arrêtez, souffla-t-elle. Taisez-vous !

– Et là, poursuivit Marino en ignorant sa prière, je m'aperçois que Boltz vous dépose non pas au journal, mais chez vous. Et quand je repasse dans le coin, quelques heures plus tard, son Audi blanche est toujours là, et tout est éteint dans la maison. Et vous savez ce qui se passe, dans les jours qui suivent ? Des tas de détails croustillants sur les meurtres commencent à apparaître dans vos articles. C'est ça que vous appelez des « relations professionnelles » ?

Abby, la tête enfouie dans les mains, était toute secouée de tremblements. Je ne pouvais pas la regarder. J'étais tellement assommée par ces révélations que je ne saisissais même pas la cruauté de Marino.

– Je n'ai pas couché avec lui. Ce n'est pas vrai. Je ne voulais pas. Il... il m'a forcée, souffla-t-elle.

– Ben voyons ! ricana Marino.

Elle leva la tête, les yeux fermés.

– J'ai passé la journée avec lui. La dernière réunion à laquelle j'ai assisté a duré jusqu'à 7 heures. Je lui ai proposé d'aller dîner, sur le compte du journal. Nous sommes allés chez *Franco*. J'ai bu un verre. Un seul verre. Et là, j'ai commencé à me sentir dans les vapes. Je ne me rappelle même pas avoir quitté le restaurant. La dernière chose dont je me souvienne, c'est d'être montée dans sa voiture. Ensuite il m'a pris la main et m'a dit qu'il n'avait jamais couché avec une journaliste de faits divers. Ensuite, c'est le noir complet. Je me suis réveillée tôt le lendemain, il était encore là....

– Où était votre sœur pendant tout ce temps ? fit Marino en écrasant sa cigarette.

– Elle devait être dans sa chambre. Nous sommes restés en bas, au salon. Sur le divan, par terre, je ne sais plus !

Marino arborait un air dégoûté.

– Je n'arrivais pas à le croire, continua-t-elle d'un ton aigu. J'étais terrifiée, malade, comme si on m'avait empoisonnée. Il a dû profiter du moment où je suis allée aux toilettes, pendant le dîner, pour mettre quelque chose dans mon verre. Il savait très bien que je n'irais pas me plaindre aux flics. Qui me croirait si je disais que l'avoué du Commonwealth avait... Personne ! Personne ne m'aurait crue !

– Ça, c'est sûr, fit Marino. Mais il a pas besoin de drogue pour qu'une fille l'invite dans son lit...

– C'est une ordure ! hurla Abby. Il n'en était pas à son coup d'essai ! Il m'a menacée, il m'a dit que si je disais un seul mot, il me ferait passer pour une pute et briserait ma carrière !

– Et ensuite, qu'est-ce qui s'est passé ? demanda Marino. Il a eu des remords et vous a refilé des informations confidentielles ?

– Non ! Je n'ai rien à voir avec ce salaud ! Je le hais. Aucune de mes informations ne vient de lui !

C'était impossible.

Je ne pouvais croire ce que disait Abby. Je m'efforçai de ne pas envisager les terribles conséquences de ces révélations. Mais je ne pouvais m'y soustraire.

Elle avait reconnu aussitôt l'Audi blanche de Bill garée devant chez moi. Et elle avait paniqué. Un peu plus tôt, lorsqu'elle avait vu Bill au rez-de-chaussée, elle avait hurlé pour qu'il sorte de sa maison.

Bill m'avait prévenue qu'elle était capable de tout, qu'elle était rancunière, opportuniste, dangereuse. Pourquoi ? Cherchait-il à se protéger au cas où Abby Turnbull finirait par l'accuser ?

Il m'avait menti. Il n'avait pas repoussé ses avances. Sa voiture était restée toute la nuit devant chez elle...

Je repensai aux rares occasions où nous nous étions retrouvés, Bill et moi, sur mon canapé. Je ressentis un brusque malaise en me rappelant sa brutalité, que je mettais sur le compte du whisky. Était-ce là son côté obscur ? N'avait-il du plaisir qu'en dominant les femmes ?

Il se trouvait sur le lieu du crime avant même que j'arrive. Pas étonnant qu'il ait fait si vite. Son intérêt n'était pas purement professionnel. Il avait reconnu l'adresse d'Abby avant tout le monde.

Peut-être même avait-il espéré que la victime serait Abby. Ainsi il n'avait plus de souci à se faire.

Immobile, je m'exhortai à demeurer de marbre. Pas question de laisser paraître quoi que ce soit. Torturante incrédulité. Monstrueux gâchis. Mais surtout, *ne rien laisser paraître* !

Un téléphone se mit à sonner quelque part. Il sonna longtemps mais personne ne décrocha.

On entendit des pas dans l'escalier, du métal sur du bois, des parasites dans un talkie-walkie. Des ambulanciers montaient un brancard au deuxième étage.

Abby tripotait nerveusement une cigarette intacte.

– Si vous m'avez fait suivre, dit-elle à mi-voix d'un ton méprisant, pour voir si je couchais avec lui afin d'en obtenir des informations, alors vous devez savoir que je dis la vérité. Après ce qui s'est passé ce soir-là, je me suis tenue aussi loin que possible de ce salopard.

Le silence de Marino était en lui-même une réponse.

Abby n'avait pas revu Bill depuis le fameux soir.

Plus tard, lorsque les ambulanciers descendirent le brancard, Abby, debout sur le seuil du salon, s'agrippa au chambranle. Livide, elle regarda passer le corps de sa sœur recouvert d'un drap, suivit avec des yeux éperdus les hommes qui l'emmenaient.

Je lui serrai le bras dans un geste de muette compassion et sortis à la suite du petit cortège. L'odeur de mort flottait encore dans l'escalier, et lorsque je débouchai dans la rue, je fus un moment aveuglée par le soleil.

12

Encore humide des lavages qu'il avait nécessités, le corps d'Henna Yarborough brillait comme du marbre blanc sous la lampe. Seule dans la morgue, je suturai les derniers centimètres de la large incision qui, du pubis au sternum, se divisait à hauteur de la poitrine.

Wingo s'était occupé du crâne avant de partir. Il avait remis la calotte en place et dissimulé l'incision de la nuque sous les cheveux. Mais, telle une trace de brûlure, la marque du garrot autour du cou restait visible. Le visage était bouffi et violacé.

Ni mes talents ni ceux du personnel des pompes funèbres n'y pourraient rien.

La sonnette grelotta à l'entrée. Je levai les yeux vers l'horloge. Il était un peu plus de 21 heures.

Après avoir sectionné le fil de suture d'un coup de scalpel, je couvris le corps d'un drap et ôtai mes gants. J'installai le cadavre sur un brancard à roulettes et, tandis que je le poussai dans la chambre froide, j'entendis Fred, le gardien, parler à quelqu'un dans le couloir.

Quand je ressortis, je découvris Marino qui fumait une cigarette, appuyé contre mon bureau.

Sans un mot, il me regarda rassembler et étiqueter les prélèvements et les flacons de sang.

– Vos conclusions ?

– Mort par asphyxie consécutive à un étranglement au moyen d'un lien serré autour du cou, récitai-je d'une voix mécanique.

– Des indices ?

– Quelques fibres...

– Hum ! me coupa-t-il. Moi, j'ai du nouveau.

– Eh bien, moi, fis-je sur le même ton, j'ai hâte de sortir d'ici.

– Parfait, doc. Allons faire un tour en voiture.

J'interrompis mon étiquetage et le regardai. Ses cheveux lui collaient au crâne, son nœud de cravate était desserré, le dos de sa chemise blanche à manches courtes était tout froissé, comme s'il venait de passer un long moment au volant. Sous son bras gauche, son holster laissait pointer un revolver. L'éclairage brutal de la pièce, qui noyait ses yeux dans l'ombre des orbites et faisait ressortir ses maxillaires lui donnait l'air presque menaçant.

– Je vous attends. Finissez tout ça et passez un coup de fil chez vous.

Téléphoner chez moi ? Comment ce fouineur savait-il que j'avais quelqu'un à prévenir ? Je ne lui avais jamais parlé de ma nièce. Ni de Bertha.

– D'accord, marmonnai-je sous son regard glacial.

Il resta là, à fumer sa cigarette, pendant que je passai au vestiaire. Je me lavai le visage dans le lavabo, quittai mon tablier, remis ma jupe et mon chemisier. J'avais laissé mon agenda, ma serviette et ma veste dans mon bureau.

Je montai les prendre puis suivis Marino jusqu'à sa voiture. J'ouvris la portière côté passager. Le plafonnier ne s'alluma pas. Une serviette en papier froissé traînait sur le siège constellé de miettes. Je l'époussetai avant de m'asseoir et bouclai ma ceinture.

Marino sortit du parking sans prononcer un mot. Le témoin lumineux clignotait à chaque appel sur le tableau de bord. Le sens des messages m'échappait. Ce n'était que des grognements incompréhensibles.

– Trois-quarante-cinq, dix-cinq, un-soixante-neuf sur canal trois.

– Un-soixante-neuf, j'écoute.

– Z'êtes disponible ?

– Dix-dix. Dix-dix-sept en route. Avec le client.

– Rappelez quand vous s'rez dix-vingt-quat'.

– Dix-quat'.

– Quatre-cinquante et un.

– Quatre-cinquante et un X.

– Dix-vingt-huit dans Adam Ida Lincoln...

Les appels se succédaient. Marino conduisait en silence. Le Sheraton et le Marriott étaient illuminés comme des paquebots, mais les voitures et les piétons étaient rares.

Ce n'est qu'au bout de plusieurs minutes que je compris où nous allions. Nous ralentîmes devant le 498 Winchester Place, le domicile d'Abby Turnbull. La maison se dressait dans l'obscurité. Pas de voiture. Abby n'était pas chez elle. Je me demandai où elle était partie s'installer.

Marino se gara dans l'allée entre la maison de la journaliste et celle d'à côté. Les phares balayèrent les murs de brique sombre des deux bâtisses, éclairant au passage des poubelles enchaînées à des poteaux, des bouteilles cassées et des ordures. Au bout d'une dizaine de mètres, Marino coupa le contact et éteignit les phares. À notre gauche s'étendait l'arrière-cour de la maison d'Abby Turnbull, un étroit replat herbu clos d'un grillage portant une pancarte mettant en garde contre un imaginaire « Chien méchant ».

Marino alluma le projecteur de la voiture et le braqua sur l'échelle d'incendie rouillée installée derrière la maison. Les carreaux des fenêtres brillèrent dans la lumière.

– Allez-y, dit-il. Voyons si nous pensons la même chose.

J'énonçai l'évidence.

– La pancarte. Sur la grille. Si le tueur l'a vue, ça aurait dû lui donner à réfléchir. Aucune de ses victimes n'avait de chien.

– Gagné !

– Si je comprends bien, vous en concluez que le tueur savait qu'Abby – ou Henna – n'avait pas de chien. Comment le savait-il ?

– Ouais ! Comment le savait-il ? répéta Marino.

Je gardai le silence.

– Il était peut-être déjà venu dans la maison, ajouta-t-il en enfonçant l'allume-cigare.

– Je ne crois pas...

– Arrêtez de jouer les idiotes, doc.

Je sortis à mon tour un paquet de cigarettes.

– J'essaie de voir comment ça a pu se passer, poursuivit-il. Et je crois que vous le voyez aussi bien que moi. Le type a déjà été chez Abby Turnbull. Il sait peut-être pas que la petite sœur est là, mais il est sûr qu'il n'y a pas de chien. Et il aime pas cette miss Turnbull qui en sait trop long sur lui.

Il s'interrompit un instant. Je m'abstins de le regarder ou de prononcer un mot.

– Il se l'est tapée, et cette nuit-là, il n'a pas pu s'empêcher de lui faire des trucs bizarres, parce qu'il a un grain, quoi ! Alors il est inquiet. Il a peur qu'elle parle. Merde, c'est une journaliste ! Et ces foutus journalistes, on les *paie* pour raconter les vilains petits secrets des gens. Il a peur qu'un jour ou l'autre, ça se sache, ce qu'il lui a fait.

Nouveau coup d'œil dans ma direction, nouveau silence buté de ma part.

– Alors il décide de l'éliminer et de faire passer ça pour un nouveau coup du sadique. Le seul problème, c'est qu'il ignore qu'Henna habite là. Il sait pas non plus où est la chambre d'Abby, parce que la première fois, ils ont fait ça dans le salon. Alors vendredi dernier, il se trompe de chambre et va dans celle d'Henna. Pourquoi ? Parce que c'est la seule pièce allumée. Il s'aperçoit de son erreur mais c'est trop tard. Il est allé trop loin. Il doit aller jusqu'au bout.

– Impossible, fis-je en tentant de maîtriser le tremblement de ma voix. Boltz est incapable de faire une chose pareille. Ce n'est pas un assassin.

Marino secoua sa cendre et tourna lentement la tête vers moi.

– Intéressant, dit-il. Je n'ai prononcé aucun nom, mais puisque vous venez de le faire, je crois qu'on devrait approfondir le sujet.

Je retombai dans mon mutisme. Merde ! Je n'allais tout de même pas me mettre à chialer devant Marino !

– Écoutez, doc, dit-il d'une voix calme, je ne cherche pas à vous enfoncer. Votre vie privée me regarde pas. Vous êtes deux adultes, disponibles et consentants. Mais je suis au courant. J'ai vu sa voiture devant chez vous...

– Chez moi ? fis-je, éberluée. Mais comment...

– Du calme. J'ai des relations partout dans cette foutue ville. Et vous y vivez, non ? Je connais votre voiture. Je connais votre adresse. Je connais son Audi blanche. Je l'ai vue plusieurs fois devant chez vous ces derniers mois, j'ai vite compris qu'il était pas là pour parler boulot...

Ça ne vous regarde pas !

– Maintenant, si. (Il alluma une nouvelle cigarette et jeta son mégot par la vitre.) Ça me regarde à cause de ce qu'il a fait à miss Turnbull. Du coup, je me demande ce qu'il a pu faire d'autre.

– Le meurtre d'Henna s'est déroulé comme les autres, lui fis-je remarquer d'un ton glacial. Pour moi, elle a été victime du même homme.

– Et les prélèvements ?

– Betty doit s'en occuper dès demain matin.

– Boltz est non-sécréteur, doc. Vous le savez aussi bien que moi, depuis des mois !

– Il y a des milliers de non-sécréteurs dans cette ville. Vous-même en êtes peut-être un.

– P't-être que j'en suis un. Mais vous en savez rien. Alors que pour Boltz, vous en êtes sûre. Quand vous avez autopsié sa femme, l'année dernière, vous avez fait analyser le sperme de son mari. C'est marqué noir sur blanc dans le foutu rapport du labo. Merde, même moi, je m'en souviens. J'étais là.

Je ne répondis pas.

– J'ai écarté aucune hypothèse quand je suis entré dans la chambre et que je l'ai vue dans sa nuisette, avec un gros trou au milieu de la poitrine. Moi, dans ces cas-là, je pense d'abord et toujours à un meurtre. Je mets le suicide en dernier sur ma liste, parce que si vous envisagez pas d'abord le meurtre, après il est trop tard. La seule putain d'erreur que j'ai faite à l'époque a été de pas considérer Boltz comme suspect et de pas prendre toutes les mesures. Après votre autopsie, le suicide a paru si évident que j'ai rien pu faire d'autre que de classer le dossier. J'ai peut-être eu tort. À ce moment-là, j'avais une excellente raison pour lui prélever du sang et m'assurer que le sperme qu'on a trouvé était bien le sien. Il a dit que c'était le sien, qu'ils avaient fait l'amour ce matin-là. J'ai pas cherché plus loin. J'en ai rien tiré et maintenant je peux plus le demander.

– Il vous aurait fallu autre chose que du sang, fis-je remarquer stupidement. S'il est A négatif, B négatif dans le classement Lewis des groupes sanguins, vous ne pourrez pas savoir s'il est non-sécréteur ou pas. Il faut prélever de la salive...

– Ça va, ça va ! Je connais mon boulot. Mais peu importe. On sait tous les deux qu'il est non-sécréteur.

Je restai muette.

– On sait que le type qui bute ces femmes est un non-sécréteur. Et on sait aussi que Boltz connaît ces crimes par cœur, tellement bien qu'il a pu liquider Henna en maquillant l'affaire.

– Bon ? Eh bien, allez chercher votre matériel et on va faire une analyse de son ADN, dis-je avec colère. Comme ça vous serez fixé !

– Hé ! P't-être même que j'le ferai passer au laser pour voir s'il fait des étincelles.

J'avais momentanément oublié le résidu brillant. Bill se lavait-il au Borawash ?

– Vous avez trouvé des taches brillantes sur le corps d'Henna ? me demandait Marino.

– Sur son pyjama. Et sur les draps.

Nous restâmes un instant silencieux.

– J'ai fait toutes les analyses. C'est le même type, dis-je enfin.

– Peut-être. Et alors ?
– Vous croyez à ce que nous a raconté Abby ?
– Je suis passé le voir cet après-midi.
– Vous... vous êtes allé voir Boltz ? fis-je, interloquée.
– Ouais !
– Est-ce que ça a confirmé vos soupçons ? fis-je d'une voix plus forte que je n'aurais voulu.
– Ouais. (Il me jeta un coup d'œil.) Plus ou moins. Bien sûr, il a nié en bloc. Il s'est énervé, il a dit qu'il allait l'attaquer en diffamation, tout le tremblement. Mais je suis sûr qu'il bougera pas le petit doigt, parce qu'il ment, que je le sais et qu'il sait que je le sais.
Le voyant fourrer sa main dans la poche gauche de son pantalon, je fus prise de panique.
– Vous avez enregistré notre conversation ! hoquetai-je.
– Quoi ? fit-il, l'air surpris.
– Si vous avez votre magnéto sur vous...
– Hé ! protesta-t-il. J'allais juste me gratter. Merde ! Fouillez-moi si vous me croyez pas. Je peux me foutre à poil si ça peut vous rassurer.
– Non, merci. Même si vous me donniez de l'argent.
Il rit, sincèrement amusé.
– Vous voulez que je vous dise ? reprit-il, sérieux. Je me demande ce qui est vraiment arrivé à sa femme.
– Les analyses n'ont rien montré de suspect, dis-je. Elle avait des traces de poudre sur la main droite.
– Sûr, me coupa-t-il, c'est bien elle qui a appuyé sur la détente. Je ne le conteste pas, mais p't'être qu'on sait pourquoi maintenant. P't'être qu'il fait ça depuis des années. Et p't'être qu'elle l'avait découvert.
Il remit le contact et nous cahotâmes en marche arrière jusqu'à la rue.
– Écoutez, doc. Je veux pas fourrer mon nez dans votre vie privée. Ça m'amuse pas du tout. Mais vous le connaissez. Vous sortez avec lui.
Un travesti se pavanait sur le trottoir, une jupe jaune flottant sur ses mollets galbés, arborant fièrement des faux seins sous un tricot blanc moulant. Il nous jeta un regard vitreux.
– Vous sortez avec lui, non ? répéta Marino.
– Oui, soufflai-je d'une voix presque inaudible.

– Vous étiez avec lui vendredi dernier ?

Tout d'abord, je fus incapable de me souvenir. Le travesti se détourna et s'éloigna.

– J'ai emmené ma nièce au restaurant et au cinéma.

– Il était avec vous ?

– Non.

– Vous savez où il était vendredi dernier ? (Je secouai la tête.) Il vous a pas appelée ?

Silence.

– Merde, grommela-t-il, frustré. Si j'avais su à ce moment ce que j'ai appris sur lui, je serais allé faire un tour chez lui. Merde !

Silence.

Il grillait cigarette sur cigarette.

– Bon ! Et ça fait combien de temps que vous le voyez ?

– Quelques mois. Depuis avril, exactement.

– Il a d'autres femmes, ou seulement vous ?

– Je ne crois pas qu'il ait d'autres relations. Je ne sais pas. Il y a beaucoup de choses que j'ignore sur lui.

– Y'a rien qui vous a frappé chez lui ? poursuivit-il avec obstination. Des trucs bizarres ?

– Je ne vois pas de quoi vous voulez parler.

J'avais du plomb sur la langue.

– Des trucs bizarres du point de vue sexuel.

Silence.

– Est-ce qu'il est brutal ? Est-ce qu'il vous force ? (Il marqua une pause avant de reprendre.) Comment est-il ? Est-il aussi bestial que le dit Abby Turnbull ? Vous le voyez en train de faire ce qu'il lui a fait ?

Je l'entendais comme à travers un mur d'eau. Mes pensées tour à tour me submergeaient et se retiraient. J'étais en plein cauchemar.

– Est-ce qu'il est agressif ? Vous avez remarqué ça ?

Bill. Ses mains brutales qui m'arrachent mes vêtements, me plaquent sur le divan.

–... les types comme ça, leur comportement ne varie pas. C'est pas le sexe en lui-même qui les intéresse. C'est le fait de *prendre* leur plaisir. Un combat, en quelque sorte.

Brutal, il l'était, il me faisait mal. Il forçait sa langue entre mes lèvres, m'empêchant de respirer. Il devenait quelqu'un d'autre dans ces moments-là.

– Beau gosse ou pas, ça ne change rien. Il pourrait avoir toutes les femmes qu'il veut. Vous comprenez ? Les gens comme ça, ils sont tordus. Tordus...

Comme Tony quand il était ivre et m'en voulait.

–... pour moi c'est un salopard de violeur, doc. Ça vous fait peut-être mal de l'entendre, mais nom de Dieu ! C'est un fait. Et vous le savez.

Bill buvait trop. Et c'était pire quand il avait bu.

–... ça arrive tout le temps. Vous pouvez pas savoir le nombre d'appels que je reçois. Des femmes qui me demandent de passer chez elles deux mois après. Parce qu'elles ont besoin d'en parler. Ou alors c'est une amie qui les a poussées à aller à la police. Des banquiers, des hommes d'affaires, des politiciens. Ils rencontrent une nana dans un bar, lui paient à boire, lui versent un peu d'hydrate de chloral dans son verre et... boum ! Quand elle retrouve ses esprits elle est au lit avec un gorille et a l'impression qu'un camion lui est passé dessus...

Il ne m'aurait jamais fait ça. Il éprouvait des sentiments pour moi. Je n'étais ni un objet ni une inconnue... Ou alors était-ce de la prudence ? Parce que j'en savais trop ? Parce qu'il n'avait aucune chance de s'en tirer avec moi ?

–... ces salopards peuvent passer à travers pendant des années. Certains même toute leur vie, et on les enterre sans savoir qu'ils ont un tableau de chasse pire que Jack l'Éventreur.

Nous étions arrêtés à un feu rouge. Depuis combien de temps nous étions là, immobiles ?

Le feu me regardait de son gros œil rouge.

– Il vous a fait ça, doc ? Boltz vous a violée ?

– Comment ? fis-je en tournant lentement la tête vers lui. (Il regardait droit devant lui, son visage luisant dans la lumière rougeâtre.) Comment ? répétai-je le cœur battant.

Le feu passa au vert. Nous redémarrâmes.

– Est-ce qu'il vous a déjà violée ? fit Marino comme s'il s'adressait à une inconnue, comme si j'étais une de ces « nanas » qui lui demandaient de passer chez elles pour se soulager.

Je frissonnai.

– Est-ce qu'il vous a fait mal ? Est-ce qu'il a essayé de vous étouffer ? De vous frapper ?

La colère explosa en moi. Je vis des points lumineux danser devant mes yeux. Puis un brusque afflux de sang au cerveau m'aveugla un instant.

– *Non* ! hurlai-je. *Je vous ai dit tout ce que je savais sur lui ! Point final !*

Marino en resta coi.

Je ne compris pas tout de suite où nous étions. Le visage rond et blanc de l'horloge flotta un moment, irréel, devant moi, jusqu'à ce que, les ombres et les silhouettes reprenant leur place, je reconnaisse les camions des laboratoires mobiles sur notre parking. Tout était désert. Marino s'arrêta à côté de ma voiture.

Je défis ma ceinture de sécurité. Je tremblais de tous mes membres.

Le mardi, il plut. Du ciel plombé tombaient des trombes d'eau contre lesquelles mes essuie-glaces étaient impuissants. J'étais sur l'autoroute, coincée dans un embouteillage.

Mon humeur était en accord avec ce temps de chien. La conversation avec Marino m'avait rendue malade et je me sentais aussi vaseuse que si j'avais passé la nuit à boire. Depuis quand était-il au courant ? Combien de fois avait-il vu l'Audi blanche garée devant chez moi ? Faisait-il ses tournées d'inspection par simple curiosité ? N'était-ce pas pour en savoir plus long sur ce médecin-chef qui l'agaçait avec ses airs supérieurs ? Connaissait-il le montant de mon salaire et celui de mes remboursements mensuels de prêt ?

Des gyrophares aveuglants m'obligèrent à emprunter la file de gauche. Des policiers détournaient le trafic pour laisser passer une ambulance. Une camionnette gravement endommagée était poussée sur le côté. Mes sombres pensées furent interrompues par un bulletin d'informations.

– ... Henna Yarborough a été violée avant d'être étranglée. La police pense avoir affaire au même assassin...

Je montai le volume pour réécouter ce que j'avais déjà entendu plusieurs fois depuis que j'étais partie de chez moi. À Richmond, l'information se résumait à cette succession de meurtres.

– ... Selon une source bien informée, le Dr Lori Petersen aurait composé le 911 avant d'être assassinée...

Cette croustillante révélation s'étalait également à la une du journal du jour.

– ... le directeur de la Sécurité publique, Norman Tanner, que nous avons réussi à joindre chez lui...

Suivit une déclaration soigneusement préparée et lue par Tanner.

– La police maîtrise la situation. Mais en raison du caractère de ces meurtres, je ne peux faire aucun commentaire...

– Quelle est la source de ces informations, Mr Tanner ? lui demanda le journaliste.

– Je n'ai aucune déclaration à faire.

Évidemment, il n'en savait rien. Moi, si.

Cette source « bien informée » était forcément Abby Turnbull. Sa signature avait disparu du journal. Son rédacteur en chef la protégeait. Elle ne rapportait plus l'information, elle la faisait, et sa menace me revint en mémoire : « Il faudra que quelqu'un paie... » Elle voulait faire payer Bill, la police, la ville entière, Dieu lui-même. Je m'attendais à entendre le commentateur faire état de la violation de mon ordinateur, de l'erreur d'étiquetage des prélèvements. La seule personne qui allait payer, ce serait moi.

Il était près de 8 h 30 quand j'arrivai au bureau. Tous les téléphones sonnaient.

– Des journalistes... se plaignit Rose en posant sur ma table une liasse d'avis d'appel roses. Des agences de presse, des magazines, et même un écrivain du New Jersey !

J'allumai ma cigarette.

– J'ai entendu que Lori Petersen avait essayé d'appeler la police, ajouta-t-elle d'un air bouleversé.

– Renvoyez tout le monde en face, la coupai-je. À Amburgey.

Il m'avait déjà envoyé plusieurs messages me réclamant « immédiatement » une copie du rapport d'autopsie d'Henna Yarborough. Dans son dernier message, le mot « immédiatement » était souligné, et il avait eu le toupet d'ajouter : « J'attends des explications sur l'article du *Times*. »

Suggérait-il que j'étais responsable de cette dernière « fuite » ? M'accusait-il d'avoir parlé à un journaliste de l'appel de Lori Petersen au 911 ? Il pouvait l'attendre, son explication. Il n'obtiendrait rien de moi, même s'il se déplaçait en personne.

– Le sergent Marino est là, m'annonça Rose.

Je savais ce qu'il voulait. J'avais déjà préparé une photocopie de mon rapport. Mais j'avais espéré qu'il passerait la prendre plus tard, quand je serais partie.

J'étais en train de classer une série de rapports toxicologiques quand j'entendis son pas lourd dans le couloir. Il entra, le visage défait, vêtu d'un imperméable bleu marine trempé.

– Pour hier soir... commença-t-il.

Mon regard le réduisit au silence. Mal à l'aise, il jeta un regard circulaire et prit une cigarette.

– Il tombe des cordes, marmonna-t-il. D'ailleurs je sais pas pourquoi on dit ça. Les cordes, ça a jamais mouillé personne. Y paraît que ça devrait s'arrêter.

Sans un mot, je lui tendis la photocopie du rapport d'autopsie d'Henna Yarborough, avec les conclusions préliminaires de l'analyse sérologique qu'avait effectuée Betty. Debout, il commença aussitôt à lire, son imper gouttant sur mon tapis.

Quand il en arriva à la description du corps, ses yeux s'immobilisèrent un moment à mi-page, puis il releva la tête. Il avait le visage dur.

– Combien de gens en ont pris connaissance ?

– Vous êtes pratiquement le seul.

– Le commissaire l'a vu ?

– Non.

– Tanner ?

– Il m'a appelée. Je n'ai fait état que de la cause de la mort. Sans parler des blessures.

– Qui d'autre ? fit-il en reprenant sa lecture.

– Pour le moment, personne.

Silence.

– Rien dans les journaux, dit-il. Rien à la radio ni à la télé. Notre tuyau percé n'est pas au courant des détails.

Je le fixai en silence.

– Merde, lâcha-t-il en pliant le rapport avant de le fourrer dans sa poche. C'est Jack l'Éventreur. Pas de nouvelles de Boltz ? S'il essaie de vous voir, évitez-le.

Le nom de Bill me fit l'effet d'une morsure.

– Qu'est-ce que ça veut dire ? fis-je.

– Ne répondez pas à ses coups de fil, ne le voyez pas. Débrouillez-vous mais je ne veux pas qu'il en sache plus pour le moment. Ni qu'il voie ce rapport.

– Vous le suspectez toujours ? demandai-je en m'efforçant de garder un ton calme.

– Bon Dieu ! je sais plus quoi penser. Il est l'avoué du Commonwealth et a droit aux informations. Mais je m'en bats l'œil. Même s'il était gouverneur, je lui dirais pas l'heure qu'il est. Évitez-le.

Bill ne chercherait pas à me joindre. Il savait ce qu'Abby avait raconté sur lui, et il savait que j'étais présente quand elle l'avait dit.

– Une dernière chose, poursuivit-il en reboutonnant son imperméable. Si vous m'en voulez, tant pis. Hier soir, je faisais mon boulot, c'est tout. Si vous croyez que j'y prends mon pied, vous vous gourrez.

Il fit volte-face en entendant quelqu'un s'éclaircir la gorge derrière lui. Wingo était sur le seuil, hésitant, les mains dans les poches d'un élégant pantalon en lin blanc.

Marino fit une grimace dégoûtée et sortit en le bousculant.

Tripotant nerveusement de la monnaie dans sa poche, Wingo s'approcha de mon bureau.

– Euh... Dr Scarpetta, il y a la télé...

– Où est Rose ? dis-je en ôtant mes lunettes.

Mes yeux étaient si douloureux que j'avais l'impression d'avoir les paupières en papier de verre.

– Aux toilettes. Voulez-vous que je les renvoie ?

– Dites-leur d'aller en face. Comme les autres, ajoutai-je, irritée.

– Entendu, marmonna-t-il.

Mais il ne bougea pas. Il resta planté là et recommença à faire tinter sa monnaie.

– Autre chose ? m'enquis-je.

– Hum ! Eh bien, il y a quelque chose qui m'intrigue. C'est à propos d'Amburgey. Euh... Il ne supporte pas le tabac et les fumeurs, non ?

Je scrutai son visage. Il avait l'air sérieux.

– Il est violemment opposé au tabac et fait souvent des déclarations publiques à ce sujet.

– C'est bien ce qu'il me semblait. D'après ce que j'ai compris, il veut interdire de fumer dans l'enceinte du HHSD à partir de l'année prochaine.

– Exact, répliquai-je, sentant l'irritation me gagner. L'an prochain, j'irai fumer dehors, dans le froid et la pluie, comme une gamine. Pourquoi ces questions ?

Il haussa les épaules.

– Simple curiosité. On m'a dit qu'avant il fumait, mais qu'il a arrêté.

– À ma connaissance, il n'a jamais fumé.

À cet instant mon téléphone sonna, et quand je relevai la tête, Wingo était parti.

Marino avait raison sur une chose : la pluie cessa à la mi-journée. L'après-midi, un ciel bleu éclatant m'accompagna jusqu'à Charlottesville, et seuls les lambeaux de brume qui s'élevaient des prés rappelaient l'orage de la matinée.

Hantée par les accusations d'Amburgey, je voulais entendre de mes oreilles ce dont il avait discuté avec le Dr Fortosis. C'était en tout cas la raison que j'avais avancée lorsque j'avais demandé un rendez-vous à ce spécialiste en psychiatrie criminelle. Mais ce n'était pas la seule. Nous avions fait connaissance au début de ma carrière et je n'avais jamais oublié sa présence amicale à l'époque difficile où je ne connaissais personne dans les colloques nationaux de médecine légale. J'avais pu m'épancher librement sans avoir recours à un psy.

Il m'accueillit dans un couloir obscur, au quatrième étage de l'immeuble en brique où était installé son service.

Professeur de médecine et de psychiatrie à l'université de Virginie, il avait vieilli de quinze ans. Il portait un costume sombre, une chemise blanche et une étroite cravate rayée démodée, à moins qu'elle ne fût d'avant-garde. Il aurait fait un modèle parfait pour le portrait d'un « médecin urbain » de Norman Rockwell.

– On est en train de repeindre mon bureau, m'expliqua-t-il en ouvrant une porte sombre à mi-parcours. Si ça ne vous fait rien d'être traitée comme une de mes patientes, nous nous installerons là.

– Je me sens justement dans la peau d'une de vos patientes, répliquai-je.

La vaste pièce était aussi confortable qu'un salon, mais neutre, dépersonnalisée.

Je m'installai sur un divan de cuir brun. Des aquarelles abstraites décoraient les murs, des plantes en pot étaient disposées çà et là. Mais il n'y avait ni magazines, ni livres ni téléphone. Les lampes étaient éteintes et les stores blancs baissés juste à ce qu'il fallait.

– Comment va votre mère, Kay ? s'enquit Fortosis en tirant vers le divan un fauteuil à accoudoirs beige.

– Elle survit. Elle nous enterrera tous.

Il sourit.

– C'est ce que nous pensons tous mais c'est rarement le cas.

– Votre femme et vos filles vont bien ?

– Très bien. (Il scrutait mon visage.) Vous avez l'air fatiguée.

– Je le suis.

Il resta silencieux quelques instants.

– Vous travaillez parfois au VMC, reprit-il d'un ton engageant. Vous aviez connu Lori Petersen ?

Et je me retrouvai en train de lui raconter ce que je n'avais jamais avoué à quiconque.

– Je ne l'ai rencontrée qu'une fois, dis-je. Enfin, je suis presque sûre que c'était elle.

J'avais passé au crible mes souvenirs, soit dans la solitude de ma voiture, soit en taillant mes rosiers. J'évoquai le visage de Lori Petersen et tentai de le superposer aux traits vagues d'une étudiante du VMC, dans un labo ou sur les gradins d'un amphi. J'étais convaincue que quand j'avais vu les photos de Lori chez elle, un déclic s'était produit en moi. Son visage ne m'était pas inconnu.

Le mois précédent, j'avais donné une conférence sur « Les femmes dans la médecine ». Je revoyais tous ces visages dans l'auditorium. Les étudiants avaient apporté leurs repas, et, confortablement installés sur les sièges capitonnés de rouge, ils mangeaient leurs sandwiches et buvaient leurs sodas. C'était loin d'être la première conférence que je donnais et la situation ne m'était apparue en rien extraordinaire. Mais ensuite, quand j'y avais repensé...

Je n'en étais pas certaine, mais il me semblait que Lori faisait partie des quelques étudiantes qui étaient venues me poser des questions à la fin. Je gardais l'image floue d'une jolie blonde en blouse blanche. Le seul souvenir précis était ses yeux vert sombre, magnifiques, fixés sur moi pendant qu'elle me demandait si, à mon avis, une femme pouvait mener de front sa vie personnelle et sa carrière. La question m'avait un peu désarçonnée : moi-même, si je menais l'une de manière satisfaisante, j'étais loin de pouvoir en dire autant de l'autre.

Était-ce elle, oui ou non ? Désormais, je ne pourrais plus emprunter les couloirs du VMC sans la chercher. Je ne pensais pas la retrouver. J'étais presque persuadée que ce jour-là j'avais vu Lori, surgie comme un fantôme de l'horreur qui devait peu après la renvoyer à jamais dans le passé.

– Intéressant, commenta Fortosis de son ton songeur. Pourquoi attachez-vous tellement d'importance au fait de savoir si vous l'avez rencontrée ou non.

Je regardai flotter la fumée de ma cigarette.

– Peut-être pour rendre sa mort plus réelle.

– Voudriez-vous revivre ce jour-là ?

– Oui.

– Que feriez-vous ?

– Je la mettrais en garde. J'essayerais de défaire ce qu'il a fait.

– Ce que l'assassin a fait ?

– Oui.

– Vous pensez souvent à lui ?

– Je ne veux pas y penser. Je veux qu'on l'arrête.

– Et qu'on le punisse ?

– Il n'existe pas de punition à la mesure de son crime.

– S'il est exécuté, ne serait-ce pas suffisant, Kay ?

– Il ne mourra qu'une fois.

– Vous voudriez qu'il souffre, n'est-ce pas ? dit-il, ses yeux rivés dans les miens.

– Oui.

– De quelle façon ? Physiquement ?

– Je veux qu'il ait peur. Je veux qu'il éprouve la terreur qu'elles ont éprouvée quand elles ont compris... qu'elles allaient mourir.

Je ne sais pas combien de temps je parlai, mais quand je me tus, l'obscurité avait envahi la pièce.

– Ces meurtres, finis-je par admettre, me touchent comme jamais aucune affaire ne m'a touchée.

– C'est comme les rêves. Beaucoup de gens prétendent qu'ils ne rêvent pas alors qu'ils ne se *souviennent pas* de leurs rêves. Mais nos rêves nous travaillent, Kay. C'est pourquoi nous nous efforçons de mettre nos émotions en cage, afin qu'elles ne nous dévorent pas tout crus.

– Je n'y arrive pas, Spiro.

– Pourquoi ?

Je suppose qu'il le savait aussi bien que moi, mais il tenait à me l'entendre dire.

– Peut-être parce que Lori Petersen était médecin. Je me sens proche d'elle. J'ai eu son âge à une époque de ma vie.

– Dans un sens, vous avez *été* Lori.

– Dans un sens, oui.

– Et vous pensez que ce qui lui est arrivé aurait pu vous arriver, à vous ?

– Peut-être pas !

– Moi, je crois que si, fit-il avec un sourire. Quoi d'autre ?

Amburgey. Que lui avait exactement dit Fortosis ?

– Je suis soumise à des tas de pressions.

– Quel genre ?

Je me jetai à l'eau.

– Politiques.

– Oui, bien sûr. (Il tapotait toujours le bout de ses doigts.) C'est inévitable.

– Les fuites dans la presse. Amburgey pense qu'elles viennent de mon service.

J'hésitai, guettant le moindre signe m'indiquant qu'il était au courant. Son visage resta impénétrable.

– D'après lui, repris-je, vous lui auriez exposé une théorie selon laquelle la publicité que les journaux donnent aux meurtres encourage les pulsions homicides du tueur, et que donc les fuites seraient indirectement responsables de la mort de Lori Petersen. Et je m'attends à devoir endosser la responsabilité du meurtre d'Henna Yarborough.

– Les fuites peuvent-elles provenir de votre service ?

– Quelqu'un qui n'appartient pas au service a piraté notre ordinateur. Ça pourrait expliquer les fuites. Et ça me met dans une position intenable.

– À moins que vous ne trouviez le vrai responsable, remarqua-t-il d'un ton presque anodin.

– Je ne vois pas comment. (Je finis par me décider :) Vous avez parlé à Amburgey.

Il planta son regard dans le mien.

– Exact. Mais je pense qu'il a grossi mes propos, Kay. Jamais je n'aurais affirmé que les fuites, d'où qu'elles viennent, sont responsables des deux derniers meurtres. En d'autres termes, que ces deux jeunes femmes seraient vivantes s'il n'y avait pas eu de fuites. Je ne peux pas dire ça, et je ne l'ai pas dit.

Mon soulagement dut se lire sur mon visage.

– Cependant, poursuivit-il, si Amburgey ou un autre a l'intention de monter ça en épingle, je n'y peux rien. À vrai dire, je suis persuadé qu'il existe un rapport significatif entre les médias et l'activité du tueur. Si des informations sensibles permettent de faire des gros titres et de publier des articles encore plus détaillés, alors oui ! Amburgey – ou n'importe qui d'autre – peut se servir de ce que j'affirme en toute objectivité, et l'utiliser contre vous. Vous me comprenez ?

– Vous êtes en train de m'expliquer que vous ne pouvez pas désamorcer la bombe, dis-je, abattue.

– Quelle bombe ? Voulez-vous dire qu'on a manigancé cette affaire pour vous faire tomber ?

– Je ne sais pas, répliquai-je. Tout ce que je peux vous dire, c'est que les autorités municipales risquent d'en prendre un coup depuis qu'on sait que Lori Petersen a appelé le 911 avant d'être assassinée.

Il acquiesça. Il avait lu les journaux.

– Amburgey m'a convoquée à ce sujet bien avant que les journaux ne publient l'information, repris-je. Tanner était présent. Boltz aussi. D'après eux, on risquait un scandale, voire un procès. C'est à cause de ça qu'Amburgey a exigé qu'on lui soumette toute information destinée à la presse. Je dois m'abstenir de toute déclaration. Ils m'ont posé des tas de questions sur ces fuites, sur la possibilité qu'elles puissent provenir de mon bureau. Je n'ai pas pu éviter de faire état de la violation de notre ordinateur.

– Hum ! Je vois.

– Petit à petit, poursuivis-je, j'ai compris que si scandale il devait y avoir, il serait dirigé contre mon service. Sous-entendu : j'ai saboté l'enquête, peut-être même indirectement provoqué la mort d'autres femmes... En d'autres termes, on va blanchir la municipalité en détournant l'attention du public sur la tentative de Lori Petersen d'appeler le 911, et tomber à bras raccourcis sur le BMG, c'est-à-dire sur moi.

Il ne fit aucun commentaire.

– Mais peut-être que je me fais des idées, ajoutai-je piteusement.

– Peut-être pas.

J'aurais préféré ne pas entendre ça.

– D'un point de vue théorique, dit-il, les choses pourraient en effet se passer comme vous le dites. Si certains veulent sauver leur peau, vous feriez un bouc émissaire bien commode. Le public comprend mal le rôle du médecin expert, et se fait à son sujet des idées bizarres, voire même carrément troubles. Les gens n'aiment pas imaginer qu'on puisse découper le corps d'un de leurs proches.

– Je vous en prie, l'interrompis-je.

– Vous me comprenez, enchaîna-t-il avec douceur.

– Trop bien.

– Le plus gênant, c'est ce piratage d'ordinateur.

– J'en arrive à regretter les machines à écrire !

Il jeta un coup d'œil songeur par la fenêtre.

– Soyez prudente, Kay, fit-il en tournant vers moi un visage soucieux. Mais surtout, ne vous laissez pas obnubiler par cette histoire au point d'oublier votre enquête. Les magouilles politiques peuvent déstabiliser quelqu'un au point de lui faire commettre des erreurs fatales, ce qui épargne à ses ennemis le soin de les provoquer.

Les prélèvements mal étiquetés me revinrent à l'esprit. Mon estomac se noua.

– C'est comme quand un navire coule, ajouta-t-il. Les gens peuvent devenir de vrais sauvages. Chacun pour soi ! Il faut éviter de se mettre dans une position vulnérable quand les gens paniquent. Et à Richmond, en ce moment, tout le monde panique.

– Certains, en tout cas.

– Et c'est compréhensible. La mort de Lori Petersen aurait pu être évitée. La police a commis une erreur impardonnable. Le tueur a pu s'échapper. Des femmes continuent à mourir. Le public accuse les autorités, qui à leur tour doivent trouver quelqu'un à qui faire porter le chapeau. Ce sont des réactions de défense instinctives, presque animales. Si la police et les politiciens trouvent quelqu'un à sacrifier, ils n'hésiteront pas.

– Ils n'auront pas longtemps à chercher : tout le monde me montre déjà du doigt.

Une chose pareille serait-elle arrivée à Cagney ?

Je connaissais la réponse.

– Je ne peux pas m'empêcher de penser que je suis une proie facile parce que je suis une femme.

– Une femme dans un monde d'hommes, renchérit Fortosis. Et on vous considérera comme une proie facile tant que vous n'aurez pas montré les dents. Et des dents, vous en avez. (Il sourit.) Montrez-les.

– Comment ?

– Y a-t-il personne de votre service en qui vous ayez toute confiance ? demanda-t-il.

– Tout mon personnel est extrêmement loyal...

– Je parle de confiance, Kay. Votre analyste informatique, par exemple ?

– Margaret a toujours été fidèle, répondis-je d'un ton hésitant. Mais nous n'avons que des rapports de travail.

– Je vous demande ça parce qu'il me semble que votre sécurité – votre meilleure défense, si vous préférez envisager les choses sous cet angle – serait de découvrir qui a piraté votre ordinateur. Faites appel à un spécialiste de l'informatique, un détective technologique, quelqu'un de confiance. Je pense que ce serait une erreur de demander ça à quelqu'un que vous connaissez à peine, et qui risquerait de parler.

– Je ne vois pas à qui demander ça. Et même si je découvrais le pirate, ça pourrait être une mauvaise surprise. Si c'est un journaliste, je ne vois pas en quoi le fait de le démasquer résoudra mon problème.

– Peut-être pas. Mais si j'étais à votre place, je tenterais le coup.

Je me demandais s'il ne nourrissait pas quelques soupçons, lui aussi.

– Je me souviendrai de notre conversation, promit-il, si on me téléphone à propos de ces meurtres. Surtout si on essaie de me soutirer des déclarations sur les rapports entre la presse et les actes du tueur. Je n'ai pas l'intention de me laisser manipuler. Mais je ne peux pas mentir. Il est un fait que la réaction de l'assassin à la publicité faite autour de son *modus operandi* est quelque peu inhabituelle.

Je dressai l'oreille.

– En vérité, tous les tueurs en série n'aiment pas lire le récit de leurs exploits. Les gens croient volontiers qu'ils cherchent à être reconnus. Comme Hinckley à qui il a suffi de tirer sur le Président pour devenir aussitôt un héros. Un minable, incapable de conserver un travail ou d'avoir une relation normale avec quelqu'un, devenant célèbre en quelques heures dans le monde entier. À mon avis, ces cas sont des exceptions.

» À l'autre extrémité, on trouve au contraire des types comme Lucas ou Tool qui commettent leurs crimes et quittent la ville avant même d'avoir pu en lire le compte rendu dans la presse. Ils ne veulent pas qu'on sache que c'est leur œuvre. Ils dissimulent les cadavres et effacent leurs traces. Ils se déplacent, ils vont de ville en ville pour repérer leur prochaine victime. Or, il m'est apparu que le tueur de Richmond est un mélange de ces deux comportements extrêmes. Il tue sous l'effet d'une pulsion irrépressible et ne veut absolument pas être pris. Mais d'un autre côté, il jouit d'être le centre de l'attention générale.

– Avez-vous dit ça à Amburgey ? demandai-je.

– Ce n'était pas aussi clair dans mon esprit quand j'ai parlé avec lui, la semaine dernière. C'est le meurtre d'Henna Yarborough qui m'en a convaincu.

– À cause d'Abby Turnbull.

– Oui.

– Si c'était elle qui était visée au départ, dis-je, quelle meilleure façon de choquer la ville et de faire les gros titres ? En assassinant la brillante journaliste qui enquêtait justement sur les crimes...

– Si c'était elle qui était visée, ce choix me frappe par son côté personnel. Les quatre premières victimes étaient des inconnues sélectionnées au hasard. Le tueur s'est contenté de saisir l'occasion...

– Le résultat des analyses ADN nous dira s'il s'agit du même homme, fis-je en anticipant sur sa conclusion. Mais pour moi, c'est une certitude : Henna n'a pas été tuée par quelqu'un d'autre, qui en voulait à sa sœur.

– Abby Turnbull est une célébrité, dit Fortosis. Je me suis demandé, dans le cas où c'était elle qui était visée, s'il était plausible que le tueur se soit trompé et ait tué sa sœur à sa place. Mais d'un autre côté, si la victime choisie était bien Henna Yarborough, le fait qu'elle soit précisément la sœur d'Abby Turnbull n'est-il pas extraordinaire ?

– Il y a des coïncidences encore plus étranges.

– Bien sûr. Rien n'est certain. Nous pouvons échafauder des hypothèses toute notre vie sans parvenir à une réponse. Prenons ses motivations, par exemple. A-t-il été écrasé par sa mère ? A-t-il été l'objet de violences sexuelles ? Se venge-t-il de la société ? Veut-il exprimer son mépris du monde entier ? Plus les années passent et plus je crois – ce que les psychiatres refusent d'entendre – que beaucoup de ces criminels tuent par plaisir.

– J'en suis arrivée à cette conclusion, moi aussi.

– Le tueur de Richmond doit bien s'amuser en ce moment, poursuivit-il calmement. Il est astucieux et déterminé. Il commet peu d'erreurs. Nous n'avons certainement pas affaire à un déséquilibré, ni à un psychotique. Mais à un psychopathe sexuel sadique, d'une intelligence supérieure à la moyenne, capable de mener une vie sociale et de présenter une image de lui-même apparemment normale. Je ne serais pas surpris qu'il ait un travail qui le met en contact avec des personnes blessées ou diminuées.

– Quel genre de travail ? demandai-je, mal à l'aise.

– À peu près n'importe quoi ! Je suis prêt à parier qu'il fait le travail qui lui plaît.

« Médecin, avocat ou chef indien », comme disait Marino.

– Vous avez changé d'avis, rappelai-je à Fortosis. Au début, vous pensiez qu'il pouvait avoir un passé judiciaire ou psychiatrique, peut-être même les deux.

– À la lumière de ces deux derniers meurtres, me coupa-t-il, et surtout en raison de l'implication d'Abby Turnbull, je ne le pense plus. Les criminels psychotiques ont rarement, sinon jamais, les moyens d'échapper longtemps à la police. Mon opinion est que le tueur de Richmond a de l'expérience, qu'il a déjà tué dans d'autres villes, et qu'il a échappé à l'arrestation aussi habilement qu'il y échappe aujourd'hui.

– Vous pensez qu'il s'installe dans une ville, qu'il y tue pendant quelques mois, et qu'il déménage ?

– Pas nécessairement, répliqua Fortosis. Il est peut-être suffisamment discipliné pour trouver du travail et s'installer pour longtemps dans une ville. Il se peut que plusieurs mois s'écoulent avant qu'il ne recommence. Mais une fois qu'il a recommencé, il ne peut plus s'arrêter. Et chaque fois qu'il investit un nouveau territoire, il lui en faut plus pour se satisfaire. Il nargue la police et prend plaisir à devenir la préoccupation d'une ville entière, grâce à la presse, certes, mais aussi en raison du choix de ses victimes.

– Comme Abby, marmonnai-je.

Il acquiesça.

– Ça, c'est nouveau. C'est la chose la plus téméraire qu'il ait faite – du moins s'il avait vraiment décidé de l'assassiner. Tuer une célèbre journaliste de faits divers aurait été sa grande réussite. Mais d'autres éléments ont peut-être joué. Abby écrit sur lui, il peut penser qu'il y a une relation personnelle entre eux. Il a pu concentrer sur elle toute sa rage, tous ses fantasmes.

– Sauf qu'il a raté son coup, rétorquai-je.

– Exact. Il ne la connaissait peut-être pas assez pour savoir à quoi elle ressemblait. Il ne savait pas que sa sœur avait emménagé chez elle depuis l'automne. Il est tout à fait possible qu'il ait appris que la femme qu'il avait tuée n'était pas Abby Turnbull, en regardant les informations ou en lisant les journaux.

Cette idée me frappa.

– Et c'est bien ce qui m'inquiète, fit-il en s'appuyant contre son dossier.

– Pourquoi ? Vous pensez qu'il pourrait faire une nouvelle tentative ?

Pour ma part, je ne le croyais pas.

– Ça m'inquiète. (Il paraissait à présent réfléchir tout haut.) Ça ne s'est pas passé comme il l'avait prévu. À ses yeux, il s'est comporté stupidement. Cela pourrait le conduire à devenir encore plus cruel.

– Que faut-il qu'il fasse encore pour qu'on le considère comme « plus cruel » ? m'exclamai-je, outrée. Vous savez ce qu'il a fait à Lori et à Henna...

– J'ai appelé Marino avant votre arrivée, Kay.

Fortosis savait.

Il savait que les prélèvements vaginaux effectués sur Henna Yarborough étaient négatifs.

Le tueur avait probablement éjaculé trop tôt. J'avais récolté la plus grande partie du sperme sur les draps et les jambes d'Henna. La seule chose avec laquelle il avait pu la pénétrer était son couteau. Le drap était souillé de sang séché. S'il ne l'avait pas étranglée, elle aurait probablement succombé à cette hémorragie.

Un silence oppressé s'installa entre nous, nos esprits hantés par la monstrueuse image d'un homme capable de prendre son plaisir à torturer un être humain.

Fortosis avait les yeux voilés, le visage bouleversé. Je m'aperçus que c'était un vieil homme. Il savait comme moi ce qu'avait subi Henna.

Nous nous levâmes simultanément.

Je fis un détour pour regagner ma voiture et traversai le campus. À l'horizon, la chaîne de la Blue Ridge ressemblait à un océan noyé de brouillard, le dôme blanc de la rotonde dominait la pelouse où rampaient de longs doigts d'ombre. Je humai l'odeur de l'herbe et des arbres dans les derniers rayons de soleil.

Je croisai des groupes d'étudiants qui riaient et bavardaient sans me voir. Mon cœur bondit dans ma poitrine quand j'entendis quelqu'un courir juste derrière moi. Je fis volte-face et découvris un inoffensif jogger qui ouvrit la bouche, interloqué, devant l'expression de mon visage. J'entrevis un short rouge et de longues jambes brunes et il disparut sous le couvert des arbres.

13

Le lendemain matin j'étais au bureau dès 6 heures. Le bâtiment était désert et les téléphones silencieux.

Pendant que le café passait, je me rendis dans le bureau de Margaret. L'ordinateur, en mode veille, attendait que le pirate ose répéter son intrusion.

Savait-il que nous avions découvert qu'il avait essayé d'ouvrir le dossier de Lori Petersen, la semaine précédente ? Avait-il pris peur ? Se doutait-il qu'on n'avait entré aucun élément nouveau ?

Ou y avait-il une autre raison ? Je fixai l'écran noir. Qui êtes-vous ? demandai-je, muette.

Un téléphone sonna dans un bureau un peu plus loin. Trois sonneries, puis un brusque silence indiquant que le standard central avait pris la communication.

« *Il est astucieux et déterminé...* »

Ça, je n'avais pas attendu Fortosis pour m'en aviser.

« *Nous n'avons affaire ni à un déséquilibré ni à un psychotique.* »

Je l'avais imaginé totalement anormal. M'étais-je trompée ? Peut-être était-il comme tout le monde.

« *... capable de mener une vie sociale et de présenter une image de lui-même apparemment normale...* »

Compétent. Il utilisait peut-être un ordinateur à son travail, ou en possédait un chez lui.

Il brûlait de savoir ce qui se passait dans mon esprit, comme je voulais savoir ce qui se passait dans le sien. J'étais le seul lien tangible entre lui et ses victimes. Le seul témoin vivant. Quand j'examinais les contusions, les os brisés et les plaies, j'étais la seule à saisir toute sa brutalité et sa sauvagerie. Il avait cassé les côtes de Lori en se laissant tomber à genoux, de tout son poids, sur sa cage thoracique. Elle était allongée sur le dos à ce moment-là. Il l'avait fait après avoir arraché le fil du téléphone.

Les fractures de ses doigts étaient des fractures de torsion. Les os avaient été brutalement désarticulés. Il l'avait bâillonnée, ligotée, puis lui avait brisé les doigts un par un, lui infligeant une atroce souffrance.

Et pendant tout ce temps, terrorisée, elle luttait pour respirer. Sa panique avait dû grandir à mesure que les vaisseaux gorgés de sang éclataient dans son crâne, lui donnant l'impression qu'il allait exploser. Puis il l'avait pénétrée de force, par tous les orifices.

Plus elle se débattait, plus le fil électrique lui serrait le cou, jusqu'à ce qu'elle perde conscience et meure.

J'avais tout reconstitué. Il devait se demander ce que je savais. Il était arrogant, paranoïaque.

Tout était dans l'ordinateur. Tout ce qu'il avait fait subir à Patty, à Brenda, à Cecile. La description de la moindre blessure, du moindre indice découvert, du moindre test que j'avais demandé.

Lisait-il les mots que j'avais dictés ? Lisait-il dans mon esprit ?

Mes talons claquèrent dans le couloir lorsque je regagnai précipitamment mon bureau. Prise de frénésie, je vidai le contenu de ma serviette et finis par retrouver la carte professionnelle blanc cassé portant au centre le logo gaufré du *Times* en caractères gothiques noirs. Au verso, quelques chiffres tracés d'une main tremblante.

Je composai le numéro d'Abby Turnbull.

Je lui fixai rendez-vous dans l'après-midi. Je ne voulais pas qu'elle vienne avant qu'Henna ait été évacuée par les pompes funèbres.

Elle arriva à l'heure convenue. Cette fois, Rose lui indiqua aussitôt mon bureau.

Elle avait le visage défait. Ses cheveux mal coiffés bouffaient sur ses épaules. Elle portait un corsage blanc froissé sur une jupe kaki. Quand elle alluma une cigarette, je m'aperçus que ses mains tremblaient.

Je prononçai les phrases habituelles que j'adressai aux proches des victimes.

– La mort a été provoquée par strangulation...

– A-t-elle... A-t-elle vécu longtemps après... après qu'il est entré dans sa chambre ?

– Je ne peux pas vous le dire avec certitude. Mais d'après les indices, la mort a dû être rapide.

Je m'abstins de lui dire que j'avais trouvé des fibres dans la bouche d'Henna. Elle avait été bâillonnée. Le monstre avait voulu la garder un peu en vie, et en silence. D'après la quantité de sang écoulé, je n'avais pu qualifier les plaies que de *perimortem*, ma seule certitude étant qu'elles avaient été occasionnées aux alentours immédiats de la mort. Les tissus voisins de la blessure au couteau avaient très peu saigné, ce qui indiquait qu'elle était peut-être déjà morte, ou au moins inconsciente.

Mais c'est le pire qui était le plus probable. À mon avis, le cordon du store vénitien qui la garrottait s'était serré d'un coup quand elle avait brusquement tendu les jambes sous la douleur.

– Elle portait des marques d'hémorragie sur la conjonctive, ainsi que sur la peau du visage et du cou, expliquai-je à Abby. Ce qui indique des ruptures superficielles de vaisseaux, causées par l'occlusion cervicale des veines jugulaires consécutive à l'étranglement.

– Combien de temps a-t-elle vécu ?

– Quelques minutes.

Je n'avais pas l'intention d'en dire plus. Abby parut quelque peu soulagée. Un jour, quand l'affaire sera résolue et qu'Abby serait plus forte, elle saurait. Et ce jour-là, elle aurait besoin de toute sa force en apprenant qu'il avait utilisé un couteau.

– C'est tout ? dit-elle d'une voix mal assurée.

– C'est tout ce que je peux dire pour l'instant, répondis-je. Je suis désolée...

Pendant quelques instants elle tira nerveusement sur sa cigarette pour occuper ses mains.

Quand elle releva les yeux vers moi, son regard était presque suspicieux.

Elle savait que je ne l'avais pas fait venir pour ça.

– Ce n'est pas pour me dire ça que vous m'avez appelée, n'est-ce pas ?

– Pas uniquement.

Je sentais le ressentiment et la colère bouillonner en elle.

– Alors quoi ? demanda-t-elle. Qu'attendez-vous de moi ?

– Je veux savoir ce que vous allez faire.

Ses yeux me foudroyèrent.

– Ah, je vois ! Vous vous inquiétez pour votre petite personne. Vous êtes bien comme les autres !

– Je n'en suis plus là, Abby, répliquai-je d'un ton calme. Vous en savez assez pour me faire tout le mal que vous voulez. Si vous voulez m'enfoncer et prendre ma place, allez-y ! (Elle parut désorientée, le regard flottant.) Je comprends votre colère.

– Jamais vous ne pourrez la comprendre.

– Je la comprends mieux que vous ne pensez.

L'image de Bill me traversa l'esprit. Je comprenais très bien la terrible colère d'Abby.

– Impossible ! Personne ne peut comprendre ! s'exclama-t-elle. Il m'a volé ma sœur. Il m'a volé une partie de ma vie. Qu'est-ce que c'est que ce monde... (Elle hoqueta.)... où un type peut faire une chose pareille ? Mon Dieu ! Comment je saurais ce que je vais faire... ?

– Je sais que vous avez l'intention d'enquêter sur la mort de votre sœur. Ne faites pas ça !

– Il faut que quelqu'un le fasse ! cria-t-elle. Vous voudriez que je laisse ça aux charlots de la police ?

– La police est là pour s'occuper de certaines choses. Mais vous pourriez être utile. Si vous le voulez.

– Ne me faites pas la leçon, hein !

– Je ne vous fais pas la leçon.

– Je mènerai mon enquête à ma façon...

– Non, Abby. Vous le ferez pour votre sœur.

Ses yeux rougis me scrutèrent, déroutés.

– Je vous ai demandé de venir parce que j'ai décidé de jouer un quitte ou double. Et vous m'aiderez.

– C'est ça ! Vous voulez que je quitte la ville ?

Je secouai lentement la tête.

– Vous connaissez Benton Wesley ?

– Le profileur du FBI ? Je le connais de réputation.

Je levai les yeux vers l'horloge murale.

– Il sera ici dans dix minutes.

Elle me regarda un long moment en silence.

– Qu'est-ce que vous voulez que je fasse ?

– Que vous utilisiez votre réseau de relations journalistiques pour nous aider à le trouver.

– Qui, *lui* ? fit-elle en ouvrant de grands yeux.

Je me levai pour voir s'il restait du café.

Wesley avait montré quelques réticences quand je lui avais exposé mon plan au téléphone, mais maintenant que nous nous trouvions tous trois dans mon bureau, il me parut évident qu'il l'avait accepté.

– Nous devons pouvoir compter sur votre entière collaboration, déclara-t-il solennellement à Abby. Toute improvisation ou initiative de votre part pourrait faire capoter l'enquête. Nous exigeons une totale discrétion.

Elle acquiesça d'un hochement de tête.

– Si c'est le tueur qui a piraté l'ordinateur, fit-elle remarquer, pourquoi ne l'a-t-il fait qu'une seule fois ?

– Nous ne l'avons *détecté* qu'une seule fois, lui rappelai-je.

– D'accord, mais ça ne s'est pas reproduit depuis.

– Il n'a peut-être pas eu le temps, suggéra Wesley. Il a tué deux femmes en quinze jours, et trouvé assez d'informations dans la presse pour satisfaire sa curiosité. Il savoure peut-être tranquillement ses exploits.

– Il faut le pousser à bout, ajoutai-je. Nous devons trouver quelque chose qui lui fasse commettre une erreur. On pourrait lui faire croire que mon service a trouvé un indice décisif pour nous mettre sur sa piste.

– Si c'est lui qui a piraté l'ordinateur, résuma Wesley, cela devrait l'inciter à recommencer pour découvrir ce que nous savons.

Il se tourna vers moi. En réalité, nous n'avions aucun indice déterminant. J'avais interdit à Margaret l'accès de son propre bureau jusqu'à nouvel ordre. L'ordinateur restait en permanence sur le mode veille. Wesley pouvait déterminer la provenance de tout appel destiné au poste de Margaret. Nous allions utiliser l'ordinateur pour leurrer l'assassin en faisant publier dans le journal d'Abby un article annonçant que les examens avaient mis au jour un « élément significatif ».

– Ça va le déstabiliser, dis-je. S'il a été soigné dans un hôpital de la région, il pensera que nous avons retrouvé son dossier médical. S'il se fait délivrer des médicaments spéciaux dans une pharmacie, il hésitera à y retourner...

Toute l'opération reposait sur l'odeur particulière signalée par Matt Petersen à la police. C'était à peu près le seul « indice » sur lequel nous pouvions jouer.

L'autre étant les conclusions des examens ADN.

Je pouvais le bluffer tant que je voulais avec ça, et d'ailleurs ça ne serait peut-être pas du bluff.

J'avais reçu les rapports sur les deux premiers meurtres et observé les échantillons. On avait procédé à trois examens radioactifs pour chacun et la position des bandes dans le cas de Patty Lewis était en tout point identique à celle du cas Brenda Steppe.

– Bien sûr, cela ne nous fournit aucune indication sur son identité, précisai-je à Abby et Wesley. Tout ce que nous pouvons dire, c'est que s'il est noir, il ne peut y avoir qu'un individu sur 135 millions ayant la même empreinte, et que s'il est blanc, la proportion passe à un sur 500 millions.

L'ADN est le code vital de l'individu. Un laboratoire privé de New York avait isolé l'ADN dans les échantillons de sperme que j'avais recueillis.

– L'ADN est chargé négativement, expliquai-je. Les contraires s'attirent.

Les fragments d'ADN les plus courts s'étaient déplacés plus loin et plus vite que les fragments longs en direction du pôle positif, et c'est cette répartition qui avait formé les échantillons que j'avais étudiés. Transférées sur une membrane de Nylon, on avait ensuite exposé ces bandes à une sonde.

– Je ne comprends rien, intervint Abby. Quelle sonde ?

– La double hélice de l'ADN du tueur, expliquai-je, a été fragmentée en segments simples. Pour simplifier, on a séparé l'ADN comme une fermeture Éclair. La sonde est une solution d'ADN découplée d'une séquence de base spécifique, sur laquelle on imprime une marque radioactive. Quand on répand la solution, ou sonde, sur la membrane de Nylon, les fragments d'ADN découplée opèrent leur jonction avec les fragments simples complémentaires provenant de l'ADN du tueur.

– Comme si on refermait la fermeture Éclair ? fit Abby. Mais du coup, la solution est radioactive, n'est-ce pas ?

– Oui, et on peut visualiser la structure de l'ADN aux rayons X.

– Et on obtient son code barre. Dommage qu'on ne puisse pas le soumettre à un ordinateur pour connaître son identité, ajouta Wesley.

– Tout ce qui le concerne est là-dedans, repris-je. Le problème, c'est que la technologie est encore insuffisante pour détecter les particularités telles que les défauts génétiques, la couleur des yeux, des cheveux, etc. Nous ne savons pas encore utiliser l'ADN autrement que pour comparer deux structures.

– Mais le tueur ne le sait pas, fit Wesley.

– C'est exact, confirmai-je.

– À moins qu'il ne soit médecin, intervint Abby.

– Nous partons de l'hypothèse qu'il ne l'est pas, dis-je. J'imagine qu'il n'a jamais réfléchi aux examens ADN avant de lire ce qu'en ont écrit les journaux.

– Dans mon article, j'expliquerai comment on procède, fit Abby comme si elle réfléchissait tout haut. Histoire de lui flanquer la frousse.

– Et de lui faire croire que nous savons ce qui déconne chez lui, renchérit Wesley. Si toutefois il y a quelque chose qui ne va pas... Et c'est bien ce qui m'inquiète, Kay. Qu'est-ce qu'on fait s'il n'a rien qui cloche ?

Patiemment, j'exposai de nouveau mon idée.

– Ce qui m'a mis la puce à l'oreille, c'est l'odeur de « crêpes » évoquée par Matt Petersen, une odeur douce-amère.

– Il a parlé de sirop de sucre d'érable, précisa Wesley.

– Si le tueur a une odeur corporelle rappelant celle du sirop d'érable, il pourrait souffrir d'un désordre métabolique. Plus précisément, de l'affection dite « maladie des urines au sirop d'érable », ou leucinose.

– C'est une anomalie génétique ? demanda Wesley.

– Oui, et c'est ça qui est bien, Benton. S'il en est atteint, c'est inscrit dans son code ADN.

– Jamais entendu parler de ça, remarqua Abby.

– C'est moins répandu que le rhume des foins.

– Et qu'est-ce que c'est, exactement ?

Je me levai et me dirigeai vers une étagère où je pris un dictionnaire de médecine que je tendis, ouvert à la bonne page, à Abby et Wesley.

– C'est une maladie due à un dysfonctionnement des enzymes, expliquai-je en me rasseyant. Ce dysfonctionnement a pour effet l'accumulation d'acides aminés dans l'organisme, qui finissent par agir comme un poison. Dans sa forme aiguë, elle provoque chez le sujet une arriération mentale et/ou la mort du nourrisson, ce qui explique qu'il est relativement rare de rencontrer des adultes en bonne santé physique et mentale souffrant de cette maladie. Mais c'est possible. Dans sa forme bénigne, ce qui est sans doute le cas du tueur s'il en est atteint, le développement infantile est normal, les symptômes intermittents, et la maladie peut être traitée grâce à un régime pauvre en protéines, avec apport éventuel d'un complément en thiamine, ou vitamine B1, administrée à raison de dix fois la dose quotidienne normalement ingérée.

– En d'autres termes, dit Wesley, il pourrait être atteint de cette maladie sous sa forme bénigne, mener une vie à peu près normale, avoir toute sa tête... mais puer comme un putois ?

J'acquiesçai d'un hochement de tête.

– Le symptôme le plus courant de cette maladie est l'odeur de sirop d'érable dégagée par les urines et la sueur. Ce symptôme s'accentue avec le stress. L'odeur imprègne alors ses vêtements. Il est probable qu'il en est conscient et qu'il en souffre.

– Le sperme peut-il en être imprégné ? demanda Wesley.

– Pas nécessairement.

– Donc, fit Abby, s'il pue, il doit se doucher très souvent pour ne pas incommoder les autres.

Je m'abstins de lui répondre. Elle ne savait rien du résidu brillant, et je ne tenais pas à la mettre au courant. Si en effet le tueur était affligé de cette mauvaise odeur, il n'était pas surprenant qu'il mette un soin maniaque à se laver plusieurs fois par jour les aisselles, le visage et les mains pour qu'on ne remarque rien. Il se lavait probablement dans les toilettes de son lieu de travail, où devait être installé un distributeur de savon au borax.

– C'est un sacré coup de dés, fit Wesley en s'appuyant à son dossier. Bon sang de bon sang ! Si Petersen a inventé cette odeur ou s'il l'a confondue avec celle d'une eau de toilette utilisée par le tueur, par exemple, nous allons passer pour des imbéciles. Et ce salopard saura qu'on agit à l'aveuglette.

– Je ne pense pas que Petersen ait inventé cette odeur, dis-je avec conviction. Il était tellement secoué quand il a découvert le corps de sa femme que l'odeur devait être particulièrement forte et inhabituelle pour qu'il la remarque et s'en souvienne. Je ne connais aucune eau de toilette qui ressemble de près ou de loin à du sirop d'érable. D'après moi, le tueur avait beaucoup transpiré et venait de quitter la pièce.

– *Cette maladie provoque une arriération mentale*... lut Abby tout haut.

– Si elle n'est pas traitée dès la naissance.

– En tout cas, cette ordure n'est pas mentalement retardée, fit-elle en levant vers moi un regard dur.

– Bien sûr que non, dit Wesley. Les psychopathes sont tout, sauf stupides. Ce que nous voulons, c'est faire *croire* à ce type que nous le considérons comme un attardé. Pour l'atteindre dans son putain d'amour-propre, lequel découle de la fierté qu'il tire de son QI.

– S'il est atteint de cette maladie, il est plus que probable qu'il le sait, expliquai-je. Il se peut qu'elle se transmette héréditairement dans sa famille. Et il est sans doute très susceptible, non seulement en raison de son odeur corporelle, mais aussi à cause des déficiences mentales que la maladie peut entraîner.

Abby prenait des notes. Le visage tendu, l'air mécontent, Wesley soupira, soudain abattu.

– Je ne sais que penser, Kay, dit-il. Si ce type n'est pas malade... Ça risque de se retourner contre nous et de tout foutre par terre.

– L'enquête est au point mort, fis-je d'un ton posé. Je n'ai pas l'intention de citer le nom de la maladie dans l'article. (Je tournai la tête vers Abby.) Nous évoquerons simplement un désordre métabolique. Ce qui peut vouloir dire des tas de choses. Ça l'inquiètera. Il va se demander s'il souffre, par hasard, d'une maladie qu'il ignore. Jusqu'à présent, aucune équipe d'experts génétiques ne s'était penchée sur ses fluides corporels. Même s'il est médecin, il ne peut pas écarter l'hypothèse d'une anomalie inconnue de lui. Nous allons semer le doute et l'anxiété dans son esprit. Le laisser mijoter. Merde ! Faisons-lui croire qu'il est atteint d'une maladie mortelle. Il se précipitera peut-être dans la première clinique pour s'en assurer. Ou dans une bibliothèque médicale. La police pourra vérifier, voir qui a demandé un rendez-vous urgent à un médecin, qui s'est mis à compulser des ouvrages médicaux dans les bibliothèques. Si c'est lui qui a piraté notre ordinateur, il recommencera pour en savoir plus. Je ne sais pas ce qui va se passer, mais j'ai idée que ça va le faire sortir de son trou.

Nous passâmes l'heure suivante à mettre en forme l'article d'Abby.

– Pas question de faire des citations, insista-t-elle. Ça paraîtrait bizarre puisque vous avez refusé de faire des déclarations. Faisons croire que cette information est le résultat d'une fuite.

– C'est le moment de sortir votre fameuse « source médicale », fis-je d'un air pincé.

Abby nous lut le brouillon. Je n'étais pas satisfaite. Tout était au conditionnel : c'était trop vague.

Si seulement nous pouvions recueillir un échantillon de son sang ! Le dysfonctionnement des enzymes, s'il existait, pourrait être détecté dans ses leucocytes, ou globules blancs.

Comme pour me répondre, mon téléphone sonna juste à ce moment-là. C'était Rose.

– Dr Scarpetta ? Le sergent Marino est là. C'est urgent.

J'allai le chercher à la salle d'attente. Il portait un sac de plastique gris utilisé pour transporter les vêtements trouvés sur les lieux d'un crime.

– Vous allez pas me croire, fit-il, souriant de toutes ses dents. Vous connaissez Magpie ?

Sans comprendre, je scrutai le sac en silence.

– Vous savez ? *Magpie* ! Ce type qui se balade avec ses affaires dans un caddy piqué Dieu sait où. Il passe son temps à fouiller les poubelles.

– Un clochard ?

– Le roi de la cloche. Eh bien, ce week-end, il a fouillé une poubelle à un pâté de maisons de l'endroit où a été tuée Henna Yarborough, et devinez ce qu'il a trouvé ? Une jolie salopette bleue, doc ! Sauf qu'elle était pleine de sang. Et comme c'est un de mes indics, il a eu l'idée de fourrer le truc dans un sac poubelle, et il le trimbale depuis plusieurs jours en me cherchant partout. Et tout à l'heure, il me tombe dessus, me soutire les dix dollars habituels et... Joyeux Noël ! Sentez-moi ça, fit-il en dénouant l'ouverture.

Je tombai presque à la renverse en reconnaissant, mêlée à l'odeur du sang, celle, puissante et sucrée, du sirop d'érable et de la sueur.

– Hé, hé ! fit Marino. J'suis passé chez Petersen avant de venir, pour lui faire renifler ça... Il l'a reconnue tout de suite.

Pendant deux heures, Vander et moi travaillâmes sur la salopette bleue. Betty nous donnerait les résultats de l'analyse de sang plus tard, mais nous étions à peu près sûrs que le vêtement appartenait au tueur. Il scintillait sous le laser comme l'asphalte parsemé d'éclats de mica sous le soleil.

Lorsqu'il avait poignardé Henna, le sang l'avait éclaboussé et il s'était essuyé les mains sur les cuisses. Les poignets de la salopette étaient raides de sang séché. Il avait probablement l'habitude d'enfiler une salopette par-dessus ses vêtements de ville lorsqu'il passait à l'action. Peut-être même avait-il l'habitude, après, de la jeter dans la première poubelle venue. Mais j'en doutais. Cette fois, il s'en était débarrassé parce que sa victime avait saigné.

Il n'était pas assez stupide pour ignorer que les taches de sang sont pratiquement indélébiles et n'entendait pas se faire pincer avec des preuves aussi accablantes. Par précaution supplémentaire, il avait décousu l'étiquette de la salopette.

Le tissu était un mélange de coton et de synthétique, bleu foncé, taille L ou XL. Je me souvins des fibres de couleur sombre retrouvées sur l'appui de la fenêtre chez Lori Petersen, ainsi que sur sa peau. On en avait également retrouvé sur le corps d'Henna.

Nous n'avions rien dit de notre machination à Marino. Il l'apprendrait en regardant la télé et il y croirait, concluant qu'il y avait eu une nouvelle fuite à partir des résultats d'analyse opérée sur la salopette qu'il nous avait apportée, et des résultats des examens ADN. Nous voulions que *tout le monde* avale ça.

Et selon toute probabilité, nous avions raison. Je ne voyais aucune autre explication à l'odeur corporelle si caractéristique du tueur, sauf à admettre que Petersen l'avait tout simplement inventée, ou que, par le plus grand des hasards, la salopette souillée était restée en contact avec un flacon de sirop d'érable ouvert.

– Voilà qui tombe à pic ! dit Wesley. Ce salopard avait tout préparé, il avait peut-être même repéré la poubelle depuis plusieurs jours. Mais il n'imaginait pas que nous récupérerions la salopette. On peut y aller !

Je jetai un coup d'œil furtif vers Abby. La journaliste tenait remarquablement le coup.

Je voyais déjà les manchettes. D'APRÈS L'EXAMEN DE SON ADN ET DE NOUVEAUX INDICES, LE TUEUR POURRAIT ÊTRE ATTEINT D'UN DÉSORDRE MÉTABOLIQUE.

S'il était vraiment atteint de leucinose, l'article qui accompagnerait le titre allait salement le secouer.

– Si vous voulez qu'il entre dans votre base de données, dit Abby, il faut lui faire croire que l'ordinateur est pour quelque chose dans cette découverte.

– Bonne idée ! L'ordinateur aurait attiré notre attention sur le lien possible entre une donnée stockée concernant l'odeur particulière signalée sur les lieux d'un des crimes, et une pièce à conviction récemment découverte. Nous ferions l'hypothèse d'une anomalie de fonctionnement des enzymes susceptible de provoquer une odeur corporelle similaire, mais nous nous refuserions à indiquer la nature exacte de la maladie, ou son existence chez le tueur.

– Parfait ! s'écria Wesley. On le tient !

» Ne parlons pas de la salopette, poursuivit-il. Il vaudrait mieux écrire que la police a refusé d'indiquer la nature exacte de la pièce à conviction.

Abby continuait à prendre des notes.

– C'est le moment de citer votre « source médicale », dis-je.

– Pour lui faire dire quoi ? me demanda-t-elle.

Je jetai un coup d'œil à Wesley avant de répondre.

– Pour lui faire dire qu'elle se refuse à révéler la nature du dysfonctionnement métabolique, mais qu'il peut provoquer des perturbations mentales, voire même, dans sa forme virulente, une véritable arriération. Même si, pour la police, il est fort improbable que le tueur soit un débile, plusieurs indices laissent à penser qu'il souffre de perturbation se manifestant sous forme d'une certaine désorganisation et d'une confusion mentale intermittente.

– Là, il va grimper aux murs, marmonna Wesley.

– Il est essentiel de ne pas mettre en doute sa santé mentale, repris-je, sinon ça se retournera contre nous pendant le procès.

– Expliquons la différence entre les troubles et l'arriération, suggéra Abby.

Elle avait déjà noirci une demi-douzaine de pages.

– Et cette histoire de sirop d'érable... poursuivit-elle tout en écrivant. Faut-il préciser ?

– Oui, répliquai-je. Il a peut-être un travail qui le met en contact avec le public, des collègues. Quelqu'un peut remarquer quelque chose et nous informer.

– Parfait ! fit Wesley. Sa parano va se déchaîner.

– Sauf s'il n'a pas de problème d'odeur corporelle, fit remarquer Abby.

– Comment pourrait-il en être sûr ? fis-je. (Tous deux me regardèrent, surpris.) Vous connaissez le proverbe : « Un renard ne sent pas sa propre odeur » ?

– Vous voulez dire qu'il pourrait ignorer qu'il pue ? s'étonna Abby.

– En tout cas, il va se le demander, répliquai-je.

Abby hocha la tête et se pencha sur son calepin.

– Que savez-vous d'autre sur cette maladie, Kay ? demanda Wesley. Est-ce que nous ne devrions pas demander aux pharmaciens de nous signaler les acheteurs réguliers de vitamines ou de médicaments peu courants ?

– Vous pouvez effectivement vérifier si un individu se procure de grosses quantités de vitamine B1, dis-je. Et aussi d'un substitut protéinique en poudre délivré sans ordonnance. Peut-être suit-il un régime qui évite les aliments riches en protéines. À vrai dire, je pense qu'il est suffisamment malin pour ne pas laisser de telles traces. Il mène une vie à peu près normale. Son problème, c'est l'odeur.

– En situation de tension émotionnelle ?

– Non, physique, précisai-je. La maladie, et donc l'odeur, peuvent brusquement s'accentuer sous l'effet d'une tension physique. C'est physiologique, tout comme notre odeur s'accentue quand on a la grippe. À part ça, je suis sûre qu'il manque de sommeil. Il dépense une grande énergie pour suivre sa proie pendant des heures, pénétrer chez elle, etc. Le stress émotionnel et la tension physique sont liés, et l'un renforce l'autre.

– Et alors ?

Je me tournai vers Wesley sans répondre.

– Que se passe-t-il en cas de crise ? insista-t-il.

– Ça dépend si la maladie prend une forme virulente.

– Admettons que ce soit le cas.

– Alors il s'expose à de gros problèmes. Les acides aminés s'accumulent dans l'organisme. Le sujet devient léthargique, irritable, ataxique. Ce sont les symptômes de l'hyperglycémie. Il pourrait nécessiter une hospitalisation.

– « Ataxique » ? releva Wesley.

– Mal coordonné. Il aura la démarche d'un ivrogne. Il ne pourra plus escalader les grilles ou grimper par une fenêtre. Si la maladie empire, si la tension continue à monter et qu'il ne se soigne pas, on ne peut plus rien contrôler.

– Comment ça ? Notre objectif est de le stresser, non ? Et vous dites que la maladie pourrait prendre des proportions incontrôlables ?

– C'est possible.

– D'accord, fit-il avant d'ajouter, non sans hésitation : Et dans ce cas, que se passe-t-il ?

– Grave hyperglycémie et accentuation de l'anxiété. L'esprit s'embrouille. L'hypertension se met de la partie. Le jugement est obscurci. Les sautes d'humeur se multiplient.

Je m'arrêtai là. Mais Wesley voulait en savoir plus.

– Vous n'avez pas découvert cette maladie ces jours-ci, n'est-ce pas ? fit-il.

– C'était mon sujet d'examen.

– Et vous n'avez rien dit jusqu'ici.

– Je n'étais pas sûre, dis-je.

– Bon ! Vous voulez donc le faire sortir de son trou, le stresser jusqu'au point de rupture. Allons-y. Mais quel est le stade final ? *Qu'est-ce qui va se passer si sa maladie s'aggrave* ?

– Il peut sombrer dans le coma, avoir des convulsions. Subir un grave déficit organique.

Il me contempla, incrédule à mesure qu'il comprenait le fond de ma pensée.

– Bon sang ! lâcha-t-il. Vous voulez le faire crever ?

Le stylo d'Abby cessa brusquement de gratter et elle leva la tête pour me regarder, stupéfaite.

– Tout ceci reste hautement hypothétique, dis-je. S'il souffre de cette maladie, c'est sans doute sous sa forme bénigne. Il a vécu avec toute sa vie. Il n'en mourra certainement pas.

Les yeux fixés sur moi, Wesley ne me croyait pas.

14

Je ne pus fermer l'œil de la nuit. Je me sentais cahotée entre la brutalité des faits et la violence de mes rêves. Je tuais quelqu'un d'un coup de revolver et le médecin expert appelé sur les lieux n'était autre que Bill. Avec sa serviette noire, accompagné d'une belle inconnue...

Quand j'ouvris les yeux dans l'obscurité, je sentis mon cœur dans un étau. Je me levai bien avant la sonnerie du réveil et me rendis au bureau, complètement déprimée.

Jamais je ne m'étais sentie aussi seule. Au bureau, je ne parlai à personne, et mes collaborateurs se mirent à me jeter des regards bizarres.

À plusieurs reprises je faillis appeler Bill. Je craquai vers midi, sa secrétaire m'annonça avec entrain que « Mr Boltz » était en vacances jusqu'en juillet.

Je ne laissai aucun message. Il ne m'avait pas parlé de ces vacances. Je comprends pourquoi. Autrefois, il m'aurait avertie. Mais cette fois, il n'y aurait ni excuses ni mensonges. Il était incapable d'affronter ses fautes.

Après le déjeuner, je montai au labo où je découvris Betty et Wingo, le dos à la porte, penchés sur quelque chose de blanc dans un sachet en plastique.

– Bonjour, fis-je en pénétrant dans la pièce.

D'un geste nerveux, Wingo glissa le sachet en plastique dans la poche de la blouse de Betty.

– Vous avez fini en bas ? demandai-je, mine de rien.

– Euh, oui, Dr Scarpetta, répliqua-t-il vivement en se dirigeant vers la porte. Je viens de finir McFee, le type qui s'est fait descendre hier soir. Et les grands brûlés d'Albemarle ne seront pas là avant 4 heures.

– Bien. Nous nous en occuperons demain.

– Entendu, fit-il depuis le couloir.

La raison de ma venue était étalée sur la table. C'était la salopette bleue qui, soigneusement défroissée, paraissait bien banale. Elle comportait de nombreuses poches que j'avais explorées en vain une douzaine de fois. Il manquait de l'étoffe là où Betty l'avait découpée aux endroits tachés de sang.

– Vous avez pu déterminer le groupe d'Henna ? lui demandai-je en m'efforçant de ne pas regarder le sachet qui dépassait de sa poche.

– J'ai déjà quelques résultats, dit-elle en me faisant signe de l'accompagner jusqu'à son bureau.

Sur sa table était posé un calepin, avec une page couverte de notes et de chiffres incompréhensibles.

– Henna Yarborough est de type B, commença-t-elle. Nous avons de la chance, car ce n'est pas très courant. En Virginie, 12 % de la population seulement sont de type B.

– Quelle est la fréquence de l'ensemble de sa configuration ?

Le sac plastique que j'apercevais dans sa poche commençait à me taper sur les nerfs.

Elle tapa quelques chiffres sur une calculette.

– Environ 17 %, annonça-t-elle. Dix-sept individus sur cent pourraient avoir sa configuration.

– Rien de très rare, donc, marmonnai-je.

– Non, pas vraiment.

– Et les taches de sang sur la salopette ?

– Nous avons eu de la chance. Le sang a dû sécher à l'air libre avant que le clochard ne récupère le tout. Il est en excellent état. Il s'agit certainement du sang d'Henna. L'examen ADN devrait nous le confirmer, mais, comme vous le savez, pas avant quatre à six semaines.

– Ce serait mieux si nous avions notre propre matériel, dis-je d'un air absent.

– Vous êtes à bout, Kay, fit-elle, attendrie.

– Ça se voit tant que ça ?

– Pour moi, ça saute aux yeux. Ne vous laissez pas démoraliser. Ça fait trente ans que je suis dans ce métier, et croyez-moi, j'en ai vu de toutes les couleurs...

– Qu'est-ce que traficote Wingo ? fis-je sans réfléchir.

– Wingo ? bredouilla-t-elle prise de court.

Je fixai sa poche. Mal à l'aise, elle eut un petit rire et la tapota d'un geste nerveux.

– Oh ! ça ? Juste un petit travail qu'il m'a demandé de lui faire à titre personnel.

Ce fut sa seule explication. Peut-être que Wingo avait de gros soucis. Avait-il demandé à Betty de lui faire un test HIV ?

Mon Dieu ! faites qu'il n'ait pas le sida. Je rassemblai mes pensées éparses.

– Et les fibres ?

Betty avait comparé quelques fibres de la salopette avec celles retrouvées sur la fenêtre de Lori Petersen et sur le corps d'Henna Yarborough.

– Les fibres trouvées chez Lori Petersen pourraient appartenir aussi bien à cette salopette qu'à n'importe quel autre vêtement en coton et polyester bleu foncé, dit-elle.

En d'autres termes, songeai-je avec découragement, la comparaison des fibres ne donnerait rien car ce genre de tissu était très courant. On en trouvait partout. Elles pouvaient provenir des vêtements de travail de n'importe qui, d'une infirmière ou d'un flic.

Ce n'était pas la seule déception qui m'était réservée. Les fibres retrouvées sur le corps d'Henna Yarborough ne provenaient pas de la salopette, Betty en était sûre.

– 100 % coton, dit-elle. Elles proviennent peut-être d'une serviette de bain. Qui sait ? Les gens transportent toute sorte de fibres sur eux sans le savoir. Mais ça ne me surprend pas.

– Pourquoi ?

– Parce que les tissus sergés, comme celui de la salopette, laissent rarement des fibres, à moins d'être frottés contre une surface abrasive.

– Comme les briques de l'appui de la fenêtre, chez Lori ?

– C'est possible. Les fibres retrouvées chez elle pourraient provenir de cette salopette. Mais je crains que nous ne le sachions jamais.

Je redescendis à mon bureau et restai un long moment à ma table, perdue dans mes pensées. Puis je déverrouillai mon placard et en sortis les dossiers des cinq femmes assassinées, pour les relire encore.

Qu'avaient en commun ces cinq femmes ? Pourquoi le tueur les avait-il choisies ? Comment était-il entré en contact avec elles ?

Il devait y avoir un lien. Je doutai qu'il ait opéré au hasard, errant dans les rues jusqu'à ce qu'il repère une proie possible. J'étais convaincue qu'il les avait choisies. Pour moi, il avait eu un premier contact avec elles, puis, peut-être, les avait suivies pour voir où elles habitaient.

Situations géographiques, situations sociales, apparence physique : il n'y a aucun dénominateur commun. Je me posai la question à rebours, cherchai le plus petit commun dénominateur, et me concentrai sur le dossier de Cecile Tyler.

Elle était noire. Les quatre autres victimes étaient blanches. Cela m'avait intriguée depuis le début et continuait à m'intriguer. Avait-il commis une erreur ? Peut-être ne savait-il pas qu'elle était noire ? Visait-il son amie Bobbi ?

Je feuilletai le dossier, passai rapidement sur le rapport d'autopsie que j'avais dicté, parcourus les listes d'indices et d'éléments matériels recueillis, la description de l'aspect des lieux et un vieux dossier médical de St. Luke où elle avait été traitée cinq ans auparavant, pour une grossesse extra-utérine. Lorsque j'en arrivai au rapport de police, je notai que le seul parent mentionné était une sœur vivant à Madras, dans l'Oregon. C'est d'elle que Marino avait obtenu ses renseignements sur la biographie de Cecile, son mariage raté avec un dentiste qui s'était installé depuis à Tidewater.

J'examinai les radios à la lumière de ma lampe de bureau. Cecile n'avait aucune anomalie du squelette, à part la trace d'une fracture ressoudée au coude gauche. Il était impossible de dater précisément la blessure, et tout ce que j'avais pu dire avec certitude, c'est qu'elle n'était pas récente.

Une nouvelle fois, j'évoquai le lien possible avec le VMC. Lori Petersen et Brenda Steppe s'étaient toutes deux trouvées là-bas récemment, dans la salle d'urgence. Lori, parce qu'elle était cette semaine-là de service en chirurgie traumatique, et Brenda parce qu'elle y avait été admise à la suite de son accident. Était-ce trop audacieux de penser que Cecile y avait été également soignée pour sa fracture du coude ? Je ne voulais écarter aucune hypothèse.

Je composai le numéro de la sœur de Cecile mentionné dans le rapport de Marino.

– Allô ? entendis-je à la cinquième sonnerie.

La communication était exécrable.

– Je suis désolée, j'ai dû me tromper de numéro, fis-je rapidement.

– Pardon ?

Je répétai un peu plus fort.

– Quel numéro demandez-vous ?

La voix, cultivée, paraissait celle d'une jeune femme d'une bonne famille de Virginie.

J'épelai le numéro.

– C'est bien ça. Qui demandez-vous ?

– Fran O'Connor, s'il vous plaît.

– C'est moi, fit la jeune voix cultivée.

Quand je me présentai, je l'entendis hoqueter.

– Vous êtes bien la sœur de Cecile Tyler ?

– Oui. Oh ! Mon Dieu... je préfère ne pas en parler. Je vous en prie.

– Mrs O'Connor, je suis profondément désolée. Je suis le médecin qui participe à l'enquête. Je voudrais savoir si vous connaissez les circonstances dans lesquelles votre sœur s'est cassé le coude gauche. J'étais en train d'examiner ses radios.

Hésitation. Je pouvais presque l'entendre réfléchir.

– C'est un accident de jogging. Elle a trébuché et s'est cassé le coude sur un trottoir. Elle a porté un plâtre pendant trois mois et c'était l'été le plus chaud que nous ayons connu. Elle en a beaucoup souffert.

– Était-ce en Oregon ?

– Non. Cecile n'a jamais vécu en Oregon. C'était à Fredericksburg, là où elle a passé son enfance.

– À quelle époque remonte cet accident ?

– Neuf ans, peut-être dix.

– Où a-t-elle été soignée ?

– Je ne sais plus. Dans un hôpital de Fredericksburg, mais je ne me souviens plus du nom.

La fracture de Cecile n'avait pas été soignée au VMC, et de toute façon elle était beaucoup trop ancienne. Mais ce n'est plus ça qui m'intéressait.

Je n'avais jamais rencontré Cecile Tyler. Je ne lui avais jamais parlé. Mais il me semblait évident qu'elle parlait avec l'accent particulier des Noirs.

– Mrs O'Connor, êtes-vous noire ?

– Bien sûr, répondit-elle, presque vexée.

– Votre sœur avait-elle le même accent que vous ?

– Quel accent ? fit-elle en haussant le ton.

– Je sais que ça peut vous sembler bizarre, mais...

– Vous voulez dire, est-ce qu'elle parlait *blanc*, comme moi ? Eh bien, oui ! Parfaitement ! N'est-ce pas pour ça qu'on envoie les Noirs à l'école ? Pour leur apprendre à parler comme les Blancs ?

– Je vous en prie, fis-je d'un ton pressant. Je n'ai aucune intention de vous offenser. Mais c'est...

Seule la tonalité entendit mes excuses.

Lucy était au courant du cinquième meurtre. Elle savait tout des jeunes femmes assassinées. Elle savait aussi que je gardais un .38 dans ma chambre et m'avait déjà interrogée deux fois à ce sujet.

– Lucy, fis-je en rinçant nos assiettes avant de les mettre dans le lave-vaisselle. Je ne veux pas que tu t'intéresses aux armes à feu. Je m'en passerais si je ne vivais pas seule.

J'avais songé à cacher l'arme mais depuis l'épisode du modem, que je m'étais finalement décidée, non sans remords, à rebrancher sur mon ordinateur personnel, je voulais jouer franc jeu avec elle. Le .38 resterait donc sur l'étagère du haut dans mon placard, dans une boîte à chaussures, tant que Lucy serait chez moi. La journée, il n'était pas chargé. Depuis quelque temps, je le déchargeai chaque matin et le rechargeai le soir avant de me coucher. Les cartouches Silvertip, elles, étaient bien cachées.

– Tu sais pourquoi j'ai une arme, Lucy. Je suis sûre que tu sais que ce sont des objets très dangereux... expliquai-je comme elle me dévorait des yeux.

– Ça peut tuer des gens ?

– Oui, répliquai-je en l'accompagnant au salon.

– Et tu en as une pour tuer quelqu'un.

– Je préfère ne pas penser à ça, fis-je, sévère.

– N'empêche que c'est vrai. C'est pour ça que tu en as une. Pour tuer les méchants.

J'allumai la télévision.

Lucy releva les manches de son sweat-shirt.

– Il fait trop chaud ici, tante Kay, se plaignit-elle. Pourquoi il fait si chaud chez toi ?

– Tu veux que je branche l'air conditionné ? lui demandai-je en passant d'une chaîne à l'autre.

– Non. Je déteste l'air conditionné.

Elle se plaignit ensuite que j'allume une cigarette.

– Ton bureau est trop chaud et il pue la cigarette. J'ai beau ouvrir la fenêtre, il pue toujours autant. Maman dit que tu devrais t'arrêter de fumer. Tu es docteur et tu fumes !

Dorothy avait appelé la veille, assez tard. Elle était quelque part en Californie, avec son illustrateur de mari. Cherchant un moyen de lui être désagréable, j'aurais voulu lui rappeler qu'elle avait une fille, mais par égard pour Lucy qui, assise à la table, écoutait la conversation, lèvres serrées, je m'étais montrée réservée, presque aimable.

Lucy avait parlé une dizaine de minutes avec sa mère et ne m'en avait rien dit ensuite. Mais depuis, elle n'avait cessé de me harceler et de me critiquer d'un air hargneux. D'après Bertha, qui la traitait à présent de « râleuse », elle avait eu le même comportement toute la journée. Lucy n'avait pratiquement pas quitté mon ordinateur. Bertha avait renoncé à la faire manger à la cuisine, et Lucy prenait désormais ses repas dans mon bureau.

Le feuilleton de la télé paraissait dérisoire à côté de la réalité de notre situation.

– Andy trouve que c'est encore plus dangereux d'avoir une arme et de ne pas savoir s'en servir que de ne pas en avoir du tout, déclara-t-elle, péremptoire.

– Andy ? fis je distraitement.

– Celui avant Ralph. Il allait tirer sur des bouteilles dans les décharges. Il pouvait les avoir de vachement loin. Je parie que t'en ferais pas autant.

– Tu as raison. Je tire moins bien qu'Andy.

– Ah ! tu vois ?

Je ne lui dis pas que j'en connaissais un rayon sur les armes à feu. Avant que je n'achète mon Ruger .38 chromé, je descendais dans la cave de l'immeuble de mon bureau pour essayer, sous la surveillance d'un expert, les armes du labo de balistique. Depuis, j'avais gardé l'habitude de m'entraîner, et je n'étais pas trop mauvaise.

– Lucy, pourquoi me cherches-tu ? lui demandai-je.

– Parce que tu es une idiote ! me jeta-t-elle tandis que ses yeux s'emplissaient de larmes. Et si tu essayais de tirer, tu te ferais mal ou il te prendrait ton arme ! Et tu serais cuite, toi aussi. Il te descendrait.

– Si j'essayais ? répétai-je, ahurie. Si j'essayais *quoi*, Lucy ?

– Si tu essayais de tuer quelqu'un.

Elle essuya ses larmes avec colère, son petit torse soulevé par les sanglots. Ne sachant que dire, je restai les yeux fixés sur les péripéties insipides qui occupaient l'écran. J'aurais voulu me retirer dans mon bureau, m'absorber dans mon travail, mais après quelques hésitations je m'approchai d'elle et l'attirai vers moi sans rien dire.

Avec qui parlait-elle chez elle ? Avec ma sœur ? Dorothy et ses livres pour enfants avaient été encensés par la critique pour leur « extraordinaire sensibilité », leur « profondeur » et leur « justesse de ton ». Quelle ironie ! Dorothy donnait le meilleur d'elle-même à des enfants imaginaires. Elle passait de longues heures à les étudier dans le moindre détail, à soigner leur coiffure, à imaginer leurs progrès et à les regarder accomplir leurs rites d'initiation. Et pendant ce temps, Lucy ne recevait pas une miette d'attention.

Je me remémorai nos vacances avec ma mère et Dorothy. Je songeai à la dernière visite de Lucy à Richmond. Je ne me souvenais pas l'avoir entendue mentionner un seul nom de camarade. Elle parlait de ses professeurs, de la foule des « amis » de sa mère, de Mrs Spooner qui habitait en face, de Jake, le jardinier, et du défilé des femmes de ménage. La frêle Lucy, avec ses binocles et son air de tout savoir, devait être jalousée des plus grands et incomprise des enfants de son âge. Elle était hors du rang. Et j'étais comme elle à son âge.

J'enfouis mes lèvres dans ses cheveux.

– On m'a posé une question, l'autre jour, dis-je.

– Sur quoi ?

– On m'a demandé à qui je ferai le plus confiance au monde.

Elle renversa la tête en arrière pour me regarder.

– Je crois que c'est à toi.

– Tu le penses vraiment ? fit-elle, incrédule.

J'acquiesçai d'un signe avant de poursuivre.

– Et pour te montrer que c'est vrai, je vais te demander de m'aider.

Elle se redressa aussitôt et me regarda, les yeux brillants d'excitation.

– Chic alors ! Demande-moi tout ce que tu veux.

– Il faut que je découvre qui a piraté l'ordinateur du bureau...

– C'est pas moi ! se défendit-elle aussitôt, paniquée. Je t'ai déjà dit que c'était pas moi.

– Je te crois. Mais quelqu'un d'autre l'a fait, Lucy. Pourrais-tu m'aider à découvrir qui ?

Je n'y croyais pas, mais j'avais tenu à lui faire la proposition pour lui donner une chance.

– Tout le monde peut le faire, tellement c'est facile, déclara-t-elle avec assurance.

– Facile ? fis-je avec un sourire involontaire.

– Oui, à cause du System/Manager.

– Où as-tu appris qu'il existait un System/Manager ? demandai-je, éberluée.

– Dans le manuel. C'est le bon Dieu !

C'est dans ces moments-là que je me souvenais du QI de Lucy. La première fois qu'elle avait passé le test, elle avait obtenu des résultats si étonnants que l'examinateur avait tenu à le lui faire repasser parce qu'il y avait certainement eu erreur. C'était vrai. La seconde fois, Lucy avait obtenu dix points de plus.

– D'abord, c'est comme ça que tu peux te connecter, poursuivait-elle. Tu ne peux pas créer d'autorisations d'accès si tu n'en possèdes pas une au départ. D'où le System/Manager. Tu entres dans le système grâce à lui, et tu peux créer tout ce que tu veux.

« Tout ce que tu veux », me répétai-je. Comme par exemple les noms d'utilisateurs et les mots de passe dont on se servait au bureau. C'était là une terrible révélation à laquelle je n'avais jamais songé, ni moi ni, à ma connaissance, Margaret.

– Le tout, c'est d'arriver à entrer, poursuivait Lucy qui paraissait énoncer l'évidence. Et si on connaît le bon Dieu, on peut créer une autorisation d'accès et en faire le DBA. Ensuite il ne reste plus qu'à entrer dans ta base de données.

Au bureau, notre DBA, ou administrateur de base de données, avait été baptisé DEEP/THROAT. Margaret avait parfois un certain sens de l'humour.

– Tu entres dans le SQL en activant System/Manager, et tu tapes : AUTORISATION D'ACCÈS CONNECT, RESOURCE, DBA À TANTE IDENTIFIÉE PAR KAY.

– C'est peut-être ce qui s'est passé, conclus-je à voix haute. Et avec le DBA, il peut non seulement accéder aux données, mais les modifier.

– Il peut faire ce qu'il veut parce qu'il a l'autorisation du bon Dieu. C'est comme ça que je suis entrée dans le SQL, avoua-t-elle. Tu m'avais donné ni mot de passe ni rien. Je voulais essayer des commandes du manuel. J'ai donné comme nom d'utilisateur du DBA un mot de passe que j'ai inventé pour entrer.

– Pas si vite, lui dis-je. Comment as-tu pu donner un mot de passe inventé à mon nom d'utilisateur du DBA ? Comment connais-tu mon nom d'utilisateur ?

– Il est dans la liste des Autorisations d'accès. Je l'ai trouvé dans ton annuaire électronique personnel, où tu as entré toutes les INP de tes tableaux.

En réalité, c'est Margaret qui avait créé ces tableaux l'année précédente. J'avais ensuite chargé mon ordinateur personnel avec les copies de disquettes qu'elle m'avait passées. Était-il possible qu'il existe un fichier « Autorisation d'accès » similaire dans l'ordinateur du BMG ?

Je pris Lucy par la main et elle me suivit avec enthousiasme dans mon bureau. Je la fis asseoir devant l'ordinateur et rapprochai un fauteuil.

Nous ouvrîmes le logiciel de communication et demandâmes le numéro du bureau de Margaret. Nous vîmes clignoter une case au bas de l'écran pendant que la machine le composait. L'ordinateur nous apprit presque aussitôt que la communication était établie, et, quelques secondes plus tard, l'écran devint entièrement noir, avec un C vert qui clignotait dans un coin. Mon ordinateur se transformait en miroir sans tain grâce auquel j'allais avoir accès aux secrets de mon bureau, à une douzaine de kilomètres de là.

Mal à l'aise, je songeai que notre communication était repérée et sa provenance identifiée, et pris mentalement note d'en avertir Wesley, afin qu'il ne perde pas son temps à découvrir qui était le pirate.

– Demande à rechercher tout fichier concernant les autorisations d'accès, dis-je à Lucy.

Le C clignotant réapparut, avec le message « Pas de fichier à ce nom ». Nous fîmes un nouvel essai avec un fichier

« Synonymes », mais n'eûmes pas plus de chance. Puis Lucy eut l'idée de demander tous les fichiers comportant la mention SQL. Des dizaines de noms de fichiers s'affichèrent à l'écran. L'un d'entre eux attira notre attention. Il s'appelait « Public. SQL ».

Lucy ouvrit le fichier. Lorsque nous en découvrîmes le contenu, mon excitation le disputa à ma consternation. Le fichier renfermait des commandes que Margaret avait tapées et exécutées longtemps auparavant, lorsqu'elle avait défini des synonymes publics pour tous les tableaux de notre base de données ; des commandes telles que CRÉER FICHIER DE SYNONYMES PUBLICS POUR DEEP.

Je n'étais pas programmeur. J'avais entendu parler de synonymes publics, mais je ne savais pas exactement ce qu'ils désignaient.

Lucy feuilleta le manuel.

– Tu vois, c'est simple, m'expliqua-t-elle, volubile. Quand tu crées un tableau, tu le fais sous le nom et le mot de passe de l'utilisateur.

– D'accord, dis-je. Jusqu'ici, je comprends.

– Donc, si ton nom d'utilisateur est « Tante » et ton mot de passe « Kay », quand tu veux créer un dossier « Jeux » ou n'importe quoi, l'ordinateur lui donne automatiquement le nom de « Tante. Jeux ». Il ajoute le nom du tableau au nom de l'utilisateur sous lequel il a été créé. Si tu ne veux pas t'embêter à taper « Tante. Jeux » chaque fois que tu veux ouvrir le tableau, tu crées un synonyme public. Tu tapes la commande CRÉER SYNONYME PUBLIC JEUX POUR TANTE. JEUX. Avec ça, tu rebaptises en quelque sorte ton tableau, qui ne s'appelle plus que « JEUX ».

Je considérai la longue liste figurant à l'écran, qui dévoilait l'ensemble des tableaux figurant dans l'ordinateur du BMG, et révélait le nom d'utilisateur DBA sous lequel chaque tableau avait été créé.

– Mais même si quelqu'un a vu cette liste, m'étonnai-je, il n'a pas pu découvrir le mot de passe. Seuls les noms d'utilisateur DBA sont affichés, et tu ne peux pas ouvrir les fichiers concernant les meurtres sans connaître le mot de passe.

– Tu veux parier ? fit-elle en posant ses doigts sur les touches. Si tu connais le nom d'utilisateur DBA, tu peux changer le mot de passe, en créer un autre complètement différent, et ensuite tu peux entrer. L'ordinateur s'en fiche. Il t'autorise à changer ton mot de passe aussi souvent que ça te chante, sans altérer tes programmes ni rien du tout. On aime changer le mot de passe pour raison de sécurité.

– On pourrait donc prendre le nom d'utilisateur « Deep », lui donner un nouveau mot de passe et entrer dans nos données ? (Elle acquiesça d'un hochement de tête.) Montre-moi.

– Tu m'avais dit de ne jamais entrer dans votre base de données...

– Je fais une exception pour cette fois-ci.

– Et si je donne un nouveau mot de passe à « Deep », tante Kay, le précédent ne marchera plus.

Je me souvins brusquement de ce qu'avait dit Margaret lorsque nous avions découvert qu'un intrus avait essayé d'ouvrir le fichier Lori Petersen : le mot de passe DBA ne marchait plus, de sorte qu'elle avait été obligée de reconnecter le système d'autorisation d'accès du DBA.

– L'ancien mot de passe ne marche plus parce qu'il a été remplacé par celui que j'ai créé. Tu ne peux plus ouvrir tes fichiers avec l'ancien. (Lucy me jeta un furtif regard de côté.) Mais j'avais l'intention d'arranger ça.

– Arranger quoi ? fis-je.

– Ton ordinateur. Ton ancien mot de passe ne marche plus parce que je l'ai changé pour entrer dans le SQL. Mais je voulais le rétablir, je te jure.

– Plus tard, fis-je avec impatience. Pour le moment, je veux que tu me montres comment quelqu'un a pu pénétrer dans notre base de données.

J'essayai de comprendre. L'intrus connaissait assez notre base de données pour savoir qu'il pouvait créer un nouveau mot de passe pour compléter le nom d'utilisateur contenu dans le dossier Public. SQL. Mais il ignorait qu'en faisant ça, il effaçait l'ancien mot de passe, ce qui nous empêchait d'ouvrir nos fichiers par la suite. Ce dont nous nous étions aperçus aussitôt, et qui nous avait intrigués. De même que ne l'avait pas effleuré l'idée que la fonction écho pouvait être activée, qui nous laisserait la trace de ses commandes à l'écran. Le piratage n'avait donc eu lieu qu'une seule fois !

Pourquoi le pirate avait-il voulu consulter spécialement le fichier Lori Petersen ?

– Regarde, dit Lucy. Imagine que je sois le pirate. Voilà comment je m'y prendrais.

Elle entra dans le SQL en tapant System/Manager, puis exécuta une commande connect/resource/DBA sur le nom d'utilisateur « Deep » et sur le mot de passe qu'elle choisit : « brouillage ». L'autorisation d'accès s'activa. Elle pouvait faire ce qu'elle voulait. Modifier le dossier de Brenda Steppe, de façon à ce que la mention « ceinture en moleskine » figure dans la colonne « Vêtements, effets personnels ».

Était-ce le tueur qui avait fait ça ? Il était bien placé pour connaître les détails des meurtres. Il lisait les journaux, obsédé par le moindre mot qu'on écrivait sur lui, la moindre inexactitude. Il était arrogant. Il voulait faire étalage de son intelligence. Avait-il modifié mes données pour me faire bondir, pour se moquer de moi ?

L'intrusion avait eu lieu presque deux mois *après* que le détail avait été publié dans l'article d'Abby relatant la mort de Brenda Steppe. Pourtant notre base de données n'avait été violée qu'une seule fois, récemment.

Le détail figurant dans l'article d'Abby ne pouvait donc pas provenir de l'ordinateur du BMG. Était-il possible que celui figurant dans l'ordinateur puisse provenir de l'article ? Peut-être le pirate avait-il modifié nos données en tapant « ceinture en moleskine » à la place de « une paire de collants transparents ». Peut-être que, juste avant de couper la communication, il avait essayé, par curiosité, d'ouvrir le fichier de Lori Petersen. Ce qui expliquerait pourquoi Margaret avait trouvé la trace de cette seule commande à l'écran.

Ma parano l'emportait-elle sur ma raison ?

Pouvait-il exister un rapport entre cette modification de données et les prélèvements mal étiquetés ? Le classeur à lamelles était constellé de résidu scintillant. Quelle mains l'y avaient déposé ?

Lucy, y a-t-il un moyen de savoir si on a modifié les données de l'ordinateur de mon bureau ?

– Tu fais une copie de tes données, non ? rétorqua-t-elle. Quelqu'un en fait des doubles, non ?

– Oui.

– Alors il faut récupérer une copie ancienne, l'importer sur ton disque dur et comparer.

– Le problème, c'est que même si je découvrais une différence, je ne pourrais pas être sûre qu'il ne s'agit pas d'une mise à jour opérée par une de mes secrétaires. Les rapports nous arrivent pendant plusieurs semaines, parfois plusieurs mois après que nous l'avons ouvert.

– Alors il faut que tu te renseignes, tante Kay. Demande à tes secrétaires si elles ont modifié tes données. Si elles te disent que non, et que tu trouves une différence entre la copie et tes données actuelles, ça t'aiderait pas ?

– Peut-être bien que oui, admis-je.

Elle effaça son mot de passe et le remplaça par celui que nous utilisions habituellement. Nous coupâmes la communication et effaçâmes tout ce qui figurait à l'écran de façon à ce qu'on ne trouve aucune trace de nos manipulations le lendemain matin.

Il était près de 23 heures. J'appelai Margaret chez elle et lui demandai si elle avait conservé des copies de données antérieures au piratage.

Je m'attendais à être déçue.

– Non, Dr Scarpetta. Nous faisons une nouvelle copie tous les jours. Elle efface l'ancienne et la remplace.

– C'est bien dommage. Il me faudrait une version qui n'a pas bougé depuis plusieurs semaines.

– Attendez une minute, marmonna-t-elle enfin. J'ai peut-être une disquette à moi... avec toutes les données des six derniers mois. Le Bureau des statistiques nous demande de communiquer nos données, et il y a une dizaine de jours, j'ai essayé de regrouper toutes les données du district dans un seul tableau et d'y ventiler les données contenues dans les fichiers des meurtres, pour voir ce que ça donnait. Ils veulent que je les leur communique par téléphone, elles sont entrées directement dans leur ordinateur central qui...

– À quel moment ? la coupai-je. À quel moment avez-vous ventilé nos données ?

– C'était... voyons ! Je crois que c'était le 1er juin.

Mes nerfs étaient à vif. Il fallait que je sache. Si ça ne servait à rien d'autre, ça aurait au moins pour conséquence de laver mon bureau de tout soupçon de fuites, si je pouvais prouver que certaines données de notre ordinateur avaient été modifiées *après* la parution des articles de presse.

– Il me faut un tirage de cette disquette. Tout de suite, lui dis-je.

Il y eut un long silence.

– J'ai eu quelques problèmes avec la procédure, avoua-t-elle d'une voix hésitante. (Nouveau silence.) Mais demain matin à la première heure, je vous imprimerai ce que j'ai pu sauvegarder.

Je consultai ma montre, composai le numéro du répondeur d'Abby. Elle me rappela cinq minutes plus tard.

– Abby, je sais que vos sources sont une chose sacrée, mais il y a quelque chose que je dois savoir. Dans votre article sur le meurtre de Brenda Steppe, vous disiez qu'elle avait été étranglée avec une ceinture de moleskine. Qui vous l'avait dit ?

– Je ne peux pas...

– Je vous en supplie. C'est très important.

Un long silence suivit.

– Je ne vous donnerai pas de nom, fit-elle enfin. Mais je peux vous dire qu'il était un membre d'une équipe d'intervention. L'information venait d'un infirmier. Je connais pas mal de monde dans ces équipes et...

– Donc elle ne provient pas de mon bureau ?

– Pas du tout ! s'exclama-t-elle. Ah ! je vois... Vous pensez à ce piratage d'ordinateur dont parlait le sergent Marino... Non, je vous jure que non. Pas un mot de mes articles ne provenait de votre bureau.

– Abby, le pirate a peut-être entré ce détail à propos de la ceinture pour faire croire que vous l'aviez obtenu par mon service, grâce à une fuite. Ce détail est inexact. C'est le pirate qui l'a entré, après l'avoir lu dans votre article.

– Mon Dieu ! articula-t-elle.

15

Marino jeta le journal du jour sur la table de conférence, qu'il frappa violemment du plat de la main.

– Bon Dieu de bon Dieu ! (Son visage mal rasé était rouge de colère.) Qu'est-ce que c'est encore que cette connerie ?

Pour toute réponse, Wesley écarta une chaise de la table et l'invita à s'asseoir.

Un gros titre barrait le haut de la une du journal de ce jeudi : D'APRÈS LES EXAMENS ADN ET UN NOUVEL INDICE MATÉRIEL, LE TUEUR POURRAIT SOUFFRIR D'UNE ANOMALIE GÉNÉTIQUE.

La signature d'Abby ne figurait nulle part. L'article avait été rédigé par un spécialiste des affaires judiciaires. Un encadré précisait l'intérêt des examens ADN, et un schéma expliquait le processus de « prise d'empreintes génétiques ». J'imaginais le tueur en train de lire et relire l'article, bouillant de colère. J'étais prête à parier que ce jour-là, il se mettrait en maladie.

– Ce que je veux savoir, c'est pourquoi personne m'a mis au courant ? (Marino se tourna vers moi, furieux.) Je vous amène la salopette. Je fais mon boulot. Et voilà ce que je lis dans les journaux ! Qu'est-ce que c'est cette histoire d'anomalie ? Quel est l'enfoiré qui a parlé des résultats d'ADN à la presse ?

Je laissai le soin de répondre à Wesley.

– Rien de grave, Pete, fit-il d'une voix neutre. Prenez plutôt cet article comme une bénédiction. Nous savons que le tueur est affligé d'une odeur corporelle bizarre. S'il pense que le bureau de Kay a trouvé quelque chose, il va peut-être faire un faux pas. (Il se tourna vers moi.) Rien de nouveau ?

Je fis non de la tête. Pas de nouvelle tentative d'effraction de l'ordinateur du BMG. Si les deux hommes étaient arrivés dans la salle de conférence une vingtaine de minutes plus tôt, ils m'auraient trouvée nageant dans des tonnes de listing.

Rien d'étonnant si Margaret avait hésité la veille, quand je lui avais demandé d'imprimer sa disquette. Elle ne contenait pas moins de trois mille dossiers d'affaires survenues en Virginie durant le mois de mai, soit un listing presque aussi long que la façade de l'immeuble.

Je mis plus d'une heure avant de trouver le numéro du dossier de Brenda Steppe. Je ne sais si je fus ravie ou horrifiée quand je découvris, sous la rubrique « Vêtements, effets personnels », les mots : « Une paire de collants transparents autour du cou ». Aucune allusion, nulle part, à une quelconque ceinture de moleskine foncée. Aucun de mes collaborateurs ne se souvenait d'avoir modifié ou mis à jour cet élément. La modification avait été faite par quelqu'un d'extérieur à mon personnel.

– Et cette histoire d'arriération mentale ? fit Marino en me fourrant le journal sous le nez. C'est son ADN qui vous fait croire qu'il a un grain ?

– Non, lui répondis-je en toute franchise. L'article dit que certains désordres métaboliques peuvent entraîner ce genre de problème. Mais je n'ai aucune preuve.

– Bon, parce que pour moi, ce type est loin d'être un débile mental. Et j'en ai marre d'entendre rabâcher que ce fumier est un pauvre type, un moins que rien avec un boulot minable. (Wesley s'impatientait.) J'suis soi-disant chargé de l'enquête et il faut que je lise ce foutu canard pour savoir ce qui se passe...

– Nous avons des soucis plus sérieux, lâcha Wesley.

– Ah, ouais ? Lesquels ? fit Marino.

Nous le mîmes au courant. Nous lui racontâmes ma conversation téléphonique avec la sœur de Cecile Tyler. Au fur et à mesure de notre récit, la fureur le quitta. Il était dérouté. Nous lui apprîmes que les cinq femmes avaient bien quelque chose en commun : leurs voix.

Je lui rappelai son premier entretien avec Matt Petersen.

– Autant que je m'en souvienne, il a parlé de sa première rencontre avec Lori. Dans une soirée, je crois. Et de sa voix. Une belle voix de contralto. C'est pourquoi il nous est apparu que le lien entre tous ces meurtres, c'est la voix. Peut-être que le tueur ne les repère pas de *visu*, mais à l'oreille. Il les remarque parce qu'il les *entend*.

– Nous ne l'avons jamais envisagé, ajouta Wesley. On imagine toujours les psychopathes repérant leurs victimes dans un supermarché, ou en train de faire du jogging, ou par la fenêtre de leur maison. En règle générale, le téléphone, s'il intervient dans l'affaire, ne vient qu'après le premier contact. Mais d'abord, il *voit* sa victime. Ensuite, il se peut qu'il l'appelle, sans rien dire, juste pour entendre sa voix et fantasmer. Mais notre hypothèse est beaucoup plus effrayante, Pete. Ce tueur a peut-être une activité qui le met en contact téléphonique avec des femmes qu'il n'a jamais vues. Il a accès à leur numéro et à leur adresse. Il appelle, et si la voix lui fait de l'effet, il tient sa proie.

– Voilà qui va pas nous arranger, se plaignit Marino. Il va falloir vérifier dans l'annuaire, éplucher toutes les boîtes qui utilisent le téléphone. Il se passe pas une semaine sans que ma femme reçoive un coup de fil. Des types qui lui proposent des balais, des ampoules électriques, un appartement, n'importe quoi ! Sans compter les sondages. Le genre qui vous pose cent cinquante questions. Ils veulent savoir si vous êtes célibataire, marié, combien vous touchez. Si vous enfilez vos pantalons une jambe après l'autre ou les deux en même temps, si vous avez des pellicules, tout !

– C'est ce qu'on se disait, marmonna Wesley.

Mais Marino était lancé.

– P' t'être qu'un de ces types est accro au meurtre et au viol. Il touche huit dollars de l'heure pour rester chez lui, assis sur son cul, à feuilleter les annuaires. Il tombe sur une femme qui lui dit qu'elle est célibataire, qu'elle se fait 20 000 dollars par an, et une semaine après... (Il se tourna vers moi.)... vous l'avez comme cliente. Comment on va le dénicher ?

Ça, nous l'ignorions. Marino avait raison : loin de réduire l'éventail des possibilités, l'hypothèse du contact vocal nous compliquait la tâche. S'il était possible de déterminer les personnes que les victimes avaient rencontrées tel ou tel jour, il nous serait beaucoup plus difficile de savoir avec qui elles avaient parlé au téléphone. Seraient-elles encore en vie qu'elles ne le sauraient pas elles-mêmes.

– Vu l'heure à laquelle il frappe, je pense qu'il travaille hors de chez lui du lundi au vendredi, dis-je. La tension monte toute la semaine, et c'est dans la nuit du vendredi au samedi, aux alentours de minuit, qu'il tue. S'il se lave les mains avec du savon au borax vingt fois par jour, ce n'est certainement pas dans sa salle de bains, mais sur son lieu de travail.

– Est-ce vraiment du borax ? demanda Wesley.

– Notre labo l'a prouvé par chromatographie ionique. Le résidu brillant contient du borax.

Wesley réfléchit un moment.

– S'il utilise du savon au borax à son travail et qu'il rentre chez lui à 5 heures, il est peu plausible qu'il lui reste tant de résidu sur la peau à une heure du matin. Il travaille peut-être le soir, dans un endroit où les toilettes des hommes sont équipées de savon au borax. Il termine son travail entre minuit et une heure du matin, et se rend directement chez sa victime.

Pour moi, ce scénario était plus que vraisemblable. Si le tueur travaillait le soir, il avait toute latitude, au cours de la journée, pendant que tout le monde était au travail, pour examiner la configuration du quartier où se trouvait la résidence de sa prochaine victime. Peut-être même repassait-il en voiture dans le secteur, tard le soir.

Quelles sont les professions où l'on utilise le téléphone et où l'on travaille le soir ?

Presque tous les démarcheurs appellent au moment de dîner, affirma Wesley. Il est rare d'en avoir un après 9 heures.

– Les livreurs de pizza, suggéra Marino. Ils sortent à toute heure. Ça pourrait être le type qui prend les appels. La première chose qu'ils vous demandent, c'est votre numéro de téléphone. Si vous leur avez déjà passé commande, votre adresse apparaît sur l'écran de l'ordinateur. Et une demi-heure après, le gus est chez vous avec sa pizza. Ça pourrait être le livreur, qui voit tout de suite si la femme vit seule. Ou bien celui qui prend les commandes. La voix de la cliente l'excite, il connaît son adresse.

Il faut vérifier, dit Wesley. Envoyez quelques-uns de vos hommes dans les boîtes à pizza. Nous sommes vendredi, demain. Essayez de savoir si les cinq victimes n'étaient pas clientes dans une de ces boîtes. Ça devrait être facile à vérifier.

Marino sortit un instant et revint avec les Pages jaunes. Il commença aussitôt à noter une série d'adresses et de numéros de téléphone.

La liste des professions s'allongeait. Les standardistes des hôpitaux ou des compagnies de téléphone travaillaient jour et nuit. Les quêteurs de bonnes œuvres n'hésitaient pas à interrompre votre émission favorite et vous appelaient jusqu'à des 10 heures du soir. Sans oublier la possibilité d'un numéro choisi au hasard dans l'annuaire par un type qui s'ennuie.

Mon esprit devenait de plus en plus confus.

Et pourtant quelque chose me turlupinait. Tu compliques les choses, me soufflait une voix intérieure. Tu t'éloignes de ce que tu sais.

J'observai le visage moite et gras de Marino, ses yeux inquiets. Il était fatigué, tendu. Il bouillonnait encore d'une rage contenue. Pourquoi était-il si susceptible ? N'avait-il pas dit que le tueur n'aimait pas les femmes qui travaillent, parce que ce sont des prétentieuses ?

Chaque fois que j'essayais de joindre le sergent, il était « dehors ». Il s'était rendu sur les lieux des cinq meurtres.

Il paraissait parfaitement réveillé quand il était arrivé chez Lori Petersen. Avait-il seulement dormi cette nuit-là ? Son empressement à soupçonner Matt Petersen n'était-il pas curieux ?

L'âge de Marino ne correspondait pas au profil du tueur, me dis-je.

Il passe la plus grande partie de son temps dans sa voiture et ne gagne pas sa vie en répondant au téléphone. Pas de lien entre lui et les victimes. Mais surtout, il n'a aucune odeur corporelle particulière, et si la salopette lui appartenait, pourquoi nous l'avoir apportée ?

À moins, me dis-je, qu'il ne se serve du système à rebours. Après tout, c'est un spécialiste, il est chargé de l'enquête et son expérience lui permet de se conduire en ange salvateur ou, au contraire, en démon.

Depuis le début je repoussai l'idée terrible que le tueur pourrait être un policier.

Marino ne collait pas. Mais le tueur pouvait être un flic qu'il avait côtoyé pendant des mois, un flic qui se procurait des salopettes bleu marine dans les magasins de vêtements professionnels, un flic qui se lavait les mains avec le savon au borax dont étaient équipées les toilettes de la police, un flic qui s'y connaissait assez en médecine légale et en enquêtes criminelles pour nous tenir la dragée haute. Un flic qui aurait mal tourné. Ou un psychopathe attiré par la carrière de policier.

Nous avions examiné les équipes médicales appelées sur les lieux des meurtres. Mais pas les dossiers des policiers en uniforme.

Peut-être qu'un flic feuilletait l'annuaire pendant ses permanences, et établissait un premier contact vocal avec ses victimes. Il remarquait une voix qui l'excitait. Il assassinait sa propriétaire et veillait à se trouver à proximité quand on découvrait le corps.

– Notre seule piste, c'est Matt Petersen, déclara Wesley. Il est toujours en ville ?

– D'après c' que je sais, oui.

– Allez le voir. Voyez si sa femme lui a parlé d'un démarchage téléphonique. Voyez s'il se souvient d'un coup de fil de ce genre.

Marino repoussa sa chaise.

Je m'abstins de dire tout haut ce que je pensais.

– Pourrait-on se procurer des doubles des appels radios de la police au moment de la découverte des corps ? demandai-je. Je veux connaître le moment exact où les meurtres ont été signalés et l'heure à laquelle les premiers policiers sont arrivés sur les lieux, surtout dans le cas de Lori Petersen. L'heure du décès pourrait nous aider à déterminer exactement à quelle heure le tueur quitte son travail.

– Aucun problème, fit Marino. Venez avec moi. On va passer chez Petersen. Ensuite on ira à la salle des transmissions.

Matt Petersen n'était pas chez lui. Marino laissa sa carte sous le heurtoir en cuivre.

– Ça m'étonnerait qu'il m'appelle, marmonna-t-il en redémarrant.

Pourquoi ?

– Quand je suis passé le voir, l'autre jour, il m'a même pas fait entrer. Il est resté à la porte comme un chien de garde. Il a reniflé la salopette et m'a viré comme un malpropre. Il m'a conseillé de m'adresser à son avocat la prochaine fois. Paraît que je le harcèle.

– Ce n'est peut-être pas tout à fait faux.

Il me jeta un coup d'œil et faillit sourire.

Nous revînmes dans le centre.

– Vous disiez que l'examen ionique avait identifié le borax, dit-il en changeant de sujet. C'est qu'il n'y a rien dans le maquillage de théâtre ?

– Non, le maquillage ne contenait pas de borax. C'était une substance qu'on appelle Sun Blush et qui réagit au laser. Les empreintes que Petersen a laissées sur le corps de sa femme viennent du Sun Blush qu'il avait sur les mains.

– Et le résidu brillant sur le couteau ?

– Il n'y en avait pas assez pour qu'on puisse procéder à un test. Ce devait être du Sun Blush. Ce n'est pas une poudre mais une crème. Vous vous souvenez du grand pot de crème rose foncé que vous avez apporté au labo ? (Il acquiesça d'un signe de tête.) C'était du Sun Blush. Il ne se répand pas partout, comme le borax. Il reste localisé.

– Comme sur la clavicule de Lori Petersen ? fit-il.

– Oui. Et sur la fiche de Matt Petersen, mais seulement là où il a posé ses empreintes. Il n'y avait aucune paillette ailleurs sur la fiche, sauf sur l'encre des empreintes. Or les paillettes qui se trouvaient sur le manche du couteau n'étaient pas groupées de cette façon. Elles étaient disposées au hasard, éparpillées, comme celles qu'on a trouvées sur le corps des victimes.

– Vous voulez dire que si Petersen avait touché le couteau avec du Sun Blush sur les mains, on aurait retrouvé des zones brillantes nettement délimitées, et non des paillettes dispersées ?

– Exactement.

– Et le résidu que vous avez trouvé sur les corps, sur les liens et ailleurs ?

– Nous en avons trouvé une concentration suffisante sur les poignets de Lori. C'était du borax.

– Donc on a deux types de résidus différents ?

– Exact.

– Hum !

Comme celle de la plupart des bâtiments officiels de Richmond, la façade du siège de la police est grisâtre, comme le béton des trottoirs. Les seules taches vives sont les deux drapeaux qui claquent sur le ciel bleu : le drapeau américain et celui de Virginie. Marino contourna l'édifice et alla se garer derrière une file de voitures de police banalisées.

Dans le hall, nous passâmes devant la cage de verre de la réception tandis que des agents en bleu marine nous disaient bonjour. Je constatai avec soulagement que j'avais quitté ma blouse. J'oubliais parfois de l'enlever avant de sortir, et quand je me retrouvais dans la rue avec, j'avais l'impression de me promener en pyjama.

Les portraits-robots des violeurs d'enfants et des rois de l'arnaque étaient épinglés sur des panneaux muraux avec une brochette éloquente de visages de brutes. Je remarquai aussi les photos d'identité judiciaire des dix cambrioleurs, violeurs et assassins les plus recherchés de Richmond. Certains n'avaient pas pu s'empêcher de sourire à l'objectif. Les stars du crime.

Nous descendîmes un escalier métallique mal éclairé et arrivâmes devant une porte pourvue d'un hublot en verre à travers lequel Marino se fit connaître.

La porte s'ouvrit électroniquement.

C'était la salle des transmissions, une pièce souterraine bourrée de bureaux et de terminaux d'ordinateurs raccordés à des consoles téléphoniques. Derrière une cloison vitrée, je découvris une seconde pièce où travaillaient les employés du standard du 911. La ville entière leur apparaissait comme un jeu vidéo. Ils nous jetèrent des regards curieux. Certains parlaient dans leur micro, d'autres bavardaient ou fumaient, les écouteurs autour du cou.

Marino m'entraîna vers des étagères pleines de boîtes de bandes magnétiques. Chaque boîte était datée. Il en préleva cinq, chacune couvrant une période d'une semaine.

– Joyeux Noël, fit-il d'une voix traînante.

– Quoi ? fis-je en le regardant comme s'il était devenu fou.

– Ben, quoi ? dit-il en sortant son paquet de cigarettes. Moi, faut que j'me tape les livreurs de pizza. Y' a un magnéto là-bas. Vous pouvez les écouter ici ou les emporter à votre bureau. À votre place, j'me dépêcherais de les enlever de cet asile de fous, mais je vous ai rien dit, hein ? Normalement les bandes doivent pas sortir d'ici. Vous me les rendrez quand vous aurez fini.

J'en avais déjà mal à la tête.

Ensuite il m'emmena dans une petite pièce où une imprimante laser débitait des kilomètres de papier rayé de vert. Ça m'arrivait déjà aux genoux.

– J'ai demandé qu'on vous sorte tout ce que l'ordinateur a avalé depuis deux mois.

– Oh, mon Dieu !

– Vous y trouverez les adresses et tout ça. (Il me jeta un bref regard de ses yeux noirs.) Ça va pas être coton de repérer l'appel. Parce que sans les adresses, vous saurez jamais à quoi correspond un appel.

– Bon sang ! On ne peut pas simplement demander à l'ordinateur de nous sortir ce dont nous avons besoin ? fis-je d'une voix exaspérée.

– Vous vous y connaissez en gros ordinateurs ?

Je n'y connaissais rien.

Il jeta un regard circulaire.

– Dans cette boîte, y' a personne qui y pige quelque chose. On a un spécialiste informatique, mais il est en vacances sur la côte en ce moment. Le seul moment où on voit un spécialiste, c'est quand on a une panne. La boîte de maintenance rapplique et le département se fait taxer soixante-dix dollars de l'heure pour la réparation. Même si le département voulait vous aider, ces connards de la maintenance arriveraient à la vitesse d'une limace en retraite. Vous avez déjà eu de la chance que je trouve un type assez futé pour appuyer sur le bouton Impression.

Nous restâmes une demi-heure dans la petite pièce. L'imprimante finit par s'arrêter, et Marino arracha le papier. Il mit le tout dans un carton vide, qu'il souleva avec un grognement.

Pour sortir, nous dûmes retraverser la salle de transmissions.

– Si tu vois Cork, transmets-lui un message de ma part, lança-t-il par-dessus son épaule à un séduisant officier noir.

– Ouais ? fit l'autre en étouffant un bâillement.

– Dis-lui qu'il est plus dans son bahut et qu'il arrête de faire le malin dans son micro. On n'est pas dans un concours de cibistes, ici !

L'autre éclata de rire. Il avait exactement le rire d'Eddie Murphy.

Pendant un jour et demi, je ne m'habillai même pas, cloîtrée chez moi en survêtement, les écouteurs vissés sur les oreilles.

Bertha fut adorable et occupa Lucy.

Je courais contre la montre, priant pour trouver quelque chose avant que le vendredi ne bascule dans les premières heures du samedi. Je sentais que le tueur passerait à l'acte.

Je téléphonai deux fois à Rose. En rage, Amburgey avait appelé quatre fois depuis que j'étais partie avec Marino. Le commissaire exigeait que j'aille le voir sur-le-champ pour lui fournir une explication sur l'article de la veille, qu'il qualifiait de « fuite des plus regrettables ». Il voulait aussi les résultats des examens ADN et exigeait qu'on lui fournisse au plus tôt un rapport sur le fameux « élément matériel » en notre possession.

– Que lui avez-vous répondu ? demandai-je à Rose sans en croire mes oreilles.

– J'ai dit que je laisserais le message sur votre bureau. Quand il m'a menacée de me virer si je ne le mettais pas immédiatement en communication avec vous, je lui ai dit : « Chic ! Je n'ai encore jamais eu l'occasion de poursuivre quelqu'un en justice »...

– Vous ne lui avez *tout de même pas*...

– Si ! Je suis sûre que si ce péteux avait une cervelle, on l'entendrait ballotter dans son gros crâne.

J'avais branché mon répondeur. Amburgey pourrait toujours se défouler sur une bande magnétique.

C'était un cauchemar. Chaque bande couvrait les vingt-quatre heures de chacun des sept jours de la semaine. Naturellement, il arrivait qu'il n'y ait que trois ou quatre appels de deux minutes en une heure. Tout dépendait de l'activité du standard du 911. Le problème était de retrouver le moment précis où les meurtres avaient été signalés. Quand j'étais trop impatiente, j'allais trop loin et, pensant avoir raté un appel, je devais rembobiner. Ensuite je ne retrouvais plus où j'en étais restée...

C'était terrible ! Et déprimant. Les appels allaient des allumés qui se croyaient attaqués par les extra-terrestres aux ivrognes en proie au délire, en passant par de pauvres gens dont un proche était victime d'une crise cardiaque. Accidents de voiture, menaces de suicide, rôdeurs, chiens qui aboient, stéréos à fond et pots d'échappement qu'on prenait pour des fusillades... tout ça défilait dans le désordre !

J'avais déjà retrouvé trois des signalements que je cherchais. Celui concernant la découverte du corps de Brenda, celui d'Henna et celui de Lori. Je rembobinai pour retrouver l'appel interrompu qu'avait passé Lori juste avant d'être assassinée. Il avait eu lieu à 0 h 49, le samedi 7 juin, et tout ce qu'on entendait sur la bande, c'était l'opérateur disant simplement « 911 ».

Je cherchai dans des pages et des pages de listing la transcription correspondante. L'adresse de Lori était apparue sur l'écran du 911, au nom de L. A. Petersen. Ce n'est que trente-neuf minutes plus tard que la voiture de patrouille 21 avait reçu le signalement. Six minutes après, elle passait devant chez Lori et, ne remarquant rien, s'éloignait pour répondre à un autre appel.

L'adresse des Petersen était réapparue exactement soixante-huit minutes après le premier appel 911, à 1 h 57, quand Matt Petersen avait découvert le corps de sa femme. Si seulement il n'avait pas eu répétition ce soir-là, pensai-je. Si seulement il était rentré plus tôt...

On entendit un déclic sur la bande.

– 911.

Une respiration oppressée.

– Ma femme ! (Voix paniquée.) On a tué ma femme ! Vite, je vous en supplie ! (Hurlant.) Mon Dieu ! On l'a tuée ! Vite ! Vite !

La voix hystérique me glaça. Petersen fut un instant incapable de répondre quand l'opérateur lui demanda son adresse.

J'arrêtai la bande et fis un rapide calcul. Petersen était rentré vingt-neuf minutes après que la première voiture de patrouille était passée. Le premier appel avait eu lieu à 0 h 49. Le policier était arrivé devant la maison à 1 h 34.

Quarante-cinq minutes s'étaient écoulées. Le tueur n'était resté dans la chambre de Lori que durant ce laps de temps au maximum.

À 1 h 34 il était reparti. La chambre était plongée dans l'obscurité. S'il avait été encore à l'intérieur, la lumière aurait été allumée. J'en étais persuadée. Je n'arrivais pas à croire qu'il ait trouvé un fil électrique et fait des nœuds aussi élaborés dans le noir.

C'était un sadique. Il voulait que sa victime le voie, surtout s'il portait une cagoule. Il voulait qu'elle anticipe, terrorisée, les horreurs qu'il allait lui faire subir...

Quand tout avait été fini, il avait éteint tranquillement la lumière et était ressorti par la fenêtre des toilettes, quelques minutes peut-être avant le passage de la voiture de patrouille, et moins d'une demi-heure avant le retour de Matt Petersen. Et il avait laissé derrière lui son odeur de charogne.

Jusque-là, je n'avais trouvé aucune équipe de policiers s'étant rendue sur les lieux des meurtres de Brenda, Lori et Henna. La déception m'ôtait le courage de poursuivre.

Je fis une pause. Bertha et Lucy rentrèrent de leur promenade et je fis de mon mieux pour écouter leurs histoires. Lucy était épuisée.

– J'ai mal au ventre, se plaignit-elle.

– Pas étonnant, commenta Bertha. Je t'avais dit de ne pas manger toutes ces cochonneries.

Je fis dîner Lucy d'un bouillon de poulet avant de la mettre au lit.

Puis je recoiffai les écouteurs.

J'avais perdu toute notion du temps.

« *911.* » « *911.* »

Le numéro résonnait, lancinant, dans ma tête.

Peu après 10 heures, je ressentis une telle fatigue que j'étais incapable de réfléchir. Je rembobinai pour retrouver l'appel signalant la découverte du corps de Patty Lewis. Mon regard errait sur un listing déplié sur mes genoux.

Tout d'abord, je ne compris pas ce que je voyais.

L'adresse de Cecile Tyler était imprimée à mi-page, datée du 12 mai, à 21 h 23.

C'était impossible.

Elle avait été tuée le 31 mai.

Son adresse n'aurait pas dû se trouver sur cette bande !

J'appuyai sur la touche d'avance rapide, arrêtant la bande toutes les quelques secondes. Il me fallut vingt minutes pour trouver l'enregistrement correspondant. Je le réécoutai trois fois.

À 21 h 23 précises, une voix masculine prend l'appel et annonce : « 911. »

Après un bref silence, une voix féminine à l'intonation douce et cultivée, marque sa surprise :

– Oh ! excusez-moi, je suis désolée.

– Un problème, madame ?

Rire embarrassé.

– Je voulais les renseignements. (Nouveau rire.) J'ai dû faire le 9 au lieu du 4.

– Ce n'est pas grave ! (D'un ton enjoué :) Bonne soirée, madame.

Silence. Un déclic, et la bande continuait.

Sur la sortie papier, l'adresse de la jeune femme noire assassinée figurait sous son nom, Cecile Tyler.

Et brusquement, je compris.

– Mon Dieu ! articulai-je, l'estomac noué.

Brenda Steppe avait appelé le 911 après son accident de voiture. D'après son mari, Lori Petersen avait appelé la police en entendant un chat, qu'elle avait pris pour un rôdeur, fouiller dans les poubelles. Abby Turnbull avait appelé la police quand l'homme en Cougar noire l'avait suivie. Et Cecile Tyler avait fait le 911 par erreur.

Quatre des cinq femmes assassinées avaient donc appelé la police, et leur adresse était aussitôt apparue sur l'écran de l'ordinateur gérant le 911. Et l'opérateur avait déduit qu'elles vivaient probablement seules.

Je me précipitai à la cuisine. Je ne sais pas pourquoi, car j'avais un téléphone dans mon bureau.

Je composai frénétiquement le numéro du service des enquêtes. Marino n'était pas là.

– Donnez-moi son numéro personnel.

– Désolé, mais nous ne sommes pas autorisés à donner les numéros personnels.

– Je m'en fous ! Je suis le Dr Scarpetta, médecin expert général ! Donnez-moi son numéro !

Silence étonné au bout du fil. Puis l'officier se confondit en excuses et me donna le numéro.

– Ouf ! lâchai-je quand je l'entendis décrocher.

– Nom de Dieu ! fit-il après que je lui eus débité mon récit d'une seule traite. Je m'en occupe, doc.

– Vous feriez mieux de descendre à la salle des transmissions pour voir si ce salopard y est ! hurlai-je.

– Qu'est-ce qu'il dit sur la bande ? Vous avez reconnu sa voix ?

– Bien sûr que non.

– Qu'est-ce qu'il a dit à Cecile Tyler ?

– Je vais vous le faire écouter.

Je retournai dans mon bureau, où je pris la communication sur le second appareil. Je rembobinai, débranchai les écouteurs et mis le volume à fond.

– Vous le reconnaissez ? demandai-je en reprenant le combiné.

Marino ne répondit pas.

– Vous êtes toujours là ? criai-je.

– Hé ! calmez-vous, doc. Z'avez eu une rude journée, hein ? Laissez-moi m'occuper de ça.

Sur ce, il raccrocha. Je restai assise, les yeux fixés sur le combiné, immobile jusqu'à ce que la tonalité soit remplacée par une voix enregistrée disant : « Si vous désirez établir une communication, raccrochez et composez le numéro de votre correspondant... »

Je vérifiai que la porte d'entrée était bien fermée, que l'alarme était branchée, puis montai au premier. Ma chambre était située sur l'arrière et donnait sur la forêt. Je baissai les stores.

Bertha considérait qu'on devait laisser entrer le soleil à flots dans les pièces, même vides. « Ça tue les microbes, Dr Kay », me répétait-elle, à quoi je rétorquais que ça décolorait les moquettes.

Impossible de la faire changer d'avis. Je détestai entrer dans ma chambre le soir et trouver les stores ouverts. Je les baissai avant même d'allumer, pour qu'on ne me voie pas de l'extérieur. Mais ce soir j'avais oublié cette précaution. Je décidai de garder mon survêtement. Il me servirait de pyjama.

Je sortis un petit escabeau du placard, tirai la boîte à chaussures et en sortis le .38 que je glissai sous mon oreiller.

J'étais malade à l'idée qu'on risquait de m'appeler à tout moment pour un nouveau meurtre, et je me voyais déjà, criant à Marino : « Je vous l'avais dit, espèce de tête de mule ! Je vous avais prévenu ! »

Où était-il, ce gros lard ? Que faisait-il ? J'éteignis ma lampe et remontai la couverture. Sans doute en train de siroter sa bière en regardant la télé.

Je rallumai. Sur ma table de chevet, le téléphone me narguait. Je ne voyais personne d'autre à appeler. Si j'appelais Wesley, il appellerait aussitôt Marino. Si j'appelai le service des enquêtes, le policier qui me répondrait appellerait Marino.

C'est Marino qui était chargé de cette maudite enquête. Tous les chemins menaient à Marino !

J'éteignis et restai les yeux grands ouverts dans l'obscurité.

« *911.* » « *911.* »

Je me tournai et me retournai dans mon lit, la voix résonnant à mon oreille.

Il était minuit passé quand je descendis à pas de loup au rez-de-chaussée pour aller prendre une bouteille de cognac dans le bar. Lucy n'avait pas bougé depuis que je l'avais mise au lit. Elle dormait à poings fermés. J'aurais voulu pouvoir en faire autant. Je me servis coup sur coup deux petits verres, puis, abattue, remontai dans ma chambre.

Je m'agitais, sombrant dans le sommeil pour me réveiller aussitôt.

« ... *Qu'est-ce qu'il a dit à Cecile Tyler ?* »

Clic. La bande se remettait en route.

« *Oh ! excusez-moi. (Rire embarrassé.) J'ai dû faire le 9 au lieu du 4...*

– Ce n'est pas grave ! Bonne soirée, madame. »

« ... *J'ai dû faire le 9 au lieu du 4...* »

« *911.* »

« *Hé ! il est beau gosse...*

« *C'est une ordure !*

« ... *Parce qu'il n'est pas en ville, Lucy. Mr Boltz est parti en vacances.*

– Oh ! (Déçue.) Quand est-ce qu'il revient ?

– Pas avant le mois de juillet.

– Pourquoi on n'est pas parties avec lui, tante Kay ? Il est au bord de la mer ? »

« ... *Tu mens tous les jours, en ce qui nous concerne, au moins par omission.* » *Son visage flou derrière un voile de chaleur et de fumée, ses cheveux blonds au soleil.*

« *911.* »

J'étais chez ma mère et elle me parlait.

Un rapace tournoyait paresseusement au-dessus de la fourgonnette dans laquelle je roulais avec quelqu'un que je ne connaissais pas et que je ne pouvais voir. Des palmiers défilaient de chaque côté de la route. Des aigrettes à long cou étaient plantées çà et là, comme des figurines de porcelaine, et nous suivaient des yeux.

Je me mis sur le dos.

Assis dans son lit, mon père m'écoutait lui raconter ma journée à l'école. Son visage était gris. Il ne me répondait pas, les yeux fixes. L'angoisse me serrait le cœur.

Il était mort.

« *Papaaaa !* »

Une odeur écœurante me monta aux narines tandis que je me jetais contre lui.

Le noir se fit dans mon esprit.

Je repris conscience, le cœur battant.

L'odeur. L'affreuse odeur.

Était-elle réelle ou avais-je rêvé ?

Un signal d'alarme se déclencha dans ma tête.

L'odeur écœurante m'étouffait et quelque chose effleurait mon lit.

16

Entre ma main et le .38 caché sous mon oreiller, il devait y avoir une trentaine de centimètres, pas plus.

Un abîme. Une éternité. Cela me parut impossible. Je ne pensai à rien, obnubilée par cette distance, mon cœur cognant entre mes côtes comme un oiseau affolé contre les barreaux de sa cage. Le sang sifflait à mes oreilles. J'avais les muscles tendus à se rompre. Je frissonnais de terreur. Ma chambre était plongée dans un noir d'encre.

Doucement, très doucement, je hochai la tête, obéissant à la voix métallique, à la main qui m'écrasait la bouche. Non. Je ne crierais pas.

Le couteau sur ma gorge me parut aussi impressionnant qu'une machette. Le matelas s'affaissa sur la droite. Un déclic. Un éclair lumineux. Puis plus rien. Quand mes yeux s'accommodèrent à la lumière, je le regardai et étouffai un hoquet.

Je ne pouvais ni bouger ni respirer. Le fil tranchant de la lame me mordait la peau.

C'était un Blanc, les traits déformés par un bas Nylon, avec deux fentes pour les yeux, et une haine implacable. Le bas se gonflait au niveau de la bouche à chaque expiration.

– Au moindre bruit, je te coupe la tête.

Des pensées confuses explosèrent dans mon esprit. Lucy. Goût salé du sang dans ma bouche engourdie. Lucy, ne te réveille pas. Je sentis comme un courant haute tension dans son bras et sa main. Je me préparais à mourir.

Non. Ne faites pas ça. C'est insensé.

Je suis une femme, une femme comme votre sœur, comme votre mère. Un être humain, comme vous. Je peux vous dire des choses sur les meurtres. Ce que sait la police. Tout ce que je sais.

Je vous en supplie. Je suis une femme. Une femme ! Laissez-moi vous parler !

Fragments de phrases. Impossibles à prononcer. Inutiles. J'étais prisonnière de mon silence. Je vous en supplie, ne me touchez pas. Ne me touchez pas !

Il fallait absolument qu'il enlève sa main de ma bouche, que je puisse lui parler.

Je m'efforçai de me détendre. Il le sentit.

Il desserra son étreinte et je pus aspirer un peu d'air.

Il portait une salopette bleu marine au col trempé de sueur. La main qui tenait le couteau sur ma gorge était protégée par un gant chirurgical translucide. Je sentais l'odeur du caoutchouc. Et son odeur à lui.

La salopette dans le labo de Betty. La bouffée écœurante quand Marino l'avait sortie du sac.

Comme dans un vieux film, je m'entendis lui demander : « *Est-ce l'odeur que Petersen avait sentie ?* » Et son gros pouce pointé vers moi tandis qu'il s'exclamait : « Gagné ! »

La salopette étalée sur la table du labo, taille L ou XL, en partie découpée.

Il avait le souffle court.

– Je vous en prie, articulai-je sans un geste.

– Tais-toi !

– Je peux vous dire tout ce que...

– Tais-toi !

Sa main se plaqua sur ma bouche avec sauvagerie. Je crus que ma mâchoire allait éclater.

Ses yeux furetaient partout, examinant ma chambre dans le moindre détail. Ils s'arrêtèrent sur les stores, les cordons qui pendaient. Je savais à quoi il pensait. Puis il tourna brusquement la tête vers le cordon de ma lampe de chevet. Il sortit quelque chose de blanc de sa poche, me l'enfonça dans la bouche. Son couteau s'écarta.

J'avais la nuque raide. Mon visage était comme pétrifié. Avec précaution, je repoussai à coups de langue le chiffon vers le devant de ma bouche. La salive m'étouffait.

La maison était plongée dans un silence total. Lucy. Bon Dieu ! je vous en supplie...

Les autres femmes avaient fait ce qu'il leur avait ordonné. J'avais vu leurs visages violacés.

J'essayai de me souvenir de ce que je savais de lui. Le couteau n'était qu'à quelques centimètres de mon visage, scintillant dans la lumière. Il m'aurait fallu bondir, faire tomber la lampe.

J'avais les bras et les jambes sous les couvertures. Je ne pouvais pas donner de coups de pied, ni bouger les bras, ni remuer. Si la lampe se fracassait par terre, la chambre serait plongée dans le noir.

Je n'y verrais plus rien. Et il avait son couteau.

Je pourrais le convaincre de ne pas me faire de mal. Si je retrouvais l'usage de la parole. Parler.

Leurs visages violacés, les liens entaillant la chair du cou.

Trente centimètres, pas plus. L'infini.

Il ne savait pas que j'avais une arme.

Il était nerveux, tendu. Il hésitait. Son cou rouge et gonflé transpirait à grosses gouttes, sa respiration était rapide, hachée.

Il ne se préoccupait pas de l'oreiller.

– Un seul geste... dit-il en m'appuyant la pointe effilée du couteau sur la gorge.

Je le regardai, les yeux écarquillés.

– Ça va te plaire, petite garce. (Une voix sourde, glaciale.) J'ai gardé le meilleur pour la fin. (Le bas, tour à tour gonflé et aspiré par son souffle.) Tu veux savoir comment je m'y prenais ? Je vais tout te montrer. J'ai tout mon temps.

Je connaissais cette voix.

Ma main droite. Où se trouvait le revolver ? Un peu plus à gauche ? Au milieu ? Où ? Il lui faudrait aller jusqu'aux rideaux. Il ne pouvait pas couper le fil de la lampe. C'était l'unique source de lumière. L'interrupteur du plafonnier était près de la porte. Il l'avait repéré.

Je déplaçai ma main droite de deux ou trois centimètres.

Ses yeux quittèrent les rideaux, revinrent vers moi, se détournèrent de nouveau.

Ma main droite était à présent sur ma poitrine.

Le matelas bougea lorsqu'il se leva. Sous ses aisselles, des auréoles de sueur s'agrandissaient.

Son regard allait de l'interrupteur près de la porte aux cordons des stores. Il paraissait indécis.

Tout se passa très vite. Ma main toucha le métal froid, saisit l'arme tandis que je roulai à bas du lit en entraînant le drap. En une fraction de seconde, le chien se releva avec un déclic.

Ensuite je ne me souvenais plus. L'instinct me guidait. Quelqu'un d'autre agissait à ma place. Le doigt sur la détente, le revolver tressautant dans ma main, tant je tremblais.

Je ne me souviens pas avoir ôté le bâillon.

Je hurlai.

– *Salaud ! Espèce de salaud !*

L'arme sauta entre mes doigts tandis que je hurlai, ma terreur et ma rage explosant en un chapelet d'insanités. Je hurlai, ordonnai qu'il montre son visage.

Il s'était figé de l'autre côté du lit. J'étais étrangement détachée. Son poignard n'était qu'un petit couteau de chasse. Ses yeux étaient rivés à mon revolver.

– ENLEVEZ CE BAS !

Il leva lentement le bras et le fourreau blanc tomba au sol...

Puis il pivota brusquement sur lui-même.

Je hurlai et entendis plusieurs explosions. Je ne compris pas ce qui se passait.

La folie. Les objets volèrent. Le couteau jaillit de sa main tandis qu'il s'écroulait sur la table de chevet, entraînant la lampe dans sa chute. Une voix cria quelque chose. La chambre fut plongée dans l'obscurité.

Quelqu'un raclait frénétiquement le mur.

– Où est cette putain de lumière, bordel... ?

Je l'aurais fait.

Je sais que je l'aurais fait.

Je n'ai jamais rien désiré plus ardemment que d'appuyer sur cette détente.

Je voulais lui faire un grand trou à la place du cœur.

Nous avions déjà rejoué la scène au moins cinq fois. Marino voulait tirer ça au clair. Il refusait de croire que ça s'était passé comme je lui disais.

– Hé ! dès que je l'ai vu entrer par votre fenêtre, doc, je l'ai pas lâché d'une semelle. Il est pas resté plus de trente secondes dans votre piaule avant que j'arrive. Et vous aviez pas d'arme. Vous avez voulu la prendre et vous êtes tombée du lit. Là j'suis entré et j'l'ai fait valser.

Nous étions assis dans mon bureau du BMG le lundi matin. Je gardais un souvenir très vague des deux jours précédents.

Quoi qu'il en dise, j'étais persuadée d'avoir tenu le tueur en joue au moment où Marino avait surgi. Juste avant que son .357 ne crache quatre balles. Je ne lui avais pas pris le pouls. Je n'avais pas tenté de stopper l'hémorragie. J'étais restée assise par terre, enroulée dans mon drap, le revolver sur les genoux. Les larmes avaient jailli de mes yeux quand je m'en étais aperçue.

Le .38 n'était pas chargé.

J'étais si préoccupée quand j'étais remontée me coucher que j'avais oublié de le charger. Les cartouches étaient restées dans leur boîte, sous une pile de pull-overs, là où Lucy n'aurait jamais pensé les chercher.

Il était mort. Avant même de toucher le tapis.

– Il avait pas enlevé son masque, continua Marino. La mémoire vous joue des drôles de tours, vous savez. J'lui ai retiré son foutu bas dès que Snead et Riggy ont été là.

C'était un gamin. Un gamin au visage pâle et aux cheveux frisés, blond sale. Avec un duvet dérisoire sur la lèvre supérieure.

Je n'oublierais jamais ces yeux. Ces trous sans âme. Des trous ouvrant sur les ténèbres.

– Je crois qu'il a dit quelque chose, marmonnai-je à l'adresse de Marino. Il a parlé en tombant. (Je levai les yeux vers Marino et lui demandai d'une voix hésitante :) Vous avez entendu quelque chose ?

– Ouais. Il a dit quelque chose.

– Et c'était quoi ? fis-je en attrapant d'une main tremblante ma cigarette posée dans le cendrier.

Marino eut un sourire ironique.

– La même chose qu'on retrouve sur les boîtes noires quand un zinc s'écrase. Ce qu'on dit quand on voit sa dernière heure arriver. Il a dit : « Et merde ! »

L'une des balles lui avait sectionné l'aorte. Une autre lui avait emporté le ventricule gauche. La troisième lui avait traversé le poumon avant de se loger dans la colonne vertébrale. La dernière lui avait traversé le corps de part en part sans toucher d'organe vital et était allée fracasser ma fenêtre.

Ce n'est pas moi qui fis l'autopsie. Un de mes adjoints, responsable du secteur nord de la Virginie, déposa son rapport sur mon bureau. Je ne me souvenais pas lui avoir demandé de l'autopsier.

Je n'avais pas lu les journaux. Je ne l'aurais pas supporté. Le titre de l'édition de la veille m'avait suffi. Je l'avais aperçu en fourrant le journal à la poubelle : L'ÉTRANGLEUR TUÉ PAR UN ENQUÊTEUR DANS LA CHAMBRE DU MÉDECIN EXPERT.

Génial ! pensai-je. Les gens allaient se demander pourquoi Marino se trouvait dans ma chambre à 2 heures du matin, quand le tueur était entré...

Génial !

Le psychopathe était un agent des communications embauché par la ville un an plus tôt. À Richmond, les agents des transmissions sont des civils, et non pas des policiers. Il travaillait de 18 h à 24 h. Il s'appelait Roy McCorkle. Il était parfois au 911. D'autres fois, au standard. C'est pourquoi Marino avait reconnu sa voix. Marino ne m'avait rien dit mais il avait tout de suite compris.

McCorkle n'avait pas travaillé le vendredi précédent. Il s'était mis en maladie depuis la parution de l'article d'Abby Turnbull, le jeudi. Ses collègues appréciaient ses plaisanteries à la radio et le charriaient sur ses allées et venues aux toilettes. On l'avait même surpris un jour en train de procéder à une grande toilette avec une éponge. Et du savon au borax.

C'était un type « normal ». Personne ne le connaissait vraiment. On pensait qu'il voyait une fille après le boulot, une « jolie blonde » nommée « Christie ». Christie n'existait pas. Les seules femmes qu'il voyait après le boulot étaient celles qu'il charcutait. Ses collègues n'en crurent pas leurs oreilles.

Nous nous demandâmes si ce n'était pas McCorkle qui avait assassiné trois femmes dans la région de Boston, plusieurs années auparavant. À cette époque, il était chauffeur de poids-lourds et faisait régulièrement étape à Boston pour livrer des poulets dans une usine de conserve. Nous ne saurions peut-être jamais combien de femmes il avait assassinées. Peut-être des dizaines. Il avait probablement commencé par le voyeurisme, puis il était passé au viol. Il n'avait pas de casier. Sa seule condamnation était pour un excès de vitesse.

Il avait 27 ans.

Il avait fait des tas de petits boulots : camionneur, responsable des livraisons dans une cimenterie de Cleveland, facteur, livreur dans un magasin de fleurs à Philadelphie.

Marino ne l'avait pas trouvé à son poste le vendredi soir précédent, mais n'avait pas insisté. Dès 23 heures, le sergent s'était embusqué dans mon jardin, vêtu d'une combinaison bleu marine pour se fondre dans la nuit. Quand il avait allumé le plafonnier de ma chambre et que je l'avais vu sur le seuil, l'arme à la main, j'avais, durant une fraction de seconde, confondu le flic et l'assassin.

– J'ai réfléchi à ce qui lui était arrivé avec Abby Turnbull, m'expliqua-t-il. À la possibilité qu'il ait assassiné sa sœur par erreur. Ça m'inquiétait. Je me suis demandé qui serait la prochaine.

Il me regarda d'un air songeur.

Le soir où Abby avait été suivie par un inconnu en sortant de son journal, elle avait composé le 911 et c'est McCorkle qui avait pris l'appel. C'est comme ça qu'il avait eu son adresse. Avait-il déjà songé à la tuer, ou était-ce sa voix, au bout du fil, qui lui en avait donné l'idée ? Nous ne le saurions jamais.

Nous savions en revanche que les cinq victimes avaient, un jour ou l'autre, appelé le 911. Patty Lewis l'avait composé moins de quinze jours avant d'être assassinée. Un jeudi soir, à 20 h 23, juste après un violent orage, pour signaler qu'un feu rouge était tombé en panne près de chez elle. C'était une citoyenne consciencieuse et altruiste.

Cecile Tyler avait fait le 9 au lieu du 4.

Moi, je n'avais jamais composé le 911.

Il m'avait retrouvée sans ça.

Mes numéro et adresse figuraient dans l'annuaire pour que les médecins requis pour un décès puissent me joindre à toute heure. Au cours des dernières semaines, j'avais parlé à plusieurs agents du standard pour joindre Marino. Peut-être à McCorkle. Je préférais ne pas le savoir.

– Votre photo était dans les journaux. On vous voyait à la télé, poursuivit Marino. Vous aviez examiné toutes ses victimes. Il se demandait ce que vous saviez. Il vous avait dans son collimateur. Moi, je m'inquiétais. Et puis il y a eu tout ce barouf sur sa maladie. Il a été vexé. L'affaire prenait une tournure personnelle. Une toubib arrogante mettait en cause son intelligence, sa virilité.

Et les coups de fil chez moi, tard le soir...

– Il allait tout de même pas laisser une bonne femme le traiter de débile mental. « Cette garce se croit maligne ? qu'il s'est dit. Plus maligne que moi ? Eh bien, je vais lui faire voir. Je vais me la faire. »

Je portais un pull-over sous ma blouse boutonnée jusqu'au cou. Je n'arrivais pas à me réchauffer. Les deux dernières nuits, j'avais dormi dans la chambre de Lucy. Je voulais faire refaire ma chambre. Vendre ma maison.

– L'article de l'autre jour a dû salement le secouer. Benton pensait que c'était notre chance. Que ça le pousserait peut-être à faire une erreur. J'étais fou de rage. Vous vous souvenez ?

Je hochai à peine la tête.

– Vous voulez savoir pourquoi j'étais furieux ?

Il était fier de lui. Il aurait voulu que je le félicite, que je m'extasie parce qu'il avait descendu un type dans ma chambre. Un type armé d'un banal couteau de chasse.

– Eh ben, je vais vous le dire. J'avais un tuyau depuis quelque temps.

– Un tuyau ? Quel tuyau ?

– Un tuyau de notre cher ami Boltz, répondit-il d'un air détaché, en secouant la cendre de sa cigarette. Ouais. Il m'a appelé juste avant de partir en congé. Il se faisait du souci pour vous...

– Du souci pour moi ? articulai-je.

– Un soir qu'il était passé vous voir, il avait repéré une bagnole près de chez vous. Quand il l'a vu, le type a éteint ses phares et s'est barré à toute vitesse. Il a pensé qu'on vous surveillait, que c'était peut-être le tueur...

– C'était Abby ! m'écriai-je. Elle voulait me parler mais quand elle a vu la voiture de Bill, elle a paniqué.

Marino parut surpris puis il haussa les épaules.

– Peu importe. L'important, c'était de faire gaffe, hein ? (Je ne dis rien. J'étais au bord des larmes.) Ça a suffi pour me mettre la puce à l'oreille. J'dois dire que ça faisait un moment que je surveillais vot' maison. Et puis y' a eu cette foutue histoire d'ADN. J'me suis dit que ce salopard allait commencer ses repérages autour de chez vous. J'étais sûr que ça le rendrait dingue. Cette fois, il allait pas se contenter de tripatouiller votre ordinateur, il allait vous régler votre compte pour de bon.

– Vous aviez raison.

– Ouais ! J'avais raison.

Marino n'était pas obligé de le tuer. Nous deux seuls étions au courant. Mais je n'avais pas l'intention de l'ébruiter. Je n'éprouvai aucune pitié. Je l'aurais fait moi-même, d'ailleurs si je me sentais si mal depuis, c'est que si j'avais essayé, j'aurais échoué. Le .38 n'était pas chargé. Et je me sentais mal parce que j'aurais été incapable de m'en tirer seule, et que je répugnai à remercier Marino de m'avoir sauvé la vie.

Il continuait à parler. Je sentais la colère monter en moi.

Quand Wingo apparut sur le seuil.

– Hum ! (Mains dans les poches, il hésita en voyant le visage hostile de Marino.) C'est peut-être pas le moment, Dr Scarpetta, mais...

– Je me sens très bien ! m'exclamai-je, exaspérée. (Il blêmit et me regarda avec des yeux ronds.) Je suis désolée, Wingo, fis-je en baissant le ton. C'est vrai, je suis encore sous le choc. Je ne suis plus moi-même. Que voulez-vous ?

Il sortit un sachet en plastique de la poche de son pantalon de soie bleu. Dedans se trouvait le filtre d'une Benson & Hedges qu'il posa délicatement sur mon sous-main.

Je la regardai, impassible.

– Euh... vous vous souvenez que je vous avais demandé si le commissaire était anti-tabac et tout ça ?

Je hochai la tête.

Marino s'impatientait. Il regardait autour de lui, l'air excédé.

– Vous savez, mon ami Patrick ? Il travaille en face, à la comptabilité, dans le service d'Amburgey. Eh bien... (Il rougit.) Patrick et moi, on se retrouve parfois à sa voiture pour aller manger ensemble. Son emplacement de parking n'est pas loin de celui d'Amburgey. Eh bien, ce n'est pas la première fois qu'on le voit faire...

– Ce n'est pas la première fois ? fis-je, ahurie. Et vous l'avez déjà vu faire quoi ?

– On l'a déjà vu en train de fumer, Dr Scarpetta, souffla Wingo avec une mine de conspirateur. Je vous donne ma parole. En fin de matinée et juste après le déjeuner, Patrick et moi, on s'assoit dans sa voiture, on bavarde, on écoute des cassettes. Eh bien, nous avons vu plusieurs fois Amburgey monter dans sa New Yorker noire et en griller une. Il n'utilise pas son cendrier, pour que personne ne le sache. Il regarde s'il n'y a personne et balance son mégot par la vitre. Après il se parfume l'haleine avec un spray !

Il me dévisagea, stupéfait...

Je m'étranglais de rire, sans pouvoir m'arrêter. Je hurlai de rire en claquant des paumes sur mon bureau. On devait m'entendre du bout du couloir.

Wingo s'était mis à rire lui aussi, d'abord un peu jaune, puis de bon cœur, et enfin aux larmes.

L'œil sévère, Marino nous considéra un moment comme s'il avait affaire à deux idiots. Puis il réprima un sourire, toussota à cause de la fumée de sa cigarette et finit par éclater de rire à son tour.

– Attendez, Dr Scarpetta, finit par bégayer Wingo entre deux hoquets. Je n'ai pas fini. La dernière fois, j'ai récupéré son mégot et je l'ai fait analyser par Betty.

– Quoi ? Vous avez donné le mégot à Betty ? C'était ça, l'autre jour ?

– Oui. Elle a analysé son groupe sanguin. Il est AB, Dr Scarpetta.

– Mon Dieu !

Le sang trouvé sur les prélèvements mal étiquetés que Wingo avait retrouvés dans notre réfrigérateur était de type

AB. Or le groupe AB est extrêmement rare. Il ne représente que 4 % de la population.

– J'avais des soupçons, expliqua Wingo. Je sais qu'il vous déteste. Ça me fait de la peine de voir comment il vous traite. Alors j'ai demandé à Fred...

– Le gardien ?

– Ouais. Je lui ai demandé s'il avait vu entrer à la morgue quelqu'un qui n'aurait pas dû y pénétrer. Et il m'a dit qu'il y avait vu un Blanc lundi soir. En faisant sa ronde, il a été pisser et quand il est ressorti, il a croisé un Blanc qui entrait dans les toilettes. Un Blanc, avec des petits paquets blancs à la main.

– C'était Amburgey ?

– Fred n'a pas pu me dire. Pour lui, tous les Blancs se ressemblent. Mais il se souvenait que celui-là portait une bague en argent avec une énorme pierre bleue. Un vieux, maigre et presque chauve.

– Amburgey serait allé aux chiottes pour se faire lui-même des prélèvements ? demanda Marino.

– Les frottis montés sur les lamelles étaient d'origine buccale, dis-je. Sans corps de Barr. Mais avec des chromosomes Y, donc mâles.

– J'aime vous entendre dire des cochonneries, fit Marino avant de poursuivre. Donc, il se racle l'intérieur des joues, fait des frottis et colle une étiquette dessus...

– Une étiquette au nom de Lori Petersen.

– Et après il met ça au frigo pour vous faire croire que vous vous êtes plantée. Merde ! C'est peut être lui qui piratait votre ordinateur. Incroyable ! s'esclaffa-t-il. On le tient par les roupettes !

L'ordinateur avait été piraté de nouveau pendant le weekend, sans doute le vendredi soir. Le samedi matin, en venant assister à l'autopsie de McCorkle, Wesley avait remarqué des commandes restées à l'écran. On avait essayé d'ouvrir le dossier Henna Yarborough. La provenance de l'appel serait facilement déterminée. Wesley avait demandé à la compagnie de téléphone de la lui communiquer.

Jusqu'alors, je pensais que c'était peut-être l'œuvre de McCorkle.

– Si c'est le commissaire qui piratait, leur fis-je remarquer, il n'a rien à craindre. Sa fonction lui donne droit d'accès à tous les documents émanant de mon service. Pas question de prouver qu'il a modifié des données.

Nous scrutions le mégot dans son sachet en plastique. Falsification de preuves, tromperie : le gouverneur lui-même n'aurait pu prendre de telles libertés. Mais je doutais que nous puissions le prouver.

Je me levai et suspendis ma blouse derrière la porte. Je devais être au tribunal vingt minutes plus tard pour déposer dans une autre affaire de meurtre.

Wingo et Marino m'accompagnèrent jusqu'à l'ascenseur. Avant que les portes ne se referment, je leur envoyai, du bout des doigts, un baiser à chacun.

Trois jours plus tard, Lucy et moi étions assises à l'arrière d'une Ford Tempo en route pour l'aéroport. Lucy retournait à Miami, et je l'y accompagnais.

D'abord, je voulais voir l'illustrateur. Ensuite, j'avais besoin de vacances.

J'emmènerais Lucy à la plage et au zoo. Nous admirerions les couchers de soleil au-dessus de Biscayne Bay. Je lui avais promis de louer la cassette des *Révoltés du Bounty*. Nous irions traîner dans les magasins de Coconut Grove. Nous nous gaverions de mérous, de rougets et de tartes au citron. Nous ferions tout ce que j'avais rêvé faire quand j'avais son âge.

Nous parlerions du choc qu'elle avait eu. Par miracle, elle avait dormi jusqu'à ce que Marino ouvre le feu. Mais elle savait que j'avais failli être assassinée.

Elle savait que le tueur était entré par la fenêtre de mon bureau. Elle avait oublié de la verrouiller, quelques jours plus tôt.

Après avoir sectionné les fils de l'alarme à l'extérieur, McCorkle était entré et était passé à quelques pas de la chambre de Lucy. Comment savait-il que je dormais en haut ?

Sans doute m'avait-il épiée depuis longtemps.

Lucy et moi avions des tas de choses à nous dire. J'avais décidé de la faire suivre par un bon psychologue-pédiatre. Je songeai à lui demander de nous recevoir ensemble.

C'est Abby qui conduisait. Elle avait insisté pour nous emmener à l'aéroport.

– J'aurais aimé partir avec vous, dit-elle avec un sourire déçu, quand nous fûmes devant la porte des départs.

– Pourquoi pas ? rétorquai-je avec enthousiasme. Nous serions ravies. Abby ! Je reste là-bas trois semaines. Vous avez le numéro de téléphone de ma mère. Si vous pouvez prendre quelques jours, sautez dans un avion. Nous irons à la plage !

Un bip-bip se fit entendre dans son micro. D'un geste machinal, elle tendit le bras pour monter le volume.

Je compris qu'elle ne téléphonerait pas. Ni le lendemain, ni le surlendemain, jamais. Notre avion n'aurait pas encore décollé qu'elle serait repartie à la chasse aux ambulances et aux voitures de police. Le journalisme était sa vie.

Je lui devais beaucoup.

Grâce à elle, nous avions obtenu la preuve que c'était bien Amburgey qui piratait l'ordinateur du BMG. Le pistage de l'appel avait permis d'établir qu'il provenait de son domicile. Amburgey était accro à l'informatique. Son ordinateur était équipé d'un modem.

Au début, sans doute voulait-il me surveiller. En furetant dans mes données, il avait lu les dossiers des victimes et remarqué, dans celui de Brenda Steppe, un détail différent de ce qu'avait publié Abby. Il avait la preuve que la fuite ne pouvait provenir de mon bureau. Mais il voulait tellement ma peau qu'il avait modifié la donnée pour qu'on m'accuse.

Ensuite il avait délibérément activé la fonction écho et fait mine de vouloir ouvrir le fichier Lori Petersen. Il voulait que nous trouvions trace de ces commandes à l'écran, le lundi matin, quelques heures avant de me convoquer dans son bureau en présence de Tanner et Bill.

Puis il avait continué. Aveuglé par la haine, il avait sauté sur l'occasion quand il avait trouvé les étiquettes formatées dans le dossier de Lori. J'avais repensé à la scène dans la salle de conférence plus d'une fois. Tout d'abord, j'avais cru que les étiquettes avaient été dérobées quand le dossier était tombé des genoux de Bill. Mais en y repensant, je revoyais Bill et Tanner remettant consciencieusement les documents par numéro. En réalité, ce n'était pas le dossier de Lori Petersen qui s'était éparpillé, car Amburgey le consultait à ce moment-là. Il avait profité de la confusion pour arracher prestement une étiquette. Ensuite il avait visité la salle des ordinateurs avec Tanner, mais était resté un moment seul dans la morgue pour aller aux toilettes. C'est là qu'il avait monté ses pseudo-prélèvements.

Ce fut sa première erreur. La seconde avait été de sous-estimer Abby. Elle avait été écœurée de voir qu'on utilisait son travail pour briser ma carrière. Certes, ce n'était pas pour mes beaux yeux. Abby menait une croisade : vérité, justice, démocratie ! Folle de colère et de douleur, elle n'avait rien à perdre.

Après la parution de l'article que nous avions concocté ensemble, elle était allée voir Amburgey. Elle se méfiait déjà de lui à ce moment-là car c'est lui qui lui avait perfidement donné accès à l'information concernant les prélèvements mal étiquetés. Il l'avait reçue avec le rapport de sérologie sur son bureau, accompagné d'une note bien en évidence qui disait : « Éléments matériels désormais inopérants ». Il était sorti un moment de la pièce, histoire de lui laisser le temps de la lire.

La ficelle était trop grosse et Abby n'était pas stupide. Elle connaissait les sentiments qu'il nourrissait à mon égard. Aussi avait-elle décidé de contre-attaquer. Le vendredi précédent, elle était retournée le voir pour lui rapporter l'effraction de notre ordinateur.

Il avait d'abord feint d'être horrifié à l'idée qu'elle puisse publier une chose pareille. En réalité, il savourait déjà ma chute.

Elle l'avait piégé en lui avouant qu'elle n'en savait pas assez pour étayer son article. « L'ordinateur n'a été violé qu'une seule fois, lui dit-elle. Si cela devait se reproduire, Dr Amburgey, je me ferais un devoir de publier l'information, ainsi que d'autres allégations récemment portées à ma connaissance, si le BMG a un problème de fonctionnement, le public doit en être informé. »

Et cela s'était reproduit.

La seconde effraction n'avait donc pas résulté de notre article trafiqué, car ce n'était pas le tueur qu'il devait attirer jusqu'à l'ordinateur du BMG. C'était le commissaire.

– Au fait, me dit Abby en sortant nos bagages du coffre, Amburgey vous laissera tranquille désormais.

– Croyez-vous qu'il ait changé ? demandai-je en jetant un coup d'œil à ma montre.

– En rentrant, ne soyez pas surprise d'apprendre qu'il n'est plus à Richmond, dit-elle, un fin sourire aux lèvres.

Je m'abstins de lui demander des précisions. Elle savait des tas de choses sur Amburgey. Et quelqu'un devait payer.

Bill m'avait appelée la veille pour me dire combien il était heureux que j'en ai réchappé. Il n'avait pas parlé de ses propres fautes. Comme j'y faisais allusion, il me déclara calmement que nous ne nous reverrions pas.

– J'ai réfléchi, Kay. Ça ne peut pas marcher.

– Tu as raison, fis-je, étonnée moi-même du soulagement que cette décision me procurait.

Je serrai Abby dans mes bras.

– Crotte, crotte et crotte ! gémissait Lucy, embarrassée par une énorme valise rose. Y' a qu'un traitement de texte sur l'ordinateur de maman.

– On ira à la plage, lui dis-je. On va bien s'amuser, Lucy. Tu te passeras d'ordinateur pendant quelque temps. Ce n'est pas bon pour tes yeux.

– Je connais un magasin de logiciels pas loin de chez moi.

– La plage n'est pas loin non plus, Lucy. Nous avons toutes les deux besoin de nous détendre. Le grand air et le soleil nous feront du bien.

Nous continuâmes à nous quereller au comptoir de la compagnie.

Je posai les bagages sur la balance, arrangeai le col de Lucy et lui demandai pourquoi elle n'avait pas gardé son pull.

– Tante Kay...

– Tu vas attraper froid.

– Tante Kay !

– Si nous allions prendre un sandwich ?

– Je n'ai pas faim.

– Il faut manger. Nous ne serons pas à Washington avant une heure. Ensuite ils ne servent pas de repas jusqu'à Miami. Il faut que tu manges quelque chose.

– Arrête, tante Kay, on dirait mamie !

1990

MÉMOIRES MORTES

Traduit de l'anglais par
Gilles Berton

Ce roman a paru sous le titre original :

BODY OF EVIDENCE

PROLOGUE

13 août
Key West

Cher M,

Trente jours ont passé, marqués seulement par de légères variations de couleur et de direction du vent. Je pense trop et ne rêve pas.

Je passe presque tous mes après-midi chez Louie, à écrire sur la terrasse, face à l'océan. L'eau compose une belle mosaïque de verts : émeraude au-dessus des bancs de sable, elle tourne à l'aigue-marine dès qu'il y a un peu de fond. Le ciel est en perpétuel mouvement, sans cesse balayé de petits nuages qui filent comme de la fumée blanche. La brise continuelle assourdit les cris des baigneurs et des plaisanciers qui viennent amarrer leur bateau au large de la plage. Lorsque éclate une averse, comme il arrive presque chaque jour en fin d'après-midi, je reste à l'abri, sous l'auvent, assise à ma table, à humer l'odeur de la pluie et à regarder l'eau se brouiller comme une fourrure caressée à rebrousse-poil. Parfois le soleil continue de briller pendant l'ondée.

Personne ne me dérange. Dans ce restaurant, je fais presque partie de la famille, au même titre que Zulu, le labrador noir qui bondit dans les vagues à la poursuite des Frisbees, ou que les chats errants qui s'approchent sans bruit pour attendre poliment quelques restes. Aucun être humain ne mange mieux que les gardiens à quatre pattes de chez Louie. C'est un réconfort que de voir le monde traiter ses créatures avec autant de gentillesse. Je ne peux pas me plaindre de mes journées.

Ce sont les nuits que je redoute.

Dès que mes pensées font mine de se faufiler dans leurs sombres crevasses et de tendre leurs horribles toiles, je me réfugie dans les rues bondées de la Vieille Ville, attirée par le brouhaha des bars comme un moucheron par la lumière. Walt et PJ ont élevé mes habitudes nocturnes au rang d'un art. Walt rentre le premier, dès la tombée du crépuscule, quand les clients se font rares dans sa boutique de bijoux de Mallory Square. Nous débouchons des canettes de bière en attendant PJ. Ensuite nous sortons faire la tournée des bars et nous terminons presque toujours chez Sloppy Joe. Nous sommes devenus inséparables. J'espère en tout cas qu'eux deux ne se sépareront jamais. Leur amour ne me paraît plus anormal. Rien ne me paraît plus anormal, sauf la mort que je vois partout.

Hommes émaciés aux visages blafards, dont les yeux sont des fenêtres par lesquelles j'entrevois leurs âmes tourmentées. Le sida est un holocauste qui consume les offrandes de cette petite île. Il est étrange que je puisse me sentir chez moi parmi les exilés et les mourants. Il se pourrait même qu'ils me survivent. Quand je suis allongée les yeux grands ouverts, la nuit, à écouter le ronronnement du ventilateur, je suis assaillie d'images décrivant la façon dont ça se passera.

Chaque fois qu'un téléphone sonne, les souvenirs me reviennent. Chaque fois que quelqu'un marche derrière moi, je me retourne. Le soir je regarde dans ma penderie, derrière le rideau, sous le lit, puis je coince une chaise derrière la porte.

Seigneur, je ne veux pas rentrer chez moi.

Beryl

30 septembre
Key West

Cher M,

Hier chez Louie, Brent est venu me trouver sur la terrasse pour me dire qu'on me demandait au téléphone. Le cœur battant je suis allée prendre la communication. J'ai entendu les grésillements d'un appel longue distance, puis on a raccroché.

Imagine dans quel état ça m'a mise ! J'ai essayé de me convaincre que c'était de la paranoïa. Que si c'était lui, il aurait dit quelque chose, juste pour s'amuser de ma peur. Ce n'est pas possible qu'il sache où je suis. Impossible qu'il ait suivi ma trace jusqu'ici. L'un des serveurs s'appelle Stu. Il a rompu avec son ami dans le Nord et est venu s'installer ici. Peut-être que c'est son ami qui appelait. La communication étant mauvaise, on a pu comprendre « Straw » au lieu de « Stu », et en m'entendant répondre il a raccroché.

J'aurais mieux fait de ne dévoiler mon surnom à personne. Je suis Beryl. Je suis Straw. J'ai peur.

Le livre n'est pas terminé, mais je n'ai presque plus d'argent et le temps a changé. Ce matin, il fait sombre et un vent violent souffle. Je suis restée dans ma chambre parce que chez Louie, les pages se seraient envolées dans l'océan. On a rallumé les réverbères. Les palmiers luttent contre les bourrasques comme des parapluies retournés. Dehors le monde gémit comme une bête blessée. Lorsque la pluie tambourine aux carreaux, on dirait qu'une armée féroce a mis Key West en état de siège.

Il faudra bientôt que je parte. L'île me manquera. Walt et PJ me manqueront. Ils m'ont réconfortée, rassurée. Je ne sais pas ce que je ferai quand je rentrerai à Richmond. Peut-être que je ferais mieux de déménager aussitôt, mais pour aller où ?

Beryl

1

Je replaçai les lettres de Key West dans leur enveloppe bulle, fourrai une paire de gants de coton blanc dans ma serviette et pris l'ascenseur pour descendre, un étage plus bas, à la morgue.

Le carrelage du hall venait d'être passé à la serpillière et l'on s'activait derrière la porte close de la salle d'autopsie. La chambre réfrigérée en acier inoxydable se trouvait en face de l'ascenseur, en diagonale par rapport à lui. Comme chaque fois que j'en manœuvrais la lourde porte, une bouffée d'air froid et nauséabond me saisit les narines. Reconnaissant aussitôt le pied gracile qui dépassait d'un drap blanc, je m'approchai du chariot. Inutile d'examiner les étiquettes attachées aux orteils des autres cadavres : je connaissais chaque centimètre carré du corps de Beryl Madison.

Privés d'éclat, ses yeux bleus en amande fixaient le plafond. Le côté gauche de son visage était enlaidi par des coupures béantes aux lèvres pâles. Les muscles qui reliaient la tête à la poitrine avaient été sectionnés, et la gorge tranchée jusqu'à la colonne vertébrale. Juste au-dessus du sein gauche s'alignaient neuf coups de couteau semblables à de grosses boutonnières écarlates. Ils avaient été portés en succession rapide, et avec une telle violence que la garde du poignard s'était imprimée sur la peau. Les coupures que présentaient les avant-bras et les mains mesuraient d'un demi à une dizaine de centimètres. En comptant les deux blessures dorsales, mais sans compter les neuf coups de couteau à la poitrine ni la gorge tranchée, le corps portait vingt-sept plaies, infligées alors qu'elle tentait de se protéger de coups portés à l'aide d'une lame tranchante.

Je n'avais besoin ni de clichés ni de diagrammes. Il me suffisait de fermer les yeux pour voir le visage de Beryl Madison. Je pouvais imaginer avec une précision écœurante les violences auxquelles avait été soumis son corps. Son poumon gauche comportait quatre perforations. Ses artères carotides étaient presque sectionnées. Son arc aortique, son artère pulmonaire, son cœur et sa poche péricardique étaient transpercés. Elle était presque morte quand le meurtrier l'avait décapitée.

J'essayai de comprendre. Elle avait reçu des menaces de mort. Elle s'était enfuie à Key West, terrorisée. Elle ne voulait pas mourir. Elle était morte le soir même de son retour à Richmond.

Au nom du Ciel, pourquoi l'as-tu laissé entrer ? Pourquoi ?

Je remis le drap en place et poussai le chariot contre le mur du fond, avec les autres. Le lendemain à la même heure, son corps aurait été incinéré et ses cendres seraient en route pour la Californie. Beryl Madison aurait eu 34 ans le mois prochain. Elle semblait n'avoir aucun parent en ce bas monde, à part une demi-sœur à Fresno. La lourde porte de la chambre froide se referma avec un bruit de succion.

Le contact chaud de l'asphalte du parking situé à l'arrière du BCME, le Bureau central du médecin expert, me réconforta, tandis que des traverses des voies ferrées voisines me parvenait l'odeur de la créosote qui mijotait sous un soleil inhabituellement chaud pour Halloween.

La grande porte vitrée était ouverte et l'un de mes assistants arrosait le ciment. En manière de plaisanterie, il dirigea le jet du tuyau à mes pieds, et des gouttelettes jaillirent sur mes chevilles.

– Hé, Dr Scarpetta, vous faites des journées de fonctionnaire, maintenant ?

Il était 16 h 30 à peine passées, alors que d'habitude, je quittais rarement le bureau avant 18 heures.

– Vous voulez que je vous dépose quelque part ? ajouta-t-il.

– Merci, quelqu'un doit me prendre.

Pour être née à Miami, je connaissais bien la région où Beryl Madison s'était cachée durant l'été. Fermant les yeux, j'évoquai les couleurs de Key West – verts profonds, bleus vifs, couchers de soleil si fastueux que seul Dieu peut les contempler sans en être bouleversé. Beryl Madison n'aurait jamais dû retourner chez elle.

Scintillante comme du verre noir, une LTD Crown Victoria flambant neuve entra au pas dans le parking. J'attendais la vieille Plymouth habituelle et fus stupéfaite de voir, dans un chuintement, s'abaisser la vitre avant de la Ford.

– Z'attendez le bus ou quoi ?

Mon étonnement se peignit dans les verres réfléchissants d'une paire de lunettes noires. Le lieutenant Pete Marino s'efforça de garder un air blasé en actionnant le déverrouillage électronique de la portière.

– J'avoue que je suis impressionnée, fis-je en me glissant dans le luxueux habitacle.

– J'l'ai eue avec ma promotion, dit-il en faisant ronfler le moteur. Pas mal, hein ?

Tout en sortant mes cigarettes, je remarquai l'orifice béant dans le tableau de bord.

– C'est pour une veilleuse ou pour votre rasoir électrique ?

– Merde, m'en parlez pas, rétorqua-t-il d'un air dégoûté. Un de ces enfoirés m'a piqué mon allume-cigare. Au lavage. Je leur ai laissé la bagnole une seule journée, vous vous rendez compte ? Quand j'ai été la chercher, j'me suis aperçu que leurs foutus rouleaux avaient tordu l'antenne. J'ai tellement engueulé les gars que sur le moment j'ai même pas fait gaffe. (Parfois, Marino me rappelait ma mère.) C'est en rentrant que j'ai vu qu'on m'avait piqué ce machin.

Il se tut et chercha dans ses poches pendant que je fouillais mon sac à main en quête d'allumettes.

– Dites donc, docteur, j'croyais que vous deviez arrêter de fumer, remarqua-t-il en me balançant un briquet Bic entre les cuisses.

– Exact, marmonnai-je. Je m'arrête demain.

Le soir où Beryl Madison avait été assassinée, j'étais à l'opéra. J'avais fini la soirée dans un pseudo-pub anglais en compagnie d'un juge à la retraite qui perdait sa correction à mesure que la soirée avançait. Je n'avais pas emporté mon bip et la police, dans l'incapacité de me contacter, avait envoyé mon adjoint Fielding sur les lieux. C'était donc la première fois que je me rendais chez la romancière assassinée.

Windsor Farms n'était pas le genre de quartier où l'on se serait attendu à un drame aussi horrible. Les vastes maisons, en retrait de la route, étaient entourées de jardins impeccablement tenus. La plupart étaient équipées de systèmes d'alarme, et toutes étaient climatisées, donc dépourvues de fenêtres ouvrantes. L'argent n'assure peut-être pas l'éternité, mais il procure sans conteste une certaine sécurité. Je n'avais jamais eu à m'occuper d'un meurtre dans le quartier de Farms.

– Elle devait avoir de l'argent, fis-je tandis que Marino s'arrêtait à un stop.

Une femme aux cheveux d'un blanc neigeux, qui promenait un maltais non moins immaculé, nous coula un regard de côté pendant que le chien reniflait une touffe d'herbe.

– Foutue crotte à quatre pattes, siffla Marino d'un air dédaigneux tandis que dame et toutou s'éloignaient. Je déteste ce genre de clébard. Passent leur temps à aboyer comme des enragés et à pisser partout. Tant qu'à avoir un chien, vaut mieux en choisir un qu'ait des dents.

– Il y a des gens qui cherchent simplement de la compagnie, hasardai-je.

– Mouais. (Il se tut quelques instants, puis enchaîna sur ma remarque précédente.) C'est vrai, Beryl Madison avait de l'argent. Mais sa baraque lui avait coûté cher et elle a claqué presque toutes ses économies dans ce repaire à pédés, à Cul West. On n'a pas encore trié tous ses papiers.

– Est-ce que vous avez l'impression qu'on les a fouillés avant vous ?

– Apparemment non, répondit Marino. Toujours est-il qu'elle se débrouillait plutôt bien. Elle savait y faire pour engranger le fric. Elle utilisait un tas de pseudonymes. Adair Wilds, Emily Stratton, Edith Montague.

Les verres réfléchissants se tournèrent à nouveau vers moi. Je ne connaissais aucun de ces noms, sauf Stratton.

– Stratton figure dans son état civil complet, dis-je.

– C'est p't'êt à cause de ça qu'on la surnommait Straw.

– Et à cause de ses cheveux[1], remarquai-je.

La chevelure de Beryl était d'une couleur miel à laquelle le soleil avait donné des reflets dorés. C'était une femme menue, aux traits réguliers et raffinés. Peut-être avait-elle été une vraie beauté de son vivant. C'était difficile de le deviner, à présent. La seule photo d'elle que j'avais pu examiner était celle de son permis de conduire.

1. Straw : paille.

– Quand j'ai vu sa demi-sœur, m'expliquait Marino, elle m'a dit qu'il y avait que ses amis qui surnommaient Beryl « Straw ». Je ne sais pas à qui elle écrivait quand elle était là-bas dans les Keys, mais cette personne connaissait son surnom. C'est mon impression, en tout cas. (Il baissa le pare-soleil.) J'comprends pas pourquoi elle a photocopié ces lettres. Ça me tarabuste. C'est vrai, quoi, vous en connaissez beaucoup, des gens qui photocopient leur courrier personnel ?

– Vous m'avez dit qu'elle avait l'habitude de tout garder, dis-je.

– Exact. Ça aussi ça me turlupine. Ce salaud la menaçait depuis des mois. Qu'est-ce qu'il a fait ? Qu'est-ce qu'il a dit ? Mystère : elle a pas enregistré ses coups de fil ni rien noté. Voilà une fille qui fait des photocopies de ses lettres mais qui prend aucune note quand un type menace de la buter. Ça vous paraît logique, ça ?

– Tout le monde ne pense pas d'une façon logique.

– Certaines personnes *ne pensent même pas*, répliqua-t-il, parce qu'elles sont embringuées dans quelque chose qu'elles veulent absolument cacher aux autres.

Il emprunta une allée recouverte de gravier et arrêta la voiture devant la porte du garage. L'herbe de la pelouse aurait eu besoin d'un bon coup de tondeuse, et une pancarte À VENDRE était plantée à côté de la boîte aux lettres. Un bout de ruban jaune utilisé par la police pour délimiter le lieu d'un crime pendouillait encore en travers de la porte d'entrée grise.

– Sa bagnole est dans le garage, dit Marino alors que nous descendions de voiture. Une jolie petite Honda Accord EX.

Je sentis les rayons obliques du soleil me réchauffer la nuque. Il faisait bon et le silence n'était troublé que par le crissement des insectes. Je pris une lente et profonde inspiration. Je me sentais soudain très fatiguée.

La maison était de style moderne et d'un extrême dépouillement. La façade en baies vitrées de l'étage reposait sur des piliers de soutènement, conférant à l'ensemble une allure de navire avec un pont inférieur ouvert. Construite en pierre brute et bois gris, c'était le genre de maison qu'affectionnent les jeunes couples : vastes pièces, plafonds hauts, larges espaces gaspillés. Windham Drive se terminait en cul-de-sac à hauteur du pavillon, ce qui expliquait que personne n'ait rien vu ni entendu. De part et d'autre, des rideaux de chênes et de pins isolaient la maison des habitations voisines, tandis qu'à l'arrière la pelouse donnait sur une pente escarpée, plantée d'épais buissons et de rochers, au bas de laquelle s'étendait jusqu'à l'horizon une forêt touffue.

– Merde, lâcha Marino alors que nous faisions le tour de la maison. Je parie qu'il doit y avoir des chevreuils en pagaille par ici. Pas mal, hein ? Vous regardez par la fenêtre et vous vous croyez seul au monde. Ça doit être sensationnel quand il neige. Moi, j'aimerais bien une petite piaule dans ce genre. Un bon feu, l'hiver, avec un verre de bourbon, et vous restez devant la fenêtre à regarder la forêt. Ça doit être agréable d'être riche.

– Surtout quand on est en vie pour en profiter.

– Pour sûr, fit-il.

Les feuilles sèches craquèrent sous nos pas lorsque nous contournâmes la façade ouest. La porte d'entrée était de plain-pied avec le patio et comportait un judas qui me contemplait comme un œil énucléé. D'une pichenette, Marino balança son mégot dans l'herbe avant de plonger la main dans une poche de son pantalon bleu poudre. Il avait laissé sa veste dans la voiture, sa bedaine saillait par-dessus sa ceinture et les brides de son étui de revolver froissaient à hauteur d'épaule sa chemise blanche à manches courtes.

Il produisit une clé à laquelle pendait une étiquette jaune de la police, et tandis que je le regardais ouvrir le verrou, je fus à nouveau frappée par la dimension de ses mains. Durcies et tannées, elles m'évoquaient à chaque fois des gants de base-ball. Il n'aurait jamais pu devenir musicien ou dentiste. La cinquantaine passée, avec des cheveux gris qui s'éclaircissaient, le visage aussi râpé que ses costumes, il restait pourtant impressionnant. Des flics de sa carrure ne se battent presque jamais. Les voyous rentrent dans leurs petits souliers dès qu'ils les voient.

Debout dans l'entrée, enveloppés d'un rayon de soleil, nous enfilâmes nos gants de coton blanc. Comme toutes les maisons qui restent vides, celle-ci sentait la poussière et le renfermé. L'Identité judiciaire de la police de Richmond avait tout passé au peigne fin mais n'avait rien déplacé. Marino m'avait assuré que la maison était restée dans l'état où elle était lorsque le corps de Beryl avait été découvert deux jours auparavant. Il referma la porte et alluma.

– Comme vous voyez, dit-il, c'est elle qui a fait entrer le type. Aucune trace d'effraction, et la baraque est équipée d'un système d'alarme sophistiqué. (Il pointa son doigt vers un panneau hérissé de boutons installé près de la porte.) Il est débranché à présent. Mais l'alarme hurlait quand on est arrivés, c'est comme ça qu'on a trouvé la maison.

Il m'expliqua que c'est par un coup de téléphone que la police avait été avertie du déclenchement de l'alarme. Peu après 23 heures un voisin avait composé le 911, alors que l'alarme retentissait depuis près de trente minutes. Une voiture de patrouille s'était aussitôt rendue sur les lieux. L'officier avait trouvé la porte entrouverte. Quelques minutes après, il avait rappelé le quartier général pour demander des renforts.

Le salon était en désordre, la table basse gisait sur le flanc. Des magazines, un cendrier en cristal, des coupes art déco, un vase jonchaient le tapis oriental. Une bergère bleu pâle était renversée tête-bêche, un coussin du sofa assorti était tombé à côté. À gauche d'une porte donnant sur un couloir, un mur blanchi à la chaux était éclaboussé de sang séché.

– Est-ce que l'alarme a un dispositif de retardement ? m'enquis-je.

– Ah oui, c'est vrai. Quand vous ouvrez la porte, l'alarme retentit en sourdine pendant une quinzaine de secondes, le temps de taper votre code pour l'arrêter.

– C'est donc qu'elle a ouvert la porte, désactivé l'alarme, fait entrer l'homme, puis rebranché l'alarme pendant qu'il était là. Sinon, elle ne se serait pas mise en route quand il est reparti. Intéressant.

– Ouais, lâcha Marino. Foutrement intéressant.

Nous étions dans le salon, près de la table basse couverte de poudre à empreintes. Les magazines et les revues littéraires répandus par terre dataient tous de plusieurs mois.

– Avez-vous trouvé des journaux récents ? demandai-je. Si elle a acheté un journal dans le coin, ça pourrait nous fournir des renseignements utiles. Il faudrait vérifier tous les endroits où elle est allée après sa descente d'avion.

Je vis que Marino faisait jouer ses maxillaires. Il détestait avoir l'impression que je lui apprenais son boulot.

– On a trouvé un ou deux trucs en haut dans sa chambre, avec ses bagages, dit-il. L'*Herald* de Miami et un truc appelé *Keynoter*, qui recense les maisons à vendre dans les Keys. Peut-être qu'elle avait dans l'idée d'aller s'installer là-bas ? Les deux journaux sont de lundi dernier. Elle a dû les acheter ou les ramasser à l'aéroport.

– Son agent immobilier pourrait peut-être nous dire si...

– Il a rien à nous dire, coupa Marino. Il avait aucune idée de l'endroit où était partie Beryl, et il n'a fait visiter la maison qu'une seule fois pendant son absence. À un jeune couple qui l'a trouvée trop chère. Beryl en demandait trois cent mille dollars. (Il jeta un regard autour de lui, le visage impassible.) Elle vaudra plus grand-chose maintenant.

– Beryl a pris un taxi à l'aéroport pour rentrer le soir de son arrivée, repris-je.

Il sortit une cigarette et montra le couloir.

– On a retrouvé la fiche dans l'entrée, sur la petite table près de la porte. On a interrogé le taxi, un type du nom de Woodrow Hunnel. Con comme un balai. Il a dit qu'il était dans la file des taxis à l'aéroport. Il était presque 8 heures du soir et il pleuvait comme vache qui pisse. Il l'a déposée devant la maison une quarantaine de minutes plus tard. Il lui a porté ses deux valises jusqu'à la porte, ensuite il est reparti. La course a coûté vingt-six dollars, pourboire compris. Une demi-heure plus tard il était de retour à l'aéroport, où il a chargé un autre client.

– Vous en êtes sûr, ou c'est lui qui vous l'a dit ?

– J'en suis aussi sûr que je vous vois, dit-il. On a vérifié ses déclarations. Hunnel nous a dit la vérité. Il n'a pas touché à la fille. Il aurait pas eu le temps.

Je suivis son regard en direction des taches brunes sur le mur. Les vêtements de l'assassin devaient être eux aussi ensanglantés. Difficile pour un taxi couvert de sang de charger un client.

– Elle ne devait pas être rentrée depuis longtemps, dis-je. Elle est arrivée vers 21 heures et le voisin a signalé le déclenchement de l'alarme à 23 heures. Puisqu'elle sonnait depuis une demi-heure, ça veut dire que le tueur est parti aux alentours de 22 h 30.

– Ouais, fit Marino. Et c'est ça qui paraît incroyable. Si on en croit ses lettres, elle avait une trouille bleue. Or elle revient en ville, s'enferme chez elle, pose son flingue sur la table de la cuisine – je vous montrerai ça – et puis boum ! On sonne à la porte, elle ouvre à ce salopard et rebranche l'alarme une fois qu'il est entré. C'est certainement quelqu'un qu'elle connaissait.

– Pourquoi écarter la possibilité d'un inconnu ? fis-je. Si la personne a montré patte blanche, elle a pu lui ouvrir sans se méfier.

– À cette heure-là ? (Ses yeux m'effleurèrent tandis que son regard furetait à travers la pièce.) Quoi ? Un type qui vend des mixeurs à 10 heures du soir ?

Je ne répondis pas. Je ne savais pas.

Nous nous arrêtâmes à l'entrée du couloir.

– Les premières traces de sang, dit Marino en regardant les taches sur le mur. C'est ici qu'elle a été blessée en premier. Je suppose qu'elle a voulu s'enfuir en le voyant sortir son couteau.

Je revis les entailles sur le visage, les bras et les mains de Beryl.

– D'après moi, poursuivit Marino, c'est ici qu'il lui a tailladé le bras gauche, ou le dos, ou le visage. Le sang qui a giclé sur le mur a été projeté par la lame. Il l'avait déjà coupée au moins une fois, la lame était pleine de sang, et quand il a voulu la taillader une nouvelle fois, des gouttes ont giclé sur le mur.

Les taches, de forme elliptique et d'environ six millimètres de diamètre, s'amincissaient en pointe du côté opposé au chambranle de la porte. Les taches s'étendaient sur plus de trois mètres. L'agresseur avait frappé avec la violence d'un joueur de squash. Le crime comportait une forte charge émotionnelle. Il ne s'agissait pas d'une simple fureur. C'était bien plus violent que ça. *Pourquoi donc l'avait-elle laissé entrer ?*

– D'après la disposition des taches, je pense que le tueur se tenait à peu près ici, poursuivit Marino. (Il se plaça à quelques mètres de la porte, un peu à sa gauche.) Il brandit son couteau, l'entaille une nouvelle fois et le mouvement de la lame projette du sang contre le mur. Les taches, comme vous pouvez le voir, commencent ici. (Il montra les taches les plus hautes, qui se trouvaient à peu près à hauteur de sa tête.) Ensuite elles descendent en éventail presque jusqu'au sol. (Il se tut, me regarda d'un air de défi.) Vous l'avez examinée. D'après vous, il est gaucher ou droitier ?

Les flics veulent toujours savoir ça. Bien que je m'évertue à leur répéter qu'on ne peut le deviner, ils continuent à poser la question.

– Impossible de le déterminer d'après ces taches, dis-je, la gorge sèche et la bouche comme emplie de poussière. Cela dépend de l'endroit où il se tenait par rapport à elle. Quant aux coups portés à la poitrine, ils sont légèrement inclinés de gauche à droite. Ça peut indiquer un gaucher. Mais encore une fois, tout dépend de sa position par rapport à elle.

– Sauf que presque toutes les blessures de défense sont situées sur le côté gauche du corps, insista-t-il. Elle est en train de courir, et il l'attaque par la gauche, non par la droite. À mon avis il est gaucher.

– Tout dépend des positions respectives de l'agresseur et de la victime, répétai-je avec impatience.

– Sûr, grommela-t-il. Tout dépend de quelque chose.

Le couloir était parqueté. On avait délimité à la craie une traînée de gouttes de sang qui menait, environ trois mètres plus loin, jusqu'à un escalier. Beryl s'était précipitée vers cet escalier. Plus encore qu'à la douleur, elle était en proie au choc et à la terreur. Pour garder l'équilibre, elle s'était, dans sa fuite éperdue, appuyée au mur gauche du couloir, dont les lambris portaient la trace sanguinolente de ses doigts tailladés.

Des taches noirâtres souillaient le sol, les murs, le plafond. Beryl avait couru jusqu'au bout du couloir du premier étage, où elle était restée quelques instants piégée. La quantité de sang répandu en témoignait. La poursuite avait repris lorsqu'elle était passée dans sa chambre, où elle avait tenté de se soustraire aux coups de couteau en grimpant sur le lit pendant que son agresseur le contournait. À ce moment elle avait peut-être lancé sa serviette en cuir dans sa direction ou, plus probablement, la serviette était tombée du lit après avoir été heurtée. La police l'avait trouvée sur la descente de lit, ouverte et renversée comme une tente, parmi des papiers éparpillés, dont les photocopies des lettres écrites à Key West.

– Quels autres papiers avez-vous trouvés dans la chambre ? demandai-je.

– Des reçus, quelques guides touristiques, une brochure avec un plan de rues, répondit Marino. Si vous voulez, je vous en ferai des photocopies.

– Oui, je vous remercie.

– On a trouvé aussi une liasse de feuilles dactylographiées sur cette commode, ajouta Marino en la désignant. Sans doute ce qu'elle a écrit dans les Keys. Avec des annotations au crayon dans les marges. Aucune empreinte intéressante, quelques-unes brouillées, d'autres partielles, mais toutes lui appartenant.

Du lit, seul restait le matelas : draps et couvertures souillés de sang avaient été envoyés au labo. Ici ses mouvements s'étaient ralentis, elle perdait peu à peu son contrôle moteur, s'affaiblissait. Trébuchant, elle était repartie dans le couloir, où elle était tombée sur un tapis de prière oriental que j'avais vu sur les clichés de la police. Le sol portait des marques de mains sanglantes, des traces de glissement. Beryl s'était traînée jusqu'à la chambre d'amis, derrière la salle de bains. C'est là quelle était morte.

– À mon avis, disait Marino, le type a pris son pied à la pourchasser. Il aurait très bien pu lui régler son compte en bas au salon, mais ça lui aurait gâché son plaisir. Je le vois avec le sourire aux lèvres tout le temps que ça a duré, pendant qu'elle perdait son sang, hurlait et suppliait. Quand elle se traîne enfin ici, elle s'effondre. La séance est terminée. Fini de rigoler. On y met le point final.

La chambre était glaciale, la décoration d'un jaune aussi pâle que le soleil de janvier. Près des lits jumeaux, le parquet était noirâtre et les murs chaulés portaient eux aussi des éclaboussures brunes. Sur les clichés que j'avais pu voir, Beryl était allongée sur le dos, les jambes écartées, les bras relevés de chaque côté de la tête, le visage tourné vers la fenêtre. Elle était nue. La première fois que j'avais vu ces photos, je n'avais pu distinguer ses traits ni la couleur de ses cheveux. Tout ce que je voyais était rouge. Près du corps, la police avait trouvé un pantalon kaki couvert de sang. Le chemisier et les sous-vêtements de Beryl avaient disparu.

– Le chauffeur de taxi que vous avez interrogé. Est-ce qu'il se souvenait de ce que Beryl portait à l'aéroport ? demandai-je.

– Il faisait presque nuit, répondit Marino. Il pense qu'elle était en veste et pantalon. Quand elle a été attaquée, on est quasi certains qu'elle portait le pantalon kaki qu'on a retrouvé près du corps, parce qu'il est assorti à une veste qui était dans sa chambre. Je pense pas qu'elle se soit changée en arrivant. Elle a dû quitter sa veste et la jeter sur une chaise. Le reste, chemisier, sous-vêtements, le type l'a emporté.

– En souvenir, fis-je.

Marino contemplait le parquet taché à l'endroit où avait été découvert le corps.

– À mon idée, dit-il, il la coince dans cette pièce, lui arrache ses vêtements, la viole ou tente de la violer. Ensuite il la poignarde et la décapite à moitié. Foutrement dommage que le PERK ait rien donné. (Il faisait allusion au *Physical Evidence Recovery Kit*, le nécessaire de collecte d'indices physiques, qui n'avait révélé aucune trace de sperme.) Il va falloir se passer de l'empreinte ADN.

– À moins qu'une partie du sang que nous avons envoyé au labo soit à lui, précisai-je. Sinon, en effet, pas d'ADN.

– Et pas de poils ni de cheveux, dit-il.

– Les rares qu'on a récoltés semblent appartenir à Beryl.

Il régnait un si profond silence dans la maison que le bruit de nos voix était presque insupportable. Les mêmes images me revinrent en mémoire : les plaies des coups de couteau, les marques de la garde, la profonde entaille au cou, béant comme une bouche écarlate. Je sortis dans le couloir. La poussière m'irritait les poumons. J'avais du mal à respirer.

– Montrez-moi où vous avez trouvé son arme.

Lorsque les policiers étaient arrivés sur les lieux, ils avaient trouvé le .38 automatique de Beryl à la cuisine, sur un plan de travail à côté du four à micro-ondes. L'arme était chargée, la sécurité mise. Les seules empreintes, incomplètes, que le labo y avait relevées appartenaient à Beryl.

– Elle rangeait les munitions dans sa table de nuit, expliqua Marino. Avec son pistolet, sans doute. Pour moi, elle a monté ses bagages dans sa chambre, mis son linge sale dans la salle de bains et rangé ses valises dans sa penderie. À un moment donné, elle a sorti son flingue. Preuve qu'elle avait toujours la trouille. Je parie qu'elle a fait le tour de la maison avec son arme avant de relâcher un peu la pression.

– En tout cas c'est ce que j'aurais fait, dis-je.

Il jeta un regard circulaire à la cuisine.

– Ensuite elle est peut-être descendue ici manger quelque chose.

– Elle en a peut-être eu l'intention, mais elle n'a rien avalé. Son contenu gastrique n'a révélé qu'une cinquantaine de millilitres de fluide brun foncé, ce qui veut dire que le dernier aliment qu'elle avait mangé était complètement digéré au moment de sa mort – ou plus précisément au moment où elle a été agressée. La digestion s'interrompt sous le coup d'une angoisse ou d'un stress importants. Si elle avait mangé quelque chose juste avant d'être attaquée, nous aurions retrouvé la nourriture à peu près intacte dans son estomac.

– De toute façon elle avait pas grand-chose à se mettre sous la dent, fit Marino comme s'il soulignait un point essentiel.

Il ouvrit le réfrigérateur, qui renfermait un citron ratatiné, deux plaquettes de beurre, une part de fromage à demi moisi, des condiments et une bouteille d'eau gazeuse. Le congélateur était un peu mieux fourni, mais guère plus. Il contenait quelques blancs de poulet et des steaks hachés. De toute évidence la nourriture était une simple nécessité pour Beryl, non un plaisir. Des grains de poussière flottaient dans la lumière filtrant à travers les stores gris de la fenêtre au-dessus de l'évier. Celui-ci, comme l'égouttoir, était vide et sec. Les appareils électroménagers semblaient tout neufs et n'avoir guère servi.

– L'autre hypothèse, c'est qu'elle est venue à la cuisine pour boire un verre, hasarda Marino.

– Son taux d'alcoolémie était négatif, dis-je.

Ça ne veut pas dire qu'elle ait pas eu envie de boire un coup.

Il ouvrit un placard au-dessus de l'évier. Les trois rayons étaient pleins : Jack Daniel's, Chivas Régal, Tanqueray, diverses liqueurs. Une bouteille retint mon attention. Devant le cognac rangé sur le rayon du haut se trouvait un litre de rhum Barbancourt haïtien de quinze ans d'âge, une boisson de la classe d'un scotch pur malt.

Je saisis la bouteille de ma main gantée et la posai sur le bac. La cire enrobant la capsule dorée était intacte.

– Je ne pense pas qu'elle ait trouvé ça par ici, dis-je à Marino. Elle a dû l'acheter à Miami ou à Key West.

– Vous pensez qu'elle l'a ramené de Floride ?

– C'est possible. En tout cas elle s'y connaissait. Le Barbancourt est un régal.

– Je vois que vous vous y connaissez aussi, doc.

Au contraire de ses voisines, la bouteille de Barbancourt n'était pas poussiéreuse.

– C'est peut-être pour ça qu'elle est venue à la cuisine, repris-je. Pour ranger son rhum. Ou alors elle a eu envie d'en boire un petit verre avant d'aller se coucher quand quelqu'un a sonné à la porte.

– Mouais... mais ça explique pas pourquoi elle a laissé son flingue ici pour aller ouvrir. N'oublions pas qu'elle était morte de trouille. Ça me conforte dans l'idée qu'elle attendait de la visite, qu'elle connaissait le type. Qu'est-ce qu'elle faisait avec un bar aussi bien garni, hein ? Elle devait pas picoler toute seule. Ça me paraît plus logique de penser qu'elle recevait des types de temps en temps. Merde, c'était peut-être le « M » à qui elle écrivait dans les Keys.

– Vous pensez que « M » serait le tueur ? dis-je.

– Pas vous ?

Son ton était de plus en plus agressif et la façon dont il tripotait sa cigarette commençait à me porter sur les nerfs.

– Je n'écarte aucune possibilité, répliquai-je. J'envisage aussi bien, par exemple, l'hypothèse selon laquelle elle *n'attendait pas* de visite. Elle descend à la cuisine ranger sa bouteille de rhum, peut-être avec l'intention de s'en servir un verre avant d'aller dormir. Elle est nerveuse, elle a posé son automatique sur le bar. Elle sursaute quand elle entend sonner ou frapper à la porte, elle...

– Stop ! m'interrompit-il. Elle sursaute, elle est nerveuse, d'accord. Dans ce cas pourquoi elle laisse le flingue à la cuisine quand elle va ouvrir ?

– Est-ce qu'elle s'entraînait ?

– S'entraînait ? répéta-t-il en croisant mon regard. Elle s'entraînait à quoi ?

– Au tir.

– Ça... j'en sais rien...

– Si ce n'est pas le cas, prendre son arme n'était pas pour elle un réflexe mais le résultat d'une décision. Beaucoup de femmes mettent une bombe lacrymogène dans leur sac, mais en cas d'agression, rares sont celles qui pensent à la sortir, parce qu'elles n'ont pas le réflexe de se défendre.

– Simple supposition...

Moi, je savais. J'avais un Ruger .38 que je chargeais avec des Silvertips, l'une des munitions les plus destructrices sur le marché. La seule raison pour laquelle je pensais à m'en munir était que je m'entraînais plusieurs fois par mois au stand de tir installé dans les sous-sols du BCMF. Quand j'étais seule chez moi, je me sentais plus en sécurité avec mon arme.

Il y avait autre chose. Je repensai au salon, à la cheminée avec ses accessoires suspendus au serviteur en cuivre. Beryl avait affronté son agresseur dans ce salon, sans songer à s'armer du pique-feu ou de la pelle. Se défendre n'était pas pour elle un réflexe. Son seul réflexe avait été de s'enfuir. Dans l'escalier comme à Key West.

– Elle n'a peut-être tout simplement pas pensé à prendre l'arme, Marino, expliquai-je. La sonnette retentit. Elle est sur les nerfs, anxieuse. Elle va au salon, regarde par le judas. Elle fait assez confiance au visiteur, quel qu'il soit, pour lui ouvrir. Elle a déjà oublié son arme.

– À moins qu'elle se soit attendue à cette visite, répéta Marino.

– C'est possible. Encore aurait-il fallu que quelqu'un sache qu'elle était revenue.

– Peut-être bien que *lui* le savait, dit-il.

– Surtout s'il s'agissait de « M », dis-je pour lui faire plaisir tout en replaçant la bouteille de rhum dans le placard.

– Ah, quand même... Ça paraît plus logique, non ?

Je refermai le placard.

Elle était terrorisée, harcelée depuis des mois, Marino. Je n'arrive pas à croire que l'assassin soit un de ses amis et qu'elle ne se soit doutée de rien.

Il consulta sa montre d'un air contrarié et sortit une nouvelle clé de sa poche. Il était absurde de penser que Beryl ait ouvert à un inconnu. Mais c'était encore plus insensé que quelqu'un de sa connaissance ait pu la massacrer comme elle l'avait été. *Pourquoi l'avait-elle fait entrer ?* Cette question me hantait.

Un passage couvert reliait la maison au garage. Le soleil avait disparu derrière les arbres.

– Je suis entré ici juste avant de vous appeler, m'expliqua Marino. J'aurais pu défoncer la porte le soir où on l'a trouvée, mais c'était inutile. (Il haussa ses épaules massives, comme pour me démontrer que défoncer une porte ou abattre un arbre ne lui posait aucun problème.) Elle y était pas entrée depuis qu'elle était partie en Floride. Ça nous a pris un moment pour dénicher cette foutue clé.

C'était la première fois que je voyais un garage lambrissé, avec un sol recouvert de coûteuses tomettes italiennes.

– Est-ce que c'était vraiment destiné à servir de garage ? m'étonnai-je.

– C'est bien une porte de garage, non ? (Marino sortit plusieurs autres clés de sa poche.) Belle petite piaule pour ranger sa bagnole, hein ?

L'air sentait le renfermé, mais le local était dans un état impeccable. À part un râteau et un balai appuyés dans un coin du mur, il n'y avait aucun des outils, tondeuses ou autres, qu'on s'attend à trouver dans un garage. On se serait cru dans une salle d'exposition d'un vendeur de voitures, avec la Honda noire au centre du carrelage rouge. Elle était si propre et si rutilante qu'on aurait pu la prendre pour un véhicule neuf.

Marino déverrouilla la portière conducteur.

– Montez, fit-il.

Je m'installai sur le siège de cuir ivoire et regardai le mur lambrissé à travers le pare-brise.

Marino se recula de quelques pas.

– Restez comme ça un moment, d'accord ? Essayez de bien sentir la voiture, de savoir à quoi ça vous fait penser.

– Vous voulez que je la démarre ?

Il me tendit la clé de contact.

– Allez donc ouvrir la porte, sinon on va s'asphyxier, dis-je.

Fronçant les sourcils, il trouva le bon bouton et entrouvrit le panneau.

La voiture démarra au quart de tour, puis se mit à ronronner comme un gros matou. La radio et la ventilation étaient en marche. Il restait un quart d'essence dans le réservoir, le compteur indiquait moins de 10 000 kilomètres, le toit était entrouvert. Sur le tableau de bord je trouvai un ticket de pressing daté du 11 juillet, un jeudi, pour une jupe et une veste que Beryl n'avait donc jamais retirées. Sur le siège passager traînait une facture d'épicerie datée du 12 juillet à 10 h 30, indiquant qu'elle avait acheté une laitue, des tomates, des concombres, du bœuf haché, du fromage, du jus d'orange et un paquet de bonbons à la menthe, le tout pour neuf dollars et treize *cents*.

Le ticket indiquait qu'on lui avait rendu la monnaie sur dix dollars.

À côté de cette facture se trouvaient une enveloppe bancaire vide ainsi qu'un étui à Ray-Ban de couleur brune, vide lui aussi.

Sur la banquette arrière je vis une raquette de tennis Wimbledon et une serviette éponge blanche roulée en boule, que j'attrapai. Sur la bordure figurait, en petites lettres bleues, l'inscription WESTWOOD RACQUET CLUB, nom que j'avais déjà remarqué sur un sac en vinyle rouge rangé dans la penderie de la chambre de Beryl.

Marino avait gardé son petit numéro pour la fin. Je savais qu'il avait déjà examiné tous ces objets et qu'il voulait que je les voie *in situ*. Le tueur n'était pas entré dans le garage. Marino tendait un appât pour me piéger. C'est ce qu'il avait fait depuis que nous étions entrés dans la maison. C'était une habitude qui m'irritait au plus haut point.

Je coupai le contact, descendis de voiture, refermai la portière.

Il me considéra d'un air songeur.

– J'ai deux ou trois questions, dis-je.

– Allez-y.

Westwood est un club très select. En faisait elle partie ?

Hochement affirmatif.

– Vous savez à quand remonte sa dernière réservation de court ?

– Vendredi 12 juillet, 9 heures du matin. Une leçon avec son prof. Elle en prenait une par semaine. C'était à peu près les seules fois où elle jouait.

– Si je me souviens bien, elle a décollé de Richmond tôt le samedi matin 13 juillet, et elle est arrivée à Miami un peu après midi.

Nouveau hochement.

– Donc elle a pris sa leçon de tennis, elle est allée dans une épicerie, puis peut-être à sa banque. Une chose me paraît sûre, c'est qu'elle a décidé brusquement de quitter la ville. Si elle avait su qu'elle partait le lendemain, elle n'aurait pas pris la peine de faire des courses. Elle n'a pas eu le temps de manger tout ce qu'elle avait acheté, et elle n'a pas laissé ses provisions dans son réfrigérateur. Elle a donc tout jeté, sauf le bœuf haché, le fromage et peut-être les bonbons à la menthe.

– Plausible, fit Marino d'un air détaché.

– Elle a laissé son étui à lunettes et d'autres choses dans sa voiture, poursuivis-je. Elle n'a pas éteint la radio ni la ventilation, ni refermé le toit ouvrant. Ça veut dire qu'elle a rentré la voiture au garage, coupé le contact et s'est précipitée dans la maison avec ses lunettes noires sur le nez. Ce qui semble indiquer qu'il s'est passé quelque chose pendant qu'elle revenait du tennis ou faisait ses courses...

– Parfaitement. C'est aussi ce que je pense. Contournez la voiture, allez jeter un coup d'œil à la portière passager.

Ce que je vis fit éclater mes pensées dans tous les sens, comme au billard la première boule disloque le triangle. Juste sous la poignée, gravé dans la peinture noire, je lus le nom de BERYL entouré d'un cœur.

– De quoi vous flanquer les jetons, pas vrai ? fit Marino.

– S'il avait fait ça pendant sa leçon de tennis ou pendant qu'elle faisait ses courses, quelqu'un l'aurait vu, remarquai-je.

– Possible. Donc, d'après vous il l'avait fait avant. (Il se tut, examinant le graffiti d'un air détaché avant d'ajouter :) Quand avez-vous regardé votre portière passager pour la dernière fois ?

– Plusieurs jours. Peut-être une semaine.

– Elle va faire des courses. (Il alluma enfin sa satanée cigarette.) N'achète pas grand-chose. (Il tire une longue bouffée avide.) Ça tient sans doute dans un seul sac, n'est-ce pas ? Elle va ouvrir la portière passager pour poser son sac, et elle remarque l'inscription. Peut-être qu'elle a compris que ça datait forcément de ce jour-là, et peut-être que non. Peu importe. Ça la panique, elle perd les pédales. Elle passe à la banque pour retirer du liquide et rentre chez elle en quatrième vitesse. Elle réserve une place dans le premier avion, direction la Floride.

Nous sortîmes du garage et je le suivis jusqu'à sa voiture. La nuit tombait vite, l'air avait fraîchi. Il démarra pendant qu'à travers ma vitre je jetais un dernier regard à la maison de Beryl. Ses angles droits se dissolvaient dans l'obscurité, les fenêtres étaient déjà noires. Soudain les lumières du porche et du salon s'allumèrent.

– Bon sang, grommela Marino.

– Un programmeur, dis-je.
– Sans blague.

2

La pleine lune brillait au-dessus de Richmond pendant mon long trajet de retour en ville. Quelques dernières bandes de gamins continuaient leur porte-à-porte, et le faisceau de mes phares découpait brièvement leurs silhouettes aux masques grimaçants[1]. Je me demandai combien de fois on avait sonné, en vain, à ma porte. Les gosses de ma rue savaient que j'étais généreuse en bonbons de toutes sortes, du fait que je n'avais pas d'enfant. Le lendemain, j'aurais quatre pleins sacs de chocolats à distribuer.

Le téléphone sonna alors que je montais l'escalier menant au premier. Je décrochai juste avant que mon répondeur ne se déclenche. Je crus d'abord avoir affaire à un inconnu, puis, avec un serrement de cœur, je reconnus la voix.

– Kay ? C'est Mark. Dieu merci, tu es chez toi...

On aurait dit que Mark James me parlait du fond d'une citerne vide. J'entendais un bruit de circulation en arrière-plan.

– Où es-tu ? demandai-je d'une voix nerveuse.

– Sur la 95, à une soixantaine de kilomètres de Richmond.

Je m'assis au bord du lit.

– Dans une cabine, poursuivit-il. Explique-moi comment on va chez toi. (Il attendit que diminue le vrombissement d'un gros camion, puis ajouta :) Je voudrais te voir, Kay. Je suis à Washington depuis une semaine. J'ai essayé de te joindre tout

1. À l'occasion de la fête d'Halloween, les enfants se rassemblent en bandes, le visage dissimulé sous des masques représentant surtout des citrouilles à l'expression effrayante, et sonnent aux portes des maisons en interpellant leurs occupants par de joyeux « Trick or treats ? ». S'ils ne veulent pas être victimes de mauvaises farces, les gens doivent offrir des friandises *(treats)*.

l'après-midi et puis j'ai décidé de tenter le coup et de louer une voiture. Ça ne te dérange pas ?

Je ne savais que dire.

– J'ai pensé qu'on pourrait boire un verre, bavarder un peu, dit celui qui m'avait autrefois brisé le cœur. J'ai réservé une table au *Radisson*. Je retourne à Chicago demain matin par le premier avion. Je me suis dit que... À vrai dire, je voudrais te parler de quelque chose.

Je ne voyais vraiment pas de quoi Mark et moi aurions pu parler.

– Ça ne te dérange pas ? répéta-t-il.

Bien sûr que si, ça me dérangeait !

– Mais pas du tout, Mark, dis-je. Ce sera un plaisir de te voir.

Après lui avoir indiqué le chemin, j'allai me rafraîchir dans la salle de bains, où j'essayai de mettre de l'ordre dans mes idées. Treize ans avaient passé depuis notre liaison à la faculté de droit. De blonds, mes cheveux étaient devenus couleur presque cendre, et je les portais long la dernière fois que Mark et moi nous étions revus. Le bleu de mes yeux avait pâli. Impitoyable, le miroir me rappela que mon trente-neuvième anniversaire était derrière moi et que beaucoup de femmes se faisaient faire des liftings. Dans mon souvenir, Mark avait vingt-cinq ans à peine, âge où il avait fait naître en moi une passion et une dépendance folles avant de me jeter dans un abject désespoir. Après notre rupture, je m'étais consacrée exclusivement à mon travail.

Il conduisait toujours aussi vite et n'avait pas perdu le goût des belles voitures. À peine trois quarts d'heure après, j'ouvris la porte et le regardai descendre de sa Sterling de location. Il était resté, à peu de chose près, le garçon élancé à la démarche souple que je connaissais. Il escalada prestement les marches et me sourit. Après une brève accolade, nous restâmes dans l'entrée, gauches, sans savoir que dire.

– Tu bois toujours du scotch ? fis-je au bout d'un moment.

– Toujours, répondit-il en me suivant à la cuisine.

Je sortis le Glenfiddich du bar et, par automatisme, lui préparai son verre comme je le faisais des années auparavant : deux doigts de whisky, trois glaçons, une giclée d'eau de Seltz. Il ne me quitta pas des yeux. Il but une gorgée puis baissa la tête et fit tourner les glaçons dans son whisky, comme il le faisait lorsqu'il était tendu. J'en profitai pour observer ses traits fins, ses hautes pommettes, ses yeux gris clair, le poivre et sel qui commençait à apparaître à hauteur de ses tempes.

Je baissai les yeux à mon tour.

– D'après ce que je comprends, tu travailles dans un cabinet de Chicago ? dis-je.

Il s'appuya à son dossier et releva la tête.

– Chez Orndorff & Berger. Je plaide des appels. Il est rare que je suive une première instance. Je rencontre Diesner de temps en temps. C'est comme ça que j'ai appris que tu vivais à Richmond.

Diesner était le médecin expert général de Chicago. Je le voyais dans des colloques et il faisait partie de plusieurs comités auxquels j'appartenais. Il ne m'avait jamais dit qu'il connaissait Mark James, et je ne comprenais pas comment il savait que Mark et moi avions eu une relation.

– J'ai commis l'erreur de lui dire que je t'avais connue à la fac, expliqua Mark comme s'il lisait dans mes pensées, et depuis il ne rate jamais une occasion de me parler de toi, pour me faire tiquer.

Ça ne m'étonnait pas. Diesner était aussi raffiné qu'un bouc et ne portait pas les avocats dans son cœur.

– Comme presque tous les pathologistes, expliquait Mark, il est plutôt du côté de l'accusation. Moi qui défends les criminels, je suis à ses yeux un type à abattre. Diesner adore me courir après et, l'air innocent, mentionner ton dernier article ou disserter sur un meurtre particulièrement atroce dont tu t'es occupée. Dr Scarpetta. Le fameux Dr Scarpetta.

Sa bouche sourit, mais ses yeux ne riaient pas.

– Je ne pense pas que ce soit juste de dire que nous sommes systématiquement du côté de l'accusation, objectai-je. Si on peut donner cette impression, c'est que si les preuves viennent confirmer la thèse de la défense, l'affaire ne va pas devant un tribunal.

– Kay, je sais comment ça marche, dit-il de ce ton las dont je me souvenais si bien. Je sais ce que tu vis dans ton travail. Et si j'étais à ta place, je voudrais expédier comme toi tous ces salopards à la chaise.

– C'est ce que tu dis, Mark. Tu sais ce que je vis dans mon travail... commençai-je.

C'était toujours la même discussion. Je n'en croyais pas mes oreilles. Il était là depuis à peine un quart d'heure et nous reprenions la discussion au point même où nous l'avions laissée treize ans auparavant. Certains de nos affrontements les plus violents avaient tourné autour de ce sujet précis. Après mon doctorat, j'avais commencé à exercer la médecine légale tout en suivant des cours de droit à Georgetown, où Mark et moi nous étions rencontrés. Je connaissais donc le versant noir, la cruauté, les tragédies insensées. J'avais trempé mes mains gantées dans les replis sanglants de la mort. Mark, lui, était un brillant étudiant pour qui le pire des crimes consistait à lui rayer sa Jaguar. Il serait avocat parce que son père et son grand-père l'avaient été avant lui. J'étais catholique, Mark était protestant. J'étais d'origine italienne, lui était aussi anglo-saxon que le prince Charles. J'avais grandi dans un milieu modeste, alors que lui avait passé son enfance dans une des banlieues les plus chic de Boston.

– Tu n'as pas changé, Kay, dit-il. Sauf que tu dégages une certaine résolution, une dureté que tu n'avais pas. Je parie que tu ne te laisses pas marcher sur les pieds au tribunal.

– J'espère qu'on ne me considère pas comme quelqu'un de dur.

– Ce n'était pas une critique. Je voulais dire que tu as l'air en pleine forme. (Il jeta un regard circulaire à la cuisine.) Et que tu as l'air de bien te débrouiller. Heureuse ?

– J'aime bien la Virginie, répondis-je en détournant les yeux. Il n'y a que les hivers qui ne me plaisent pas, mais je suppose que c'est bien pire pour toi. Comment fais-tu pour supporter six mois de froid à Chicago ?

– En toute franchise, je ne m'y suis jamais habitué. Tu détesterais ça. Une fleur de serre de Miami comme toi ne le supporterait pas un mois. (Il but une gorgée.) Tu ne t'es pas mariée.

– Je l'ai été.

– Ah... (Il fronça les sourcils en essayant de se souvenir.) Tony quelque chose... Je me souviens que tu voyais un certain Tony... Benedetti, c'est ça ? En fin de troisième année.

J'étais très étonnée que Mark l'ait remarqué, plus encore qu'il s'en souvienne.

– Nous sommes divorcés depuis longtemps, dis-je.

– Je suis navré, dit-il à mi-voix. (Je tendis la main vers mon verre.) Tu vois quelqu'un ?

– Pas pour le moment.

Mark ne riait plus aussi souvent qu'autrefois.

– J'ai failli me marier il y a un an ou deux, m'apprit-il. Mais ça n'a pas marché. Peut-être serait-il plus honnête de dire que j'ai paniqué à la dernière minute.

J'avais du mal à croire qu'il ne s'était jamais marié. Il dut lire une nouvelle fois dans mes pensées.

– C'était après la mort de Janet, précisa-t-il. J'ai été marié, en fait.

– Janet ?

Il recommença à faire tourner les glaçons dans son verre.

– Je l'avais connue à Pittsburgh, après avoir quitté Georgetown. Elle était avocate fiscale dans la boîte où je travaillais.

Je l'observai avec attention, déroutée par ce que je découvrais. Mark avait changé. L'intensité qu'il dégageait, et qui m'avait attirée vers lui, n'était plus la même. Je n'arrivais pas à savoir ce que c'était, mais il y avait à présent quelque chose de plus sombre en lui.

– Un accident de voiture, expliqua-t-il. Un samedi soir. Elle était allée chercher du pop-corn. On avait décidé de veiller pour voir un film à la télé. Un chauffard ivre a déboîté devant elle. Il n'avait même pas allumé ses phares.

– Seigneur... Je suis désolée, Mark. C'est horrible.

– C'était il y a huit ans.

– Pas d'enfant ? demandai-je.

Il secoua la tête. Nous demeurâmes silencieux.

– On va ouvrir un cabinet à Washington, reprit-il au bout d'un moment.

Je restai muette.

– Il est possible que je doive m'installer à Washington. La boîte s'agrandit à vue d'œil. Nous avons plus d'une centaine d'avocats, à New York, à Atlanta, à Houston.

– Quand est prévu le déménagement ? demandai-je d'une voix calme.

– Ça pourrait se faire pour le 1er janvier.

– Et ça ne te fait rien de quitter Chicago ?

– J'en ai par-dessus la tête de cette ville, Kay. Il faut que je bouge. Je voulais te le dire. C'est pour ça que je suis venu, enfin, disons que c'est la raison essentielle. Je ne voulais pas venir travailler à Washington et te tomber dessus par hasard. Je vais m'installer dans le nord de la Virginie. Je sais que tu as un bureau là-bas. Il est probable que nous nous serions rencontrés un jour ou l'autre, au cinéma ou au restaurant. Je ne voulais pas que ça se passe comme ça.

Je m'imaginai au Kennedy Center, apercevant Mark trois rangées devant moi, chuchotant à l'oreille de la jolie fille qui l'accompagnait. Je me souvins de la douleur que j'avais éprouvée autrefois, une douleur presque physique. À cette époque il était le seul qui comptait pour moi. Peu à peu, j'avais senti qu'il n'en allait pas de même pour lui. Jusqu'à ce que j'en aie la certitude.

– C'est là la raison *essentielle* pour laquelle je suis venu, répéta-t-il du ton de l'avocat qui entame sa plaidoirie. Mais je voulais te parler d'autre chose. Quelque chose qui n'a rien à voir avec nous deux.

Je demeurai silencieuse.

– Il y a quelques jours, reprit-il, une femme a été assassinée à Richmond. Beryl Madison...

La stupéfaction qui se peignit sur mon visage l'interrompit un instant.

– Berger, mon patron, me l'a appris quand il m'a appelé à mon hôtel à Washington hier. Je voulais t'en parler...

– En quoi cela te concerne-t-il ? demandai-je. Tu la connaissais ?

– Vaguement. Je l'ai rencontrée une fois à New York, l'hiver dernier. Notre cabinet new-yorkais s'occupe de problèmes artistiques, de droits d'auteur et autres. Beryl avait des problèmes d'éditeur, un désaccord sur un contrat, et elle s'est adressée à Orndorff & Berger pour régler le différend. Il se trouve que j'étais à New York le jour où elle a rencontré Sparacino, l'avocat qui s'est chargé de son dossier. Sparacino m'a invité à déjeuner avec eux à *l'Algonquin*.

– Si tu penses que ce différend a le moindre rapport avec son assassinat, c'est à la police qu'il faut parler, pas à moi, dis-je avec une pointe d'agacement.

– Kay, répliqua-t-il. Même mes collègues ne savent pas que je t'en parle, d'accord ? Ce n'est pas pour ça que Berger m'a appelé hier, tu comprends ? Il a juste mentionné le meurtre de Beryl Madison en passant, pour me dire de voir ce que je pourrais glaner à ce sujet dans les journaux du coin, c'est tout.

– Je vois. Et toi tu t'es dit que tu pourrais sans doute glaner quelques renseignements chez ton ex...

Je sentis mon cou s'empourprer. Ex *quoi* ?

– Pas du tout, dit-il en détournant le regard. Je pensais à toi depuis un moment. J'avais décidé de t'appeler avant le coup de fil de Berger, avant même qu'il ne parle de Beryl. Ça faisait deux soirs que j'avais demandé ton numéro aux Renseignements, sans me décider à t'appeler. Peut-être que je ne l'aurais pas fait si Berger ne m'avait pas parlé de ce meurtre. Beryl m'a peut-être servi d'alibi, je te l'accorde. Mais pas au sens où tu le crois...

Je ne l'écoutais plus. J'étais atterrée de constater à quel point j'avais envie de le croire.

– Si ta boîte s'intéresse au meurtre de Beryl, dis-moi en quoi. Précisément.

Il réfléchit quelques instants.

– Notre intérêt n'est pas motivé avant tout par des motifs professionnels. C'est plus personnel, nous avons tous été choqués par la mort de Beryl. Je peux te dire aussi qu'elle était embringuée dans une affaire très compliquée, et qu'elle se faisait royalement baiser à cause du contrat qu'elle avait signé. Une affaire dans laquelle Cary Harper était impliqué.

– Le romancier ? fis-je d'un air ébahi. C'est de lui dont tu parles ?

– Comme tu le sais peut-être, dit Mark, il est installé pas très loin d'ici, dans une plantation du XVIIIe du nom de Cutler Grove. C'est au bord de la James, à Williamsburg.

J'essayai de me souvenir ce que j'avais lu sur Harper, dont l'unique roman avait reçu le prix Pulitzer une vingtaine d'années auparavant. Il était célèbre pour vivre reclus en compagnie de sa sœur. Ou bien d'une tante ? Les spéculations allaient bon train concernant la vie privée de Harper, et plus il s'obstinait à refuser les interviews et à chasser les journalistes, plus elles s'amplifiaient.

J'allumai une cigarette.

– J'espérais que tu avais arrêté, dit-il.

– Il faudrait me lobotomiser.

– Voilà le peu que je sais : Beryl a eu un lien avec Harper dans son adolescence. Elle a même vécu pendant un temps chez lui, avec sa sœur. Beryl, jeune écrivain prometteur, était la fille idéale que Harper aurait voulu avoir. Sa protégée. C'est grâce à lui qu'elle a pu faire publier son premier roman, à 22 ans à peine. Une œuvre romantique, parue sous le pseudonyme de Stratton. Harper avait même accepté d'écrire quelques lignes pour la jaquette. Beaucoup de gens s'en étonnèrent. Le livre avait un intérêt plus commercial que littéraire, et c'était la première fois depuis des années que Harper ouvrait la bouche.

– Qu'est-ce que tout ça a à voir avec le différend au sujet du contrat ?

Mark grimaça un sourire.

– Notre jeune amie l'a peut-être pris pour une poire, mais Harper est un vieux renard. Avant de l'aider à sortir son bouquin, il a obligé Beryl à signer un papier lui interdisant d'écrire un seul mot le concernant directement ou indirectement tant que lui et sa sœur seraient en vie. Or Harper a dans les 55 ans, et sa sœur moins de 60. En fait, le document liait Beryl pour sa vie entière, puisqu'il l'empêchait d'écrire ses Mémoires. Comment aurait-elle pu raconter sa vie sans mentionner Harper ?

– Elle aurait pu, observai-je, mais sans Harper, le livre ne se serait pas vendu.

– Exactement.

– Pourquoi utilisait-elle des pseudonymes ? Était-ce une des clauses du contrat avec Harper ?

– À mon avis, oui. Je pense qu'il voulait que Beryl reste son secret. Il lui procurait un succès littéraire, mais entendait la tenir éloignée du monde. Le nom de Beryl Madison n'est pas connu, même si ses livres se sont assez bien vendus.

– Dois-je en conclure qu'elle était sur le point de violer l'accord avec Harper, et que c'est pour cette raison qu'elle avait pris contact avec Orndorff & Berger ?

Il but une nouvelle gorgée.

– Je te rappelle qu'elle n'était pas ma cliente. Je ne connais donc pas tous les détails. Il semble qu'elle en avait marre d'écrire des romans commerciaux et voulait publier une œuvre plus personnelle. La suite, tu la connais sans doute déjà. On avait l'impression qu'elle avait des problèmes, que quelqu'un la menaçait, la persécutait...

– Quand as-tu eu cette impression ?

– L'hiver dernier, à l'époque où j'ai déjeuné avec elle. Ça devait être vers la fin février.

– Continue, dis-je intriguée.

– Elle n'avait aucune idée de qui la menaçait. Et j'ignore si cette persécution avait commencé avant qu'elle décide d'écrire ce qu'elle avait en tête ou après.

– Espérait-elle pouvoir violer impunément son contrat avec Harper ?

– Je ne pense pas qu'elle s'en serait tirée comme ça, répondit Mark. Mais Sparacino avait adopté comme stratégie d'informer Harper qu'il avait le choix. Soit il coopérait, et le produit final serait inoffensif, dans la mesure où l'on concédait à Harper un certain droit de regard. Soit alors il s'entêtait à tout refuser en bloc, et Sparacino menaçait de communiquer les bonnes feuilles à la presse et à la télé. Harper était coincé. Bien sûr, il pouvait attaquer Beryl, mais elle n'avait pas beaucoup d'argent, et ce qu'il aurait pu lui soutirer n'était rien en comparaison de sa propre fortune. Et puis un procès aurait fait grimper en flèche les ventes du livre. Dans tous les cas, Harper était perdant.

– Il n'aurait pas pu faire stopper l'impression du livre par décision de justice ?

– Là aussi ça faisait de la publicité pour le bouquin. Et faire arrêter les rotatives lui aurait coûté des millions de dollars.

– Aujourd'hui elle est morte, dis-je en regardant ma cigarette se consumer dans le cendrier. Je suppose que son livre est resté inachevé. Harper n'a plus d'inquiétude à avoir. Est-ce à ça que tu veux en venir, Mark ? Tu penses que Harper est impliqué dans son assassinat ?

– Je voulais juste te dire ce que je savais.

Il me lança un regard impénétrable.

– Qu'en penses-tu ? demanda-t-il.

Je ne lui dis pas ce que je pensais vraiment, à savoir que je trouvais très étrange qu'il me raconte tout ça. Peu importait que Beryl ne soit pas sa cliente. Il connaissait très bien la déontologie juridique, pour laquelle tout ce que connaît un avocat d'un cabinet est réputé être connu des autres membres du cabinet. Il était à un cheveu de la faute professionnelle, ce qui, chez le si scrupuleux Mark James, m'étonnait autant que s'il s'était présenté chez moi porteur d'un tatouage.

– Je crois que tu ferais mieux d'en parler au lieutenant Marino, dis-je. C'est lui qui est chargé de l'enquête. Sinon c'est moi qui le mettrai au courant. Dans les deux cas, il contactera ton cabinet pour avoir des précisions.

– Je n'y vois aucune objection.

Le silence retomba pendant quelques instants.

– Comment était-elle ? finis-je par demander après m'être éclairci la gorge.

– Comme je te l'ai dit, je ne l'ai vue qu'une fois. Mais il est difficile de l'oublier. Dynamique, astucieuse, très jolie, habillée tout en blanc. Mais elle m'a paru distante, pleine de secrets. Il semblait y avoir en elle des profondeurs insondables. Et puis elle buvait beaucoup, en tout cas pendant ce déjeuner, elle a beaucoup bu – trois cocktails, ce qui m'a semblé excessif. Mais peut-être que ce n'était pas dans ses habitudes. Elle paraissait nerveuse, agitée, tendue. La raison pour laquelle elle était venue voir Orndorff & Berger était très délicate. Toute cette histoire avec Harper devait la miner.

– Qu'a-t-elle bu ?

– Pardon ?

– Les trois cocktails. Qu'est-ce que c'était ?

Il fronça les sourcils en tournant la tête.

– J'en sais rien, Kay. Quelle importance ?

– Ça pourrait en avoir une, fis-je en me souvenant du bar de Beryl. A-t-elle parlé des menaces qu'elle avait reçues ? En ta présence, je veux dire ?

– Oui. Sparacino aussi en a parlé. Tout ce que je sais, c'est qu'elle recevait depuis quelque temps des coups de téléphone très particuliers. Toujours la même voix, qu'elle disait ne pas connaître. Elle a mentionné d'autres choses. Je ne me souviens pas des détails, ça remonte à longtemps.

– Est-ce qu'elle notait tous ces faits ? demandai-je.

– Je ne sais pas.

– Tu dis qu'elle n'avait aucune idée de qui faisait ça et pourquoi ?

– C'est en tout cas l'impression qu'elle donnait.

Il recula sa chaise. Il était presque minuit.

Alors que je le raccompagnais à la porte, une idée me vint soudain à l'esprit.

– Sparacino, dis-je. Quel est son prénom ?

– Robert.

– Il ne signe jamais de la lettre M, par hasard ?

– Non, répondit-il en me regardant d'un air intrigué.

Bref silence embarrassé.

– Sois prudent.

– Bonne nuit, Kay, dit-il d'un air hésitant.

Peut-être était-ce un effet de mon imagination, mais pendant un instant je crus qu'il allait m'embrasser. Il descendit rapidement les quelques marches du seuil et j'avais déjà refermé la porte quand j'entendis s'éloigner sa voiture.

Le lendemain matin, je n'eus pas une minute à moi. Au cours de notre réunion quotidienne, Fielding nous informa que nous avions cinq corps à autopsier, dont un « flottant », c'est-à-dire repêché après un séjour prolongé dans le fleuve. Perspective qui, à chaque fois, déprimait toute l'équipe. De Richmond nous étaient parvenues les victimes des deux dernières fusillades en date. J'eus le temps de terminer un des deux corps avant de courir au John Marshall Court House, où je devais déposer pour un autre meurtre par balles, et ensuite au Medical College, où je déjeunai avec un de mes stagiaires. Pendant tout ce temps, je m'efforçais d'oublier la visite de Mark, mais plus j'insistais, plus j'y repensais. C'était un garçon prudent. Réfléchi. Pas du tout le genre à me recontacter sans raison après plus de dix ans de silence.

De guerre lasse, j'appelai Marino en début d'après-midi.

– J'allais justement vous appeler, fit-il aussitôt. J'allais partir. Vous pouvez être au bureau de Benton dans une heure, une heure et demie ?

– De quoi s'agit-il ?

Je n'avais même pas eu le temps de lui dire pourquoi je l'avais appelé.

– J'ai eu les rapports sur Beryl, dit-il. J'ai pensé que vous aimeriez les voir.

Sur ce, comme à son habitude, il raccrocha sans dire au revoir.

À l'heure dite, je pris East Grace Street et, à distance raisonnable de ma destination, trouvai une place et m'y garai. Du haut de ses dix étages ultra-modernes, l'immeuble où j'entrai dominait tel un phare une pauvre flottille de brocantes qui se faisaient passer pour des magasins d'antiquités et de petits restaurants qui n'avaient d'exotique que le nom. Des paumés en tout genre erraient le long des trottoirs défoncés.

Je déclinai mon identité au gardien en faction dans l'entrée, pris l'ascenseur jusqu'au cinquième étage et, au bout d'un couloir, m'arrêtai devant une porte anonyme. L'adresse du bureau local du FBI était l'un des secrets les mieux gardés de la ville. Son existence même était aussi discrète que les agents qui l'animaient. Un jeune homme assis derrière un comptoir parlait au téléphone. Il posa sa paume sur le combiné et leva vers moi un regard interrogateur. Je lui exposai la raison de ma venue et il m'invita à m'asseoir.

La réception, exiguë, était de style résolument masculin : mobilier garni de cuir bleu marine, table basse encombrée de magazines sportifs. Sur les murs lambrissés s'alignaient la patibulaire galerie de portraits des anciens directeurs du FBI, les citations récoltées par le Bureau et une plaque de cuivre portant les noms des agents morts en opérations. Par la porte de communication allaient et venaient, sans un regard dans ma direction, de grands types en costume sombre et lunettes noires.

Benton Wesley pouvait à l'occasion se montrer d'une raideur tout aussi prussienne que ses collègues, mais il avait réussi à conquérir mon respect. Sous sa carapace d'agent fédéral vivait un homme qui valait la peine d'être connu. Même assis derrière son bureau, il dégageait vivacité et énergie. Comme d'habitude, il était d'une sobre élégance, avec son pantalon sombre et sa chemise d'un blanc immaculé. Sa cravate, étroite comme le voulait la mode, était impeccablement nouée, et l'étui de cuir tressé fixé à sa ceinture paraissait languir après son .38, qu'il ne portait que lorsqu'il sortait. Je n'avais pas vu Wesley depuis longtemps, mais il n'avait pas changé. Toujours en pleine forme, doté du même charme viril, seul chez lui le gris argenté précoce de ses cheveux m'étonnait.

– Désolé de vous avoir fait attendre, Kay, dit-il en souriant.

Sa poignée de main était ferme et dénuée de machisme, au contraire de certains flics et avocats de ma connaissance qui manquent à chaque fois de me broyer les doigts.

– Marino est là, ajouta-t-il. Il fallait que je règle une ou deux choses avec lui avant de vous voir.

Il m'ouvrit la porte et nous longeâmes un couloir désert. Il m'invita à entrer dans son bureau et alla chercher du café.

– L'ordinateur a fini par nous donner ce qu'on voulait hier soir, m'annonça Marino.

Installé dans un fauteuil, il examinait un .357 flambant neuf.

– L'ordinateur ? Quel ordinateur ?

Je n'avais quand même pas oublié mes cigarettes ? Ouf, elles étaient au fond de mon sac.

– Au QG. Il arrête pas de tomber en panne. Mais j'ai fini par récupérer un exemplaire des plaintes. Intéressant. Du moins je crois.

– Les plaintes déposées par Beryl ?

– Exact. (Il reposa le revolver sur le bureau de Wesley en ajoutant :) Joli bijou. Ce salaud l'a gagné à la tombola de la conférence des chefs de police de Tampa, la semaine dernière. J'suis jamais arrivé à gagner trois dollars dans une loterie.

Je ne l'écoutais plus. Le bureau de Wesley était encombré de notifications d'appels téléphoniques, de rapports, de vidéocassettes et d'épaisses enveloppes bulle renfermant, supposai-je, des clichés ou des pièces à conviction que lui avaient adressés différents services de police aux fins d'examen. Une collection d'armes hétéroclites, sabre, coup de poing, pistolet artisanal, lance africaine, s'alignait sur les étagères d'une vitrine courant le long d'un mur. C'étaient les trophées de chasse de Wesley, les cadeaux de ses protégés reconnaissants. Une vieille photo montrait William Webster serrant la main de Wesley à Quantico, devant un hélicoptère des Marines. Rien ne permettait de penser que Wesley avait une femme et trois enfants. Comme la plupart des policiers, les agents du FBI cachent jalousement leur vie privée au monde extérieur, surtout quand ils ont côtoyé l'horreur. Wesley était profileur de suspects. Il savait ce qu'on ressent quand, après avoir étudié les photos d'hallucinantes boucheries, on se retrouve face à face avec un Charles Manson ou un Ted Bundy dans sa cellule.

Wesley revint avec deux gobelets de café pour Marino et moi. Il savait que j'aimais le café noir et que j'avais besoin d'un cendrier à portée de main.

Marino tripota les rapports posés sur ses genoux.

– Je précise d'abord, dit-il, qu'on n'en a retrouvé que trois. Le premier date du lundi 11 mars à 9 h 30. Beryl Madison avait appelé le 911 la veille au soir pour demander qu'un agent passe chez elle. Elle voulait déposer plainte. Son appel n'a pas été classé prioritaire parce qu'on était débordés. L'agent ne s'est présenté que le lendemain matin. C'est un certain Jim Reed, qui est chez nous depuis environ cinq ans.

Marino leva les yeux vers moi. Je secouai la tête : je ne connaissais pas Reed. Il entreprit de nous résumer le rapport.

– D'après Reed, la plaignante, Beryl Madison, très agitée, lui a déclaré avoir reçu un coup de téléphone anonyme la veille au soir, dimanche donc, à 20 h 15. L'homme, apparemment blanc d'après sa voix, lui aurait déclaré : « Je suis sûr que je te manque, Beryl. Mais ne t'inquiète pas, je veille sur toi, même si tu ne me vois pas. Moi, je te vois. Inutile de fuir, je te retrouverai. » La plaignante a ajouté qu'il avait précisé l'avoir vue acheter un journal devant un Seven-Eleven le matin même. Il a décrit la façon dont elle était habillée : « avec un survêtement rouge et pas de soutien-gorge ». Miss Madison a confirmé s'être rendue au Seven-Eleven de Rosemount Avenue vers 10 heures dimanche matin, vêtue de la façon décrite. Elle s'est garée devant le magasin et a acheté le *Washington Post* à un distributeur. Elle n'est pas entrée dans le magasin et n'a remarqué personne aux alentours. Inquiète de constater que son interlocuteur connaissait ces détails, elle en a déduit qu'il l'avait suivie. À la question de savoir si elle avait remarqué qu'on la suivait au cours des jours passés, elle a répondu que non.

Marino tourna la page et en arriva à la partie confidentielle du rapport.

– Reed dit que miss Madison a montré de fortes réticences à divulguer le détail des menaces proférées par son interlocuteur. Pressée de questions, elle a fini par déclarer que l'inconnu était devenu « obscène », disant que l'imaginer nue lui donnait envie de la « tuer ». À ce moment, miss Madison déclare avoir raccroché.

Marino posa la photocopie du rapport sur le bord du bureau.

– Que lui a conseillé Reed ? demandai-je.

– Comme d'habitude, répondit Marino. À chaque nouveau coup de fil, noter l'heure, la date et le contenu de l'appel. Verrouiller portes et fenêtres, envisager l'installation d'un système d'alarme. Relever le numéro des véhicules suspects et les communiquer à la police.

Je me souvins de ce que m'avait dit Mark quand il m'avait raconté son déjeuner avec Beryl au mois de février.

– A-t-elle précisé si le coup de téléphone du 10 mars était le premier qu'elle recevait ?

– Il semble que non, me répondit Wesley en récupérant le rapport. D'après Reed elle recevait des coups de téléphone depuis le 1er janvier, mais c'était la première fois qu'elle avertissait la police. Il semble que les autres étaient moins précis que celui du 10 mars.

– Avait-elle la certitude que c'était le même homme ? demandai-je à Marino.

– Elle a dit à Reed que c'était la même voix, répondit-il. Celle d'un Blanc, avec un ton mielleux et une bonne articulation. Une voix qu'elle ne connaissait pas – en tout cas c'est ce qu'elle a dit.

Se saisissant du deuxième rapport, Marino reprit son résumé.

– Beryl a rappelé Reed sur son bip un mardi soir à 19 h 18 en lui disant qu'il fallait qu'elle le voie. Il est arrivé chez elle peu après 20 heures. Elle était là encore dans un état de grande agitation, et lui a déclaré qu'elle l'avait fait venir parce qu'elle venait de recevoir un nouveau coup de fil de l'inconnu. D'après elle, c'était la même voix, le même individu que les fois précé.dentes. Le contenu de l'appel était semblable à celui du 10 mars.

Marino se mit à lire le texte du rapport.

– « Je sais que je te manque, Beryl. Tu seras bientôt à moi. Je sais où tu habites, je connais toutes tes habitudes. Tu peux te sauver, tu ne m'échapperas pas. » Il a ajouté qu'il savait que Beryl avait une nouvelle voiture, une Honda noire, dont il avait cassé l'antenne la nuit précédente, alors qu'elle était garée devant la maison. La plaignante a confirmé qu'elle avait laissé sa voiture dehors la veille, et que quand elle l'avait reprise ce matin-là, elle avait constaté que l'antenne était cassée. Elle était toujours fixée à la voiture, mais tellement tordue qu'elle ne fonctionnait plus. Reed est sorti pour vérifier, et il confirme les dires de la plaignante.

– Qu'a-t-il fait ? demandai-je.

Marino tourna une page.

– Il lui a conseillé de ranger sa voiture au garage. Elle lui a dit qu'elle se servait jamais du garage parce qu'elle voulait en faire un bureau. Il lui a alors suggéré de demander à ses voisins de surveiller les véhicules suspects ou les personnes étrangères au quartier qui rôderaient autour de chez elle. Miss Madison lui a aussi demandé si elle devait se procurer une arme.

– C'est tout ? fis-je. Et ce calepin qu'il lui avait conseillé de tenir. Est-ce qu'il en reparle ?

– Non. Voilà ce qu'il dit dans la partie confidentielle du rapport : « La réaction de la plaignante devant son antenne cassée m'est apparue excessive. Elle est devenue très nerveuse et s'est même montrée grossière. » (Marino leva les yeux.) En clair, Reed ne la croyait pas. Il pensait qu'elle avait cassé elle-même l'antenne et qu'elle s'inventait des coups de fil anonymes.

– Seigneur... lâchai-je d'un air dégoûté.

– Hé, vous savez combien d'appels bidon on reçoit tous les jours ? Des femmes soi-disant pleines de sang, couvertes de bleus, criant au viol, et qui en réalité se sont blessées elles-mêmes ? Y'en a qui ont un grain et qui font tout pour attirer l'attention, vous savez...

Je connaissais parfaitement ces cas de personnes victimes de manies ou de délires qui les poussent à désirer maladies et violences, voire même à se les infliger. Je n'avais pas besoin des leçons de Marino.

– Poursuivons, dis-je. Que s'est-il passé ensuite ?

Il posa le deuxième rapport sur le bureau de Wesley et passa au troisième.

– Beryl a rappelé Reed le 1er juin, un samedi, à 11 heures et quart. Il s'est rendu chez la plaignante l'après-midi à 16 heures. Elle était nerveuse et agressive...

– On le serait à moins, remarquai-je. Ça faisait cinq heures qu'elle poireautait.

Marino ignora mon interruption et poursuivit sa lecture.

– Miss Madison déclare à l'agent Reed avoir reçu le matin même à 11 heures un nouvel appel du même individu qui lui aurait dit : « Je te manque toujours, Beryl ? Patience, j'arrive, nous serons bientôt réunis. Je suis passé devant chez toi hier soir, mais tu n'étais pas là. Est-ce que tu te teins les cheveux ? J'espère bien que non. » À ce moment, miss Madison, qui a les cheveux blonds, a essayé de lui parler. Elle le supplia de la laisser en paix, lui demanda qui il était et pourquoi il la tourmentait. Il a raccroché sans répondre. Elle a confirmé qu'elle s'était absentée la veille, au moment où l'inconnu a dit être passé. Quand Reed lui a demandé où elle était, elle s'est montrée évasive et a simplement dit qu'elle n'était pas en ville.

– Et qu'est-ce que l'agent Reed a fait cette fois-là pour secourir une femme en difficulté ? fis-je d'un ton mordant.

Marino me considéra d'un œil inexpressif.

– Il lui a suggéré d'acheter un chien, à quoi elle a répondu qu'elle était allergique aux chiens.

– Kay, intervint Wesley en ouvrant une chemise, vous avez un point de vue rétrospectif sur cette affaire, un point de vue influencé par le crime commis. Reed ne pouvait pas avoir le même point de vue. Essayez de vous mettre à sa place. Il a affaire à une jeune femme qui vit seule et qui devient peu à peu hystérique. Reed fait de son mieux pour la réconforter. Il lui donne même le numéro de son bip. Il répond rapidement à ses appels, en tout cas au début. Mais elle se montre vague quand il lui pose des questions précises. Elle ne lui présente aucune preuve. N'importe quel policier se serait montré sceptique.

– Si ç'avait été moi, renchérit Marino, je sais comment j'aurais réagi. J'aurais pensé que la jeune dame souffrait de la solitude, qu'elle cherchait à attirer l'attention, qu'elle voulait que quelqu'un s'occupe d'elle. Ou alors qu'elle avait été larguée par son mec et qu'elle voulait lui créer des ennuis pour se venger.

– C'est ça ! m'exclamai-je à bout de patience. Et même si ç'avait été son mari ou son ami qui l'avait menacée, vous auriez réagi de la même façon. Et Beryl serait quand même morte.

– Peut-être, rétorqua Marino avec agacement. Sauf que si ç'avait été son mari – en admettant qu'elle soit mariée – on aurait au moins un suspect. Le juge lui aurait balancé une injonction de modération.

– Vous savez bien que ces injonctions ne sont que des chiffons de papier, fis-je en grinçant des dents.

Ma colère me faisait perdre tout sang-froid. Chaque année, je devais autopsier le corps d'une demi-douzaine de femmes dont les maris avaient fait l'objet d'une injonction de modération.

Un long silence s'installa.

– Reed n'a jamais eu l'idée de mettre son téléphone sur écoute ? demandai-je enfin à Wesley.

– Ça n'aurait servi à rien, répondit-il. Il est très difficile d'obtenir l'autorisation. Les compagnies de téléphone exigent la preuve qu'il y a des menaces.

– Beryl n'avait pas de preuve ?

Wesley secoua lentement la tête.

– Pas assez d'appels, Kay. Il en aurait fallu plus. Beaucoup plus. Il aurait fallu que Beryl démontre la fréquence, la régularité des appels. Sans un dossier solide, inutile d'espérer une autorisation d'écoute.

– Beryl recevait seulement un ou deux appels par mois. Et elle notait rien dans le foutu calepin que Reed lui avait conseillé de tenir. En tout cas on n'a rien retrouvé. On dirait qu'elle a même jamais enregistré la voix du type.

– Bon sang de bon sang, marmonnai-je. Un inconnu menace de vous tuer, et il faudrait un décret du Congrès pour qu'on s'en occupe.

Wesley garda le silence.

– C'est pareil que dans votre rayon, doc, fit Marino avec un petit ricanement. La médecine préventive, ça existe pas. On n'est rien de plus qu'une équipe de nettoyage. On peut rien faire avant d'avoir une preuve solide. C'est-à-dire un cadavre.

– Le comportement de Beryl était une preuve à lui tout seul, non ? fis-je. Regardez ces rapports. Beryl a suivi tous les conseils de l'officier Reed. Il lui a dit de faire installer un système d'alarme, elle l'a fait. Il lui a dit de ranger sa voiture au garage, elle a suivi son conseil, alors qu'elle avait l'intention de le transformer en bureau. Elle lui a demandé si elle devait acheter une arme, elle a acheté une arme. Chaque fois qu'elle a appelé Reed, c'est parce que le tueur venait de la menacer. Elle prévenait la police aussitôt.

Wesley étala sur le bureau les photocopies des lettres envoyées par Beryl depuis Key West, un plan des lieux du crime avec le rapport de découverte du corps, une série de Polaroïds représentant le jardin, l'intérieur de la maison et, enfin, le cadavre de Beryl dans la chambre du haut. Wesley étudia le tout en silence, le visage dur. Son silence était éloquent. Il nous signifiait qu'il était temps de passer à l'action. Peu importait ce qu'avait ou n'avait pas fait la police. Une seule chose comptait : mettre la main sur le coupable.

– Ce qui me turlupine, dit Wesley, c'est l'incohérence du *modus operandi*. Les menaces que Beryl a reçues indiquent une mentalité de psychopathe. Voilà quelqu'un qui a guetté, suivi et menacé Beryl pendant des mois, sans jamais l'aborder ni lui parler face à face. Quelqu'un qui trouvait son plaisir dans le fantasme, c'est-à-dire dans la phase antérieure à l'acte. Il a fait durer cette phase le plus longtemps possible, et s'il a décidé d'y mettre un terme, c'est peut-être parce que Beryl l'avait frustré en quittant la ville. Il redoutait peut-être qu'elle ne déménage pour de bon. C'est pourquoi il l'a tuée dès son retour.

– Sûr qu'elle lui avait fait un sacré effet, remarqua Marino.

Wesley garda les yeux fixés sur les photos.

– Ce qui me paraît incohérent, c'est la fureur dont il a fait preuve, reprit-il. Comme s'il en voulait personnellement à Beryl. Il s'est acharné sur son visage. (Il tapota une des photos du bout de son index.) Or le visage, c'est la personne en tant que telle. D'habitude, dans les crimes sadiques, le tueur ne touche pas au visage. Parce que la victime est dépersonnalisée, c'est juste un symbole, un corps anonyme et interchangeable. Les zones qu'il mutile, s'il donne dans la mutilation, sont les seins, les organes génitaux... (Il se tut un instant, perplexe.) Or on remarque des éléments très personnalisés dans le meurtre de Beryl. La lacération du visage, l'acharnement, le nombre de coups portés sembleraient indiquer qu'elle connaissait personnellement son assassin. Or la suivre dans la rue, l'épier à distance ne colle pas avec ce portrait. Ce comportement pencherait plutôt dans le sens d'un individu qui lui était étranger.

Marino s'était remis à tripatouiller le .357 de Wesley.

– Vous voulez que j'vous dise ? fit-il en faisant tourner le barillet. Je pense que ce salopard se prend pour Dieu. C'est le genre de type qui vous touche pas tant qu'on joue suivant ses règles. Or Beryl a triché en quittant la ville et en plantant un écriteau À VENDRE sur sa pelouse. Et là, Dieu rigole plus. Tu violes les règles, tu dois payer.

– Comment le voyez-vous ? demandai-je à Wesley.

– Blanc, entre 25 et 35 ans. Intelligent, venant d'une famille désunie qui l'a privé d'image paternelle. Il a peut-être été violé dans son enfance, physiquement, psychologiquement ou les deux. C'est un solitaire, même si ça ne veut pas dire qu'il vive seul. Il peut très bien être marié, parce qu'il sait donner une fausse image de lui-même. Il mène une double vie, avec d'une part son image publique, et d'autre part son jardin secret, ténébreux. C'est un obsédé compulsif et un voyeur.

– Hé, hé, fit Marino avec un petit sourire. Ça correspond à la moitié des types avec qui je travaille.

Wesley haussa les épaules.

– Je me trompe peut-être, Pete, dit-il. Je n'ai pas encore tout étudié en détail. Ça pourrait être un paumé qui vit chez sa mère, avec un casier judiciaire ou psychiatrique. Ou alors il travaille depuis des années dans une banque, sans aucun antécédent. Vous remarquerez qu'en général il appelait Beryl le soir. La seule fois où il l'a appelée pendant la journée, c'était un samedi. Beryl travaillait chez elle, elle était presque toujours à la maison. Il appelait donc quand il le pouvait, et non quand il était sûr de la trouver. J'ai tendance à penser qu'il avait un boulot régulier et qu'il avait ses week-ends.

– Sauf s'il l'appelait de sa boîte, remarqua Marino.

– C'est une possibilité, concéda Wesley.

– Pour en revenir à son âge, dis-je. Vous ne pensez pas qu'il puisse être plus âgé que ce que vous dites ?

– Ce serait inhabituel, répondit Wesley. Mais tout est possible.

Je bus quelques gorgées de café tiède et leur relatai ce que Mark m'avait raconté au sujet du contrat de Beryl et de sa mystérieuse relation avec Cary Harper. Quand j'eus terminé mon récit, Marino et Wesley me considéraient d'un regard intrigué. D'abord parce que cette visite impromptue et tardive d'un avocat de Chicago leur paraissait bizarre, mais aussi parce que mes informations éclairaient l'affaire d'un jour nouveau. Il n'était sans doute pas venu à l'idée de Marino ni de Wesley, pas plus qu'à moi jusqu'à la veille au soir, qu'il pouvait y avoir une raison logique au meurtre de Beryl. Le trait commun à la plupart des meurtres sexuels est justement l'absence de mobile.

– J'ai un pote dans la police de Williamsburg, déclara Marino. D'après lui Harper est un drôle de coco. Il vit en ermite, se balade dans une vieille Rolls-Royce et ne parle à personne. Il habite une grande baraque près du fleuve, où personne sait ce qui se passe. Et c'est un vieux type, doc.

– Pas si vieux, dis-je. Il n'a pas 60 ans. Mais c'est vrai qu'il mène une vie très discrète. On m'a dit qu'il vivait avec sa sœur.

– Tout ça me paraît un peu fumeux, mais voyez où ça mène, Pete, dit Wesley. Tâchez au moins de savoir si Harper connaît ce « M » à qui Beryl écrivait. Il est clair qu'il s'agit de quelqu'un qu'elle connaissait bien, un amant, une amie. Il y a bien quelqu'un qui doit être au courant. Quand on le saura, on y verra plus clair.

Marino n'était pas d'accord.

– Vu le personnage, dit-il, Harper voudra jamais me parler, et je n'ai aucune raison valable pour l'obliger à témoigner. Je pense pas non plus qu'il ait tué Beryl, même s'il avait un mobile. Il l'aurait supprimée tout de suite. Pourquoi attendre six mois ? Et puis elle aurait reconnu sa voix si c'était lui.

– Harper a pu engager quelqu'un, dit Wesley.

– Exact. Dans ce cas on l'aurait retrouvée une semaine après avec un trou bien propre dans la nuque, rétorqua Marino. Vous trouverez pas beaucoup de tueurs à gages qui téléphonent six mois avant à leurs victimes et les charcutent au couteau avant de les violer.

– C'est vrai, fit Wesley. Mais nous n'avons pas encore la certitude qu'il y a eu viol. On n'a pas retrouvé de liquide séminal. (Il leva les yeux vers moi. Je confirmai d'un hochement de tête.) Le type a peut-être des problèmes de ce côté-là. N'oublions pas non plus qu'il peut s'agir d'une mise en scène. On a pu mettre le cadavre dans cette position pour faire croire qu'il y a eu viol. Tout dépend du genre de type qui a été engagé, si c'est le cas, et de l'effet recherché. Par exemple, si Beryl se fait descendre alors qu'elle est en procès avec Harper, celui-ci se retrouve suspect numéro un aux yeux des flics. Alors que si le meurtre semble l'œuvre d'un sadique, personne ne va penser à Harper.

Marino, qui fixait d'un regard vide une petite bibliothèque vitrée, tourna sa grosse tête vers moi.

– Que savez-vous sur le bouquin qu'elle écrivait ?

– Pas plus que ce que je vous en ai dit, répondis-je. C'était un ouvrage autobiographique qui risquait de porter atteinte à la réputation de Harper.

– C'est là-dessus qu'elle travaillait à Key West ?

– Je suppose.

– Eh bien, désolé de vous décevoir, fit-il après un instant d'hésitation, mais on n'a rien trouvé de ce genre chez elle.

Même Wesley eut l'air surpris.

– Et le manuscrit retrouvé dans sa chambre ?

– Oh, ça... fit Marino en sortant son paquet de cigarettes. J'y ai jeté un coup d'œil. Un truc à l'eau de rose sur la guerre de Sécession. Rien à voir avec le bouquin dont parle la toubib.

– Portait-il un titre ou une date ?

– Non. On dirait même qu'il manquait pas mal de pages, il avait à peu près ça d'épaisseur, fit Marino en espaçant pouce et index de deux ou trois centimètres. Des notes au crayon dans les marges, et une dizaine de pages manuscrites.

– Il faut examiner tous ses papiers et ses disquettes, dit Wesley, pour voir si son autobiographie n'est pas quelque part. Il nous faut aussi le nom de son agent ou de son éditeur. Peut-être qu'elle a envoyé le manuscrit à quelqu'un avant de quitter Key West. Il est essentiel de savoir si elle est revenue à Richmond avec le manuscrit. Si elle l'avait avec elle et qu'il a disparu, ce serait un élément déterminant.

Wesley jeta un coup d'œil à sa montre et recula sa chaise en se levant.

– J'ai un rendez-vous dans cinq minutes, expliqua-t-il avant de nous raccompagner jusqu'à la réception.

Je ne pus pas me débarrasser de Marino, qui insista pour m'escorter jusqu'à ma voiture.

– Ouvrez l'œil, doc. (Il était reparti pour un de ces sermons dont il m'abreuvait fréquemment.) Beaucoup de femmes ne font pas assez attention. Quand elles se baladent dans la rue, elles ne regardent même pas si un type les épie. Préparez vos clés avant d'arriver à votre voiture, et avant de monter, vérifiez qu'il y a personne *dessous*, compris ? Vous seriez surprise du nombre de femmes qui y pensent pas. Si vous êtes en voiture et que vous vous apercevez qu'on vous suit, qu'est-ce que vous faites ?

Je ne pris pas la peine de lui répondre.

– Allez à la première caserne de pompiers que vous connaissez. Pourquoi ? Parce qu'il y aura toujours quelqu'un, même à 2 heures du matin la nuit de Noël. C'est le premier endroit où aller.

En attendant de pouvoir traverser, je cherchai mes clés dans mon sac. Relevant la tête, j'aperçus un rectangle blanc coincé sous l'essuie-glace de ma voiture de fonction, de l'autre côté de la rue. Je n'avais donc pas mis assez d'argent pour le ticket ? Merde.

– Il y en a partout, poursuivait Marino. Essayez de les repérer en rentrant chez vous ou quand vous faites vos courses.

Je lui balançai un de mes regards les plus torves et traversai en quelques enjambées.

– Hé, dit-il lorsque nous arrivâmes devant ma voiture, prenez pas mal ce que je vous dis, hein ? Remerciez plutôt le ciel que je veille sur vous comme un ange gardien.

Le parcmètre était revenu à zéro depuis un quart d'heure. J'arrachai la contravention de sous l'essuie-glace et la fourrai dans sa poche de poitrine.

– Quand vous rentrerez au QG, dis-je, occupez-vous de ça, voulez-vous ?

Il me regarda partir d'un air mauvais.

3

Une dizaine de blocs plus loin, je garai ma voiture et glissai mes deux derniers *quarters* dans le parcmètre. Je gardai en permanence un panneau MÉDECIN EXPERT sur le tableau de bord, mais les flics de la circulation devaient être aveugles. Quelques mois auparavant, l'un d'eux m'avait flanqué une contredanse alors que je travaillais sur les lieux d'un meurtre où la police m'avait appelée au beau milieu de la journée.

Je gravis à la hâte quelques marches de ciment, poussai une porte vitrée et pénétrai dans la salle principale de la bibliothèque publique. Son ambiance feutrée m'inspirait à chaque fois la même références. J'aperçus au milieu de la salle une rangée de lecteurs de microfilms, où je recherchai et notai les titres parus sous les différents pseudonymes de Beryl Madison. Son ouvrage le plus récent, un roman historique ayant pour cadre la guerre de Sécession et publié sous le nom de plume d'Édith Montague, était sorti un an et demi auparavant. Comme Mark me l'avait laissé entendre, il était probablement sans intérêt : au cours des dix dernières années, Beryl avait publié six livres, mais je n'avais entendu parler d'aucun d'entre eux.

Ensuite je procédai à une recherche sur les publications périodiques. Rien. Beryl écrivait des livres. Il semblait qu'elle n'avait rien publié, ni n'avait été interviewée dans aucun magazine. Quelques critiques étaient parues dans le *Times* de Richmond au cours des années précédentes, mais elles mentionnaient les pseudonymes de Beryl, alors que son assassin connaissait sa véritable identité.

Sur l'écran défilèrent des noms au tracé flou : Maberly, Macon, puis enfin Madison. Au mois de novembre précédent, un court article était paru dans le *Times* :

CONFÉRENCE D'ÉCRIVAIN

La romancière Beryl Stratton Madison prononcera une conférence sous le patronage des Daughters of the American Revolution *ce mercredi au Jefferson Hotel, à l'angle de Main Street et Adams Street. Protégée du lauréat du prix Pulitzer Cary Harper, miss Madison est surtout connue pour ses romans historiques situés pendant la Révolution américaine et la guerre de Sécession. Son exposé aura pour thème « La légende comme véhicule des faits ».*

Après avoir noté cette information, je m'attardai dans les rayons et finis par emprunter plusieurs livres de Beryl. De retour au bureau, je m'absorbai dans des tâches paperassières, résistant à une continuelle envie de décrocher le téléphone. *Ce ne sont pas tes affaires.* Je savais parfaitement où se situait la limite entre ma juridiction et celle de la police.

De l'autre côté du couloir la porte de l'ascenseur s'ouvrit sur un bruyant groupe de gardiens qui se dirigèrent vers leur vestiaire, à quelques portes de mon bureau. Ils arrivaient chaque jour vers 18 h 30. Je ne m'attendais pas à ce que Mrs J. R. McTigue, dont le journal indiquait qu'elle s'occupait des réservations, réponde. Le numéro que j'avais recopié était sans doute celui du siège des DAR[1] qui devait fermer à 17 heures.

Pourtant on décrocha dès la deuxième sonnerie.

– Mrs J. R. McTigue ? fis-je après un instant d'hésitation.

– Oui. C'est moi.

Je ne pouvais plus reculer. La seule solution était la franchise.

– Mrs J. R. McTigue, ici le Dr Scarpetta...

– Le docteur *qui* ?

– Scarpetta, répétai-je. Je suis le médecin expert chargé d'enquêter sur la mort de Beryl Madison...

– Oh ! mon Dieu, oui... j'ai lu ça dans le journal. Mon Dieu, mon Dieu... Une si gentille jeune femme. Je n'en croyais pas mes yeux quand j'ai su ce qui...

– J'ai appris qu'elle avait prononcé un discours à la réunion de novembre des Filles de la Révolution, dis-je.

– Oui. Nous avions été ravies qu'elle vienne. Elle n'acceptait pas souvent ce genre d'invitation, voyez-vous.

Mrs J. R. McTigue me parut une très vieille dame et je fus envahie par la désagréable impression d'avoir commis une erreur. C'est alors qu'elle piqua au vif ma curiosité.

– Voyez-vous, Beryl nous a fait une faveur. C'est l'unique raison pour laquelle elle a accepté. Mon mari était un ami de Cary Harper, l'écrivain. Je suis sûre que vous en avez entendu parler. C'est Joe qui a tout arrangé, à vrai dire. Il savait combien ça me ferait plaisir. J'ai toujours adoré les livres de Beryl.

– Où habitez-vous, Mrs J. R. McTigue ?

– Aux Gardens.

Chamberlayne Gardens était une maison de retraite située dans le centre-ville. Un endroit qui revenait avec une triste régularité dans ma vie professionnelle. Au cours des quelques

1. Les *Daughters of the American Revolution* sont une organisation féminine très conservatrice.

années précédentes, j'avais eu à m'occuper de plusieurs décès aux Gardens, comme d'ailleurs dans les autres institutions pour le troisième âge de la ville.

– J'aimerais bavarder avec vous quelques minutes, dis-je. Puis-je passer vous voir ? C'est sur mon chemin.

– Ma foi, oui, pourquoi pas. Venez donc. Vous êtes le docteur *comment* ?

Je lui répétai mon nom en articulant chaque syllabe.

– J'occupe l'appartement 378. Prenez l'ascenseur, c'est au troisième.

J'en avais déjà appris beaucoup sur Mrs J. R. McTigue rien qu'en sachant où elle vivait. Chamberlayne Gardens était en effet un établissement d'un certain standing, accueillant des personnes capables de régler un loyer élevé pour le petit appartement qui leur était alloué. Pourtant les Gardens n'étaient qu'une cage dorée. Aussi confortables fussent-ils, aucun de ses occupants n'était vraiment heureux de vivre là.

Construit à la limite ouest du centre-ville, c'était un gratte-ciel en brique qui donnait la déprimante sensation d'hésiter entre l'hôpital et l'hôtel. Je garai ma voiture sur un emplacement réservé aux visiteurs et me dirigeai vers un portique illuminé qui paraissait être l'entrée du bâtiment. La réception était garnie de reproductions de meubles Williamsburg au vernis étincelant, dont plusieurs portaient des arrangements floraux en soie plantés dans de lourds vases de cristal. La moquette rouge était parsemée de tapis orientaux industriels. Un lustre en cuivre pendait du plafond. Dans un coin, un vieillard, les yeux dans le vague sous le rebord d'une casquette anglaise en tweed, était assis sur un canapé, sa canne à côté de lui. Une vieille femme traversait la moquette à pas lents, agrippée à un cadre de marche.

Le jeune réceptionniste qui se morfondait derrière un pot de fleurs posé sur le comptoir leva à peine les yeux lorsque je passai devant lui pour aller vers l'ascenseur. Au bout d'un long moment les portes s'ouvrirent, puis, comme il est habituel dans les endroits où les gens ont des difficultés à se mouvoir, mirent une éternité à se refermer. Pendant mon ascension solitaire des trois étages, je fixai sans les voir les papiers scotchés aux parois lambrissées de la cabine, annonçant des visites aux musées ou plantations des environs, les prochains concours de bridge, les horaires des ateliers d'art et d'artisanat, ainsi qu'une annonce du Jewish Community Center demandant des vêtements chauds. Beaucoup d'annonces étaient périmées. Les institutions de retraite, avec leurs noms de cimetière tels que Sunnyland, Sheltering Pines ou Chamberlayne Gardens, me donnaient toujours la chair de poule. Je ne savais pas ce que je ferais quand ma mère ne serait plus capable de vivre seule.

L'appartement de Mrs J. R. McTigue était à mi-chemin du couloir, sur la gauche. Je frappai à la porte. Une femme à la peau fripée m'ouvrit. Ses rares cheveux bouclés avaient jauni comme du vieux papier et des touches de rouge rehaussaient le teint de ses joues. Elle était vêtue d'un cardigan blanc beaucoup trop grand pour elle. Le parfum de son eau de toilette aux plantes se mêlait à une odeur de fromage chaud.

– Je suis Kay Scarpetta, dis-je.

– Oh, c'est si gentil à vous d'être passée, dit-elle en me tapotant la main. Voulez-vous du thé, ou quelque chose de plus costaud ? J'ai tout ce que vous voulez. Moi, je suis au porto.

Tout en parlant, elle m'avait entraînée jusqu'au petit salon et fait prendre place dans un fauteuil à oreillettes. Elle éteignit le téléviseur et alluma une lampe. Le salon était aussi impressionnant qu'un décor pour Aïda. Le tapis persan défraîchi disparaissait sous un amoncellement de mobilier en acajou : chaises, tables basses, table à bibelots, étagères débordant de livres, placards d'angle regorgeant de porcelaine de Chine et de verres ciselés. De sombres peintures étaient accrochées presque côte à côte sur les murs, parmi des cordons à glands et des tableaux de cuivre embouti.

Elle revint avec un petit plateau d'argent sur lequel étaient disposés une carafe Waterford emplie de porto, deux verres à pied et une petite assiette garnie des biscuits au fromage qu'elle avait sortis du four. Elle emplit nos deux verres et me tendit l'assiette, ainsi qu'une petite serviette brodée qui paraissait très vieille et fraîchement repassée. Ce rituel prit un certain temps. Puis elle s'installa à un bout du canapé, où l'usure du tissu indiquait qu'elle passait l'essentiel de ses journées, à lire ou regarder la télévision. Elle était heureuse d'avoir de la compagnie, même si la raison n'en était pas très réjouissante. Je me demandai si quelqu'un d'autre venait jamais la voir.

– Comme je vous l'ai dit au téléphone, je suis le médecin expert chargé du dossier de Beryl Madison, commençai-je. Pour l'instant, nous ne savons encore que très peu de choses sur elle et sur les gens qui la connaissaient.

Le visage inexpressif, Mrs J. R. McTigue but une gorgée de porto. J'ai tellement l'habitude d'aller droit au but dans mes rapports avec la police ou les hommes de loi que j'en oublie parfois que les citoyens ordinaires ont droit à quelques ménagements. Son biscuit était excellent. Je le lui dis.

– Je vous remercie, dit-elle en souriant. Servez-vous, je vous en prie. Il y en a d'autres.

Je fis une nouvelle tentative.

– Mrs J. R. McTigue, connaissiez-vous Beryl Madison avant de lui proposer cette conférence l'automne dernier ?

– Bien sûr, répondit-elle. Indirectement, je veux dire, par ses livres. J'ai été une de ses premières admiratrices. Les romans historiques sont ma lecture préférée, voyez-vous.

– Comment saviez-vous que c'est elle qui les écrivait ? demandai-je. Elle les signait de différents pseudonymes. Aucune jaquette ne mentionne son véritable nom.

Constatation que j'avais faite en parcourant les livres de Beryl empruntés à la bibliothèque.

– C'est exact en effet. Je crois que j'étais une des rares à connaître son identité – grâce à Joe.

– Votre mari ?

– Lui et Mr Harper étaient amis, expliqua-t-elle. Enfin, autant qu'on peut être l'ami de Mr Harper. Ils se sont connus professionnellement, c'est comme ça que leur amitié a commencé.

– Quelle profession exerçait votre mari ? m'enquis-je en me disant que mon hôtesse était bien plus vive que je n'avais cru.

– Il était dans le bâtiment. Quand Mr Harper a acheté Cutler Grove, la maison avait besoin de gros travaux de restauration. Joe a passé presque deux années là-bas, à superviser le chantier.

J'aurais pu faire le rapprochement plus tôt. McTigue Contractors et McTigue Lumber Company étaient les deux plus grosses entreprises de construction de Richmond et disposaient de bureaux dans tout le Commonwealth de Virginie.

– C'était il y a plus de quinze ans, poursuivit Mrs McTigue. Et c'est pendant les travaux que Joe a rencontré Beryl. Elle est venue visiter plusieurs fois le chantier en compagnie de Mr Harper, et elle a fini par s'installer dans la maison. Elle était très jeune. (Mrs McTigue se tut quelques instants avant de reprendre.) À l'époque, Joe m'avait raconté que Mr Harper avait adopté une jolie jeune fille qui était écrivain. Je crois qu'elle était orpheline, ou du moins qu'elle avait eu des malheurs avec sa famille.

Elle reposa son verre et traversa la pièce jusqu'au secrétaire, dont elle ouvrit un tiroir. Elle revint avec une enveloppe crème.

– Tenez, dit-elle en me la tendant d'une main tremblante. C'est la seule photo d'eux que j'ai.

À l'intérieur, je découvris, enveloppé d'un épais papier pelucheux, un cliché noir et blanc légèrement surexposé. De part et d'autre d'une adolescente blonde à la beauté délicate se tenaient deux hommes imposants à la peau tannée, vêtus comme des bûcherons. Les trois personnages, debout côte à côte, clignaient des yeux sous un soleil éblouissant.

– Voici Joe, dit Mrs McTigue en désignant l'homme à gauche de Beryl.

Les manches roulées de sa chemise kaki dévoilaient des avant-bras musclés, mais son regard était dissimulé par le rebord d'une casquette International Harester. À la droite de Beryl se tenait un homme de forte carrure et aux cheveux blancs, que Mrs McTigue identifia comme Cary Harper.

– La photo a été prise au bord du fleuve, dit-elle. À l'époque où Joe travaillait là-bas. Mr Harper avait déjà les cheveux blancs. Je suppose que vous savez ce qu'on raconte. Ses cheveux auraient blanchi pendant qu'il écrivait *The Jagged Corner*, alors qu'il avait à peine 30 ans.

– La photo a été prise à Cuder Grove ?

– Oui, à Cutler Grove, répondit Mrs McTigue.

J'étais fascinée par le visage de Beryl, un visage trop sage et trop intelligent pour quelqu'un de si jeune, avec dans le regard cette vivacité mêlée de tristesse que j'associais aux enfants maltraités et abandonnés.

– Beryl n'était encore qu'une enfant, dit Mrs McTigue.

– Quel âge avait-elle ? Seize ans ? Dix-sept ?

– Oui, ça doit être à peu près ça, répliqua Mrs McTigue en me regardant replier l'épais papier autour de la photo, avant de remettre le tout dans l'enveloppe. Je n'ai découvert cette photo qu'après la mort de Joe. Je suppose que c'est un de ses ouvriers qui l'a prise.

Elle alla ranger l'enveloppe dans le tiroir, revint s'asseoir et ajouta :

– Je pense que l'une des raisons pour lesquelles Joe s'entendait si bien avec Mr Harper, c'est que Joe était d'une discrétion exemplaire. Je suis sûre qu'il m'a tu bien des choses.

Elle eut un petit sourire sans joie et tourna les yeux vers le mur.

– En tout cas, il semble que Mr Harper ait conseillé les livres de Beryl à votre mari, dis-je.

Elle retourna son attention sur moi d'un air surpris.

– À vrai dire, je ne sais même pas si Joe m'a dit comment il avait appris qu'elle avait publié quelque chose, Dr Scarpetta – quel joli nom. C'est espagnol ?

– Italien.

– Ah ! Alors je parie que vous êtes un vrai cordon-bleu.

– Disons que j'aime bien faire la cuisine, répondis-je en buvant une gorgée de porto. Vous disiez que Mr Harper avait parlé des livres de Beryl à votre mari ?

– Ah, mon Dieu, c'est vrai... Voyez-vous, c'est curieux que vous me demandiez ça parce que je n'y avais jamais réfléchi. Eh bien... ma foi, Mr Harper lui en a certainement parlé, sinon je ne vois pas comment Joe aurait été au courant. Car il l'était. Quand *Flag of Honor* est sorti, il me l'a offert pour Noël.

Elle se releva et, après avoir examiné plusieurs étagères, sortit un gros volume qu'elle me tendit.

– Il est dédicacé, annonça-t-elle avec fierté.

Je l'ouvris et y découvris la signature un peu emberlificotée d'« Emily Stratton », datée de dix ans plus tôt, en décembre.

– Son premier livre, dis-je.

– Sans doute un des rares qu'elle ait dédicacés, précisa Mrs McTigue avec un sourire ravi. Joe a dû demander à Mr Harper de le faire signer à Beryl pour moi.

– Avez-vous d'autres ouvrages dédicacés ?

– Pas par elle. J'ai acheté tous ses livres et je les ai tous lus, la plupart deux ou trois fois. (Elle eut un instant d'hésitation, puis ajouta en agrandissant les yeux :) Est-ce que ça s'est vraiment passé comme on l'a dit dans les journaux ?

– Oui.

Je mentais par omission. La mort de Beryl avait été bien plus brutale que ce qu'avait rapporté la presse.

Elle prit un biscuit au fromage et parut un moment sur le point de fondre en larmes.

– Parlez-moi de cette conférence de novembre dernier, Mrs McTigue, dis-je. Cela fait presque un an. Elle parlait devant les Filles de la Révolution américaine, n'est-ce pas ?

– C'était notre banquet littéraire annuel. Un grand événement pour lequel nous essayons chaque année de faire venir un invité de marque, un auteur ou une personnalité. Comme c'était mon tour de présidence, c'est moi qui ai choisi l'orateur. Mon choix s'était fixé sur Beryl, mais elle n'était pas dans l'annuaire et je n'avais pas la moindre idée de l'endroit où la contacter. J'étais loin de me douter qu'elle habitait ici-même, à Richmond ! J'ai fini par demander à Joe de m'aider. (Elle hésita, puis partit d'un rire embarrassé.) Voyez-vous, j'aurais préféré me débrouiller toute seule. Joe était si occupé, à l'époque. Bref, un soir, il a appelé Mr Harper, et le lendemain matin, j'ai entendu sonner le téléphone. Je n'oublierai jamais ce premier contact ! Je suis restée sans voix quand elle s'est présentée.

Son numéro de téléphone. L'idée ne m'était même pas venue que Beryl ait pu être sur liste rouge. Aucun des rap ports de l'agent Reed ne mentionnait ce détail. Marino le connaissait-il ?

– J'ai été enchantée quand elle a accepté l'invitation, poursuivit Mrs McTigue, puis elle m'a interrogée sur le nombre de participants que nous attendions. Je lui ai annoncé entre deux et trois cents personnes. Elle m'a demandé l'heure de la conférence, la longueur souhaitée pour son intervention, ce genre de choses. Elle était absolument charmante, mais pas très bavarde. Ça m'a semblé curieux. Elle m'a dit aussi qu'elle n'apporterait pas de livres. En général les auteurs viennent avec un stock de livres, qu'ils vendent après la conférence, avec une dédicace. Beryl m'a dit que ça n'était pas dans ses habitudes, et elle a également refusé toute rétribution. Ce qui était aussi très inhabituel. Bref, je l'ai trouvée très gentille et très modeste.

– Il n'y avait que des femmes à la conférence ? demandai-je.

Elle réfléchit un instant.

– Il me semble que quelques adhérentes avaient amené leur mari, mais l'essentiel du public était composé de femmes, comme c'est presque toujours le cas.

Je m'y attendais. Il était peu probable que l'assassin ait assisté à la réunion.

– Beryl prononçait-elle souvent des conférences ? demandai-je.

– Ah ça, non, répondit aussitôt Mrs McTigue. Je puis vous l'assurer. Si ç'avait été le cas, j'aurais été la première à m'y précipiter. Elle m'a donné l'impression d'une jeune femme très réservée, qui écrivait pour le plaisir, sans rechercher la célébrité. C'est d'ailleurs pour ça qu'elle signait ses livres de pseudonymes. Les écrivains qui dissimulent leur identité comme elle le faisait se produisent rarement en public. Et je suis persuadée qu'elle n'aurait pas fait d'exception pour moi si Joe n'avait pas été l'ami de Mr Harper.

– Est-ce à dire qu'elle aurait tout fait pour Mr Harper ?

– Oui, il me semble.

– Avez-vous déjà rencontré Mr Harper ?

– Oui.

– Quelle impression vous a-t-il faite ?

– Au premier abord, on le prend pour quelqu'un de timide, répondit Mrs McTigue. Mais au fond, je crois que c'est un homme malheureux, qui se croit supérieur aux autres. En tout cas, c'est une forte personnalité. (Son regard se perdit à nouveau dans le vague, mais cette fois tout éclat l'avait déserté.) Mon mari lui était très dévoué.

– Quand avez-vous vu Mr Harper pour la dernière fois ?

– Joe est mort au printemps dernier.

– Et vous n'avez pas revu Mr Harper depuis la mort de votre mari ?

Elle secoua la tête et se recroquevilla en elle-même, dans quelque triste refuge connu d'elle seule. Je me demandai ce qui s'était réellement passé entre Cary Harper et Joe McTigue. Un différend commercial ? Une mauvaise influence de Harper sur McTigue, qui avait dévalorisé ce dernier aux yeux de sa femme ? Ou tout simplement Harper était-il un personnage égoïste et grossier ?

– Je crois savoir que Cary Harper vit avec sa sœur, n'est-ce pas ? dis-je.

Mrs McTigue serra les lèvres tandis que ses yeux s'embuaient de larmes.

Je reposai mon verre sur la table basse et attrapai mon sac.

Elle me suivit jusqu'à la porte.

Je décidai d'insister sans la brusquer.

– Beryl vous écrivait-elle, à vous ou à votre mari ? demandai-je.

Elle secoua la tête.

– Savez-vous si elle avait d'autres amis ? Votre mari a-t-il mentionné devant vous le nom de quelqu'un ?

Elle secoua à nouveau la tête.

– Beryl mentionnait souvent quelqu'un qu'elle appelait « M ». Auriez-vous une idée de qui elle voulait parler ?

Une main sur la poignée de la porte, Mrs McTigue jeta un regard triste au couloir désert. Lorsqu'elle tourna la tête vers moi, ses yeux larmoyants semblaient ne rien voir.

– Un « P » et un « A » apparaissent dans deux de ses romans. Des espions nordistes, si je me souviens bien. Mon Dieu... Je crois que j'ai oublié d'éteindre le four. (Elle cligna des yeux, comme aveuglée par un soleil violent.) J'espère que vous reviendrez me voir, n'est-ce pas ?

– Avec plaisir, fis-je en lui touchant le bras.

Je la remerciai et partis.

Dès que je fus rentrée chez moi, j'appelai ma mère et, pour une fois, accueillis sans trop d'agacement ses recommandations habituelles, heureuse d'entendre sa voix ferme m'assurer avec rudesse de son amour.

– On a eu presque trente toute la semaine, me dit-elle. À Richmond j'ai vu qu'il faisait quatre ou cinq. Tu dois te geler, ma pauvre petite. Il n'a pas neigé au moins ?

– Non, maman, il n'a pas neigé. Comment va ta hanche ?

– Ça va, ça va. Je te tricote un petit plaid. Ça te tiendra les jambes au chaud quand tu seras au bureau. Lucy m'a demandé de tes nouvelles.

Cela faisait des semaines que je n'avais pas parlé à ma nièce.

– Elle est en train de fabriquer un robot qui parle à l'école, poursuivit ma mère, tu te rends compte ? Elle l'a apporté l'autre soir. Le pauvre Sinbad a eu si peur qu'il s'est réfugié sous le lit...

Sinbad était un matou sournois, hypocrite et méchant, un chat de gouttière gris et noir qui avait emboîté le pas à ma mère un matin qu'elle faisait ses courses dans Miami. Chaque fois que j'allais chez elle, Sinbad se réfugiait tel un vautour sur le réfrigérateur et m'observait d'un air mauvais.

– Tu ne devineras jamais qui j'ai revu l'autre jour... dis-je avec une fausse désinvolture. (L'envie d'en parler avec quelqu'un était trop forte. Ma mère connaissait ma vie, ou du moins une grande partie.) Tu te souviens de Mark James ?

Silence.

– Comme il était à Washington, il est passé me voir, ajoutai-je.

– Bien sûr que je me souviens de lui.

– Il voulait discuter d'une affaire sur laquelle il travaille. Il est avocat. À... hum... à Chicago. (je battais précipitamment en retraite.) Il avait un rendez-vous à Washington.

Plus j'en disais, plus son silence désapprobateur me pesait.

– Mouais. En tout cas, ce que je me rappelle, c'est qu'il a failli te tuer, Katie.

Quand elle m'appelait « Katie », j'avais l'impression d'avoir 10 ans.

4

Le fait de disposer de laboratoires dans le même bâtiment où j'avais mon bureau était un avantage précieux dans la mesure où je n'avais pas à attendre les rapports écrits des examens. Comme je le constatais dans ma propre pratique, les scientifiques savent beaucoup de choses avant même de commencer à rédiger leurs rapports. Cela faisait exactement une semaine que j'avais communiqué au labo les indices relevés dans la maison et sur le corps de Beryl Madison. Plusieurs semaines s'écouleraient avant que le rapport définitif soit sur mon bureau, mais je savais que Joni Hamm s'était déjà forgé une opinion d'après ses observations. Lorsque j'en eus terminé avec le travail de la matinée, je la rejoignis au quatrième étage, une tasse de café à la main.

Le « bureau » de Joni n'était guère plus qu'une alcôve, coincée au bout d'un couloir entre le laboratoire d'analyse des indices et celui des stupéfiants. Je la trouvai assise devant un plan de travail noir, l'œil à la lentille d'un microscope stéréoscopique, à côté d'un calepin à spirale couvert d'une écriture régulière.

– Alors, on s'en sort ? fis-je en entrant.

– Ni plus ni moins que d'habitude, rétorqua-t-elle en levant les yeux d'un air distrait.

Je tirai une chaise.

Joni était une jeune femme de petite taille, avec de courts cheveux bruns et de grands yeux sombres. Mère de deux enfants en bas âge, elle suivait des cours du soir en vue de passer son doctorat de philosophie. Rien d'étonnant à ce qu'elle paraisse en permanence fatiguée et débordée. Il est vrai que la plupart des assistants des labos donnaient cette impression, et l'on me disait souvent la même chose.

– Je viens voir si vous avez du nouveau sur Beryl Madison, dis-je.

– Plus que vous n'espériez, je crois. (Elle feuilleta son calepin.) Les indices sont si nombreux que c'est un vrai casse-tête.

Je n'en fus pas surprise. J'avais communiqué aux labos une multitude d'enveloppes et de lamelles. Le cadavre de Beryl baignant littéralement dans le sang, une foule de débris s'y étaient collés, comme des insectes pris au piège. Isoler les fibres recueillies s'était avéré particulièrement difficile. Il avait fallu en effet les nettoyer pour que Joni puisse les examiner. On les avait donc trempées une à une dans une pochette contenant une solution savonneuse, laquelle était à son tour placée dans un bain à ultra-sons. Lorsque le sang et la poussière s'étaient détachés, on filtrait la solution, puis chaque fibre était montée sur une lamelle.

Joni parcourait ses notes.

– S'il n'y avait pas eu d'autres éléments contredisant cette hypothèse, dit-elle, j'aurais pensé que Beryl Madison avait été tuée à l'extérieur.

– Impossible, rétorquai-je. Elle est morte chez elle, peu avant l'arrivée de la police.

– Je sais. Commençons par les fibres provenant de la maison. Nous en avons trouvé trois dans les échantillons de sang prélevé sur ses genoux et ses paumes. Ce sont des fibres de laine. Deux sont rouges, la troisième dorée.

– Elles pourraient provenir du tapis oriental du couloir ? fis-je en me souvenant des photos prises sur les lieux.

– Oui. Elles sont identiques aux échantillons prélevés sur le tapis. Si Beryl Madison s'est traînée à quatre pattes, il est logique que des fibres aient adhéré à ses mains et à ses genoux pleins de sang.

Joni s'empara d'un classeur à lamelles, le feuilleta et en sortit le dossier qu'elle cherchait. Elle écarta les rabats et examina les rangées de lamelles de verre.

– En plus de ces fibres de laine, nous avons trouvé un certain nombre de fibres de coton blanc, qui ne présentent aucun intérêt, puisqu'elles peuvent provenir de tas de choses, y compris du drap dont on a recouvert le corps. Mais j'ai aussi examiné une dizaine de fibres récoltées dans ses cheveux, sur son cou et sa poitrine, ainsi que des débris recueillis sous ses ongles. Ce sont des fibres synthétiques. (Elle releva les yeux vers moi.) Elles ne correspondent à aucun des échantillons communiqués par la police.

– Même pas à ses vêtements ou à ses couvertures ?

Joni secoua la tête.

– Absolument pas. Elles semblent provenir de l'extérieur. Du fait qu'elles adhéraient au sang ou étaient logées sous les ongles, il est probable qu'elles résultent d'un transfert passif de l'agresseur à la victime.

C'était là une nouvelle inattendue. Quand mon adjoint Fielding avait finalement réussi à me contacter le soir du meurtre, je lui avais demandé de m'attendre à la morgue, où j'étais arrivée peu avant 1 heure du matin, et nous avions passé plusieurs heures à balayer le corps de Beryl au faisceau laser et à prélever toutes les fibres et particules qu'il révélait en les illuminant. Il ne faisait alors guère de doute pour moi que la plus grande partie de ce que nous récoltions s'avérerait de simples débris sans intérêt provenant des vêtements ou de la maison de Beryl. Apprendre qu'on avait découvert parmi nos prélèvements une dizaine de fibres laissées par l'assassin était proprement stupéfiant. Dans la plupart des cas sur lesquels je travaillais, je m'estimais heureuse si je découvrais une seule fibre d'origine inconnue, et comblée lorsque j'en obtenais deux ou trois. Il m'arrivait souvent de n'en découvrir aucune. Les fibres sont difficiles à détecter, même à la loupe, et le moindre mouvement du corps, le plus léger courant d'air peuvent les déloger avant que le médecin expert n'arrive sur les lieux ou que le corps ne soit transporté à la morgue.

– Quel genre de synthétiques ? demandai-je.

– Olefin, acrylique, Nylon, polyéthylène et Dynel, mais en majorité du Nylon, répondit Joni. De différentes couleurs : rouge, bleu, or, vert, orange. L'observation microscopique a révélé que ces fibres n'ont pas la même provenance.

Elle plaçait les lames l'une après l'autre sur la platine du microscope avant de coller son œil à l'oculaire.

– Certaines ont une structure longitudinale en stries, d'autres non. La plupart contiennent du dioxyde de titane, mais de différentes densités, ce qui explique que certaines soient translucides, d'autres opaques, quelques-unes brillantes. Elles sont de diamètres inégaux mais assez importants, ce qui tendrait à indiquer qu'on a affaire à des fibres de tapis, mais la coupe transversale révèle de grandes disparités de structure.

– Vous voulez dire qu'elles seraient de dix provenances différentes ?

– C'est ce qui ressort pour l'instant, répondit-elle. Ces fibres sont atypiques. Si elles ont été laissées par l'agresseur, c'est qu'il transportait sur lui un nombre inhabituel de fibres. Les plus épaisses ne proviennent certainement pas de ses vêtements, puisqu'elles ont la structure des fibres de tapis, sans toutefois provenir d'aucun des tapis présents chez Beryl. Il existe une autre raison pour laquelle il paraît étrange de transporter sur soi une telle quantité de fibres. Chacun d'entre nous attire et récolte des fibres partout où il va pendant la journée, mais elles ne restent pas longtemps sur nous. Quand vous vous asseyez quelque part, vous récoltez des fibres, mais dès que vous vous levez, elles sont arrachées par le frottement de vos vêtements sur le siège. Ou alors elles sont dispersées par le vent.

C'était de plus en plus étrange. Joni tourna une page de son calepin avant de poursuivre.

– J'ai également examiné les débris récoltés par aspirateur, Dr Scarpetta. Ceux que Marino a aspirés sur le tapis de prière sont particulièrement hétéroclites. (Elle récita la liste qu'elle avait dressée.) Cendre de cigarette, particules de papier rosâtre provenant sans doute des timbres apposés sur les paquets de cigarettes, billes de verre, quelques débris de verre qui pourraient provenir d'une bouteille de bière ou d'un phare de voiture. Et puis bien sûr les habituels fragments d'insectes, de débris végétaux, et aussi une bille métallique. Et beaucoup de sel.

– Comme du sel de table ?

– Exact, répondit Joni.

– Tout ceci sur le tapis de prière ?

– Et autour de l'endroit où on a retrouvé le corps. On a retrouvé les mêmes débris sur la peau de Beryl, sous ses ongles et dans ses cheveux.

Beryl ne fumait pas. Il n'y avait aucune raison de retrouver de la cendre de tabac ou du papier provenant d'un paquet de cigarettes. Quant au sel, on s'attend à en trouver à la cuisine, mais pas au premier étage, ni sur la peau.

– Marino nous a apporté six sacs provenant de différentes aspirations, toutes effectuées sur des tapis ou autour des endroits où on a retrouvé du sang, poursuivit Joni. J'ai fait la comparaison avec les échantillons des aspirations effectuées sur les tapis ou au sol, dans des endroits où il n'y avait pas de sang ni de traces de lutte – là où, d'après la police, le tueur n'était pas passé. Les résultats ont été très différents. Les débris que je viens d'énumérer n'ont été retrouvés qu'aux endroits où l'assassin est sans doute passé, ce qui semblerait indiquer que c'est lui qui a « semé » ces débris à travers la maison et sur le corps de la victime. Les fibres se trouvaient sans doute sous ses semelles, sur ses vêtements ou dans ses cheveux. Chaque fois qu'il a touché ou heurté une surface dans la maison, quelques fibres se sont détachées.

– Un vrai clochard, marmonnai-je.

– Ces fibres sont pratiquement invisibles à l'œil nu, me rappela la toujours sérieuse Joni. Il ne sait sans doute pas qu'il transporte tout ça.

Je relus la liste de ses observations. Seules deux possibilités pouvaient expliquer une telle quantité de débris. Soit le cadavre avait été jeté dans une décharge, sur le bord d'une route ou dans un parking, soit il avait été transporté dans le coffre crasseux ou sur le sol d'une voiture à la propreté douteuse. Aucune de ces deux possibilités ne tenait dans le cas de Beryl.

– Classez-les par couleur, demandai-je à Joni. Et montrez-moi lesquelles de ces fibres pourraient provenir d'un tapis, lesquelles d'un vêtement.

– Les six fibres de Nylon sont rouge, rouge foncé, bleu, vert, jaune verdâtre et vert sombre. Mais les verts sont peut-être des noirs, précisa-t-elle. Le noir n'apparaît pas noir au microscope. Toutes ces fibres sont grossières, comme des fibres de tapis, et je soupçonne certaines d'entre elles de provenir d'un tapis de sol de voiture, et non d'une moquette d'intérieur.

– Pourquoi ?

– À cause des débris que j'ai retrouvés. Les billes de verre, par exemple, entrent dans la composition des peintures réfléchissantes employées pour les panneaux de signalisation routière. Les billes métalliques, j'en trouve souvent dans les échantillons d'aspiration effectués dans des voitures : ce sont des fragments de soudure qui ont jailli lors de la pose du bas de caisse. On ne les voit pas, mais elles sont là. Les débris de verre, il y en a partout, surtout le long des routes et dans les parkings. Ils se collent à vos semelles et vous les transportez ainsi dans votre voiture. Même chose pour les cendres ou les débris de paquets de cigarettes. Et nous en arrivons enfin au sel, lequel me confirme dans l'idée que tous ces différents débris proviennent sans doute d'un véhicule. Quand les gens vont au McDonald's, ils mangent bien souvent leurs frites dans leur voiture, n'est-ce pas ? Je suis prête à parier que presque toutes les voitures de Richmond contiennent du sel.

– Supposons que vous ayez raison, dis-je. Supposons que ces fibres proviennent du tapis de sol d'une voiture. Ça n'explique toujours pas pourquoi il y aurait six fibres de Nylon différentes. Il est peu probable que ce type ait six tapis de sol différents dans sa voiture.

– En effet, c'est peu probable, répondit Joni. Mais il a pu apporter les fibres de l'extérieur. Peut-être qu'il exerce une profession qui le met en contact avec de nombreux tapis de sol.

Peut-être qu'il a un travail qui l'oblige à monter sans arrêt dans des véhicules différents ?

– Un laveur de voitures ? suggérai-je en repensant à l'état impeccable de celle de Beryl, aussi bien à l'intérieur qu'à l'extérieur.

Le visage tendu, Joni réfléchit à cette possibilité.

– Ça pourrait bien être ça. S'il travaille dans une de ces stations de lavage où on vous nettoie aussi l'intérieur et le coffre, il foule toute la journée des tapis de sol. Il est inévitable que certaines fibres adhèrent à ses semelles. Mais il pourrait aussi bien être mécanicien.

– D'accord, fis-je en tendant la main vers ma tasse de café. Parlez-moi des quatre autres fibres.

Joni consulta ses notes.

– Il y en a une en acrylique, une en olefin, une autre en polyéthylène et enfin une en Dynel. Je répète que les trois premières pourraient être des fibres de tapis. La fibre de Dynel est intéressante car c'est un matériau peu fréquent. On le trouve dans les fourrures synthétiques, les descentes de lit en imitation fourrure, ou encore les perruques. Toutefois, la fibre de Dynel qui nous intéresse étant très fine, il est plus probable qu'elle provient d'un vêtement.

– C'est la seule fibre de vêtement que vous ayez trouvée ?

– À mon avis, oui.

– On pense que Beryl portait un ensemble brun...

– Il n'était pas en Dynel, précisa-t-elle aussitôt. En tout cas son pantalon et sa veste n'en sont pas. C'est un mélange de coton et de polyester. Il est possible que son chemisier ait été en Dynel, mais il a disparu. (Elle sortit une autre préparation du classeur et la positionna sur la platine.) Quant à la fibre orange que j'ai mentionnée, la seule en acrylique, sa section est d'une structure que je n'ai jamais vue.

Elle prit un crayon et, sur un papier, traça une sorte de trèfle à trois feuilles. Les divers tissus synthétiques sont obtenus en injectant un polymère liquéfié ou ramolli à travers les mailles minuscules d'une filière. Lorsqu'on effectue une coupe transversale du filament, ou de la fibre ainsi obtenue, on retrouve la structure et la disposition des trous de la filière, tout comme le dentifrice qu'on presse adopte la forme de l'embouchure du tube. Or c'était la première fois que je voyais une section en forme de trèfle. La plupart des coupes transversales des fibres acryliques, quand elles ne sont pas tout simplement circulaires, ont une forme rappelant celle d'une cacahuète, d'un os, d'un haltère ou d'un champignon.

– Regardez, fit Joni en se poussant pour me laisser place.

Je collai mon œil à l'oculaire. La fibre ressemblait à un ruban orange vif entortillé et parsemé des points sombres des particules de dioxyde de titane.

– Comme vous pouvez le constater, commenta Joni, la couleur aussi est bizarre. Un drôle d'orange. Inégal, pas très dense, avec des particules plus mates qui atténuent l'éclat de la fibre. Pourtant, la couleur elle-même est très vive, c'est un orange de citrouille d'Halloween, ce qui est étonnant pour une fibre destinée à un vêtement ou à une moquette. Et la circonférence en est plutôt grossière.

– Ce qui tendrait à indiquer qu'il s'agit d'une fibre à moquette, fis-je. Malgré sa couleur bizarre.

– C'est possible.

J'essayai de me souvenir des objets orange vif que je connaissais.

– Et si ça provenait d'un gilet de chantier routier ? suggéraije. Ces gilets sont orange vif, et leurs fibres pourraient correspondre aux débris automobiles que vous avez identifiés.

– Peu probable, répliqua Joni. La plupart des gilets de chantier sont en Nylon, pas en acrylique, et d'une fabrication robuste qui empêche l'effilochage. Tous les gilets et vestes coupe-vent utilisés dans la police ou les travaux publics sont eux aussi en Nylon. (Elle se tut et, après un instant de réflexion, ajouta d'un ton songeur :) En plus, il me semble qu'on n'y trouverait pas de particules destinées à atténuer l'éclat des fibres. Un gilet de chantier doit être le plus voyant possible.

J'abandonnai le stéréoscope.

– En tous les cas, cette fibre est si singulière qu'elle doit être brevetée, dis-je. Quelqu'un devrait pouvoir l'identifier.

– Bonne chance, fit-elle avec un regard entendu.

– Oui, je sais. Secret professionnel. Les industriels du textile sont à peu près aussi discrets sur leurs brevets que les gens sur leurs salaires.

Joni s'étira et se massa la nuque.

– J'ai toujours trouvé miraculeux que les Feds aient obtenu une telle coopération dans l'affaire Wayne Williams, dit-elle.

Joni évoquait l'horrible affaire d'Atlanta, où au moins trente enfants noirs avaient été assassinés en vingt-deux mois par le même tueur. Ce sont les débris de fibres recueillis sur les corps de douze des jeunes victimes qui avaient permis de faire le rapport avec les voitures et les maisons utilisées par Williams.

– Peut-être devrions-nous demander à Hanowell de jeter un coup d'œil à ces fibres, dis-je. Surtout à l'orange.

Hanowell était un agent spécial du FBI travaillant à la Microscopic Analysis Unit de Quantico. C'est lui qui avait étudié les fibres de l'affaire Williams. Depuis lors, il était sollicité par des enquêteurs du monde entier pour examiner toutes sortes de matériaux, depuis le cachemire jusqu'aux toiles d'araignées.

– Bonne chance ! répéta Joni avec le même sourire incrédule.

– Vous l'appellerez ? lui demandai-je.

– Ça m'étonnerait qu'il accepte de se pencher sur quelque chose qui a déjà été examiné, remarqua-t-elle. Vous savez comment sont les Feds.

– Alors je l'appellerai aussi, décidai-je.

Quand je revins dans mon bureau, une demi-douzaine de notifications d'appel m'attendaient. Un des papiers roses attira aussitôt mon attention, car il portait un numéro précédé de l'indicatif de New York. Le message disait : « Mark. Rappelle-moi dès que possible. » Je ne voyais qu'une explication à sa présence à New York. Il était allé voir Sparacino, l'avocat de Beryl. Pourquoi donc Orndorff & Berger s'intéressaient-ils à ce point au meurtre de Beryl Madison ?

Le numéro devait correspondre à la ligne personnelle de Mark, car il décrocha à la première sonnerie.

– Ça fait longtemps que tu n'as pas vu New York ? me demanda-t-il d'un ton enjoué.

– Pardon ?

– Il y a un vol direct qui part de Richmond dans quatre heures. Peux-tu le prendre ?

– Qu'est-ce que c'est que cette histoire ? demandai-je d'une voix calme alors que mon pouls s'accélérait.

– Je pense qu'il est préférable de ne pas parler au téléphone, Kay.

– Alors je pense qu'il est préférable que je n'aille pas à New York, Mark.

– Je t'en prie. C'est important. Tu sais bien que je ne te le demanderais pas si ça ne l'était pas.

– C'est impossible...

– J'ai passé la matinée avec Sparacino, m'interrompit-il tandis qu'une vague d'émotions refoulées battaient en brèche ma résolution. Il semble qu'il y ait quelques éléments nouveaux, en rapport avec Beryl Madison et ton bureau.

– Mon bureau ? fis-je sans chercher à dissimuler mon étonnement. De quoi avez-vous bien pu parler qui concerne mon bureau ?

– Je t'en prie, répéta-t-il. Viens.

J'hésitai.

– Je t'attendrai à La Guardia. (Mes dernières réticences cédèrent devant l'insistance de Mark.) On trouvera un endroit tranquille où parler. J'ai déjà fait la réservation. Tu n'auras qu'à retirer ton billet à l'embarquement. Je t'ai aussi réservé une chambre. Je me suis occupé de tout.

« Seigneur ! » m'exclamai-je intérieurement en raccrochant. Je me précipitai dans le bureau de Rose.

– Je pars à New York cet après-midi, l'informai-je sur un ton qui écartait d'avance toute question. C'est en rapport avec le dossier Beryl Madison. Je serai absente au moins jusqu'à demain.

Je fuis le regard de Rose. Bien que ma secrétaire ignorât tout de Mark, je craignais que mes motivations profondes ne se voient comme le nez au milieu de la figure.

– Pourra-t-on vous joindre ? demanda-t-elle.

– Non.

Elle ouvrit son agenda et chercha les rendez-vous qu'elle devrait annuler.

– Le *Times* a appelé, m'informa-t-elle. Ils veulent faire un article sur vous.

– Inutile, répondis-je avec irritation. Ils veulent me cuisiner sur Beryl Madison. À chaque fois c'est la même chose. Dès que je refuse de donner des détails sur un meurtre particulièrement brutal, tous les journalistes de la ville veulent savoir où j'ai fait mes études, si j'ai un chien ou une opinion sur la peine de mort, mes goûts en matière de couleur et de cuisine, mon film préféré, ma manière de mourir favorite et j'en passe.

– Bon, je vais décliner, marmonna-t-elle en tendant le bras vers le téléphone.

Je quittai le bureau, passai à la maison, jetai quelques affaires dans un sac et me rendis à l'aéroport avant les embouteillages de la sortie des bureaux. Comme promis, mon billet m'attendait au comptoir. Il avait réservé en première, et moins d'une heure plus tard, j'étais assise à ma place, contre un hublot, sans personne à côté. Pendant l'heure et demie que dura le vol, je sirotai mon Chivas et essayai de lire, tandis que de vagues pensées traversaient mon esprit comme les nuages qui défilaient dans la nuit tombante.

Je voulais revoir Mark. Je compris que ce n'était pas tant par nécessité professionnelle qu'en raison d'une attirance que je croyais morte depuis longtemps. J'étais tour à tour la proie de l'enthousiasme et du dégoût. Je n'avais pas confiance en lui, et pourtant je voulais désespérément le croire. *Il n'est plus le Mark que tu as connu, et même s'il l'était, n'oublie jamais ce qu'il t'a fait.* Mais quoi que me soufflât ma raison, mes émotions refusaient de l'entendre.

Après avoir lu vingt pages d'un roman de Beryl Madison paru sous le nom d'Adair Wilds, je fus totalement incapable de m'en remémorer un seul mot. Les romans historiques ne sont pas ma tasse de thé, et celui-ci, en particulier, n'avait aucune chance de remporter le moindre prix. Beryl écrivait bien, atteignant parfois à une prose presque musicale, mais son histoire traînait en longueur. C'était un roman de gare obéissant aux recettes du genre, et je me demandai si Beryl aurait été capable d'écrire l'œuvre littéraire à laquelle elle aspirait.

Soudain la voix du pilote annonça que nous allions atterrir dans une dizaine de minutes. Au-dessous de nous, la ville ressemblait à un circuit imprimé géant. Des milliers de points lumineux glissaient sur les autoroutes et des balises rouges clignotaient au sommet des gratte-ciel.

Quelques minutes après je récupérai mon bagage, empruntai le couloir de débarquement et plongeai dans le maelström de La Guardia. Je sentis une pression sur mon coude, me retournai brusquement et découvris Mark, le sourire aux lèvres.

– Ouf, fis-je avec soulagement.

– Pourquoi ? Tu m'as pris pour un pickpocket ?

– Si je l'avais cru, tu serais déjà par terre.

– Je n'en doute pas, rétorqua-t-il en m'entraînant vers la sortie. Tu n'as pas d'autre bagage ?

– Non.

– Bien.

Nous prîmes un taxi conduit par un sikh barbu et enturbanné répondant, au vu de la carte professionnelle fixée à son pare-soleil, au nom de Munjar. Mark et lui se livrèrent à un échange animé et bruyant jusqu'à ce que Munjar paraisse saisir notre destination.

– Tu n'as pas mangé, j'espère, me dit Mark.

– Des amandes grillées, c'est tout... dis-je en tombant sur son épaule tandis que notre chauffeur démarrait brusquement.

– Il y a un bon restaurant pas loin de l'hôtel, dit Mark. Autant aller manger là-bas, vu que je ne connais rien dans cette foutue ville.

« Encore heureux si nous arrivons à l'hôtel », me dis-je tandis que Munjar, sans que nous lui ayons rien demandé, se lançait dans un long monologue pour nous raconter qu'il était venu aux États-Unis dans l'intention de se marier et que la cérémonie était arrangée pour le mois de décembre, bien qu'il n'ait encore aucune fiancée en vue. Il nous annonça qu'il n'était chauffeur de taxi que depuis trois semaines, et qu'il avait appris à conduire au Pendjab, où il manœuvrait un tracteur dès l'âge de 7 ans.

Nous roulions au pas, pare-chocs contre pare-chocs. Dans le centre, nous dépassâmes une longue file de gens en habits de soirée attendant l'ouverture des portes du Carnegie Hall. L'éclairage violent, les femmes en fourrures et les hommes en cravates noires ressuscitèrent de vieux souvenirs. Mark et moi adorions aller au théâtre, aux concerts et à l'opéra.

Le taxi s'arrêta devant l'*Omni Park Central*, un gigantesque bâtiment tout illuminé proche du quartier des théâtres, au coin de la 7e Avenue et de la 55e Rue. Mark s'empara de mon sac et je le suivis à l'intérieur de l'élégante réception, où il confirma ma réservation et fit monter mon bagage dans la chambre.

Quelques minutes plus tard, nous étions ressortis et marchions dans l'air vif de la soirée. Je me félicitai d'avoir pris mon manteau. Le temps était à la neige. Trois blocs plus loin, nous arrivions chez *Gallagher*, cauchemar des bovins et des artères coronaires, mais régal de tous les amoureux de bonne viande rouge. La vitrine n'était autre qu'une vaste chambre froide, où étaient exposés tous les morceaux de viande imaginables. L'intérieur était un véritable sanctuaire sur lequel veillaient les célébrités dont les portraits dédicacés ornaient les murs.

Le brouhaha était étourdissant et le serveur nous apporta des boissons très corsées. J'allumai une cigarette et jetai un regard alentour. Comme dans presque tous les restaurants new-yorkais, les tables étaient installées très près les unes des autres. À notre gauche, deux hommes d'affaires étaient plongés dans leur conversation, la table à notre droite était vide et celle derrière nous occupée par un très beau jeune homme, plongé dans le *New York Times*, une chope de bière devant lui. Je dévisageai longuement Mark en tentant de percer ses pensées. Il avait le regard tendu et jouait avec son scotch.

– Pourquoi m'as-tu fait venir ? m'enquis-je.

– Peut-être que j'avais simplement envie de dîner avec toi.

– Sois sérieux.

– Je suis sérieux. Tu t'ennuies ?

– Comment veux-tu que je m'amuse alors que j'ai une bombe à retardement dans les mains ?

Il déboutonna sa veste.

– Passons d'abord notre commande, ensuite nous parlerons.

Il me faisait toujours ça, autrefois. Il m'appâtait pour mieux me faire attendre. C'était peut-être une déformation professionnelle. Ça me rendait folle, à l'époque. Et ça n'avait pas changé.

– L'entrecôte est fantastique, paraît-il, annonça-t-il tandis que nous consultions les menus. Je vais en prendre une, avec une salade d'épinards. Rien de compliqué. Si tu préfères un steak, on dit qu'ils servent les meilleurs de la ville.

– Tu n'es jamais venu ici ?

– Non, répondit-il. Mais Sparacino, oui.

– C'est lui qui t'a recommandé ce restaurant ? L'hôtel aussi, je suppose ?

Je sentais la paranoïa me remonter dans la nuque.

– En effet, dit-il en parcourant la carte des vins. Mais tu n'es pas une exception. Tous nos clients descendent à l'*Omni* parce que c'est plus pratique pour nous.

– Et vous envoyez tous vos clients manger ici ?

– Sparacino vient quelquefois, quand il sort du théâtre. C'est comme ça qu'il a connu cet endroit.

– Qu'est-ce que Sparacino sait d'autre ? demandai-je. Sait-il que nous nous voyons ce soir ?

Il me regarda dans les yeux.

– Non.

– Comment est-ce possible, dis-je, puisque ta boîte s'intéresse tant à moi et que Sparacino t'a recommandé l'hôtel et le restaurant ?

– Il me les a recommandés à *moi*, Kay. Il faut bien que je loge quelque part. Il faut que je mange. Ce soir Sparacino m'avait invité à sortir avec lui et deux ou trois collègues. Je lui ai dit que j'avais du travail et que je me débrouillerais pour trouver un endroit où manger un morceau. Alors il m'a indiqué ce restaurant, c'est tout. Je t'assure que tu n'as pas à t'inquiéter.

Une idée commençait à germer dans mon esprit, et je ne savais si j'en ressentais de l'embarras ou de l'appréhension. Sans doute un peu des deux. Orndorff & Berger n'avait pas déboursé un *cent* pour ce voyage. C'est Mark qui payait. Son cabinet n'était au courant de rien.

Le garçon se présenta, Mark passa notre commande. Je perdais mon appétit à vue d'œil.

– Je suis arrivé hier soir, reprit-il. Sparacino m'a appelé hier matin à Chicago. Il voulait me voir le plus vite possible. Comme tu l'as sans doute deviné, c'est à propos de Beryl Madison.

Il eut l'air gêné.

– Ensuite ? le pressai-je tandis que mon propre malaise s'accentuait.

Il prit une profonde inspiration avant de répondre.

– Sparacino est au courant de... hum... enfin il sait que toi et moi... autrefois...

Mon regard le stoppa net.

– Kay...

– Salaud.

Je repoussai ma chaise et jetai ma serviette de la table.

– Kay !

Mark m'empoigna le bras et me força à me rasseoir. Je lui fis lâcher prise et le fusillai du regard. De nombreuses années auparavant, dans un restaurant de Georgetown, j'avais arraché de mon poignet le lourd bracelet en or qu'il m'avait offert et l'avais lâché dans sa soupe de palourdes. Ç'avait été un geste puéril de ma part, et l'un des rares moments de ma vie où j'avais perdu mon sang-froid et fait une vraie scène.

– Écoute-moi, dit-il en baissant la voix. Je sais ce que tu penses et je comprends ta réaction. Mais tu te trompes. Je n'essaie pas de tirer parti du passé. Laisse-moi te dire ce que j'ai à te dire, je t'en prie. C'est très compliqué et ça met en jeu des choses que tu ignores. Je te jure que je veille au mieux sur tes intérêts. Je ne devrais même pas te mettre au courant. Si Sparacino ou Berger venait à l'apprendre, ils me vireraient aussitôt à grands coups de pied dans le cul.

Je gardai le silence, trop bouleversée pour réfléchir à quoi que ce soit.

Il se pencha vers moi.

– Première chose qu'il faut que tu saches. Berger veut épingler Sparacino et Sparacino veut t'épingler.

– *Que... quoi ?* bégayai-je. Je ne connais même pas ce type. Qu'est-ce qu'il me veut ?

– Je te répète que c'est en rapport avec Beryl. Il a été son avocat dès le début de sa carrière. Il n'est entré chez nous que depuis peu, quand nous avons ouvert un cabinet à New York. Jusqu'alors, il travaillait en indépendant. Nous cherchions un type spécialisé dans le droit d'auteur. Sparacino vit à New York depuis plus de trente ans. Il connaît tout le monde. Il nous a amené sa clientèle, des dossiers de première bourre. Tu te souviens que je t'ai dit avoir rencontré Beryl à *l'Algonquin* ?

Je hochai la tête, un peu détendue.

– Tout était prévu d'avance, Kay. Je n'étais pas là par hasard. C'est Berger qui m'y avait envoyé.

– Pourquoi ?

Il jeta un regard autour de lui avant de répondre.

– Parce que Berger est inquiet. On vient juste d'ouvrir un cabinet ici, et tu imagines combien il est difficile de percer dans une ville comme celle-ci, de se constituer une clientèle solide, d'acquérir une bonne réputation. C'est pour ça qu'on ne veut pas voir un tondu comme Sparacino porter atteinte à notre image.

Il se tut. Le garçon venait d'apporter nos salades et ouvrait avec cérémonie une bouteille de cabernet sauvignon. Mark goûta la première gorgée, puis le garçon emplit nos verres.

– Quand il a engagé Sparacino, reprit Mark, Berger savait que c'était un flambeur, un type qui aimait jouer gros, sans être pointilleux sur les formes. On se disait que c'était juste une question de style. Certains avocats aiment la discrétion, d'autres aiment faire du bruit. Le problème, c'est que depuis quelques mois, nous savons jusqu'où Sparacino est prêt à aller. Tu te souviens de Christie Riggs ?

Il me fallut quelques instants pour mettre un visage sur ce nom.

– Oui, l'actrice qui a épousé un footballeur ?

Il acquiesça.

– Il y a environ deux ans, reprit-il, Christie était mannequin débutant. Elle avait fait quelques pubs pour la télé, alors qu'à la même époque Leon Jones faisait déjà la une de tous les magazines. Ils se rencontrent dans une soirée, et un photographe les prend en train de quitter la fête ensemble, dans la Maserati de Jones. Et puis un beau jour, Christie Riggs se présente chez Orndorff & Berger, disant qu'elle a rendez-vous avec Sparacino.

– Tu veux dire que Sparacino était derrière toute cette histoire ? fis-je avec stupéfaction.

Christie Riggs et Leon Jones s'étaient mariés l'année précédente et avaient divorcé six mois plus tard. Leur relation orageuse et les conditions sordides de leur divorce avaient alimenté les ragots pendant plusieurs mois.

– Oui, dit Mark avant d'avaler une gorgée de vin.

– Explique-toi.

– Sparacino flashe sur Christie. Elle est belle, intelligente, ambitieuse. Mais surtout, elle sort avec Jones. Sparacino lui explique son plan pour qu'elle puisse jouer dans la cour des grands et devenir riche. Tout ce qu'elle a à faire, c'est attirer Jones dans ses filets, et ensuite pleurer devant les caméras à cause de la vie qu'il lui mène. Elle n'aura qu'à dire qu'il la frappe, que c'est un ivrogne, un psychopathe qui prend de la coke et bousille le mobilier. Christie et Jones finissent par se séparer, et elle signe un contrat d'un million de dollars pour un livre de souvenirs.

– Ça me rend Jones un peu plus sympathique, marmonnai-je.

– Le pire, c'est que je crois qu'il l'aimait vraiment et qu'il n'a jamais compris dans quel guêpier il s'était fourré avec elle. Sa carrière s'en est ressentie, il a commencé à faiblir sur le terrain et il a fini en cure à la Betty Ford Clinic. Depuis, on n'a plus entendu parler de lui. L'un des meilleurs footballeurs américains s'est fait lessiver et ruiner, et tout ça, en partie, grâce à Sparacino. Inutile de te préciser que ce genre de pratique n'est pas du tout dans le style de la maison. Orndorff & Berger est un cabinet respectable, Kay. C'est pourquoi quand Berger a commencé à se rendre compte du genre d'oiseau auquel il était associé, on ne peut pas dire qu'il était ravi.

– Pourquoi ne vous en débarrassez-vous pas, tout simplement ? demandai-je en piquant une feuille de salade.

– Parce qu'on n'a aucune preuve. Sparacino sait comment s'y prendre. Il est puissant, surtout ici à New York. C'est comme d'attraper un serpent. Comment tu fais, ensuite, pour le relâcher sans te faire piquer ? Et ce que je viens de te raconter n'est qu'une affaire parmi d'autres. (Les yeux de Mark étaient emplis de colère.) Quand tu remontes dans la carrière de Sparacino et que tu étudies les affaires qu'il a traitées quand il était indépendant, tu vas de surprise en surprise.

– Quel genre d'affaires, par exemple ? demandai-je en me détestant pour cette curiosité.

– Surtout des procès en diffamation. Un scribouillard décide de sortir une biographie non autorisée d'Elvis, de John Lennon ou de Sinatra. Dès que le livre paraît, la célébrité en question ou ses proches attaquent l'auteur en justice, et aussitôt l'affaire est répercutée à la télé et dans les journaux. Le livre sort quand même, soutenu par toute cette publicité gratuite. Tout le monde se jette dessus, persuadé qu'il doit être vraiment croustillant pour avoir provoqué tout ce chahut. D'après ce que nous soupçonnons, la méthode de Sparacino consiste à se faire désigner comme représentant de l'auteur, et ensuite d'aller trouver la ou les « victimes » et de leur proposer de l'argent pour faire du foin. C'est réglé comme du papier à musique et ça marche à tous les coups.

– C'est à se demander ce qu'il faut croire.

C'est la question que je me posais tous les jours.

Nos entrecôtes arrivèrent.

– Comment Beryl Madison est-elle tombée entre ses pattes ? demandai-je quand le garçon se fut éloigné.

– Par l'intermédiaire de Cary Harper. C'est là l'ironie de la situation. Sparacino a été le représentant légal de Harper pendant des années. Et quand Harper a connu Beryl, il l'a envoyée à Sparacino, qui est devenu son agent, son avocat et son parrain. Je soupçonne Beryl d'avoir eu un faible pour les hommes mûrs et puissants. Elle a eu une carrière très discrète jusqu'à ce qu'elle décide d'écrire son autobiographie. À mon avis, l'idée lui a été suggérée par Sparacino. Harper n'a rien publié depuis le roman qui lui a valu son prix. Aujourd'hui c'est une relique, qui n'intéresse des gens comme Sparacino que dans la mesure où il y a de l'argent à faire sur son dos.

– Crois-tu possible que Sparacino les ait manipulés tous les deux ? demandai-je après quelques instants de réflexion. Qu'après avoir poussé Beryl à ne plus se taire – et donc à briser son contrat avec Harper – Sparacino ait misé sur les deux tableaux en encourageant Harper à porter l'affaire devant la justice ?

Mark remplit nos verres avant de répondre.

– Oui, à mon avis il voulait organiser un combat de coqs, ce que ni Harper ni Beryl n'ont compris. Ça serait tout à fait dans le style de Sparacino.

Pendant un moment, nous mangeâmes en silence. *Gallagher* ne faisait pas mentir sa réputation. On pouvait presque couper l'entrecôte à la fourchette. Mark finit par reprendre la parole.

– Le plus terrible, Kay, au moins en ce qui me concerne... (Il leva les yeux vers moi, le visage dur.)... c'est que le jour où nous avons mangé à *l'Algonquin* et que Beryl a annoncé que quelqu'un menaçait de la tuer... (Il parut hésiter.)... eh bien, à vrai dire, vu ce que j'avais appris sur Sparacino...

– Tu ne l'as pas crue, terminai-je à sa place.

– Non, avoua-t-il. Je ne l'ai pas crue. Très franchement, j'ai pensé que c'était un coup de pub. J'ai soupçonné Sparacino de lui avoir suggéré cette idée afin de faire monter les ventes de son livre. Non seulement il y avait ce différend avec Harper, mais en plus voilà qu'on menaçait de la tuer. Je n'ai pas cru ce qu'elle disait. (Il se tut un instant avant d'ajouter :) Et j'ai eu tort.

– Sparacino n'irait tout de même pas jusque-là, dis-je alors. Tu ne penses pas qu'il...

– Je pense plutôt qu'il a tellement monté le bourrichon à Harper que Harper a craqué, peut-être au point d'éliminer Beryl. À moins qu'il ait engagé quelqu'un.

– Si c'est le cas, dis-je d'une voix calme, il doit avoir beaucoup de choses à cacher sur la période pendant laquelle Beryl vivait avec lui.

– Peut-être bien, répondit Mark d'un air distrait en savourant sa viande. Mais même s'il n'a rien à cacher, il connaît Sparacino, il sait comment il opère. Vérité ou mensonge, peu lui importe. Quand Sparacino veut provoquer un scandale, il sait s'y prendre, et qu'elle que soit l'issue judiciaire, la seule chose dont le public se souvient, ce sont les accusations portées.

– Et tu dis qu'à présent, il m'a dans le collimateur ? fis-je d'un air dubitatif. En quoi tout ça me concerne-t-il ?

– Très simple, Kay. Sparacino veut le manuscrit de Beryl. Le livre est plus précieux que jamais, vu ce qui est arrivé à son auteur. (Il leva les yeux vers moi.) Il pense qu'on a transmis le manuscrit à tes services en tant que pièce à conviction. Et qu'il a disparu ensuite.

Je tendis le bras vers le bol de sauce au vinaigre, et c'est d'une voix posée que je lui demandai :

– Qu'est-ce qui te fait croire qu'il a disparu ?

– Sparacino s'est débrouillé pour obtenir le rapport de police. Je suppose que tu l'as eu entre les mains ?

– Bien sûr, comme toujours.

Il me rafraîchit la mémoire.

– Sur la dernière page figure une liste des pièces recueillies pour les besoins de l'enquête – dont des papiers trouvés dans la chambre de Beryl, et un manuscrit découvert dans sa penderie.

Bon sang, pensai-je. Marino avait en effet trouvé un manuscrit. Sauf que ce n'était pas celui que Sparacino convoitait.

– Sparacino a parlé ce matin avec le lieutenant Marino, précisa Mark. Il a dit à Sparacino que les flics n'avaient pas le manuscrit, que tous les éléments avaient été transmis à tes services. Il a suggéré à Sparacino de contacter le médecin expert – en d'autres termes, toi.

– C'est la procédure routinière, dis-je. Les flics m'envoient tout le monde, et moi je renvoie tout le monde chez les flics.

– Tu essaieras d'expliquer ça à Sparacino. Il affirme que le manuscrit t'a été remis en même temps que le corps de Beryl. Le manuscrit a disparu. Il tient ton bureau pour responsable.

– C'est ridicule !

– Vraiment ? (Mark me considéra d'un air suspicieux. J'eus l'impression de répondre à un interrogatoire de police lorsqu'il ajouta :) N'est-il pas exact que certains indices matériels sont apportés à ton bureau en même temps que les corps, et que c'est toi qui décides de les transmettre au labo ou de les garder sous clé ?

Bien sûr que c'était vrai.

– Es-tu responsable des indices matériels dans l'enquête sur la mort de Beryl ? ajouta-t-il.

– Pas de ceux recueillis sur les lieux, comme les papiers personnels, répondis-je d'une voix tendue. Ce sont les flics qui ont remis ces éléments aux labos, pas moi. En fait, la plupart des éléments recueillis sur les lieux se trouvent dans les locaux de la police.

– Tu essaieras d'expliquer ça à Sparacino, répéta-t-il.

– Je n'ai jamais vu ce manuscrit, fis-je en désespoir de cause. Mon bureau ne l'a pas et ne l'a jamais eu. Et autant que je sache, personne ne l'a trouvé, point.

– Personne ne l'a trouvé ? Tu veux dire qu'il n'était pas chez elle ? Les flics ne l'ont pas trouvé ?

– Non. Le manuscrit qu'ils ont trouvé n'est pas celui dont tu parles. C'est un travail ancien, peut-être publié depuis des années, et il est incomplet, puisqu'il fait au maximum deux cents feuillets. On l'a trouvé dans sa chambre, sur un rayon de la penderie. Marino nous l'a apporté pour que nous cherchions des empreintes au cas où l'assassin l'aurait touché.

Mark s'appuya au dossier de sa chaise.

– Si vous ne l'avez pas trouvé, dit-il, alors où est-il ?

– Je n'en ai aucune idée. Il peut être n'importe où. Peut-être qu'elle l'a envoyé à quelqu'un.

– Elle avait un ordinateur ?

– Oui.

– Tu as inspecté son disque dur ?

– Elle n'avait pas de disque dur, juste deux lecteurs de disquettes. Marino est en train d'éplucher les disquettes. Je ne sais pas ce qu'il y a dessus.

– Ça ne tient pas debout, dit Mark. Même si elle a envoyé son manuscrit par la poste, je ne peux pas croire qu'elle n'en ait pas fait de copie, ou qu'elle n'en ait pas gardé un exemplaire chez elle.

– Et moi je ne peux pas croire que son parrain Sparacino n'en ait pas un exemplaire, fis-je d'un ton mordant. Je ne crois pas qu'il n'ait jamais vu le livre. Je ne crois pas une seconde qu'il n'en ait pas une version quelque part, peut-être même la plus récente.

– Il affirme que non, et je suis enclin à le croire. Pour une simple raison. D'après ce que je sais de Beryl, elle était très discrète sur sa production. Elle ne laissait personne, pas même Sparacino, voir ce qu'elle écrivait avant que ce ne soit terminé. Elle l'informait par courrier ou par téléphone. D'après lui, la dernière fois qu'il a eu de ses nouvelles, c'était il y a environ un mois. Elle lui aurait dit qu'elle était en train de relire son manuscrit et que le livre serait sans doute prêt aux alentours du 1er janvier.

– Il y a un mois ? demandai-je avec étonnement. Elle lui a écrit ?

– Non, elle l'a appelé.

– D'où ?

– Merde, j'en sais rien. De Richmond, je suppose.

– C'est ce que t'a dit Sparacino ?

Mark réfléchit quelques secondes.

– Non, il n'a pas dit *d'où* elle avait appelé. (Il se tut un instant.) Pourquoi ?

– Elle est partie en voyage pendant quelque temps, répondis-je comme si la question n'avait pas d'importance. Je me demandais simplement si Sparacino savait où elle était.

– Les flics ne le savent pas ?

– Les flics ignorent beaucoup de choses.

– Ce n'est pas une réponse, dit-il.

– Eh bien ma réponse sera que nous ferions mieux de ne pas parler de cette affaire, Mark. J'en ai déjà trop dit, et je ne suis pas sûre de comprendre pourquoi tu t'y intéresses tant.

– Tu doutes de la pureté de mes intentions, fit-il. Tu penses que je t'ai invitée ce soir dans le seul but de te soutirer des informations, n'est-ce pas ?

– Oui, rétorquai-je en croisant son regard. Pour être honnête, oui.

– La vérité, c'est que je suis inquiet, dit-il.

Je sus, à la tension de son visage – un visage qui ne me laissait toujours pas indifférente –, qu'il était sincère.

– Sparacino mijote quelque chose, reprit-il. Je ne voudrais pas que tu laisses des plumes dans cette affaire.

Il vida le reste du vin dans nos verres.

– Que peut-il faire, Mark ? Me demander un manuscrit que je n'ai pas ? Et alors ?

– Je pense qu'il sait que tu ne l'as pas. Le problème, c'est qu'il s'en fout. Il veut ce manuscrit. Il doit le récupérer parce qu'il est l'exécuteur testamentaire de Beryl.

– Il ne perd pas le nord.

– Je sens qu'il mijote quelque chose, ajouta Mark comme s'il se parlait à lui-même.

– Encore un de ses coups de pub, tu crois ?

Il resta silencieux, but une gorgée.

– Je ne vois pas ce qu'il pourrait faire, repris-je. Qui puisse m'atteindre, je veux dire.

– Moi, je sais ce qu'il pourrait faire, dit Mark avec sérieux.

– Dis voir.

– Un gros titre à la une :

LE MÉDECIN EXPERT REFUSE DE RESTITUER
LE MANUSCRIT CONTROVERSÉ.

– C'est ridicule ! m'exclamai-je en riant.

Mark n'eut pas même un sourire.

– Pas tant que ça. Le manuscrit autobiographique controversé d'une femme sauvagement assassinée disparaît et on accuse le médecin expert de l'avoir subtilisé. Le foutu manuscrit a été volé à la *morgue*, bon Dieu, tu imagines ? Quand le livre sortira, il fera un tabac du tonnerre. Hollywood se battra pour obtenir les droits !

– Je ne me fais pas trop de soucis, dis-je sans conviction. C'est tellement tiré par les cheveux que je n'y crois pas.

Mark me mit en garde.

– Kay, Sparacino n'a pas son pareil pour créer quelque chose à partir de rien. Je ne veux pas te voir finir comme Leon Jones.

Il tourna alors la tête en quête d'un garçon, et ses yeux s'immobilisèrent soudain en direction de l'entrée. Baissant vivement la tête sur son entrecôte entamée, il lâcha : « Oh, merde. »

Il me fallut faire un gros effort pour ne pas me retourner. Je ne levai pas les yeux et gardai mon apparence détendue jusqu'à ce que le gros homme se présente à notre table.

– Ah, salut Mark. Je pensais bien te trouver ici.

C'était un homme d'une soixantaine d'années, avec une voix douce et un visage rondouillard durci par des yeux d'un bleu glacial. Le teint écarlate, le souffle court, on avait l'impression que mouvoir sa masse imposante épuisait la moindre cellule de son corps.

– Mon cher Mark, j'ai été pris de l'envie subite de vous offrir un verre. (Il défit les boutons de son manteau de cachemire, se tourna vers moi et me tendit la main avec un sourire.) Je ne pense pas que nous nous connaissions. Robert Sparacino.

– Kay Scarpetta, dis-je avec un aplomb qui me surprit.

5

Nous passâmes une heure avec Sparacino. Ce fut horrible. Il se comporta comme si je lui étais inconnue. Or il savait qui j'étais, et j'étais persuadée que notre rencontre ne devait rien au hasard. Dans une ville aussi vaste, comment croire à une telle coïncidence ?

– Tu es bien sûr qu'il ignorait ma présence à New York ? demandai-je à Mark.

– Je ne vois pas comment il l'aurait apprise.

Nous remontions la 55e Rue. À part quelques passants, le trottoir devant Carnegie Hall était désert. Il était près d'1 heure du matin, mes pensées flottaient dans les vapeurs d'alcool et j'avais les nerfs tendus.

Sparacino, de plus en plus volubile et obséquieux à mesure qu'il ingurgitait ses Grand Marnier, avait terminé la soirée la voix pâteuse.

– Il n'a pas perdu une miette de la conversation, même si tu crois qu'il était ivre mort et qu'il ne se souviendra de rien demain matin. Foutu bonhomme. Il est en alerte rouge même quand il dort.

– Tu ne me rassures guère, dis-je.

Nous prîmes l'ascenseur dans un silence pesant, les yeux sur les chiffres lumineux des étages qui s'allumaient au fur et à mesure de la montée. Nos pas s'entendirent à peine sur la moquette du couloir. Je fus soulagée d'apercevoir mon sac sur le lit quand j'ouvris la porte de la chambre.

– Tu es au même étage ? demandai-je.

– Oui, un peu plus loin, répondit-il avec un regard nerveux. Tu m'offres un dernier verre ?

– Je n'ai rien apporté...

– Il y a un bar avec tout ce qu'il faut, tu verras.

Nous avions autant besoin d'un verre que d'une corde pour nous pendre.

– Que va faire Sparacino ? demandai-je.

Le « bar » consistait en un petit réfrigérateur empli de bouteilles de bière et de vin, ainsi que de quelques mignonnettes d'alcool.

– Il nous a vus ensemble, ajoutai-je. Comment va-t-il réagir ?

– Ça dépend de ce que je lui raconte, dit Mark.

Je lui tendis un gobelet de scotch.

– Alors laisse-moi te poser la question autrement, Mark. Que vas-tu raconter à Sparacino ?

– Un mensonge.

Je m'assis au bord du lit.

Il approcha une chaise et se mit à faire tourner le liquide ambré dans son gobelet. Nos genoux se touchaient presque.

– Je lui dirai que je voulais te tirer les vers du nez, dit-il. Que j'essayais de l'aider.

– Que tu te servais de moi, fis-je l'esprit grésillant comme une radio brouillée. Que tu avais pensé à ça à cause de notre histoire passée.

– Oui.

– Et ce n'est pas vrai ? fis-je.

Il éclata de rire. J'avais oublié combien j'aimais l'entendre rire.

– Je ne vois pas ce qu'il y a de drôle, protestai-je. (Il faisait chaud. Le scotch achevait de me tourner la tête.) Si ce n'est pas vrai, Mark, alors où est la vérité ?

– Kay, dit-il le sourire aux lèvres et les yeux plongés dans les miens. Je t'ai dit la vérité.

Il se tut quelques instants, puis tendit le bras et me toucha la joue. Mon envie qu'il m'embrasse me fit presque peur.

– Pourquoi ne resterais-tu pas au moins jusqu'à demain soir ? dit-il. Ce serait peut-être une bonne idée d'aller trouver Sparacino ensemble demain matin.

– Non, répondis-je. C'est exactement ce qu'il voudrait que je fasse.

– Comme tu veux.

Des heures plus tard, après que Mark fut parti, je contemplais le plafond, allongée dans l'obscurité, ressentant avec acuité le vide de l'autre moitié du lit. Autrefois, Mark ne restait jamais toute la nuit, et le lendemain matin je faisais le tour de l'appartement, ramassant vêtements éparpillés, assiettes et verres sales, bouteilles de vin vides et cendriers pleins. Nous fumions tous les deux à l'époque. Nous veillions jusqu'à 1, 2, 3 heures du matin, à parler, rire, nous caresser, boire et griller des cigarettes. Et à discuter. Je détestais ces discussions qui trop souvent tournaient à l'affrontement vicieux, coup pour coup, bing, bang, tel chapitre du Code contre tel principe éthique. Je voulais plus que tout l'entendre dire qu'il m'aimait. Il ne le faisait jamais. Au matin, j'avais ce même sentiment de vide que je ressentais enfant le lendemain de Noël, quand j'aidais ma mère à débarrasser au pied du sapin les papiers déchirés des cadeaux.

Je ne savais pas ce que je voulais. Peut-être ne l'avais-je jamais su. Se retrouver ensemble ne comblait pas ce fossé émotionnel, mais je n'avais jamais voulu le comprendre. Rien n'avait changé. S'il avait tendu le bras vers moi, j'aurais été incapable d'agir de manière sensée. Le désir n'obéissait pas à la raison, et le besoin de tendresse ne m'avait jamais quittée. Malgré les années, je ne m'étais pas débarrassée de l'image de ses lèvres contre les miennes, de ses mains, de la frénésie de notre désir. Et à présent, ces souvenirs venaient me tourmenter.

Ayant oublié de demander à la réception de me réveiller, je réglai mon horloge intérieure sur 6 heures et ouvris les yeux à l'heure fixée. Je me redressai d'un bond, dans un état mental aussi déplorable que mon allure physique. Une douche brûlante et un maquillage méticuleux ne parvinrent pas à dissimuler les poches sombres sous mes yeux ni la pâleur de mon teint. L'éclairage de la salle de bains était impitoyable. J'appelais United Airlines et, à 7 heures, frappai à la porte de Mark.

– Salut ! lança-t-il d'un air enjoué.

Son allure fraîche et dispose me démoralisa.

– Tu as changé d'avis ? ajouta-t-il.

– Oui.

L'odeur familière de son eau de Cologne me remit les idées en place.

– J'en étais sûr, dit-il.

– Pourquoi donc ? demandai-je.

– Je ne t'ai jamais vue éviter le combat, dit-il en me regardant dans le miroir tout en nouant sa cravate.

Mark et moi étions convenus de nous retrouver chez Orndorff & Berger en début d'après-midi. La réception était un vaste espace anonyme et froid. Sous une rangée de spots aux abat-jour en cuivre poli, un comptoir noir barrait la moquette, également noire, tandis qu'un bloc de cuivre massif servant de table était posé entre deux fauteuils noirs en acrylique. Aucun autre mobilier, aucune plante, aucun tableau. Les seuls objets meublant le vide de la pièce étaient quelques sculptures de métal tordu, posées çà et là comme des éclats de schrapnel.

– Puis-je vous aider ? s'enquit la réceptionniste des profondeurs de sa grotte.

Avant que je puisse répondre, une porte s'ouvrit, dont il était impossible de distinguer la découpe sur la sombre surface des murs, et Mark apparut. Il prit mon sac et m'entraîna dans un long et large couloir. Nous dépassâmes de nombreuses portes ouvrant sur de spacieux bureaux dont les baies vitrées dominaient Manhattan. Je ne vis personne. Sans doute les employés n'étaient-ils pas rentrés de déjeuner.

– Bon sang, qui a conçu votre réception ? demandai-je.

– La personne que nous allons voir, répondit Mark.

Le bureau de Sparacino était deux fois plus vaste que ceux que j'avais vus. Le plateau de sa table était un splendide bloc d'ébène, jonché de presse-papiers en pierres précieuses. Des étagères de livres couvraient les murs. L'avocat de l'élite culturelle new-yorkaise était vêtu d'un coûteux costume John Gotti, orné d'une pochette rouge sang. Il ne bougea pas d'un pouce à notre entrée. Nous nous assîmes. Pendant un moment qui me parut glacial, il ne nous regarda même pas.

– Je suppose que vous n'avez pas encore déjeuné, fit-il en levant vers nous ses yeux bleus tandis que ses doigts boudinés refermaient un dossier. Je vous promets de ne pas vous retenir longtemps, Dr Scarpetta. Mark et moi avons examiné certains détails relatifs au dossier de ma cliente, Beryl Madison. En tant que son avocat et exécuteur testamentaire, mes exigences sont claires et je suis sûr que vous m'aiderez à répondre à ses derniers souhaits.

Je restai silencieuse et, en vain, cherchai des yeux un cendrier.

– Robert voudrait récupérer ses papiers, intervint Mark d'un ton anodin. En particulier le manuscrit du livre que Beryl était en train d'écrire. Avant que tu arrives, j'ai expliqué à Robert que le bureau du médecin expert n'était pas responsable des effets personnels de la victime.

Nous avions répété la scène au cours du petit déjeuner. Mark devait « travailler » Sparacino avant mon arrivée, mais j'avais la nette impression que c'était moi qu'on travaillait. Je plongeai mon regard dans celui de Sparacino.

– Les éléments matériels transmis à mon bureau, dis-je, sont destinés à l'établissement de la preuve. Ils ne comportent aucun papier qui puisse vous intéresser.

– Vous voulez dire que le manuscrit n'est pas en votre possession, fit-il.

– C'est exact.

– Et vous ne savez pas où il se trouve.

– Je n'en ai aucune idée.

– Eh bien moi, j'ai quelques raisons de douter de ce que vous me dites.

Le visage impassible, il ouvrit le dossier et en sortit une photocopie de ce que je reconnus être le rapport de police concernant Beryl.

– Selon la police, un manuscrit a été trouvé sur les lieux, dit-il. Aujourd'hui vous me dites qu'il n'y a pas de manuscrit. Pouvez-vous m'aider à éclaircir ce point ?

– On a retrouvé un certain nombre de feuillets d'un manuscrit, répondis-je, mais je ne pense pas qu'il s'agisse de celui qui vous intéresse, Mr Sparacino. Ces feuillets ne semblent pas faire partie d'un travail en cours et, pour être tout à fait précis, ils ne m'ont jamais été remis.

– Combien de feuillets ? demanda-t-il.

– Je n'ai pas vu le manuscrit.

– Qui l'a vu ?

– Le lieutenant Marino. C'est à lui que vous devriez vous adresser.

– C'est fait, rétorqua-t-il. Il m'a dit qu'il vous avait remis le manuscrit en main propre.

Je doutai fort que Marino lui ait dit ça.

– Il doit s'agir d'un malentendu, dis-je. Je pense que le lieutenant Marino voulait dire qu'il avait transmis un manuscrit incomplet aux laboratoires de police scientifique, manuscrit qui pourrait s'avérer être celui d'un livre déjà publié. Le Service de police scientifique est un organisme indépendant de mes services, quoique nous soyons installés dans le même bâtiment.

Je jetai un coup d'œil à Mark. Il avait le visage tendu et luisant de sueur.

On entendit crisser le cuir du fauteuil de Sparacino lorsqu'il changea de position.

– Je vais être très franc avec vous, Dr Scarpetta, dit-il. Je ne vous crois pas.

– Que vous me croyiez ou non, je n'y peux rien, répliquai-je d'un ton très calme.

– J'ai beaucoup réfléchi à cette affaire, rétorqua-t-il tout aussi calmement. On peut certes considérer ce manuscrit comme un tas de papier sans intérêt, mais il se trouve deux ou trois personnes pour lesquelles il a au contraire une grande valeur. Je connais au moins deux personnes, sans compter différents éditeurs, qui seraient prêts à payer une grosse somme pour entrer en possession du livre sur lequel travaillait Beryl lorsqu'elle est morte.

– Ceci ne me concerne en rien, répondis-je. Mon bureau n'a pas ce manuscrit et, comme je vous l'ai dit, je ne l'ai même jamais vu.

– Quelqu'un doit bien l'avoir. (Il regarda par la fenêtre.) Je connaissais Beryl mieux que quiconque, Dr Scarpetta. Je connaissais ses habitudes. Elle s'était absentée un certain temps et a été assassinée quelques heures seulement après son retour à Richmond. Il m'est impossible de croire qu'elle n'avait pas son manuscrit avec elle. Dans son bureau, dans son sac ou dans une valise. (Les yeux bleus revinrent se poser sur moi.) Elle n'avait pas de coffre en banque, ni aucun autre endroit où le cacher – et de toute façon elle ne l'y aurait pas laissé. Elle l'a sans aucun doute emporté lorsqu'elle est partie, pour y travailler. Il est évident qu'en revenant à Richmond, elle avait le manuscrit avec elle.

– Vous dites qu'elle était partie, fis-je. En êtes-vous sûr ?

Mark n'osait pas me regarder.

Sparacino s'appuya contre son dossier et entrelaça ses doigts sur son gros ventre.

– Je savais que Beryl n'était pas chez elle, me dit-il. J'ai essayé de la joindre en vain pendant plusieurs semaines. Et puis elle m'a appelé, il y a environ un mois. Elle n'a pas voulu me dire où elle était, mais a précisé qu'elle était, je cite, « en sécurité ». Elle m'a ensuite indiqué l'état d'avancement de son livre, en disant qu'elle y travaillait sans arrêt. Bref, je n'ai pas essayé d'en savoir plus. Beryl s'était enfuie à cause de ce cinglé qui la menaçait. Peu importait l'endroit où elle était, il me suffisait de savoir qu'elle allait bien et qu'elle finirait son livre dans le délai convenu. Vous trouverez peut-être que tout ça manque de sensibilité, mais je suis un homme pragmatique.

– Nous ne savons pas où était partie Beryl, me dit Mark, Marino n'a pas voulu nous le dire.

Son choix de pronom me mit mal à l'aise. Quand il disait « nous », il se référait à l'évidence à Sparacino et lui.

– Si vous me demandez de répondre à cette question...

– C'est exactement ce que je vous demande, me coupa Sparacino. Tôt ou tard on apprendra qu'elle a passé les derniers mois en Caroline du Nord, à Seattle, au Texas – Dieu sait où.

Je dois le savoir *maintenant*. Vous me dites que votre bureau n'est pas en possession du manuscrit. La police me dit qu'elle ne l'a pas non plus. La seule façon pour moi de tirer ça au clair est de savoir où est allée Beryl, et de chercher le manuscrit à partir de là. Peut-être que quelqu'un l'a accompagnée jusqu'à l'aéroport. Peut-être qu'elle s'est fait des amis là où elle était. Peut-être que quelqu'un a une idée de ce qui est arrivé à son livre. Savez-vous par exemple si elle l'avait avec elle quand elle est montée dans l'avion ?

– Adressez-vous au lieutenant Marino, répliquai-je. Je ne suis pas censée discuter des détails du dossier avec vous.

– Je me doutais que vous me répondriez ça, fit Sparacino. Sans doute parce que vous savez qu'elle avait le livre avec elle quand elle a pris l'avion pour rentrer à Richmond. Sans doute parce que le manuscrit est arrivé à votre bureau en même temps que le corps, et qu'ensuite il a disparu. (Il se tut, son regard froid sur moi.) Combien Cary Harper, sa sœur, ou tous les deux vous ont-ils donné pour leur remettre le manuscrit ?

Mark avait le regard absent, un visage sans expression.

– Combien ? répéta Sparacino. Dix mille, vingt mille, cinquante mille dollars ?

– Je pense que ceci met un terme à notre conversation, Mr Sparacino, fis-je en ramassant mon sac.

– Non, je ne crois pas, répliqua-t-il.

Il feuilleta le dossier étalé devant lui et en sortit plusieurs papiers qu'il poussa dans ma direction.

Le sang reflua de mon visage en reconnaissant les photocopies d'articles publiés par les journaux de Richmond plus d'un an auparavant. Celui du dessus raviva en moi de douloureux souvenirs :

LE MÉDECIN EXPERT ACCUSÉ DE VOL
SUR UN CADAVRE

Lorsque Timothy Smathers a été tué par balles le mois dernier devant chez lui, apparemment par un employé licencié, sa femme, qui fut témoin du meurtre, affirme qu'il portait au poignet une montre en or, au doigt une alliance en or, et dans ses poches 83 dollars. La police et les ambulanciers dépêchés sur les lieux du crime déclarent que l'argent et les objets ont été remis en même temps que le corps au Bureau du médecin expert devant procéder à l'autopsie...

Je n'avais pas besoin de lire la fin de l'article, ni ceux qui l'accompagnaient, tous de la même veine. L'affaire Smathers avait suscité la publicité la plus déplorable à laquelle mon service ait dû faire face.

Je mis les photocopies dans la main tendue de Mark. Sparacino m'avait ferrée, mais je n'avais aucune intention de me débattre.

– Comme vous le savez si vous avez suivi toute l'affaire, dis-je, une enquête a été diligentée, et mon bureau a été lavé de tout soupçon.

– Exact, rétorqua Sparacino. Vous dites avoir remis personnellement les objets en question aux pompes funèbres, et que c'est ensuite qu'ils ont disparu. Tout le problème était de le prouver. J'ai parlé avec Mrs Smathers. Elle est toujours convaincue que c'est le BCME qui a dérobé ces objets.

– Le BCME a été lavé de tout soupçon, Robert, intervint Mark d'une voix monocorde tout en parcourant les articles. Et de toute façon, il est dit ici que Mrs Smathers a reçu un chèque d'un montant équivalant à la valeur des objets volés.

– C'est juste, fis-je.

– Un objet sentimental n'a pas de valeur, remarqua Spa racino. Même si elle avait reçu un chèque dix fois supérieur, elle regrettera toujours ces objets.

Voilà qui était un peu gros. Mrs Smathers, que la police soupçonnait aujourd'hui encore d'avoir été pour quelque chose dans le meurtre de son mari, avait épousé un riche veuf avant que l'herbe ne commence à repousser sur la tombe du défunt.

– De plus, comme le précisent certains de ces articles, poursuivit Sparacino, votre bureau a été incapable de présenter le reçu prouvant que vous ayez bien remis les effets personnels de Mr Smathers aux pompes funèbres. Je connais le dossier et je sais ce que vous allez me dire. Le reçu a été égaré par votre administrateur, qui depuis a quitté vos services. Pour finir, ça a été votre parole contre celle des pompes funèbres, et bien que ce point n'ait jamais été élucidé, au moins de mon point de vue, plus personne ne s'en souvient ni ne s'en préoccupe à l'heure qu'il est.

– Où voulez-vous en venir ? demanda Mark de la même voix monotone.

Sparacino lui jeta un bref coup d'œil, puis se tourna à nouveau vers moi.

– L'épisode Smathers n'est malheureusement pas le seul dans ce genre. En juillet dernier, votre bureau a reçu le corps d'un vieillard du nom de Henry Jackson, décédé de mort naturelle. Son corps est arrivé chez vous avec cinquante-deux dollars en poche. Il semble qu'une fois de plus, cet argent ait disparu, ce qui vous a obligée à remettre un chèque au fils du défunt. Le fils a raconté l'histoire à une télévision locale. J'ai gardé une vidéo de l'émission et je suis prêt à vous la montrer.

– Jackson nous a été livré avec cinquante-deux dollars en liquide dans ses poches, répondis-je en essayant de garder mon calme. Il était dans un état de décomposition avancée, et les billets tellement souillés que le voleur le moins regardant n'aurait pas osé les toucher. Je ne sais pas ce qu'ils sont devenus, mais je suppose qu'ils ont été incinérés avec les vêtements de Jackson, salis de chair décomposée et grouillante d'asticots.

– Nom de Dieu, souffla Mark entre ses dents.

– Votre bureau ne me paraît pas très sûr, Dr Scarpetta, dit Sparacino avec un sourire.

– Toutes les administrations connaissent ce genre de problèmes, répliquai-je d'un ton agacé en me levant. Si vous voulez récupérer des objets appartenant à Beryl Madison, voyez ça avec la police.

– Je suis désolé, me dit Mark dans l'ascenseur. Je ne m'attendais pas à ce qu'il déballe toute cette merde. Tu aurais dû me mettre au courant, Kay...

– Te mettre au courant ? fis-je en le considérant d'un regard incrédule. Te mettre au courant de *quoi* ?

– Des objets volés, des articles de journaux. C'est ce genre de boue dont se sert Sparacino. Sans le savoir, je t'ai entraînée dans une embuscade. Merde !

– Je ne t'ai rien dit, dis-je en haussant la voix, parce que ça n'a rien à voir avec le dossier de Beryl Madison. Les incidents qu'il a mentionnés sont des tempêtes dans des verres d'eau, le genre de bavures qui surviennent dans un endroit où on reçoit des cadavres dans tous les états possibles, et où les types des pompes funèbres et les flics entrent et sortent toute la journée pour venir récupérer les...

– Je t'en prie, Kay, ne te mets pas en colère contre moi.

– Je ne suis pas en colère contre toi !

– Écoute, je t'ai mise en garde contre Sparacino. J'essaie de te protéger contre lui.

– Alors c'est peut-être que je ne vois pas très bien ce que tu as derrière la tête, Mark.

Nous continuâmes à nous quereller pendant qu'il essayait de héler un taxi. La circulation était pratiquement bloquée. Les klaxons hurlaient, les moteurs rugissaient et j'avais les nerfs en pelote. Un taxi libre se présenta enfin. Mark ouvrit la portière arrière et posa mon sac au pied de la banquette. Je m'installai, mais quand je le vis tendre quelques billets au chauffeur, je compris ce qui se passait. Mark ne m'accompagnait pas. Il m'expédiait seule à l'aéroport, sans manger. Avant que j'aie pu descendre ma vitre pour lui parler, le taxi avait démarré.

Je ne prononçai pas un mot durant toute la course jusqu'à La Guardia, où je constatai qu'il me restait trois heures à tuer avant mon vol. J'étais en colère, blessée et déroutée. Je n'acceptai pas que nous nous soyons séparés comme ça. Je cherchai une table libre dans un bar, commandai un verre, allumai une cigarette et me perdis dans la contemplation des volutes de fumée bleue. Cinq minutes plus tard, je glissai une pièce de 25 *cents* dans la fente d'une cabine téléphonique.

– Orndorff & Berger, annonça une voix féminine.

J'imaginai le lourd comptoir noir.

– Mark James, s'il vous plaît.

Silence.

– Je suis désolée, vous devez faire erreur.

– Il travaille à votre bureau de Chicago mais il est à New York, dis-je. Je l'ai vu tout à l'heure chez vous.

– Ne quittez pas, je vous prie.

Une version supermarché du *Baker Street* de Jerry Rafferty résonna à mes oreilles pendant environ deux minutes.

– Désolée, madame, m'annonça enfin la standardiste, il n'y a personne de ce nom chez nous.

– Mais puisque je vous dis que je l'ai vu chez vous il y a moins de deux heures ! fis-je avec impatience.

– J'ai vérifié, madame, je suis désolée, mais vous devez nous confondre avec un autre cabinet.

Étouffant un juron, je raccrochai violemment. Je composai les renseignements, obtins le numéro d'Orndorff & Berger à Chicago et insérai ma carte de crédit dans l'appareil. Je voulais laisser un message à Mark lui demandant de me rappeler le plus tôt possible.

Mon sang se figea dans mes veines lorsque la standardiste de Chicago m'annonça :

– Désolée, madame. Nous n'avons personne du nom de Mark James chez nous.

6

Mark ne figurait pas dans l'annuaire de Chicago. J'y trouvai bien cinq Mark James et trois Mr James, mais lorsque, de retour chez moi, je composai successivement leurs numéros, je tombai soit sur une femme, soit sur un inconnu. J'étais si ahurie que je fus incapable de trouver le sommeil.

Ce n'est que le lendemain matin que l'idée me vint de contacter Diesner, le médecin expert général de Chicago, que Mark disait connaître.

Je l'appelai donc et, après les politesses d'usage, allai droit au fait.

– Je cherche les coordonnées d'un certain Mark James. Il est avocat à Chicago. Je me suis dit que vous le connaissiez peut-être.

– James... répéta Diesner d'un ton songeur. Non, je ne vois pas, Kay. Vous dites qu'il est avocat ici à Chicago ?

– Oui, articulai-je avec une impression de vertige. Chez Orndorff & Berger.

– Je vois. Un cabinet prestigieux. Mais je ne me souviens pas qu'ils aient un... hum... Mark James chez eux. (Je l'entendis ouvrir un tiroir, feuilleter du papier. Au bout d'un long moment, il ajouta :) Non. Je ne le vois pas non plus dans les pages jaunes.

Je raccrochai, me servis une deuxième tasse de café et contemplai, par la fenêtre de la cuisine, la mangeoire à oiseaux vide. Le temps grisâtre laissait présager de la pluie avant la fin de la matinée. J'avais un tel travail qui m'attendait au bureau qu'il me faudrait un bulldozer pour dégager ma table. On était samedi. Lundi était férié. Le bureau était probablement désert. Je pourrais travailler au calme si j'y allais. Pourtant je n'en avais aucune envie. Je ne pouvais détacher mon esprit de Mark. J'avais l'impression qu'il n'avait jamais existé, qu'il était un être irréel, un rêve. Plus j'essayais d'y voir clair, plus mes idées s'embrouillaient. Que se passait-il ?

En désespoir de cause, je demandai le numéro personnel de Robert Sparacino aux renseignements et fus secrètement soulagée d'apprendre qu'il était sur liste rouge. Il aurait été suicidaire de ma part de l'appeler. Mark m'avait menti. Il avait prétendu travailler chez Orndorff & Berger, vivre à Chicago, connaître Diesner. Il n'y avait pas un seul mot de vrai là-dedans ! Je m'accrochai à l'espoir d'entendre sonner le téléphone, d'entendre la voix de Mark. Je me lançai dans un grand ménage, fis une lessive, repassai. J'ouvris une boîte de sauce tomate, préparai des boulettes de viande et consultai mon courrier.

Il était 17 heures quand le téléphone se décida à sonner.

– Doc ? Marino à l'appareil, fit la voix familière. Je veux pas vous embêter pendant un week-end, mais ça fait deux jours que j'essaie de vous joindre. Je voulais juste savoir si tout allait bien.

Marino me refaisait le coup de l'ange gardien.

– J'ai une vidéo à vous montrer, poursuivit-il. J'me suis dit que je pourrais peut-être passer une petite minute pour vous la laisser. Vous avez un magnétoscope ?

Il le savait très bien. Ce n'était pas la première fois qu'il « passait une petite minute » pour m'apporter une vidéo.

– Quel genre de vidéo ? demandai-je.

– Sur un client avec qui j'ai passé la matinée. Je l'ai inter rogé sur Beryl Madison.

Je compris au ton de sa voix qu'il n'était pas mécontent de lui. Plus je fréquentais Marino, plus il s'amusait à me poser des devinettes. Je suppose que c'était dû au fait qu'il m'avait une fois sauvé la vie, un événement terrifiant qui avait tissé des liens étranges entre nous[1].

– Vous êtes en service ? demandai-je.

– Merde, j'suis toujours en service, grommela-t-il.

– Mais aujourd'hui ?

– Pas officiellement, ça vous va ? J'ai fini à 4 heures mais ma femme est partie voir sa sœur dans le New Jersey, alors comme y'a un sacré paquet de pièces manquantes dans ce foutu puzzle...

Sa femme était absente. Ses enfants vivaient leur vie. C'était un samedi grisâtre, déprimant. Marino ne voulait pas rentrer dans une maison vide. Moi-même, je ne me sentais pas très gaie seule chez moi. Je jetai un coup d'œil à la boîte de sauce tomate qui mijotait.

– Je ne bouge pas d'ici, fis-je. Apportez votre vidéo, on la regardera ensemble. Vous aimez les spaghetti ?

Il parut hésiter.

– Ma foi, je...

– Avec des boulettes. J'allais faire la sauce. Vous mangez avec moi ?

– Bon, dit-il. Je dis pas non.

Quand Beryl Madison voulait faire nettoyer sa voiture, elle la portait chez Masterwash, dans Southside Avenue.

Marino l'avait découvert en faisant la tournée des meilleurs lavages de voitures de la ville. Une douzaine à peine proposaient un lavage automatique, avec rouleaux et jets à haute pression. Après un rapide séchage, lui aussi automatique, un employé conduisait la voiture dans un autre local, d'où, après avoir été passée à l'aspirateur, astiquée et cirée, elle ressortait brillante comme un sou neuf. Marino m'indiqua qu'un lavage Masterwash Super Deluxe coûtait quinze dollars.

– J'ai eu un coup de pot incroyable, expliqua-t-il en faisant tourner une fourchette de spaghetti sur sa cuillère. Parce que c'est pas facile de retrouver un truc comme ça. Les gus du lavage, combien de bagnoles par jour il leur passe entre les

1. Voir *Postmortem*.

mains, hein ? Soixante-dix ? Cent ? Alors vous croyez qu'ils vont se rappeler tout de suite une Honda noire ?

Il exultait. Il était parti en chasse et n'était pas rentré bredouille. La semaine précédente, quand je lui avais remis le rapport préliminaire sur les fibres découvertes chez Beryl, je savais qu'il allait interroger méthodiquement tous les laveurs de voitures et garagistes de la ville. S'il se trouvait un seul buisson au milieu du désert, vous pouviez compter sur Marino pour aller fourrer son nez dedans.

– J'ai décroché le gros lot hier, poursuivit-il, quand j'suis passé chez Masterwash. C'était un des derniers de ma liste parce qu'il est décentré. Je pensais que Beryl donnait sa Honda à un lavage du West End. Pas du tout, elle avait ses habitudes chez Masterwash, qu'est au sud. La seule raison que je vois à ça, c'est qu'ils font aussi les pièces détachées. J'ai appris qu'elle avait amené sa voiture peu de temps après l'avoir achetée, en décembre dernier, pour faire étancher la caisse. Elle en a eu pour cent dollars. Ensuite elle a pris un abonnement, ça lui donnait droit à deux dollars de remise sur chaque lavage.

– C'est comme ça que vous avez retrouvé sa trace, à cause de son abonnement ?

– Ouais, dit-il. Ils ont même pas d'ordinateur, il a fallu qu'ils épluchent tout un tas d'factures. J'ai retrouvé une photocopie de sa carte d'abonnement, et vu l'état de la voiture quand on l'a trouvée dans son garage, j'me doutais qu'elle l'avait fait astiquer pas longtemps avant de descendre à Key West. J'avais aussi cherché dans ses relevés de compte, pour retrouver les paiements par carte bancaire. J'en ai trouvé qu'un à l'ordre de Masterwash, pour les cent dollars dont j'ai parlé tout à l'heure. Après ça, elle a dû payer en liquide.

– Les employés du lavage, demandai-je. Qu'est-ce qu'ils ont comme tenue ?

– Pas d'uniforme orange qui pourrait expliquer la fibre que vous avez trouvée. Ils sont presque tous en jean et baskets. Ils portent une chemise bleue avec « Masterwash » brodé en blanc sur la poche. J'ai fureté partout. Je n'ai rien remarqué. À part ça, les seuls trucs qui pourraient éparpiller des fibres, ce sont les rouleaux de papier blanc qu'ils utilisent pour nettoyer l'intérieur des voitures.

– Tout ça n'est pas très prometteur, dis-je en repoussant mon assiette.

Marino était loin d'être rassasié, alors que moi, j'avais l'estomac noué par ce qui s'était passé à New York. Je me demandais si je devais lui en parler.

– Ça se peut, dit-il, mais quand j'ai parlé avec un des gars, j'ai eu l'impression qu'on tenait peut-être quelque chose.

Je gardai le silence.

– S'appelle Al Hunt, 28 ans, Blanc. J'l'ai remarqué d'entrée. Ça a fait tilt dans ma tête. Il avait pas l'air à sa place. Coupe de cheveux impeccable, élégant, on l'aurait plutôt vu avec un costard et un attaché-case. Je me suis demandé ce qu'un mec comme ça fichait dans une boîte pareille. (Il se tut pendant qu'il essuyait son assiette avec un bout de pain à l'ail.) Du coup je m'approche et je commence à causer. Je lui demande s'il connaît une Beryl Madison, je lui montre sa photo. Je lui demande si elle est venue ici, et boum ! Il devient nerveux.

Je ne pus m'empêcher de penser que moi aussi je deviendrais nerveuse en voyant approcher Marino. Il avait dû aborder le pauvre bougre avec la délicatesse d'un semi-remorque.

– Et alors ? fis-je.

– Alors on va à l'intérieur, on se prend un café et on commence à parler sérieusement. Et là j'me rends compte que cet Al Hunt est un drôle de zigoto. D'abord, il a fait la fac. Il a décroché un diplôme de psychologie et avec ça, croyez-le ou pas, il a été jouer les infirmiers au Metropolitan pendant un an ou deux. Et quand je lui demande pourquoi il a quitté l'hôpital pour Masterwash, j'apprends que son vieux est le propriétaire de la boîte. Et que Papa Hunt a des fers au feu dans toute la ville, Masterwash n'est qu'un morceau du gâteau. Il possède plusieurs parkings et la moitié du Northside, où il loue des taudis dans des immeubles sordides. Moi, j'me dis que quand on est le fiston d'un type comme ça, on attend tranquillement de s'asseoir à sa place, pas vrai ?

Le récit de Marino commençait à m'intéresser.

– L'ennui, c'est que Al n'a même pas l'air d'avoir de costume convenable, d'accord ? En d'autres termes, Al est un perdant. Le vieux ne veut pas le voir en costard derrière un bureau. Il a pas confiance. Il préfère le voir surveiller les autres zigotos en train de faire briller les chromes. J'me suis dit qu'y avait quelque chose qui clochait là-dedans.

Il pointait son doigt sur son crâne.

– Vous devriez aller voir son père, suggérai-je.

– C'est ça, vous croyez qu'il admettra que le fiston dans lequel il a placé tous ses espoirs est un abruti ?

– Alors qu'allez-vous faire ?

– C'est *déjà* fait, répondit Marino. Vous allez voir la vidéo, doc. J'ai passé toute la matinée au quartier général avec Al Hunt. Ce type a un tel baratin qu'il pourrait convaincre un banc public de le suivre. Et il s'intéresse drôlement à Beryl. Il m'a dit qu'il avait lu les articles dans les journaux et que...

– Comment savait-il qu'il s'agissait d'elle ? l'interrompis-je. Les journaux et la télé n'ont montré aucune photo d'elle. Il a fait le rapprochement à cause du nom ?

– Il dit qu'il avait pas fait le rapprochement, qu'avant que je lui montre la photo, il avait aucune idée qu'il s'agissait de la blonde qui venait au lavage. Ensuite il a fait tout un cinéma comme quoi, il était bouleversé et tout et tout. Il dévorait mes paroles, posait des tas de questions. Curieux pour un type qui soi-disant la connaissait ni d'Ève ni d'Adam. (Il reposa sa serviette en boule sur la table.) Le mieux, c'est que vous voyiez vous-même.

Je préparai du café et débarrassai la table, puis nous passâmes au salon pour regarder la cassette. Le décor était familier. Je l'avais souvent vu. La salle d'interrogatoire du quartier général de la police était une petite pièce lambrissée et moquettée, avec pour tout mobilier une table en son centre. Près de la porte, un interrupteur, auquel seul un expert ou un initié aurait remarqué qu'il manquait une des deux vis de fixation. De l'autre côté de l'orifice était installée une caméra vidéo équipée d'un objectif grand-angle.

Au premier coup d'œil, Al Hunt n'avait rien d'un assassin. Il avait le teint brouillé, les cheveux blonds avec un début de calvitie frontale. Il aurait même eu un certain charme s'il n'avait pas été affligé d'un menton fuyant qui donnait l'impression que son visage était aspiré par son col de chemise. Il était vêtu d'un blouson de cuir brun et d'un jean, et ses doigts effilés tripotaient avec nervosité une canette de 7-Up tout en regardant Marino assis face à lui.

– Qu'est-ce qu'elle avait de spécial, Beryl Madison ? lui demandait celui-ci. Pourquoi tu l'as remarquée ? Tu vois passer des tas de voitures tous les jours dans ton lavage. Tu te rappelles tous tes clients ?

– Je m'en souviens plus que vous supposez, répliquait Hunt. Surtout quand il s'agit de clients réguliers. Je ne dis pas que j'ai tous leurs noms en tête, mais je me souviens de leur visage, parce que la plupart sortent de leur voiture et atten dent qu'on ait fini de les nettoyer. Beaucoup de clients aiment bien surveiller le travail, si vous voyez ce que je veux dire. Ils restent là pour vérifier qu'on n'oublie rien. Certains prennent même un chiffon pour donner un coup de main, surtout quand ils sont pressés, ou s'ils sont du genre à ne pas pouvoir rester sans rien faire.

– Est-ce que Beryl était comme ça ? Elle restait à surveiller ?

– Non, m'sieur, pas du tout. On a installé des bancs dehors, pour les clients. Elle allait toujours s'y asseoir. Elle restait là à lire le journal ou un livre. Elle ne regardait même pas ce que faisaient les employés. Elle n'était pas du genre à sympathiser. C'est peut-être pour ça que je me souviens d'elle.

– Qu'est-ce que tu veux dire ? demanda Marino.

– Je veux dire qu'elle envoyait des signaux. Je les ai sentis.

– Des signaux ?

– Tout le monde envoie des signaux, expliqua Hunt. J'y suis très sensible, je les reçois très fort. Je peux dire pas mal de choses sur quelqu'un d'après les signaux qu'il envoie.

– Est-ce que j'envoie des signaux ?

– Oui. Tout le monde envoie des signaux.

– Quel genre de signaux j'envoie, Al ?

– Des signaux rouge pâle, répondit Hunt le plus sérieusement du monde.

– C't'à dire ? fit Marino d'un air ahuri.

– Je perçois les signaux en couleur. Peut-être que vous trouvez ça étrange, mais je ne suis pas le seul. Il y a des gens qui perçoivent des émissions colorées chez les autres. Ce sont ces signaux auxquels je fais allusion. Et ceux que vous émettez sont rouge pâle. Ils expriment une certaine sympathie, mais aussi de la colère. C'est comme un avertissement. Ça attire l'œil, mais ça suggère un certain danger.

Marino arrêta la bande et m'adressa un sourire entendu.

– Alors, doc ? Vous trouvez pas qu'il déraille un peu ?

– Moi je trouve qu'il est plutôt perspicace, dis-je. C'est vrai que vous êtes à la fois sympathique et coléreux. Et dangereux.

– Merde, doc. Ce type est cinglé. À l'entendre on croirait qu'on ressemble à des foutus arcs-en-ciel.

– Ce qu'il dit peut avoir un certain fondement psychologique, répliquai-je. Chaque émotion humaine peut être associée à une couleur. C'est sur cette base que sont déterminées les couleurs des peintures dans les endroits publics, les chambres d'hôtel ou les institutions. Le bleu, par exemple, est associé à la dépression. C'est pourquoi vous trouverez rarement des chambres d'hôpitaux psychiatriques peintes en bleu. Le rouge est violent, impulsif, passionné. Le noir est morbide, sinistre, et ainsi de suite. D'après ce que vous m'avez dit, Hunt a un diplôme de psychologie.

Marino eut un regard dédaigneux et redémarra la bande.

– ... Je suppose que c'est à cause de votre métier. Vous êtes détective, disait Hunt. En ce moment, vous avez besoin de ma collaboration, mais d'un autre côté vous ne me faites pas confiance et pourriez vous montrer dangereux si je vous cachais quelque chose. C'est en cela que réside l'aspect avertissement du rouge pâle. Le côté sympathique, c'est votre personnalité chaleureuse. Vous voulez que les gens se sentent proches de vous. Ou vous désirez leur être proche. Vous donnez une impression de dureté, mais vous voulez qu'on vous aime...

– Ça va, ça va, l'interrompit Marino. Revenons à Beryl Madison. Elle vous balançait des couleurs, elle aussi ?

– Pour ça, oui. Je l'ai senti tout de suite. Elle était différente, très différente.

À l'écran, Marino redressa le torse et se croisa les bras.

– Comment ça ? fit-il.

– Elle était très distante, expliqua Hunt. Chez elle, j'ai perçu des couleurs polaires. Du bleu clair, un jaune pâle comme un soleil d'hiver, et un blanc si froid qu'il brûlait comme de la glace. On avait l'impression qu'on allait se brûler les doigts si on la touchait. C'est ce blanc qui était différent chez elle. Beaucoup de femmes émettent des teintes pastel. Elles s'accordent bien avec la couleur de leurs vêtements. Rose, jaune, bleu clair, vert clair. Les femmes sont passives, calmes, fragiles.

Quand il m'arrive de rencontrer une femme qui émet une couleur forte, bleu marine, lie-de-vin ou rouge, je sais que j'ai affaire à une femme volontaire, plus agressive. Elle sera avocate, médecin ou femme d'affaires, et elle s'habillera dans les couleurs que je viens de vous énumérer. Ces femmes-là, au lavage, elles restent près de leur voiture, les mains sur les hanches, à surveiller le travail. Elles vous font remarquer la moindre trace sur le pare-brise ou la moindre auréole sur la carrosserie.

– Est-ce que tu aimes ce genre de femmes ? demanda Marino.

Hunt hésita.

– Non. Franchement, non.

Marino se pencha vers lui en riant.

– Hé, hé. Moi non plus je les aime pas ! Je préfère le genre pastel...

Je balançai un regard critique au vrai Marino. Il m'ignora et son double poursuivit.

– Parle-moi de Beryl. Dis-moi ce que tu as senti d'autre chez elle.

Hunt fronça les sourcils en rassemblant ses souvenirs.

– Ce n'est pas parce qu'elle envoyait des teintes pastel qu'elle était différente, mais parce que je ne les ressentais pas chez elle comme un signe de fragilité. Ni de passivité. Ses couleurs, comme je vous ai dit, étaient froides. C'étaient plus des couleurs de banquise que de fleur. Elle semblait dire au monde de se tenir à l'écart.

– Tu trouvais qu'elle avait l'air frigide ?

Hunt fit tourner sa canette de 7-Up entre ses doigts.

– Non, je ne peux pas dire ça. Je ne crois pas que c'est ce que je ressentais. L'idée qui me venait à l'esprit, c'est la distance. Elle donnait l'impression qu'il fallait parcourir une grande distance pour l'approcher. Et que si vous vous approchiez, son intensité vous dévorerait comme un grand feu. Ce sont ces signaux blancs, chauffés à blanc, qui ont fait que je l'ai remarquée. C'était quelqu'un d'intense, très intense. J'ai eu l'impression qu'elle était à la fois très intelligente et très compliquée. Même quand elle s'asseyait sur son banc sans regarder personne ni s'occuper de rien, son esprit fonctionnait. Il absorbait tout ce qui se passait autour d'elle. Elle était blanche, brûlante et distante, comme une étoile.

– Est-ce que tu as remarqué qu'elle était célibataire ?

– Elle ne portait pas d'alliance, répliqua Hunt sans hésitation. J'en ai déduit qu'elle était célibataire, et rien dans sa voiture ne démentait cette impression.

– Je ne comprends pas, fit Marino d'un air surpris. Comment tu peux voir ça à une voiture ?

– Je m'en suis rendu compte la deuxième fois qu'elle est venue, je crois. J'ai regardé l'intérieur de la voiture pendant qu'un de mes gars la nettoyait. Il n'y avait aucun objet masculin dehors. Son parapluie, par exemple, il était derrière, par terre. Eh bien, c'était un de ces parapluies minces que les femmes utilisent, alors que les hommes prennent en général des parapluies à grosse poignée de bois. J'ai vu aussi à l'arrière le linge qu'elle rapportait du pressing. Eh bien, d'après ce que j'ai vu, il n'y avait que des affaires de femmes, aucun vêtement d'homme. La plupart des femmes mariées rapportent le linge de leur mari en même temps qu'elles vont retirer le leur. Et puis il y avait aussi le coffre. Pas de trousse à outils, pas de câbles de batterie. Rien de masculin. Vous savez, quand vous voyez défiler des voitures toute la journée, vous finissez par remarquer des tas de petits détails et tirer des conclusions sur leurs propriétaires sans même y penser.

– On dirait que, dans son cas, tu y as bien réfléchi, remarqua Marino. Est-ce que l'idée t'est venue de sortir avec elle, Al ? T'es sûr que tu connaissais pas son nom ? Tu l'avais pas vu sur le sac de pressing, ou sur une enveloppe qu'elle aurait laissée traîner dans sa voiture ?

Hunt secoua la tête.

– Je ne connaissais pas son nom. Peut-être que je ne voulais pas le savoir.

– Pourquoi ?

– Je ne sais pas... fit Hunt d'un air gêné.

– Allez, tu peux bien me le dire, Al. Tu sais, moi aussi j'aurais eu envie de la draguer... C'était une belle fille, pas bête. Ça m'aurait donné des idées. J'aurais essayé de savoir son nom, peut-être même de l'appeler chez elle.

– Eh bien, je ne l'ai pas fait, dit Hunt en baissant la tête. Je n'ai rien fait de tout ça.

– Pourquoi pas ?

Silence.

– Peut-être qu'il t'est arrivé de sortir avec une femme dans son genre et que tu t'es brûlé les doigts, hein ?

Silence.

– Hé, ça arrive à tout le monde, Al.

– À la fac, répondit enfin Hunt d'une voix inaudible. Je suis sorti avec une fille. Pendant deux ans. Et puis elle m'a quitté pour un étudiant en médecine. Des filles comme ça... elles ont une idée précise du type qu'elles cherchent. Vous comprenez, quand elles commencent à penser à s'installer...

– Elles veulent un type qui a de la ressource, c'est ça ? (Le ton de voix de Marino s'était fait plus tranchant.) Un avocat, un toubib, un banquier. Elles veulent pas d'un type qui bosse dans un lavage de voitures.

Hunt releva vivement la tête.

– Je n'y travaillais pas à l'époque.

– Peu importe, Al. Une gonzesse de la classe de Beryl Madison t'aurait même pas donné l'heure, pas vrai ? J'parie qu'elle avait même pas remarqué ton existence. J'parie qu'elle t'aurait même pas reconnu si t'avais embugné sa voiture dans un embouteillage...

– Vous n'avez pas le droit de dire des choses comme ça...

– Vrai ou faux ?

Hunt contempla ses poings crispés.

– Alors, comme ça elle t'avait tapé dans l'œil, hein ? insista Marino sans se laisser émouvoir. Peut-être bien que t'y pensais tout le temps, à cette fille brûlante comme une étoile, elle te faisait fantasmer. Tu te demandais comment ça serait de sortir avec elle, de baiser avec elle. Peut-être que t'osais même pas lui dire un mot parce que t'avais peur qu'elle t'envoie balader, qu'elle te considère comme un moins que rien, qu'elle...

– Arrêtez ! Vous voulez me provoquer ! Arrêtez ! Taisez-vous ! s'écria Hunt d'une voix aiguë. Laissez-moi tranquille !

Marino le regarda d'un air impassible. Il alluma une cigarette.

– T'as l'impression d'entendre ton vieux, hein, Al ? fit-il. Ce vieux Papa Hunt qui croit que son fils unique est pédé parce qu'il se conduit pas comme un putain de salopard de proprio qu'en a rien à foutre des gens. (Il souffla un nuage de fumée et reprit d'une voix radoucie.) J'me suis renseigné sur Papa Hunt. Je sais qu'il a raconté à tous ses copains que t'étais pédé, qu'il avait failli mourir de honte quand t'étais allé travailler comme infirmier. La vérité, c'est que tu bosses dans ce foutu lavage parce qu'il t'a dit que si tu le faisais pas, il te priverait d'héritage.

– Vous savez ça ? Comment l'avez-vous appris ? articula Hunt d'un air stupéfait.

– Je sais beaucoup de choses. Par exemple que le personnel du Metropolitan t'avait à la bonne, que tu te débrouillais comme un chef avec les patients. Qu'ils ont drôlement regretté de te voir partir. Ils te trouvaient « sensible », c'est ce qu'ils m'ont dit. Peut-être que t'es trop sensible pour cette jungle, pas vrai, Al ? Et c'est pour ça que tu dragues pas, que tu sors pas avec une fille. Parce que t'as peur. La vérité, c'est que t'avais la trouille de Beryl, n'est-ce pas ?

Hunt prit une profonde inspiration.

– C'est pour ça que tu voulais pas connaître son nom ? poursuivit Marino. Pour pas être tenté de l'appeler ou de faire quoi que ce soit ?

– Je l'ai juste remarquée, rétorqua Hunt avec nervosité. Rien de plus. Je ne pensais pas à elle de la façon que vous dites. Elle m'avait... hum... frappé, c'est tout. Je n'ai pas cherché plus loin. Je ne lui ai même jamais parlé, sauf la dernière fois qu'elle est venue...

Une nouvelle fois, Marino enfonça le bouton Stop.

– On arrive à la partie importante... (Il se tourna vers moi et m'observa attentivement.) Hé, ça va ?

– Était-ce nécessaire de vous montrer aussi brutal ? demandai-je d'une voix émue.

– Vous me connaissez pas beaucoup si vous trouvez que j'ai été brutal.

– Excusez-moi. J'avais oublié que j'étais en compagnie du redoutable Attila.

– C'est du cinéma, rien de plus, rétorqua-t-il.

– Alors vous méritez un Oscar.

– Allons, doc, ce n'est pas si grave.

– Vous l'avez complètement démoralisé, dis-je.

– C'est juste une ficelle du métier. Une façon de secouer le cocotier, de faire dire aux gens des choses qui leur seraient peut-être même pas revenues sans ça. (Il se retourna face à l'écran et, tout en appuyant sur le bouton Lecture, ajouta :) Rien que pour ce qu'il va dire maintenant, ça valait le coup.

– Ça remonte à quand ? demandait Marino à Hunt. La dernière fois qu'elle est venue ?

– Je ne me souviens pas de la date exacte, répondit Hunt. Il doit y avoir deux ou trois mois de ça à peu près, mais en tout cas c'était un vendredi, en fin de matinée. Je m'en souviens parce que je devais déjeuner avec mon père. Nous mangeons ensemble tous les vendredis, pour parler de la façon dont marchent les affaires. (Il tendit le bras vers le 7-Up qu'il avait reposé.) C'est pourquoi le vendredi, je m'habille un peu mieux. Ce jour-là, je portais une cravate.

– Beryl arrive donc ce vendredi-là en fin de matinée pour faire laver sa voiture, le pressa Marino. Et c'est là que tu lui as parlé ?

– C'est elle qui m'a adressé la parole, rectifia Hunt. Sa voiture sortait des rouleaux quand elle est venue vers moi. Elle m'a dit qu'elle avait renversé quelque chose dans le coffre et m'a demandé si on pouvait nettoyer ça. Je l'ai accompagnée jusqu'à sa voiture, elle a ouvert le coffre et j'ai constaté qu'en effet le tapis de sol était inondé. Elle avait dû y mettre ses sacs de course et une grande bouteille de jus d'orange s'était cassée. Je suppose que c'est pour ça qu'elle nous avait amené la voiture.

– Les courses étaient toujours dans le coffre ?

– Non, répondit Hunt.

– Est-ce que tu te souviens de ce qu'elle portait ce jour-là ?

Hunt hésita.

– Des vêtements de tennis, des lunettes noires. Euh... on aurait dit qu'elle venait juste de finir une partie. Je ne l'avais jamais vue dans cette tenue. Les autres jours elle était toujours en habits de ville. Je me souviens de sa raquette et d'autres choses qui étaient dans son coffre, parce qu'elle les a enlevées pour qu'on puisse shampoiner le tapis de sol. Elle les a essuyées et mises sur la banquette arrière.

Marino tira un agenda de sa poche de poitrine et le feuilleta avant de trouver la page qu'il cherchait.

– Est-ce que ça aurait pu se passer dans la deuxième semaine de juillet, le vendredi 12 ?

– C'est possible.

– Est-ce que tu te souviens d'autre chose ? C'est tout ce qu'elle t'a dit ?

– Elle était sympathique, presque amicale, répondit Hunt. Je m'en souviens bien. Je suppose que c'est parce que je l'aidais, que je vérifiais qu'on lui nettoie bien son coffre alors que je n'avais pas à le faire. J'aurais pu l'envoyer à la boutique pour acheter un shampooing à trente dollars. Mais je voulais l'aider. Et c'est en traînant autour de la voiture pendant que les gars terminaient le lavage que j'ai remarqué que sa portière droite était rayée. On aurait dit qu'on avait utilisé une clé ou quelque chose pour graver un cœur et plusieurs lettres juste au-dessous de la poignée. Quand je lui ai demandé comment c'était arrivé, elle a contourné la voiture pour inspecter les dégâts. Quand elle a vu ça, elle est devenue blanche comme un linge. Elle n'avait pas dû remarquer les rayures jusque-là. J'ai essayé de la calmer, je lui ai dit que je comprenais, qu'il y avait de quoi râler. Vous pensez, une Honda toute neuve qui doit coûter dans les vingt mille dollars, et un abruti vous fait ça !

– Qu'est-ce qu'elle a dit d'autre, Al ? demanda Marino. Est-ce qu'elle a émis une hypothèse sur l'origine de ces rayures ?

– Non. Elle n'a pas dit grand-chose. On aurait dit qu'elle avait peur, elle regardait de tous les côtés, l'air inquiet. Ensuite elle m'a demandé s'il y avait une cabine dans le coin et je lui ai dit qu'on avait un téléphone à pièces dans la boutique. Quand elle est ressortie, sa voiture était prête et elle est partie...

Marino arrêta la bande et l'éjecta du magnétoscope. Je me souvins que j'avais préparé du café. J'allai à la cuisine et en emplis deux tasses.

– On dirait que ça répond à une de nos questions, fis-je en revenant.

– Exact, fit Marino en se servant de sucre et de crème. À mon avis, Beryl a appelé soit sa banque, soit l'aéroport pour faire sa réservation. Le cœur gravé sur sa portière a été la goutte d'eau qui a fait déborder le vase. Elle a paniqué. Du lavage, elle s'est rendue directement à sa banque. J'ai retrouvé son agence. Le 12 juillet à 12 h 55, elle a vidé son compte. Elle est repartie avec près de dix mille dollars en liquide. Comme c'était une bonne cliente, on ne lui a fait aucune difficulté.

– A-t-elle acheté des chèques de voyage ?

– Non, aussi incroyable que ça paraisse, répondit Marino. Ce qui me fait dire qu'elle avait plus peur de se faire retrouver par son poursuivant que de se faire dévaliser. Elle a tout payé en liquide dans les Keys. Pas de chèque, pas de carte, elle a laissé son nom nulle part.

– Elle devait être vraiment terrorisée, remarquai-je. Je ne me vois pas voyager avec une telle somme sur moi. Il faudrait que je sois folle ou morte d'angoisse.

Marino alluma une cigarette. Je l'imitai.

– Croyez-vous qu'on ait pu graver ce cœur sur sa voiture pendant qu'elle était au lavage ? demandai-je en éteignant mon allumette.

– J'ai posé la question à Hunt pour voir sa réaction, répondit Marino. Il m'a juré ses grands dieux que c'était impossible, qu'on s'en serait forcément rendu compte. J'en suis pas si sûr. Merde, dans ces boîtes-là, si vous avez le malheur de laisser traîner cinquante *cents* sur le tableau de bord, vous pouvez être sûr qu'ils auront disparu quand vous reprendrez votre bagnole. Du fric, des parapluies, des carnets de chèques, ils piquent n'importe quoi, et bien sûr personne ne voit jamais rien. Même Hunt aurait pu le faire, si vous voulez mon avis.

– C'est vrai que c'est un garçon étrange, concédai-je. Je trouve curieux qu'il ait remarqué à ce point Beryl, alors qu'il voit défiler des dizaines de clients par jour. Elle venait tous les combien ? Une fois par mois, à peine ?

Il acquiesça d'un hochement de tête.

– Et malgré ça, dit-il, il s'en souvient comme si elle venait tous les jours. Peut-être bien qu'il est innocent. Et peut-être que non.

Je me souvins alors que Mark avait dit que Beryl était « difficile à oublier ».

Marino et moi buvions notre café en silence, et un voile noir s'abattit dans mon esprit. Mark. Il devait y avoir une erreur quelque part, un malentendu, une explication logique au fait qu'il ne figure pas dans la liste du personnel de chez Orndorff & Berger. Peut-être que son nom avait été oublié, ou alors le cabinet venait d'être informatisé et son nom, mal orthographié, n'était pas apparu à l'écran quand la réceptionniste l'avait tapé sur son clavier. La standardiste de Chicago comme celle de New York étaient peut-être des nouvelles, qui ne connaissaient pas encore le nom de tous les collaborateurs du cabinet. Mais dans ce cas, pourquoi ne figurait-il pas non plus dans l'annuaire de Chicago, ni parmi les connaissances de Diesner ?

– On dirait que vous vous faites du mouron, fit soudain Marino. C'est l'impression que j'ai depuis que je suis arrivé.

– C'est la fatigue, dis-je.

– Allons donc, fit-il avant d'avaler une gorgée de café.

La question qui suivit me fit presque recracher le mien.

– Rose m'a dit que vous vous étiez absentée. Votre petite discussion new-yorkaise avec Sparacino a été intéressante ?

– Quand Rose vous a-t-elle dit ça ?

– Peu importe. Et n'allez pas voler dans les plumes de votre secrétaire. Elle m'a juste dit que vous étiez partie. Elle n'a pas dit où, ni avec qui, ni pour quoi faire. J'ai découvert ça tout seul.

– Comment ?

– En voyant votre réaction à l'instant, voilà comment. Vous n'avez pas nié, n'est-ce pas ? Alors, de quoi avez-vous parlé avec Sparacino ?

– Il m'a dit qu'il vous avait parlé. Peut-être vaudrait-il mieux que vous me rapportiez d'abord votre conversation.

– Y'a rien à en dire, répondit Marino en reprenant sa cigarette qui se consumait dans le cendrier. Il m'a appelé chez moi l'autre soir. Ne m'demandez pas comment il a dégoté mon nom et mon numéro. Il voulait les papiers de Beryl. Je lui ai dit qu'il en était pas question. J'aurais pu accepter si ce type était pas aussi imbuvable. Il me donnait presque des ordres. Bon Dieu, il se prend pour qui ? Il a dit qu'il était son exécuteur testamentaire et il a fini par des menaces.

– Et vous vous en êtes tiré en renvoyant ce piranha à mon bureau.

Marino me regarda sans comprendre.

– Pas du tout. J'ai même pas prononcé vot' nom.

– Vous en êtes sûr ?

– Bien sûr que j'en suis sûr. La conversation a pas duré plus de trois minutes, et on n'a pas parlé de vous.

– Et le manuscrit que vous avez mentionné dans votre rapport ? Sparacino en a-t-il parlé ?

– Ça, oui. Mais je suis pas entré dans les détails. J'ai dit que tous ses papiers étaient examinés dans le cadre de l'enquête, et je lui ai sorti le baratin habituel comme quoi j'étais pas habilité à discuter de cette affaire.

– Vous ne lui avez pas dit avoir remis à mes services le manuscrit que vous aviez trouvé ? demandai-je.

– Mais non ! (Marino me regarda d'un air intrigué.) Pourquoi j'aurais dit ça ? Si encore c'était vrai, mais c'est même pas le cas. J'ai confié le manuscrit à Vander pour qu'il cherche des empreintes. Je suis resté avec lui tout le temps, et ensuite je suis reparti avec. À l'heure qu'il est, il est au QG, avec tout le reste. (Il marqua une pause.) Pourquoi ? Qu'est-ce que Sparacino vous a raconté ?

Je me levai et allai remplir nos deux tasses. Quand je revins, je racontai toute l'histoire à Marino. À la fin, il me considéra avec un air ébahi mêlé à quelque chose qui ne fit rien pour me réconforter. C'était la première fois que je voyais Marino avoir peur.

– Qu'est-ce que vous allez faire s'il appelle ? me demanda-t-il.

– Qui, Mark ?

– Non, Blanche-Neige, rétorqua-t-il d'un air sarcastique.

– Je lui demanderai des explications. Je lui demanderai comment il peut travailler chez Orndorff & Berger sans qu'on l'y connaisse, comment il peut vivre à Chicago sans que personne ait entendu parler de lui. (La frustration m'étouffait.) Je ne sais pas ce que je ferai ! Ce qui est sûr c'est que je veux savoir ce qui se passe !

Marino détourna le regard, les maxillaires contractés.

– Vous pensez que Mark est impliqué... articulai-je avec un frisson dans le dos. Qu'il est lié à Sparacino, mouillé dans des activités illégales, peut-être criminelles ?

D'un geste agacé, il alluma une cigarette.

– Que voulez-vous que je pense ? Vous aviez pas revu votre ex depuis plus de dix ans. Vous lui aviez pas reparlé, vous saviez même pas où il habitait, et le voilà un beau jour sur votre paillasson. Qu'est-ce qu'il a fait pendant toutes ces années ? Vous en savez rien. Tout ce que vous en savez, c'est ce qu'il vous...

La sonnerie du téléphone nous fit tous deux sursauter. Par réflexe, je jetai un coup d'œil à ma montre tout en me hâtant vers la cuisine. Il n'était pas encore 22 heures. L'appréhension m'étreignit la poitrine lorsque je décrochai.

– Kay ?

– Mark ? fis-je avant de déglutir avec effort. Où es-tu ?

– Chez moi. Je suis revenu à Chicago en avion. Je viens d'arriver..

– J'ai essayé de te joindre à New York et à Chicago, à ton bureau... balbutiai-je. Je t'ai appelé de l'aéroport.

Long silence.

– Écoute, je n'ai pas beaucoup de temps. Je voulais juste savoir si tu étais bien rentrée et te dire que j'étais désolé de la manière dont ça s'était passé. Je te rappelle.

– Où es-tu ? lui demandai-je une nouvelle fois. Mark ? Mark ?

Seule la tonalité me répondit.

7

Le lendemain, dimanche, je n'entendis pas mon réveil et manquai la messe. Je m'extirpai du lit alors que l'heure du déjeuner était déjà passée. J'avais la tête embrouillée et les nerfs en pelote. Je ne me souvenais pas de mes rêves, mais je savais qu'ils n'avaient pas été plaisants.

Mon téléphone sonna à 19 heures, alors que j'étais en train d'éplucher des oignons pour faire une omelette que je ne devais pas avoir l'occasion de manger. Quelques minutes plus tard, je fonçais dans l'obscurité sur la 64 East, avec sur mon tableau de bord un morceau de papier où j'avais griffonné les indications pour arriver à Cutler Grove. Mon esprit fonctionnait comme un programme d'ordinateur coincé en boucle, mes pensées ressassant inlassablement les mêmes données. Cary Harper venait d'être assassiné. Une heure auparavant, il était sorti d'un bar de Williamsburg et était rentré chez lui. Il avait été attaqué au moment où il descendait de voiture. Tout s'était passé très vite. Comme Beryl Madison, il avait eu la gorge tranchée.

Il faisait nuit noire et j'étais éblouie par l'éclat de mes phares réfléchis par les nappes de brouillard. La visibilité était pratiquement nulle, et cette autoroute que j'avais empruntée des dizaines de fois dans le passé m'apparut soudain étrange et inquiétante. Privée de mes repères familiers, je ne reconnaissais plus rien. J'étais en train d'allumer une cigarette d'une main nerveuse quand j'aperçus derrière moi une paire de phares qui se rapprochaient. Une voiture de couleur sombre vint presque se coller à mon pare-chocs, puis ralentit pour se placer à une certaine distance. Ensuite, pendant des kilomètres, elle maintint le même intervalle, que j'accélère ou ralentisse. Je pris la sortie qu'on m'avait indiquée, et vis derrière moi la mystérieuse voiture faire de même.

Le chemin de terre que j'empruntai alors n'était indiqué par aucun panneau. Les phares se rapprochèrent et vinrent se coller à mon pare-chocs. J'avais laissé mon .38 à la maison. Je n'avais pour me défendre qu'une bombe lacrymogène rangée dans ma serviette. Je ressentis un tel soulagement quand, au détour d'un virage, la vaste demeure surgit enfin du brouillard que je remerciai Dieu à haute voix. L'allée semi-circulaire qui y conduisait était encombrée de véhicules et clignotait dans la lueur des gyrophares. Je me garai. La voiture qui me suivait stoppa juste derrière moi et, stupéfaite, j'en vis descendre Marino, qui remonta le col de son manteau.

– Bonté divine ! m'exclamai-je avec irritation. C'est pas possible !

– Comme vous dites, grommela-t-il après m'avoir rejointe en quelques enjambées. C'est incroyable.

Il jeta un regard renfrogné au cercle de projecteurs qui entouraient une vieille Rolls-Royce blanche stationnée près de l'entrée arrière de la résidence.

– Merde, lâcha-t-il. C'est tout ce que j'ai à dire. Merde !

L'endroit grouillait de flics, leurs visages bizarrement pâlis par la lumière artificielle. Les moteurs au ralenti ronronnaient de concert, et des fragments de conversations radio grésillaient dans l'air froid et humide. Fixé à la rambarde du seuil, un ruban jaune délimitait en un sinistre triangle le périmètre immédiat du lieu du meurtre.

Un officier en civil vêtu d'une vieille veste de cuir brun venait dans notre direction.

– Dr Scarpetta ? s'enquit-il. Je suis le détective Poteat.

J'ouvris ma serviette pour en extraire une paire de gants chirurgicaux et une torche.

– Personne n'a touché au cadavre, m'informe Poteat. J'ai suivi à la lettre les instructions du Dr Watts.

Le Dr Watts, médecin généraliste, était un des cinq cents médecins experts rattachés à mes services à travers tout l'État, et l'un des pires emmerdeurs à qui j'avais affaire. Quand la police l'avait appelé plus tôt dans l'après-midi, il m'avait aussitôt prévenue. C'était la procédure normale que de prévenir le médecin expert général lorsqu'une personnalité décédait de mort subite ou suspecte. Mais c'était aussi une procédure normale chez Watts de se décharger du plus grand nombre d'affaires possible, en les refilant à un collègue ou par un tout autre moyen, car il détestait être dérangé ou avoir à remplir des papiers. Il était réputé pour la rareté de ses apparitions sur les lieux d'un crime ou d'un accident, et en effet je ne le vis nulle part.

– Je suis arrivé avec la première voiture, m'informa Poteat. J'ai demandé aux gars d'y aller doucement. On ne l'a pas déplacé, on n'a pas touché ses vêtements, rien. Il était mort quand on est arrivés.

– Merci, fis-je, l'esprit ailleurs.

– On dirait qu'il a été frappé à la tête avant d'être égorgé. Peut-être qu'on lui a tiré dessus. On n'a pas retrouvé d'arme, mais y'a des plombs de chasse partout, vous verrez. Il est rentré vers 7 heures moins le quart, il s'est garé et il a été attaqué dès qu'il est descendu de voiture.

Il regarda la Rolls-Royce blanche, environnée d'épais bosquets de buis.

– Est-ce que la portière côté conducteur était ouverte quand vous êtes arrivé ? demandai-je.

– Non, docteur, répondit Poteat. On a retrouvé les clés de contact par terre, comme s'il les avait eues à la main quand il est tombé. On n'a touché à rien, on attendait que vous arriviez ou que le temps nous oblige à tout remballer. Il va pas tarder à pleuvoir. (Il leva les yeux vers l'épais couvercle de nuages.) À moins que ça soit de la neige. Aucun désordre dans la voiture, aucune trace de lutte. On pense que son agresseur l'attendait, probablement caché dans les buissons. Tout ce qu'on peut dire, doc, c'est que ça s'est passé très vite. Sa sœur qui était à l'intérieur n'a rien entendu, ni coup de feu ni rien.

Je le laissai en compagnie de Marino, passai sous le ruban jaune et m'approchai de la Rolls, prenant garde où je posais les pieds. La voiture était garée parallèlement aux marches du seuil situé à l'arrière de la demeure, la portière conducteur du côté de la maison. Je contournai le capot surmonté de son célèbre emblème et sortis mon appareil photo.

Cary Harper gisait sur le dos, la tête à quelques centimètres du pneu avant. Des gouttes et des traînées de sang souillaient la peinture blanche de l'aile, et son pull-over de laine beige avait pratiquement viré au rouge. Par terre, près de ses hanches, j'aperçus un trousseau de clés. Partout, le rouge gluant du sang brillait dans la lumière crue des projecteurs. Les cheveux blancs de Harper étaient maculés de sang, la peau de son visage et de son cuir chevelu s'était ouverte en plusieurs endroits sous la violence des coups. La gorge béait d'une oreille à l'autre, la tête presque séparée du tronc. Où que je dirige le faisceau de ma torche, il faisait scintiller d'innombrables petits plombs de chasse. Il y en avait des centaines, sur son corps, au sol, jusque sur le capot de la voiture. Ces plombs n'avaient pas été tirés par une arme.

Je pris plusieurs clichés puis, m'accroupissant, sortis un long thermomètre chimique, que je glissai sous le pull de Har per pour le coincer sous son aisselle gauche. La température du corps était de 33°5, la température de l'air juste en dessous de zéro. Je calculai que le corps refroidissait d'environ trois degrés par heure puisque Harper n'était ni très costaud ni chaudement habillé, et qu'il gelait. La rigidité cadavérique avait déjà saisi les petits muscles. J'estimai qu'il était mort depuis moins de deux heures.

Ensuite, je me mis en quête des menus indices qui ne résisteraient pas au transport à la morgue. Les fibres, poils, cheveux et autres débris englués dans le sang séché resteraient collés, mais pour trouver d'autres débris « volants », j'examinai soigneusement le corps et ses abords immédiats. Tout près du cou, le mince faisceau de ma torche découvrit quelque chose. Je me penchai en avant, me demandant ce qu'était cette boulette verdâtre semblable à de la pâte à modeler Play Doh dans laquelle étaient fichés plusieurs plombs. J'étais en train de glisser cet indice dans un sac plastique étanche lorsque la porte de la maison s'ouvrit. Je levai la tête et mon regard croisa celui, terrifié, d'une femme debout dans l'entrée, accompagnée d'un agent de police qui tenait un porte-bloc.

Marino et Poteat passèrent sous le ruban jaune et vinrent vers moi, bientôt rejoints par l'agent. La porte de la maison se referma doucement.

– Quelqu'un reste avec elle ? m'enquis-je.

– Oui, répondit l'agent en exhalant un petit nuage de vapeur. Une amie de Mrs Harper doit venir. Elle dit que ça va aller. On laissera deux ou trois voitures planquées dans les environs au cas où le type essayerait de remettre ça.

– Qu'est-ce qu'on cherche ? me demanda Poteat.

Il enfonça les mains dans les poches de sa veste et rentra les épaules pour se protéger du froid. Des flocons de neige gros comme des pièces de monnaie commençaient à tomber.

– Il y avait plusieurs armes, répliquai-je. Les blessures au crâne et au visage sont des ecchymoses dues à une contusion active. (Je pointai un doigt ganté sanguinolent.) De toute évidence, la blessure du cou est l'œuvre d'un instrument tranchant. Quant aux petits plombs, aucun n'est déformé, et aucun ne semble avoir pénétré la chair.

L'incompréhension se peignit sur le visage de Marino. Il jeta un regard ahuri sur les plombs éparpillés aux alentours.

– C'est bien ce que je pensais, fit Poteat en hochant la tête. Il me semblait qu'il y avait pas eu de coup de feu, mais je n'étais pas sûr. Donc il ne faut pas chercher d'arme à feu. Plutôt un poignard et quelque chose comme un démonte-pneu ?

– C'est possible, mais pas certain, répondis-je. Tout ce que je peux vous dire pour l'instant, c'est qu'on l'a égorgé avec un instrument tranchant, et assommé avec un instrument contondant de forme rectiligne.

– Ça fait beaucoup de possibilités, doc, remarqua Poteat en fronçant les sourcils.

– En effet, dis-je.

Bien que j'eusse ma petite idée à propos des plombs de chasse, je m'abstins de l'exposer, sachant par expérience que de telles spéculations pouvaient entraîner des bourdes regrettables, parce qu'une vague indication avait été interprétée au pied de la lettre. Ainsi, lors d'une précédente enquête, les flics n'avaient pas remarqué la présence d'une aiguille de tapissier sanguinolente dans le salon de la victime, parce que j'avais hasardé, au vu des premières constatations, que la blessure mortelle « avait pu » être infligée par un pic à glace.

– Vous pouvez le faire emporter, dis-je en ôtant mes gants.

On enveloppa Harper dans un drap blanc, et son corps fut glissé dans un sac en plastique noir bouclé par une fermeture à glissière. Debout près de Marino, je regardai l'ambulance s'éloigner à faible allure sur l'allée à présent déserte et rendue à l'obscurité. Pas de gyrophare ni de sirène : il est inutile de se hâter quand on transporte un cadavre. La neige tombait de plus en plus dru et paraissait vouloir tenir.

– Vous partez ? me demanda Marino.

– Pourquoi ? Vous avez encore l'intention de me suivre ? rétorquai-je sans sourire.

Il tourna la tête vers la Rolls-Royce brillant dans le cercle laiteux des projecteurs. Sur le gravier, les endroits où avait coulé le sang de Harper révélaient peu à peu leurs contours, car les flocons qui y tombaient fondaient aussitôt.

– Je n'avais pas l'intention de vous suivre, répliqua Marino. Quand j'ai entendu le message radio j'étais presque rentré à Richmond...

– Presque rentré à Richmond ? l'interrompis-je. Vous veniez d'où ?

– D'ici, dit-il en sortant ses clés de voiture d'une de ses poches. Sachant que Harper allait presque tous les jours dans un bar du nom de *Culpeper's Tavern*, j'avais décidé d'aller boire un coup avec lui. J'suis resté avec lui à peu près une demi-heure. Après il m'a dit d'aller me faire foutre et il est parti. Alors j'ai repris l'autoroute, et j'étais à une vingtaine de bornes de Richmond quand Poteat m'a fait dire par radio ce qui s'était passé. J'ai fait demi-tour illico et c'est en revenant que j'ai reconnu vot' bagnole. Je vous ai suivie pour voir si vous vous perdiez pas.

– Vous voulez dire que vous avez parlé à Harper il y a quelques heures, dans ce bar ? fis-je avec stupéfaction.

– Affirmatif. Ensuite il m'a planté là et il s'est fait buter dix minutes après. (Il fit mine de vouloir rejoindre sa voiture.) J'vais voir avec Poteat si on peut en apprendre un peu plus. Je passerai demain matin pour l'autopsie, si vous y voyez pas d'inconvénient.

Je le regardai s'éloigner en secouant la neige qui adhérait à ses vêtements. Il était déjà parti quand je tournai la clé de contact de ma Plymouth de fonction. Les essuie-glaces repoussèrent la mince couche de neige, puis stoppèrent au milieu de leur trajectoire. Le démarreur fit une nouvelle tentative pour lancer le moteur, puis se tut. Lui aussi était mort.

La bibliothèque de Harper était une pièce douillette du meilleur goût, emplie de tapis persans et de vieux meubles. Le divan était très certainement un Chippendale. Je n'avais jamais touché et encore moins eu l'occasion de m'asseoir sur un authentique Chippendale. Le haut plafond était décoré de moulures rococo et les murs disparaissaient sous les étagères de livres, la plupart reliés de cuir. J'étais installée devant une cheminée en marbre où flambaient de grosses bûches.

Je me penchai en avant, tendis les mains vers la chaleur du feu et levai à nouveau la tête vers le tableau accroché au-dessus de la cheminée. Le sujet en était une adorable fillette vêtue de blanc, assise sur un petit banc, avec de longs cheveux d'un blond éclatant, et qui tenait entre ses cuisses une brosse en argent. Les paupières lourdes, elle entrouvrait une bouche aux lèvres humides et le profond décolleté de sa robe découvrait un buste de porcelaine où se devinait une ébauche de poitrine. J'étais en train de me demander pourquoi ce curieux portrait bénéficiait d'un tel emplacement lorsque la sœur de Cary Harper entra dans la pièce avant de refermer la porte aussi discrètement qu'elle l'avait ouverte.

– J'ai pensé que cela vous réchaufferait, dit-elle en me tendant un verre de vin.

Elle posa le plateau sur la table basse et s'installa sur le coussin de velours rouge d'un fauteuil baroque, genoux serrés et les pieds de côté comme on l'enseigne aux jeunes filles de la bonne société.

Je la remerciai et lui renouvelai mes excuses.

La batterie de ma voiture devait être fichue, car le moteur avait refusé de démarrer malgré le recours aux câbles branchés depuis une autre voiture. Les policiers avaient demandé une dépanneuse par radio et m'avaient proposé de me ramener à

Richmond dès qu'ils auraient fini leur examen des lieux. Plutôt que d'attendre une heure sous la neige ou dans une voiture de patrouille, j'avais préféré frapper chez miss Harper.

Elle but une gorgée de son propre verre de vin et fixa le feu d'un air absent. Aussi finement ciselée que les objets précieux qui l'entouraient, elle était probablement une des femmes les plus élégantes qu'il m'ait été donné de rencontrer. Une couronne de cheveux d'un blanc immaculé entourait un visage d'une grande noblesse. Elle avait les pommettes hautes, les traits racés, une silhouette svelte mais bien formée, et portait un pull-over beige et une jupe de velours côtelé. Depuis que j'avais rencontré Sterling Harper, le terme de « vieille fille » ne m'était pas venu à l'esprit une seconde.

Elle restait silencieuse. Les flocons de neige venaient déposer de froids baisers sur les carreaux et le vent hurlait sous les toits. Je n'aurais pour rien au monde passé une nuit seule dans cette maison.

– Vous reste-t-il des parents ? demandai-je.

– Non, tous sont morts.

– Je suis désolée, miss Harper...

– Je vous en prie. Cessez de dire cela, Dr Scarpetta.

Elle leva à nouveau son verre. Les flammes firent scintiller à son doigt une grosse émeraude. Elle tourna son regard vers moi. Je me souvins de la terreur que ces yeux avaient exprimée un peu plus tôt alors que j'examinais son frère. Elle avait à présent retrouvé son calme.

– Ce qui me surprend le plus, remarqua-t-elle tout d'un coup, c'est la façon dont c'est arrivé. Je ne pensais pas que quelqu'un ait l'audace de l'attendre ici.

– Et vous n'avez rien entendu ?

– J'ai entendu arriver la voiture, mais ensuite, plus rien. Ne le voyant pas entrer, j'ai été jeter un coup d'œil dehors. J'ai aussitôt appelé le 911.

– Fréquentait-il d'autres établissements à part le *Culpeper* ? demandai-je.

– Non. Le *Culpeper* était son bar favori. Il y allait tous les soirs, dit-elle avant de détourner le regard. Je l'avais pourtant mis en garde. Il n'était pas prudent, à son âge et à notre époque, de fréquenter un endroit pareil. Cary avait toujours de l'argent sur lui, voyez-vous, et il offensait facilement les gens. Il ne restait jamais très longtemps au café. Une heure, deux heures au plus. Il me disait que se mêler aux gens du peuple était bon pour l'inspiration. Il ne trouvait plus rien à dire après *The Jagged Corner*.

J'avais lu son roman à l'époque où j'étais étudiante à Cornell et il ne m'en restait que quelques impressions, celles d'un Sud de violence, d'inceste et de racisme vu à travers l'enfance d'un jeune écrivain dans une ferme de Virginie. Ce livre m'avait déprimée.

– Mon frère était un de ces écrivains malheureux qui ne portent qu'un livre en eux, ajouta miss Harper.

– Il y en a d'excellents parmi eux, dis-je.

– Il n'a vraiment connu la vie qu'à travers les péripéties de sa jeunesse, poursuivit-elle du même ton monocorde. Ensuite il est devenu une coquille vide, menant une vie de déprime et de désespoir. Il recommençait sans cesse un nouveau livre, sans cesse jetant les premiers chapitres au feu, les regardant brûler avec dégoût. Ensuite il errait dans la maison comme un taureau enragé, jusqu'à ce qu'il se sente prêt à recommencer. Et cela durait depuis des années.

– Vous paraissez porter un jugement très dur sur votre frère, remarquai-je d'un ton calme.

– Je suis très dure avec moi, Dr Scarpetta. Cary et moi étions de la même étoffe. La différence entre nous, c'est que je ne me sens pas obligée de disséquer ce qui ne peut être modifié. Il était sans arrêt en train d'analyser sa propre nature, son passé, les forces qui l'avaient façonné. Cela lui a valu le prix Pulitzer. Alors que moi, j'ai toujours refusé de combattre ce qui est une évidence.

– À savoir ?

– Que la branche Harper est morte, desséchée. Qu'elle a épuisé ses ressources. Il n'y aura plus personne après nous.

Le vin était un banal bourgogne de consommation courante, avec un léger goût de métal. Je me demandai si les policiers en avaient encore pour longtemps. Je crus entendre le ronflement d'un puissant moteur, peut-être celui de la dépanneuse venue remorquer ma voiture.

– J'ai accepté d'avoir pour destin le soin de m'occuper de mon frère, reprit miss Harper. D'accompagner en douceur l'extinction de la famille. Cary me manquera uniquement en tant que frère. Loin de moi l'idée de prétendre que c'était quelqu'un de formidable. (Elle but une gorgée.) Je dois vous paraître horriblement froide.

Froide n'était pas le mot.

– J'apprécie votre franchise, dis-je.

– Cary était plein d'imagination et très émotif. Je ne suis ni l'un ni l'autre, et heureusement, car je n'aurais pas supporté la vie que j'ai eue. Je n'aurais certainement pas habité ici.

– Parce qu'on y est isolé, fis-je en pensant que c'est ce qu'elle voulait dire.

– Ce n'est pas l'isolement qui me pesait, dit-elle.

– Qu'est-ce qui vous pesait, alors, miss Harper ? m'enquis-je tout en prenant une cigarette.

– Voulez-vous un autre verre ?

– Non, je vous remercie.

– J'aurais préféré ne jamais habiter ici. Il n'arrive que des malheurs dans cette maison.

– Qu'allez-vous faire à présent, miss Harper ? (Le vide de son regard me donnait froid dans le dos.) Rester ?

– Je n'ai pas d'autre endroit où aller, Dr Scarpetta.

– Cutler Grove devrait trouver acquéreur sans difficulté, rétorquai-je.

Mon esprit revenait au portrait accroché au manteau de la cheminée. Dans le flamboiement des bûches, la jeune fille en blanc souriait d'un sourire mystérieux au souvenir de secrets qu'elle ne dévoilerait jamais.

– Il est difficile de vivre sans son poumon d'acier, Dr Scarpetta.

– Je vous demande pardon ?

– Je suis trop âgée pour refaire ma vie, dit-elle. Il est trop tard pour recouvrer la santé et me faire de nouvelles relations. C'est le passé qui respire en moi. Vous êtes jeune, Dr Scarpetta. Un jour vous comprendrez ce que signifie jeter un regard en arrière sur sa vie. Et vous vous apercevrez qu'on n'y échappe pas. Vous verrez que votre propre histoire vous fait revisiter des endroits familiers où, par une triste ironie, se sont déroulés les événements qui vous ont plus tard coupée de la vie. Avec le temps, vous vous apercevrez que vos déceptions n'ont pas été si dramatiques, vous vous réconcilierez avec les gens qui vous ont déçue. Vous verrez que vous n'aurez qu'une envie, retrouver la douleur que vous aviez fuie. Parce que c'est plus facile. C'est tout ce que je peux en dire. C'est plus facile.

– Avez-vous la moindre idée de qui a pu faire ça à votre frère ? lui demandai-je dans l'espoir de la faire changer de sujet.

Elle resta silencieuse, ses grands yeux comme hypnotisés par le feu.

– Parlez-moi de Beryl, insistai-je.

– Quand c'est arrivé, je savais depuis des mois que quelqu'un la harcelait.

– Vous l'avez su longtemps avant sa mort ?

– Beryl et moi étions très proches.

– Vous saviez qu'on la harcelait ?

– Oui. Je savais qu'elle recevait des menaces.

– C'est *elle* qui vous l'a dit, miss Harper ?

– Bien sûr.

Marino avait étudié les factures de téléphone de Beryl. Il n'avait trouvé aucune trace d'appels longue distance à Williamsburg. Ni aucun courrier adressé à Beryl par miss Harper ou son frère.

– Vous aviez donc maintenu des contacts étroits avec elle ? dis-je.

– Des contacts très étroits, précisa-t-elle. Autant qu'il était possible, en tout cas. C'est devenu de plus en plus difficile, à cause du livre qu'elle comptait publier. Cary estimait qu'elle violait leur contrat. Il était fou de rage.

– Comment était-il au courant de ce qu'elle écrivait ? C'est elle qui le lui a dit ?

– Non. Il l'a su par l'avocat de Beryl.

– Sparacino ?

– Je ne sais pas exactement ce qu'il a dit à Cary, répondit-elle le visage dur. Mais mon frère savait que Beryl écrivait ce livre, et il en connaissait assez sur son contenu pour être furieux. L'avocat en question s'est employé à envenimer les choses. Il allait de Beryl à Cary en leur faisant croire tour à tour qu'il était leur allié.

– Savez-vous ce qu'est devenu le livre ? demandai-je. Est-il en possession de Sparacino ? Est-il en cours de publication ?

– Sparacino a appelé Cary il y a quelques jours. J'ai saisi quelques mots de leur conversation, assez pour comprendre que le manuscrit avait disparu. Ils ont mentionné votre bureau. Cary a dit quelque chose à propos du médecin expert. Je suppose qu'il s'agissait de vous. Puis il s'est mis très en colère. J'en ai conclu que Mr Sparacino essayait de savoir si mon frère avait récupéré le manuscrit.

– Est-ce possible ?

– Beryl ne l'aurait jamais remis à Cary, répondit-elle avec conviction. Il aurait été insensé de la part de Beryl de confier son livre à Cary.

Nous restâmes un moment silencieuses.

– Miss Harper, demandai-je enfin, qu'est-ce qui effrayait tant votre frère ?

– La vie.

J'attendis en silence, l'observant. Elle avait de nouveau le regard perdu dans les flammes.

– Plus il en avait peur, poursuivit-elle d'une voix étrange, plus il s'en isolait. L'isolement a de drôles de conséquences sur l'esprit d'un individu. Il le met sens dessus dessous, il fait tourner les idées et les pensées comme des toupies, elles s'éloignent peu à peu du centre et zigzaguent selon une course folle. Je pense que Beryl est la seule personne que mon frère ait jamais aimée. Il s'y était follement attaché. Il voulait la garder pour lui, se l'approprier, tisser autour d'elle des liens si étroits qu'elle ne puisse plus le quitter. Quand il s'est aperçu qu'elle le trahissait, qu'il n'avait plus aucun pouvoir sur elle, il est devenu fou de douleur et de colère. Il a pensé qu'elle allait le mettre à nu, divulguer ses secrets aux yeux du public, exposer notre existence ici.

Elle tendit le bras vers son verre. Sa main tremblait. À l'entendre, on aurait dit que son frère était mort depuis des années. Elle en parlait avec une hostilité perceptible, comme si une margelle de reproche et de chagrin entourait le puits de son amour pour lui.

– Cary et moi n'avions plus personne quand Beryl est arrivée, poursuivit-elle. Nos parents étaient morts. Nous étions seuls. Cary était quelqu'un de difficile. Un démon qui écrivait comme un ange. Il avait besoin de quelqu'un qui s'occupe de lui. Je voulais l'aider à laisser sa marque en ce monde.

– De tels sacrifices provoquent souvent le ressentiment, hasardai-je.

Silence. Les flammes dansaient sur son visage finement ciselé.

– Comment avez-vous rencontré Beryl ?

– C'est elle qui nous a trouvés. Elle vivait à Fresno avec son père et sa nouvelle femme, répondit miss Harper sans quitter le feu du regard. Elle écrivait beaucoup, elle était obsédée par l'écriture. Un jour, l'éditeur de Cary lui a transmis une lettre de Beryl, accompagnée d'une nouvelle manuscrite. Je m'en souviens très bien. Elle avait un talent indéniable, qu'il convenait de cultiver et d'orienter. C'est ainsi qu'ils ont entamé une correspondance, et quelques mois plus tard, Cary lui a envoyé un billet d'avion en l'invitant à venir nous voir. Peu après, il a acheté cette maison et commencé à la restaurer. Il l'a fait pour elle. Une adorable jeune fille avait allumé une étincelle de magie dans son monde.

– Et vous ? fis-je.

Elle ne répondit pas tout de suite.

Une bûche bascula dans la cheminée, projetant une gerbe d'étincelles.

– Ça n'a pas été simple, Dr Scarpetta, dit-elle enfin. J'ai observé ce qui se passait entre eux.

– Entre votre frère et Beryl.

– Je ne voulais pas l'emprisonner comme il le faisait. Cary n'avait qu'un but : s'attacher Beryl et la garder pour lui seul. C'est comme ça qu'il a fini par la perdre.

– Vous aimiez beaucoup Beryl, remarquai-je.

– C'est impossible à expliquer, dit-elle d'une voix brisée. C'était une situation difficile.

Je fis une nouvelle tentative.

– Votre frère vous interdisait tout contact avec elle.

– Surtout les derniers mois, à cause de son livre. Cary l'avait désavouée, reniée. Il ne voulait plus entendre prononcer son nom à la maison. Il m'avait interdit tout contact avec elle.

– Pourtant vous en aviez.

– Très peu, fit-elle avec difficulté.

– Ça a dû être pénible pour vous, d'être coupée d'une personne qui vous était si chère.

Elle détourna le regard et le reporta une nouvelle fois sur les bûches.

– Miss Harper, comment avez-vous appris la mort de Beryl ?

Elle ne répondit pas.

– Quelqu'un vous a téléphoné ?

– Je l'ai entendu à la radio, le lendemain matin, marmonna-t-elle.

Mon Dieu, songeai-je. Quelle horreur !

Elle ne dit rien de plus. Ses blessures étaient trop loin de moi pour que, malgré mon désir de la réconforter, je puisse quoi que ce soit. Le silence se prolongea pendant un temps qui me parut très long, et lorsque je me décidai à jeter un coup d'œil à ma montre, je m'aperçus qu'il était près de minuit.

La maison était silencieuse. Bien trop silencieuse, réalisai-je avec un sursaut.

Comparé à la chaleur de la bibliothèque, le hall d'entrée était aussi glacial qu'une cathédrale. J'ouvris la porte de derrière et laissai échapper un hoquet de surprise. Sous le rideau de flocons tournoyants, l'allée de gravier luisait comme un drap d'un blanc immaculé, sur lequel ne se distinguaient presque plus les traces de pneus qu'avaient laissées ces abrutis de flics en partant. La dépanneuse avait emporté depuis longtemps ma voiture, et ils m'avaient tout simplement oubliée. Merde ! Merde ! Merde !

Quand je revins dans la bibliothèque, miss Harper était en train de placer une nouvelle bûche dans la cheminée.

– J'ai l'impression qu'ils sont partis sans moi, fis-je sans pouvoir dissimuler mon inquiétude. Puis-je utiliser votre téléphone ?

– Je crains que ce ne soit pas possible, répondit-elle d'une voix dépourvue d'émotion. Le téléphone a été coupé peu après que le policier est reparti. Ça arrive souvent quand il y a du mauvais temps.

Je la regardai remuer les bûches avec le tisonnier. Des rubans de fumée striés d'étincelles montaient dans le conduit.

À propos... J'avais oublié.

– Votre amie... fis-je.

Elle continua de tisonner le feu.

– La police m'a dit qu'une de vos amies allait venir passer la nuit pour vous tenir compagnie...

Miss Harper se leva lentement et se retourna, le visage rougi par la chaleur des flammes.

– Oui, Dr Scarpetta, dit-elle. C'est si gentil à vous d'être venue.

8

Miss Harper nous apporta une nouvelle carafe de vin alors que la grande horloge du couloir égrenait ses douze coups.

– L'horloge, m'expliqua-t-elle. Elle a toujours retardé de dix minutes.

Le téléphone de la résidence était bien coupé. J'avais vérifié. Si j'avais voulu regagner la ville à pied, j'aurais dû marcher plusieurs kilomètres dans une couche de neige qui atteignait déjà une dizaine de centimètres d'épaisseur. J'étais coincée à Cutler Grove.

Son frère était mort. Beryl était morte. Miss Harper était la seule survivante du trio. J'espérais que c'était un simple hasard. J'allumai une cigarette et bus une gorgée de vin.

Miss Harper n'avait pas la force physique requise pour avoir tué son frère et Beryl. Et si le tueur en avait aussi après miss Harper ? S'il revenait cette nuit ?

Mon .38 était chez moi.

La police surveillait le secteur.

Avec quoi ? Des chenillettes à neige ?

Je m'aperçus que miss Harper me parlait.

– Excusez-moi, dis-je avec un sourire contraint.

– Vous avez l'air d'avoir froid, répéta-t-elle.

Le visage calme, elle reprit place sur son fauteuil et tourna à nouveau le regard vers la cheminée. Les hautes flammes faisaient un bruit d'étendard claquant au vent, et de temps à autre un courant d'air faisait voltiger les cendres dans l'âtre. Miss Harper paraissait rassurée par ma présence. À sa place, je n'aurais guère aimé me retrouver seule.

– Ça va très bien, mentis-je.

J'étais glacée.

– Je peux vous prêter un pull-over.

– Ne vous dérangez pas. Ça va très bien, je vous assure.

– Cette maison est impossible à chauffer, poursuivit-elle. Les plafonds sont trop hauts, et puis il n'y a pas d'isolation. Mais on s'habitue.

Je pensai à ma maison de Richmond, dotée d'un chauffage central et de tout le confort. Je songeai à mon grand lit, avec son matelas ferme et sa couverture chauffante. Je pensai à ma réserve de cigarettes dans le placard près du réfrigérateur et au bon scotch que j'avais dans mon bar. Je pensai aux chambres de Cutler Grove, au-dessus de nous, pleines de recoins obscurs, balayées par les courants d'air.

– Je dormirai ici sur le sofa. Je serai très bien, dis-je.

– Pensez-vous. Le feu s'éteindra vite.

Elle tripotait un bouton de son pull-over, les yeux toujours fixés sur le feu.

– Miss Harper, tentai-je une dernière fois. Avez-vous une idée de qui a pu faire ça à votre frère et à Beryl ? Voyez-vous une raison quelconque ?

– Vous pensez que c'est le même assassin, dit-elle.

C'était une constatation, non une question.

– C'est possible, dis-je.

– J'aimerais pouvoir vous aider, reprit-elle. Mais peut-être que ça n'a plus d'importance. Quel que soit le coupable, ce qui est fait est fait.

– Vous ne voudriez pas le voir châtié ?

– Il y a eu assez de châtiment. Ça ne défera pas ce qui a été fait.

– Vous ne pensez pas que Beryl préférerait qu'il soit arrêté ?

Elle tourna la tête vers moi.

– J'aimerais tant que vous l'ayez connue, dit-elle.

– Je pense la connaître à présent, dis-je avec sympathie. Dans un certain sens, je la connais.

– Je ne peux pas expliquer ce que...

– C'est inutile, miss Harper.

– Ç'aurait été tellement agréable...

L'espace d'un instant, je vis le chagrin assombrir son visage, mais elle se ressaisit aussitôt. Il était inutile qu'elle termine sa phrase. Ç'aurait été tellement agréable maintenant que personne ne pouvait plus séparer Beryl et miss Harper. Des compagnes. Des amies. La vie est si vide quand vous êtes seule, sans personne à aimer.

– Je suis navrée, dis-je avec sincérité. Je suis tellement navrée, miss Harper.

– Nous ne sommes qu'en novembre, fit-elle en détournant le regard. Il ne neige pas si tôt d'habitude. La neige fondra vite, Dr Scarpetta. Vous pourrez repartir avant midi. Demain ceux qui vous ont oubliée se souviendront de vous. Ça a été si gentil de votre part de rester avec moi.

Ma présence ne semblait pas l'étonner, comme si elle l'avait prévue. J'eus l'impression bizarre qu'elle avait tout arrangé. C'était impossible, bien sûr.

– Puis-je vous demander quelque chose ? fit-elle.

– Oui, miss Harper ?

– Revenez au printemps. Revenez en avril, dit-elle aux flammes qui dansaient.

– Avec plaisir, dis-je.

– Les myosotis seront en fleur. La pelouse en est toute bleue. C'est la saison que je préfère. Beryl et moi les cueillions. Avez-vous examiné un myosotis de près ? Ou êtes-vous comme la plupart des gens, qui n'y prêtent aucune attention sous prétexte qu'ils sont minuscules ? Ils sont si beaux vus de près ! C'est la perfection même, on dirait qu'ils sont en porcelaine, peints de la main même de Dieu. Nous nous en mettions dans les cheveux, Beryl et moi, nous en disposions des bouquets dans la maison. Promettez-moi de revenir en avril. C'est promis, n'est-ce pas ?

Elle tourna vers moi un regard débordant à ce point d'émotion qu'il en était presque douloureux.

– Oui, oui. Je vous le promets, répondis-je avec chaleur.

– Que voulez-vous manger pour votre petit déjeuner ? demanda-t-elle en se levant.

– La même chose que vous.

– Vous trouverez tout ce qu'il faut dans le réfrigérateur, annonça-t-elle bizarrement. Prenez votre verre, je vais vous conduire à votre chambre.

Sa main frôlant la rampe, elle me précéda dans le magnifique escalier menant à l'étage. Il n'y avait pas de plafonnier, le seul éclairage provenait de lampes postées de loin en loin. L'air aux relents de moisi était aussi froid que dans une cave.

– Si vous avez besoin de quelque chose, je dors un peu plus loin dans le couloir. C'est la troisième porte, fit-elle en m'invitant à entrer dans une petite chambre.

Les meubles étaient en acajou, avec des marqueteries de bois exotiques. Des tableaux représentant des bouquets et une vue de la James River ornaient les murs tapissés de bleu pâle. Sur le lit à baldaquin, le drap était rabattu sur une épaisse couverture piquée. J'aperçus, par une embrasure, la salle de bains carrelée. L'air sentait la poussière et le renfermé, comme si l'on n'ouvrait jamais les fenêtres. À l'évidence, personne n'avait couché ici depuis de nombreuses années. Les souvenirs étaient les seuls à y dormir.

– Vous trouverez une chemise de nuit en flanelle dans le tiroir du haut de la commode. Il y a des serviettes propres dans la salle de bains, dit miss Harper. Bon, eh bien... s'il ne vous manque rien...

– C'est parfait, je vous remercie, l'assurai-je avec un sourire. Bonne nuit.

Je fermai la porte et tournai le fragile verrou. Le tiroir de la commode ne renfermait que la chemise de nuit, sous laquelle était glissé un sachet de parfum dont l'odeur était depuis longtemps éventée. Les autres tiroirs étaient vides. Dans la salle de bains, je trouvai une brosse à dents enveloppée de sa cellophane, un petit tube de dentifrice, un savon à la lavande tout neuf et, comme l'avait précisé miss Harper, quantité de serviettes propres. Le lavabo était sec comme de la craie, et lorsque je tournai les robinets dorés, il en sortit une eau couleur rouille. Ce n'est qu'au bout d'un long moment qu'elle s'éclaircit et se réchauffa suffisamment pour que j'ose m'en humecter le visage.

La chemise de nuit, antique mais propre, était du bleu délavé des myosotis. Je me glissai sous le drap et, avant d'éteindre, remontai jusqu'à mon menton la grosse couverture à l'odeur de moisi. En bougeant la tête pour trouver ma position sur l'oreiller moelleux, je sentis le léger grattement des plumes d'oie. Au bout d'un moment, incapable de trouver le sommeil, le nez glacé, je m'assis dans l'obscurité de cette chambre dont j'étais sûre qu'elle avait été celle de Beryl, et terminai mon verre de vin. Il régnait un tel silence dans la maison que je crus discerner le bruit de la neige qui tombait dehors, étouffant tout autre son.

Je n'eus pas conscience de m'assoupir, mais lorsque je rouvris soudain les yeux, le cœur battant, je fus incapable de remuer. Je ne me souvenais plus de mon cauchemar. Tout d'abord, je ne compris pas où j'étais, et je ne sus si le bruit que j'avais entendu était réel ou non. Le robinet de la salle de bains, mal refermé, gouttait dans le lavabo. Et à nouveau, derrière la porte de la chambre, des lattes de parquet craquèrent.

Mon esprit affolé passa en revue toutes les possibilités. La baisse de température faisait craquer le bois. Des souris. Quelqu'un marchait lentement dans le couloir. Je dressai l'oreille, retenant mon souffle, tandis que des pieds chaussés de pantoufles passaient devant ma porte et s'éloignaient. Miss Harper, conclus-je. Elle avait dû vouloir descendre. Je me retournai dans mon lit pendant ce qui me parut une heure, puis finis par rallumer et sortir du lit. Il était 3 h 30, et je compris que je ne me rendormirai pas. Frissonnant dans ma chemise de nuit, je passai mon manteau, déverrouillai la porte et me fondis dans l'obscurité d'encre du couloir jusqu'à ce que j'aperçoive la forme vague de la rampe de l'escalier.

La clarté lunaire éclairait faiblement le hall d'entrée glacial grâce aux petits carreaux vitrés encadrant la porte d'entrée. La neige avait cessé de tomber, les étoiles scintillaient, arbres et buissons disparaissaient presque sous une couche de neige gelée. Je me glissai dans la bibliothèque où le feu de bois pétillait joyeusement.

Miss Harper était assise sur le sofa, un châle sur les épaules. Elle regardait les flammes, les joues humides de larmes qu'elle n'avait pas essuyées. Pour ne pas l'effrayer, je m'éclaircis la gorge avant de prononcer son nom.

Elle ne bougea pas.

– Miss Harper ? répétai-je un peu plus fort. Je vous ai entendue descendre...

Elle était appuyée contre le dossier incurvé du sofa, les yeux fixant le feu d'un regard vide. Sa tête bascula mollement lorsque je me laissai tomber à ses côtés avant de poser mes doigts sur son cou. Elle était brûlante, mais je ne sentis aucune pulsation dans ses veines. Je la tirai sur le tapis et, tour à tour lui appliquant le bouche-à-bouche et lui pressant le sternum de mes deux mains, m'efforçai désespérément de la ramener à la vie. Je ne sais combien de temps cela dura. Lorsque je décidai d'abandonner, mes lèvres étaient ankylosées, les muscles de mon dos et de mes bras tremblaient. J'étais tout entière secouée de frissons.

Le téléphone n'était toujours pas rétabli. Je ne pouvais prévenir personne. Je ne pouvais rien faire. J'allai à la fenêtre, écartai les rideaux et, la vue brouillée par les larmes, contemplai l'étendue immaculée scintillant sous la lune. Au loin se déroulait le ruban sombre de la rivière, au-delà de laquelle la vue se perdait. Je retournai auprès de miss Harper, parvins à la remettre sur le sofa, puis la couvris de son châle pendant que le feu s'éteignait et que la jeune fille du portrait se fondait dans l'ombre. La mort de Sterling Harper me laissait abasourdie. Assise sur le tapis au pied du sofa, je regardai s'éteindre le feu. Je n'étais pas non plus parvenue à le ranimer. À vrai dire, je n'avais même pas essayé.

Je n'avais pas pleuré à la mort de mon père. Il était malade depuis tant d'années que j'avais appris très tôt à faire taire mes émotions. Il était resté cloué au lit pendant le plus clair de mon enfance. Lorsqu'il avait fini par mourir, un soir, à la maison, le terrible chagrin de ma mère m'avait fait me réfugier dans un détachement encore plus grand, qui m'avait permis de supporter avec un masque de stoïcisme le naufrage de ma famille.

C'est avec une apparente indifférence que j'avais vu éclater le violent conflit qui déchira ma mère et ma sœur cadette, Dorothy, laquelle faisait preuve depuis le jour de sa naissance d'un égoïsme et d'une irresponsabilité proprement stupéfiants. Je pris l'habitude de fuir les combats acharnés qui se déroulaient sous notre toit, tout en luttant intérieurement pour ma propre sauvegarde. Désertant la guerre civile qui faisait rage au sein de la famille, je passai après la classe de plus en plus de temps en étude, sous la surveillance des religieuses ou seule à la bibliothèque, où je pris peu à peu conscience de la précocité de mon esprit et des avantages que je pouvais en tirer. J'étais excellente dans les matières scientifiques et me passionnais pour la biologie humaine. Dès l'âge de 15 ans, je potassais *l'Anatomie* de Gray, qui devint bientôt la clé de voûte de mon éducation autodidacte. Je décidai de quitter Miami pour étudier à l'université. À une époque où les femmes n'étaient encore que professeurs, secrétaires ou ménagères, j'avais décidé de devenir médecin.

Pendant mes études secondaires, je n'obtins que des A, jouai au tennis et passai mes vacances à dévorer des livres pendant que ma famille continuait à se déchirer. J'avais peu d'amis et ne sortais pas avec les garçons. Je terminai parmi les premiers de ma classe, obtins une bourse pour m'inscrire à Cornell, passai un diplôme de médecine à John Hopkins, puis suivis des cours de droit à Georgetown. Je n'avais qu'une vague conscience de la signification de ce que j'étais en train de faire. La carrière que j'avais embrassée me ferait revenir jour après jour sur la scène du crime constituée par la mort de mon père. Je me consacrerais désormais à disséquer la mort et à la reconstituer. À maîtriser ses codes et à les exposer devant les tribunaux. À en comprendre tous les mécanismes, tous les rouages. Pourtant, rien de tout ceci ne me ramènerait mon père, et la petite fille en moi ne cesserait jamais de le pleurer.

Devant les braises rougeoyantes, je m'endormis d'un mauvais sommeil.

Plusieurs heures plus tard, les détails de ma prison se matérialisèrent à nouveau dans la froide lumière bleutée de l'aube. La douleur vrilla mes reins et mes jambes lorsque je me levai pour aller à la fenêtre. Le soleil luisait comme un œuf au-dessus du fleuve couleur d'ardoise, les troncs des arbres se détachaient en noir sur un paysage de neige. Les cendres avaient refroidi dans la cheminée, et deux questions ne cessaient de harceler mon esprit enfiévré. Miss Harper serait-elle morte si je n'avais pas été là ? (Car il était plus rassurant pour elle de mourir alors que j'étais présente.) Pourquoi était-elle allée dans la bibliothèque ? Je l'imaginai descendant l'escalier, tisonnant le feu, s'asseyant sur le sofa. Elle s'était perdue dans la contemplation des flammes, et son cœur s'était brusquement arrêté. À moins que ce n'ait été le portrait qu'elle regardait à la fin ?

J'allumai toutes les lampes, approchai une chaise de la cheminée, m'y hissai et décrochai le lourd tableau. Vu de près, le portrait perdait de son étrange pouvoir de fascination car le dessin se dissolvait en une juxtaposition de teintes mêlées, de grossières marques de pinceau. Un petit nuage de poussière s'en échappa lorsque je descendis de mon perchoir pour étendre le tableau à terre. Il ne comportait ni date ni signature, et se révélait moins ancien que je n'avais cru. Les couleurs en avaient été délibérément estompées afin de donner une impression d'ancien, et la peinture ne présentait pas la moindre craquelure.

Le retournant face contre terre, j'en examinai le dos, tendu de papier brun. Au centre je découvris un sceau doré gravé au nom d'une boutique d'encadrement de Williamsburg. Je notai mentalement l'adresse, puis regrimpai sur la chaise et remis le tableau en place. Ensuite, accroupie devant l'âtre, je remuai délicatement les débris à l'aide d'un crayon que j'avais sorti de ma serviette. Les morceaux de bois calciné étaient recouverts d'une pellicule de cendre blanche, qui s'envolait comme une toile d'araignée au moindre contact. Sous cette pellicule je remarquai un morceau de ce qui ressemblait à du plastique fondu.

– C'est pas pour vous offenser, doc, fit Marino en passant la marche arrière, mais vous avez une drôle de sale mine.

– Merci bien, marmonnai-je.

– Ne le prenez pas mal. Je suppose que vous avez pas beaucoup dormi.

En constatant ce matin-là que je n'étais pas présente pour l'autopsie de Cary Harper, Marino avait sauté sur un téléphone et appelé la police de Williamsburg. À la suite de quoi deux agents confus s'étaient présentés à la résidence en milieu de matinée, les chaînes cliquetantes de leurs pneus traçant des ornières dans la neige lisse. Après m'avoir interrogée sur la mort de Sterling Harper, son corps fut hissé dans une ambulance qui partit à Richmond, tandis que les agents me déposaient au poste de police de Williamsburg, où l'on me gava de café et de beignets en attendant l'arrivée de Marino.

– Je s' rais jamais resté toute une nuit dans cette baraque, reprit celui-ci. Même s'il avait gelé à pierre fendre, j'aurais pas voulu passer une nuit avec un macchabée.

– Savez-vous où se trouve Princess Street ? l'interrompis-je.

– Pourquoi vous voulez aller à Princess Street ? fit-il en tournant vers moi ses yeux masqués par les verres réfléchissants.

La neige flamboyait sous le soleil, mais les rues tournaient vite à la gadoue.

– Je dois me rendre au 507 Princess Street, rétorquai-je d'un ton qui ne laissait aucun doute sur mon intention de m'y faire conduire.

L'adresse correspondait à une boutique située à la limite du centre historique, parmi les commerces de Merchant's Square. Le parking proche ne contenait pas plus d'une douzaine de voitures aux toits couverts de neige. Je constatai avec soulagement que The Village Frame Shoppe & Gallery était ouvert.

Marino me regarda descendre de voiture sans mot dire. Il avait probablement senti que je n'étais pas d'humeur à répondre à ses questions. Il n'y avait qu'un client dans la boutique, un jeune homme en manteau noir qui examinait des gravures pendant que derrière le comptoir une femme aux longs cheveux blonds pianotait sur les touches d'une calculatrice.

– Puis-je vous être utile ? s'enquit-elle en me gratifiant d'un regard inexpressif.

– Ça dépend du temps depuis lequel vous travaillez ici, répondis-je.

La façon dont elle me dévisagea me confirma que je devais avoir une sale tête. J'avais dormi dans mon manteau. Mes cheveux étaient un désastre. Rabattant d'un air gêné un épi que je venais d'apercevoir du coin de l'œil, je m'aperçus de surcroît que j'avais perdu une boucle d'oreille. Je déclinai mon identité et lui présentai le mince portefeuille noir contenant ma plaque en cuivre de médecin expert.

– Je travaille ici depuis deux ans, m'informa-t-elle.

– Je m'intéresse à un tableau qui a été encadré ici, sans doute avant votre arrivée, dis-je. Un portrait que Cary Harper vous aurait confié.

– Mon Dieu, oui. J'ai entendu ça ce matin à la radio. Ce qui lui est arrivé. C'est terrible. Il vaudrait mieux que vous parliez à Mr Higelman.

Sur ce elle se leva et passa dans l'arrière-boutique.

Mr Higelman était un monsieur distingué vêtu de tweed et doté d'une solide assurance.

– Cary Harper n'est pas venu chez nous depuis des années, et personne d'entre nous, autant que je sache, ne comptait parmi ses amis.

– Mr Higelman, dis-je, il y a dans la bibliothèque de Cary Harper, au-dessus de la cheminée, le portrait d'une jeune fille. Ce tableau a été encadré chez vous, il y a sans doute des années. Vous en souvenez-vous ?

Cette description n'alluma pas le moindre indice de reconnaissance dans les yeux gris qui me considéraient par-dessus les lunettes à double foyer.

– On dirait un tableau ancien, expliquai-je. C'est une bonne imitation, en tout cas, mais le traitement du sujet est inhabituel. La fillette a une dizaine d'années, douze au maximum, mais elle est vêtue de blanc, comme une jeune fille, et se tient assise sur un banc, avec une brosse à cheveux en argent à la main.

Je me serais battue pour avoir omis de prendre un Polaroïd du tableau. J'avais pourtant mon appareil dans ma serviette, mais l'idée de m'en servir ne m'était même pas venue à l'esprit, trop bouleversée que j'étais à ce moment-là.

– Hum... fit Mr Higelman avec une lueur dans le regard. Je crois me souvenir de ce tableau. Une très jolie fillette, mais traitée d'une manière étrange. Oui. De manière assez suggestive, si je me souviens bien.

Je ne le pressai pas.

– Ça doit remonter à une quinzaine d'années au moins... Voyons. (Il se toucha la lèvre du bout de l'index.) Non, fit-il en secouant la tête. Ce n'est pas moi.

– Ce n'est pas vous ? fis-je. Comment ça ce n'est pas vous ?

– Ce n'est pas moi qui l'ai encadré. C'est certainement Clara. Une de mes assistantes à l'époque. Je crois me sou venir – je suis même sûr que c'est elle qui l'a encadré. Un travail très coûteux pour un tableau qui, si vous voulez mon avis, ne le méritait pas. La facture en était médiocre. À vrai dire, ajouta-t-il en fronçant les sourcils, c'était un des moins bons tableaux qu'elles ait faits.

– Comment ? Vous voulez parler de Clara ?

– Non, de Sterling Harper, dit-il en me regardant d'un air étonné. C'est elle qui l'a peint. Elle peignait beaucoup à l'époque. Ils avaient même un atelier dans la maison, d'après ce que je sais. Je ne suis jamais allé chez eux, bien sûr, mais elle nous apportait souvent ses travaux, surtout des natures mortes et des paysages. Le tableau dont vous parlez est à ma connaissance le seul portrait qu'elle ait réalisé.

– Quand l'a-t-elle peint ?

– Comme je vous l'ai dit, il y a au moins quinze ans.

– A-t-elle fait poser un modèle ?

– Je dirais plutôt qu'elle s'est servie d'une photographie... répondit-il avant de froncer les sourcils. À vrai dire, je ne saurais vous répondre. Et si elle a pris un modèle, j'ignore qui c'était.

Je tus ma surprise. À cette époque, Beryl avait 16 ou 17 ans, et elle vivait à Cutler Grove. Était-il possible que Mr Higelman, que les gens du coin l'aient ignoré ?

– C'est bien triste, commenta-t-il d'un air songeur. Que des gens si doués, si intelligents n'aient pas fondé une famille.

– Ils avaient sans doute des amis ? dis-je.

– Je ne sais pas. Je ne les connais pas assez pour le savoir.

Et vous n'aurez plus l'occasion de les connaître, pensai-je avec tristesse.

Marino passait une peau de chamois sur son pare-brise lorsque je regagnai le parking. La neige fondue et le sel répandu par les services de l'équipement avaient taché sa belle voiture noire. Marino n'avait pas l'air d'apprécier. Il avait sans plus de façons vidé son cendrier par terre, à la hauteur de la portière avant. Un tas de mégots en témoignait.

– Deux choses, annonçai-je alors que nous bouclions nos ceintures. J'ai vu dans la bibliothèque de Cutler Grove le portrait d'une jeune fille blonde que miss Harper a sans doute fait encadrer dans cette boutique il y a une quinzaine d'années.

– Beryl Madison ? fit-il en sortant son briquet.

– C'est fort possible, répliquai-je. Mais dans ce cas, elle est représentée beaucoup plus jeune qu'elle n'était à l'époque où les Harper l'ont connue. Et son portrait a été traité d'une manière assez particulière. Genre Lolita...

– Hé ?

– Sexy, fis-je. Une petite fille à qui on a donné une allure sensuelle.

– Je vois. Vous voulez dire que Cary Harper était pédophile.

– Pas si vite. D'abord c'est sa sœur qui a peint le tableau.

– Merde.

– Ensuite, j'ai eu la nette impression que le propriétaire de cette boutique ignorait que Beryl vivait chez les Harper. Je me demande donc si les autres habitants de la ville le savaient. Dans le cas contraire, je trouverais ça très étonnant. Elle a vécu *plusieurs années* dans cette maison, Marino. À quelques kilomètres de cette ville. Et c'est une petite ville.

Il continua à conduire en regardant droit devant lui, sans dire un mot.

– Bon, me décidai-je au bout d'un moment, inutile de se lancer dans des spéculations oiseuses. Ils vivaient renfermés sur eux-mêmes. Peut-être que Cary Harper voulait cacher Beryl au reste du monde. Mais dans tous les cas, la situation ne me paraît pas très saine. Ce qui ne veut pas dire que ça explique leurs morts.

– Nom de Dieu ! lâcha-t-il. Que ça soit pas très sain, c'est le moins qu'on puisse dire. Renfermés ou pas, c'est dingue que personne ait su qu'elle vivait chez eux. À moins qu'ils l'aient séquestrée dans un placard ou attachée à un pied de lit. Foutus pervers. Je hais les pervers, vous savez. Je hais les gens qui brutalisent les gosses ! (Il me jeta un coup d'œil.) Je les déteste vraiment. Et j'ai de nouveau cette sale impression.

– Quelle impression ?

– Que ce Mr Prix Pulitzer couchait avec Beryl, fit Marino. Quand il a su qu'elle allait cracher le morceau dans son livre, il a flippé. Il est allé chez elle avec un couteau.

– Mais alors qui a tué Harper ?

– Sa toquée de sœur, peut-être bien.

Celui ou celle qui avait tué Cary Harper était doué d'une telle force qu'il l'avait assommé dès les premiers coups. De plus, égorger sa victime n'était pas l'acte d'une femme. Je n'avais jamais entendu parler d'une meurtrière ayant fait ça.

– Est-ce que la vieille Harper vous a paru sénile ? me demanda Marino après un long silence.

– Excentrique, oui, mais pas sénile.

– Cinglée ?

– Non.

– Vu ce que vous dites, il me semble que sa réaction devant la mort de son frangin était pas vraiment normale.

– Elle était sous le choc, Marino. Les gens en état de choc ne réagissent jamais normalement.

– Vous pensez qu'elle s'est suicidée ?

– C'est très possible.

– Vous avez trouvé des cachets ?

– Des médicaments courants, mais aucun de dangereux, dis-je.

– Elle était pas blessée ?

– D'après ce que j'ai vu, non.

– Bref, vous savez pas de quoi elle est morte ? fit-il en se tournant vers moi.

– Non, répondis-je. Pour le moment, je n'en ai pas la moindre idée.

– Je suppose que vous retournez à Cutler Grove ? dis-je à Marino lorsqu'il me déposa au BCME.

– Même que ça me réjouit d'avance, marmonna-t-il. Rentrez chez vous dormir un peu.

– N'oubliez pas la machine à écrire de Cary Harper.

Marino fouilla ses poches en quête de son briquet.

– Notez la marque et le modèle, lui rappelai-je. Et rapportez un ruban usagé.

Il alluma sa cigarette.

– Ramassez aussi le papier machine que vous trouverez. Et puis j'aimerais autant que vous récoltiez vous-même les cendres de la cheminée. Ça sera très difficile de les garder intactes.

– Sans vouloir vous vexer, doc, vous commencez à me rappeler ma mère.

– Marino, fis-je d'un air sévère, je parle sérieusement.

– Ouais, je vois bien qu' vous êtes sérieuse. Mais je vois surtout que vous avez sérieusement besoin de repos.

Marino était lui aussi sur les nerfs, et il manquait tout autant de sommeil que moi.

La porte vitrée était fermée, le sol du parking désert constellé de taches d'huile. À l'intérieur de la morgue, je remarquai le ronronnement soporifique des générateurs de froid et d'électricité, que je n'entendais pas lorsque le bâtiment bruissait d'activité. Quand j'ouvris la porte métallique de la chambre réfrigérée, l'odeur me parut particulièrement nauséabonde.

Les deux corps étaient allongés sur des chariots poussés contre la cloison de gauche. Peut-être fut-ce un effet de la fatigue, mais lorsque je repliai le drap qui couvrait le corps de Sterling Harper, mes genoux se dérobèrent et je lâchai ma serviette. Je me souvins de la noble finesse de son visage, de la terreur qu'avaient exprimée ses yeux lorsqu'elle avait ouvert la porte de la résidence et m'avait vue en train d'examiner le cadavre de son frère, mes gants maculés de son sang. Le frère et la sœur étaient donc bien là, leur arrivée avait été enregistrée. C'était tout ce dont je voulais m'assurer. Je rabattis doucement le drap sur le visage de Sterling Harper, à présent aussi vide d'expression qu'un masque de caoutchouc. Autour de moi, des pieds nus étiquetés dépassaient des draps.

Quand j'étais entrée dans la chambre réfrigérée, je n'avais guère prêté attention à l'emballage jaune de pellicule photo posé sur le plateau inférieur du chariot de Sterling Harper. Ce n'est que lorsque je me baissai pour ramasser ma serviette que mon regard tomba une nouvelle fois dessus et que je l'examinai de plus près. J'en compris aussitôt la signification. Du 35 mm Kodak en 24 poses. Les pellicules que l'État nous fournissait étaient du Fuji, et nous les demandions toujours en 36 poses. Les ambulanciers qui avaient apporté le corps de miss Harper étaient repartis depuis plusieurs heures, et ils n'avaient certainement pas pris de photos.

Je ressortis dans le hall d'entrée et remarquai que l'indicateur lumineux au-dessus de l'ascenseur était arrêté sur le 2e étage. Il y avait quelqu'un dans le bâtiment ! Je songeai d'abord au gardien qui faisait sa ronde, mais en repensant à la boîte de pellicule vide, mes cheveux se dressèrent sur ma tête. Serrant la main sur la poignée de ma serviette, je m'élançai dans l'escalier. J'ouvris sans bruit la porte du palier du deuxième étage et dressai l'oreille avant de pénétrer dans le couloir. Les bureaux de l'aile est étaient vides, tout était éteint. Je pris à droite, par le couloir principal, dépassai la salle de cours, la bibliothèque, le bureau de Fielding. Je ne vis ni n'entendis personne. Pour en avoir le cœur net, je décidai, en entrant dans mon bureau, d'appeler la sécurité.

Lorsque je le vis, j'en eus le souffle coupé. Pendant plusieurs secondes horribles, mon esprit refusa de fonctionner. Il était en train de fouiller sans bruit dans un classeur à dossiers. Le col de son blouson bleu marine était remonté, des lunettes noires d'aviateur lui cachaient les yeux et il avait les mains protégées par des gants chirurgicaux. J'aperçus sur son épaule le cordon en cuir d'un appareil photo. Il dégageait la puissance d'un bloc de marbre, et il me fut impossible de battre en retraite assez vite. Les mains gantées se figèrent.

Lorsqu'il bondit sur moi, je lui balançai ma serviette entre les jambes avec une telle violence que ses lunettes tombèrent. Emporté par son élan, il se plia en deux de douleur. Profitant de son déséquilibre, je lui expédiai un coup de pied dans les chevilles. Il tomba par terre, ses côtes s'écrasant sur l'objectif de l'appareil photo. On trouvait mieux en fait de coussin.

Mes instruments médicaux voltigèrent de tous côtés tandis que je cherchais frénétiquement la bombe que je transporte toujours avec moi. Il beugla de douleur lorsque le jet de gaz lui inonda le visage. Il porta les mains à ses yeux, gigotant comme un porc en poussant des hurlements tandis que je me précipitais sur le téléphone pour appeler à l'aide. Pour faire bonne mesure, je l'aspergeai une nouvelle fois juste au moment où le gardien arrivait. Ensuite les flics se présentèrent. Hystérique, mon cambrioleur suppliait qu'on l'emmène à l'hôpital tandis qu'un agent lui tordait brutalement les bras dans le dos, lui passait les menottes et le fouillait.

D'après son permis de conduire, l'homme se nommait Jeb Price. Il avait 34 ans et habitait Washington. Il portait sur les reins, passé dans la ceinture de son pantalon de velours, un Smith & Wesson 9 mm automatique avec quatorze balles dans le chargeur et une dans la chambre.

Je ne me souvenais pas être allée dans la loge du gardien pour y prendre les clés de l'autre voiture du BCME. J'avais pourtant dû le faire, car lorsque je repris mes esprits j'étais en train d'engager le break bleu marine dans mon allée alors que la nuit commençait à tomber. La voiture, qu'on utilisait d'habitude pour transporter des cadavres, était d'une longueur plus grande que la normale, la vitre arrière voilée d'un écran, le sol du coffre protégé par un contreplaqué amovible qu'on nettoyait à grande eau plusieurs fois par semaine. Le véhicule était un croisement de famliale et de corbillard, un vrai cauchemar pour les créneaux.

Tel un zombi, je montai directement dans ma chambre, sans écouter ni débrancher mon répondeur. Mon épaule et mon coude droits ainsi que les petits os de ma main étaient endoloris. Je me déshabillai, pris un bain brûlant, me mis au lit et sombrai aussitôt dans un profond sommeil. Si profond que c'était comme mourir. L'obscurité dans laquelle je tombais était si épaisse que j'avais l'impression de la traverser à la nage avec un corps lourd comme du plomb. La sonnerie du téléphone fut interrompue par le déclenchement de mon répondeur.

– ... ne sais pas quand je pourrai te rappeler, alors écoute-moi bien. Je t'en supplie, Kay, écoute-moi. J'ai appris ce qui était arrivé à Cary Harper...

J'ouvris les yeux, le cœur battant. La voix angoissée de Mark acheva de me tirer de ma torpeur.

– ... Je t'en supplie ne te mêle pas de ça. Ne t'en occupe pas. Je t'en *supplie*. Je te rappelle dès que possible...

Quand je parvins à porter le combiné à mon oreille, je n'entendis plus que la tonalité. Je rembobinai le message pour le repasser et, effondrée dans mes oreillers, éclatai en sanglots.

9

Le lendemain matin, Marino arriva à la morgue alors que j'incisais la poitrine de Cary Harper.

Sans souffler mot, Marino me regarda soulever les côtes et retirer la masse de viscères de la cage thoracique. L'eau dégouttait dans les éviers métalliques, les instruments chirurgicaux s'entrechoquaient en cliquetant. De l'autre côté de la pièce, un assistant affûtait la lame d'un long couteau sur une pierre à aiguiser. Nous avions quatre cadavres à autopsier ce matin-là. Toutes les tables en acier inoxydable étaient occupées.

Voyant que Marino ne paraissait pas décidé à aborder le sujet, c'est moi qui le fis.

– Vous avez découvert quelque chose sur Jeb Price ?

– Son dossier nous a rien appris, répondit-il en détournant le regard. Pas d'antécédents, aucune inculpation, rien. Et il a pas l'air décidé à pousser la chansonnette. Dommage, parce qu'après ce que vous lui avez balancé dans les roustons, il aurait une jolie voix de soprano. J'suis passé à l'IJ avant de venir. Ils sont en train de développer les photos qu'on a trouvées dans son appareil. J'vous amènerai les tirages.

– Vous avez pu y jeter un coup d'œil ? demandai-je.

– Seulement aux négatifs.

– Et alors ?

– On voit les deux Harper dans le frigo.

Je m'y attendais.

– Il n'avait pourtant pas l'air d'un paparazzi, raillai-je.

– Pour sûr. Ça serait trop simple.

Je levai la tête. Marino n'était pas d'humeur joviale. Le teint encore plus chiffonné que d'habitude, il s'était entaillé la joue à deux endroits en se rasant et ses yeux étaient injectés de sang.

– Les scribouillards que je connais se trimbalent pas avec des 9 mm bourrés de Glaser, dit-il. Et dès qu'on les bouscule un peu, ils vous d'mandent de la monnaie pour appeler l'avocat du journal. Ce type cherchait pas le scoop, c'est un vrai dur. Il a dû crocheter une serrure pour entrer. Et il a choisi un lundi férié pour être sûr de ne pas être dérangé. On a retrouvé sa bagnole à trois blocs de là, sur le parking devant le *Farm Fresh*. Une voiture de location avec un téléphone portable. Il avait assez de munitions et de chargeurs dans le coffre pour arrêter une armée, plus un automatique Mac Ten et un gilet en Kevlar. Sûr que c'est pas un journaliste.

– Je ne suis pas sûre non plus que ce soit un pro, fis-je en changeant la lame de mon scalpel. Un pro n'aurait pas oublié une boîte de pellicule vide dans la chambre réfrigérée. Et s'il avait vraiment voulu mettre toutes les chances de son côté, il serait venu à 2 ou 3 heures du matin, pas en plein jour.

– Vous avez raison. La boîte de pelloche, c'était pas malin, concéda Marino. Mais moi je vois une bonne raison pour venir à cette heure-là. Imaginez que les pompes funèbres ou une de nos patrouilles apportent un cadavre pendant que Price est dans le frigo. Si c'est en plein jour, il peut toujours faire comme s'il bossait ici, qu'il a le droit d'y être. Alors que s'il se fait pincer à 2 heures du mat', il pourra pas donner une explication convaincante.

En tous les cas, Jeb Price ne plaisantait pas. Les balles Glaser étaient l'une des munitions les plus meurtrières en circulation, avec des cartouches bourrées de petits plombs qui se dispersent sous l'impact et déchiquettent la chair et les organes comme une tornade d'acier. Le Mac Ten est un des outils de travail préféré des terroristes et des barons de la drogue, un pistolet automatique qui pullule en Amérique centrale, au Moyen-Orient et dans ma ville natale de Miami.

– Il faudrait peut-être envisager de mettre une serrure sur le frigo, ajouta Marino.

– J'ai fait la demande, dis-je.

C'était une précaution que j'avais refusé de prendre pendant des années. Les pompes funèbres et les ambulanciers devaient pouvoir pénétrer dans la morgue à n'importe quelle heure. Installer une serrure signifiait confier de nouvelles clés aux gardiens, aux médecins experts locaux. Il y aurait des protestations. Des problèmes. Et j'en avais assez comme ça, des problèmes !

Marino examinait le corps de Cary Harper. Il ne fallait pas être expert en autopsie pour deviner la cause de la mort.

– Il a de multiples fractures du crâne et des lésions au cerveau, expliquai-je.

– On lui a tranché la gorge en dernier, comme pour Beryl ?

– Les veines jugulaires et les artères carotides sont sectionnées, et pourtant ses organes ne sont pas particulièrement pâles, répondis-je. Il se serait vidé de son sang en quelques minutes s'il lui était resté un minimum de pression sanguine. En d'autres termes, il n'est pas mort d'hémorragie. Il était mort ou en train de mourir de ses blessures à la tête quand on lui a tranché la gorge.

– Des blessures défensives ?

– Aucune. (Je posai le scalpel et écartai un à un les doigts raidis de Harper pour le lui faire constater.) Pas d'ongles cassés, aucune coupure ni contusion. Il n'a pas eu le temps de se protéger.

– Il s'est même pas rendu compte de ce qui lui arrivait, commenta Marino. Il arrive quand il fait déjà nuit. Le type le guette, sans doute dans les buissons. Harper arrête la Rolls, descend. Il est en train de verrouiller la portière quand le type arrive par-derrière et l'assomme...

– Sténose du LAD à 20 %, fis-je à haute voix en cherchant mon crayon.

– Harper s'écroule et le salopard continue à frapper, poursuivait Marino.

– Et de 30 % à sa coronaire droite. (Je notai mes observations sur un emballage de gants vide.) Pas de cicatrice visible d'infarctus. Muscle cardiaque en bon état, mais calcification de l'aorte et légère athérosclérose.

– Ensuite le type égorge Harper. Il voulait vraiment le tuer.

Je levai les yeux.

– Je ne suis pas tout à fait d'accord pour attribuer un raisonnement rationnel au tueur, observai-je. Regardez-le, Marino. (J'avais incisé et replié le cuir chevelu. Le crâne était comme la coquille brisée d'un œuf dur. Je montrai à Marino les multiples fractures.) Il a été frappé au moins sept fois de suite, avec une telle violence que chaque coup était mortel. Ensuite on lui a tranché la gorge. C'est plus, beaucoup plus qu'il n'en fallait. Comme pour Beryl.

– D'accord, c'était plus qu'il en fallait. Je le conteste pas, répliqua-t-il. Tout ce que je veux dire, c'est que l'assassin voulait être sûr que Harper et Beryl étaient morts. Quand vous coupez la tête de quelqu'un, c'est que vous voulez pas que la victime aille raconter son histoire aux flics.

Marino fit la grimace en me voyant vider le contenu gastrique dans une boîte en carton.

– Inutile de vous plonger là-dedans, fit-il. Je sais ce qu'il a mangé, j'étais avec lui. Des cacahuètes et deux martinis.

L'estomac de Harper avait à peine commencé à digérer les cacahuètes au moment de la mort. À part ça, il n'y avait qu'un liquide brunâtre dégageant une odeur d'alcool.

– Qu'est-ce qu'il vous a appris ? demandai-je à Marino.

– Rien du tout.

Je lui jetai un coup d'œil tout en étiquetant la boîte.

– J'ai été au bistrot vers 5 heures moins le quart et j'ai commandé un Perrier citron. Harper s'est pointé à 5 heures pile.

– Comment saviez-vous que c'était lui ?

Les reins présentaient une surface granuleuse. Je les posai sur la balance et en notai le poids.

– Impossible de le louper avec ses cheveux blancs, répondit Marino. Il correspondait à cent pour cent à la description de Poteat. Il est allé s'asseoir à une table sans dire bonjour à personne. Il a dit « comme d'habitude » au serveur et il a mangé des cacahuètes en attendant. Je l'ai observé un moment, puis je me suis présenté. Il a dit qu'il savait rien et qu'il avait pas envie de parler de ça. J'ai insisté, je lui ai demandé s'il savait que Beryl recevait des menaces depuis plusieurs mois. Il a pris un air gêné en disant qu'il était pas au courant.

– Disait-il la vérité, à votre avis ? demandai-je en dégageant le foie de Harper.

– Impossible de le savoir, fit Marino en secouant la cendre de sa cigarette par terre. Ensuite je lui ai demandé où il était le soir où elle a été assassinée, il a répondu qu'il était au bistrot, comme tous les jours, et qu'il était rentré chez lui après. Quand je lui ai demandé si quelqu'un pouvait le confirmer, il m'a dit que sa sœur était pas à la maison ce soir-là.

Je levai les yeux de surprise, le scalpel en l'air.

– Où était-elle ?

– En voyage.

– Il ne vous a pas dit où ?

– Non. Il a dit, je cite : « Ce sont ses affaires. Ça ne me regarde pas. » (Marino porta un regard dédaigneux sur le morceau de foie que je venais de découper avant d'ajouter :) Dire que le foie aux oignons était mon plat préféré... Incroyable, non ? Je connais pas un seul flic qu'a assisté à une autopsie et qui mange encore du foie...

Le ronronnement de la scie Stryker noya la fin de sa phrase. J'avais commencé à m'occuper du crâne. Marino se tut et recula de quelques pas devant le nuage de poussière d'os qui voltigeait dans l'air puant. Même quand les cadavres sont frais, ils dégagent une mauvaise odeur quand on les ouvre. La vision qu'ils offrent alors n'est pas non plus d'une grande délicatesse. Un bon point pour Marino : aussi répugnant que soit le client du jour, il venait toujours assister à l'autopsie.

Le cerveau de Harper était encore mou, et percé de lacérations aux bords déchiquetés. Je ne relevai que peu de traces d'hémorragie, preuve supplémentaire qu'il n'avait pas survécu de beaucoup à ses premières blessures. Sa mort, Dieu merci, avait été rapide. Au contraire de Beryl, il n'avait pas eu à subir de longues minutes de terreur, ni à supplier son agresseur. Les deux meurtres différaient par plusieurs autres aspects. Autant que nous le sachions, il n'avait pas reçu de menaces. Son assassinat n'avait aucune connotation sexuelle. Il avait été frappé et non poignardé, et aucun de ses vêtements ne manquait.

– J'ai trouvé cent soixante-huit dollars dans son portefeuille, dis-je à Marino. Nous avons également enregistré une montre et une chevalière.

– Pas de collier ? s'étonna-t-il.

Je ne voyais pas de quoi il voulait parler.

– Il avait une grosse chaîne en or autour du cou, avec une médaille, reprit-il. Une plaque gravée, genre écusson. Il la portait quand je l'ai vu au bar.

– Il ne l'avait pas en arrivant ici, et je ne me souviens pas l'avoir remarquée quand je l'ai examiné à Cutler Grove...

J'allais ajouter « hier soir », mais je réalisai que Harper était mort dimanche soir, et que nous étions déjà mardi. J'avais perdu toute notion du temps. Les deux jours précédents s'étaient écoulés dans une sorte d'irréalité, et si je n'avais pas réécouté le message de Mark ce matin même, je me serais demandé s'il m'avait vraiment appelée.

– Alors c'est peut-être l'assassin qui l'a emportée comme souvenir, conclut Marino.

– C'est absurde, objectai-je. Je peux comprendre qu'il emporte un souvenir de Beryl, s'il s'agit d'un malade mental. Mais pourquoi prendre quelque chose à Harper ?

– Une sorte de trophée ? suggéra Marino. Pour son tableau de chasse. C'est peut-être un tueur à gages qui aime conserver des souvenirs de ses petits boulots.

– Un professionnel serait plus prudent.

– Je ne sais pas. Jeb Price a bien oublié une boîte de pellicule dans le frigo... fit-il.

J'ôtai mes gants et finis d'étiqueter les tubes de test et les divers échantillons que j'avais prélevés. Puis je rassemblai mes papiers et, suivie de Marino, remontai dans mon bureau.

Rose avait laissé le journal du soir sur ma table. Le meurtre de Harper et la mort subite de sa sœur en faisaient les gros titres. Un autre titre, plus petit, me démoralisa :

LE MÉDECIN EXPERT GÉNÉRAL ACCUSÉ D'AVOIR « PERDU » LE MANUSCRIT CONTROVERSÉ

Il s'agissait d'une dépêche du bureau d'Associated Press à New York. L'article décrivait la façon dont j'avais « maîtrisé » un certain Jeb Price surpris en train de fouiller mon bureau. Je songeai aussitôt avec colère que les insinuations concernant le vol du manuscrit ne pouvaient provenir que de Sparacino, et les détails sur Jeb Price du rapport de police. En consultant rapidement les notifications d'appel, je constatai que la plupart émanaient de journalistes.

– Avez-vous vérifié ses disquettes ? demandai-je à Marino en lui balançant le journal.

– Ouais. J'les ai regardées.

– Y avez-vous trouvé la moindre trace de ce bouquin qui a l'air d'affoler tout le monde ?

– Non, grogna-t-il en parcourant l'article.

– Non ? répétai-je avec de la déception dans la voix. Il n'est pas sur ses disquettes ? Comment ça se fait, si elle l'écrivait sur son ordinateur ?

– Je n'en sais fichtre rien, rétorqua-t-il. Je vous dis simplement que j'ai épluché une douzaine de disquettes où il y avait que des vieux trucs. Des bouquins probablement déjà publiés. Rien sur elle, rien sur Harper. Il y a aussi deux lettres professionnelles adressées à Sparacino. Rien de très excitant.

– Peut-être qu'elle a mis les disquettes en lieu sûr avant de partir à Key West, suggérai-je.

– Ça se peut. En tout cas on les a pas trouvées.

C'est alors que Fielding fit son entrée, ses bras d'orang-outan dépassant des manches courtes de sa blouse verte, les mains couvertes d'une fine pellicule de talc provenant des gants qu'il venait d'ôter. Fielding passait chaque semaine de nombreuses heures dans une salle de musculation. Selon moi, son obsession du bodybuilding était inversement proportionnelle à l'intérêt qu'il portait à son travail. Directeur adjoint du BCME depuis moins de deux ans, il montrait déjà des signes de capitulation. Plus il désenchantait, plus il prenait des muscles. Encore deux ans et, à mon avis, il se retirerait dans le monde plus propre et plus lucratif de la pathologie hospitalière, ou deviendrait le successeur de l'incroyable Hulk.

– Il va falloir pousser les tests sur Sterling Harper, annonça-t-il. Son taux d'alcool est seulement de 0,03, et son contenu gastrique ne m'a pas appris grand-chose. Pas de sang, pas d'odeurs inhabituelles. Pas de trace d'infarctus, le muscle cardiaque est bon, les coronaires dégagées. Cerveau normal. Mais il y avait quelque chose qui n'allait pas chez elle. Le foie est énorme, dans les deux kilos cinq, et la rate démesurée. J'ai aussi noté quelques nodosités lymphatiques.

– Des métastases ? demandai-je.

– À première vue, non.

– On va voir ça au scope, dis-je.

Fielding acquiesça et disparut.

Marino me regarda d'un air interrogateur.

– Ça pourrait être un tas de choses, dis-je. Une leucémie, un lymphome ou une des nombreuses maladies liées au collagène, dont certaines sont bénignes et d'autres beaucoup plus graves. La rate et les ganglions lymphatiques sont des composants du système immunitaire – en d'autres termes, la rate est presque toujours impliquée dans une maladie sanguine. Quant à la grosseur inhabituelle du foie, on ne peut guère en tirer de conclusions avant d'avoir examiné les modifications histologiques au microscope.

– Ça vous ferait rien de parler comme tout le monde ? fit Marino avant d'allumer une cigarette. Dites-moi ce que le Dr Schwarzenegger a remarqué.

– Le système immunitaire de Sterling Harper réagissait à une agression, expliquai-je. Elle était malade.

– Malade au point de claquer toute seule sur son sofa ?

– Pas aussi brusquement que ça, non, je ne le crois pas.

– Et si c'était un médicament ? suggéra-t-il. Un truc sur ordonnance. Elle avale tous les cachets d'un coup, jette le flacon au feu, ce qui expliquerait le plastique fondu que vous avez trouvé, et l'absence de médicaments dans la maison, à part des trucs courants.

Une surdose de médicaments était à vrai dire une des hypothèses que j'envisageais le plus sérieusement, mais il était inutile de conjecturer pour l'instant. Malgré mon insistance pour que le dossier Beryl soit traité en priorité, les résultats toxicologiques n'arriveraient pas avant plusieurs jours, sinon plusieurs semaines.

En revanche, j'avais mon idée sur les causes de la mort de son frère.

– Je pense que Cary Harper a été frappé avec une matraque artisanale, dis-je à Marino. Quelque chose comme un bout de tuyau rempli de plombs de chasse en guise de lest, et aux extrémités bouchées avec du Play Doh. Après plusieurs coups, un des bouchons de pâte à modeler a sauté, et les plombs se sont éparpillés.

Il tapota sa cendre d'un air songeur.

– Ça colle pas exactement avec l'attirail de mercenaire qu'on a trouvé dans la voiture de Price, fit-il. Et j'vois pas non plus la vieille Harper bricoler un truc pareil.

– Vous n'avez retrouvé ni Play Doh, ni pâte à modeler, ni plombs de chasse dans la maison ?

– Foutre non, fit-il en secouant la tête.

Tout l'après-midi, mon téléphone ne cessa de sonner.

Des dépêches concernant mon rôle supposé dans la disparition d'un « mystérieux manuscrit de grande valeur » et des descriptions fantaisistes de la façon dont j'avais « neutralisé un agresseur » entré par effraction dans mon bureau couraient sur les câbles d'agences de tout le pays. D'autres reporters en quête d'un scoop rôdaient sur le parking du BCME ou surgissaient dans l'entrée, micros et caméras pointés comme des fusils. Un animateur particulièrement inspiré clamait sur les ondes d'une radio locale que j'étais la seule femme médecin des États-Unis à préférer « les gants de boxe aux gants chirurgicaux ». La situation menaçait de nous échapper et je commençais à prendre au sérieux les mises en garde de Mark. Sparacino était fort capable de me rendre la vie impossible.

Lorsque l'attorney général Thomas Ethridge IV voulait me contacter, il m'appelait sur ma ligne directe au lieu de passer par Rose. Loin d'être surprise de l'entendre au bout du fil, j'avoue même en avoir été soulagée. Je le rejoignis dans son bureau en fin d'après-midi. C'était un homme assez âgé pour être mon père, un de ces êtres dont la pondération se transforme avec l'âge en force de caractère. Ethridge avait un visage à la Winston Churchill qu'on n'aurait pas été surpris de rencontrer au Parlement ou dans la fumée de cigare d'une salle de club britannique. Nous nous étions toujours très bien entendus.

– Un coup publicitaire ? Vous pensez vraiment qu'on va vous croire, Kay ? fit-il en tripotant d'un air absent la chaîne en or qui barrait son gilet.

– J'ai l'impression que même *vous* ne me croyez pas, rétorquai-je.

Pour toute réponse, il s'empara d'un Montblanc ventru dont il dévissa le capuchon.

– Et puis je crains que personne ne soit en mesure de juger sur pièces, ajoutai-je d'un air penaud. Mes soupçons ne sont fondés sur rien de concret, Tom. Si je lance une accusation de ce genre pour contrer les manœuvres de Sparacino, il va sauter dessus pour faire monter les enchères.

– Vous devez vous sentir très seule, n'est-ce pas, Kay ?

– Oui. Parce que c'est la vérité, Tom.

– Des situations comme celle-ci finissent par être douées d'une vie propre, dit-il d'un air rêveur. Le problème, c'est d'étouffer celle-ci dans l'œuf avant qu'elle ne fasse plus de bruit dans les médias.

D'un geste las, il se frotta les paupières sous ses lunettes à monture de corne, ouvrit son bloc-notes et entreprit de dresser, sur une page vierge séparée en deux par un trait vertical, une de ces listes nixoniennes dont il avait le secret : les avantages d'un côté, les inconvénients de l'autre – de quels avantages et inconvénients il s'agissait, je n'en avais aucune idée. Au bout de quelques minutes, et alors qu'une des deux colonnes était beaucoup plus longue que l'autre, il se redressa, leva les yeux et fronça les sourcils.

– Kay, dit-il, vous rendez-vous compte que vous vous impliquez beaucoup plus dans vos dossiers que vos prédécesseurs ?

– Je n'ai pas connu mes prédécesseurs, répliquai-je.

Il eut un bref sourire.

– Vous ne répondez pas à ma question, ma chère.

– En toute franchise, je n'ai jamais réfléchi à la question, dis-je.

– Ça ne m'étonne pas, rétorqua-t-il. Kay, vous prenez votre travail trop à cœur. C'est d'ailleurs une des raisons pour lesquelles j'ai soutenu votre nomination. Le côté positif, c'est que rien ne vous échappe, que vous êtes non seulement un excellent pathologiste, mais aussi un très bon administrateur. Le côté négatif, c'est que vous avez parfois tendance à vous mettre dans des situations délicates. Songez à votre travail sur le tueur en série[1], il y a un an ou deux. Il a été arrêté grâce à vous,

1. Voir *Postmortem*.

ce qui a sans doute sauvé la vie d'autres femmes. Mais vous avez failli y laisser la vôtre. Eh bien, prenez cet incident hier... (Il se tut, secoua la tête et éclata de rire.) Quoique je doive reconnaître que vous m'avez impressionné. Une radio a dit que vous l'aviez mis KO. C'est vrai ?

– Pas tout à fait.

– Sait-on qui c'est ? Ce qu'il cherchait ?

– Nous ne savons pas encore exactement, dis-je. Il est entré dans la chambre réfrigérée de la morgue pour y photographier les cadavres de Cary et Sterling Harper. Mais je ne sais pas ce qu'il cherchait dans mes dossiers quand je l'ai surpris.

– Vos dossiers sont classés par ordre alphabétique ?

– Oui, et il cherchait dans le tiroir M à N, dis-je.

– M comme Madison ?

– C'est une possibilité, répliquai-je. Mais son dossier est sous clé, dans un autre bureau. Il n'y a rien sur elle dans mon armoire.

Au bout d'un long silence, il tapota de l'index le bloc-notes jaune posé devant lui.

– J'ai noté ici ce que je connais des décès de Beryl Madison, Cary Harper et Sterling Harper. Il y a là tous les ressorts d'un roman policier, n'est-ce pas ? Il n'y manquait plus que cette histoire de disparition de manuscrit dont on accuse le bureau du médecin expert. Je dois vous dire une ou deux choses, Kay. Tout d'abord, si quelqu'un vous appelle au sujet de ce manuscrit, je vous conseille de le diriger sur mon bureau. Ça ne m'étonnerait pas que nous soyons entraînés dans un procès. Je vais mobiliser mon personnel afin de parer à toute tentative de ce genre. Deuxièmement, et croyez-moi j'y ai beaucoup réfléchi, je veux que vous fassiez l'iceberg.

– Je ne vois pas très bien ce que vous voulez dire, dis-je avec une certaine appréhension.

– La pointe émergée ne doit représenter qu'une petite partie du total, répondit-il. Ce qu'il ne faut pas confondre avec la nécessité de garder un profil bas, même si, pour des raisons pratiques, vous *devrez* garder un profil bas. Efforcez-vous de faire le minimum de déclarations à la presse, restez le plus discrète possible. (Il se remit à tripoter sa chaîne de montre.) Dans le même temps, votre niveau d'activité, ou d'implication si vous préférez, devra être inversement proportionnel à cet effacement public.

– Comment ça ? protestai-je. Est-ce une façon de me dire que je dois faire mon travail et ne pas faire mousser mon bureau dans la presse ?

– Oui et non. Oui en ce qui concerne le fait de faire votre travail. Quant à garder le BCME à l'abri des journalistes, je crains que ce ne soit pas vous qui en décidiez. (Il se tut et croisa les mains sur son bureau.) Je connais bien Robert Sparacino.

– Vous l'avez rencontré ?

– J'ai eu le malheur de faire sa connaissance en faculté de droit, dit-il.

Je lui jetai un regard incrédule.

– À Columbia, en 51, poursuivit Ethridge. Un jeune homme obèse et arrogant, doté d'un grave défaut de caractère. Mais il était très brillant et aurait pu terminer premier de la promotion, ce qui lui ouvrait le poste de conseiller au ministère de la Justice, si je n'avais pas donné un sacré coup de collier. (Il marqua une pause.) J'ai été nommé à Washington, où j'ai eu le privilège de travailler avec Hugo Black. Robert est resté à New York.

– Vous a-t-il pardonné ? demandai-je tandis qu'un soupçon commençait à prendre forme dans mon esprit. Je suppose qu'il devait exister une forte rivalité entre vous. Vous a-t-il pardonné de l'avoir devancé ?

– Il m'envoie ses vœux chaque année, répondit Ethridge d'une voix acide. Une carte tirée en série sur une imprimante d'ordinateur, avec un tampon pour signature et une faute d'orthographe à mon nom. Juste assez anonyme pour être insultant.

Je commençais à comprendre pourquoi Ethridge voulait que les attaques de Sparacino soient déviées vers le bureau de l'attorney général.

– Vous ne pensez tout de même pas qu'il me harcèle dans l'unique objectif de vous atteindre à travers moi ? suggérai-je d'un ton hésitant.

– C'est-à-dire ? Que le coup du manuscrit soit une ruse et qu'il sache pertinemment que vous ne l'avez pas ? Qu'il suscite un scandale dans le Commonwealth dans le seul but de me flanquer une casserole aux fesses ? (Il grimaça un sourire.) Je ne pense pas que ce soit sa seule motivation.

– Mais ça pourrait être une raison supplémentaire, remarquai-je. Il sait très bien que tout embrouillamini juridique, tout litige impliquant mon bureau est automatiquement arbitré par l'attorney de Virginie. D'après ce que vous dites, Sparacino est du genre vindicatif.

Ethridge, le regard dans le vague, joignit le bout de ses doigts tendus.

– Je vais vous raconter une anecdote au sujet de Sparacino, du temps où nous étions à Columbia. Ses parents sont divorcés et il vivait avec sa mère pendant que son père faisait fortune à Wall Street. Robert allait voir son père à New York plusieurs fois par an. C'était un garçon précoce et un lecteur assidu, passionné par le milieu littéraire. Lors d'une de ses visites à New York, il a persuadé son père de l'emmener dîner à l'*Algonquin* un jour où Dorothy Parker et sa cour devaient être là. D'après ce qu'il nous a raconté plus tard à Columbia, au cours d'une beuverie, Robert, qui n'avait que 9 ou 10 ans à l'époque, avait tout préparé. Il voulait s'avancer vers la table de Dorothy Parker, lui tendre la main et se présenter en lui disant que c'était un grand honneur de la rencontrer, etc. Au lieu de ça, quand il a été devant elle, il a bégayé et déclaré : « Miss Parker, c'est un grand plaisir de vous honorer. » Sur quoi, elle a répondu du tac au tac, comme elle en avait le secret : « Beaucoup d'hommes m'ont dit la même chose, mais aucun n'était aussi jeune que vous. » La rigolade qui a accueilli cette réplique a profondément humilié Sparacino. Il ne l'a jamais oubliée.

L'idée de ce gamin obèse tendant sa main moite de sueur en prononçant une telle phrase était si pathétique que je n'avais aucune envie de rire. Si j'avais été mise dans un semblable embarras par une héroïne de mon enfance, je ne l'aurais jamais oublié non plus.

– Si je vous raconte cette histoire, Kay, poursuivit Ethridge, c'est pour vous faire comprendre par quoi peut être dicté le comportement de Sparacino. Quand il nous a relaté cette soirée à Columbia, il était ivre, mais il parlait avec amertume et jurait qu'il se vengerait, qu'il montrerait à Dorothy Parker et à ses semblables qu'il n'était pas homme à se laisser ridiculiser. Eh bien, vous connaissez la suite, n'est-ce pas ? (Il se tut un instant et me dévisagea.) Il est devenu un des avocats littéraires les plus puissants du pays, fréquente les plus grands éditeurs, les agents et les écrivains, qui au fond le haïssent, mais qui savent qu'il serait imprudent de ne pas le respecter. On dit qu'il dîne régulièrement à l'*Algonquin*, et qu'il insiste pour que tous les contrats de livres ou de films soient signés là-bas, ce qui lui permet de rire au nez du fantôme de Dorothy Parker. (Il se tut un instant.) Ça vous paraît tiré par les cheveux ?

– Non, répondis-je. Il ne faut pas être grand psychologue pour le comprendre.

– Voilà ce que je voudrais vous suggérer, dit Ethridge en me regardant droit dans les yeux. Laissez-moi m'occuper de Sparacino. J'aimerais, dans la mesure du possible, que vous n'ayez plus aucun contact avec lui. Il ne faut surtout pas le sous-estimer, Kay. Même quand vous croyez lui en dire le minimum, il lit entre les lignes, il fait des déductions imparables. Je ne sais pas exactement qu'elle était la nature de ses relations avec Beryl Madison ou les Harper, ni quels sont ses objectifs, mais j'imagine que ce n'est pas très ragoûtant. C'est pourquoi je ne veux pas qu'il apprenne plus de détails sur ces décès.

– Il en sait déjà beaucoup, dis-je. Il a obtenu le rapport de police sur le meurtre de Beryl Madison, par exemple. Ne me demandez pas comment il...

– Il a le bras très long, m'interrompit Ethridge. Je vous conseille de garder tous vos rapports et documents en lieu sûr et de ne les communiquer que quand vous ne pouvez pas faire autrement. Faites attention à ce qui se passe dans votre bureau, renforcez la sécurité, mettez tous les papiers importants sous clé. Votre personnel ne doit délivrer des informations qu'après s'être assuré de l'identité de la personne qui les demande. Sparacino se servira de la moindre bribe d'information. C'est un véritable jeu pour lui. Mais un jeu qui pourrait causer du tort à certaines personnes, dont vous. Sans parler de ce qui pourrait advenir de vos conclusions quand les dossiers passeront en jugement. S'il a décidé de monter un coup, il faudrait déplacer le tribunal en Antarctique pour avoir la paix.

– Il a peut-être prévu que vous alliez faire ça, remarquai-je d'une voix calme.

– Que je jouerais le rôle de paratonnerre ? Que je descendrais moi-même dans l'arène au lieu d'y envoyer un assistant ?

J'acquiesçai.

– Ma foi, c'est possible, fit-il.

J'en étais persuadée. Ce n'était pas moi que Sparacino visait. C'était son vieux rival. Sparacino ne pouvait s'attaquer de front à l'attorney général. Il serait arrêté par les chiens de garde, buterait sur les barrages d'assistants, de secrétaires. Alors qu'en faisant mine de vouloir me déstabiliser, il atteignait son objectif véritable. Songer que j'étais manipulée de la sorte ne fit qu'accroître ma colère, et je repensai soudain à Mark. Quel était son rôle dans tout ça ?

– Vous êtes contrariée et je vous comprends, dit Ethridge. Mais il va falloir que vous mettiez un mouchoir sur votre amour-propre. J'ai besoin de votre aide, Kay.

Je restai silencieuse.

– J'ai l'impression que le seul moyen de sortir du piège de Sparacino, c'est ce fameux manuscrit que tout le monde recherche. Avez-vous la moindre piste nous permettant de mettre la main dessus ?

Mon visage devint soudain brûlant.

– Il n'est jamais passé par mon bureau, Tom...

– Kay, me coupa-t-il d'un ton ferme, ce n'est pas ce que je vous demande. Il y a des tas de choses qui ne passent jamais par votre bureau, mais que le médecin expert parvient à trouver. Un médicament puissant, une remarque sur une douleur dans la poitrine juste avant que le défunt ne s'écroule, des idées suicidaires que vous apprenez par un membre de la famille. Vous n'avez aucun pouvoir répressif, mais vous avez celui d'enquêter. Et vous découvrez parfois des détails que personne n'aurait révélés à la police.

– Je ne veux pas être un témoin ordinaire, Tom.

– Vous êtes un témoin expert, Kay. Vous avez bien raison de ne pas vouloir être ordinaire. Ce serait du gâchis.

– Et les flics sont en général meilleurs interrogateurs, ajoutai-je. Ils ne s'attendent pas à ce que les gens disent la vérité.

– Et vous, vous y attendez-vous ?

– Un généraliste de quartier attend ça de ses patients. Il s'attend à ce que les gens lui disent la vérité, en tout cas ce qu'ils perçoivent comme étant la vérité. Ils font de leur mieux. La plupart des médecins ne s'attendent pas à ce que les patients leur mentent.

– Vous parlez par généralités, Kay.

– Je ne veux pas être dans la position de...

– Kay, le Code spécifie que le médecin expert effectuera une enquête sur les causes et la façon dont est survenue la mort, et qu'il consignera ses observations par écrit. C'est une définition très large. Elle vous investit d'un réel pouvoir d'investigation. La seule chose que vous ne pouvez faire, c'est procéder à une arrestation. Vous savez que la police ne retrouvera jamais ce manuscrit. Vous êtes la seule personne qui puisse le retrouver. (Il me regarda dans les yeux.) Parce que c'est plus important pour vous et votre réputation que ça ne l'est pour eux.

Je n'avais pas le choix. Ethridge avait déclaré la guerre à Sparacino, et m'avait enrôlée à cette fin.

– Trouvez ce manuscrit, Kay. (L'attorney général jeta un coup d'œil à sa montre.) Je vous connais. Si vous vous y mettez vraiment, vous le retrouverez. Ou au moins vous découvrirez ce qu'il est devenu. Trois personnes déjà sont mortes. L'une était un lauréat du prix Pulitzer dont l'ouvrage est un de mes livres préférés. Il nous faut absolument tirer cette affaire au clair. Dernière chose, je vous demanderai de me communiquer tout nouvel élément en rapport avec Sparacino. Puis-je compter sur votre aide, Kay ?

– Bien sûr, Tom. Vous pouvez compter sur moi.

L'examen direct de documents est une des très rares procédures scientifiques qui vous fournit des réponses immédiates, aussi évidentes que si elles étaient inscrites noir sur blanc sous vos yeux. Le chef de ce département, du nom de Will, Marino et moi-même y consacrâmes tout le mercredi après-midi.

Je ne savais pas au juste ce que j'espérais de cet examen. Peut-être aurait-il été trop simple de découvrir que ce que miss Harper avait brûlé dans sa cheminée était le manuscrit de Beryl. Nous en aurions alors conclu que Beryl le lui avait confié. Nous aurions supposé qu'il contenait des indiscrétions telles que miss Harper avait préféré ne pas les divulguer. Mais le plus important, c'est que nous aurions eu la certitude que le manuscrit n'avait pas été subtilisé sur les lieux du crime.

Pourtant, la quantité et le type de papier que nous examinions ne coïncidaient pas avec cette hypothèse. Très peu de fragments avaient été épargnés par les flammes, aucun ne dépassait la taille d'une pièce de monnaie, aucun ne valait la peine d'être placé sous les lentilles à filtre infrarouge du comparateur vidéo. Aucun moyen technique ni aucun test chimique ne nous aiderait à examiner ces minuscules copeaux de cendre blanche et fibreuse. Ils étaient si fragiles que nous n'osions même pas les sortir de la boîte en carton dans laquelle Marino les avait recueillis. Par précaution, nous avions fermé les portes et coupé la ventilation du labo pour éviter les courants d'air.

Nous nous étions attelés à la tâche délicate et frustrante de récupérer ces fragments un à un à l'aide d'une pince à épiler. Nous avions déterminé que miss Harper avait brûlé du gros papier fabriqué à base de chiffons, sur lequel un ruban de carbone avait imprimé un texte. Plusieurs éléments nous avaient conduits à cette conclusion. Le papier obtenu à partir de la pâte à bois noircit au feu, alors que le papier fabriqué avec du coton produit des cendres d'un blanc immaculé identiques à celles que nous avions retrouvées. Les quelques fragments intacts avaient donc permis de déterminer le type de papier. Par ailleurs, le carbone ne brûle pas. La chaleur avait fait rétrécir les caractères jusqu'à l'équivalent d'un corps 6 ou 7. Certains mots étaient restés entiers et se lisaient nettement sur le fond de dentelle blanche des cendres. Le reste était éparpillé au-delà de tout espoir de reconstitution.

– A-R-R-I-V, épela Will d'un air las.

Les yeux rougis de fatigue derrière ses inélégantes lunettes à monture noire, le jeune scientifique faisait un gros effort de patience.

J'ajoutai ce nouveau fragment de mot à ceux qui emplissaient déjà une demi-page de mon calepin.

– Arrive, arrivé, arrivant, ajouta-t-il en soupirant. Je ne vois pas ce que ça pourrait être d'autre.

– Arrivage ? Arriviste ? hasardai-je.

Je mis mon mal de tête persistant sur le compte de l'effort visuel, et regrettai d'avoir laissé mon flacon d'Advil dans mon bureau.

– Bon sang de bon sang, grogna Marino. Des mots, des mots, des mots. J'en ai jamais vu autant de ma vie. J'en connais pas la moitié mais je peux vous dire que ça m'a jamais gêné.

Il était installé sur une chaise tournante, les pieds sur un bureau, et parcourait le texte que Will avait reconstitué en déchiffrant le ruban prélevé sur la machine de Cary Harper. Ce n'était pas un ruban de carbone, ce qui voulait dire que les pages qu'avait brûlées miss Harper n'avaient pas été tapées sur cette machine. Il apparaissait que Cary s'était lancé dans une énième tentative littéraire. Le texte que lisait Marino n'était qu'une suite de mots échevelée. Lorsque je l'avais parcouru, je m'étais demandé si Cary n'était pas fortement imbibé en le rédigeant.

– Je me demande qui achèterait cette merde, fit Marino.

Will venait d'isoler un nouveau fragment de phrase parmi les cendres, et je me penchai sur son épaule pour le déchiffrer.

– Vous savez, poursuivait Marino, ils sortent toujours des trucs inédits après la mort d'un écrivain, tous ses fonds de tiroir.

– C'est vrai, marmonnai-je. On pourrait appeler ça *Miettes d'un banquet littéraire*.

– Hé ?

– Rien, rien. Il n'y a même pas une dizaine de pages dans tout ça, Marino, dis-je. Ça ne pourrait jamais faire un bouquin.

– Ben, dans ce cas ils le publient dans *Esquire* ou dans *Playboy*, dit Marino. Ça fait toujours quelques ronds à prendre.

– Ça, c'est à coup sûr un nom propre, remarqua Will d'un air songeur. Un nom de lieu, d'entreprise ou je ne sais quoi. Je vois Co avec une capitale.

– Intéressant, fis-je. Très intéressant.

Marino se leva pour venir jeter un coup d'œil.

– Attention, ne soufflez pas, dit Will.

Tenant la fine pince d'une main aussi sûre que s'il s'était agi d'un scalpel, il saisit avec d'infinies précautions le fragment de cendre blanche sur lequel se distinguaient les lettres *bor Co*.

– Comté, compagnie, cottage, collège, suggérai-je.

– Peut-être, mais *bor* ? fit Marino.

– Ann Arbor[1] ? suggéra Will.

– Ou un comté de Virginie ? dit Marino.

1. Ville du Michigan.

Mais aucun comté de notre connaissance ne comportait les lettres *or*.

– Harbor, proposai-je.

– D'accord. Mais suivi de *Co* ? fit Will d'un air dubitatif.

– Quelque chose du genre machin-Harbor Company, dit Marino.

Je consultai l'annuaire. J'y trouvai cinq entreprises avec des noms commençant par Harbor : Harbor East, Harbor South, Harbor Village, Harbor Imports et Harbor Square.

– J'ai l'impression qu'on est à côté de la plaque, dit Marino.

Nous ne fûmes guère plus avancés lorsque j'eus appelé les renseignements pour demander qu'elles étaient les entreprises du secteur de Williamsburg comportant le mot Harbor. À part un ensemble résidentiel, il n'y avait rien. J'appelai alors le détective Poteat, de la police de Williamsburg, qui, à part ce même ensemble résidentiel, ne put me fournir aucune indication utile.

– Inutile de se casser la tête là-dessus, dit Marino d'un ton agacé.

Will s'était replongé dans la boîte de cendres.

Marino se pencha par-dessus mon épaule pour relire la liste des mots que nous avions identifiés jusqu'ici.

Vous, votre, je, mon, nous et bien étaient des mots courants, comme d'autres éléments inévitables : *et, est, était, ceci, cela, qui, un* et *une*. D'autres mots complets étaient plus explicites : *ville, maison, savoir, prie, peur, travail, penser, manquer*. Quant aux mots incomplets, nous ne pouvions que nous livrer à des supputations. Nous avions choisi *terrible* pour compléter les nombreuses fois où apparaissaient les lettres *terri* ou *terrib*. Mais la nuance originelle nous échappait. La personne qui avait écrit avait-elle voulu dire « terrible » comme dans : « Est-ce si terrible ? » Ou « terriblement », comme dans : « Je suis terriblement inquiet/ète » ou : « Vous me manquez terriblement » ? Ou bien était-ce dans un sens beaucoup moins fort, comme dans « C'est terriblement gentil de votre part » ?

Il était toutefois révélateur que nous ayons découvert plusieurs fragments de « Sterling » et presque autant de « Cary ».

– Je suis presque sûre qu'il s'agit de courrier personnel, dis-je. Le type de papier utilisé et les mots employés m'incitent à cette conclusion.

Will m'approuvait.

– Avez-vous retrouvé du papier dans la maison de Beryl Madison ? demandai-je à Marino.

– Du papier informatique et du papier machine, dit-il. C'est tout. Aucune feuille de ce papier-là.

– Elle avait une imprimante à ruban, nous rappela Will qui préleva un autre fragment avant d'ajouter : Je crois que j'en tiens un autre.

Je me penchai.

Cette fois, il ne restait plus que *or C-*.

– Beryl avait un ordinateur et une imprimante Lanier, dis-je à Marino. Ça serait une bonne idée d'essayer de savoir si elle a toujours eu ce matériel.

– J'ai épluché ses factures, dit-il.

– Sur combien d'années ?

– Cinq ou six ans, répondit-il.

– Elle a toujours eu le même ordinateur ?

– Non, dit-il. Mais elle a gardé la même imprimante, doc. Une 1600 à marguerite. Et elle employait toujours la même marque de rubans. Je sais pas ce qu'elle utilisait avant ça.

– Je vois.

– Eh ben vous avez d'la chance, fit Marino en se massant les reins. Parce que moi, je nage en plein brouillard.

10

L'Académie nationale du FBI de Quantico, en Virginie, est une oasis de verre et de brique plantée au milieu d'un champ de bataille reconstitué. Je n'oublierai jamais le premier stage que j'y avais suivi. On se couchait et se réveillait au son des rafales de pistolets semi-automatiques, et un jour que j'effectuai le parcours d'entraînement dans les sous-bois, je m'étais trompée de direction et avais failli me faire écraser par un char.

Nous étions vendredi matin. Benton Wesley avait convoqué une réunion, et Marino redressa sensiblement le torse lorsque nous arrivâmes en vue de la fontaine et des drapeaux de l'Académie. M'efforçant de le suivre à raison de deux pas pour une de ses enjambées, nous pénétrâmes dans le vaste hall inondé de soleil d'un bâtiment neuf si élégant qu'il avait vite acquis le surnom de Quantico Hilton. Après avoir déposé son arme au comptoir de réception, Marino signa le registre, puis on nous remit des badges de visiteurs tandis qu'une réceptionniste appelait Wesley pour se faire confirmer notre rendez-vous.

Un labyrinthe de couloirs vitrés relie les ensembles de bureaux, les salles de cours et les laboratoires, et l'on peut passer d'un bâtiment à l'autre sans mettre le nez dehors. Je venais souvent ici mais m'y perdais à chaque fois. Marino en revanche semblait s'y reconnaître, de sorte que je le suivis docilement en observant les tenues de différentes couleurs arborées par les stagiaires. Les chemises rouges et pantalons kaki indiquaient les officiers de police. Les chemises grises avec des pantalons noirs enfoncés dans des bottes impeccablement cirées étaient de jeunes agents du DEA, alors que les vétérans étaient tout en noir. Les jeunes agents du FBI portaient du bleu et du kaki, tandis que les commandos d'élite des Hostage Teams étaient tout en blanc. Hommes et femmes sans exception avaient une allure irréprochable et paraissaient en excellente forme physique. Leur taciturnité toute militaire était presque aussi palpable que l'odeur de solvant pour armes qu'ils traînaient derrière eux.

Nous entrâmes dans un ascenseur et Marino enfonça un bouton. L'abri antiatomique de Hoover est construit à vingt mètres sous terre, deux étages en dessous du stand de tir. Il m'avait toujours paru adéquat que l'Académie ait décidé d'installer sa Behavioral Science Unit[1] plus près de l'enfer que du ciel. Les dénominations changent vite. Dernièrement, le FBI avait donné à ses profileurs le titre de Criminal Investigative Agents, ou CIA (un acronyme destiné à entretenir la confusion). Le travail, lui, ne change pas. Il y aura toujours des psychopathes, des sociopathes, des détraqués sexuels – en un mot, des pervers qui prennent plaisir à infliger la douleur.

En sortant de l'ascenseur, nous prîmes un couloir aux murs beiges jusqu'à un bureau de la même couleur terne. Wesley en sortit et nous conduisit dans une petite salle de conférence, où

1. Unité de science du comportement.

nous trouvâmes Roy Hanowell assis à une longue table vernie. L'expert en fibres paraissant oublier mon visage d'une réunion à l'autre, je n'oubliais pas de me présenter chaque fois qu'il me tendait la main.

– Oui, oui, bien sûr. Dr Scarpetta. Comment allez-vous ? fit-il cette fois encore.

Wesley ferma la porte et Marino jeta un regard dépité autour de lui en constatant l'absence de cendrier. Il alla repêcher dans une corbeille une boîte vide de Diet Coke. Je résistai à ma propre envie de sortir mon paquet. L'Académie était aussi sévère avec le tabac qu'une unité de soins intensifs.

Wesley se mit à fouiller dans un classeur. Je remarquai que le dos de sa chemise blanche était froissé, qu'il avait les yeux fatigués et le regard préoccupé. Il en vint aussitôt à notre affaire.

– Du nouveau sur la mort de Sterling Harper ? demanda- t-il.

J'avais étudié ses frottis histologiques la veille et n'avais pas été surprise par ce que j'y avais décelé. Mais je n'étais pas plus avancée quant à la détermination des causes de sa mort.

– Elle avait une leucémie, l'informai-je.

Wesley leva les yeux.

– C'est ce qui l'a tuée ? fit-il.

– Non. À vrai dire, je ne sais même pas si elle savait qu'elle était malade, répondis-je.

– C'est intéressant, intervint Hanowell. Vous pouvez être atteint de leucémie sans le savoir ?

– La leucémie chronique se manifeste souvent de manière insidieuse, expliquai-je. Elle pouvait avoir des symptômes aussi bénins que des suées nocturnes, des accès de fatigue, une perte progressive de poids. À moins que la maladie n'ait été détectée depuis longtemps et qu'elle ait été en phase de rémission. Elle n'était pas en crise aiguë. Je n'ai trouvé aucune trace d'infiltration leucémique progressive, ni d'infections significatives.

Hanowell prit un air perplexe.

– Dans ce cas, de quoi est-elle morte ? demanda-t-il.

– Je l'ignore, dus-je avouer.

– Médicaments ? demanda Wesley en prenant des notes.

– Le labo de toxicologie va effectuer la deuxième série de tests, répondis-je. Le rapport préliminaire montre un taux d'alcool dans le sang de 0,03. Mais on a relevé aussi des traces de dextrométhorphane, un antitussif qu'on trouve dans de nombreux médicaments délivrés sans ordonnance. Nous avons retrouvé chez elle un flacon de Robitussin sur la tablette de la salle de bains du premier étage. Il était presque plein.

– Ce n'est donc pas ça qui l'a tuée, marmonna Wesley.

– Même si elle avait avalé le flacon entier, elle n'en serait pas morte, dis-je. Je reconnais que tout ceci est très déroutant.

– Tenez-moi au courant, voulez-vous ? fit Wesley. Informez-moi de tout élément nouveau. (Après avoir tourné quelques pages, il passa au point suivant de son ordre du jour.) Roy a examiné les fibres prélevées sur et chez Beryl Madison. Nous allons commencer par ça, et ensuite, Pete, Kay... (Il nous regarda tour à tour.)... J'aurai un autre point à évoquer avec vous.

En voyant l'air préoccupé de Wesley, j'eus la soudaine impression que la raison pour laquelle il nous avait convoqués n'était pas pour me réjouir. Hanowell, en revanche, arborait sa placidité habituelle. Ses cheveux, ses sourcils et ses yeux étaient gris. Son costume aussi. Devant son air endormi, son gris uniforme et son éternel calme, on pouvait se demander s'il avait même une pression sanguine.

– À l'exception d'une seule d'entre elles, Dr Scarpetta, commença Hanowell, les fibres que l'on m'a demandé d'examiner ne réservaient aucune surprise. Je n'ai pas relevé de teinte ni de section de coupe inhabituelles. J'en ai conclu que les six fibres de Nylon proviennent selon toute vraisemblance de six origines différentes, comme nous en sommes convenus avec votre expert de Richmond. Quatre d'entre elles pourraient provenir de tissus utilisés pour les tapis de sol de voitures.

– Comment le savez-vous ? intervint Marino.

– Les garnitures et tapis en Nylon se dégradent rapidement sous l'effet du soleil et de la chaleur, expliqua Hanowell. Si l'on ne traitait pas les fibres avec une teinture métallisée spéciale contenant des stabilisateurs thermiques et anti-UV, les tapis de sol se décoloreraient ou pourriraient très vite. Grâce à la fluorescence à rayons X, j'ai pu déceler des traces de métaux dans quatre des fibres de Nylon. C'est pourquoi, même si je ne peux l'affirmer avec certitude, je dis qu'elles pourraient provenir de tapis de sol.

– Vous pourriez déterminer la marque et le modèle des voitures ? voulut savoir Marino.

– Je crains que non, répliqua Hanowell. À moins que nous ayons affaire à une fibre rare au taux de modification dûment enregistré, attribuer telle ou telle fibre à tel ou tel fabricant est pratiquement impossible, surtout si les véhicules en question ont été fabriqués au Japon. Je vais vous donner un exemple. La matière première des tapis de sol d'une Toyota sont des copeaux de plastique exportés des États-Unis au Japon. Ces copeaux sont ensuite façonnés en fibres, et le fil ainsi obtenu est réexpédié ici pour être transformé en tapis. Le tapis retourne ensuite au Japon, où il est installé dans les voitures sortant des chaînes d'assemblage.

Hanowell, de son ton monocorde, poursuivait son rapport. Les issues semblaient se fermer une à une.

– Même difficulté avec les voitures fabriquées aux États-Unis. Chrysler, par exemple, se procure des tapis de sol d'une certaine couleur auprès de trois fournisseurs différents. Et puis, au beau milieu de la production du dernier modèle, Chrysler décide de changer de fournisseurs. Imaginons, lieutenant, que vous et moi conduisions chacun une LeBaron de 87 avec un intérieur lie-de-vin. Eh bien, le fournisseur de mes tapis de sol ne sera pas forcément le même que celui qui a fabriqué les vôtres. En tout état de cause, le seul élément significatif des fibres de Nylon que j'ai examinées est leur variété. Deux d'entre elles pourraient provenir de moquettes domestiques, quatre de tapis de sol de voiture. Les couleurs et les sections de coupe varient de l'une à l'autre, et si vous ajoutez à ça la présence d'olefin, de Dynel et de fibres acryliques, vous obtenez une très curieuse macédoine.

– Il paraît évident, intervint alors Wesley, que le tueur exerce une profession qui le met en contact avec de nombreuses variétés de revêtements de sol. Et quand il a tué Beryl Madison, il portait des vêtements qui ont laissé un grand nombre de fibres sur sa peau.

Ça aurait pu être de la laine, du velours ou de la flanelle, songeai-je. Pourtant, on n'avait retrouvé aucune fibre de laine ni de coton teint paraissant provenir des vêtements de l'assassin.

– Dans ce cas, comment expliquer la présence de Dynel ? demandai-je.

– On le trouve en général dans les vêtements ou accessoires pour femmes, répondit Hanowell. Par exemple les perruques ou les fourrures synthétiques.

– Oui, mais pas seulement, dis-je. Une chemise ou un pantalon en Dynel dégageraient, au même titre que du polyester, de l'électricité statique qui attirerait toutes sortes de fibres. Ça expliquerait qu'il ait tant de fibres sur lui.

– C'est possible, en effet, acquiesça Hanowell.

– Alors peut-être bien que ce salaud portait une perruque, fit Marino. On sait que Beryl l'a laissé entrer, autrement dit qu'elle a pas eu peur. Et en général une femme qui voit une femme à sa porte a pas de raison d'avoir peur.

– Un travesti ? suggéra Wesley.

– Ça s'pourrait, approuva Marino. Y'en a qui ressemblent à des filles comme deux gouttes d'eau. C'en est démoralisant. Y'a des fois où je les repère pas tant que je suis pas à dix centimètres.

Si l'agresseur était travesti, comment expliquer les fibres qu'il avait sur lui ? remarquai-je. Si ces fibres proviennent de son lieu de travail, il n'aurait pas pu les transporter chez Beryl, parce qu'il ne va certainement pas travailler habillé en femme.

– À moins qu'il fasse le tapin, observa Marino. Il entre et sort des bagnoles de ses clients toute la journée, ou alors il se fait sauter dans des motels avec de la moquette dans les chambres.

– Dans ce cas, ça n'expliquerait pas la sélection des victimes, dis-je.

– Non, mais ça expliquerait qu'on n'ait pas trouvé de sperme, contra Marino. Les travelos et les pédés violent pas les bonnes femmes.

– Ils ne les assassinent pas non plus, en général, rétorquai-je.

– J'ai mentionné tout à l'heure une exception, reprit Hanowell en jetant un coup d'œil à sa montre. Il s'agit de la fibre orange en acrylique qui vous a tellement intriguée.

Ses yeux gris impassibles se posèrent sur moi.

– Celle en forme de trèfle, dis-je.

– Exact, répondit Hanowell en hochant la tête. Une forme très inhabituelle, destinée, comme pour d'autres fibres à section trilobale, à éviter l'adhérence des poussières et à disperser la lumière. Le seul endroit à ma connaissance où l'on rencontre ce type de fibres, c'est dans les Plymouth de la fin des années 70, plus précisément dans le Nylon du tapis de sol. Leur section présente une forme de trèfle identique à celle retrouvée chez Beryl Madison.

– Sauf qu'il s'agit ici d'une fibre en acrylique, pas en Nylon, lui rappelai-je.

– En effet, Dr Scarpetta, dit-il. Je vous donne ces indications pour souligner les propriétés uniques de ce type de fibre. Le fait qu'il s'agisse d'acrylique et non de Nylon, et le fait que des teintes vives telles que l'orange soient rarement utilisées pour les tapis de sol automobiles nous conduisent à exclure un certain nombre d'origines possibles, dont les Plymouth de la fin des années 70 et toute autre voiture.

– C'est donc que vous avez jamais vu une fibre comme celle-ci ? fit Marino.

– C'est ce que je voulais dire, fit Hanowell.

Il parut vouloir poursuivre mais se tut. Ce fut Wesley qui prit le relais.

– L'année dernière, dit-il, nous avons eu affaire à une fibre en tout point identique lorsque Roy a examiné des indices recueillis sur un Boeing 747 détourné à Athènes. Vous vous souvenez certainement de cet incident.

Silence stupéfait.

Marino lui-même ne trouva rien à dire.

Wesley poursuivit, le regard assombri par l'inquiétude et l'incompréhension.

– Les pirates ont tué deux soldats américains qui se trouvaient à bord et ont jeté leurs corps sur le tarmac. Chet Ramsey, un Marine de 24 ans, était l'une des victimes. On a retrouvé une de ces fibres orange dans le sang qui adhérait à son oreille gauche.

– La fibre pouvait-elle provenir de la garniture intérieure de l'appareil ? demandai-je.

– Il ne semble pas, répliqua Hanowell. Je l'ai comparée avec la moquette, le revêtement des sièges, les couvertures de bord.

Aucun tissu ne coïncidait, ni de près ni de loin. Soit Ramsey avait récolté cette fibre avant de monter dans l'appareil – ce qui paraît peu probable puisqu'elle adhérait à du sang frais –, soit sa présence résultait d'un transfert passif de l'un des terroristes à Ramsey. La seule alternative possible, c'est que la fibre provenait d'un autre passager, mais dans ce cas il aurait fallu que cette tierce personne ait eu un contact physique avec Ramsey après qu'il eut été blessé. Or selon tous les témoignages oculaires, aucun des passagers ne l'a approché. Ramsey a été conduit à l'avant de l'appareil, loin des autres passagers, puis il a été battu, tué par balles, son corps enroulé dans une couverture et balancé sur la piste. Je précise que la couverture était de couleur brune.

Marino ne me laissa pas le temps de formuler ma pensée, mais il avait eu la même réaction que moi.

– Mais bon Dieu, comment un détournement d'avion en Grèce peut avoir un rapport avec le meurtre de deux écrivains en Virginie ?

– Cette fameuse fibre, répliqua Hanowell, établit en tout cas un point commun entre deux faits, le détournement du Boeing et la mort de Beryl Madison. Ce qui ne veut pas obligatoirement dire, lieutenant, que les deux crimes soient liés. Mais cette fibre orange est si rare qu'il existe peut-être un dénominateur commun entre le drame d'Athènes et ce qui se passe ici.

Plus qu'une possibilité, c'était là une certitude, me dis-je. Il existait quelque part un dénominateur commun. Soit un individu, soit un endroit, soit encore un objet. Les détails du détournement me revenaient peu à peu à l'esprit.

– On n'a jamais pu interroger les terroristes, dis-je. Deux ont été tués, deux sont parvenus à s'enfuir et on ne les a jamais retrouvés.

Wesley acquiesça d'un hochement de tête.

– Sommes-nous seulement certains qu'il s'agissait de terroristes, Benton ? demandai-je.

Il resta un instant silencieux avant de répondre.

– Nous n'avons jamais réussi à établir un lien entre eux et un groupe terroriste quelconque. L'hypothèse la plus probable est cependant qu'il s'agissait d'un acte anti-américain. L'avion était américain, ainsi que le tiers des passagers.

– Comment étaient vêtus les pirates ? demandai-je.

– En civil, répondit-il. Pantalon, chemise, rien de spécial.

– Et l'on n'a pas retrouvé de fibres orange sur le corps des deux terroristes abattus ? fis-je.

– Nous ne le savons pas, répondit Hanowell. Ils ont été abattus sur la piste, et nous n'avons pas été assez rapides pour récupérer les corps et les expédier ici pour examen avec ceux des deux soldats américains. Je n'ai pour tout document que le rapport des autorités grecques. Je n'ai pas examiné moi-même les vêtements ni les indices recueillis sur les deux terroristes. Il est évident qu'on est passé à côté de beaucoup de choses. Mais même si l'on avait récolté une ou deux fibres orange sur le corps des pirates, cela ne nous aurait pas pour autant révélé leur origine.

– Hé, une minute ! intervint Marino. Qu'est-ce que c'est que cette histoire ? Est-ce que je dois en conclure qu'on cherche un pirate de l'air en cavale qui s'est mis à buter des gens en Virginie ?

– On ne peut pas rejeter d'emblée cette hypothèse, Pete, dit Wesley. Aussi bizarre que cela puisse paraître.

– On n'a jamais pu établir un lien entre les quatre hommes ayant détourné cet avion et un groupe terroriste quelconque, rappelai-je. Nous ne savons pas quel était leur objectif exact, ni même qui ils étaient, à part que les deux qui ont été tués étaient – si mes souvenirs sont exacts – libanais, et les deux qui se sont enfuis étaient peut-être grecs. Il me semble qu'à l'époque on avait avancé l'hypothèse que leur objectif était en réalité un ambassadeur américain en vacances qui aurait dû se trouver à bord de l'appareil avec sa famille.

– Exact, fit Wesley. Mais comme l'ambassade américaine à Paris avait été la cible d'un attentat quelques jours plus tôt, on avait modifié discrètement les plans de voyage de l'ambassadeur, sans annuler les réservations.

Il me jeta un bref regard.

– Nous n'avons pas exclu la possibilité que les pirates aient été des tueurs professionnels engagés spécialement pour cette opération, ajouta-t-il.

– Okay, okay ! s'exclama Marino avec impatience. Et personne écarte l'hypothèse que Beryl Madison et Cary Harper ont été exécutés par un tueur à gages. En maquillant les meurtres pour faire croire à l'œuvre d'un cinglé.

– À mon avis, il est essentiel de déterminer l'origine exacte de cette fibre orange, dis-je. (Je me décidai alors à exposer l'idée qui me tarabustait depuis quelques instants :) Et à ce propos, peut-être devrait-on déterminer si Sparacino n'était pas d'une façon ou d'une autre en rapport avec cet ambassadeur qui aurait dû se trouver à bord du Boeing.

Wesley n'eut aucune réaction.

Marino s'absorba dans le nettoyage d'un ongle à l'aide de son canif.

Hanowell nous dévisagea tour à tour puis, comprenant que nous n'avions plus besoin de lui, se leva, nous salua et quitta la salle.

Marino alluma une cigarette.

– Si vous voulez mon avis, dit-il en soufflant un épais nuage de fumée, tout ça devient absurde. Enfin quoi, ça n'a pas de sens. Pourquoi engager un terroriste international pour buter une romancière à l'eau de rose et un écrivain qu'a rien écrit depuis des années ?

– Je ne sais pas, dit Wesley. Tout dépend de qui avait quelles connexions. Merde, ça dépend de tas de choses, Pete. Tout dépend de tas de choses. Et tout ce que nous pouvons faire, c'est exploiter au mieux les indices en notre possession. Ce qui m'amène au point suivant. Jeb Price.

– Il a été relâché, fit Marino d'un ton monocorde.

Je le considérai d'un regard incrédule.

– Depuis quand ? s'enquit Wesley.

– Hier, répondit Marino. Il a réglé la caution. Cinquante mille dollars, si vous voulez savoir.

– Ça ne vous ferait rien de me dire comment il a pu débourser une telle somme ? demandai-je, furieuse que Marino ne m'ait rien dit.

– Non, doc, pas du tout, dit-il.

Il existe trois façons de régler une caution. La première consiste à signer un engagement de règlement. La seconde à régler la somme en liquide ou en objets personnels de valeur. La troisième enfin consiste à avoir recours à un garant, qui retient une commission de dix pour cent et demande la garantie d'un tiers, afin de ne pas se retrouver le bec dans l'eau si l'accusé décide de filer à l'anglaise. Marino nous apprit que Jeb Price avait opté pour cette dernière solution.

– Je veux des détails, insistai-je en sortant mes cigarettes et en tirant vers moi la boîte vide de Coca.

– Il n'y a pas trente-six solutions, doc, expliqua Marino. Il a appelé son avocat, qui a ouvert un compte de garantie et envoyé un carnet de banque chez Lucky.

– Lucky ? fis-je.

– Ouais, répondit Marino. Lucky Bonding Company, dans First Street. Pratique : c'est à cent mètres de la prison.

» C'est le mont-de-piété de Charlie Luck pour les taulards. Charlie et moi on est de vieilles connaissances. Je vais le voir de temps en temps. On cause, on se raconte des blagues. Parfois il me balance un tuyau ou deux, d'autres fois c'est motus et bouche cousue. Malheureusement, il est pas d'humeur bavarde ces temps-ci. Impossible de lui tirer le nom de l'avocat de Price, mais j'ai comme l'impression qu'il n'est pas d'ici.

– Il est évident que Price a des relations haut placées, dis-je.

– C'est évident, approuva Wesley d'un air sombre.

– Il n'a pas parlé ? demandai-je.

– Il avait le droit de rien dire, et pour ça, il a rien dit.

– Qu'avez-vous découvert sur son arsenal ? demanda Wesley. Vous avez vérifié ?

– Oui. Price est en règle. Il a une licence de port d'arme qu'il s'est fait délivrer il y a six ans de ça par un juge gâteux du nord de la Virginie qu'est parti depuis en retraite quelque part dans le Sud. D'après le dossier que j'ai eu par le tribunal, Price était célibataire, et à l'époque où il a eu sa licence il travaillait chez un bijoutier nommé Finklestein's. Et vous savez quoi ? Finklestein's n'existe plus.

– Le DMV vous a appris quelque chose ? demanda Wesley en prenant des notes.

– Pas de contredanses. Il est propriétaire d'une BMW modèle 89, domiciliée à une ancienne adresse à lui, à Washington, dans Florida Avenue. Il a déménagé l'hiver dernier. D'après l'agence qui lui a loué l'appartement, il disait travailler à son compte. Je continue à remonter la filière. Je vais demander au fisc de m'envoyer ses déclarations pour les cinq dernières années.

– Vous croyez qu'il est détective privé ? demandai-je.

– Pas à Washington, en tout cas, répondit Marino.

Wesley leva les yeux dans ma direction.

– Quelqu'un l'a engagé, dit-il. Dans quel but, nous l'ignorons encore. Mais il est clair qu'il a échoué dans sa mission. Son commanditaire va peut-être faire une nouvelle tentative. Je ne tiens pas à ce que vous vous retrouviez nez à nez avec le prochain, Kay.

– Pour être tout à fait franche, moi non plus, Benton.

– Ce que je veux dire, poursuivit-il d'un ton paternel, c'est que je ne veux pas que vous vous mettiez dans des situations où vous seriez vulnérable. Par exemple, je ne pense pas qu'il soit sage de vous retrouver seule dans le bâtiment du BCME. Et pas seulement pendant les week-ends. Si vous travaillez jusqu'à 6 ou 7 heures du soir et que vous partiez la dernière, il serait imprudent de sortir dans l'obscurité pour prendre votre voiture au parking. Essayez plutôt de partir vers 5 heures quand il y a encore des gens autour de vous, entendu ?

– Je ferai attention.

– Ou si vous êtes obligée de rester tard, Kay, appelez le gardien et demandez-lui de vous accompagner jusqu'à votre voiture.

– Ou bien appelez-moi, intervint Marino. Vous avez mon numéro de bip. Si je ne suis pas disponible, demandez au dispatcheur de vous envoyer une voiture de patrouille.

Parfait, me dis-je. Avec un peu de chance, je pourrai être chez moi avant minuit.

– Soyez très prudente, fit Wesley en me regardant avec insistance. Deux personnes ont été assassinées. Le tueur court encore. Vu le choix des victimes et l'incohérence apparente du mobile, je m'attends à tout.

Ses paroles me trottèrent dans la tête durant le trajet de retour à la maison. Quand tout est possible, rien n'est impos sible. Un plus un ne fait pas trois. À moins que... ? La mort de Sterling Harper ne semblait pas être du même type que celles de son frère et de Beryl. Et si pourtant elle l'était ?

– Vous m'avez dit que miss Harper était en voyage la nuit où Beryl a été assassinée, dis-je à Marino. Avez-vous appris quelque chose à ce propos ?

– Non.

– Si elle est partie en voiture, pensez-vous que ce soit elle qui conduisait ?

– Non. La seule voiture des Harper, c'était la Rolls blanche, et son frère l'avait prise le soir de la mort de Beryl.

– Comment le savez-vous ?

– Je me suis renseigné à la *Culpeper's Tavern*, dit-il. Ce soir-là, Harper s'est pointé à son heure habituelle, avec la Rolls, et il est reparti vers 6 heures et demie.

Étant donné les récents événements, personne ne s'étonna de m'entendre annoncer le lundi suivant, au cours de notre conférence hebdomadaire, que je prenais mes congés annuels.

Tout le monde pensa que l'incident avec Jeb Price m'avait tant secouée que j'avais besoin de prendre un peu l'air. Je ne fis part à personne de ma destination, pour la bonne raison que je l'ignorais moi-même. Je quittai donc mon bureau à midi, laissant derrière moi une secrétaire secrètement soulagée et une table qui disparaissait peu à peu sous les papiers.

De retour chez moi, je passai l'après-midi suspendue au téléphone. J'appelai toutes les compagnies desservant l'aéroport Byrd de Richmond, le plus proche de chez Sterling Harper.

– Oui, je sais qu'il y a une retenue de vingt pour cent, dis-je à l'employée de chez Piedmont. Mais vous m'avez mal comprise. Je ne veux pas annuler la réservation. Elle date de plusieurs semaines. Je veux savoir si cette personne est bien partie sur le vol prévu.

– Le billet n'était pas à votre nom ?

– Non, répétai-je pour la troisième fois. Il était au nom de cette personne.

– Alors il faut lui dire de nous contacter.

– Sterling Harper ne risque pas de vous contacter, dis-je. Elle est morte.

Silence.

– Elle est morte à peu près à l'époque où elle devait faire ce voyage, expliquai-je. Si vous pouviez consulter votre ordinateur...

Et ainsi de suite. Au bout d'un moment, je débitais mes répliques sans même réfléchir. Rien chez Piedmont, rien non plus dans les ordinateurs de Delta, United, American et Eastern. Selon toute apparence, miss Harper n'avait pas pris d'avion au cours de la dernière semaine d'octobre, durant laquelle Beryl Madison avait été assassinée. Miss Harper n'était pas partie en voiture. Je ne la voyais pas prendre le car. Restait le train.

Un employé de chez Amtrak m'annonça que son ordinateur était en panne et demanda mon numéro pour me rappeler. Je le lui laissai et, au moment où je raccrochai, on sonna à ma porte.

Le soleil, qui dessinait de grands rectangles brillants sur le sol de mon séjour, se reflétait sur le pare-brise d'une Mazda argentée garée sur l'allée d'accès. Le jeune homme blond au teint pâle que je découvris à travers mon judas se tenait tête baissée, le col de son blouson de cuir rabattu sur les oreilles. Tout en tournant le verrou, je fourrai mon Ruger dans la poche de ma veste de jogging. C'est en ouvrant la porte que je reconnus mon visiteur.

– Dr Scarpetta ? demanda-t-il avec nervosité.

Main dans la poche, je serrai la crosse de mon arme et ne fis aucun geste pour l'inviter à entrer.

– Excusez-moi de venir chez vous comme ça, dit-il. J'ai appelé votre bureau qui m'a dit que vous étiez en congé. J'ai trouvé votre numéro dans l'annuaire, mais c'était toujours occupé. J'en ai déduit que vous étiez chez vous. Je... enfin, disons qu'il faut que je vous parle. Puis-je entrer ?

Il avait l'air encore plus inoffensif que sur la vidéo que m'avait montrée Marino.

– C'est à quel sujet ? demandai-je d'un ton ferme.

– Beryl Madison. C'est à propos de Beryl Madison, dit-il. Je m'appelle Al Hunt. Je ne vous embêterai pas longtemps, c'est promis.

Je m'effaçai pour le laisser entrer. Son visage devint blanc comme un linge lorsque, s'asseyant sur le divan du salon, il vit la crosse de mon revolver dépasser de ma poche tandis que je m'installai dans un fauteuil, à prudente distance de lui.

– Euh... vous portez une arme ? fit-il.

– Oui.

– Je n'aime pas ça, les armes.

– Ce ne sont pas des objets sympathiques, je vous l'accorde.

– C'est bien vrai, fit-il. Un jour mon père m'a emmené à la chasse, quand j'étais môme. Il a blessé une biche. Elle s'est mise à pleurer. Vous auriez entendu gémir cette biche, couchée sur le flanc, à pleurer et pleurer. Je n'ai jamais pu tirer sur quoi que ce soit.

– Connaissiez-vous Beryl Madison ? demandai-je.

– La police... La police m'a parlé d'elle, dit-il d'un ton hésitant. Un lieutenant. Marino, le lieutenant Marino. Il est venu à la station de lavage où je travaille, nous avons bavardé et il m'a demandé de passer au quartier général. Nous avons parlé longtemps. Elle nous amenait sa voiture à laver. C'est comme ça que je l'ai connue.

Tout en l'écoutant, je me demandai de quelle couleur étaient les ondes qui irradiaient de moi. Bleu métallisé ? Avec une pointe de rouge parce que, tout en m'efforçant de le dissimuler, j'éprouvais une certaine appréhension ? Je faillis lui demander de partir. Je faillis appeler la police. Je n'arrivais pas à croire qu'il était assis là, devant moi, chez moi. Mais son audace, mêlée à ma propre confusion, m'empêchèrent de réagir.

– Mr Hunt, l'interrompis-je.

– Je vous en prie, appelez-moi Al.

– Bien. Al, pourquoi vouliez-vous me voir ? Si vous savez quelque chose, pourquoi ne pas le dire au lieutenant Marino ?

Il s'empourpra et regarda ses mains d'un air gêné.

– Ce que j'ai à dire n'est pas intéressant pour la police, dit-il. Je me suis dit que vous me comprendriez mieux.

– Pourquoi ? Vous ne me connaissez pas.

– Vous vous êtes occupée de Beryl. En général, les femmes sont plus compréhensives que les hommes.

Peut-être était-ce aussi simple que cela. Peut-être Hunt était-il venu me trouver parce qu'il savait que je ne l'humilierais pas. Il me fixa d'un regard las où pointait la panique.

– Vous est-il jamais arrivé, Dr Scarpetta, d'être absolument certaine de quelque chose, alors que rien d'objectif ne vient étayer cette conviction ?

– Je n'ai pas le don de clairvoyance, si c'est ça que vous voulez dire.

– Vous jouez la scientifique.

– Je suis une scientifique.

– Mais vous avez quand même eu cette impression, insista-t-il avec un regard désespéré. Vous savez bien ce que je veux dire, n'est-ce pas ?

– Oui, je crois savoir ce que vous voulez dire, Al.

Rassuré, il prit une profonde inspiration.

– Je *sais* des choses, Dr Scarpetta. Je sais qui a tué Beryl.

Je n'eus aucune réaction.

– Je *connais* son assassin. Je sais ce qu'il pense, ce qu'il ressent. Je sais pourquoi il a fait ça, dit-il d'une voix émue. Si je vous le dis, je veux que vous me promettiez de considérer ce que je vais vous dire avec la plus grande attention, de l'étudier avec sérieux et non de... Disons que je ne veux pas que vous le répétiez à la police. Ils ne comprendraient pas. Vous saisissez, n'est-ce pas ?

– Je prêterai la plus grande attention à ce que vous me direz, répliquai-je.

Il se pencha vers moi, l'éclat de ses yeux animant seul un visage à la Le Greco. D'instinct, je rapprochai ma main droite de ma poche, jusqu'à ce que je sente le plastique de la crosse contre ma paume.

– Les flics ne sont pas capables de comprendre, dit-il. La raison pour laquelle j'ai abandonné mes études de psychologie leur échappe totalement. Ils ne sont pas capables de comprendre comment, avec une maîtrise de psychologie, je me suis retrouvé infirmier à l'hôpital, et que maintenant je travaille dans un lavage de voitures. Vous ne pensez tout de même pas que la police va comprendre une chose pareille, si ?

Je restai silencieuse.

– Quand j'étais môme, je rêvais de devenir psychologue, éducateur, peut-être même psychiatre, poursuivit-il. Ça me paraissait évident, naturel. Voilà ce que je devais devenir, voilà ce vers quoi me poussaient mes dispositions.

– Et pourtant vous ne l'êtes pas devenu, remarquai-je. Pourquoi ?

– Parce que cela m'aurait détruit, dit-il en détournant le regard. Je n'ai aucun contrôle sur ce qui m'arrive. Je m'identifie tellement aux problèmes des autres que je m'y perds. Je n'avais pas réalisé à quel point c'était grave jusqu'à ce que je travaille dans une unité psychiatrique de fous criminels. Ça... hum... faisait partie de mes recherches, pour ma... pour ma thèse. (Il paraissait de plus en plus perdu.) Il y en a un que je n'oublierai jamais. Frankie, il s'appelait. Frankie était un schizophrène paranoïaque. Il a battu sa mère à mort avec une bûche. J'ai appris à connaître Frankie. Petit à petit, nous avons remonté sa vie jusqu'à cet après-midi d'hiver.

» Je lui ai dit : « Frankie, qu'est-ce qui t'a poussé à ça ? Qu'est-ce qui a provoqué le petit déclic ? Te souviens-tu de ce que tu avais dans la tête, de ce que tu ressentais ? »

» Il m'a raconté qu'il était assis sur sa chaise habituelle, devant le feu, à regarder danser les flammes, et que soudain *elles* s'étaient mises à lui parler. À lui chuchoter des choses, des choses terribles. Et quand sa mère est entrée dans la pièce, elle l'a regardé comme elle le faisait toujours, mais cette fois il a vu la chose dans ses yeux. Les voix sont devenues si assourdissantes qu'il était incapable de réfléchir, et une minute après il était couvert de sang et sa mère n'avait plus de visage. Il a repris ses esprits quand les voix se sont tues. Cette histoire m'a empêché de dormir pendant plusieurs nuits. Chaque fois que je fermais les yeux, je voyais Frankie en train de sangloter, maculé du sang de sa mère. Eh bien je le comprenais. Je comprenais ce qu'il avait fait. Et quel que soit celui à qui je parlais, quelle que soit l'histoire que j'entendais, j'en étais affecté de la même façon.

Je restais assise, mon imagination déconnectée, arborant comme un masque l'attitude impassible du scientifique.

– Avez-vous jamais eu envie de tuer quelqu'un, Al ? lui demandai-je.

– Tout le monde a envie de tuer un jour ou l'autre, répondit-il en croisant mon regard.

– Tout le monde ? Vous le pensez vraiment ?

– Oui. Ça arrive à tout le monde. Sans aucun doute.

– Qui avez-vous eu envie de tuer ? demandai-je.

– Je ne possède ni arme à feu ni quoi que ce soit de... euh... dangereux, répliqua-t-il. Parce que je ne veux pas me retrouver dans une situation où je céderais à une impulsion. Une fois que vous vous êtes imaginé en train de faire quelque chose, une fois que vous avez compris le mécanisme qui mène à telle ou telle action, la brèche est déjà ouverte. Tout peut arriver. Je pense que presque toutes les atrocités qui se perpètrent dans ce monde ont d'abord été commises en pensée. Aucun de nous n'est entièrement bon ou entièrement mauvais. Rien n'est tout blanc ou tout noir. (Sa voix tremblait.) Même ceux que l'on considère comme fous ont leurs propres raisons de faire ce qu'ils font.

– Quelle était la raison de ce qui est arrivé à Beryl ? lui demandai-je.

J'avais les pensées claires et je les exprimais avec précision. Pourtant, je ressentais en moi un profond malaise et m'efforçais de refouler les images qui me revenaient à l'esprit : les éclaboussures sombres sur les murs, les coups de couteau sur sa poitrine, les livres sagement rangés sur les étagères.

– La personne qui a fait ça l'aimait, dit-il.

– Une déclaration d'amour un peu brutale, vous ne trouvez pas ?

– L'amour peut être brutal.

– L'aimiez-vous ?

– Nous nous ressemblions beaucoup.

– Dans quel sens ?

– Des inadaptés, dit-il en se replongeant dans la contemplation de ses mains. Solitaires, sensibles et incompris. Ça l'avait rendue distante, méfiante et inaccessible. Je ne sais rien d'elle – personne ne m'a jamais rien dit sur elle. Mais j'ai senti son âme. J'ai eu l'intuition qu'elle savait qui elle était, qu'elle avait conscience de sa valeur. Mais en même temps, elle ressentait de la colère devant le prix qu'elle devait payer du fait de cette différence. Elle était blessée. Je ne sais pas par quoi. Quelque chose l'avait blessée. C'est ce qui m'a rapproché d'elle. J'aurais aimé faire sa connaissance, parce que je pense que je l'aurais comprise.

– Pourquoi n'avez-vous rien fait pour la connaître ? demandai-je.

– C'était impossible dans ces circonstances. Peut-être que si l'on s'était rencontrés ailleurs...

– Al, parlez-moi de l'assassin. Est-ce qu'il aurait essayé de faire sa connaissance, dans des circonstances favorables ?

– Non.

– Non ?

– Les circonstances n'auraient jamais été favorables, parce qu'il ne l'attirait en rien et qu'il le savait.

Je fus déconcertée par la soudaine transformation qui s'opérait en lui. À présent c'est lui qui parlait comme un psychologue. Sa voix s'était calmée. Il était concentré, les mains serrées sur les cuisses.

– Il a une très mauvaise opinion de lui-même, poursuivit-il, et il est incapable d'exprimer ses sentiments de manière positive. Chez lui, l'attirance tourne à l'obsession et tout amour devient pathologique. Quand il est amoureux, il doit posséder l'autre, parce qu'il n'a pas confiance en lui, parce qu'il est fragile et s'estime sans valeur. Quand son amour secret ne lui est pas retourné, alors il devient de plus en plus obsédé. Il est tellement obnubilé que sa capacité à réagir et à fonctionner diminue. Comme Frankie quand il a entendu ses voix. Quelque chose s'empare de son esprit. Il ne contrôle plus ses actes.

– Est-il intelligent ?

– Assez.

– Instruit ?

– Oui, mais il a de tels problèmes qu'il fonctionne bien en dessous de ses capacités intellectuelles.

– Pourquoi elle ? demandai-je. Pourquoi a-t-il choisi Beryl Madison ?

– Parce qu'elle était libre et célèbre, ce qu'il n'est pas, répondit Hunt les yeux dans le vague. Il croyait qu'il était simplement attiré par elle, mais c'était plus que ça. Il voulait posséder ces qualités dont il est privé. Il voulait posséder Beryl. Dans un certain sens, il *voulait être* Beryl.

– Donc il savait que Beryl était écrivain ?

– Rien ne lui échappait. D'une façon ou d'une autre, il s'était débrouillé pour apprendre qu'elle écrivait. Ce genre d'individu en sait tellement sur sa victime que quand elle s'en rend compte, elle se sent violée dans son intimité et terriblement angoissée.

– Parlez-moi de cette dernière soirée, Al. Que s'est-il passé le soir où elle est morte ?

– Je ne sais rien d'autre que ce qu'ont rapporté les journaux.

– Comment reconstituez-vous la scène d'après ces articles ? demandai-je.

– Elle est chez elle, dit-il en regardant par-dessus mon épaule. Il est tard quand il sonne à la porte. Elle le fait entrer. Ensuite, avant minuit, il repart, ce qui déclenche l'alarme. Elle a été tuée à coups de couteau. On pense qu'il y a eu rapport sexuel. C'est tout ce que j'ai appris dans les journaux.

– Avez-vous idée de ce qui a pu se produire ? demandai-je d'une voix neutre. Des hypothèses qui iraient au-delà de ce que vous avez lu ?

Il se pencha sur le divan en changeant une fois de plus d'expression. Ses yeux brûlaient d'émotion. Sa lèvre inférieure frissonnait.

– J'imagine des scènes, dit-il.

– Telles que ?

– Des choses que je n'aimerais pas raconter à la police.

– Je ne suis pas de la police, dis-je.

– Ils ne comprendraient pas, répéta-t-il. Je vois et ressens des choses que je n'ai aucune raison de connaître. Comme pour Frankie. (Il refoula des larmes.) Comme pour les autres. Je comprenais tout ce qui était arrivé, même si on ne m'avait pas donné tous les détails. Mais parfois les détails sont inutiles. D'ailleurs, la plupart du temps, on ne vous les donne pas. Vous savez pourquoi, n'est-ce pas ?

– Je ne suis pas sûre...

– Parce que les Frankie eux-mêmes ne les connaissent pas ! C'est comme un accident grave : on ne s'en souvient pas. La conscience revient peu à peu, comme si on s'éveillait d'un cauchemar, et vous vous retrouvez face au gâchis. La mère qui n'a plus de visage. Ou une Beryl pleine de sang, morte. Les Frankie se réveillent quand ils prennent la fuite ou qu'une voiture de flics s'arrête devant la maison alors qu'ils ne se souviennent pas avoir appelé la police.

– Voulez-vous dire que l'assassin de Beryl ne se souvient pas de ce qu'il a fait ?

Il acquiesça.

– Vous en êtes sûr ?

– Le plus malin de vos psychiatres pourrait l'interroger pendant mille ans, il n'arriverait pas à lui faire revivre la scène, répondit Hunt. On ne connaîtra jamais la vérité. Il faudra la recréer de toutes pièces, par déduction.

– Et c'est ce que vous avez fait, n'est-ce pas ? Vous avez reconstitué la scène par déduction.

Il s'humecta les lèvres et sa respiration s'accéléra.

– Voulez-vous savoir ce que je vois ?

– Oui, répondis-je.

– Un long laps de temps s'était écoulé depuis son premier contact avec elle, commença Hunt. Quant à Beryl, même si elle l'avait vu ou croisé, elle ne lui avait prêté aucune importance et ne l'avait pas remarqué. La frustration et l'obsession le conduisent jusqu'à sa porte. Quelque chose a déclenché le processus, il a été poussé à se confronter à elle par une force irrésistible.

– Qu'est-ce que c'est ? demandai-je. Qu'est-ce qui a déclenché le processus ?

– Je ne sais pas.

– Qu'est-ce qu'il ressentait au moment où il a décidé d'aller chez elle ?

Hunt ferma les yeux.

– La colère, dit-il. Une colère provenant de son incapacité à faire évoluer les choses de la manière qu'il souhaitait.

– Parce qu'il ne pouvait pas établir une vraie relation avec Beryl ?

Les yeux toujours clos, Hunt secoua lentement la tête de droite à gauche.

– Non, dit-il. Peut-être en surface, mais la racine de cette colère était beaucoup plus profonde. Il était en colère parce que rien n'avait jamais marché comme il le voulait.

– Dans son enfance ?

– Oui.

– A-t-il été maltraité ?

– Émotionnellement, oui.

– Par qui ? demandai-je.

– Par sa mère, répondit Hunt sans rouvrir les yeux. Quand il a tué Beryl, il a tué sa mère.

– Al, est-ce que vous lisez des livres de psychiatrie criminelle ? Est-ce que vous vous intéressez à ce genre de choses ?

Il ouvrit enfin les yeux et me fixa comme s'il n'avait pas entendu ma question.

– Il vous faut essayer de comprendre combien de fois il avait imaginé cet instant. N'allez pas croire qu'il s'est précipité chez Beryl comme ça, sans préméditation. Le choix du moment s'est peut-être fait sous le coup d'une impulsion, mais il avait conçu son plan depuis longtemps, dans les moindres détails. Il fallait éviter à tout prix qu'elle se méfie de lui et refuse de le faire entrer. Le jeu aurait été fini. Elle aurait appelé la police et donné son signalement. Et même s'il ne se faisait pas arrêter, son masque aurait volé en éclats et il lui aurait été impossible de l'approcher une nouvelle fois. Il avait mis au point un plan sans faille, une couverture qui n'avait aucune chance d'éveiller les soupçons. Quand il s'est présenté chez elle ce soir-là, elle était en confiance. Et elle l'a laissé entrer.

Je m'imaginais l'inconnu dans le vestibule de chez Beryl, mais je ne distinguais ni ses traits ni la couleur de ses cheveux. Je le voyais se présenter à elle, silhouette imprécise sur laquelle se superposait la longue lame avec laquelle il allait l'assassiner.

– Et là, tout s'est mis à dérailler, poursuivait Hunt. Il ne se souvient certainement pas de ce qui s'est passé ensuite. La panique, la terreur qui s'emparent de Beryl lui sont désagréables. Il n'avait pas prévu cet aspect-là du scénario. Quand elle a essayé de s'enfuir, de lui échapper, quand il a vu la panique dans ses yeux, il a compris qu'elle ne voulait pas de lui, qu'elle le rejetait. Il a réalisé l'horreur de ce qu'il était en train de faire, et son mépris de lui-même s'est exprimé en mépris pour elle. Sa rage meurtrière lui a fait perdre tout contrôle, l'a réduit aux dernières bassesses. Il s'est transformé en tueur. En destructeur. En sauvage dépourvu de raison qui déchiquette, charcute et inflige la douleur. Les cris, le sang de Beryl lui étaient horribles. Et plus il entaillait et défigurait cette déesse qu'il avait adorée depuis tant de mois, plus la vision de ce gâchis lui était insupportable.

Il me regarda d'un regard mort, le visage dépourvu de toute expression.

– Dr Scarpetta, est-ce que vous comprenez ?

– Je vous écoute, me contentai-je de répondre.

– Cet homme existe en chacun de nous.

– Est-ce qu'il éprouve du remords, Al ?

– Il est au-delà de ça, répondit-il. Je ne pense pas qu'il soit satisfait, ni même qu'il réalise vraiment ce qu'il a fait. Son acte a suscité en lui des émotions confuses, contradictoires. Il n'imagine pas que Beryl est morte. Il pense à elle, revit ses contacts avec elle. Il se persuade que sa relation avec elle est la plus profonde, la plus complète de toutes celles qu'il a vécues parce que c'est à lui qu'elle pensait quand elle est morte, ce qui représente l'intimité absolue entre deux êtres. Il imagine qu'elle continue à penser à lui dans la mort. Pourtant, la part rationnelle de son esprit est frustrée et insatisfaite, parce qu'il commence à comprendre qu'aucun être ne peut appartenir totalement à un autre.

– Que voulez-vous dire ?

– Son acte s'avère incapable de produire l'effet qu'il en attendait. Il doute de sa proximité avec Beryl, tout comme il a toujours douté de la proximité de sa mère. La méfiance renaît. Et il y a maintenant des gens qui ont une meilleure raison que lui d'approcher Beryl.

– À qui pensez-vous ?

– À la police, dit-il. (Ses yeux se plantèrent alors dans les miens.) Et à vous.

– Parce que nous enquêtons sur sa mort ? demandai-je tandis qu'un frisson me parcourait la colonne vertébrale.

– Oui.

– Parce qu'elle est devenue une préoccupation pour nous, et que notre relation à elle est publique, à la différence de la sienne ?

– Oui.

– Où cela nous mène-t-il ? demandai-je.

– À la mort de Cary Harper.

– C'est lui qui l'a tué ?

– Oui.

– Pourquoi ? fis-je en allumant une cigarette d'un geste nerveux.

– Ce qu'il a fait à Beryl était un acte d'amour. Ce qu'il a fait à Harper était un acte de haine. Désormais, il a basculé dans la haine. Toute personne qui a été en rapport avec Beryl est en danger. C'est ce que je voulais dire au lieutenant Marino, pour que la police le sache. Mais c'était inutile. Il aurait pensé – toute la police aurait pensé qu'il me manquait une case.

– Qui est-ce ? le pressai-je. Qui a tué Beryl ?

Al Hunt se passa les mains sur le visage. Quand il releva la tête, ses joues étaient rouges.

– Jim Jim, chuchota-t-il.

– Jim Jim ? répétai-je sans comprendre.

– Je ne sais pas ce que ça veut dire, dit-il d'une voix brisée. Je n'arrête pas d'entendre ce nom dans ma tête. Ça résonne, résonne, résonne...

Je restai absolument immobile.

– Il y a très longtemps, j'étais à l'hôpital Valhalla, dit-il.

– C'est là que vous avez travaillé à l'unité de psychiatrie criminelle ? demandai-je d'une voix pressante. Ce Jim Jim était un de vos patients ?

– Je ne sais plus. (Ses émotions obscurcissaient ses yeux comme des nuages d'orage.) J'entends son nom et je vois cet endroit. Mes pensées retournent dans ce cloaque. Comme si j'étais aspiré dans un égout. C'était il y a si longtemps. Tout est sombre à présent. Jim Jim. Jim Jim. Comme un train qui roule, roule. Sans jamais s'arrêter. Un bruit infernal qui me donne mal au crâne.

– À quand cela remonte-t-il ?

– C'était il y a dix ans, fit-il avec des sanglots dans la voix.

Il était impossible qu'il travaille sur une thèse à l'époque : il n'avait certainement pas 20 ans.

– Al, dis-je, vous étiez trop jeune pour travailler dans cette unité psychiatrique. Vous en étiez un des patients, n'est-ce pas ?

Il enfouit son visage dans ses mains et se mit à sangloter. Lorsqu'il se ressaisit, il refusa d'en dire plus. L'air hébété, il se leva, marmonna quelque chose sur un rendez-vous urgent et prit littéralement la fuite. Lorsque j'entendis la porte se refermer derrière lui, mon cœur battait à se rompre. Je me préparai une tasse de café et fis les cent pas dans la cuisine en tentant de déterminer ce que je devais faire. Je sursautai lorsque le téléphone sonna.

– Kay Scarpetta, je vous prie.

– C'est moi-même.

– John, de chez Amtrak. J'ai fini par avoir votre renseignement, madame. Voyons... Sterling Harper a retenu un aller sur le Virginian pour le 27 octobre, et un retour le 31. D'après mes fiches, elle a bien pris le train, ou en tout cas quelqu'un a pris le train avec son billet. Voulez-vous les horaires ?

– Oui, s'il vous plaît, dis-je en prenant un stylo pour les noter. Pouvez-vous aussi m'indiquer son itinéraire ?

– Elle est partie de Fredericksburg, à destination de Baltimore.

J'essayai de joindre Marino. Il était en patrouille. Il ne me rappela que dans la soirée. Il m'annonça une terrible nouvelle.

– Voulez-vous que je vienne ? demandai-je encore sous le choc.

– Je n'pense pas que c'est nécessaire, rétorqua-t-il. C'est clair comme de l'eau de roche. Il a écrit une note et l'a épinglée à son caleçon. Il disait qu'il était désolé, mais qu'il en pouvait plus. Rien de suspect, à première vue. On allait rentrer. Et de toute façon, je suis avec le Dr Coleman.

Il s'agissait d'un de mes experts locaux.

Peu après m'avoir quittée, Al Hunt était rentré chez lui, à Ginter Park, dans la maison en brique qu'il habitait avec ses parents. Il était allé chercher un bloc-notes et un stylo dans le bureau de son père, puis était descendu au sous-sol. Là, il avait défait son étroite ceinture de cuir noir, quitté ses chaussures et ôté son pantalon, qu'il avait laissé par terre. Lorsque sa mère, un peu plus tard, était descendue pour lancer une lessive, elle avait découvert son fils unique pendu à un tuyau de la buanderie.

11

Une pluie glaciale commença à tomber juste après minuit, et au matin tout était givré. Je passai le samedi à la maison. Ma conversation avec Al Hunt ne cessait de me revenir à l'esprit, et je sursautais chaque fois qu'un glaçon se détachait du toit et se brisait au sol devant mes fenêtres. La culpabilité me rongeait. Comme toute personne touchée de près par un suicide, j'avais le sentiment fallacieux que j'aurais pu l'empêcher.

La liste des cadavres s'allongeait. Quatre personnes étaient mortes. Deux seulement avaient été victimes de meurtres, et pourtant toutes ces morts semblaient, d'une manière ou d'une autre, liées. Liées peut-être par la mystérieuse fibre orange. Samedi et dimanche, je restai à travailler chez moi, parce que me rendre au BCME n'aurait fait que me rappeler que je n'avais plus de responsabilités – et que le travail se poursuivait très bien sans moi. Des gens m'avaient parlé, s'étaient confiés à moi, et ils étaient morts. Des collègues respectés tels que l'attorney général me demandaient des réponses que j'étais incapable de fournir.

Je contre-attaquai, faiblement, de la seule manière possible. Assise devant mon ordinateur, je tapai des notes sur les décès et potassai des ouvrages de référence. Je passai aussi d'innombrables coups de téléphone.

Je ne revis pas Marino jusqu'au lundi matin, où nous nous retrouvâmes à la gare Amtrak de Staples Mill Road. Nous nous faufilâmes entre deux trains à l'arrêt, dans une brise hivernale réchauffée par les moteurs en marche et chargée d'odeurs d'huile. Nous trouvâmes deux places à l'arrière du train et reprîmes la conversation que nous avions commencée dans la gare.

– Le Dr Masterson ne s'est pas montré très bavard, dis-je en posant délicatement par terre le sac que j'emportais. Mais je le soupçonne d'avoir de Hunt un souvenir beaucoup plus précis qu'il ne le prétend.

Pourquoi fallait-il toujours que je choisisse un siège dont le repose-pieds ne fonctionnait pas ?

Marino bâilla à s'en décrocher la mâchoire tout en abaissant le sien, mais ne me proposa pas d'échanger nos places. S'il l'avait fait, j'aurais volontiers accepté.

– Donc Hunt avait 18 ou 19 ans quand il était à l'asile, dit-il.

– À peu près. On le traitait pour dépression grave.

– Ouais, je m'en doute.

– Qu'est-ce que ça veut dire ? demandai-je.

– Ce genre de type est toujours déprimé.

– C'était quoi, son *genre*, Marino ?

– Disons que j'ai souvent eu l'impression de parler à un pédé, expliqua-t-il.

Dès qu'il rencontrait quelqu'un de différent, Marino le cataloguait comme pédé.

Le train s'ébranla en douceur, tel un bateau quittant le quai.

– J'aurais bien aimé avoir une cassette de cette conversation, dit-il en bâillant à nouveau.

– Avec le Dr Masterson ?

– Non, avec Hunt. Quand il est passé vous voir.

– C'était confus et pas très intéressant, répliquai-je avec embarras.

– Je sais pas. Il me semble que ce type en savait drôlement long. J'aurais bien aimé lui causer un peu plus.

Ce que Hunt m'avait dit aurait eu plus de poids s'il était resté en vie et qu'il n'ait pas eu d'alibi. La police avait passé la maison des Hunt au peigne fin. On n'avait rien trouvé qui permette d'établir un lien quelconque entre Al et l'un des meurtres. Et puis il avait des alibis en béton. Le soir du meurtre de Beryl, il mangeait au restaurant avec ses parents, et il était à l'opéra avec eux le soir de la mort de Cary Harper. Son emploi du temps avait été vérifié et recoupé. Les parents Hunt disaient la vérité.

Le train cahotait en direction du nord au son plaintif du sifflet de la locomotive.

– Le truc avec Beryl l'a fait flipper, dit Marino. Si vous voulez mon avis, il s'est tellement identifié avec l'assassin que ça lui a flanqué la frousse. Il a décidé de disparaître de la circulation avant de faire une bêtise.

– Je pense qu'il est plus probable que la mort de Beryl a rouvert une vieille blessure, rétorquai-je. Elle lui a rappelé sa propre incapacité à bâtir une relation.

– Pour moi, l'assassin et lui sont de la même étoffe. C'est des types incapables d'avoir une relation avec une femme. Des perdants.

– Hunt n'était pas violent.

– Peut-être qu'il sentait qu'il pourrait le devenir, et qu'il l'a pas supporté, fit Marino.

– Nous ne savons toujours pas qui a tué Beryl et Harper, lui rappelai-je. Nous ne savons pas si l'assassin ressemble à Hunt. Nous ne savons rien, nous n'avons même pas une idée du mobile. Le tueur pourrait aussi bien être quelqu'un dans le genre de Jeb Price. Ou un certain Jim Jim.

– Jim Jim mon cul, fit-il avec une grimace de dédain.

– Je crois qu'en l'état actuel des choses, ça serait une erreur d'écarter la moindre hypothèse.

– Ben voyons. En tout cas, si jamais vous tombez sur un Jim Jim qu'a fait un séjour à l'hôpital Valhalla et qu'est devenu un terroriste international qui se trimbale avec des fibres orange sur lui, donnez-moi un coup de fil. (Il se rencogna sur son siège, ferma les yeux et marmonna :) J'ai besoin de vacances.

– Moi aussi, fis-je. Loin de vous.

La veille au soir, Benton Wesley m'avait appelée au sujet de Hunt. Je lui avais dit où je me rendais et pour quelle raison. Aussitôt, Uzi et Glaser s'étaient mis à danser devant ses yeux, il avait déclaré qu'il était beaucoup trop dangereux que je voyage seule et m'avait imposé la présence de Marino. Le train de 6 h 50 étant complet, le lieutenant avait retenu deux places dans celui de 4 heures. J'étais donc passée à mon bureau du BCME en pleine nuit, à 2 h 30, pour prendre la boîte de polystyrène qui se trouvait à présent dans mon sac à mes pieds. Je me sentais épuisée par le manque de sommeil.

Beaucoup de passagers dormaient, leur plafonnier éteint. Essieux grinçants, le train traversa Ashland et je songeai aux gens endormis dans les jolies petites maisons blanches construites le long de la voie ferrée. Nous dépassâmes à petite allure des boutiques encore désertes, puis le convoi prit de la vitesse en contournant le campus du Randolph Macon College, ses bâtiments de style géorgien et son terrain de sport encore désert. À la sortie de la ville, nous traversâmes des forêts entre deux talus d'argile rouge. Je restai appuyée contre mon dossier, bercée par le rythme monotone des roues. Plus nous nous éloignions de Richmond, plus je me détendais, et je finis par m'assoupir.

Je dormis une heure d'un sommeil sans rêves, dans une sorte d'inconscience. Lorsque je rouvris les yeux le jour bleuté se levait et nous franchissions Quantico Creek. Les vaguelettes couleur d'étain poli faisaient danser la lumière de l'aube, et j'aperçus plusieurs bateaux. Je pensai à Mark. Je me remémorai notre soirée à New York, et d'autres nuits plus anciennes. Je n'avais eu aucune nouvelle de lui depuis le mystérieux message laissé sur mon répondeur. Je me demandais ce qu'il faisait, et en même temps je redoutais de le savoir.

Marino se redressa, clignant des yeux d'un air ahuri. L'heure était venue d'un petit déjeuner et d'une cigarette, pas nécessairement dans cet ordre-là.

Le wagon-restaurant était à demi plein de voyageurs dans un état semi-comateux, les mêmes qu'on rencontre dans n'importe quelle gare routière des États-Unis. Un jeune homme somnolait avec un baladeur sur les oreilles. Une mère aux traits fatigués essayait de calmer un bébé en pleurs. Un couple âgé jouait aux cartes. Nous trouvâmes une table libre dans un coin. J'allumai une cigarette pendant que Marino allait me chercher un sandwich à l'œuf et au jambon. Le café était buvable.

Tout en déchirant d'un coup de dents la cellophane qui emballait son propre sandwich, Marino jeta un regard inquisiteur au sac que j'avais posé sur la banquette. Il renfermait une boîte en polystyrène contenant des échantillons de foie, du sang et du contenu stomacal de Sterling Harper, conservés dans de la glace sèche.

– Combien de temps ça met à fondre ? me demanda Marino.

– Nous arriverons bien avant, le rassurai-je. À moins que nous ne fassions des détours.

– En attendant, ça vous ferait rien de me répéter ce que vous m'avez dit hier soir ? À propos de cette saloperie de sirop contre la toux ? Je dormais à moitié quand vous m'avez raconté ça.

– Ce matin non plus vous n'avez pas l'air très réveillé, dis-je.

– Vous êtes donc jamais fatiguée ?

– Je suis si épuisée, Marino, que je ne sais pas si je survivrai à ce voyage.

– Eh ben vous feriez mieux de tenir le coup. Parce que je vous garantis que c'est pas moi qui vais livrer ces morceaux de bidoche, dit-il en portant sa tasse de café à ses lèvres.

Je lui répétai mes explications avec la lenteur d'un cours enregistré.

– L'agent actif du sirop antitussif que nous avons trouvé dans la salle de bains de miss Harper est la dextrométhorphane, un produit analogue à la codéine. La dextrométhorphane est inoffensive à moins d'en avaler une dose massive. C'est un isomère d'un composé dont le nom ne vous dirait rien...

– Ah ouais ? Et comment vous pouvez savoir que ça me dira rien ?

– Trois-méthoxy-N-méthylmorphinane.

– Z'avez raison. Ça me dit rien du tout.

– Il existe un agent actif qui est l'isomère gauche du même composé dont la dextrométhorphane est l'isomère droit. Le composé isomère gauche est le lévorphanol, un narcotique environ cinq fois plus puissant que la morphine. Or la seule façon de différencier ces deux drogues dans le sang, c'est de les examiner à l'aide d'un appareil nommé réfractomètre à rotation optique. À l'observation, la dextrométhorphane déplace la lumière polarisée vers la droite, et le lévorphanol vers la gauche.

– En d'autres termes, sans ce truc-là, vous pouvez pas faire la différence entre les deux produits ? conclut Marino.

– Pas lors de tests toxicologiques de routine, dis-je. Le lévorphanol ne se distingue en rien de la dextrométhorphane, puisque leurs composants sont les mêmes. La seule différence révélatrice, c'est qu'ils dévient la lumière dans des directions opposées, exactement comme le saccharose dextrogyre et le saccharose lévogyre la déplacent dans des directions opposées, bien qu'ils soient structurellement le même disaccharide. Le saccharose dextrogyre, c'est le sucre de table, alors que le saccharose lévogyre n'a aucune valeur nutritionnelle pour l'homme.

– Je suis pas sûr de tout saisir, fit Marino en se frottant les yeux. Comment deux composés peuvent être pareils tout en étant différents ?

– Imaginez que le lévorphanol et la dextrométhorphane sont des jumeaux, dis-je. Ils ne sont pas le même être, mais ils *paraissent* identiques – sauf que l'un est droitier et l'autre gaucher. L'un est chétif, l'autre assez costaud pour assommer un homme. Vous comprenez ?

– Ouais, je crois. Alors, combien de ce levor-machin il aurait fallu à miss Harper pour s'expédier *ad patres* ?

– Trente milligrammes auraient sans doute suffi. C'est-à-dire quinze comprimés de deux milligrammes.

– Et dans ce cas, qu'est-ce qui se serait passé ?

– Elle aurait sombré dans une profonde narcose, puis serait morte.

– Vous pensez qu'elle connaissait ce truc sur les isomères ?

– C'est possible, répondis-je. Nous savons qu'elle avait un cancer, et nous pensons qu'elle a voulu camoufler son suicide, ce qui expliquerait peut-être le plastique fondu et les cendres blanches retrouvés dans la cheminée. Il est possible qu'elle ait délibérément laissé le flacon d'antitussif dans la salle de bains pour nous égarer. Sachant qu'elle prenait ce médicament, je n'avais pas de raison d'être surprise en découvrant de la dextrométhorphane dans ses tests toxicologiques.

Miss Harper n'avait aucun parent vivant, très peu d'amis – peut-être même aucun – et elle ne m'avait pas fait l'impression de quelqu'un qui voyageait beaucoup. Après avoir appris qu'elle s'était rendue récemment à Baltimore, j'avais aussitôt pensé à l'hôpital John Hopkins, qui était doté de l'un des meilleurs services mondiaux d'études sur les tumeurs. Quelques coups de téléphone m'avaient en effet confirmé que miss Harper se rendait régulièrement dans cet hôpital pour y passer des visites de contrôle du sang et de la moelle osseuse. Ce suivi médical était sans conteste dû à ce cancer qu'elle s'était efforcée de dissimuler au monde. Lorsque j'avais appris la nature du traitement qu'on lui avait prescrit, les pièces du puzzle s'étaient mises en place toutes seules dans ma tête. Les labos du BCME n'étaient toutefois pas équipés de polarimètre ni d'aucun moyen de détecter la présence de lévorphanol. Le Dr Ismail, de l'hôpital Hopkins, m'avait promis d'effectuer les tests sur place à condition que je lui fournisse les échantillons nécessaires.

Il n'était pas encore 6 heures et nous approchions de Washington. Des bois et des étangs défilèrent derrière la vitre, puis cédèrent brusquement la place à l'agglomération. Nous aperçûmes dans une trouée d'arbres l'aiguille blanche du Jefferson Memorial. Nous longeâmes des immeubles de bureaux de si près que je pus distinguer à travers les carreaux les plantes et les lampes posées sur les tables. Mais soudain le train plongea sous terre et nous nous retrouvâmes bientôt sous le Mall, où il s'arrêta.

Nous trouvâmes le Dr Ismail dans le laboratoire de pharmacologie du service d'études des tumeurs. Je sortis la petite boîte en polystyrène de mon sac et la posai sur son bureau.

– Ce sont les échantillons dont nous avons parlé ? demanda-t-il avec un petit sourire.

– Oui, répondis-je. J'espère qu'ils n'ont pas décongelé. Nous sommes venus directement de la gare.

– Si la concentration est importante, je pourrai vous donner la réponse dans un jour ou deux, dit-il.

– Qu'est-ce que vous allez faire avec ces trucs-là ? demanda Marino en jetant un regard circulaire au laboratoire.

– C'est très simple, à vrai dire, répondit le Dr Ismail d'une voix patiente. Je commencerai par prélever un échantillon du contenu gastrique. Ce sera la partie la plus longue et la plus difficile du test. Une fois cet échantillon prélevé, nous le mettrons sous le polarimètre, un appareil qui ressemble à un télescope, mais pourvu de lentilles rotatives. J'examinerai l'échantillon en tournant les lentilles vers la droite puis vers la gauche. Si le produit en question est de la dextrométhorphane, il renverra la lumière vers la droite, c'est-à-dire que ma vision à travers l'objectif s'éclaircira quand je tournerai la lentille vers la droite. Si c'est le contraire qui se passe, alors il s'agira de lévorphanol.

Il nous expliqua que le lévorphanol était un analgésique très efficace prescrit aux malades atteints d'un cancer en phase terminale. Du fait que ce médicament avait été mis au point à l'hôpital John Hopkins, le Dr Ismail gardait une liste de tous les patients auxquels il était administré, dans le but d'établir une évaluation thérapeutique. Il avait donc un dossier complet sur les traitements subis par miss Harper.

– Elle venait à peu près tous les deux mois effectuer des contrôles, expliqua le Dr Ismail en aplanissant les pages d'un épais registre. À chaque visite, nous lui donnions environ deux cent cinquante comprimés de deux milligrammes. Voyons... sa dernière visite remonte au 28 octobre. Il devait lui rester entre soixante-quinze et cent comprimés.

– Nous n'en avons retrouvé aucun, dis-je.

Le Dr Ismail leva vers nous des yeux noirs pleins de tristesse.

– Quelle fin terrible, dit-il. Son état avait pourtant tendance à s'améliorer. C'était une femme charmante. J'étais toujours heureux de les voir, elle et sa fille.

Silence stupéfait.

– Sa fille ? articulai-je enfin.

– Oui, je suppose. Une jeune fille. Blonde...

– Elle était avec miss Harper la dernière fois, le 28 octobre ? demanda Marino.

Le Dr Ismail fronça les sourcils.

– Non, je ne me souviens pas l'avoir vue. Je pense que miss Harper était seule.

– Depuis combien de temps miss Harper venait-elle en traitement ? demandai-je.

– Il faudra que je consulte sa fiche. Mais je crois qu'elle venait depuis au moins deux ans.

– La jeune fille blonde l'accompagnait-elle chaque fois ? demandai-je.

– Au début, non. Mais depuis l'année dernière, elle venait chaque fois avec miss Harper, sauf pour la dernière visite, au mois d'octobre, ni, il me semble, l'avant-dernière. Son dévouement m'a impressionné. Quand on a une maladie aussi grave, c'est réconfortant de pouvoir compter sur sa famille, n'est-ce pas ?

– Où logeait miss Harper quand elle venait ? demanda Marino en faisant jouer ses maxillaires.

– La plupart de nos patients prennent une chambre dans un hôtel proche de l'hôpital, mais miss Harper préférait un hôtel sur le port[1].

Mes réactions étaient ralenties par la tension et le manque de sommeil.

– Vous connaissez pas le nom de l'hôtel, par hasard ? demanda Marino.

– Non, je n'en ai aucune idée...

Soudain défilèrent dans mon esprit les mots que nous avions déchiffrés sur la cendre blanche.

– Puis-je voir votre annuaire, je vous prie ? demandai-je au docteur.

Un quart d'heure plus tard, Marino et moi guettions un taxi libre. Le soleil brillait mais il faisait très froid.

– Merde, répéta-t-il, j'espère que vous avez vu juste.

– Nous allons le savoir très vite.

Dans les pages jaunes de l'annuaire, nous avions trouvé un hôtel appelé *Harbor Court. bor C., bor C.* Les minuscules lettres noires subsistant sur les copeaux de cendre blanche ne quittaient pas mon esprit. L'hôtel, un des plus luxueux de la ville, était situé juste en face de Harbor Place.

1. En américain, port = *harbor*.

– Ce qui me turlupine, fit Marino alors qu'un taxi occupé passait devant nous, c'est pourquoi se donner tant de mal ? Si miss Harper avait décidé de se tuer, pourquoi le faire de manière si mystérieuse ? Vous pigez ça, vous ?

– Miss Harper avait sa fierté. Elle considérait sans doute le suicide comme une honte. Elle pensait peut-être qu'on ne découvrirait pas qu'il s'agissait d'un suicide, et elle a profité de ma présence chez elle pour en finir.

– Pourquoi ?

– Pour qu'on ne découvre pas son cadavre au bout d'une semaine.

La circulation était si dense que je commençai à me demander si nous n'irions pas plus vite à pied.

– Et vous pensez vraiment qu'elle était au courant de cette histoire d'isomères ? fit Marino.

– Oui, je le crois.

– Pourquoi ça ?

– Parce qu'elle voulait mourir dans la dignité, Marino. Il est possible qu'elle ait envisagé depuis très longtemps le suicide au cas où sa leucémie s'aggraverait. Elle ne voulait pas souffrir ni faire souffrir son entourage. Le lévorphanol était exactement ce qu'il lui fallait. Dans la plupart des cas, on ne le détecte pas, surtout quand on prend la précaution de laisser traîner dans la maison un flacon de sirop contenant de la dextrométhorphane.

– Sans blague, en v'là un ! s'exclama-t-il tandis qu'un taxi accostait devant nous. Je suis impressionné, vous savez. Très impressionné.

– C'est tragique.

– Je ne sais pas. (Il ôta le papier d'un chewing-gum, qu'il se mit à mâcher avec voracité.) Moi, j'aimerais pas être attaché sur un lit d'hosto avec des tuyaux dans le nez. P't'être bien que j'aurais fait comme elle.

– Elle ne s'est pas tuée à cause de son cancer.

– Je sais, dit-il en descendant du trottoir. Mais ça a un rapport, forcément. Elle savait qu'elle en avait plus pour longtemps, et puis voilà que Beryl se fait buter, ensuite son frère. (Il haussa les épaules.) Pourquoi insister ?

Nous montâmes dans le taxi et je donnai l'adresse au chauffeur. Nous roulâmes en silence pendant une quinzaine de minutes, au bout desquelles le taxi ralentit pour se faufiler sous une étroite arche donnant sur une cour pavée de brique et ornée de parterres de plantes et de petits arbres en pots. Un portier en redingote et haut-de-forme se précipita et nous accompagna dans un vaste hall rose et crème. Tout était neuf, immaculé et impeccablement ciré. D'élégants bouquets trônaient sur de beaux meubles et un personnel empressé mais discret veillait à satisfaire les moindres désirs de la clientèle.

On nous conduisit jusqu'au bureau du gérant, occupé au téléphone. T.M. Bland, ainsi que l'indiquait la plaque de cuivre posée sur la table, nous jeta un bref coup d'œil et écourta sa conversation. Marino lui fit part sans détour de l'objet de notre visite.

– La liste de nos clients est confidentielle, répondit Mr Bland avec un sourire aimable.

Marino se laissa tomber dans un fauteuil en cuir, alluma une cigarette malgré le panneau MERCI DE NE PAS FUMER accroché bien en vue sur un mur, plongea la main dans sa poche intérieure et exhiba sa plaque.

– Je m'appelle Pete Marino, dit-il. Police de Richmond, service des Homicides. Et voici le Dr Kay Scarpetta, médecin expert général de Virginie. Nous comprenons parfaitement votre souci de discrétion, Mr Bland, qui est tout à votre honneur, mais voyez-vous, Sterling Harper est morte, son frère Cary Harper est mort, et Beryl Madison est morte elle aussi. Cary Harper et Beryl ont été assassinés. On ne sait pas encore de quoi est morte miss Harper. C'est pour ça qu'on est venus vous voir.

– Je lis les journaux, Mr Marino, rétorqua Mr Bland avec une fermeté qui commençait à faiblir. Et nous sommes tout à fait disposés à coopérer avec les autorités.

– Ils étaient tous clients chez vous ? fit Marino.

– Cary Harper n'a jamais logé ici.

– Mais sa sœur et Beryl Madison sont venues.

– Exact, dit Mr Bland.

– Combien de fois, et à quand remonte leur dernière visite ?

– Il faut que je consulte les fiches de miss Harper, répondit Mr Bland. Voulez-vous m'excuser une minute, je vous prie ?

Il s'absenta un petit quart d'heure, et lorsqu'il revint il nous tendit une liasse de papier informatique.

– Comme vous pouvez le constater, dit-il en se rasseyant, miss Harper et Beryl Madison sont venues six fois chez nous au cours des derniers dix-huit mois.

– Tous les deux mois, dis-je en parcourant les dates imprimées, sauf fin août et fin octobre, où miss Harper est venue seule.

Mr Bland acquiesça.

– Vous savez pourquoi elles venaient ? lui demanda Marino.

– Pour raisons professionnelles, j'imagine. Pour faire des courses. Ou tout simplement pour se détendre. Je ne sais pas du tout. Nous n'avons pas pour habitude de contrôler l'emploi du temps de nos clients.

– C'est ça, c'est ça, fit Marino. Et c'est pas non plus dans mes habitudes de me mêler de la vie de vos clients à moins qu'ils se fassent descendre, Mr Bland. Alors arrêtons les finasseries professionnelles et parlez-nous un peu de ces deux clientes.

Le sourire de Mr Bland s'effaça et, d'un geste nerveux, il s'empara d'un stylo en or qui traînait sur un bloc-notes. Après quoi il parut ne plus savoir que faire de l'objet, se décida à le glisser dans la poche de poitrine de son impeccable chemise rose et s'éclaircit la gorge.

– Je peux seulement vous dire ce que j'ai remarqué, dit-il.

– C'est ça, fit Marino.

– Les deux femmes voyageaient séparément. En général, miss Harper arrivait un jour avant Beryl Madison, et il arrivait souvent qu'elles ne repartent pas le même jour ni... hum... ensemble.

– Qu'est-ce que ça veut dire, elles ne *repartaient* pas ensemble ?

– Je veux dire qu'elles pouvaient demander leur compte le même jour, mais pas nécessairement au même moment, et qu'elles pouvaient repartir par des moyens de transport différents. En ne prenant pas le même taxi, par exemple.

– Repartaient-elles toutes les deux à la gare ? demandai-je.

– Miss Madison demandait souvent une limousine pour l'emmener à l'aéroport, dit Mr Bland. Quant à miss Harper, elle prenait le plus souvent le train.

– Quel genre de réservations effectuaient-elles chez vous ? demandai-je.

– Ouais, renchérit Marino. Vos papiers disent rien sur leurs chambres. (Il tapota les feuilles informatiques du bout de l'index.) Elles prenaient une double ou une simple ? Un lit ou deux ?

L'insinuation fit monter le rouge aux joues de Mr Bland.

– Elles réservaient toujours une chambre double avec vue sur le port, répondit-il. Elles étaient les invitées de l'hôtel, Mr Marino, si vous voulez tout savoir. Mais je vous demanderai de ne pas ébruiter ce détail.

– Hé, vous trouvez que j'ai une tête de journaliste ?

– Vous voulez dire que vous les receviez gratuitement ? demandai-je intriguée.

– Oui, madame.

– Vous pouvez nous expliquer ça ? fit Marino.

– C'était le vœu de Joseph McTigue, répondit Mr Bland.

– Je vous demande pardon ? fis-je en me penchant. L'entrepreneur de Richmond ? C'est de ce Joseph McTigue que vous voulez parler ?

– Feu Mr McTigue a construit une bonne partie du front de mer par ici, expliqua Mr Bland. Ses sociétés possédaient de gros intérêts dans cet hôtel. Il nous avait demandé de recevoir miss Harper gracieusement chaque fois qu'elle le désirait, et nous avons respecté son désir même après sa disparition.

Quelques minutes plus tard, je glissai un dollar dans la paume du portier et montai dans un taxi à la suite de Marino.

– Vous pouvez m'expliquer qui est ce Joseph McTigue ? dit-il tandis que le véhicule démarrait. J'ai comme l'impression que vous en savez plus que moi.

– J'ai été voir sa veuve à Richmond. Aux Chamberlayne Gardens. Je vous en ai parlé.

– Nom de Dieu !

– Oui, moi aussi ça m'a fait drôle, avouai-je.

– Et qu'est-ce que ça veut dire, d'après vous ?

Je n'en savais encore rien, mais j'avais ma petite idée.

– Ça me paraît pas clair du tout, reprit-il. D'abord, pourquoi miss Harper voyageait en train pendant que Beryl prenait l'avion, alors qu'elles allaient au même endroit ?

– Ça n'a rien de surprenant, dis-je. Elles ne pouvaient pas voyager ensemble. miss Harper et Beryl n'auraient pas pris ce risque. Souvenez-vous qu'elles étaient censées ne pas se voir.

Si Cary Harper allait chercher sa sœur à la gare, il aurait été difficile pour Beryl de s'esquiver sans qu'il la voie. (Je m'interrompis pendant qu'une idée me venait à l'esprit.) Il est possible aussi que miss Harper ait aidé Beryl à rédiger son livre, qu'elle lui ait donné des précisions sur la famille Harper.

Marino regardait par sa vitre.

– Si vous voulez mon avis, déclara-t-il, c'étaient des lesbiennes planquées.

Je vis le chauffeur nous jeter un regard intéressé dans le rétroviseur.

– Moi je pense qu'elles s'aimaient, dis-je.

– Donc elles avaient une petite liaison et elles se retrouvaient tous les deux mois à Baltimore, où personne les connaissait. Vous savez, c'est p't'être bien pour ça que Beryl a choisi Key West. Si elle était goudou, c'était l'endroit rêvé.

– Votre homophobie est non seulement obsessionnelle mais fatigante, Marino. Vous devriez faire attention. Les gens vont finir par se poser des questions sur vous.

– Vous croyez ? dit-il sans le moindre humour.

Je restai silencieuse.

– Dans ce cas, reprit-il, Beryl s'est peut-être trouvé une petite amie là-bas dans le Sud.

– Vous devriez enquêter.

– Pas question. J'tiens pas à me faire piquer par un moustique dans la capitale du sida. Et cuisiner des pédés ne me dit rien du tout.

– Avez-vous demandé à la police de Floride de chercher des gens qui l'ont connue là-bas ? demandai-je.

– Un ou deux flics s'en sont occupés. Parlez d'un boulot ! Ils osaient rien manger, ni boire de l'eau. Un des serveurs du restau dont elle parle dans ses lettres est en train de mourir du sida. Les flics étaient obligés de mettre des gants partout où ils allaient.

– Même pendant les interrogatoires ?

– Bien sûr. Et même des masques de chirurgien – du moins avec le type qu'est en train de claquer. Ils ont rien trouvé, aucun renseignement valable.

– Ça ne m'étonne pas, dis-je. Si vous traitez les gens comme des lépreux, ils ne vous diront rien.

– Si vous voulez mon avis, on devrait scier cette putain de Floride et la laisser dériver dans l'Atlantique.

– Mais je ne vous ai pas demandé votre avis, Marino.

Le soir, en rentrant, je trouvai de nombreux messages sur mon répondeur.

J'espérais qu'il y en aurait un de Mark. Je me servis un verre de vin, m'assis au bord du lit et déclenchai la machine.

Bertha, ma femme de ménage, avait la grippe et m'annonçait qu'elle ne pourrait pas venir le lendemain. L'attorney général m'invitait au petit déjeuner le lendemain et m'informait que les ayants droit de Beryl Madison entamaient une procédure au sujet du manuscrit manquant. Trois journalistes avaient appelé pour connaître ma réaction à cette décision, et ma mère me demandait si je préférais une dinde ou un jambon pour Noël – tentative guère subtile pour savoir si elle me verrait au moins une fois cette année.

Je ne reconnus pas la voix et la respiration bruyante qui suivirent.

– ... Vous avez de si beaux cheveux blonds, Kay. C'est leur couleur naturelle, ou vous les teignez ?

Je rembobinai frénétiquement la bande et ouvris le tiroir de ma table de nuit.

– ... leur couleur naturelle, ou vous les teignez ? Je vous ai laissé un petit cadeau sur votre porche arrière.

Stupéfaite, le Ruger à la main, je repassai une fois de plus la bande. La voix était à peine plus qu'un murmure, très calme, posée. Une voix de Blanc. Je ne perçus aucun accent, aucune émotion dans l'intonation. Le bruit de mes propres pas sur les marches de l'escalier me hérissa les cheveux et j'allumai toutes les pièces que je traversai. Le cœur battant, je m'approchai de la fenêtre de la cuisine donnant sur l'arrière de la maison. J'écartai avec précaution le voilage, revolver en main, le canon dirigé vers le plafond.

La lampe extérieure repoussa les ténèbres, éclaira la pelouse avec la mangeoire et dessina la silhouette sombre des arbres marquant la limite du jardin. Le sol de brique du patio était vide et je ne vis rien non plus sur les marches du seuil. Je tournai le verrou, saisis la poignée de la porte et, avec d'infinies précautions, le cœur battant, l'ouvris.

Quelque chose heurta le panneau de façon presque inaudible, mais lorsque je vis ce qui était enroulé autour de la poignée extérieure, je refermai la porte avec une telle violence que toutes les fenêtres tremblèrent.

Marino avait la voix de quelqu'un qu'on tire du lit.

– Venez tout de suite ! hurlai-je une octave plus haut que d'habitude.

– Bougez pas, fit-il d'une voix ferme. Ouvrez à personne avant que je sois là, compris ? J'arrive de suite.

Quatre voitures de patrouille étaient garées devant chez moi, et les policiers fouillaient l'obscurité de leurs étroits pinceaux lumineux.

– L'unité K9 arrive, m'informa Marino en installant sa radio portative sur la table de la cuisine. Ça m'étonnerait que ce salopard traîne encore là, mais on va vérifier tout le secteur avant de repartir.

C'était la première fois que je voyais Marino en jean, et il aurait presque pu prétendre à une certaine élégance sans ses grosses chaussettes blanches, ses mocassins ringards et son sweat-shirt gris étriqué. L'odeur du café emplissait la cuisine. J'en avais préparé assez pour réveiller la moitié du quartier. J'essayais d'occuper mon esprit en m'activant.

– Répétez-moi votre histoire, sans vous presser, me dit Marino.

– J'écoutais les messages sur mon répondeur, dis-je. Le dernier était une voix jeune, une voix de Blanc. Je vous le ferai écouter. Il parlait de mes cheveux, demandait si je les teignais. (Je fus contrariée de voir les yeux de Marino chercher à détecter la couleur de mes racines.) Et puis il a dit qu'il m'avait laissé un cadeau sur la porte de derrière. Je suis descendue, j'ai regardé par la fenêtre mais je n'ai rien vu. Je ne sais pas ce que j'attendais. Je ne sais vraiment pas. Une horreur dans un paquet cadeau ou quelque chose. Quand j'ai ouvert la porte, j'ai entendu quelque chose heurter le bois, à l'extérieur. C'était enroulé autour de la poignée.

Au milieu de la table, enfermé dans un sachet plastique, reposait un médaillon doré de forme peu banale, fixé à une grosse chaîne en or.

– Vous êtes sûr que c'est ce que portait Harper quand vous l'avez vu à la *Culpeper's Tavern* ? demandai-je à Marino.

– Sûr et certain, répondit-il le visage fermé. Il n'y a pas de doute. Ça explique où était passé ce truc-là. Le salopard l'a récupéré sur le corps de Harper, et aujourd'hui, avec un peu d'avance, vous avez eu votre petit cadeau de Noël. On dirait que notre ami vous a à la bonne.

– Je vous en prie, rétorquai-je vivement.

– Hé, je prends pas ça à la légère, vous savez. (Le visage grave, il tira le sachet vers lui et examina le collier à travers le plastique.) Vous remarquerez que le fermoir et le dernier anneau sont tordus. C'est peut-être parce qu'il l'a arraché du cou de Harper. Il a dû le redresser avec des pinces. Peut-être même qu'il l'a porté. Bon Dieu ! (Il secoua sa cendre de cigarette.) Vous avez pas trouvé de marques sur le cou de Harper qui proviendraient de la chaîne ?

– Il n'en restait pas grand-chose, de son cou, lui rappelai-je d'une voix morne.

– Vous avez déjà vu un médaillon comme ça, vous ?

– Non.

Le pendentif ressemblait à un écusson en or 18 carats, mais il ne portait aucune inscription, sauf la date de 1906 gravée au dos.

– D'après les quatre poinçons au verso, je pense qu'il s'agit d'un bijou anglais. Les poinçons sont un code universel qui indique quand, où et par qui un bijou a été fabriqué. Un joaillier pourrait les déchiffrer. En tout cas, ça ne vient pas d'Italie, parce que...

– Doc...

– Parce qu'il y aurait le chiffre 750 estampillé derrière pour du 18 carats, 500 pour du 14 carats...

– Doc.

– Je connais un expert bijoutier chez Schwarszchild...

– Hé ! cria presque Marino. On s'en fout, d'accord ?

Je jacassais comme une vieille folle.

– Même si on connaissait le foutu arbre généalogique de tous les zigotos qui ont porté ce foutu collier, ça ne répondrait pas à la seule question importante : le nom du type qui l'a accroché à votre porte. (Son regard s'adoucit quelque peu et il baissa la voix pour ajouter :) Qu'est-ce que vous avez à boire ? Du cognac ? Est-ce que vous auriez un peu de cognac ?

– Vous tombez bien.

– Pas pour moi ! s'exclama-t-il en riant. C'est pour vous. Allez vous en servir ça. (Il écarta son pouce et son index d'environ cinq centimètres.) Après on pourra parler.

J'allai au bar et revins avec un petit verre. Le cognac me brûla la gorge puis se répandit peu à peu dans mes membres et me réchauffa. Mon tremblement intérieur disparut. Je cessai de frissonner. Marino me considéra d'un drôle d'air. Son regard me fit peu à peu prendre conscience d'un tas de choses. Je portais toujours le même ensemble chiffonné que j'avais dans le train pour Baltimore. Mon collant me sciait à la taille et faisait des poches aux genoux. J'avais une violente envie d'aller me débarbouiller et de me laver les dents. Mon crâne me démangeait. Je devais avoir une tête à coucher dehors.

– Ce type fait pas de menaces en l'air, dit Marino d'une voix posée pendant que je buvais mon alcool à petites gorgées.

– Il me provoque uniquement parce que je m'occupe de cette affaire, dis-je. Il veut me ridiculiser. Les psychopathes font souvent ça avec les enquêteurs. Ils aiment bien se moquer d'eux et leur envoyer des souvenirs.

Je ne croyais pas vraiment à ce que je disais. Marino n'y croyait certainement pas du tout.

– J'vais laisser quelques hommes en planque, dit-il. Ils surveilleront la maison. Maintenant, je vais vous donner quelques règles de conduite. Suivez-les à la lettre. Ne plaisantez pas avec ça. (Il me fixa d'un air sévère.) D'abord, je sais pas qu'elles sont vos habitudes, mais il va falloir les embrouiller le plus possible. Tout changer. Par exemple, si d'habitude vous allez faire vos courses le vendredi après-midi, la prochaine fois faites-les le mercredi, et changez de magasin. Ne rentrez jamais chez vous ou dans votre voiture sans avoir jeté un coup d'œil aux alentours. Dès que vous remarquez quelque chose, comme une voiture suspecte garée dans le coin, vous vous barrez le plus vite possible, ou bien si vous remarquez des traces de pas dans votre jardin, vous vous enfermez ici à double tour et vous appelez la police. Si vous êtes chez vous et que vous avez une drôle d'impression, même une vague appréhension, vous sortez, vous trouvez un téléphone, vous nous appelez et vous attendez qu'un agent arrive pour vous accompagner à l'intérieur et vérifier toutes les pièces.

– J'ai une alarme, lui fis-je remarquer.

– Beryl aussi en avait une.

– Elle a laissé entrer ce salopard.

– Donc vous laissez entrer personne que vous connaissez pas.

– Qu'est-ce qu'il peut faire ? insistai-je. Débrancher mon alarme ?

– Tout est possible.

Wesley avait dit la même chose.

– Quittez votre bureau avant la nuit, et toujours quand il y a encore du monde dans le bâtiment. Pareil si vous arrivez tôt le matin, quand le parking est encore vide. Allez-y un peu plus tard. Laissez votre répondeur branché. Enregistrez tout. Si le type vous rappelle, prévenez-moi aussitôt. Encore un ou deux appels comme ça et on vous mettra sur écoute...

– Comme Beryl ? fis-je en sentant monter la colère.

Il ne répondit pas.

– Alors, Marino ? Est-ce qu'il va falloir attendre une autorisation officielle, qui sera accordée Dieu sait quand ? En tout cas trop tard pour moi ?

– Vous voulez que je dorme sur le divan cette nuit ? proposa-t-il d'une voix calme.

J'appréhendai déjà assez le lendemain matin pour ne pas avoir en plus à supporter la vision de Marino en caleçon, le T-shirt tendu sur sa bedaine, trottinant dans la direction approximative de la salle de bains. C'était le genre de type à ne pas rabattre la lunette après usage.

– Ça ira, je me débrouillerai, dis-je.

– Vous avez un permis, je crois ?

– De port d'arme ? fis-je. Non.

Il repoussa sa chaise.

– Je toucherai un mot au juge Reinhard demain matin. On vous en procurera un.

Ce fut tout. Il était près de minuit.

Quelques instants après, j'étais à nouveau seule, et incapable de trouver le sommeil. Je me resservis un cognac, puis un autre, et restai allongée sur le dos, les yeux fixés au plafond de ma chambre. Si vous avez beaucoup d'ennuis dans la vie, les gens finissent par penser que vous les attirez, que vous agissez comme un aimant sur le malheur, le danger ou les perversions. Je commençai à me demander si Ethridge n'avait pas raison.

Peut-être m'impliquais-je trop dans mes dossiers. C'est ce qui me mettait en danger. À plusieurs reprises déjà, j'avais senti sur moi le souffle qui pouvait m'expédier dans l'éternité.

Quand je finis par sombrer dans le sommeil, ce fut pour voir défiler des rêves absurdes. Ethridge trouait son gilet avec la braise d'un cigare. Fielding travaillait sur un cadavre qu'il transformait peu à peu en passoire parce qu'il n'arrivait pas à trouver une artère où il restait du sang. Marino gravissait une colline en bondissant sur une échasse à ressorts, et j'étais sûre qu'il allait se casser la figure.

12

Tôt le lendemain matin, je descendis au salon encore plongé dans la pénombre et épiai par la fenêtre les silhouettes et les ombres qui peuplaient le terrain entourant la maison.

On ne m'avait toujours pas rendu la Plymouth, et en apercevant le break interminable dont j'avais hérité, je me surpris à me demander s'il serait difficile à un homme de se dissimuler dessous et de me saisir la cheville au moment où j'ouvrais la portière. Inutile qu'il me tue : c'est mon cœur qui lâcherait. La rue était déserte sous la lumière falote des réverbères. À travers l'interstice des rideaux, je ne vis rien, n'entendis rien, ne remarquai rien qui sortît de l'ordinaire. Pas plus que Cary Harper n'avait remarqué quoi que ce soit le soir où il était rentré de sa virée quotidienne chez *Culpeper*.

J'avais rendez-vous avec l'attorney général pour le petit déjeuner dans moins d'une heure. Je finirais par être en retard si je ne trouvais pas le courage d'ouvrir la porte et de franchir la dizaine de mètres de trottoir qui me séparait de ma voiture. Je scrutai les buissons et les cornouillers qui bordaient ma pelouse, passant au crible leurs inoffensives silhouettes dans le jour levant. La lune brillait comme un lis blanc, l'herbe miroitait sous le givre.

Comment était-il allé chez eux, *chez moi* ? Il fallait bien qu'il dispose d'un moyen de transport. Nous n'avions pas beaucoup réfléchi à cette question. Le type de véhicule utilisé est un élément du profilage des criminels aussi important que l'âge ou la race, et pourtant personne n'y avait fait allusion, pas même Wesley. J'essayai d'en déterminer la raison tout en contemplant la rue déserte. Mon malaise augmenta lorsque je me remémorai l'attitude crispée de Wesley à Quantico.

Je fis part de mes inquiétudes à Ethridge pendant notre petit déjeuner.

– C'est peut-être tout simplement que Wesley préfère vous cacher certains éléments, me dit-il.

– Il s'est toujours montré très ouvert avec moi jusqu'ici.

– Le FBI n'a pas la réputation d'être très bavard, Kay.

– Wesley est un profileur, répliquai-je. Il m'a toujours fait part de ses théories et de ses opinions. Pourtant, dans cette affaire, il ne dit rien. On dirait qu'il ne cherche même pas sérieusement à dresser un profil possible. Je trouve qu'il a changé. Il a perdu son sens de l'humour et fuit mon regard. C'est bizarre et très irritant.

Je respirai un grand coup.

– Vous vous sentez toujours aussi seule, n'est-ce pas, Kay ? dit alors Ethridge.

– En effet, Tom.

– Et un tantinet paranoïaque ?

– C'est vrai aussi, dis-je.

– Avez-vous confiance en moi, Kay ? Estimez-vous que je suis de votre côté et que je ne pense qu'à préserver vos intérêts ?

J'acquiesçai et pris à nouveau une profonde inspiration.

Nous bavardions à voix basse dans le salon du *Capitol Hotel*, un établissement fréquenté par les politiciens et des personnalités fortunées. Trois tables plus loin était assis le sénateur Partin, le visage encore plus ridé que dans mon souvenir, en conversation avec un jeune homme que j'avais déjà vu quelque part.

Ethridge me regarda avec douceur mais son visage était inquiet.

– La plupart des gens se sentent isolés et sujets à la paranoïa dans des périodes difficiles, me dit-il. Tout le monde se sent perdu au milieu de la tempête.

– Je suis seule au milieu d'une tempête, dis-je. C'est pour cela que je réagis de cette façon.

– Je comprends l'inquiétude de Wesley.

– Bien sûr.

– Mais ce qui m'inquiète chez vous, Kay, c'est que vous fondez vos théories sur l'intuition, que vous marchez à l'instinct. Cela peut se révéler très dangereux.

– Parfois peut-être. Mais il peut aussi être très dangereux d'embrouiller les choses. Le meurtre est en général d'une déprimante simplicité.

– Pas toujours.

– Presque toujours, Tom.

– Vous ne pensez pas que les machinations de Sparacino aient un rapport avec ces décès ?

– Je pense qu'il serait trop facile de se laisser distraire par ces machinations, répliquai-je. Ce qu'il fait et ce que fait le tueur pourraient être comparés à deux trains roulant sur des voies parallèles. Les deux sont dangereux, voire même mortels. Mais il s'agit de deux choses différentes. Sans rapport entre elles. Deux choses qui ne sont pas dirigées par les mêmes forces.

– Vous ne pensez pas que le manuscrit manquant est un élément commun aux deux ?

– Je ne sais pas, dis-je.

– Vous n'avez rien appris de plus ?

J'eus l'impression d'être une écolière qui n'avait pas fait ses devoirs. J'aurais préféré qu'il ne pose pas la question.

– Non, Tom, dus-je admettre. Je n'ai aucune idée de ce qu'il est devenu.

– Ça ne serait pas ce que Sterling Harper a brûlé juste avant de mourir ?

– Je ne le pense pas. Notre expert a examiné les cendres du papier. Il s'agit d'un papier lourd à base de chiffon, un papier à lettres de luxe ou un papier utilisé pour des documents juridiques. Il est peu probable que quelqu'un l'ait utilisé pour le premier jet d'un livre. Il est plus vraisemblable que miss Harper a brûlé des lettres, des papiers personnels.

– Des lettres de Beryl Madison ?

– C'est une hypothèse qu'on ne peut pas exclure, répondis-je bien que moi-même je l'aie pratiquement exclue.

– Ou peut-être de Cary Harper ?

– Nous avons retrouvé une grande quantité de ses papiers dans la maison. Apparemment, personne n'y avait touché.

– Si les lettres étaient de Beryl Madison, pourquoi miss Harper les aurait-elle brûlées ?

– Je ne sais pas, fis-je tout en sachant que Ethridge pensait à son vieil ennemi Sparacino.

Ce dernier n'avait pas perdu de temps. J'avais lu les trente-trois pages de la procédure qu'il avait engagée. Sparacino m'attaquait, attaquait la police et le gouverneur. La dernière fois que j'avais fait le point avec Rose, elle m'avait dit que le magazine *People* avait appelé, et que l'un de leurs journalistes avait été aperçu en train de photographier le BCME après qu'on lui en eut refusé l'entrée. Je devenais célèbre. Je devenais également experte à refuser de me livrer à des commentaires et à fuir les interviews.

– Vous pensez qu'on a affaire à un cinglé, n'est-ce pas ? me demanda Ethridge de but en blanc.

Fibre orange ou pas, pirates de l'air ou pas, c'est ce que je pensais et je le lui dis.

Il baissa la tête et lorsqu'il la releva je fus stupéfaite de découvrir dans son regard tristesse et déception. Ainsi qu'un terrible embarras.

– Kay, commença-t-il, j'ai quelque chose de très difficile à vous dire.

Je tendis la main pour prendre un biscuit.

– Mais il faut que vous sachiez. Peu importe ce qui va se passer et pourquoi, peu importe vos idées et opinions, il faut que vous soyez au courant.

Décidant que j'avais plus envie de fumer que de manger, je sortis mes cigarettes.

– J'ai un contact. Disons qu'il est proche du Justice Department...

– Vous allez me parler de Sparacino, l'interrompis-je.

– Non. De Mark James.

Je fus aussi ahurie que si l'attorney général m'avait grossièrement insultée.

– Eh bien quoi, Mark James ? fis-je.

– Je ne sais pas si vous êtes bien la personne à qui demander ça, Kay.

– Que voulez-vous me demander ?

– On vous a vus ensemble à New York, Mark et vous, il y a quelques semaines. Chez *Gallagher*. (Il s'interrompit, toussota et ajouta bizarrement :) Ça fait des années que je n'y ai pas mangé.

Je regardai la fumée de ma cigarette monter au plafond.

– Si je me souviens bien, on y mange d'excellents steaks...

– Taisez-vous, Tom, je vous en prie, dis-je d'une voix posée.

– Une clientèle de joyeux Irlandais qui aiment bien vider quelques chopes en galante compagnie...

– Taisez-vous, bon Dieu ! répétai-je un peu trop fort.

Le sénateur Partin tourna la tête dans notre direction et nous dévisagea tour à tour avec curiosité. Notre garçon, apparu comme par enchantement, nous resservit du café en demandant si nous n'avions besoin de rien.

– Pas de baratin, Tom, repris-je. Qui m'a vue ?

Il écarta ma question d'un vague geste du poignet.

– Ce que je veux savoir, c'est comment vous l'avez connu.

– Je le connais depuis très longtemps.

– Ce n'est pas une réponse.

– Depuis la faculté de droit.

– Vous étiez proches ?

– Oui.

– Amants ?

– Seigneur, Tom...

– Je suis désolé, Kay, mais c'est important. (Ethridge se tamponna les lèvres avec sa serviette et saisit sa tasse de café tout en inspectant la salle. Il était très mal à l'aise.) À New York vous avez passé presque toute la nuit ensemble. À l'*Omni*.

Mes joues me brûlaient.

– Je me fous de votre vie privée, Kay. Sauf dans ce cas précis, parce que... je suis navré, vous savez. (Il s'éclaircit la gorge et me regarda enfin dans les yeux.) Et merde. Le Justice Department a ouvert une enquête sur un copain de Mark, un certain Sparacino...

– Un *copain* de Mark ?

– C'est très sérieux, Kay, poursuivit-il. Je ne sais pas comment était Mark James quand vous l'avez connu à la faculté, mais je sais ce qu'il est devenu depuis. Je connais son dossier. Après qu'on vous a vue avec lui, je me suis renseigné. Il a eu de gros ennuis à Tallahassee il y a sept ans. Racket et fraude. Il a été condamné et incarcéré. C'est à sa sortie de prison qu'il est entré en contact avec Sparacino, que nous soupçonnons d'être en rapport avec le crime organisé.

J'eus l'impression qu'un étau se refermait sur mon cœur. Le sang dut refluer de mon visage, car Ethridge me tendit un verre d'eau et attendit que je me sois ressaisie. Mais lorsque je pus de nouveau le regarder en face, il reprit impitoyablement là où il s'était interrompu.

– Mark n'a jamais travaillé pour Orndorff & Berger, Kay. Le cabinet ne le connaît ni d'Ève ni d'Adam. Ce qui n'a rien d'étonnant, parce que Mark ne peut pas exercer d'activité juridique. Il a été rayé du barreau. Il semble qu'il soit devenu l'assistant personnel de Sparacino.

– Sparacino travaille-t-il pour Orndorff & Berger ? articulai-je.

– Oui, ça c'est vrai. Il est leur spécialiste dans le domaine culturel.

Je restai silencieuse. J'étais au bord des larmes.

– Coupez tout contact avec lui, Kay, fit Ethridge avec une tendresse maladroite. Pour l'amour du ciel ne le revoyez plus jamais. Quel que soit l'état de votre relation, rompez tout contact.

– Nous n'avons plus aucune histoire ensemble, dis-je d'une voix tremblante.

– Quand avez-vous eu votre dernier contact avec lui ?

– Il y a deux ou trois semaines. Il m'a appelée. Nous n'avons échangé que quelques mots.

Il hocha la tête comme s'il s'était attendu à cette précision.

– Le résultat de la paranoïa. Le fruit empoisonné d'une existence criminelle. Mark James ne parle sans doute jamais longtemps au téléphone, et je doute qu'il cherche à vous recontacter, à moins qu'il ne veuille vous demander quelque chose. Racontez-moi pourquoi vous étiez avec lui à New York.

– Il voulait me voir. Pour me mettre en garde contre Sparacino, précisai-je d'un ton penaud. En tout cas c'est ce qu'il avait dit.

– Vous a-t-il mise en garde contre lui ?

– Oui.

– Que vous a-t-il dit ?

– À peu près la même chose que ce que vous m'en avez dit.

– Pourquoi Mark vous a-t-il raconté ça ?

– Il disait qu'il voulait me protéger.

– Vous le croyez ?

– Je ne sais plus ce que je dois croire, bon sang !

– Êtes-vous amoureuse de lui ?

Sans un mot, je le foudroyai du regard.

– Il faut que je sache jusqu'à quel point vous êtes vulnérable, Kay, dit-il d'une voix paisible. N'allez pas croire que j'y prends plaisir, je vous en prie.

– Vous non plus, n'allez surtout pas croire que j'y prends plaisir, Tom, rétorquai-je avec une pointe d'agacement.

Ethridge prit la serviette posée sur ses genoux, la plia avec soin et la coinça sous son assiette.

– J'ai quelques raisons de craindre, reprit-il à voix si basse que je dus me pencher pour entendre, que Mark James pourrait vous faire le plus grand mal, Kay. Nous avons des raisons de penser que c'est lui qui a organisé l'effraction de votre bureau...

– Quelles raisons avez-vous ? le coupai-je en haussant le ton. De quoi parlez-vous ? Quelle preuve...

Les mots s'étranglèrent dans ma gorge car le sénateur Partin et son compagnon étaient à notre table. Je ne les avais pas vus se lever et s'approcher. Vu leur expression, ils comprenaient qu'ils avaient interrompu une conversation tendue.

– John, quelle bonne surprise ! s'exclama Ethridge en repoussant sa chaise. Vous connaissez le Dr Scarpetta, médecin expert général, je suppose ?

– Bien sûr, bien sûr. Comment allez-vous, Dr Scarpetta ? (Le sénateur me serra la main, le sourire aux lèvres mais le regard distant.) Voici mon fils, Scott.

Scott n'avait pas hérité des traits rudes de son père, ni de sa silhouette trapue. Le jeune homme était grand, mince, avec un visage extrêmement séduisant entouré de magnifiques cheveux noirs. Il n'avait pas encore atteint la trentaine et ses yeux brillaient d'une insolence déconcertante. Les amabilités que nous échangeâmes ne dissipèrent pas mon embarras, et je ne retrouvai pas mon assurance lorsque les deux hommes nous eurent quittés.

– Je l'ai déjà vu quelque part, dis-je à Ethridge lorsque le garçon nous eut resservi deux cafés.

– Qui ? John ?

– Non, non. Bien sûr que je connais le sénateur. Je parlais de son fils. Scott. Son visage ne m'est pas inconnu.

– Vous l'avez sans doute vu à la télévision, répliqua-t-il en jetant un coup d'œil discret à sa montre. Il est comédien, en tout cas il essaie de le devenir. Je crois qu'il a eu un ou deux petits rôles dans des feuilletons.

– Je ne me souviens pas, marmonnai-je.

– Il a peut-être figuré dans quelques films. Il était en Californie, mais maintenant il vit à New York.

– Non, ce n'était pas dans un film, fis-je intriguée.

Ethridge reposa sa tasse et me fixa d'un regard tranquille.

– Comment savait-il que nous allions prendre le petit déjeuner ici, Tom ? lui demandai-je en m'efforçant de contrôler ma voix.

La mémoire venait de me revenir. Chez *Gallagher*. Le jeune homme qui buvait une bière à quelques tables de celle où Mark et moi étions assis.

– Je ne sais pas comment il le savait, répondit Ethridge avec une lueur de satisfaction dans les yeux. Disons que je ne suis pas étonné, Kay. Le jeune Partin me suit comme une ombre depuis plusieurs jours.

– Ce n'est pas lui, votre contact au Justice Department ?

– Dieu merci, non, fit Ethridge.

– Alors, Sparacino ?

– C'est mon impression. Ça serait le plus plausible, n'est-ce pas, Kay ?

– Pourquoi ?

Il étudia l'addition qu'on nous avait apportée, puis :

– Pour être au courant de ce qui se passe. Pour espionner. Pour intimider. (Il leva les yeux vers moi.) À vous de choisir.

Scott Partin m'avait frappée comme étant le parfait exemple de ces hommes à la beauté hautaine et réservée. Je le revoyais en train de lire le *New York Times* en buvant sa bière d'un air maussade. Je l'avais remarqué parce que, tout comme les bouquets particulièrement réussis, il est difficile de ne pas remarquer les gens très beaux.

Je racontai toute l'histoire à Marino dans l'ascenseur qui, un peu plus tard dans la matinée, nous descendait au rez-de-chaussée du BCME.

– J'en suis sûre, répétai-je. Il était assis à deux tables de la nôtre chez *Gallagher*.

– Il était seul ?

– Oui. Il lisait le journal et buvait une bière. Je ne pense pas qu'il ait dîné, mais je ne le jurerais pas, répondis-je tandis que nous traversions un vaste débarras qui sentait la poussière et le carton.

Mon cerveau fonctionnait à toute vitesse. J'essayai de mettre au jour les mensonges de Mark. Il m'avait assuré que Sparacino ne savait pas que j'étais à New York, et que c'est par hasard qu'il nous avait rencontrés au restaurant. Ça ne pouvait être vrai. Si l'on avait envoyé le jeune Partin chez *Gallagher*, c'est que Sparacino savait que je devais y rencontrer Mark.

– Il y a une autre façon de voir les choses, dit Marino alors que nous traversions les entrailles poussiéreuses du BCME. Supposons qu'il gagne sa croûte dans la Grosse Pomme en faisant l'espion pour le compte de Sparacino, eh bien dans ce cas, si ça se trouve, il suivait Mark, et pas vous. N'oublions pas que c'est Sparacino qui a recommandé le restau à Mark – ou du moins c'est ce que Mark vous a dit. Sparacino se doutait donc que Mark irait y manger ce soir-là. Sparacino demande à Partin d'aller voir ce que fricote Mark. Partin va au restau, commande une bière et vous voit arriver, vous et Mark. À un moment ou à un autre, il se lève et va passer un coup de fil à Sparacino. Et boum, un quart d'heure après Sparacino se radine.

J'aurais aimé le croire.

– C'est juste une supposition, ajouta Marino.

Qu'il m'était impossible de croire. La vérité, me dis-je avec une boule dans la gorge, c'est que Mark m'avait trahie, parce qu'il était ce criminel que Ethridge m'avait décrit.

– Il faut envisager toutes les hypothèses, conclut Marino.

– Bien sûr, grommelai-je.

Au bout d'un long couloir étroit nous nous arrêtâmes devant une lourde porte métallique. Je sélectionnai la bonne clé et nous pénétrâmes dans la salle de tir où les experts en balistique effectuaient des tests sur pratiquement toutes les armes à feu passées et présentes. C'était une salle à l'aspect déprimant dont l'un des murs de moellons était planté de crochets où étaient suspendues des dizaines de revolvers et pistolets confisqués par les tribunaux et confiés à notre laboratoire. Des râteliers étaient garnis de fusils et de carabines. Le mur du fond disparaissait sous un épais blindage criblé des milliers d'impacts de balles qu'on y tirait depuis des années. Marino se dirigea dans un coin de la salle où torses, crânes et membres de mannequins nus étaient remisés en un tas informe qui rappelait les horribles images des fosses communes d'Auschwitz.

– Vous préférez la viande blanche, je crois ? fit-il en choisissant un torse masculin couleur chair.

J'ignorai la remarque, ouvris ma mallette et en sortis mon Ruger en acier inoxydable. J'entendis s'entrechoquer du plastique tandis que Marino fouillait dans le tas de mannequins, d'où il finit par extraire un crâne de type caucasien avec des cheveux et des yeux passés à la peinture brune. Il fixa la tête au torse, et alla jucher le tout sur une boîte en carton placée contre le mur métallique, à une trentaine de pas d'où j'étais.

– Vous avez un chargeur pour vous en débarrasser, dit-il.

Tout en glissant les wad-cutters dans mon revolver, j'aperçus du coin de l'œil Marino qui sortait un 9 mm automatique de sa poche de derrière. Après avoir actionné la glissière, il sortit le chargeur puis le renfonça d'un coup sec.

– Joyeux Noël, fit-il en me tendant l'arme crosse en avant.

– Non, merci, fis-je le plus poliment possible.

– Vous ratez cinq coups avec vot' flingue et vous êtes cuite.

– Si je rate.

– Merde, doc, tout le monde en rate quelques-unes. L'ennui, c'est qu'avec vot' Ruger, vous en avez pas beaucoup de réserve.

– Je préfère en placer quelques-unes dans le mille avec mon Ruger. Que ce soit celui-ci ou le vôtre, ça ne fait que balancer du plomb.

– Sauf qu'avec le mien, vous avez une autre puissance de feu, dit-il.

– Je sais. Surtout avec des Silvertips P.

– Sans parler que j'ai trois fois plus de balles en réserve.

J'avais déjà tiré avec des 9 mm, et je ne les aimais pas. Ils n'avaient pas la précision de mon .38 spécial. Ils n'étaient pas aussi fiables et s'enrayaient souvent. Je ne suis pas partisane de sacrifier la qualité à la quantité, et il n'existe pas de meilleure protection que d'être sur ses gardes et bien entraîné.

– Une seule balle suffit, dis-je en plaçant le casque de protection sur mes oreilles.

– Ouais, si vous visez entre les yeux ou dans le cœur.

Utilisant ma main gauche pour stabiliser l'arme, je pressai la détente en rapide succession. J'atteignis le mannequin une fois à la tête et trois fois à la poitrine, la cinquième balle effleurant l'épaule gauche. Tout ceci ne prit que quelques secondes, pendant lesquelles le torse et la tête en plastique décollèrent du carton et rebondirent avec un cliquetis mat contre le mur métallique avant de dégringoler à terre.

Sans un mot, Marino posa le 9 mm sur une table et sortit le .357 de son étui d'aisselle. Je compris que je l'avais blessé. Il avait dû avoir toutes les peines du monde à me dégoter un automatique et s'attendait à ce que je lui en sois gré.

– Merci, Marino, dis-je.

Refermant le barillet, il leva lentement son revolver.

J'allais ajouter que j'appréciais sa sollicitude, mais je savais qu'il ne pourrait ou ne voudrait pas m'entendre.

Je reculai de quelques pas tandis qu'il tirait ses six coups, envoyant valdinguer la tête du mannequin qui roula à terre. En un clin d'œil il rechargea son arme et mitrailla le torse. Quand il eut fini, l'odeur âcre de la poudre emplissait la salle, et je me dis que je n'aimerais pas me trouver confrontée à un Marino pris d'une fureur meurtrière.

– Rien ne vaut de tirer sur un homme quand il est à terre, dis-je.

– Exact, répliqua-t-il en retirant son casque. Y a rien d'mieux.

Nous punaisâmes une cible en carton sur un panneau de bois suspendu au plafond. Après avoir vidé une boîte de cartouches – ce qui me rassura quant à ma capacité de toucher une vache dans un couloir – je tirai encore quelques Silvertips pour nettoyer le canon avant d'y faire glisser un chiffon imprégné de Hoppe (n°) 9, le solvant dont l'odeur me rappe lait toujours Quantico.

– Vous voulez mon avis ? fit Marino tout en nettoyant son arme. C'qui vous faut chez vous, c'est un fusil.

Sans répondre, je replaçai le Ruger dans sa mallette.

– Vous savez, genre Remington à chargement automatique, avec des chevrotines double zéro. Le type encaisserait l'équivalent de quinze balles de calibre 32 – trois fois plus si vous mettez à chaque fois dans le mille. Ce qui lui ferait quarante-cinq foutues billes de plomb dans le cul. J'vous garantis qu'il sera pas près de revenir.

– Marino, fis-je avec calme. Ça va très bien comme ça, d'accord ? Je n'ai pas besoin d'un arsenal.

Il leva les yeux vers moi, le regard dur.

– Vous avez une idée de ce que ça fait de tirer sur un type qui continue d'avancer vers vous ?

– Non, aucune idée, fis-je.

– Eh ben moi, j'vais vous le dire. Un jour à New York j'ai vidé mon flingue sur un barjot qu'était bourré de PCP jusqu'aux oreilles. J'l'ai eu quatre fois au torse et ça l'a même pas ralenti. On aurait dit un truc à la Stephen King, le type arrivait sur moi comme un foutu mort-vivant.

J'avais des mouchoirs en papier dans la poche de ma blouse. J'en pris un pour essuyer le solvant et la graisse que j'avais sur les mains.

– Le type qui a poursuivi Beryl chez elle, doc, il était comme lui, pareil que ce dingue que j'essayais d'arrêter. J'sais pas ce qui le travaille, mais une chose est sûre, il s'arrêtera jamais une fois lancé.

– Cet homme à New York, demandai-je, il est mort ?

– Ouais. Aux urgences. On a été transportés à l'hosto dans la même ambulance. J'oublierai jamais la balade.

– Vous étiez blessé ?

Marino garda un visage impassible.

– Rien de grave. On m'a mis soixante-dix-huit points. Des blessures superficielles. Mais vous m'avez jamais vu à poil. Le type avait un couteau.

– Quelle horreur, marmonnai-je.

– Décidément, j'aime pas les couteaux, doc.

– Moi non plus.

Nous sortîmes de la salle de tir. Je me sentais poisseuse de graisse et de résidus de poudre. Tirer au pistolet est une activité beaucoup plus salissante qu'on n'imagine.

Tout en marchant à côté de moi, Marino plongea la main dans sa poche, sortit son portefeuille et me tendit une carte blanche de petit format.

– Mais... je n'ai pas fait de demande, remarquai-je en lorgnant d'un air ahuri sur le permis m'autorisant à porter une arme.

– J'sais bien mais... Disons que le juge Reinhard me devait une faveur.

– Merci, Marino, dis-je.

Il avait le sourire aux lèvres en me tenant la porte ouverte.

Malgré les instructions de Wesley et Marino, et en dépit de tout bon sens, je restai au BMCE jusqu'à la nuit tombée. Le parking était désert. J'avais renoncé à ranger mon bureau, et un seul coup d'œil à mon agenda m'avait déprimée.

Rose avait réorganisé ma vie de fond en comble. Mes rendez-vous avaient été repoussés de plusieurs semaines, quand ils n'étaient pas annulés, mes conférences et cours d'autopsie étaient assurés par Fielding. Le commissaire à la santé, mon supérieur direct, avait tenté par trois fois de me joindre avant de demander si j'étais malade.

Fielding avait l'air de faire un excellent remplaçant. Rose tapait les notes, écrites ou dictées, des autopsies qu'il pratiquait. Elle faisait le travail de Fielding au lieu du mien. Jour après jour, le bureau continuait de fonctionner sans accroc pour la bonne raison que j'avais sélectionné et formé avec soin mon personnel. Je me demandai ce qu'avait ressenti Dieu après avoir créé un monde qui croyait ne pas avoir besoin de Lui.

Au lieu de rentrer tout de suite chez moi, je passai aux Chamberlayne Gardens. Les mêmes affichettes périmées étaient toujours scotchées sur les cloisons de l'ascenseur. Je l'empruntai en compagnie d'une vieille dame émaciée, cramponnée à son cadre de marche comme un oiseau à sa branche, et qui ne détacha pas son regard de moi pendant toute la montée.

Je n'avais pas prévenu Mrs McTigue de ma visite. Lorsque, après quelques coups insistants, la porte du 378 finit par s'entrouvrir, elle me considéra d'un œil méfiant, me barrant le passage de son salon encombré de meubles d'où provenaient les échos du téléviseur.

– Mrs McTigue ? fis-je avant de me présenter en espérant qu'elle me reconnaîtrait.

La porte s'ouvrit en grand et son visage s'illumina.

– Mon Dieu, mais c'est vous ! Quelle surprise ! Vous ne pouvez pas savoir comme ça me fait plaisir ! Entrez, entrez, je vous en prie.

Elle était vêtue d'une robe de chambre rose, avec des pantoufles assorties. Je la suivis au salon. Elle éteignit la télévision et débarrassa le canapé de la couverture dont elle s'était couvert les jambes pour regarder les informations. J'aperçus des biscuits et un verre de jus de fruits.

– Excusez-moi, dis-je. Vous étiez en train de dîner.

– Mais non, mais non, fit-elle vivement. Je grignotais juste un morceau. Puis-je vous offrir quelque chose à boire ?

Je déclinai son invitation et m'assis pendant qu'elle se hâtait de remettre un peu d'ordre. Je fus submergée de souvenirs de ma propre grand-mère, qui avait gardé une imperturbable bonne humeur malgré le déclin de l'âge. Je n'oublierai jamais la visite qu'elle nous avait rendue à Miami l'été précédant sa mort, lorsque je l'avais accompagnée faire des courses chez Woolworth. Elle portait une couche qu'elle s'était fabriquée avec un caleçon d'homme et des protège-slips, mais une épingle de sûreté avait lâché et son attirail lui était descendu à hauteur des genoux ! Elle avait remonté le tout en hâte et nous nous étions précipitées à la recherche des toilettes en riant si fort que j'avais failli moi-même céder à l'incontinence.

– Ils ont dit qu'il neigerait peut-être cette nuit, m'annonça Mrs McTigue en s'asseyant à son tour.

– C'est vrai, l'air est humide et il fait très froid.

– J'espère qu'il ne neigera pas trop fort.

– Moi aussi, dis-je. Je n'aime pas circuler quand il y a de la neige.

Mon esprit était absorbé par des idées pesantes et désagréables.

– Nous passerons peut-être Noël sous la neige, cette année, reprit-elle. Ça serait magnifique.

– Oui, magnifique, dis-je en cherchant des yeux une éventuelle machine à écrire.

– Il me semble que cela fait des années que nous n'avons pas eu de neige à Noël.

La nervosité de ses remarques dénotait son embarras. Elle avait compris que je n'étais pas venue la voir sans raison, et sentait que ça n'était pas une raison agréable.

– Vous êtes sûre de ne rien vouloir ? répéta-t-elle. Un petit porto ?

– Non, je vous remercie.

Silence.

– Mrs McTigue, commençai-je. (Elle avait le regard aussi vulnérable et inquiet qu'un enfant.) Pourrais-je revoir la photo ? Celle que vous m'avez montrée la dernière fois.

Elle cligna plusieurs fois des paupières, la bouche fendue d'un pâle et mince sourire semblable à une cicatrice.

– Celle de Beryl Madison, ajoutai-je.

– Mais bien sûr, dit-elle en se levant d'un air résigné.

Elle alla chercher le cliché dans le secrétaire et me le tendit avec une expression dans laquelle je ne sus discerner la peur de la simple confusion. Je demandai à voir aussi l'enveloppe et la feuille de papier pelucheux dans laquelle était insérée la photo.

Au toucher, je reconnus aussitôt le papier ayant produit les cendres de la cheminée de Sterling Harper, et, en l'orientant vers la lampe, distinguai par transparence le filigrane de la papeterie Crane. Je jetai un bref coup d'œil à la photographie, avant de m'apercevoir que Mrs McTigue me considérait d'un air ahuri.

– Excusez-moi, dis-je. Vous devez vous demander ce que je fais.

Elle resta silencieuse.

– Je voulais vérifier un détail, repris-je. La photographie semble beaucoup plus ancienne que le papier et l'enveloppe, non ?

– C'est vrai, répliqua-t-elle sans que ses yeux apeurés ne me quittent. J'ai trouvé la photo dans le bureau de Joe, et je l'ai mise dans l'enveloppe pour la protéger.

– Est-ce que vous vous servez de ce papier pour votre courrier ? demandai-je d'un ton aussi anodin que possible.

– Non, dit-elle en tendant la main vers son verre de jus de fruits. C'était le papier à lettres de mon mari, mais c'est moi qui le lui achetais. Un beau papier à en-tête de son entreprise, voyez-vous. Après sa mort, je n'ai gardé que les enveloppes et les feuilles sans en-tête. Il m'en reste plus que je n'en utiliserai jamais.

Impossible de tourner autour du pot pour lui poser la question suivante.

– Mrs McTigue, votre mari avait-il une machine à écrire ?

– Bien sûr. Je l'ai donnée à ma fille. Elle vit à Falls Church. Moi, j'écris toujours mon courrier à la main. De moins en moins, d'ailleurs, à cause de mon arthrite.

– Quel genre de machine avait-il ?

– Mon Dieu, tout ce que je sais c'est qu'elle était électrique et assez récente, balbutia-t-elle. Joe en changeait tous les deux ou trois ans. Vous savez, même quand on a commencé à vendre des ordinateurs, il a continué à taper sa correspondance à la machine, comme il l'avait toujours fait. Burt, son chef de bureau, a insisté pendant des années pour que Joe se mette à l'ordinateur, mais Joe n'a jamais voulu se séparer de sa machine à écrire.

– Il la gardait chez vous ou dans son bureau ? demandai-je.

– Ma foi, les deux. Il lui arrivait souvent de travailler tard le soir à la maison.

– Entretenait-il une correspondance avec les Harper, Mrs McTigue ?

Elle tripotait un mouchoir en papier qu'elle avait sorti d'une poche de sa robe de chambre.

– Je suis désolée de vous embêter avec toutes ces questions, ajoutai-je d'une voix douce.

Elle se contenta de baisser les yeux sur ses mains osseuses.

– Je vous en supplie, insistai-je doucement. C'est important, sinon je ne vous le demanderais pas.

– C'est à propos de cette femme, n'est-ce pas ?

Elle déchiquetait peu à peu le mouchoir, sans oser lever les yeux.

– Sterling Harper, dis-je.

– Oui.

– Dites-moi, Mrs McTigue.

– Elle était très belle. Très gracieuse. Une très jolie femme, dit Mrs McTigue.

– Votre mari écrivait-il à miss Harper ?

– J'en ai la certitude.

– Pourquoi ?

– Je l'ai surpris plusieurs fois en train de lui écrire. Il disait toujours que c'était une lettre d'affaires.

Je ne dis rien.

– Oui, mon Joe. (Sa bouche sourit mais ses yeux restèrent impassibles.) Il plaisait tant aux femmes. Il leur baisait la main et leur donnait l'impression qu'elles étaient uniques.

– Est-ce que miss Harper lui écrivait aussi ? demandai-je en surmontant mes scrupules à rouvrir la blessure.

– Pas que je sache.

– Il lui écrivait, mais elle ne répondait jamais à ses lettres ?

– Joe aimait l'écriture. Il parlait toujours d'écrire un livre. Il lisait tout le temps.

– Je comprends mieux pourquoi il appréciait tant Cary Harper, dis-je.

– Très souvent, quand Mr Harper n'arrivait pas à écrire, il téléphonait à Joe. Je crois qu'on appelle ça l'angoisse de la page blanche. Il appelait Joe et ils parlaient, de littérature et de tas d'autres choses. (Le mouchoir était en lambeaux sur ses cuisses.) Faulkner était l'écrivain préféré de Joe, mais il aimait aussi Hemingway et Dostoïevski. À l'époque où il me faisait la cour, il habitait Arlington, et moi ici à Richmond. Il m'écrivait les plus belles lettres dont vous puissiez rêver.

Comme celles qu'il s'était mis à écrire plus tard à son nouvel amour, me dis-je. Celles qu'il adressait à la belle Sterling Harper. Des lettres qu'elle avait eu la délicatesse de brûler avant de se suicider, pour ne pas faire de mal à sa veuve.

– Vous les avez trouvées, n'est-ce pas ? fit-elle.

– Celles qu'il lui avait adressées ?

– Oui. Les lettres de Joe.

– Non. (Il s'agissait sans doute de la demi-vérité la plus réconfortante que j'aie jamais eu à formuler.) Non, je ne peux pas dire que nous les ayons trouvées, Mrs McTigue. La police n'a découvert aucune lettre de votre mari parmi les papiers personnels des Harper, aucun papier à en-tête de son entreprise, aucune correspondance intime à Sterling Harper.

Son visage se détendit à mesure que je la rassurais.

– Fréquentiez-vous les Harper ? lui demandai-je alors. Passiez-vous des soirées avec eux, par exemple ?

– Mon Dieu, oui. Je me souviens de deux occasions. Un jour Mr Harper est venu dîner seul, et une autre fois Beryl Madison et les Harper ont même couché à la maison.

– Quand ont-ils passé la nuit chez vous ? demandai-je avec intérêt.

– Quelques mois avant la mort de Joe. Je pense que c'était pour le Jour de l'An, un mois ou deux après la conférence que Beryl avait faite pour notre association. Oui, c'est bien ça, je me souviens qu'il y avait encore le sapin de Noël. C'était un tel plaisir de l'avoir à la maison !

– Beryl, vous voulez dire ?

– Bien sûr ! J'étais si heureuse ! Ils revenaient de New York, où ils avaient rencontré l'agent de Beryl. Ils avaient atterri à Richmond et ont eu la gentillesse de rester dormir chez nous. Enfin, plus exactement, les Harper ont passé la nuit ici, puisque Beryl vivait à Richmond. Joe l'a raccompagnée chez elle en fin de soirée, et le lendemain il a ramené les Harper à Williamsburg.

– Quels souvenirs gardez-vous de cette soirée ? demandai-je.

– Voyons... Je me souviens que j'avais préparé un gigot d'agneau, et qu'ils avaient tardé à venir de l'aéroport parce que la compagnie avait perdu le bagage de Mr Harper.

Cela remontait à près d'un an, pensai-je. Avant donc que Beryl ne commence à recevoir des menaces.

– Le voyage les avait fatigués, poursuivit Mrs McTigue. Mais Joe les a vite détendus. C'était un hôte charmant.

Mrs McTigue était-elle déjà au courant ? Avait-elle compris, à la façon dont son mari regardait miss Harper, qu'il était amoureux d'elle ?

Je me souvins du regard lointain de Mark vers la fin de notre liaison. Instinctivement, j'avais compris. J'avais compris qu'il ne pensait plus à moi, et pourtant, jusqu'à ce qu'il me le dise, j'avais refusé de croire qu'il puisse en aimer une autre.

– Kay, je suis désolé, avait-il dit.

Nous étions attablés devant deux Irish coffees dans notre bar préféré de Georgetown. De gros nuages gris lâchaient des flocons de neige qui descendaient en spirales paresseuses, des couples passaient dans la rue, emmitouflés dans d'épais manteaux et des écharpes multicolores.

– Tu sais que je t'aime, Kay.

– Mais pas de la façon dont je t'aime, avais-je dit en sentant mon cœur broyé par la pire douleur que j'aie jamais éprouvée.

Il avait baissé la tête.

– Je ne voulais pas te faire de mal, dit-il.

– Bien sûr.

– Je suis désolé. Vraiment désolé.

Je savais qu'il était désolé. Je savais qu'il disait la vérité. Mais ça ne changeait rien du tout !

Je n'ai jamais su comment elle s'appelait parce que je n'avais pas voulu le savoir. Il m'avait assuré qu'il ne s'agissait pas de Janet, celle qu'il avait épousée et qui était morte. Mais c'était peut-être un mensonge de plus.

– ... il avait un sacré caractère.

– Qui ça ? fis-je en me ressaisissant.

– Mr Harper, dit-elle d'un air las. Il était furieux à cause de son bagage perdu. Heureusement, il est arrivé dans l'avion suivant. (Elle s'interrompit quelques instants.) Seigneur. Tout cela semble si loin, alors que ce n'est pas si vieux, après tout.

– Et Beryl ? fis-je. Comment était-elle ce soir-là ?

– Ils sont tous partis à présent.

Elle posa les mains sur ses cuisses, immobiles, en contemplant ce miroir obscur. Tous étaient morts sauf elle. Les convives de cette belle et terrible soirée n'étaient plus que des fantômes.

– Nous parlons d'eux, Mrs McTigue. Ils sont toujours là.

– Oui, peut-être bien, dit-elle les larmes aux yeux.

– Ils ont besoin de nous comme nous avons besoin d'eux.

Elle hocha la tête.

– Racontez-moi cette soirée, répétai-je. Parlez-moi de Beryl.

– Elle était très calme. Je la revois encore en train de contempler le feu.

– Quoi d'autre ?

– Il s'est passé quelque chose.

– Quoi ? Que s'est-il passé, Mrs McTigue ?

– Elle et Mr Harper avaient l'air fâchés.

– Pourquoi ? S'étaient-ils disputés ?

– Ça s'est passé quand le garçon de l'aéroport a rapporté le bagage. Mr Harper a ouvert le sac et en a sorti une enveloppe contenant des papiers. Je ne sais pas ce qui lui a pris. Il avait trop bu.

– Que s'est-il passé ?

– Il a eu des mots très vifs avec sa sœur et Beryl. Et puis il a sorti les papiers de l'enveloppe et les a jetés au feu en disant : « Voilà ce que j'en pense ! De l'ordure ! De la crotte ! » Enfin, vous m'avez comprise.

– Savez-vous ce qu'il a brûlé ? Un contrat, peut-être ?

– Je ne crois pas, dit-elle les yeux dans le vague. J'ai eu l'impression que c'était quelque chose que Beryl avait écrit. C'était dactylographié, et sa colère semblait dirigée surtout contre Beryl.

Sa fameuse autobiographie, songeai-je. Ou du moins un projet dont miss Harper, Beryl et Sparacino avaient discuté à New York en présence d'un Cary Harper fou de rage.

– Joe est intervenu, reprit Mrs McTigue en croisant les doigts pour contenir le chagrin que ranimaient les souvenirs.

– Qu'a-t-il fait ?

– Il l'a raccompagnée, dit-elle. Il a raccompagné Beryl chez elle. (Elle s'interrompit, le visage déformé par la terreur.) C'est pour ça que c'est arrivé. Je le sais.

– C'est pour ça que *quoi* est arrivé ? demandai-je.

– C'est pour ça qu'ils sont morts, dit-elle. Je le sais. Je l'ai senti ce soir-là. C'était une impression horrible.

– Que ressentiez-vous exactement ?

– C'est pour ça qu'ils sont morts, répéta-t-elle. Il y avait tant de haine entre eux ce soir-là ! Tant de haine !

13

Le Valhalla Hospital était construit sur un mamelon du paisible Albemarle County, où mes activités au sein de l'Université de Virginie me conduisaient de manière régulière pendant l'année scolaire. Bien que j'aie souvent remarqué l'imposant édifice de brique visible depuis l'Interstate, je n'y étais jamais allée, que ce soit pour raisons personnelles ou professionnelles.

Autrefois hôtel prestigieux fréquenté par une clientèle fortunée, l'établissement avait fait faillite durant la Grande Dépression avant d'être racheté par trois frères psychiatres qui avaient entrepris de transformer Valhalla en une véritable usine freudienne. L'endroit était ainsi devenu un établissement psychiatrique de luxe où les familles aisées pouvaient caser leurs accidents génétiques, parents séniles et progéniture déficiente.

Je n'étais guère étonnée qu'Al Hunt y ait été remisé dans son adolescence. Ce qui en revanche me surprit, c'est la réticence que manifesta son psychiatre devant mes questions. La cordialité professionnelle du Dr Warner Masterson dissimulait une tendance au secret assez dure pour briser les forets de la plus tenace curiosité. Je savais qu'il ne désirait pas me parler. Il savait aussi qu'il n'avait pas le choix.

Après avoir garé ma voiture sur le gravier du parking réservé aux visiteurs, je pénétrai dans une réception au mobilier victorien, avec des tapis d'Orient et de lourdes tapisseries râpées sur les murs. J'allais me présenter au réceptionniste lorsque j'entendis une voix derrière moi.

– Dr Scarpetta ?

Je me retournai et me trouvai face à un homme de haute taille, mince, vêtu d'un costume bleu marine. Il avait les cheveux poivre et sel, les pommettes et le front aristocratiques.

– Je suis le Dr Masterson, annonça-t-il en me tendant la main avec un sourire affable.

Je commençai à me demander si nous nous étions déjà rencontrés lorsqu'il m'expliqua qu'il m'avait reconnue d'après les photos parues dans la presse ou présentées à la télévision, précision dont je me serais volontiers passée.

– Allons dans mon bureau, ajouta-t-il d'un ton aimable. J'espère que le trajet n'a pas été trop pénible. Puis-je vous offrir quelque chose ?

Tout ceci sans arrêter de marcher, alors que j'avais du mal à suivre ses longues enjambées. Une partie significative de l'humanité n'a aucune idée de ce que doivent endurer les êtres affublés de jambes courtes, et je me retrouve plus souvent qu'à mon tour essoufflée comme une trottinette dans un monde de bolides. Le Dr Masterson était parvenu au bout d'un long couloir moquetté lorsqu'il eut l'idée de s'inquiéter de moi. S'immobilisant sur le seuil de son bureau, il attendit que je l'aie rattrapé pour me faire signe d'entrer. Sans y être invitée, je me laissai tomber dans un fauteuil pendant qu'il prenait place derrière sa table et entreprenait de bourrer une coûteuse pipe en bois d'églantier.

– Inutile de vous dire, Dr Scarpetta, commença le Dr Masterson avec le débit lent et précis qui était le sien, que je suis consterné par la mort d'Al Hunt.

– Cette mort vous a-t-elle surpris ? demandai-je alors qu'il ouvrait une épaisse chemise.

– Pas tout à fait.

– J'aimerais consulter son dossier pendant que nous parlons, dis-je.

Il hésita si longtemps que je faillis lui rappeler que j'avais un droit légal d'accès à ce dossier. Il finit pourtant par me le tendre.

– Mais certainement, dit-il avec un sourire.

J'ouvris le dossier de papier bulle et me mis à en parcourir le contenu tandis que m'enveloppait un nuage de fumée bleue. Les conditions d'admission et l'examen physique d'Al Hunt ne présentaient rien que de très routinier. Il se trouvait en bonne condition physique lorsqu'il avait été admis à l'hôpital un 10 avril au matin, onze ans auparavant. Les indications sur son état mental étaient en revanche peu banales.

– Il était dans un état catatonique lors de son admission ? demandai-je.

– Il était très dépressif et dépourvu de réactions, répliqua le Dr Masterson. Incapable de nous dire pourquoi il était ici. Incapable de nous dire quoi que ce soit. Il n'avait pas l'énergie émotionnelle suffisante pour répondre à des questions. Vous remarquerez dans le rapport que nous n'avons pas pu pratiquer le Stanford-Binet ni le MMPI. Nous avons dû reporter ces tests à plus tard.

Les résultats figuraient dans le dossier. Le score d'Al Hunt dans le test d'intelligence Stanford-Binet atteignait 130, ce qui suffisait à démontrer, mais je n'en avais jamais douté, qu'il était loin d'être stupide. Quant aux résultats obtenus lors du Minnesota Multiphasic Personality Inventory, ils n'avaient pas permis de ranger Al Hunt dans la catégorie des schizophrènes ou des sujets à troubles mentaux organiques. Selon l'évaluation du Dr Masterson, Al Hunt souffrait d'un « désordre de la personnalité de type schizoïde présentant une certaine tendance à la dépersonnalisation, exprimée par une brève psychose réactive lors de laquelle il s'est enfermé dans les toilettes et s'est entaillé les poignets à l'aide d'un couteau de cuisine ». Malgré son apparence suicidaire, la superficia lité des coupures montrait que ce geste était plus un appel à l'aide qu'une véritable tentative de mettre fin à ses jours. Sa mère l'avait emmené aussitôt au service d'urgence le plus proche, où il avait été pansé avant d'être renvoyé chez lui. Le lendemain matin, il était admis au Valhalla Hospital. La conversation qui avait eu lieu à ce propos avec Mrs Hunt révélait que l'incident avait été provoqué par « un coup de colère » de son mari à l'égard de son fils au cours du dîner.

– Au début, poursuivit le Dr Masterson, Al refusait de participer aux sessions thérapeutiques ou de prendre aucune des responsabilités sociales que nous demandons à nos patients d'assumer. Il réagissait peu au traitement antidépressif et durant nos entretiens je pouvais à peine lui tirer un mot.

N'obtenant aucune amélioration au bout d'une semaine, le Dr Masterson envisagea un traitement aux électrochocs, ce qui équivaut à redémarrer un ordinateur au lieu de chercher à savoir d'où proviennent les erreurs de programme. Même si l'opération peut provoquer une remise en marche des circuits cervicaux, une sorte de réajustement, le ou les « bugs » responsables des désordres seront simplement contournés, voire même perdus. De plus le traitement aux électrochocs n'est pas recommandé chez les sujets jeunes.

– Avez-vous administré des électrochocs ? demandai-je en constatant que rien ne figurait à ce sujet dans le dossier.

– Non. Le matin même où j'avais décidé qu'il n'y avait pas d'autre alternative, un petit miracle s'est produit au cours du psychodrame quotidien.

Il se tut un instant pour rallumer sa pipe.

– Expliquez-moi la façon dont s'est déroulé le psychodrame ce jour-là, dis-je.

– Certains exercices sont de pure routine, une sorte d'échauffement, pourrait-on dire. Ce matin-là, nous avions placé les patients en ligne, et leur avions demandé d'imiter une fleur. Tulipe, jonquille, marguerite, chaque patient s'est contorsionné pour mimer la fleur de son choix, un choix qui est pour nous riche d'enseignements. C'est la première fois que nous vîmes Al prendre part à une activité. Il a levé les deux bras en cercle et baissé la tête. (Le Dr Masterson accompagna ses mots d'une démonstration gestuelle qui le fit plus ressembler à un éléphant qu'à une fleur.) Lorsque le thérapeute lui a demandé quelle fleur il était, Al a répondu : « Un pétale de pensée. »

Je restai silencieuse, sentant monter en moi un sentiment de compassion pour le pauvre garçon.

– Naturellement, notre première réaction a été de penser que son utilisation du mot « pétale » était une allusion à ce que son père pensait de lui, expliqua le Dr Masterson en nettoyant les verres de ses lunettes avec un mouchoir. C'était une référence aux moqueries et aux plaisanteries douteuses auxquelles il se livrait en raison des traits efféminés du jeune Al, de sa fragilité. Mais c'était plus que ça. (Il remit ses lunettes et me regarda d'un air grave.) Vous a-t-on parlé des associations de couleurs que faisait Al ?

– Vaguement.

– La pensée a une couleur très particulière.

– Oui, un mauve profond, dis-je.

– Couleur qu'on obtient en mélangeant le bleu de la dépression et le rouge de la colère. C'est la couleur des ecchymoses, la couleur de la douleur. Al disait que c'était la couleur qui irradiait de son âme.

– C'est une couleur violente, observai-je, passionnée, intense.

– Al Hunt était un jeune homme très intense, Dr Scarpetta. Savez-vous qu'il se considérait comme doué de clairvoyance ?

– Pas vraiment, dis-je un peu mal à l'aise.

– Son monde de pensée magique comprenait la clairvoyance, la télépathie et la superstition. Inutile de dire que ces caractéristiques devenaient plus aiguës dans les périodes de grand stress, lorsqu'il pensait être capable de lire les pensées des autres.

– Le pouvait-il ?

– Il était très intuitif. (Il ralluma une nouvelle fois sa pipe.) Je dois dire qu'il devinait souvent juste, et que c'était un de ses problèmes. Il sentait ce que les gens pensaient ou ressentaient, et semblait parfois connaître, inexplicablement, leurs actes passés ou futurs. Le problème, comme je vous en ai brièvement parlé au téléphone, c'est que Al se projetait dans les autres, se laissait entraîner par ses capacités de perception. Il se perdait dans les autres, devenait agité, paranoïde, en raison de la faiblesse de son propre ego. Il avait tendance, comme l'eau, à épouser la forme de ce qu'il emplissait. Pour parler en termes de cliché, disons qu'il personnalisait de façon excessive l'univers.

– Une tendance dangereuse, remarquai-je.

– Sans aucun doute. Il en est mort.

– Vous voulez dire qu'il faisait preuve d'une extrême empathie ?

– Exactement.

– C'est pourtant contradictoire avec son diagnostic, dis-je. Les gens affectés par des désordres de la personnalité n'éprouvent en général rien pour les autres.

– Oui, mais cela faisait partie de son mode de pensée magique, Dr Scarpetta. Al mettait ses difficultés sociales et personnelles sur le compte de ce qu'il estimait être son excessive sensibilité aux autres. Il était convaincu qu'il ressentait, et même qu'il vivait dans sa chair la douleur des autres, qu'il perçait leur esprit à jour. En réalité, Al était socialement isolé.

– Le personnel du Metropolitan Hospital, observai-je, soutient qu'il avait un excellent contact avec les malades quand il était infirmier.

– Cela n'a rien d'étonnant, rétorqua le Dr Masterson. Parce qu'il était infirmier aux urgences. Il n'aurait jamais tenu le coup dans une unité de soins prolongés. Al était capable de se montrer très attentionné à condition de ne pas être contraint d'entrer en relation avec quelqu'un, d'en devenir proche.

– Ce qui expliquerait, hasardai-je, pourquoi il a pu obtenir une maîtrise de psychologie, mais n'a jamais été capable d'entreprendre une activité thérapeutique suivie.

– C'est juste.

– Que pensez-vous de la relation qu'il entretenait avec son père ?

– Elle était dysfonctionnelle, conflictuelle. Mr Hunt est un homme intransigeant et autoritaire, qui pensait que c'est avec des coups que son fils deviendrait un homme. Or Al n'avait pas la structure émotionnelle pour résister à la brutalité, à l'espèce de service militaire mental par lequel son père entendait le préparer à la vie. Dès lors, il se réfugiait auprès de sa mère, qui lui renvoyait une image de lui de plus en plus brouillée. Je ne vous apprendrai sans doute rien, Dr Scarpetta, en vous disant que de nombreux homosexuels sont les fils de grosses brutes qui conduisent des pick-ups avec un fusil à portée de main et des autocollants de drapeau confédéré sur leur pare-chocs...

Songeant à Marino, je réalisai pour la première fois qu'il ne me parlait jamais de son fils unique qui vivait quelque part dans l'Ouest.

– Voulez-vous dire que Al était homosexuel ? demandai-je.

– Je veux seulement dire qu'il était trop peu sûr de lui et que son sentiment d'inadaptation était trop fort pour qu'il ait pu construire une relation intime de quelque nature que ce soit avec qui que ce soit. À ma connaissance, il n'a jamais eu d'expérience homosexuelle.

Le regard dirigé quelque part derrière moi, le Dr Masterson suçait sa pipe d'un air impénétrable.

– Que s'est-il passé pendant le psychodrame dont vous parliez, docteur ? demandai-je. Vous avez dit qu'un miracle s'était produit. Était-ce son imitation d'une pensée ?

– Ça a permis d'entrebâiller le couvercle. Mais le miracle, c'est le dialogue, animé et intense, qu'il a eu avec son père, censé être assis sur une chaise au milieu de la pièce. Voyant le dialogue s'intensifier et sentant ce qui se passait, le thérapeute s'est discrètement assis sur la chaise et a commencé à jouer le rôle du père. Al était si impliqué dans son jeu qu'il était presque en transe. Il ne distinguait plus entre le réel et l'imaginaire, et soudain il a laissé libre cours à sa colère.

– Comment s'est-elle manifestée ? Est-il devenu violent ?

– Il s'est mis à pleurer de manière incontrôlable, expliqua le Dr Masterson.

– Que lui disait son « père » ?

– Il le tourmentait avec ses allusions habituelles, le critiquait, disait qu'il n'était pas un homme, qu'il ne valait rien. Al était extrêmement vulnérable aux critiques, Dr Scarpetta. En ceci résidait une partie de sa confusion mentale. Il se croyait sensible aux autres alors qu'en réalité il n'était sensible qu'à lui-même.

– Al était-il suivi par quelqu'un ? demandai-je tout en feuilletant le dossier où je ne trouvais aucune remarque émanant d'un thérapeute.

– Bien sûr.

– Qui était-ce ?

Je remarquai qu'il semblait manquer des pages au dossier.

– Le thérapeute dont je viens de vous parler, répliqua-t-il d'un ton mielleux.

– Celui qui a joué le rôle du père pendant le psychodrame ?

Il acquiesça.

– Travaille-t-il toujours ici ?

– Non, répondit le Dr Masterson. Jim n'est plus chez nous...

– Jim ? l'interrompis-je.

Il tapota sa pipe dans le cendrier.

– Quel est son nom et où habite-t-il ? demandai-je.

– Je regrette mais Jim Barnes est mort il y a longtemps dans un accident de voiture.

– À quelle époque ?

Le Dr Masterson recommença à nettoyer ses lunettes.

– Ce devait être il y a huit ou neuf ans.

– Comment et où est-ce arrivé ?

– Je ne me souviens plus des détails.

– C'est terrible, fis-je comme si je me désintéressais du sujet.

– Dois-je comprendre que vous considérez Al comme un suspect ? demanda-t-il.

– Nous enquêtons sur deux affaires distinctes. Deux meurtres.

– Je vois. Deux affaires distinctes.

– Pour répondre à votre question, Dr Masterson, ce n'est pas à moi d'établir si quelqu'un est suspect ou non. C'est le travail de la police. Ma tâche consiste à réunir le plus possible d'informations sur Al Hunt afin de déterminer s'il était sujet à des tendances suicidaires.

– Comment pouvez-vous en douter, Dr Scarpetta ? Il s'est pendu, non ? Cela peut-il être autre chose qu'un suicide ?

– Il était vêtu de manière bizarre, en chemise et caleçon, répondis-je d'un ton neutre. On peut se poser des questions.

– Suggéreriez-vous qu'il s'agit d'un étranglement auto-érotique ? fit le Dr Masterson en haussant les sourcils d'un air surpris. D'un accident survenu pendant qu'il se masturbait ?

– Je préférerais pouvoir démentir cette hypothèse, au cas où elle serait évoquée.

– Je vois. Pour une question d'assurance. Au cas où sa famille contesterait les conclusions de votre rapport.

– Pour toutes sortes de raisons, dis-je.

– Avez-vous réellement des doutes sur ce qui s'est passé ? demanda-t-il en fronçant les sourcils.

– Non, répondis-je. Je pense qu'il s'est suicidé, Dr Masterson. Je pense que telle était son intention en descendant au sous-sol, et qu'il a ôté son pantalon quand il a voulu se servir de sa ceinture pour se pendre.

– Très bien. Peut-être puis-je éclaircir un autre point, Dr Scarpetta. Al n'a jamais montré de tendance à la violence. À ma connaissance, la seule personne à qui il ait fait du mal, c'est lui-même.

Je crus ce que me dit le Dr Masterson. Je sentis aussi qu'il taisait beaucoup de choses, que ses défaillances de mémoire et ses approximations étaient délibérées. Jim Barnes, me répétais-je. *Jim Jim.*

– Combien de temps a duré le séjour de Al ? m'enquis-je en refoulant pour l'instant mes pensées.

– Quatre mois, je crois.

– A-t-il été interné dans votre unité de psychiatrie criminelle ?

– Valhalla ne dispose pas d'une unité distincte pour ce genre de malades. Nous avons un service, nommé Backhall, pour les patients psychotiques, sujets au delirium tremens ou présentant un danger pour eux-mêmes. Mais nous n'accueillons pas de sujets criminels.

– Al a-t-il été transféré dans ce service ?

– Cela n'a jamais été nécessaire.

– Merci de m'avoir consacré de votre temps, dis-je en me levant. Si vous pouviez m'adresser une photocopie de ce dossier, je vous en serais reconnaissante.

– Avec plaisir, docteur, rétorqua-t-il avec son sourire affable et niais sans me regarder. N'hésitez pas à m'appeler si vous avez besoin de quoi que ce soit.

Tout en parcourant en sens contraire le long couloir désert, je me félicitai de ne pas avoir posé de questions ni mentionné le nom de Frankie. Backhall. Des psychotiques, des victimes de delirium. Al Hunt avait affirmé avoir parlé avec des patients enfermés dans l'unité de psychiatrie criminelle. Était-ce un effet de son imagination, de son esprit embrouillé ? Il n'existait pas de telle unité à Valhalla. Cependant il se pouvait très bien qu'il y ait eu un certain Frankie interné dans le service Backhall. Peut-être l'état de Frankie s'était-il amélioré au point de pouvoir être transféré dans un autre service pendant le séjour de Al à l'hôpital ? Peut-être Frankie avait-il imaginé tuer sa mère, ou peut-être avait-il désiré pouvoir le faire ?

Frankie avait battu sa mère à mort avec une bûche. Cary Harper avait été tué à coups de tuyau métallique.

Lorsque j'arrivai au bureau, il faisait déjà nuit. Les gardiens étaient repartis après leur ronde.

Je fis pivoter mon fauteuil tournant pour me retrouver face à mon moniteur. Je frappai quelques touches, l'écran couleur ambre s'alluma, et quelques secondes plus tard afficha le dossier de Jim Barnes. Neuf ans auparavant, le 21 avril, il avait eu un accident de voiture, seul et sans percuter d'autre véhicule, dans Albemarle County. Il était mort à la suite de « contusions cérébrales ». Son taux d'alcoolémie était près de deux fois le taux légal et on avait retrouvé dans son sang des traces de nortriptyline et d'amitriptyline. De toute évidence, Jim Barnes semblait avoir quelques problèmes.

Au bout du couloir, dans le bureau de l'analyste informatique, l'archaïque lecteur de microfilms trônait comme un Bouddha sur une petite table poussée contre le mur. Mes talents audiovisuels n'ayant jamais été époustouflants, je m'impatientai à passer l'index en revue, finis par trouver le film que je cherchais et, je ne sais comment, parvins à l'insérer dans le lecteur. J'éteignis la lumière dans la pièce et, actionnant la petite manivelle, commençai à faire défiler d'interminables colonnes de caractères en noir et blanc. Mes yeux me piquaient déjà lorsque je tombai sur le fac-similé du rapport de police manuscrit. Vers 22 h 45, un vendredi, la BMW modèle 1973 de Jim Barnes roulait à vive allure sur l'Interstate 64 en direction de l'est lorsqu'il avait senti sa roue avant droite quitter la chaussée. Voulant redresser, il avait tourné trop violemment le volant dans l'autre sens et avait percuté la glissière centrale, qui le projeta en vol plané. Je déroulai le film plus avant, jusqu'au rapport préliminaire du médecin expert appelé sur les lieux. Dans la partie réservée aux commentaires et remarques, le Dr Brown notait que le défunt avait été licencié l'après-midi même du Valhalla Hospital où il était jusqu'alors employé. D'après des témoins, il était furieux et très agité quand il avait quitté l'hôpital aux environs de 17 heures. Barnes était célibataire. Il n'avait que 31 ans.

Le rapport du médecin expert indiquait deux témoins, sans doute ceux qu'il avait interrogés. L'un était le Dr Masterson, l'autre une employée de l'hôpital, miss Jeanie Sample.

Parfois, travailler sur une enquête procure le même sentiment que de se perdre dans une ville inconnue. Dès qu'une rue paraît mener quelque part, vous l'empruntez. Avec un peu de chance, une ruelle obscure vous fera déboucher sur l'artère principale. Le décès, neuf ans plus tôt, de ce Barnes avait-il un rapport quelconque avec les meurtres récents de Cary Harper et Beryl Madison ? Sans savoir pourquoi, j'inclinais à le penser.

Je n'avais nullement l'intention d'aller cuisiner le personnel du Dr Masterson, ne serait-ce que parce que j'étais sûre qu'il avait déjà donné ses instructions au cas où je rappellerais : politesse et bouche cousue. Le lendemain samedi, je laissai mon subconscient travailler sur ce problème pendant que j'appelais l'hôpital John Hopkins dans l'espoir de parler au Dr Ismail. Celui-ci confirma ma présomption : les échantillons du contenu gastrique de Sterling Harper indiquaient qu'elle avait absorbé du lévorphanol peu avant sa mort, avec un taux de 8 milligrammes par litre de sang, taux trop élevé pour être accidentel et mortel à coup sûr. Elle s'était suicidée, et ce d'une façon indécelable dans des circonstances normales.

– Savait-elle que les tests toxicologiques routiniers ne font pas la différence entre dextrométhorphane et lévorphanol ? Qu'ils apparaissent tous deux comme de la dextrométhorphane ? demandai-je au Dr Ismail.

– Je ne me souviens pas en avoir discuté avec elle, me dit-il. Mais elle s'intéressait de près à ses traitements et à ses médicaments. Il est possible qu'elle ait étudié la question à la bibliothèque de l'hôpital. Je me souviens qu'elle m'a posé des tas de questions la première fois que je lui ai prescrit du lévorphanol. C'était il y a plusieurs années, et comme le médicament était encore au stade expérimental, elle manifestait beaucoup de curiosité, peut-être parce qu'elle était inquiète...

J'entendais à peine ses explications. Je ne pourrais jamais prouver que miss Harper avait délibérément laissé un flacon de sirop antitussif dans sa salle de bains, où elle savait que je le trouverais. J'étais pourtant à peu près certaine que telle était bien son intention. Elle était décidée à mourir dans la dignité et sans qu'on puisse lui reprocher un suicide, mais elle ne voulait pas mourir seule.

Après avoir raccroché, je me préparai une tasse de thé et fis les cent pas dans la cuisine, m'arrêtant de temps à autre devant la fenêtre pour contempler cette belle journée de décembre. Sammy, l'un des rares écureuils albinos de Richmond, pillait une nouvelle fois la mangeoire à oiseaux. Durant quelques secondes, nous nous regardâmes dans les yeux, ses joues gonflées se livrant à une mastication frénétique, les graines jaillissant sous ses coups de pattes, sa maigre queue blanche dessinant un point d'interrogation sur le ciel bleu. Nous avions fait connaissance l'hiver précédent, alors que de derrière ma fenêtre je le regardais bondir d'une branche sur le petit toit en pente dans la mangeoire, et à chaque fois glisser vers le bas alors qu'il essayait désespérément de se rattraper. Après bon nombre d'échecs, Sammy avait compris le truc. Depuis, je lui lançais de temps à autre une poignée de cacahuètes. J'en étais arrivée au point où je m'inquiétais si je ne le voyais pas de quelques jours, et quand il réapparaissait pour dévaliser la mangeoire, je poussais un ouf de soulagement.

Je m'assis à la table de la cuisine, stylo et calepin à portée de main, et composai le numéro du Valhalla Hospital.

– Jeanie Sample, je vous prie, dis-je sans me présenter.

– Cette personne est-elle une patiente, madame ? demanda la standardiste.

– Non. Elle travaille à l'hôpital, fis-je en affectant un ton insouciant. Enfin, je pense qu'elle y est toujours. Je n'ai pas revu Jeanie depuis des années.

– Un moment, je vous prie.

La même voix féminine revint au bout du fil après quelques secondes.

– Nous n'avons personne de ce nom-là parmi le personnel.

Bonté divine. Comment était-ce possible ? Le numéro de téléphone figurant à la suite de son nom dans le rapport du médecin expert était celui du Valhalla Hospital. Le Dr Brown avait-il commis une erreur ? Neuf années s'étaient écoulées, pensai-je. Il peut se passer beaucoup de choses en neuf ans. Miss Sample avait pu déménager.

– Oh, excusez-moi, fis-je. Sample est son nom de jeune fille.

– Connaissez-vous son nom actuel ?

– Eh bien, c'est ennuyeux mais... Non, je ne vois pas...

– Jean Wilson ?

Je ne sus que dire.

– Nous avons une Jean Wilson, poursuivit la voix. C'est une de nos thérapeutes. Ne quittez pas, je vous prie. (La ligne ne resta silencieuse que quelques secondes.) C'est bien ça, madame, elle est répertoriée sous Jean Sample Wilson. Mais elle ne travaille pas le week-end. Elle sera là lundi matin à 8 heures. Puis-je lui laisser un message ?

– Serait-ce possible d'avoir ses coordonnées personnelles ?

– Nous ne sommes pas autorisés à les communiquer, dit-elle d'un ton qui commençait à se faire soupçonneux. Si vous voulez bien me laisser vos nom et numéro de téléphone, je lui dirai de vous rappeler dès que possible.

– Je vous remercie, mais je ne resterai pas longtemps à ce numéro. (Je réfléchis un moment avant d'ajouter sur un ton de cruelle déception :) Ça ne fait rien... j'essayerai une autre fois, quand je repasserai dans la région. À moins que je puisse lui écrire à l'hôpital.

– Bien sûr, madame.

– Pouvez-vous me donner l'adresse ?

Elle me l'indiqua.

– Connaissez-vous le prénom de son mari ?

Un bref silence.

– Skip, je crois.

Lequel était parfois un surnom pour Leslie, me dis-je.

– Mrs Skip ou Leslie Wilson, marmonnai-je comme si je notais le nom. Merci beaucoup.

D'après les renseignements téléphoniques, il y avait à Charlottesville un Leslie Wilson, un L.P. Wilson et un L.T. Wilson. L'homme qui décrocha quand je composai le numéro de L.T. Wilson me dit que « Jeanie » faisait des courses et qu'elle ne tarderait pas à rentrer.

Je savais qu'elle ne répondrait pas à une voix inconnue lui posant des questions par téléphone. Jeanie Wilson m'annoncerait qu'elle devait d'abord en référer au Dr Masterson et mettrait fin à notre conversation. Il lui serait en revanche plus difficile de refuser de parler à quelqu'un qui sonnait chez elle à l'improviste, surtout si ce visiteur se présentait, plaque d'identité à l'appui, comme le médecin expert général de Virginie.

Jeanie Sample Wilson paraissait à peine la trentaine avec son jean et son pull-over rouge. C'était une brune au regard vif et amical, le nez constellé de taches de rousseur et les cheveux noués en une longue queue de cheval. Derrière elle, dans le salon, deux garçonnets étaient assis par terre et regardaient des dessins animés à la télévision.

– Depuis combien de temps travaillez-vous à l'hôpital Valhalla ?

– Euh... une douzaine d'années, fit-elle après un instant d'hésitation.

Je poussai presque un soupir de soulagement. Non seulement Jeanie Wilson était présente au moment où Jim Barnes avait été licencié, neuf ans auparavant, mais elle avait aussi connu l'époque où Al Hunt était interné, deux ans avant l'accident de Barnes.

Jeanie se tenait dans l'embrasure de la porte. Dans l'allée d'accès, une seule voiture en plus de la mienne était garée. Son mari était sorti. Parfait.

– J'enquête sur les meurtres de Cary Harper et Beryl Madison, dis-je.

Elle ouvrit de grands yeux.

– Que voulez-vous que je vous dise ? Je ne les connaissais pas...

– Puis-je entrer ?

– Bien sûr. Excusez-moi. Entrez donc.

Nous nous installâmes dans sa petite cuisine en linoléum, Formica blanc et placards en pin. Tout était impeccablement propre, les paquets de céréales alignés sur le réfrigérateur et des bocaux de biscuits, de riz et de pâtes disposés sur les plans de travail. La machine à laver la vaisselle était en route et je sentais l'odeur d'un gâteau cuisant au four.

Je décidai de vaincre ses dernières réticences en me montrant directe.

– Mrs Wilson, un certain Al Hunt, interné à Valhalla il y a onze ans, a été un moment suspecté dans ces deux affaires. Il connaissait Beryl Madison.

– Al Hunt ? fit-elle d'un air effaré.

– Vous souvenez-vous de lui ?

Elle secoua la tête.

– Vous travaillez bien à Valhalla depuis douze ans, n'est-ce pas ?

– Onze ans et demi, exactement.

– Comme je vous l'ai dit, Al Hunt y était soigné il y a onze ans.

– Ce nom ne me dit rien...

– Il s'est suicidé la semaine dernière.

Elle eut l'air effarée.

– Je lui ai parlé peu de temps avant sa mort, Mrs Wilson. Le thérapeute qui le suivait à Valhalla s'est tué dans un accident de voiture il y a neuf ans. Il s'appelait Jim Barnes. J'aurais aimé que vous me parliez de lui.

Une rougeur lui monta au cou.

– Vous pensez que le suicide de ce garçon a quelque chose à voir avec Jim ? demanda-t-elle.

Il m'était impossible de répondre à cette question.

– Jim Barnes est mort quelques heures après avoir été licencié de l'hôpital, poursuivis-je. Votre nom – ou plus exactement votre nom de jeune fille – figure sur le rap port du médecin expert, Mrs Wilson.

– Il y a eu... disons qu'on s'est posé la question, dit-elle d'un ton hésitant. Si c'était un suicide ou un accident. On m'a interrogée. Un docteur, ou un coroner, je ne sais plus. En tout cas un homme m'a téléphoné.

– Le Dr Brown ?

– Je ne me souviens plus de son nom.

– Pourquoi voulait-il vous parler, Mrs Wilson ?

– Je pense que c'est parce que j'étais une des dernières personnes à avoir vu Jim vivant. Je suppose que le docteur a appelé le standard, et que Betty lui a donné mon numéro.

– Betty ?

– C'était la réceptionniste à l'époque.

– J'aimerais que vous me racontiez ce que vous savez des circonstances qui ont entouré le licenciement de Jim Barnes, dis-je tandis qu'elle se levait pour surveiller la cuisson du gâteau.

Lorsqu'elle se rassit, elle s'était ressaisie et calmée, mais la colère avait remplacé sa nervosité.

– Ce n'est sans doute pas bien de dire du mal des morts, Dr Scarpetta, mais Jim n'était pas quelqu'un de sympathique. Il a toujours causé de gros problèmes à l'hôpital et on aurait dû le licencier depuis longtemps.

– En quoi causait-il des problèmes ?

– Les malades nous racontaient des choses. Certains n'étaient pas... disons, crédibles. Il est difficile de faire la part du vrai et du faux dans ces cas-là. Le Dr Masterson et certains thérapeutes recevaient des plaintes, mais il n'y avait jamais aucune preuve. Jusqu'à ce qu'un témoin assiste à un fait précis, le matin où Jim s'est fait virer et a eu son accident.

– C'est vous qui avez assisté à ce fait ? demandai-je.

– Oui, dit-elle le regard lointain et les lèvres serrées.

– Que s'est-il passé ?

– Je traversais la réception pour aller voir le Dr Masterson quand Betty m'a appelée. Elle s'occupait du standard, comme je vous l'ai dit – Tommy, Clay, un peu de calme !

Les cris en provenance du salon augmentèrent tandis que la télévision sautait d'une chaîne à l'autre.

Mrs Wilson se leva d'un air las pour aller calmer ses deux fils. J'entendis le son étouffé de molles fessées, après quoi l'émission de dessins animés se stabilisa de nouveau à l'écran sur fond de rafales d'armes cosmiques.

– Où en étais-je ? fit Jeanie Wilson en reprenant place à la table.

– Betty vous a appelée, lui rappelai-je.

– Ah oui. Elle m'a fait signe d'approcher et m'a dit que la mère de Jim était au téléphone, un appel longue distance, et que ça avait l'air urgent. Je n'ai jamais su la raison de l'appel, mais Betty m'a demandé d'aller chercher Jim. Il était en train de diriger le psychodrame quotidien, qui se tenait dans la grande salle de danse. Valhalla a une grande salle que nous utilisons pour différentes activités comme les soirées ou les bals du samedi soir. Elle est équipée d'un podium pour orchestre qui date de l'époque où le Valhalla était encore un hôtel. Je suis entrée sans faire de bruit, mais quand j'ai vu ce qui se passait, j'ai été atterrée. (Ses yeux brillaient de colère. Elle se mit à tortiller le coin d'un set de table.) Jim était sur la scène, avec cinq ou six patients et patientes. Tous étaient assis sur des chaises, mais tournés de telle façon qu'ils ne pouvaient voir ce que Jim, au centre du cercle, faisait avec une des jeunes filles. Elle s'appelait Rita. Elle devait avoir 13 ans. Elle avait été violée par son beau-père. Elle ne prononçait jamais un mot, elle était devenue muette. Et Jim la forçait à rejouer la scène.

– La scène du viol ? demandai-je avec calme.

– Ce salopard ! Excusez-moi. Ça me rend folle, même aujourd'hui.

– Je vous comprends.

– Il a prétendu plus tard qu'il n'avait rien fait qui sorte de la thérapie. Merde, il mentait comme il respirait. Il a tout nié. Sauf que j'avais assisté à la scène. Je savais exactement ce qu'il avait fait. Il jouait le rôle du beau-père, et Rita avait si peur qu'elle n'osait pas bouger. Elle restait figée sur la chaise. Il se tenait debout devant elle, penché en avant, et lui parlait à voix basse. Sauf que la salle ayant une excellente acoustique, j'ai tout entendu. Rita était très mûre pour son âge, très développée. Jim lui demandait : « Est-ce qu'il t'a fait comme ça, Rita ? » Et il répétait sa question tout en la touchant de partout. Il la pelotait comme son beau-père avait fait, je suppose. Je suis ressortie sans bruit et Jim n'a compris que je l'avais vu que lorsque le Dr Masterson et moi sommes allés le trouver.

Je commençai à comprendre pourquoi le Dr Masterson n'avait pas voulu discuter de Jim Barnes avec moi, et peut-être aussi pourquoi certaines feuilles du dossier de Al Hunt avaient été arrachées. Si un tel accident était rendu public, même des années après, la réputation de l'hôpital risquait d'en prendre un coup.

– Et vous soupçonniez Jim Barnes de s'être déjà livré à de telles pratiques ?

– Les plaintes des patients semblaient l'indiquer, répondit Jeanie Wilson avec des éclairs dans les yeux.

– Émanaient-elles toutes de femmes ?

– Pas toujours.

– Vous aviez reçu des plaintes de patients hommes ?

– De l'un des jeunes patients, oui. Mais personne n'y avait cru à l'époque. Il faut dire qu'il avait de gros problèmes sexuels parce qu'il avait été violé dans son enfance, si je me souviens bien. C'était exactement le genre de patient qui éveillait l'intérêt de Jim Barnes, parce qu'il savait que personne ne le croirait.

– Vous souvenez-vous du nom de ce patient ? demandai-je.

– Mon Dieu... fit-elle en fronçant les sourcils. C'est si loin... Frank... Frankie, c'est ça ! Je me souviens que certains patients l'appelaient Frankie, mais je ne connais pas son nom.

– Quel âge avait-il ? demandai-je en sentant mon cœur accélérer.

– Je ne sais plus. Dix-sept ou dix-huit ans.

– De quoi vous souvenez-vous à propos de Frankie ? Je vous en prie, c'est important. Très important.

Une sonnerie retentit, et elle repoussa sa chaise pour sortir le gâteau du four. Pendant qu'elle était debout, elle alla jeter un coup d'œil sur ses deux garçons au salon. En se rasseyant, elle avait les sourcils froncés.

– Je me souviens vaguement qu'il a été placé au Backhall juste après son admission. Ensuite il a été redescendu au premier étage, dans le service des hommes. Il était dans mon groupe de thérapie. (Elle réfléchit quelques instants, l'index sous le menton.) Il était très productif. Il fabriquait beaucoup de ceintures en cuir, de bijoux en cuivre. Et puis il adorait tricoter, ce qui était plutôt inhabituel. En général les patients hommes ne veulent pas entendre parler de tricotage. Ils s'en tiennent au travail du cuir, fabriquent des cendriers, ce genre de choses. Frankie était très créatif et très adroit de ses mains. Et puis surtout il avait une véritable hantise du rangement et de l'ordre. Il était très soigneux. Il rangeait méticuleusement sa table de travail, ramassait tout ce qui traînait par terre. Comme si ça le rendait malade si tout n'était pas propre et bien rangé.

Elle se tut, leva les yeux vers moi.

– À quelle époque s'était-il plaint de Jim Barnes ? demandai-je.

– Peu après que je sois embauchée, répondit Jeanie Wilson. (Elle se tut, réfléchit.) Frankie n'était là que depuis un mois ou deux quand il a dit quelque chose à propos de Jim. Je crois qu'il l'avait dit à un autre patient. En fait... (Elle s'interrompit une nouvelle fois, fronçant l'arc gracieux de ses sourcils.)... c'est ce patient qui avait rapporté la chose au Dr Masterson.

– Vous souvenez-vous du nom de ce patient ?

– Non.

– Al Hunt, peut-être ? Vous dites que vous veniez d'arriver à Valhalla. Hunt y a été traité il y a onze ans, pendant l'été et le printemps.

– Je ne me souviens pas de Al Hunt...

– Ils avaient à peu près le même âge.

– Attendez un instant... (Elle me regarda avec des yeux emplis d'un sincère étonnement.) C'est vrai, Frankie avait un ami. Un adolescent. Je m'en rappelle bien. Un garçon blond. Très timide, réservé. Je ne me souviens pas de son nom.

– Al Hunt était blond.

Silence.

– Oh, mon Dieu.

– Il était timide, réservé, insistai-je.

– Oh, mon Dieu, répéta-t-elle. Alors c'était lui ! Et il s'est suicidé la semaine dernière ?

– Oui.

– Vous a-t-il parlé de Jim ? demanda-t-elle.

– Il a parlé d'un Jim Jim.

– Jim Jim, fit-elle en écho. Mon Dieu, je ne sais pas...

– Qu'est-il arrivé à Frankie ?

– Il n'est pas resté longtemps, deux ou trois mois à ce qu'il me semble.

– Il est retourné chez lui ? demandai-je.

– Je ne pense pas, dit-elle. Il y avait un problème avec sa mère. Je crois qu'il vivait chez son père. La mère de Frankie l'avait abandonné quand il était petit – une histoire comme ça, je ne sais plus au juste. En tout cas sa situation familiale était difficile. Mais c'est la même chose pour presque tous les patients de Valhalla. (Elle soupira.) Seigneur... c'est drôle. Je n'avais pas pensé à tout ça depuis des années. Frankie. (Elle secoua la tête.) Je me demande ce qu'il a bien pu devenir.

– Vous n'en avez aucune idée ?

– Pas la moindre. (Elle me fixa un long moment et je vis qu'elle y venait peu à peu. La peur envahit son regard.) Les deux personnes qui ont été assassinées. Vous ne pensez pas que Frankie...

Je ne dis rien.

– Pendant tout le temps où je m'en suis occupée, il n'a jamais manifesté de violence. Au contraire, il a toujours été très doux.

Elle attendit une réponse. Je restai silencieuse.

– Je veux dire... il a toujours été aimable avec moi, toujours poli. Il m'observait, obéissait à tout ce que je lui disais.

– Il vous aimait bien, dis-je.

– Il m'avait tricoté une écharpe. J'avais oublié. Rouge, blanc et bleu. J'avais complètement oublié. Je me demande où elle est passée... (Sa voix mourut et quelques secondes s'écoulèrent avant qu'elle ne reprenne.) J'ai dû la donner à l'Armée du Salut. Je ne sais plus. Oui, Frankie, je crois bien qu'il avait un faible pour moi.

Elle eut un petit rire nerveux.

– Mrs Wilson, à quoi ressemblait Frankie ?

– Grand, mince, les cheveux bruns. (Elle ferma un instant les yeux.) Tout ça est si loin. (Elle rouvrit les yeux et me regarda.) Je n'ai pas gardé une grande impression de son physique. Je m'en souviens comme d'un jeune homme ni beau ni laid. En fait, il avait un visage banal.

– Pensez-vous que l'hôpital ait gardé une photo de lui ?

– Non.

Nouveau silence, puis soudain Jeanie parut se souvenir de quelque chose.

– Il bégayait, dit-elle d'une voix lente.

– Pardon ?

– Parfois il bégayait. Je m'en souviens juste maintenant. Quand Frankie était énervé ou sous le coup de l'excitation, il se mettait à bégayer.

Jim Jim.

Ainsi Al Hunt disait vrai. Lorsque Frankie avait raconté à Hunt ce que Barnes lui avait fait ou essayé de lui faire, Frankie était sans aucun doute dans un état de grande agitation. Il avait bégayé. Et son bégaiement le reprenait chaque fois qu'il parlait de Jim Barnes à Hunt. Jim Jim !

En sortant de chez Jeanie Wilson, je me précipitai dans la première cabine téléphonique que je rencontrai, mais ce crétin de Marino était parti jouer au bowling.

14

Le lundi, le ciel roulait de gros nuages noirs qui voilaient la chaîne de la Blue Ridge et dérobaient le Valhalla Hospital à la vue. Les bourrasques chahutaient la voiture de Marino, et lorsqu'il se gara sur le parking de l'établissement, de petits flocons de neige s'écrasaient sur le pare-brise.

– Merde, maugréa-t-il en descendant de voiture. Il manquait plus que ça.

– C'est la saison, fis-je en grimaçant sous les flocons glacés qui me piquaient les joues.

Tête baissée contre le vent, nous gagnâmes en hâte l'entrée de l'hôpital.

Le Dr Masterson nous attendait au comptoir de la réception, le visage de marbre sous un sourire de circonstance. Lorsqu'il serra la main du lieutenant, les deux hommes se jaugèrent du regard comme deux chats de gouttière, et je ne fis aucun effort pour dissiper la tension car les manières mielleuses du psychiatre commençaient à me taper sur les nerfs. Il connaissait des choses que nous voulions savoir, et il nous donnerait ces informations, de son plein gré ou sur ordre du tribunal. C'était à lui de choisir. Il nous accompagna sans attendre jusqu'à son bureau, dont il ferma cette fois la porte.

– Bien, qu'attendez-vous de moi ? s'enquit-il dès qu'il se fut assis.

– Des informations complètes, dis-je.

– Bien sûr. Mais je dois vous dire, Dr Scarpetta, reprit-il comme si Marino n'était pas dans la pièce, que je ne vois pas très bien ce que je pourrais vous apprendre de plus sur Al

Hunt. Vous avez consulté son dossier et je vous ai raconté tout ce dont je me souvenais...

– Ouais, justement, l'interrompit Marino en cherchant son paquet de cigarettes. On est venus vous rafraîchir la mémoire. Et c'est pas Al Hunt qui nous intéresse.

– Je ne comprends pas.

– On s'intéresse à son copain, expliqua Marino.

– Quel *copain* ? fit le Dr Masterson en lui jetant un regard glacial.

– Frankie, ça vous dit rien ?

Le Dr Masterson se mit à nettoyer ses lunettes, et je compris que c'était une diversion qu'il employait devant une question gênante.

– Il y avait un malade ici du temps où Al Hunt était chez vous, ajouta Marino. Un gosse nommé Frankie.

– J'ai peur de ne pas me souvenir.

– Oubliez vos peurs, doc, et dites-nous ce que vous savez sur Frankie.

– Nous avons en permanence trois cents patients à Valhalla, lieutenant, répondit-il. Il m'est impossible de me souvenir de chacun d'entre eux, surtout quand ils ne restent que peu de temps.

– Vous voulez dire que ce Frankie n'est pas resté longtemps ? fit Marino.

Le Dr Masterson prit sa pipe. Il avait fait un faux pas et en parut contrarié.

– Je ne veux rien dire du tout, lieutenant. (Il se mit à bourrer sa pipe.) Mais peut-être que si vous me fournissiez quelques indications sur ce jeune Frankie, je pourrais le remettre plus facilement. Qu'avait-il de particulier à part d'être un gosse ?

Il était temps que j'intervienne.

– Il semble que Al Hunt avait un ami pendant son séjour ici, dis-je. Un garçon qu'il appelait Frankie. Al m'en avait parlé. Ce jeune homme a été confiné au Backhall peu de temps après son admission, avant d'être transféré dans un autre service, où il a pu faire la connaissance de Al. D'après ce que nous savons, Frankie était brun, mince, de haute taille. Il aimait tricoter, ce qui est une activité plutôt rare chez les patients hommes, à ce qu'il me semble.

– C'est Al Hunt qui vous a raconté tout ceci ? s'enquit le Dr Masterson d'un ton anodin.

– Frankie était également obsédé par l'ordre et le rangement, ajoutai-je en ignorant sa question.

– Le fait qu'un patient aime tricoter fait partie des détails qu'on ne juge pas nécessaire de me rapporter, remarqua le docteur en rallumant sa pipe.

– Il avait aussi tendance à bégayer quand il était tendu, dis-je en m'efforçant de maîtriser une impatience grandissante.

– Mmmm. Dans ce cas on a sans doute signalé une dysphonie spasmodique dans le diagnostic d'admission. Ça pourrait être un point de départ...

– Le meilleur point de départ, c'est que vous arrêtiez de nous débiter des salades, le coupa Marino avec rudesse.

– Vraiment, lieutenant, fit le Dr Masterson avec un sourire condescendant. Votre hostilité est tout à fait hors de propos.

– Peut-être, mais vous aussi vous êtes en dehors du propos. Remarquez que ça peut s'arranger. Je peux revenir avec un mandat et vous embarquer à coups de pompe dans le cul pour complicité de meurtre. Qu'est-ce que vous en dites ? conclut Marino avec un regard fulminant.

– Je crois que j'ai assez supporté vos impertinences, lieutenant, répliqua le docteur d'un ton parfaitement calme. Je n'apprécie pas beaucoup les menaces, voyez-vous.

– Et je n'apprécie pas beaucoup les rigolos dans votre genre, rétorqua Marino.

– Qui est Frankie ? tentai-je de glisser.

– Je n'en sais rien, me répondit le Dr Masterson. Mais si vous voulez bien patienter quelques minutes, je vais aller consulter notre ordinateur.

– Merci, dis-je. Nous vous attendons.

Le psychiatre était à peine sorti que Marino livra ses commentaires.

– Quel con !

– Marino... fis-je d'un ton patient.

– Qu'il nous dise pas que sa bicoque est pleine de gamins. J'suis prêt à parier que presque tous ses pensionnaires ont plus de 60 ans. Un jeune type, il devrait s'en rappeler tout de suite, non ? Il sait qui est Frankie. Je suis sûr qu'il pourrait nous dire quelle pointure il faisait.

– Peut-être.

– Il n'y a pas de peut-être. Ce type nous mène en bateau.

– Et il continuera tant que vous vous montrerez hostile, Marino.

– Merde. (Il se leva et alla se planter devant la fenêtre. Il écarta les rideaux et contempla cette fin de matinée blafarde.) Je supporte pas qu'on me raconte des bobards. J'vous jure que je vais l'épingler comme il faut s'il continue à tirer sur la ficelle. C'est ça que je peux pas encaisser avec les psy. Même s'ils ont Jack l'Éventreur comme client, ils s'en foutent. Ils continuent à vous raconter des salades, ils vont border le salopard dans son lit et le gavent de potage comme si c'était leur poulain préféré. (Il se tut avant d'ajouter en sautant du coq à l'âne :) En tout cas il neige plus.

J'attendis qu'il se rassoie.

– Vous avez poussé le bouchon un peu loin en le menaçant de complicité de meurtre, dis-je.

– Ça l'a forcé à nous écouter, non ?

– Donnez-lui une chance de sauver la face, Marino.

Il tira sur sa cigarette en fixant la fenêtre d'un air maussade.

– Je pense qu'il a compris qu'il était de son intérêt de nous aider, dis-je.

– Peut-être bien, en tout cas c'est pas de mon intérêt de jouer au chat et à la souris avec lui. Pendant qu'on cause, Frankie le Tricoteur se balade dans la rue avec ses idées tordues, comme une bombe à retardement qui risque de péter d'un moment à l'autre.

Je songeai à mon paisible pavillon dans mon paisible quartier, au collier de Cary Harper enroulé à la poignée de ma porte, et au chuchotis sur mon répondeur. *C'est votre couleur naturelle ou vous vous teignez ?...* Étrange. J'essayai de saisir le sens de cette question. En quoi la couleur de mes cheveux lui importait-elle ?

– Si Frankie est l'assassin, dis-je en prenant une profonde inspiration, je ne comprends plus le rapport entre Sparacino et les meurtres.

– Nous verrons bien, marmonna-t-il en allumant une cigarette.

– Que voulez-vous dire, « nous » verrons bien ?

– Je suis toujours étonné de voir comment une chose mène à une autre chose, fit-il d'un air mystérieux.

– Comment ? Pourquoi dites-vous ça, Marino ?

Il jeta un coup d'œil à sa montre.

– Où il est passé, bon Dieu ? s'exclama-t-il. Il est parti bouffer ou quoi ?

– J'espère qu'il a retrouvé le dossier de Frankie.

– Moi aussi, j'espère.

– Pourquoi dites-vous qu'une chose mène à une autre ? répétai-je. À quoi pensez-vous ? Ça ne vous ferait rien d'être un peu plus précis ?

– Je vais vous dire ce que je pense, fit Marino. J'ai la nette impression que si Beryl avait pas voulu écrire ce foutu bouquin, ils seraient encore en vie tous les trois. Et Hunt aussi, probablement.

– Rien ne permet de l'affirmer.

– Bien sûr ! Vous et votre sacrée objectivité ! Eh bien moi, je le dis, d'accord ? (Il détourna la tête et passa la main sur ses yeux fatigués.) C'est une impression que j'ai, c'est tout. Et mon impression me dit que le rapport entre tout ça, c'est Sparacino et ce bouquin. C'est ça qui a mené le tueur à Beryl, et puis une chose a mené à la suivante. Le tueur s'est payé Harper. Ensuite miss Harper a avalé un paquet de pilules capables de tuer un cheval pour pas moisir dans son château pendant que le cancer la grignotait. Et enfin on retrouve Hunt qui se balance en caleçon au plafond du sous-sol.

Dans mon esprit défilèrent la fibre orange en forme de feuille de trèfle, le manuscrit de Beryl, Sparacino, Jeb Price, le fils aux allures de jeune premier du sénateur Partin, Mrs McTigue, Mark enfin. Ils étaient les membres et les ligaments d'un corps que je ne parvenais pas à reconstituer. D'une façon encore inexplicable, ils représentaient une alchimie pour laquelle des gens et des événements apparemment sans rapport entre eux avaient produit un certain Frankie. Marino avait raison. Une chose en entraîne toujours une autre. Le meurtre ne connaît pas la génération spontanée. Le mal ne surgit jamais de rien.

– Avez-vous une idée de la nature de ce rapport ? demandai-je à Marino.

– Non, pas la queue d'une, rétorqua-t-il en étouffant un bâillement au moment même où le Dr Masterson entrait et refermait la porte.

Je notai avec satisfaction qu'il apportait plusieurs dossiers.

– Bien, fit-il sans nous regarder. Je n'ai retrouvé aucun Frankie, ce qui m'amène à penser qu'il s'agit d'un surnom. C'est pourquoi j'ai recherché les dossiers de patients dont la date de séjour, la race et l'âge correspondent à celui que vous cherchez, en écartant naturellement Al Hunt. Voici six dossiers de patients hommes de race blanche traités à Valhalla à l'époque qui vous intéresse. Ils ont entre 13 et 24 ans.

– Qu'est-ce que vous diriez de fumer tranquillement votre pipe pendant qu'on les étudie ? fit Marino d'un ton à peine moins hostile que tout à l'heure.

– Pour des raisons de confidentialité, je préférerais vous les résumer, lieutenant. Si vous en trouvez un particulièrement intéressant, nous l'étudierons en détail. Cela vous paraît correct ?

– Entendu, fis-je avant que Marino ne trouve à redire.

– Le premier, commença le Dr Masterson en ouvrant le dossier du haut de la pile, est un garçon de 19 ans originaire de Highland Park, dans l'Illinois, admis en décembre 1978 à la suite d'un abus prolongé de stupéfiants, héroïne surtout. (Il tourna la page.) Taille 1 m 50... 85 kilos... yeux marron... cheveux bruns. Il est resté trois mois.

– Al Hunt n'est arrivé qu'au mois d'avril suivant, rappelai-je au docteur. Ils n'ont pas pu se rencontrer.

– Vous avez raison. C'est une erreur de ma part. Nous pouvons l'écarter.

Il posa le dossier sur son sous-main pendant que j'adressai un regard appuyé à Marino, qui, le visage écarlate, était sur le point d'exploser.

Le Dr Masterson ouvrit le deuxième dossier.

– Ensuite nous avons un garçon de 14 ans, blond, les yeux bleus, 1 m 70, 75 kilos. Il a été admis en février 1979 et il est ressorti six mois après. Il souffrait d'hallucinations. Son diagnostic indique une schizophrénie de type déstructurée ou hébéphrénique.

– Pourriez-vous nous expliquer ce que ça veut dire ? intervint Marino.

– Incohérence, manies, extrême isolement social et autres bizarreries de comportement. Par exemple... (Il se tut pendant qu'il parcourait une page.)... un jour il part prendre le bus le matin mais ne se présente pas à l'école, et on le retrouve assis sous un arbre, en train de tracer des signes incohérents dans son cahier.

– Je vois. Il vit à New York et il est devenu un peintre célèbre, marmonna Marino d'un ton sarcastique. Son prénom, c'est Frank, Franklin ou n'importe quoi qui commence par F ?

– Non. Aucun rapport.

– Bon, au suivant.

– Le suivant est un garçon de 22 ans, du Delaware. Roux, yeux gris, euh... 1 m 82, 75 kilos. Admis de mars à juin 1979. Souffrant de syndrome hallucinatoire organique, dû à une épilepsie du lobe temporal et à un abus de cannabis, état qui entraînait un comportement dysphorique. Il a aussi tenté de s'émasculer sous l'effet d'une hallucination.

– Qu'est-ce que ça veut dire, « dysphorique » ? demanda Marino.

– Anxieux, agité, déprimé.

– Il était comme ça avant ou après avoir essayé de se transformer en soprano ?

Le Dr Masterson commençait à montrer quelques signes d'impatience, ce que je comprenais fort bien.

– Au suivant, décréta Marino avec le ton d'un sergent instructeur.

– Le quatrième patient est un garçon de 18 ans, brun, les yeux marron, 1 m 72, 71 kilos. Admis en mai 1979 pour schizophrénie de type paranoïde. Ses antécédents... (Le docteur tourna une page et tendit la main vers sa pipe.)... indiquent un état d'anxiété et de colère sans motif, des doutes sur son identité sexuelle et une angoisse d'être pris pour un homosexuel. Cette psychose serait née le jour où il a été abordé par un homosexuel dans des toilettes publiques...

– Stop ! s'exclama Marino avant que j'aie pu le faire. Celui-ci me paraît intéressant. Combien de temps il est resté à Valhalla ?

Le Dr Masterson était occupé à allumer sa pipe. Il parcourut le dossier d'un œil paresseux avant de répondre.

– Dix semaines, dit-il enfin.

– Donc il était ici en même temps que Hunt, déduisit Marino.

– Exact.

– Vous dites qu'il s'est mis à débloquer après s'être fait aborder dans un chiotte public. Qu'est-ce qui lui est arrivé ? Quel genre de psychose ? demanda Marino.

Le Dr Masterson parcourut quelques pages.

– Il a été victime d'hallucinations mystiques. Il pensait que Dieu lui ordonnait de faire certaines choses.

– Quel genre de choses ? s'enquit Marino en se penchant en avant.

– Ça n'est pas précisé dans le dossier. On signale simplement qu'il parlait de manière bizarre.

– Et c'était un schizophrène paranoïde ? demanda Marino.

– Oui.

– Vous pouvez nous expliquer ce que c'est ? À quels symptômes on le reconnaît ?

– Le plus souvent, répondit le Dr Masterson, le sujet est en proie à un délire hallucinatoire au contenu grandiose ou mystique. Il peut être victime de jalousie hallucinatoire, prête une intensité excessive aux relations personnelles, a tendance à argumenter sur tout. Il peut aussi parfois se montrer violent.

– D'où était-il ? m'enquis-je.

– Du Maryland.

– Merde, lâcha Marino entre ses dents. Il vivait avec ses parents ?

– Avec son père.

– Vous confirmez qu'il était plus paranoïde qu'indifférencié ? demandai-je.

La distinction était importante. Les schizophrènes dits indifférenciés présentent souvent un comportement erratique. Ils ne seraient pas capables de préméditer un crime et d'échapper ensuite à l'arrestation. L'individu que nous recherchions avait un esprit suffisamment organisé pour pouvoir non seulement planifier et exécuter ses crimes, mais aussi éviter d'être identifié.

– J'en suis certain, répondit le Dr Masterson. (Puis, après un instant de silence, il ajouta d'une voix neutre :) De plus, le prénom du patient est Frank.

Sur quoi il me tendit le dossier, que Marino et moi parcourûmes rapidement.

Frank Ethan Aims, ou Frank E. (et donc « Frankie », déduisis-je), avait quitté Valhalla à la fin du mois de juin 1979. Peu de temps après, si l'on en croyait la note du Dr Masterson, Aims s'était enfui de chez son père, dans le Maryland.

– Comment vous avez appris qu'il s'était enfui de chez lui ? demanda Marino en levant les yeux vers le psychiatre. Comment vous savez ce qu'il est devenu quand il est parti d'ici ?

– Son père m'a appelé. Il était bouleversé.

– Et ensuite ?

– Ni moi ni personne n'y pouvions rien. Frank était majeur, lieutenant.

– Vous souvenez-vous si, à l'hôpital, quelqu'un l'appelait Frankie ? demandai-je.

Il fit non de la tête.

– Jim Barnes était-il le thérapeute de Frank Aims ? demandai-je.

– Oui, fit le docteur avec réticence.

– Frank Aims a-t-il vécu une expérience pénible avec Jim Barnes ? fis-je.

Le Dr Masterson hésita.

– Il le prétendait.

– Une expérience de quelle nature ?

– Il prétendait que c'était de nature sexuelle, Dr Scarpetta. J'essaie de vous aider, bon sang. J'espère que vous m'en saurez gré.

– Mais on vous en sait gré ! intervint Marino. Tenez, c'est promis, on dira rien aux journaux.

– Donc Frank connaissait Al Hunt, fis-je.

Le Dr Masterson, visage tendu, eut un nouveau moment d'hésitation.

– Oui, dit-il enfin. C'est Al qui m'a rapporté les allégations de Frank.

– Bingo, marmonna Marino.

– Que voulez-vous dire exactement ? demandai-je au Dr Masterson.

– Je veux dire qu'il s'est plaint à un des infirmiers, répondit le docteur sur un ton défensif. Il a aussi fait certaines allusions devant moi. On a interrogé Frank, mais il a refusé d'en dire plus. C'était un jeune homme très hostile, très renfermé. Il m'était impossible de prendre une quelconque mesure sur la simple foi des déclarations de Al Hunt. Sans confirmation de la part de Frank, les accusations restaient infondées.

Marino et moi gardâmes le silence.

– Je suis désolé, reprit le Dr Masterson avec agacement. Je ne peux pas vous dire où se trouve Frank à l'heure actuelle. Je ne sais plus rien de lui. La dernière fois que j'en ai entendu parler, c'était par son père, il y a sept ou huit ans.

– À quelle occasion ? demandai-je.

– Mr Aims m'avait appelé.

– Pour quelle raison ?

– Il voulait me demander si j'avais des nouvelles de Frank.

– Et vous en aviez ? intervint Marino.

– Non, répondit le Dr Masterson. Frank ne m'a jamais donné de nouvelles.

– Alors pourquoi Mr Aims voulait-il savoir si vous en aviez ? demandai-je avec un soupçon dans la voix.

– Il voulait le retrouver, il espérait que je savais où il était. Parce que sa mère était morte. La mère de Frank, je veux dire.

– Où et comment est-elle morte ? demandai-je.

– Elle est morte à Freeport, dans le Maine. Je ne connais pas les circonstances exactes.

– Une mort naturelle ?

– Non, rétorqua le Dr Masterson en fuyant mon regard. Je sais que non.

Il ne fallut pas longtemps à Marino pour obtenir les compléments d'information. Il appela la police de Freeport. D'après leurs dossiers, en fin d'après-midi du 15 janvier 1983, Mrs Wilma Aims avait été battue à mort par un « cambrioleur » qui selon les constatations était entré chez elle pendant qu'elle faisait ses courses. Elle avait 42 ans. C'était une femme de petite taille, avec des yeux bleus et des cheveux teints en blond. L'affaire n'avait jamais été élucidée.

Marino ni moi ne doutions de l'identité du « cambrioleur ».

– Peut-être bien qu'après tout Hunt était clairvoyant, hein ? fit Marino. Il savait que Frank allait massacrer sa mère. Et pourtant ça s'est passé un bon moment après que ces deux loufdingues sont sortis de l'asile.

Nous regardions d'un œil distrait les cabrioles de Sammy l'écureuil autour de la mangeoire aux oiseaux. Marino m'avait ramenée chez moi après notre visite à l'hôpital, et je l'avais invité à prendre une tasse de café.

– Vous êtes sûr que Frankie n'a jamais travaillé à la station de lavage de Hunt au cours des dernières années ? lui demandai-je.

– Je me rappelle pas avoir vu Frank ou Frankie Aims dans leurs registres, dit-il.

– Il a peut-être changé de nom.

– Sans doute, s'il a buté sa mère. Il s'est douté que les flics voudraient lui poser quelques questions. (Il prit sa tasse.) Le problème, c'est qu'on sait pas à quoi il ressemble aujourd'hui, et dans des boîtes du genre Masterwash, le personnel arrête pas de changer. Les types restent deux trois jours, une semaine, un mois. Vous avez une idée du nombre de types blancs, bruns et grands qui se baladent en ville ? On en aurait jusqu'à la saint-glinglin de tous les contrôler.

Nous étions à la fois si proches et si éloignés de la vérité qu'il y avait de quoi devenir fou.

– Les fibres pourraient provenir d'une station de lavage, dis-je. Hunt travaillait dans le lavage où Beryl amenait sa voiture et connaissait peut-être son assassin. Vous comprenez ce que je vous dis, Marino ? Si Hunt savait que Frankie avait tué sa mère, c'est peut-être parce qu'ils s'étaient revus après Valhalla. Frankie a peut-être travaillé au Masterwash, peut-être même récemment. Il est possible que Frankie ait vu Beryl pour la première fois au lavage, quand elle a amené sa voiture.

– Ils ont trente-six employés, dont onze seulement sont blancs, doc, et sur ces onze, il y a six femmes. Ça en laisse cinq. Sur ces cinq, trois ont moins de 20 ans, c'est-à-dire qu'ils avaient sept ou huit ans à l'époque où Frankie était à Valhalla. Donc ça peut pas être eux. Et les deux autres ne collent pas pour différentes raisons.

– Quelles sont ces raisons ?

– Ben, ils ont été embauchés dans les deux ou trois mois passés, ce qui fait qu'ils étaient pas là quand Beryl amenait sa voiture. Et puis leur allure coïncide pas avec la description de Frankie. Un des types est roux, l'autre est un nabot à peine plus grand que vous.

– Merci du compliment, fis-je.

– Je revérifierai tout ça, dit-il en détournant le regard de la mangeoire d'où Sammy nous observait avec des yeux cerclés de rose. Et vous ?

– Comment ça, *moi* ?

– Ils ont compris que vous bossez toujours avec eux, au bureau ? fit-il.

Il me dévisageait d'un drôle d'air.

– Tout va bien, fis-je.

– J'en suis pas si sûr, doc.

– Eh bien moi, si, rétorquai-je.

– Moi, insista Marino, je crois que ça va pas si bien que ça.

– Je ne retournerai pas au bureau avant quelques jours, lui dis-je d'une voix ferme. Il faut retrouver le manuscrit de Beryl. Ethridge y travaille. Nous devons savoir ce qu'il y a dedans. Peut-être que l'on y découvrira ce fameux lien dont vous parliez.

– Tant que vous suivez mes conseils, dit-il en repoussant sa chaise.

– Je fais attention, le rassurai-je.

– Pas de nouvelles de l'autre ?

– Aucune. Pas de coup de fil, aucun signe, rien.

Il appelait pas Beryl tous les jours non plus, fit-il.

Il était inutile de me le rappeler. Je ne tenais pas à ce qu'il embraye une nouvelle fois sur le sujet.

– S'il appelle, je lui dirais : « Salut *Frankie*, qu'est-ce qui se passe ? »

– Hé, ce type est pas un rigolo. (Il s'arrêta dans le vestibule et se retourna vers moi.) J'espère que vous dites pas ça sérieusement, hein ?

– Bien sûr que non, fis-je en lui tapotant le dos avec un sourire.

– C'est vrai, doc. Jouez pas à ça avec lui. Si vous l'entendez sur le répondeur, décrochez surtout pas...

Je venais d'ouvrir la porte. Marino se tut brusquement et s'immobilisa, ouvrant des yeux horrifiés.

– *Nom de Dieeeu*... fit-il en sortant sur le seuil.

Il dégaina stupidement son revolver tandis qu'une bouffée de chaleur réchauffait l'air glacial.

La LTD de Marino flambait dans la nuit, au milieu d'un volcan de flammes qui s'élançaient vers le quartier de lune. J'attrapai Marino par la manche et le tirai à l'intérieur. Le ululement d'une sirène se fit entendre au loin et, au même instant, le réservoir de la voiture explosa. Les fenêtres du salon rougeoyèrent tandis qu'une boule de feu jaillissait dans le ciel, embrasant au passage les petits cornouillers au bout de ma pelouse.

– Mon Dieu ! m'exclamai-je lorsque le courant fut coupé.

Dans l'obscurité, je vis la silhouette massive de Marino qui tournait en rond dans la pièce comme un taureau enragé. Radio en main, il essayait de joindre son QG tout en jurant comme un charretier.

– L'enculé ! L'enculé de sa mère !

Je congédiai Marino après que l'amas de tôles noircies qui avait fait son éphémère fierté eut été emporté sur la benne d'un camion. Il avait insisté pour passer la nuit chez moi. J'avais rétorqué que les voitures de patrouille postées autour de la maison suffiraient à assurer ma sécurité. Il avait voulu que j'aille dormir à l'hôtel, mais j'avais refusé de céder. Qu'il s'occupe de son tas de ferraille, je m'occuperais de moi. Mon jardin était un véritable marécage, la maison envahie par une fumée nauséabonde. La boîte aux lettres plantée au bord de ma pelouse ressemblait à une grosse allumette calcinée. J'avais perdu une demi-douzaine de cornouillers et presque autant d'arbres. Mais, en dépit des craintes de Marino, j'avais besoin de me retrouver seule.

Il était minuit passé et je me déshabillais à la lueur des bougies lorsque le téléphone sonna. La voix de Frankie envahit ma chambre comme une vapeur nocive, empoisonnant l'air que je respirais, violant l'intimité rassurante de la maison.

Assise au bord du lit, je fixai le répondeur l'air hagard tandis que la bile me remontait dans la gorge et que mon cœur cognait à me rompre les côtes.

– ... j'aurais bien aimé pouvoir assister au spectacle. Est-ce que c'é-é-c'était impressionnant, Kay ? Jjj-joli feu d'artifice, non ? J'aime pas quand tu reçois un au-autre homme chez toi, Kay. T'as compris, main-maintenant, hein ? T'as bien compris ?

Le répondeur s'arrêta et le témoin lumineux des messages se mit à clignoter. Je fermai les yeux et, pendant que les ombres dansaient sur les murs, me forçai à une lente et profonde respiration pour calmer le rythme effréné de mon cœur. Comment une telle chose pouvait-elle m'arriver ?

Il n'y avait plus qu'une chose à faire : ce qu'avait fait Beryl Madison. Je me demandai si elle avait ressenti la même terreur chez Masterwash en découvrant le cœur gravé sur sa portière. D'une main tremblante j'ouvris le tiroir de ma table de nuit pour y prendre les Pages jaunes. Après avoir effectué ma réservation, j'appelai Benton Wesley. Bien que je l'aie tiré de son sommeil, il fut aussitôt en alerte.

– Je vous le déconseille, Kay, dit-il. Non. Sous aucun prétexte. Écoutez-moi, Kay...

– Je n'ai pas le choix, Benton. Je voulais juste le dire à quelqu'un. Mettez Marino au courant si vous voulez, mais laissez-moi faire. Je vous en prie. Le manuscrit...

– Kay...

– Il faut que je le trouve ! Je suis sûre qu'il nous fournira la réponse.

– Kay ! Vous faites une erreur !

– Écoutez, dis-je en haussant la voix. Qu'est-ce que vous voulez que je fasse ? Que je reste ici jusqu'à ce que ce salopard décide d'enfoncer ma porte ou de faire sauter ma voiture ? Si je reste ici, je suis morte. Vous n'avez pas encore compris ça, Benton ?

– Vous avez une alarme. Vous avez une arme. Il ne pourra pas faire sauter votre voiture si vous êtes dedans... Euh... Marino m'a appelé. Il m'a raconté ce qui était arrivé. D'après les premières observations, on a imbibé un chiffon d'essence et on l'a fourré dans le conduit du réservoir. On a trouvé les marques. Le type a forcé le bouchon et...

– Seigneur, Benton ! Vous ne m'écoutez pas !

– Écoutez-moi. C'est à vous de m'écouter. Je vous en prie, écoutez-moi, Kay. Je vais vous envoyer quelqu'un. Une de nos agents qui s'installera chez vous, d'accord ? Elle n'aura...

– Bonne nuit, Benton.

– Kay !

Je raccrochai et ne répondis pas à son rappel immédiat, sourde aux protestations qu'il débita sur le répondeur. Le sang me battait aux tempes tandis que me revenaient les images de la voiture de Marino explosant dans la nuit, puis celles des flammes grésillant sous les jets d'eau des pompiers qu'elles semblaient vouloir mordre comme des serpents en furie. Quand j'avais découvert le petit corps calciné au bout de ma pelouse, quelque chose en moi s'était brisé. Le réservoir de la voiture devait avoir explosé juste au moment où Sammy l'écureuil s'enfuyait le long de la ligne électrique. Voulant se mettre en sûreté, il avait bondi à terre, mais ses petites pattes avaient dû, pendant une fraction de seconde, faire contact entre le transformateur enterré et la ligne. Vingt mille volts lui avaient traversé le corps, le carbonisant instantanément, et le courant avait sauté.

J'avais placé sa dépouille dans une boîte à chaussures et l'avais enterré le soir même parmi mes rosiers afin de ne pas avoir à supporter la vue de cette chose noircie à la lumière du jour.

Le courant n'avait toujours pas été rétabli lorsque je terminai mes bagages. Je descendis au rez-de-chaussée, où, près de mon Ruger luisant dans la lumière des lampes tempête, je bus du cognac et fumai des cigarettes jusqu'à ce que mon tremblement cesse. Je ne retournai pas au lit. Je ne jetai aucun regard à mon jardin dévasté lorsque, la valise battant contre mon mollet, les chevilles éclaboussées de boue noirâtre, je fonçai vers ma voiture. Je ne vis aucune voiture de patrouille le long de ma rue déserte. J'arrivai à l'aéroport peu après 5 heures et me précipitai dans les toilettes pour dames. Je sortis le pistolet de mon sac à main et le transférai dans ma valise.

15

Vers midi, sous un soleil resplendissant, j'empruntai la passerelle de débarquement et plongeai dans le brouhaha du Miami International Airport.

J'achetai le *Miami Herald* et commandai un café. Assise à une petite table dissimulée par un palmier en pot, j'ôtai mon blazer et relevai les manches de mon chemisier. Je sentais de grosses gouttes de transpiration dévaler mon dos et mes aisselles. Le manque de sommeil me brûlait les yeux, j'avais mal au crâne et ce que je découvris en ouvrant le journal ne contribua pas à me remonter le moral. En bas à gauche de la une, un cliché spectaculaire montrait les pompiers en train d'arroser la voiture en flammes de Marino au milieu d'un épais nuage de fumée à travers lequel on distinguait les arbres calcinés de ma pelouse. Une légende courait sous la photo :

EXPLOSION D'UNE VOITURE DE POLICE

Les pompiers de Richmond s'efforcent d'éteindre l'incendie de la voiture d'un policier de la brigade des Homicides, qui a pris feu dans une rue paisible d'un quartier résidentiel. Personne n'était à bord de la Ford LTD au moment où elle a explosé hier soir. Aucune victime n'est à déplorer. La police soupçonne un acte criminel.

Dieu merci, on ne mentionnait pas devant chez qui s'était garé Marino, ni les raisons de sa présence. Cependant j'étais sûre que ma mère verrait la photo et m'appellerait aussitôt. « Reviens t'installer à Miami, Kay, me dirait-elle. Richmond est une ville trop dangereuse pour toi. Si tu voyais le nouveau bâtiment où ils vont installer le médecin expert ici à Miami... une merveille ! C'est simple, on dirait un décor de cinéma. » Curieusement, ma mère ne semblait pas réaliser qu'il y avait plus de meurtres, de fusillades, de trafic de drogue, d'émeutes raciales, de viols et de cambriolages dans ma ville natale, à présent largement hispanisée, que dans toute la Virginie...

Je l'appellerais plus tard. Pardonnez-moi, Seigneur, je ne me sens pas la force de lui parler maintenant.

Je rassemblai mes affaires, éteignis ma cigarette et, serrant mon sac contre les côtes, fendis la foule vêtue de chemises hawaïennes, chargée de sacs de boutiques détaxées et babillant dans toutes les langues.

Je ne commençai à me détendre que plusieurs heures plus tard, alors que je franchissais Seven Mile Bridge dans ma voiture de location. Tandis que je fonçai vers le sud, le golfe du

Mexique à ma droite et l'Atlantique à ma gauche, je tentai de me souvenir de la dernière fois où j'étais allée à Key West. J'étais souvent venue rendre visite à ma famille avec Tony, mais nous étions restés à Miami, sans jamais pousser jusqu'à Key West. J'étais à peu près sûre que la dernière fois où j'y étais allée, c'était avec Mark.

Mark éprouvait une véritable passion pour la plage, la mer et le soleil, lesquels le lui rendaient bien. Comme elle le fait avec certains êtres, la nature semblait avoir prodigué ses faveurs à Mark. Nous avions passé en sa compagnie une semaine avec ma famille, mais je ne me souvenais ni de l'année, ni de l'endroit où nous étions allés. Ce qu'en revanche je me rappelais très bien, c'était son bermuda de bain blanc et la chaleur de sa paume alors que nous marchions main dans la main sur le sable frais. Je revoyais encore la blancheur éclatante de ses dents tranchant sur le teint cuivré de sa peau, la gaieté qui animait ses yeux quand il ramassait coquillages et dents de requin pendant que je le regardais en souriant sous mon chapeau à large bord. Mais surtout, je me souvenais avoir éprouvé pour ce jeune homme nommé Mark James un amour plus grand que pour quiconque sur cette terre.

Qu'est-ce qui avait changé en lui ? Il m'était difficile d'admettre qu'il était passé dans le camp ennemi, comme Ethridge le croyait. Mark avait toujours été un enfant gâté. Séduisant rejeton de parents riches et beaux, il pensait que tout lui était dû. Jouir des beautés du monde était pour lui un droit naturel. Mais il n'avait jamais été malhonnête. Il ne s'était jamais montré cruel. Il ne s'était même jamais montré condescendant envers les moins fortunés que lui, ni manipulateur envers ceux qui succombaient à son charme. Son seul véritable péché, c'est qu'il ne m'avait pas assez aimée. Pourtant, du point de vue que me conférait à présent mon âge, je pouvais le comprendre. Ce qu'en revanche je ne lui pardonnais pas, c'était sa duplicité. Je ne pouvais lui pardonner d'être devenu un homme de moindre valeur que celui que j'avais autrefois adoré et respecté. Je ne lui pardonnais pas de ne plus être *Mark*.

Je dépassai le Naval Hospital sur la US 1, longeai le rivage par la longue courbe de North Roosevelt Boulevard et me mis à la recherche de Duval dans le labyrinthe des rues de Key West. Le soleil blanchissait les ruelles où dansait l'ombre des plantes tropicales agitées par la brise. Sous un ciel d'un bleu lumineux, d'immenses palmiers et acajous d'un vert éclatant ombrageaient maisons et boutiques, tandis qu'hibiscus et bougainvillées éclaboussaient les trottoirs de bouquets de mauve et d'écarlate. Je roulais au pas parmi une nuée de cyclomoteurs et de promeneurs en short et sandalettes. Je remarquai peu d'enfants et une proportion démesurée d'hommes.

Le *La Concha* était un Holiday Inn rose qui dominait de sa haute taille un petit parc planté d'arbustes tropicaux. Je n'aurais sans doute aucune difficulté à trouver une chambre, puisque la saison touristique n'était pas commencée. Laissant ma voiture au parking, je me dirigeai vers le hall de réception désert sans pouvoir m'empêcher de repenser à ce qu'avait dit Marino. De toute ma vie je n'avais jamais vu autant de couples homosexuels. Je sentis que sous les dehors rieurs de cette île minuscule était tapi l'ogre de la maladie. Où que se porte mon regard, je voyais des hommes en train de mourir. Je ne craignais pas d'attraper une hépatite ou le sida, ayant appris depuis longtemps à me protéger contre les risques de mon métier. Je n'étais pas non plus gênée par la réalité homosexuelle. Plus je prends de l'âge, plus je suis convaincue que l'amour peut prendre de très nombreuses formes. Il n'y a pas de bonne ou de mauvaise façon d'aimer, il n'y a qu'une bonne et une mauvaise façon d'exprimer son amour.

Tandis que le réceptionniste me rendait ma carte de crédit, je lui demandai de m'indiquer les ascenseurs, puis, l'esprit engourdi, gagnai ma chambre au cinquième étage. Là je me débarrassai de mes habits, me glissai sous les draps en sous-vêtements et dormis quatorze heures d'affilée.

Le lendemain, le temps était toujours aussi splendide, et, sauf mon Ruger glissé dans mon sac à main, j'avais l'allure d'une banale touriste. Il s'agissait pour moi de retrouver, sur cette île peuplée d'une trentaine de milliers d'hommes, deux garçons que je ne connaissais que sous les appellations de PJ et Walt. Je savais, d'après les lettres que Beryl avait postées ici fin août, qu'ils étaient ses amis et logeaient au même endroit qu'elle. Je n'avais pas la moindre indication concernant l'adresse de la maison, et je formai des vœux pour que quelqu'un, chez Louie, puisse me renseigner.

J'explorai la ville en me repérant sur le plan que j'avais acheté à l'hôtel. Avec leurs balcons à balustrade, les boutiques et les restaurants qui se succédaient dans Duval me rappelèrent le French Quarter de La Nouvelle Orléans. Des peintres exposaient leurs œuvres sur les trottoirs. Je dépassai des magasins de plantes exotiques, de soieries imprimées, de chocolats Perugina. À un carrefour, je regardai passer les wagonnets jaune vif du Conch Tour Train. Je commençai à comprendre pourquoi Beryl n'avait plus envie de repartir de Key West. À chacun de mes pas, la présence menaçante de Frankie semblait s'estomper. Lorsque je tournai à gauche pour prendre South Street, il me paraissait déjà aussi lointain que l'hiver glacial de Richmond.

Le restaurant Louie était une ancienne maison d'habitation en bois blanc qui faisait l'angle de Vernon et Waddell.

Sur un parquet d'une propreté immaculée étaient disposées des tables recouvertes de nappes couleur pêche et ornées d'exquis petits bouquets. Après avoir suivi mon hôte à travers la salle à manger rafraîchie à l'air conditionné, je m'installai sur la terrasse, où parmi les palmiers et les plantes fleuries suspendues à des corbeilles en osier bercées par la brise marine, j'admirai la variété de bleus qu'offraient l'eau et le ciel. Un groupe de voiliers ancrés à courte distance de la rive se balançait doucement au gré des vagues. Je commandai un rhum-tonic et, songeant aux lettres de Beryl, me demandai si c'était là l'endroit où elle les avait écrites.

La plupart des tables étaient occupées, et je me sentais isolée dans mon coin contre la balustrade. À ma gauche, quatre marches descendaient à un vaste solarium où un petit groupe de jeunes gens se faisaient bronzer près d'un petit bar. Je vis un mince Latino en bikini jaune expédier d'une pichenette son mégot à l'eau, se lever et s'étirer avec langueur. Il se dirigea d'un pas traînant vers le bar et commanda une nouvelle tournée de bière au tenancier, un barbu qui se mouvait avec des gestes las.

J'avais terminé depuis longtemps ma salade et mon bol de potage de conques lorsque les jeunes gens se jetèrent bruyamment à l'eau et nagèrent en direction des voiliers. Je réglai mon repas et descendis vers le bar. Le barbu, assis sur une chaise, lisait un roman à l'ombre de son petit auvent de paille.

– Qu'est-ce que ce sera ? fit-il en se levant paresseusement après avoir remisé son livre sous le comptoir.

– Est-ce que vous avez des cigarettes ? fis-je. Je n'ai pas vu de distributeur à l'intérieur.

– Voilà tout ce que j'ai, dit-il en désignant quelques paquets alignés derrière lui.

J'en choisis un, qu'il abattit sur le comptoir en me demandant d'un air morne la somme exorbitante de deux dollars. Il ne se montra guère plus aimable lorsque j'ajoutai au prix demandé un pourboire de 50 *cents*. Il avait des yeux verts, un regard dur, un visage tanné par des années de soleil, une épaisse barbe noire qui grisonnait çà et là. Il paraissait hostile, endurci, et j'eus le sentiment qu'il vivait depuis longtemps à Key West.

– Puis-je vous poser une question ? lui demandai-je.

– C'est déjà fait, rétorqua-t-il.

Je souris.

– C'est vrai. C'était déjà une question. Alors je vais vous en poser une autre. Depuis combien de temps travaillez-vous chez Louie ?

– Ça va faire cinq ans, dit-il en s'emparant d'un torchon avec lequel il se mit à astiquer le comptoir.

– Alors vous avez dû connaître une jeune femme qui se faisait appeler Straw, dis-je.

J'avais appris par les lettres de Beryl qu'elle avait tu son vrai nom pendant son séjour.

– Straw ? répéta-t-il en fronçant les sourcils sans s'arrêter de frotter.

– C'était un surnom. Une fille blonde, mince, très jolie. Elle venait chez Louie presque chaque après-midi l'été dernier. Elle s'installait sur la terrasse pour écrire.

Il arrêta son nettoyage et me fixa d'un regard dur.

– Elle était quoi pour vous ? Une amie ?

– C'était une de mes patientes, dis-je.

Cette réponse me parut la seule qui puisse le mettre en confiance sans être totalement un mensonge.

– Hein ? fit-il en relevant ses épais sourcils. Une patiente ? Quoi ? Vous êtes sa toubib ?

– C'est exact.

– Eh ben j'ai le regret de vous dire que vous pouvez plus grand-chose pour elle, doc.

Il se laissa retomber sur sa chaise et attendit la suite.

– Je suis au courant, dis-je. Je sais qu'elle est morte.

– Ouais, et ça m'a fichu un drôle de coup quand j'ai appris ça. Les flics ont fait une descente y'a une quinzaine de jours. Moi, je vous dirai la même chose que mes copains leur ont dit. Personne ici sait ce qui est arrivé à Straw. C'était une fille tranquille, tout ce qu'il y a de bien. Elle s'asseyait là-bas. (Il montra une table inoccupée, non loin de celle où j'avais mangé.) Elle s'asseyait toujours au même endroit, et elle menait son train sans embêter personne.

– Est-ce que les gens du restaurant ont sympathisé avec elle ?

– Bien sûr, fit-il en haussant les épaules. On a tous bu un verre avec elle. Son truc, c'était les Coronas avec une rondelle de citron vert. Mais on peut pas dire qu'on la connaissait *personnellement*. Tenez, par exemple, personne savait d'où elle venait, à part que c'était du pays des bonshommes de neige.

– Elle vivait à Richmond, en Virginie, dis-je.

– Vous savez, reprit-il, ici les gens viennent passer un moment, et puis ils repartent. À Key West, on se préoccupe pas de ce que font les voisins. On a beaucoup d'artistes dans la dèche, aussi. Straw était pas tellement différente de beaucoup de gens que je connais. Sauf que eux, ils finissent pas assassinés. Bon Dieu. (Il se gratta la barbe en secouant la tête.) J'arrive pas à y croire. Ça me tue.

– Il y a des tas de questions sans réponse, dis-je en allumant une cigarette.

– Ouais, comme par exemple comment ça se fait que vous fumez ? Je croyais que les toubibs prenaient garde à leur santé.

– C'est une habitude répugnante et dangereuse, je suis bien de votre avis. Je sais que je devrais m'arrêter. Et en plus j'aime boire, alors si vous pouviez me préparer un rhum-tonic... Du Barbancourt avec un zeste de citron.

– Du quatre, du huit, qu'est-ce que vous aimez ? fit-il pour tester mes connaissances.

– Du vingt-cinq, si vous avez.

– Non. Du vingt-cinq ans d'âge, vous en trouverez seulement dans les Caraïbes. Du velours à vous faire pleurer.

– Alors donnez-moi le meilleur que vous ayez, dis-je.

Le regard interrogateur, il désigna une bouteille sur l'étagère derrière lui. Je reconnus aussitôt le verre ambré et l'étiquette à cinq étoiles. Un rhum Barbancourt vieilli en fût pendant quinze ans, le même que j'avais trouvé dans le bar de Beryl.

– Parfait, dis-je.

Soudain revigoré, il retrouva le sourire, se leva de sa chaise et, avec des gestes de jongleur, déboucha la bouteille, versa une longue coulée d'or haïtien et y ajouta quelques giclées de tonic. Pour parfaire le tout, il trancha en deux un citron vert, le pressa dans l'alcool, puis découpa avec dextérité une spirale dans la peau du fruit et l'accrocha au rebord du verre. Après s'être essuyé les mains au torchon qu'il avait enfoncé dans la ceinture de son jean râpé, il plaça une serviette en papier sur le bar et me présenta son œuvre. En toute sincérité, c'était le meilleur rhum-tonic que j'aie jamais goûté, et je lui fis part de mon régal.

– C'est ma tournée, fit-il en écartant le billet de dix dollars que je lui tendais. Une toubib qui grille des clopes et s'y connaît en rhum, ça se rencontre pas tous les jours.

Il passa la main sous le bar et en sortit son paquet de cigarettes.

– J'vais vous dire une chose, reprit-il en éteignant son allumette. J'en ai par-dessus la tête d'entendre toutes ces salades sur le tabac. Vous voyez ce que je veux dire ? On veut nous faire passer pour des camés criminels. Moi, ma devise, c'est vivre et laisser vivre.

– Oui. Je vois ce que vous voulez dire, dis-je tandis que nous aspirions d'avides bouffées.

– Il faut toujours qu'ils vous reprochent quelque chose, pas vrai ? Ce que vous bouffez, ce que vous buvez, avec qui vous sortez.

– Oui, les gens ont trop souvent tendance à juger et à se montrer intolérants, dis-je.

– C'est la pure vérité. Amen.

Il reprit sa place à l'ombre, assis sous les étagères chargées de bouteilles, pendant que le soleil me tapait sur la tête.

– Bon, fit-il. Alors comme ça vous étiez la toubib de Straw. Qu'est-ce que vous voulez savoir au juste, si je peux me permettre de poser la question ?

– Il s'est passé juste avant sa mort des choses que je n'arrive pas à comprendre. C'est pourquoi je cherche des gens qui l'ont connue pour m'aider à clarifier certains points...

– Hé, une seconde, m'interrompit-il en se redressant sur sa chaise. Quand vous dites que vous êtes docteur, quel genre de docteur vous êtes ?

– Je l'ai examinée...

– Quand ?

– Après sa mort.

– Oh merde. Vous voulez dire que vous êtes médecin légiste ? demanda-t-il d'un ton incrédule.

– Je suis médecin expert.

– Coroner ?

– Plus ou moins.

– Ben merde alors, fit-il en me détaillant. Sûr qu'on dirait pas, à vous voir.

Je ne sus s'il convenait de prendre ça pour un compliment ou pas.

– Et c'est souvent qu'on envoie un – comment vous dites ? – un expert comme vous pour se renseigner ?

– Personne ne m'envoie. Je suis ici de mon plein gré.

– Pourquoi ? demanda-t-il avec un regard soupçonneux. Il faut en faire du chemin pour venir jusqu'ici.

– C'est à cause de ce qui lui est arrivé. Ça me touche. Ça me touche beaucoup.

– Alors ce sont pas les flics qui vous envoient ?

– Les flics n'ont aucune autorité pour m'envoyer où que ce soit.

– Ah ! Ah ! fit-il en riant. Ça, ça me plaît !

Je pris mon verre.

– Un tas de brutes. Ils se prennent tous pour Rambo. (Il écrasa sa cigarette.) Ils sont arrivés ici avec des gants en caoutchouc. Vous vous rendez compte ? Vous imaginez l'effet sur la clientèle ? Ils ont voulu interroger Brent, un de nos serveurs. Le pauvre, il était en train de mourir. Eh ben, vous savez ce qu'ils ont fait ? Ces trous du cul ont mis des masques de chirurgien, et ils sont restés à trois mètres de son lit pour l'interroger comme si c'était la Grande Vérole en personne. Et tout ça pour lui poser des questions à la mords-moi-le-nœud ! Je vous jure bien que même si je savais quelque chose sur ce qui est arrivé à Beryl, je leur dirais rien du tout.

J'eus l'impression de recevoir une poutre sur la tête, et d'après l'expression de mon interlocuteur, il comprenait aussi l'importance de ce qui venait de lui échapper.

– Beryl ? fis-je.

Appuyé contre son dossier, il ne pipa mot. J'insistai.

– Vous saviez qu'elle s'appelait Beryl ?

– Ben ouais, je vous l'ai dit, les flics arrêtaient pas de poser des questions, de parler d'elle.

Mal à l'aise, il alluma une cigarette en évitant mon regard. Mon barman était un bien piètre menteur.

– Vous ont-ils interrogé ?

– Non. J'me suis mis au vert quand j'ai vu ce qui se passait.

– Pourquoi ?

– Je vous l'ai dit. J'aime pas les flics. J'ai une Barracuda, une vieille caisse que j'ai depuis que je suis môme. Je sais pas pourquoi mais ils essaient toujours de me coincer pour me flanquer une contredanse. Vous les verriez se dandiner autour de ma bagnole avec leurs gros pétards et leurs Ray-Ban, on dirait Miami Vice.

– Vous connaissiez déjà son nom quand elle était ici, dis-je avec calme. Vous saviez qu'elle s'appelait Beryl Madison bien avant que la police arrive.

– Et alors, même si c'est vrai ? Qu'est-ce que ça peut bien foutre ?

– Elle était très discrète là-dessus, expliquai-je. Elle ne voulait pas que les gens d'ici sachent qui elle était. Elle ne donnait son nom à personne. Elle payait en liquide pour ne pas utiliser sa carte de crédit, ses chèques ni rien qui puisse trahir son identité. Elle était terrifiée. Elle était menacée. Elle ne voulait pas mourir.

Il me regardait avec de grands yeux.

– Je vous en prie, dites-moi ce que vous savez. J'ai l'impression que vous la connaissiez bien.

Il se leva et, sans un mot, sortit de derrière le bar. Le dos tourné, il se mit à ramasser les bouteilles vides et les détritus laissés par les jeunes gens.

Je bus une gorgée de rhum et tournai la tête vers l'océan. Au loin un jeune homme bronzé déroulait la voile bleu marine d'un bateau. Les feuilles de palmiers bruissaient dans la brise et un labrador noir bondissait dans les vagues.

– Zulu, marmonnai-je en le regardant d'un œil absent.

Le barman s'immobilisa et se tourna vers moi.

– Qu'est-ce que vous dites ? fit-il.

– Zulu, répétai-je. Dans une de ses lettres, Beryl parlait de Zulu et des chats du restaurant. Elle disait qu'avec tous les restes de chez Louie les animaux mangeaient mieux que beaucoup d'humains.

– Quelles lettres ?

– Elle a écrit plusieurs lettres pendant son séjour. Nous les avons retrouvées dans sa chambre après son assassinat. Elle disait que les gens d'ici étaient devenus comme une famille pour elle. Elle trouvait que c'était le plus bel endroit du monde. Elle n'aurait jamais dû retourner à Richmond. Il aurait mieux valu qu'elle reste ici.

La voix qui sortait de ma bouche me parut soudain celle d'une étrangère et ma vue se brouilla. Le manque de sommeil, la tension et le rhum me montaient à la tête. J'avais l'impression que le soleil desséchait le peu de sang qui persistait à vouloir irriguer mon cerveau.

Le barbu regagna l'ombre du bar.

– Je ne sais pas quoi vous dire, mais c'est vrai, j'étais l'ami de Beryl, me confia-t-il d'une voix gonflée par l'émotion.

Je me tournai vers lui.

– Merci, dis-je. J'aimerais pouvoir dire que j'ai été son amie. Que je *suis* son amie.

Il baissa la tête avec gaucherie, mais j'avais eu le temps de remarquer que son visage s'était adouci.

– Vous pouvez jamais savoir qui est sympa et qui l'est pas, reprit-il. C'est difficile à dire par les temps qui courent.

Le sens de sa remarque ne s'éclaircit que lentement dans mon esprit.

– Vous voulez dire que vous avez vu des gens qui se renseignaient sur Beryl et qui n'étaient pas sympathiques ? À part la police et moi ?

Il se servit un Coke.

– Vous en avez vu ? Qui était-ce ? répétai-je avec une brusque inquiétude.

– Je ne connais pas son nom. (Il but une longue gorgée.) Un beau type. Jeune, même pas 30 ans. Brun. Bien sapé, avec des lunettes noires de marque. Une vraie gravure de mode. Ça doit remonter à deux ou trois semaines. Il disait qu'il était détective privé ou une connerie comme ça.

Le fils du sénateur Parkin.

– Il voulait savoir où Beryl habitait quand elle était là, poursuivit-il.

– Vous le lui avez dit ?

– Rien du tout, je lui ai même pas parlé.

– Est-ce que quelqu'un d'autre le lui a dit ?

– Ça m'étonnerait.

– Pourquoi est-ce que ça vous étonnerait ? Et quand allez-vous vous décider à vous présenter ?

– Ça m'étonnerait parce que personne le savait, à part moi et un de mes copains, dit-il. Et je vous dirai mon nom si vous me dites le vôtre.

– Kay Scarpetta.

– Enchanté. Je m'appelle Peter. Peter Jones. Mes amis m'appellent PJ.

PJ vivait à quelques centaines de mètres de chez Louie, dans une maison minuscule nichée dans la forêt tropicale. La végétation était si dense que, si je n'avais pas aperçu la Barracuda garée devant, je n'aurais peut-être pas deviné qu'il y avait une maison dissimulée dans les feuillages. Dès que je vis la voiture, je compris pourquoi les policiers harcelaient son propriétaire. C'était un engin juché sur des roues démesurées, avec des spoilers, un pot d'échappement apparent, un arrière rehaussé et une carrosserie peinte de motifs psychédéliques dans le style des années 60.

– Voilà ma p'tite chérie, fit PJ d'un ton affectueux en tapotant le capot.

– Elle ne passe pas inaperçue, en effet.

– Je l'ai depuis que j'ai 16 ans.

– Et vous ne devriez jamais vous en séparer, dis-je avec sincérité en me baissant pour le suivre dans l'ombre fraîche des branchages.

– C'est tout petit, dit-il comme pour s'excuser lorsqu'il ouvrit la porte. Je loue le premier étage, avec un chiotte et une chambre. C'est là où habitait Beryl. Un de ces jours, je vais me décider à relouer. Mais je suis assez difficile sur mes locataires.

Le salon était encombré de mobilier de récupération : un canapé et un horrible fauteuil rose et vert, des lampes en conques et corail, une table basse découpée dans une vieille porte en chêne. Dans tous les coins traînaient noix de coco peintes, étoiles de mer, journaux, chaussures et canettes de bière, le tout baignant dans une forte odeur de moisi due à l'humidité.

– Comment Beryl a-t-elle su que vous aviez une chambre à louer ? demandai-je en prenant place sur le canapé.

– Chez Louie, répondit-il en allumant quelques lampes. Les premiers jours, elle avait pris une chambre à l'*Ocean Key*, dans Duval. Elle s'est vite rendu compte que ça allait lui coûter bonbon si elle voulait rester un moment dans le coin. (Il s'assit dans le fauteuil.) Ça devait être son troisième repas chez Louie. Elle s'installait sur la terrasse, commandait une salade et restait là à regarder l'océan. Elle n'écrivait pas encore à ce moment-là. Elle pouvait rester comme ça pendant des heures, presque tout l'après-midi. Et puis le troisième jour, elle est descendue vers mon bar et elle s'est accoudée à la balustrade, à regarder l'horizon. Elle me faisait de la peine.

– Pourquoi ? demandai-je.

Il haussa les épaules.

– Elle avait l'air perdue, déprimée. Je ne savais pas ce qui se passait, mais je sentais qu'il y avait quelque chose. Alors je lui ai parlé. Elle n'était pas du genre facile, vous pouvez me croire.

– Il était difficile de faire sa connaissance, acquiesçai-je.

– C'était presque impossible d'avoir une conversation amicale avec elle. Je lui ai posé deux ou trois questions banales, genre si c'était la première fois qu'elle venait ici, d'où elle venait, tout ça. Quelquefois elle ne répondait même pas. Comme si je n'existais pas. Et pourtant, c'est drôle, quelque chose me conseillait de ne pas laisser tomber. Je lui ai demandé ce qu'elle aimait boire. On a commencé à parler de choses et d'autres. Petit à petit elle s'est détendue, et puis de fil en aiguille, je lui ai fait goûter quelques-unes de mes spécialités. D'abord une Corona avec un zeste de citron, qu'elle a adorée. Ensuite le Barbancourt, comme je vous ai préparé.

– Je suppose que ça a fini de la détendre, remarquai-je.

Il sourit.

– Exact. Je l'avais fait assez fort. On a continué à bavarder et tout d'un coup elle me demande si je connais pas une piaule à louer dans le coin. Je lui ai dit que j'avais une chambre et qu'elle pouvait passer la voir en fin d'après-midi. C'était un samedi, et le samedi je finis toujours assez tôt.

– Et elle est passée ?

– Oui, et j'en ai été le premier surpris. Je pensais pas qu'elle viendrait. Elle a trouvé la maison du premier coup. Walt venait juste de rentrer. Il vendait ses trucs au Square jusqu'à la tombée de la nuit. On a bavardé un moment et puis on est partis se balader dans le vieux quartier. On a fini chez Sloppy Joe. Comme elle était écrivain, elle était enchantée et elle nous a parlé d'Hemingway pendant des heures. C'était une fille drôlement futée, je vous le dis.

– Walt vendait des bijoux en argent, dis-je.

– Comment vous le savez ? demanda PJ d'un air surpris.

– Par les lettres de Beryl, lui rappelai-je.

Il se tut un instant, le regard triste.

– Elle parlait aussi de Sloppy Joe, ajoutai-je. J'ai eu l'impression qu'elle vous aimait beaucoup, Walt et vous.

– Ouais, on a descendu un sacré paquet de bières à tous les trois, fit-il en ramassant un magazine par terre pour le poser sur la table basse.

– Vous êtes peut-être les deux seuls amis qu'elle ait eus, dis-je.

– Beryl était formidable, dit-il en levant les yeux vers moi. J'ai jamais rencontré quelqu'un comme elle et j'en rencontrerai sans doute jamais plus. Une fois que vous aviez vaincu ses défenses, c'était une fille sensationnelle. Astucieuse comme pas deux. (Il renversa la tête sur son dossier et contempla la peinture écaillée du plafond.) J'adorais l'écouter parler. Elle vous disait des trucs comme ça... (Il fit claquer ses doigts.)... que je pourrais jamais sortir même en réfléchissant dix ans. Ma sœur aussi est comme ça. Elle est prof d'anglais à Denver. Moi, j'ai jamais été fortiche avec les mots. Avant d'être barman, j'ai fait des tas de petits boulots dans le bâtiment. Maçonnerie, charpente. J'avais commencé à faire de la poterie mais j'ai arrêté sinon j'aurais fini par crever de faim ! J'ai atterri ici à cause de Walt. Je l'avais rencontré dans une gare routière du

Mississippi. On a sympathisé et on est allés ensemble en Louisiane. Et deux mois après, on est descendus tous les deux ici. C'est dingue. (Il redressa la tête pour me regarder.) Enfin, je veux dire... c'était il y a presque dix ans, et tout ce qui m'en reste c'est cette bicoque.

– Vous avez encore la vie devant vous, PJ, lui dis-je avec sympathie.

– Ouais.

Il reposa sa tête en arrière et ferma les yeux.

– Où est Walt à présent ? demandai-je.

– La dernière fois que j'en ai entendu parler, il était à Lauderdale.

– Je suis désolée, dis-je.

– Ce sont des choses qui arrivent. Qu'est-ce qu'on y peut ?

Le silence s'installa, et je jugeai le moment favorable.

– Beryl travaillait sur un livre quand elle était ici, dis-je.

– Exact. Quand elle picolait pas avec nous, elle travaillait à ce foutu bouquin.

– Il a disparu, fis-je.

Il ne répondit pas.

– Le pseudo détective dont vous m'avez parlé et d'autres personnes voudraient bien le récupérer. Vous le savez. Je sais que vous le savez.

Il demeura silencieux, les yeux clos.

– Vous n'avez aucune raison d'avoir confiance en moi, PJ, mais je voudrais que vous m'écoutiez, poursuivis-je d'une voix grave. Je dois retrouver ce manuscrit. J'ai des raisons de croire qu'elle ne l'a pas emporté à Richmond quand elle est partie de Key West. Pouvez-vous m'aider ?

Il ouvrit les yeux et me dévisagea.

– Avec tout le respect que je vous dois, Dr Scarpetta, et même si je savais quelque chose, pourquoi devrais-je vous aider ? Pourquoi devrais-je briser un serment ?

– Vous lui avez promis de ne pas révéler l'endroit où il est ? demandai-je.

– Peu importe, mais vous ne m'avez pas répondu, fit-il.

Baissant la tête, je détaillai le tapis à longs poils dorés étendu à mes pieds, pris une profonde inspiration et me penchai en avant.

– Je ne vois aucune raison de vous faire trahir votre promesse, PJ, dis-je.

– Tu parles... Vous ne m'auriez pas demandé ça si vous aviez pas une bonne raison.

– Beryl vous a-t-il parlé de lui ?

– Du trou du cul qui la harcelait, vous voulez dire ?

– Oui.

– Ouais, j'étais au courant. (Il se leva brusquement.) Je ne sais pas vous, mais moi j'ai soif.

– Alors moi aussi, fis-je.

Mon esprit était encore embrumé par le rhum, mais je pensais qu'il était important d'accepter son hospitalité.

Il revint de la cuisine et me tendit une bouteille de Corona glacée, avec un morceau de citron flottant dans le long goulot. La bière ainsi aromatisée était excellente.

PJ se rassit et commença à parler.

– Straw, enfin je veux dire Beryl, je crois que c'est mieux de l'appeler comme ça, était morte de trouille. Pour être tout à fait honnête, j'ai pas été surpris d'apprendre ce qui se passait. Bien sûr, ça m'a écœuré, mais ça m'a pas vraiment surpris. Je lui ai dit qu'elle pouvait rester, que je lui demandais même pas de loyer. Et c'est drôle, au bout d'un moment, Walt et moi on avait l'impression que c'était notre sœur. Ce salopard m'a foutu en l'air, moi aussi.

– Je vous demande pardon ? fis-je étonnée de cette soudaine colère.

– C'est à cause de lui que Walt est parti, quand elle nous a raconté cette histoire. Tout d'un coup Walt a changé. Ce qui arrivait à Beryl était peut être pas la seule raison, mais ça lui a fait quelque chose. Il est devenu distant, il parlait presque plus. Et puis un matin il est parti. Disparu.

– Quand était-ce ? Il y a quelques semaines, quand vous avez appris ce qui était arrivé à Beryl, quand les policiers sont venus chez Louie ?

Il acquiesça d'un hochement.

– Moi aussi ça m'a fichue en l'air, PJ, dis-je. Ça m'a complètement fichue en l'air.

– Qu'est-ce que vous voulez dire ? Comment ça a pu vous foutre en l'air, à part vous causer du souci et du boulot ?

– Je suis en train de vivre le même cauchemar que Beryl, articulai-je avec peine.

Il but une gorgée de bière et m'observa.

– Moi aussi je me cache, pour la même raison qu'elle.

– Attendez, je comprends plus, fit-il en secouant la tête. Qu'est-ce que vous racontez ?

– Est-ce que vous avez vu la photo en première page du *Herald*, ce matin ? demandai-je. La photo d'une voiture de police incendiée à Richmond ?

– Ouais, fit-il sans comprendre. Vaguement.

– Ça s'est passé juste devant chez moi, PJ. Le détective en question était chez moi, dans mon salon, quand sa voiture a sauté. Et ce n'est pas la première fois qu'il se passait des choses. Le même type est après moi, PJ, vous comprenez ?

– Mais qui, bon sang ?

Il avait pourtant bien compris.

– L'assassin de Beryl, articulai-je. Celui qui a tué aussi son mentor, Cary Harper. Elle vous en a certainement parlé.

– Des tas de fois. Merde, j'arrive pas à y croire.

– PJ, il faut que vous m'aidiez.

– Je ne vois pas comment. (Il était si bouleversé qu'il se leva et se mit à arpenter la pièce.) Pourquoi ce salaud en aurait après vous ?

– Parce qu'il est obsédé, malade de jalousie. Parce que c'est un schizophrène dangereux. Parce qu'il hait tous ceux qui ont un rapport avec Beryl. Seigneur, pourquoi il m'en veut ? *Je n'en sais rien, PJ*. Mais il faut que je sache qui il est. Il faut que je le trouve.

– Mais je sais pas qui c'est, bon Dieu ! Ni où il est. Si je le savais, y'a longtemps que j'aurais été lui arracher la tête !

– Il me faut ce manuscrit, PJ.

– Merde, mais qu'est-ce que ce foutu manuscrit a à voir avec ça ? s'exclama-t-il avec colère.

Alors je lui racontai. Je lui racontai l'histoire de Cary Harper et de son collier. Je lui parlai des coups de téléphone et des fibres, de l'autobiographie qu'écrivait Beryl et qu'on m'accusait d'avoir fait disparaître. Je lui racontai tout, en détail, malgré les tiraillements de ma conscience professionnelle. Jamais je n'avais parlé des affaires sur lesquelles je travaillais avec d'autres personnes que les enquêteurs ou les juges concernés.

Quand j'eus terminé mon récit, PJ, sans mot dire, sortit de la pièce. Il revint quelques instants plus tard avec un sac à dos militaire qu'il posa sur mes genoux.

– Tenez, marmonna-t-il. Je jure devant Dieu que je voulais pas faire ça. Je suis désolé, Beryl.

J'ouvris le sac et en sortis délicatement ce qui me parut, d'après l'épaisseur de la liasse, un millier de feuilles dactylographiées annotées au crayon, ainsi que quatre disquettes, le tout serré par de gros élastiques.

– Elle nous avait demandé de ne jamais communiquer ça à personne s'il lui arrivait quelque chose. Je le lui avais promis.

– Merci, Peter. Dieu vous bénisse, dis-je avant de lui poser une dernière question. Beryl a-t-elle fait allusion à un certain « M » ?

Il se tint immobile, le regard plongé dans son verre.

– Savez-vous qui est cette personne ? insistai-je.

– Moi, dit-il.

– Je ne comprends pas.

– M pour Moi. Elle s'écrivait des lettres à elle-même, expliqua-t-il.

– Les deux lettres que nous avons trouvées dans sa chambre, après son assassinat, celles où elle parlait de Walt et vous, ces deux lettres étaient adressées à « M ».

– Je sais, fit-il en fermant les yeux.

– Comment le saviez-vous ?

– Je l'ai compris quand vous avez parlé de Zulu et des chats. J'ai su que vous aviez lu ces lettres. C'est ce qui m'a prouvé que je pouvais vous faire confiance, parce que vous étiez bien ce que vous prétendiez être.

– Vous aviez donc lu ces lettres, vous aussi ? fis-je avec stupéfaction.

Il hocha la tête.

– Nous n'avons pas retrouvé les originaux, fis-je. Nous n'en avons trouvé que des photocopies.

– Parce qu'elle a tout brûlé, dit-il en prenant une profonde inspiration.

– Pas son livre.

– Non. Elle m'a dit qu'elle ne savait pas où elle irait ni ce qu'elle ferait si le type continuait à la harceler. Elle devait m'appeler pour me dire où envoyer le livre. Elle m'a surtout recommandé, au cas où je n'aurais pas de nouvelles, de jamais le donner à personne. Elle a jamais appelé, bien sûr. Elle a jamais appelé, merde ! (Il essuya ses larmes et détourna le visage.) Ce livre, c'était son espoir, vous comprenez. Son espoir de vivre. (Sa voix se brisa en ajoutant :) Elle espérait toujours que les choses allaient s'arranger.

– Qu'a-t-elle brûlé exactement, PJ ?

– Une sorte de journal, si on peut dire, répondit-il. Une série de lettres qu'elle s'était adressées. Elle disait que c'était sa thérapie. Elle voulait les montrer à personne. Elle y mettait tout, ses pensées les plus intimes. La veille de son départ, elle les a toutes brûlées, sauf deux.

– Les deux que j'ai vues, murmurai-je. Pourquoi ? Pourquoi a-t-elle gardé ces deux-là ?

– Parce qu'elle nous les a données, à Walt et moi.

– Comme souvenir ?

– Ouais, dit-il en prenant sa bière et en s'essuyant les yeux d'un revers de main. Comme un morceau d'elle-même, une trace des pensées qu'elle avait pendant qu'elle était ici. La veille de son départ, quand elle a tout brûlé, elle est allée photocopier ces deux lettres. Elle a gardé les copies et nous a donné les originaux, en nous disant que maintenant on était comme qui dirait liés par contrat. Qu'on serait toujours ensemble, en pensée, tant qu'on garderait ces lettres.

Lorsqu'il me raccompagna dehors, je me retournai brusquement et l'enlaçai pour le remercier.

Je regagnai mon hôtel alors que le soleil se couchait, incendiant l'horizon où se découpaient les palmiers. Une foule bruyante se pressait devant les bars jalonnant Duval, et l'air embaumé résonnait de musique, de rires et de lumières. Je marchai comme montée sur ressorts, le sac militaire en bandoulière. Pour la première fois depuis des semaines, je me sentais heureuse, presque euphorique. C'est pourquoi je n'étais absolument pas préparée à ce qui m'attendait dans ma chambre.

16

Ne me souvenant pas avoir laissé de lampes allumées, je me dis que la femme de ménage avait oublié d'éteindre après avoir refait mon lit et vidé les cendriers. Je refermais la porte en fredonnant lorsque je m'aperçus que je n'étais pas seule.

Mark était assis près de la fenêtre, une serviette ouverte posée au pied de sa chaise. Alors que mes pieds hésitaient sur la direction à prendre, nos regards se croisèrent. Pendant une fraction de seconde, mon cœur s'arrêta de battre et une indicible terreur m'envahit.

Le visage blême, vêtu d'un complet gris, il paraissait arriver tout droit de l'aéroport, avec sa valise posée contre le lit. Si son esprit était doté d'un compteur Geiger, mon sac militaire devait le faire grésiller comme une ligne à haute tension. C'est Sparacino qui l'envoyait. Je songeai au Ruger dans mon sac, mais je savais que je ne pourrais braquer une arme sur Mark James, encore moins presser la détente en cas de besoin.

– Comment es-tu entré ? demandai-je d'une voix tendue.

– Je suis ton mari, rétorqua-t-il en sortant la clé qu'on lui avait remise à la réception.

– Salaud, murmurai-je le cœur battant.

Le sang reflua de son visage et il détourna les yeux.

– Kay...

– Bon sang ! Espèce de salopard !

– Kay, je suis ici sur ordre de Benton Wesley, fit-il en se levant. Je t'en prie.

Stupéfaite, je le vis sortir une flasque de whisky de sa valise. Il se dirigea vers le bar et mit des glaçons dans deux verres. Il se mouvait avec des gestes lents, comme s'il prenait garde à ne pas augmenter ma nervosité. Il avait l'air épuisé.

– As-tu dîné ? s'enquit-il en me tendant un verre.

Je le contournai et, d'un geste négligent, laissai tomber la sacoche militaire et mon sac à main sur la commode.

– Je suis affamé, ajouta-t-il en desserrant sa cravate. Bon sang, j'ai dû changer d'avion quatre fois. Je n'ai mangé que des cacahuètes depuis ce matin.

Je restai silencieuse.

– J'ai commandé un dîner pour deux, poursuivit-il d'une voix calme. Ils vont nous le monter dans la chambre.

J'allai à la fenêtre et contemplai les nuages pourpres au-dessus du vieux quartier de Key West. Mark tira une chaise à lui, ôta ses chaussures et posa les pieds sur le bord du lit.

– Tu me diras quand tu voudras que je t'explique, dit-il en faisant tourner les glaçons dans son verre.

– Je ne crois pas un mot de ce que tu me dis, Mark, l'avertis-je.

– C'est normal. On me paie pour mentir. Je suis devenu drôlement doué à ce jeu-là.

– En effet, tu es imbattable à ce petit jeu. Comment m'as-tu retrouvée ? Certainement pas sur les indications de Benton, pour la bonne raison qu'il l'ignore et qu'il doit y avoir une bonne cinquantaine d'hôtels sur cette île, sans compter les pensions.

– C'est vrai. Je me doute qu'il y en a un tas. Mais je n'ai eu besoin que d'un coup de fil pour te trouver.

Vaincue, je m'assis sur le lit.

Il plongea la main dans sa veste, d'où il sortit un plan touristique plié.

– Tu le reconnais ? fit-il.

C'était le même plan que nous avions retrouvé dans la chambre de Beryl Madison, et dont une photocopie figurait dans le dossier. L'ayant étudié un nombre incalculable de fois, je m'en étais souvenue dès que j'avais pris la décision de partir pour Key West. Sur une face figurait une liste de restaurants, d'endroits à visiter et de boutiques, tandis qu'au verso s'étalait un plan des rues, entouré de publicités, parmi lesquelles celle de l'hôtel où j'étais descendue.

– Benton m'a contacté hier, reprit Mark. Il était très inquiet. Il m'a dit que tu étais partie pour Key West, alors nous avons tenté de te localiser. Nous avons trouvé la photocopie de la brochure de Beryl dans son dossier. Il a pensé que tu devais l'avoir vue, et que tu en avais sans doute fait une photocopie pour ton propre dossier. Nous en avons déduit que tu l'utiliserais probablement comme guide ici.

– Où as-tu trouvé celui-ci ? demandai-je en lui rendant la brochure.

– À l'aéroport. Il se trouve que cet hôtel est le seul annoncé dans les publicités. C'est pourquoi j'ai commencé par appeler ici. Il y avait une chambre à ton nom.

– Admettons. Ça veut dire que je ferais une très mauvaise fugitive.

– Exact.

– C'est bien dans cette brochure que j'ai trouvé le nom de l'hôtel, admis-je avec humeur. J'ai étudié le dossier de Beryl si souvent que je me suis souvenue de ce plan et de la publicité pour l'Holiday Inn dans Duval. Je l'avais remarquée parce que je me suis souvent demandé si c'est là qu'elle logeait à Key West.

– Était-ce le cas ? demanda Mark en finissant son verre.

– Non.

Alors qu'il se levait pour aller nous resservir, on frappa à la porte, et je frissonnai lorsque je vis Mark porter d'un geste instinctif la main dans son dos et sortir de sous sa veste un 9 mm automatique. Doigt sur la détente, il jeta un coup d'œil à travers le judas puis, rengainant l'arme, ouvrit la porte. Notre dîner fut servi et, lorsque Mark régla la note, la jeune fille lui décocha un sourire épanoui.

– Merci beaucoup, Mr Scarpetta. Et bon appétit.

– Pourquoi t'es-tu présenté comme mon mari ? lui demandai-je.

– Je dormirai par terre. Mais tu ne resteras pas seule, rétorqua-t-il en disposant les couverts sur la table près de la fenêtre.

Il déboucha la bouteille de vin, ôta sa veste qu'il lança sur le lit et posa son arme sur la commode, près du sac militaire, à portée de main.

J'attendis qu'il ait pris place à la table pour l'interroger sur cette arme.

– Un affreux petit monstre, mais peut-être mon seul ami, répliqua-t-il en coupant son steak. À ce propos, je suppose que tu as ton .38 avec toi, sans doute dans ton sac à dos ?

Disant cela il jeta un coup d'œil à la sacoche sur la commode.

– Non, il est dans mon sac à main, si tu veux tout savoir, m'empressai-je de dire. Comment sais-tu que j'ai un .38 ?

– Par Benton. Il m'a dit aussi que tu avais obtenu récemment un port d'arme et il était prêt à parier que tu ne sortais pas sans ton artillerie ces jours-ci. (Il goûta le vin.) Pas mauvais.

– Benton ne t'a pas donné ma taille de vêtements, pendant qu'il y était ? fis-je en me forçant à manger contre l'avis de mon estomac.

– Ça, il n'a pas besoin de me le dire. Tu fais toujours du 38, il n'y a qu'à te regarder. Tu es aussi mince que quand nous étions à Georgetown. Peut-être encore plus mince.

– Je préférerais que tu cesses tes galanteries de fils de pute et que tu me dises d'abord comment tu connais ne serait-ce que le nom de Benton Wesley, et encore plus la raison pour laquelle tu as le privilège de pouvoir parler de moi avec lui, débitai-je d'un seul souffle.

– Kay, dit-il en posant sa fourchette sous mon regard furieux. Je connais Benton depuis plus longtemps que toi. Tu n'avais pas encore compris ? Faut-il que je te fasse un dessin ?

– Oui, tu aurais intérêt, Mark, parce que je ne sais plus que croire. Je ne sais plus qui tu es. Je ne te fais plus confiance. Pour tout dire, en ce moment, tu me fiches une peur bleue.

Il s'appuya contre son dossier et son visage arbora l'expression la plus sérieuse que je lui aie jamais connue.

– Kay, je suis navré que tu aies peur de moi. Je suis navré que tu n'aies plus confiance en moi. Et je te comprends parce qu'il y a très peu de gens qui savent qui je suis en réalité, au point que moi-même je me pose parfois des questions. Je n'ai jamais pu t'en parler, mais à présent le secret n'a plus lieu d'être. (Il fit une courte pause.) Benton m'a formé à l'Academy bien avant que tu le rencontres.

– Quoi ? Tu es un *agent* ? fis-je d'une voix incrédule.

– Oui.

– Non ! m'écriai-je. Non. *Cette fois je ne te crois pas !*

Sans un mot, il se leva, alla près du lit, décrocha le téléphone et composa un numéro.

– Viens ici, me dit-il.

Je m'approchai. Il me tendit le combiné.

– Allô ? fit une voix que je reconnus aussitôt.

– Benton ? dis-je.

– Kay ? Ça va ?

– Mark est ici, répliquai-je. Il m'a retrouvée. Oui, Benton, tout va bien.

– Dieu merci, vous êtes dans de bonnes mains. Il vous expliquera tout.

– J'y compte bien. Merci, Benton. À bientôt.

Mark reprit le récepteur et raccrocha. Lorsque nous eûmes regagné la table, il me regarda un long moment en silence avant de reprendre la parole.

– J'ai cessé de plaider après la mort de Janet, commença-t-il. Je ne sais pas exactement pourquoi, mais peu importe. J'ai voulu travailler sur le terrain, à Detroit, pendant quelque temps, et ensuite je me suis lancé dans l'infiltration. Quand j'ai prétendu travailler pour Orndorff & Berger, ce n'était qu'une couverture.

– Tu ne vas pas me dire que Sparacino travaille aussi pour les Feds ? dis-je.

Je m'aperçus que je tremblais.

– Foutre non, fit-il en détournant la tête.

– Qu'est-ce qu'il trafique, Mark ?

– Entre autres magouilles, il a escroqué Beryl Madison en ponctionnant ses royalties, comme il l'a fait avec nombre de ses clients. Et comme je te l'ai dit, il la manipulait, il jouait Beryl contre Cary Harper afin de faire un gros coup de pub. Ça aussi, il l'a déjà fait à plusieurs reprises.

– Donc ce que tu m'as dit à New York était vrai ?

– Pas tout. Je ne pouvais pas tout te dire.

– Sparacino savait-il que j'étais à New York ?

C'était la question qui me tourmentait depuis plusieurs semaines.

– Oui. J'avais tout arrangé, sous prétexte de te soutirer des informations supplémentaires et de te convaincre de lui parler. Il savait que tu n'accepterais jamais de le voir de ton plein gré, alors je lui ai proposé de t'amener à lui.

– Seigneur, marmonnai-je.

– Je croyais que j'avais l'affaire bien en main et qu'il ne soupçonnait rien. Mais en arrivant au restaurant j'ai compris que tout était foiré.

– Pourquoi ?

– Parce qu'il m'avait fait suivre. Je savais depuis longtemps que le fils Partin est un de ses indics. C'est comme ça qu'il gagne sa vie entre un rôle dans un feuilleton et une pub pour sous-vêtements. Il est devenu clair que Sparacino commençait à me soupçonner.

– Dans ce cas, pourquoi envoyer Partin ? Il a bien dû penser que tu le reconnaîtrais, non ?

– Sparacino ignore que je le connais, expliqua Mark. Quand j'ai vu Partin au restaurant, j'ai compris qu'il l'avait envoyé pour s'assurer que c'était bien avec toi que j'avais rendez-vous, tout comme il a ensuite engagé Jeb Price pour fouiller ton bureau.

– Tu ne vas pas me dire que Jeb Price est lui aussi un acteur au chômage ?

– Non. Nous l'avons arrêté la semaine dernière dans le New Jersey. Il n'embêtera plus personne pendant un bon moment.

– Et je suppose que quand tu m'as dit connaître Diesner à Chicago, c'était encore un bobard ?

– Je le connais de réputation, mais je ne l'ai jamais rencontré.

– Et je suppose que quand tu es passé me voir à Richmond, c'était aussi pour le compte de Sparacino ? fis-je en refoulant mes larmes.

Il remplit nos verres avant de répondre.

– En réalité je n'arrivais pas de Washington en voiture. Je venais d'arriver de New York par avion. Sparacino m'avait envoyé pour te sonder, pour découvrir ce que tu savais du meurtre de Beryl.

Je bus mon vin en silence en m'efforçant de me ressaisir.

– Mark, est-il impliqué dans le meurtre ? demandai-je au bout d'un moment.

– Au début, j'avais des soupçons, répondit-il. Même s'il n'était pas impliqué directement, je me demandais s'il n'avait pas poussé trop loin son jeu avec Cary Harper, qui serait devenu fou furieux et aurait tué Beryl. Mais ensuite, Harper est mort, et je n'ai rien découvert qui indique que Sparacino était pour quoi que ce soit dans les meurtres. Je pense que c'est par paranoïa qu'il voulait en savoir plus sur le meurtre de Beryl.

– Craignait-il que la police, en étudiant les papiers de Beryl, découvre qu'il l'escroquait ?

– Possible. Une chose est sûre, il veut récupérer le manuscrit, quelle que soit sa valeur. Mais à part ça, je ne vois pas.

– Et son procès ? Sa vengeance contre l'attorney général ?

– Ça lui a fait une publicité énorme, répondit Mark. Sparacino méprise Ethridge, il serait enchanté de l'humilier, ou même de le faire virer de son poste.

– Scott Partin est venu ici récemment, l'informai-je. Il cherchait à se renseigner sur Beryl.

– Intéressant, se contenta-t-il de dire en avalant un morceau de steak.

– Depuis combien de temps es-tu en rapport avec Sparacino ?

– Plus de deux ans.

– Seigneur...

– Le Bureau avait tout préparé avec soin. On m'a envoyé à New York sous l'identité de Paul Barker, un jeune avocat aux dents longues, pressé de s'enrichir. J'ai fait ce qu'il fallait pour attirer l'attention de Sparacino. Naturellement, il s'est renseigné sur moi, et constatant que certains détails ne collaient pas, il m'a demandé des explications. J'ai admis vivre sous un nom d'emprunt, parce que je bénéficiais du Programme fédéral de protection des témoins. L'histoire est compliquée, mais pour te la résumer disons que Sparacino croit que j'ai eu autrefois des activités illégales à Tallahassee, que je me suis fait pincer et que les Feds ont modifié mon identité et mon passé en échange de mon témoignage.

– As-tu été mêlé à des activités illégales ? demandai-je.

– Non.

– Ethridge pense que si, dis-je. Il affirme que tu as été en prison.

– Ça ne me surprend pas, Kay. Les commissaires fédéraux ont une confiance aveugle dans le FBI. Or, sur le papier, le Mark James que tu as connu est très peu recommandable. Il passe pour un avocat rayé du Barreau à la suite de diverses entourloupes qui lui ont coûté deux ans de prison.

– Dois-je en conclure que les liens entre Sparacino et Orndorff & Berger font aussi partie de cette machination ? demandai-je.

– Exact.

– Mais dans quel but, Mark ? Il se livre certainement à des activités plus graves que ses coups de pub tordus.

– Nous sommes convaincus qu'il blanchit de l'argent provenant du trafic de drogue, Kay. Nous pensons aussi qu'il est lié au crime organisé grâce aux parts qu'il possède dans certains casinos. Des politiciens, des juges et d'autres avocats sont mouillés dans la combine. Les ramifications sont incroyables. Nous sommes au courant depuis longtemps, mais il est très délicat de faire attaquer une partie du système judiciaire par une autre. Il nous fallait des preuves solides. C'est pourquoi on m'a infiltré. Or, plus je fouillais, plus j'en découvrais, et les trois mois prévus au départ pour ma mission se sont transformés en six mois, puis en années.

– Je ne comprends pas, Mark. Son cabinet est tout ce qu'il y a de légal.

– New York est le pré carré de Sparacino. Il y détient un énorme pouvoir. Chez Orndorff & Berger, on sait très peu de choses sur ses activités. Je n'ai jamais travaillé pour eux. Ils ne connaissent même pas mon nom.

– Mais Sparacino, lui, te connaît, insistai-je. Je l'ai entendu t'appeler « Mark ».

– C'est vrai, il connaît ma véritable identité. Mais comme je t'ai dit, le Bureau a procédé avec le maximum de précautions. Ils m'ont inventé un passé si vraisemblable que toi-même ne reconnaîtrais pas le Mark James que tu as connu autrefois. Et ce nouveau Mark James, tu ne risquerais pas de l'aimer ! (Il se tut un instant, le visage fermé.) Sparacino et moi avions décidé qu'il m'appellerait Mark en ta présence. Le reste du temps, j'étais Paul. Je travaillais pour lui. J'ai même vécu chez lui pendant quelque temps. J'étais son fils loyal, ou du moins il avait cette impression.

– Je sais qu'on n'a jamais entendu parler de toi chez Orndorff & Berger, dis-je. J'ai essayé de te contacter à New York et Chicago, et ils m'ont dit ne pas te connaître. J'ai appelé Diesner, qui ne voyait pas non plus de qui je vou lais parler. Je ne suis peut-être pas une bonne fugitive, mais tu ne soignes pas très bien tes couvertures non plus.

– Le Bureau a dû me récupérer, Kay. Dès que tu es intervenue dans cette affaire, j'ai pris trop de risques. Je me suis impliqué affectivement parce que je te savais impliquée aussi. J'ai été stupide.

– Je ne sais pas comment réagir à ça, Mark.

– Bois ton vin et regarde la lune se lever sur Key West. Ce sera la meilleure réponse.

– Mark, il reste un point essentiel que je ne comprends toujours pas, dis-je.

– Je suis sûr qu'il y a des tas de points que tu ne comprends pas et que tu ne comprendras peut-être jamais, Kay. Toutes ces années que nous avons vécues chacun de notre côté ne peuvent être résumées en une soirée.

– Tu dis que Sparacino t'a envoyé me sonder. Comment savait-il que tu me connaissais ? Tu le lui avais dit ?

– Il a mentionné ton nom au cours d'une conversation, juste après le meurtre de Beryl. Il a précisé que tu étais le médecin expert général pour la Virginie. J'ai paniqué. Je ne voulais pas qu'il te cause des ennuis. Je préférais m'en charger.

– J'apprécie ton esprit chevaleresque ! fis-je d'un ton ironique.

– Tu devrais, rétorqua-t-il. Je lui ai dit que nous avions eu une relation autrefois. Je lui ai demandé de me laisser m'occuper de toi. Il a accepté.

– C'était la seule raison ?

– Je voudrais le croire, mais mes motivations étaient sans doute plus complexes.

– Plus complexes ?

– Je crois que j'avais envie de te revoir.

– C'est ce que tu as prétendu l'autre jour.

– Je ne mentais pas.

Est-ce que tu me mens ce soir ?

– Je jure devant Dieu que je ne mens pas.

Je réalisai soudain que j'étais encore en short et polo, la peau poisseuse, les cheveux en désordre. Je lui demandai de m'excuser et passai dans la salle de bains. Une demi-heure plus tard, j'avais passé un peignoir et Mark dormait à poings fermés sur mon lit.

Il grogna et ouvrit les yeux lorsque je m'assis à côté de lui.

– Sparacino est un homme très dangereux, dis-je en lui caressant doucement les cheveux.

– Pas de doute, répondit-il d'une voix ensommeillée.

– Il a envoyé Partin se renseigner. Je ne comprends toujours pas comment il a appris que Beryl était venue se réfugier ici.

– Parce qu'elle l'a appelé d'ici, Kay. Il a toujours su qu'elle était là.

Je hochai la tête, pas vraiment surprise. Même si Beryl avait compté jusqu'au bout sur Sparacino, elle avait fini par avoir des doutes sur son honnêteté, sinon elle lui aurait remis le manuscrit au lieu de le confier à PJ le barman.

– Que ferait-il s'il apprenait que tu es ici ? demandai-je d'une voix calme. Que ferait Sparacino s'il savait que nous sommes ensemble, en train de parler de tout ça ?

– Il serait vert de jalousie.

– Je suis sérieuse.

– Il nous liquiderait si on le laissait faire.

– Allons-nous le laisser faire ?

Il m'attira contre lui.

– Pas question, souffla-t-il dans mon cou.

Le lendemain matin, nous fûmes réveillés par le soleil. Après avoir fait l'amour une nouvelle fois, nous nous rendormîmes, serrés l'un contre l'autre, jusqu'à 10 heures.

Pendant que Mark se douchait et se rasait, je contemplai la vue de notre fenêtre. Jamais les couleurs n'avaient été aussi vives, jamais le soleil n'avait brillé d'un tel éclat sur la petite île de Key West. J'avais envie d'acheter une maison où Mark et moi ferions l'amour tout le reste de notre vie. Pour la première fois depuis mon enfance, j'avais envie de remonter sur une bicyclette, de me remettre au tennis et d'arrêter de fumer. Je m'efforcerais d'améliorer mes relations avec ma famille et nous inviterions ma nièce Lucy aussi souvent que possible. J'irais manger chez Louie et PJ deviendrait notre ami. Je regarderais le soleil danser sur l'océan et dirais des prières pour une jeune femme du nom de Beryl Madison dont la mort avait donné à ma vie un sens nouveau en me réapprenant à aimer.

Après le brunch, que nous prîmes dans la chambre, je sortis le manuscrit de Beryl sous les yeux incrédules de Mark.

– Est-ce que c'est ce que je pense ? fit-il.

– Oui.

– Bon sang, où l'as-tu déniché, Kay ? demanda-t-il en se levant de table.

– Elle l'avait laissé à un ami, dis-je.

Nous entassâmes des coussins et, le manuscrit posé sur le lit entre nous, je relatai à Mark ma conversation avec PJ.

De la journée nous ne mîmes les pieds dehors, sauf pour sortir nos couverts sales dans le couloir et récupérer les sandwiches que nous nous étions fait monter. Nous n'échangeâmes que de rares paroles durant les heures que nous passâmes à explorer, page après page, la vie de Beryl Madison. Le livre était si poignant que j'en eus plus d'une fois les larmes aux yeux.

Beryl était un oisillon perdu au milieu d'une tornade, un châle coloré et déchiqueté qui s'accrochait aux branches d'une existence douloureuse. Lorsque sa mère était morte, son père l'avait remplacée par une femme qui traitait Beryl avec un froid mépris. Incapable de supporter le monde dans lequel elle vivait, elle dut apprendre à s'en inventer un autre. L'écriture fut sa planche de salut et, tel le sourd qui peint ou l'aveugle qui compose, elle y mit une telle sensibilité que je pouvais goûter, humer et ressentir le monde qu'elle créait.

Sa relation avec les Harper fut aussi intense que déséquilibrée. La coexistence, dans le manoir de conte de fées de Cutler Grove, de trois tempéraments aussi électriques ne pouvait que déclencher un orage dévastateur. C'est pour Beryl que Cary Harper avait acheté et restauré l'immense demeure, et c'est dans la chambre où j'avais dormi qu'il lui ravit sa virginité alors qu'elle n'avait que 16 ans.

Le lendemain matin, ne la voyant pas descendre pour le petit déjeuner, Sterling Harper était montée au premier et avait trouvé Beryl en position fœtale, secouée de sanglots. Refusant de regarder la vérité en face, Sterling Harper ne voulut jamais admettre que son célèbre frère avait violé leur protégée. Elle n'en parla jamais avec Beryl, ne tenta pas d'intervenir, et, chaque soir, fermait sa porte et s'endormait de son sommeil troublé de mauvais rêves.

Semaine après semaine, Cary Harper continua d'abuser de Beryl, mais le rythme se ralentit avec l'âge pour cesser tout à fait lorsque le lauréat du prix Pulitzer fut frappé d'impuissance à la suite de ses trop fréquentes soirées en beuverie et d'abus de stupéfiants. Lorsque les revenus de son livre et les restes de son héritage ne suffirent plus à entretenir ses vices, Cary Harper se tourna vers son vieil ami Joseph McTigue, qui réussit si bien à redresser la précaire situation de Harper qu'il parvint non seulement à le rendre à nouveau solvable, mais lui procura une aisance telle qu'il put à nouveau commander des caisses entières du meilleur whisky et s'offrir toute la cocaïne qu'il désirait.

Selon Beryl, c'est après son départ de Cutler Grove que Sterling Harper avait peint le portrait accroché au-dessus de la cheminée. Consciemment ou non, ce portrait d'une enfant dépouillée de son innocence était destiné à tourmenter à jamais l'âme de Cary Harper. Il se mit en effet à boire de plus en plus, à écrire de moins en moins et à éprouver les affres de l'insomnie. Il se mit à fréquenter *Culpeper's Tavern*, habitude encouragée par sa sœur, qui mettait à profit ces moments de solitude pour téléphoner à Beryl et comploter avec elle contre Cary. Le coup ultime fut porté lorsque Beryl, encouragée en sous-main par Sparacino, prit la décision courageuse de violer le contrat qui la liait à Harper.

Ce fut sa façon de se réapproprier sa vie et, selon ses propres termes, « de préserver la beauté de mon amie Sterling en conservant son souvenir entre ces pages comme une fleur séchée ». Beryl commença son livre peu de temps après que miss Harper eut appris qu'elle était atteinte d'un cancer. Le lien entre Beryl et Sterling était indestructible, leur amour immense.

Le manuscrit comprenait par ailleurs de longues digressions sur la façon dont étaient venues à Beryl les idées des livres qu'elle avait publiés. On y trouvait des extraits d'œuvres antérieures, ce qui pouvait expliquer le fragment de manuscrit retrouvé dans sa chambre après sa mort. Il ne s'agissait toutefois que d'une supposition. Il était difficile de savoir ce qui s'était passé dans l'esprit de Beryl. Une seule chose était sûre : son livre était un travail remarquable dont les révélations explosives avaient largement de quoi effrayer Harper et éveiller la convoitise de Sparacino.

Mais ce qui m'intriguait de plus en plus à mesure que l'après-midi s'écoulait, c'est l'absence de tout élément évoquant le spectre de Frankie. Le manuscrit ne faisait aucune allusion au cauchemar qui allait la tuer. Je suppose que sa terreur était trop grande pour qu'elle puisse y faire face. Peut-être espérait-elle que son tortionnaire finirait par la laisser en paix.

J'approchai de la fin du livre lorsque soudain Mark posa une main sur mon bras.

– Quoi ? fis-je en abandonnant ma lecture à contrecœur.

– Kay, regarde un peu ça, dit-il en posant une page sur celle que je lisais.

C'était l'ouverture du chapitre 25, que j'avais déjà lue. Il me fallut un moment pour comprendre ce qui m'avait échappé. Il s'agissait d'une photocopie, et non d'un original comme le reste.

– Tu m'as pourtant dit qu'il n'en existait qu'un seul exemplaire, fit Mark.

– C'est ce que je croyais, rétorquai-je interdite.

– Peut-être qu'elle en a fait une photocopie et qu'elle a confondu deux pages.

– C'est fort possible, dis-je. Mais dans ce cas où est la photocopie ?

– Aucune idée.

– Tu es sûr que Sparacino n'a aucun exemplaire ?

– Je le saurais. J'ai fouillé son bureau et son domicile à plusieurs reprises pendant son absence. Je pense qu'il me l'aurait dit, au moins à l'époque où il pensait que nous étions amis.

– Je crois que nous ferions mieux d'aller voir PJ.

Nous apprîmes que c'était le jour de congé hebdomadaire de PJ. Il n'était ni chez Louie ni à la maison. Le crépuscule tombait lorsque nous finîmes par le trouver chez Sloppy Joe, déjà passablement imbibé. Je le détachai du bar et le conduisis, par la main, jusqu'à notre table, où je fis les présentations.

– Mark James, un ami à moi.

PJ hocha la tête et, d'un geste hésitant d'ivrogne, leva sa bouteille de bière en guise de toast. Il cligna plusieurs fois des paupières comme pour s'éclaircir la vue, tout en promenant sur mon séduisant compagnon un regard gourmand que Mark préféra ignorer.

Je haussai la voix pour me faire entendre dans le brouhaha de la foule et les décibels de l'orchestre.

– Le manuscrit de Beryl. Est-ce qu'elle en a fait une photocopie pendant qu'elle logeait chez vous ?

PJ but une gorgée de bière tout en se dandinant sur la musique.

– J'sais pas. En tout cas elle m'en a pas parlé.

– Mais est-ce possible qu'elle l'ait photocopié ? insistai-je. Elle l'a peut-être fait en même temps qu'elle photocopiait les lettres qu'elle vous a données ?

Il haussa les épaules, des gouttes de sueur aux tempes, le visage empourpré. PJ était moins ivre que défoncé.

Je fis une nouvelle tentative sous le regard impassible de Mark.

– Est-ce qu'elle a emporté le manuscrit avec elle le jour où elle a photocopié ces lettres ?

– *Just like Bogie and Bacall...* chantonna PJ en tapant de la paume sur la table au rythme du morceau qu'interprétait l'orchestre.

– PJ ! hurlai-je.

– Chut ! répliqua-t-il sans détacher le regard de la petite scène. C'est ma chanson préférée.

Je m'affalai contre mon dossier pendant que PJ fredonnait son morceau préféré. Je profitai d'une courte pause de l'orchestre pour répéter ma question. PJ vida sa canette de bière avant de répondre d'une voix étonnamment claire.

– Tout ce dont je me souviens, c'est que Beryl avait pris le sac à dos ce jour-là. C'est moi qui lui avais donné, pour qu'elle puisse trimbaler ses affaires. Elle a pris le sac et elle est allée chez Copy Cat, je crois. Alors vous voyez... (Il sortit son paquet de cigarettes)... c'est possible qu'elle ait emporté le bouquin. Elle l'a peut-être photocopié en même temps que les lettres. Tout ce que je sais, c'est qu'elle m'a laissé le manuscrit que je vous ai donné l'autre jour.

– Hier, dis-je.

– Ouais, c'est ça. Hier.

Sur ce, il ferma les yeux et recommença à battre le rythme sur le bord de la table.

– Merci, PJ, dis-je.

Il ne nous vit même pas sortir. Nous retrouvâmes avec plaisir la fraîcheur de l'air nocturne.

– Voilà ce qu'on appelle un exercice futile, remarqua Mark alors que nous prenions le chemin de l'hôtel.

– Je ne sais pas, rétorquai-je. Ça me paraît logique que Beryl ait photocopié son manuscrit. Je ne la vois pas le confier à PJ sans en garder une copie.

– Maintenant que je le connais, je ne la vois pas non plus prendre ce risque. PJ n'est pas ce que j'appellerais un homme de confiance.

– Et pourtant il l'est, Mark. Il était un peu parti ce soir.

– Camé jusqu'aux oreilles, tu veux dire.

– C'est peut-être à cause de moi. Me voir débarquer comme ça...

– En tout cas si Beryl a fait une photocopie de son manuscrit et l'a remporté à Richmond, ça veut dire que son assassin l'a subtilisé.

– Frankie, dis-je.

– Ce qui expliquerait pourquoi il a liquidé Cary Harper. Notre ami Frankie est devenu fou de jalousie – encore plus fou qu'il n'était – à l'idée de Cary Harper dans le lit de Beryl. Et Beryl mentionne dans son livre que Harper allait tous les soirs à *Culpeper's Tavern*.

– C'est vrai.

– Si Frankie a lu le manuscrit, il connaissait cette habitude de Harper et a compris que c'était le meilleur moment pour lui tendre une embuscade.

– Harper était à moitié ivre, il rentrait tard, dans l'obscurité, derrière une maison isolée. L'occasion rêvée !

– Ce qui m'étonne, c'est qu'il n'ait pas tué Sterling Harper pendant qu'il y était.

– C'était peut-être dans ses intentions.

– Peut-être bien, fit Mark. Mais elle l'a devancé en se suicidant.

Nos mains se rencontrèrent et nous marchâmes en silence, écoutant le bruit de nos pas sur le trottoir et des branches agitées par la brise. J'aurais aimé que cet instant dure une éternité. Je redoutais les vérités qu'il nous restait à découvrir. Ce n'est que de retour dans notre chambre d'hôtel, un verre de vin à la main, que je me décidai à lui poser la question.

– Où vas-tu aller à présent, Mark ?

– À Washington, dit-il en se tournant vers la fenêtre. J'y vais demain, en fait. On va me débriefer et me reprogrammer. Après... (Il poussa un soupir.)... après, je ne sais pas.

– Qu'est-ce que tu aimerais faire ?

– Je ne sais pas, Kay. Dieu sait où ils vont m'expédier ! (Il contempla la nuit en silence.) Et je sais que tu ne voudras jamais quitter Richmond.

– Non, je ne peux pas quitter Richmond. Pas pour l'instant. Mon travail représente trop pour moi, Mark.

– Ça a toujours été le cas, remarqua-t-il. Mon travail aussi, c'est toute ma vie. Ça laisse bien peu de place pour la diplomatie...

Ses paroles, son expression me brisaient le cœur. Je savais qu'il avait raison. Quand je voulus lui dire ce que je pensais, les larmes jaillirent de mes yeux.

Nous nous tînmes enlacés jusqu'à ce qu'il s'endorme entre mes bras. Je me dégageai avec précaution, me relevai et allai jusqu'à la fenêtre, fumant des cigarettes et ruminant mes pensées jusqu'à ce que l'aube rosisse le ciel à l'est.

Je pris une longue douche. L'eau brûlante me détendit mais affermit ma décision. Revigorée, je passai un peignoir et, sortant de la salle de bains envahie de vapeur, trouvai Mark en train de commander le petit déjeuner.

– Je repars à Richmond, lui annonçai-je d'un ton ferme.

– Ça ne me paraît pas une bonne idée, Kay, rétorqua-t-il en fronçant les sourcils.

– J'ai retrouvé le manuscrit, tu t'en vas et je ne tiens pas à me retrouver ici toute seule à attendre que Frankie, Scott Partin ou même Sparacino débarque.

– On n'a toujours pas retrouvé Frankie, objecta-t-il. C'est trop risqué. Je te procurerai une protection spéciale tant que tu seras ici. Ou alors va à Miami, ça serait encore mieux. Tu resteras dans ta famille pendant un certain temps.

– Non.

– Kay...

– Mark, Frankie a peut-être quitté Richmond. On risque de ne pas le retrouver avant plusieurs semaines. Peut-être jamais. Qu'est-ce que je ferai, moi ? Je resterai cachée en Floride le restant de ma vie ?

Sans répondre, il s'appuya contre les coussins.

Je lui pris la main.

– Je ne veux pas que ma vie et ma carrière soient bouleversées à cause de cet individu, dis-je. Je refuse de me laisser intimider. Je vais appeler Marino pour qu'il vienne me chercher à l'aéroport.

Il serra ma main dans les siennes et planta son regard dans le mien.

– Viens avec moi à Washington, dit-il. Ou installe-toi à Quantico pendant quelque temps.

Je secouai la tête.

– Il ne m'arrivera rien, Mark.

Il m'attira contre lui.

– Je n'arrête pas de penser à ce qui est arrivé à Beryl.

Moi aussi, j'y pensais sans arrêt.

À l'aéroport de Miami, je l'embrassai une dernière fois et m'éloignai sans me retourner. Je ne m'éveillai que le temps de changer d'avion à Atlanta. Je dormis tout le reste du temps, physiquement et émotionnellement épuisée.

Marino m'attendait. Pour une fois, il parut comprendre dans quel état j'étais et, sans un mot, me suivit à travers le terminal. Les décorations et les paquets cadeaux exposés dans les vitrines pour Noël ne firent qu'accentuer ma déprime. La proximité des fêtes de fin d'année ne me réjouissait pas du tout. Je ne savais pas quand et dans qu'elles circonstances Mark et moi nous reverrions. Et pour couronner le tout, je dus attendre un long moment avec Marino, en vain, devant le tapis à bagages. J'en profitai pour le mettre au courant des derniers événements. Au bout d'une heure, je me résignai à signaler la perte de ma valise. Après avoir passé un bon moment à remplir un formulaire détaillé en plusieurs exemplaires, je récupérai ma voiture et, suivie de Marino, rentrai chez moi.

L'obscurité de cette soirée pluvieuse m'épargna le spectacle de mon jardin dévasté tandis que nous nous garions dans mon allée d'accès. Marino m'avait appris à l'aéroport qu'on n'avait toujours pas retrouvé la trace de Frankie, qui redoublait sans doute de précautions. Après avoir fait le tour de la maison avec sa torche pour repérer une fenêtre brisée ou d'autres traces d'effraction, il entra avec moi et nous procédâmes à un tour complet des pièces, en allumant toutes les lumières et en ouvrant les placards. Marino poussa le zèle jusqu'à jeter un coup d'œil sous chacun des lits.

Nous retournions à la cuisine pour prendre un café lorsque nous reconnûmes ensemble le code craché par sa radio portative.

– Deux-quinze, dix-trente-trois...

– Merde ! s'exclama Marino en sortant l'appareil de sa poche.

Dix-trente-trois était un signal de détresse. Les messages radio ricochaient à travers la pièce. Les voitures de patrouille répondaient à l'appel comme des jets au décollage. Un policier était en difficulté dans un magasin de meubles proche de chez moi. Il paraissait avoir été blessé par balles.

– Sept-zéro-sept, dix-dix-sept ! aboya Marino dans le micro pour signifier qu'il se rendait sur les lieux.

Il se précipita vers la porte.

– Bordel de merde ! Walters ! C'est encore un gamin ! (Il sortit en courant sous la pluie et cria par-dessus son épaule.) Enfermez-vous bien, doc ! Je vous envoie deux agents !

Je fis les cent pas dans ma cuisine pendant un long moment, puis m'assis à la table et bus du scotch en écoutant tomber la pluie. J'avais perdu ma valise avec mon .38 à l'intérieur. Sous le coup de la fatigue, j'avais oublié de signaler ce détail à Marino. Trop nerveuse pour aller au lit, je me mis à feuilleter le manuscrit de Beryl, que j'avais eu la sagesse de garder avec moi dans l'avion, et me resservis un verre en attendant l'arrivée des policiers.

La sonnette retentit juste avant minuit. Je sursautai et me levai d'un bond.

Je jetai un coup d'œil à travers le judas et, au lieu des policiers que m'avait promis Marino, aperçus un jeune homme au visage pâle, enveloppé d'un imperméable sombre et coiffé d'une casquette d'uniforme. Le dos courbé contre les rafales de pluie, un porte-bloc serré contre la poitrine, il paraissait trempé et gelé.

– Qui est là ? criai-je.

– Service Omega Courier, de Byrd Airport, répondit-il. Je vous ramène votre valise, madame.

– Ah, enfin ! fis-je avec soulagement avant de désactiver l'alarme et de défaire le verrou.

Quand il posa ma valise dans le vestibule la terreur me paralysa. Je venais de me souvenir que sur la déclaration de perte, j'avais indiqué l'adresse de mon bureau et non celle de mon domicile !

17

Une courte frange de cheveux noirs dépassait de sa casquette et il évitait mon regard.

– Si vous voulez bien signer ici, madame.

Il me tendit le porte-bloc tandis qu'un tohu-bohu de voix éclatait dans ma tête.

« Ils étaient arrivés en retard parce qu'on avait perdu la valise de Mr Harper à l'aéroport. »

« Tes cheveux sont naturellement blonds, Kay, ou est-ce que tu les teins ? »

« Ça s'est passé quand le garçon de l'aéroport a rapporté la valise. »

« Ils sont tous partis, maintenant. »

« Ça s'est passé quand le garçon de l'aéroport a rapporté la valise. »

Comme au ralenti, je me vis prendre le stylo que tendait une main gantée de cuir brun.

– Voudriez-vous avoir l'amabilité d'ouvrir la valise ? m'entendis-je dire alors d'une voix que je ne reconnus pas. Je ne peux pas signer avant d'être sûre que toutes mes affaires sont là.

L'espace d'une seconde, son visage blême et dur parut sous le coup de la confusion. Ses yeux s'agrandirent imperceptiblement lorsqu'il les abaissa sur ma valise debout par terre, et je frappai si vite qu'il n'eut pas le temps de se protéger. Le bord du porte-bloc l'atteignit à la nuque, puis je bondis comme un animal sauvage.

J'étais dans le salon lorsque j'entendis ses pas derrière moi. Le cœur cognant dans ma poitrine je me précipitai à la cuisine, dérapant sur le linoléum alors que je stoppai devant le réfrigérateur pour décrocher l'extincteur pendu à côté. À l'instant où il déboucha dans la cuisine, je lui envoyai au visage un nuage de poudre sèche. Un long couteau tomba par terre tandis qu'il portait les mains à ses yeux en suffoquant. Saisissant une poêle en fonte posée sur la cuisinière, je la brandis des deux mains comme une raquette de tennis et lui assenai un coup violent au ventre. La respiration à moitié coupée, il se plia en deux et je le frappai une nouvelle fois de toutes mes forces. J'entendis craquer du cartilage. Je lui avais brisé le nez et sans doute plusieurs dents. Cela le ralentit à peine. Il se laissa tomber sur les genoux et, malgré la poudre qui l'aveuglait et le faisait tousser, tenta de me saisir les chevilles d'une main tandis que, de l'autre, il cherchait à récupérer son couteau. Je lâchai la poêle, écartai le couteau d'un coup de pied et me précipitai hors de la pièce, heurtant au passage la table de la hanche et le chambranle de l'épaule.

Effarée, secouée de sanglots nerveux, je parvins je ne sais comment à sortir le Ruger de ma valise et à glisser deux balles dans le barillet. Mais il était déjà sur moi. Je perçus en même temps le bruit de la pluie et celui, sifflant, de sa respiration. Le couteau n'était plus qu'à quelques centimètres de ma gorge lorsque, après trois pressions infructueuses sur la détente, le percuteur entra en contact avec une amorce. Dans une explosion assourdissante, une Silvertip lui déchira l'abdomen, l'envoyant valdinguer à plus d'un mètre. Il tenta de se relever, ses yeux vitreux tournés vers moi, le visage éclaboussé de chair sanguinolente. Il essaya de dire quelque chose tout en levant son couteau d'un geste exténué. Mes oreilles résonnaient encore du premier coup de feu. Stabilisant l'arme de mes mains tremblantes, je lui expédiai une seconde balle dans la poitrine. Je sentis l'âcre odeur de la poudre se mêler à celle vaguement écœurante du sang, puis la lumière s'éteignit dans les yeux de Frankie Aims.

Puis je craquai, et déversai des torrents de larmes tandis que le vent et la pluie fouettaient la maison et que le sang de Frankie se vidait sur le parquet de chêne. En pleurs, tremblant de tous mes membres, ce n'est qu'à la cinquième sonnerie du téléphone que je me levai.

Tout ce que je pus dire fut : « Marino, *Seigneur, Marino* ! »

Je ne retournai pas au bureau tant que le corps de Frankie Aims n'avait pas quitté la morgue, tant que son sang n'avait pas été nettoyé des tables d'autopsie, évacué par les tuyauteries et mêlé aux eaux fétides des égouts de la ville. Je n'avais aucun regret de l'avoir tué. Mon seul regret, c'était qu'il soit venu au monde.

– D'après les premières investigations, fit Marino en me regardant par-dessus la déprimante pile de papiers accumulés sur mon bureau, Frankie a débarqué à Richmond l'année dernière en octobre. En tout cas c'est depuis ce temps-là qu'il louait sa piaule dans Redd Street. Quelques semaines après, il s'est dégoté un boulot de livreur de bagages perdus. Omega a un contrat avec l'aéroport.

Je restai silencieuse, décapitant d'un coup de coupe-papier une nouvelle enveloppe qui allait sans doute atterrir, comme beaucoup d'autres, dans ma corbeille.

– Les types qui bossent chez Omega doivent utiliser leur propre voiture. Manque de pot, Frankie a eu un problème avec la sienne en janvier dernier. L'arbre de transmission de sa Mercury Lynx 87 a lâché, et il avait pas de fric pour la faire réparer. À mon avis, c'est là qu'il est venu trouver son pote Al Hunt pour lui demander un petit service.

– Est-ce qu'ils s'étaient recontactés avant cela ? demandai-je avec lassitude.

– Pour moi, rétorqua Marino, ça fait pas l'ombre d'un doute. Pour Benton non plus.

– Sur quoi vous basez-vous ?

D'abord, expliqua-t-il, on a appris qu'il y a un an et demi, Frankie vivait à Butler, en Pennsylvanie. On a épluché les factures de téléphone de papa Hunt depuis cinq ans. Il les garde toutes au cas où il aurait un contrôle fiscal. On a découvert que pendant la période où Frankie était en Pennsylvanie, les Hunt ont reçu cinq appels PCV en provenance de Butler. L'année d'avant, c'étaient des PCV venant de Dover, dans le Delaware, et l'année d'avant encore, des PCV de Hagerstown, dans le Maryland.

– C'est Frankie qui appelait ? demandai-je.

– On est en train de vérifier. Mais pour moi, Frankie appelait Al de temps en temps. Il lui a certainement raconté ce qu'il avait fait à sa mère. C'est pour ça que Al vous en a tant raconté. Ça n'avait rien à voir avec la clairvoyance ! Il répé tait ce que lui avait dit son pote Frankie. Et plus Frankie devenait dingue, plus il se rapprochait de Richmond. Et puis boum ! L'année dernière il débarque dans notre charmante cité et vous connaissez la suite.

– Et le lavage de voitures de Hunt ? Frankie y venait-il régulièrement ?

– Plusieurs employés disent avoir vu plusieurs fois depuis janvier un individu qui correspondrait au signalement de Frankie, dit Marino. La première semaine de février, si on en croit les factures qu'on a retrouvées chez lui, Frankie a fait monter un moteur sur sa Mercury pour cinq cents dollars. Il les avait probablement empruntés à Al.

– Savez-vous si Frankie était à la station de lavage le jour où Beryl a amené la sienne ?

– À mon avis, oui. Pour moi, il l'a repérée la première fois chez Mrs McTigue le soir où il a rapporté le bagage de Harper. Et puis voilà que deux ou trois semaines plus tard, il la revoit au lavage pendant qu'il demande à Al de lui prêter cinq cents dollars. Bingo ! Il prend ça pour un signe. Ensuite il la revoit peut-être à l'aéroport, où il se baladait constamment pour aller récupérer les bagages perdus. Peut-être qu'il voit Beryl une troisième fois à l'aéroport, un jour qu'elle prend l'avion pour Baltimore pour rejoindre miss Harper.

– Pensez-vous que Frankie a parlé de Beryl à Hunt ?

– Impossible de le savoir. Mais ça m'étonnerait pas. Ça expliquerait pourquoi Hunt s'est pendu. Il a compris ce qui allait se passer, il avait prévu ce que son copain allait faire à Beryl. Et quand Harper s'est fait buter, Hunt a dû culpabiliser à mort.

Je changeai péniblement de position sur mon siège, déplaçant des piles de papiers en quête du tampon dateur que j'avais en main deux secondes auparavant. J'avais mal partout et me demandai si je n'allais pas me faire radiographier l'épaule. Quant à mon psychisme, je crois que personne n'aurait pu améliorer son état. Je ne me sentais plus moi-même. J'avais du mal à rester en place, et il m'était impossible de me détendre.

– Le raisonnement hallucinatoire de Frankie l'a conduit à accorder une signification profonde à ses rencontres avec Beryl, remarquai-je. Il la voit chez les McTigue, il la revoit au lavage, puis à l'aéroport. Tout ça a provoqué le déclic.

– Ouais. Ce dingo a cru que Dieu lui causait, et lui disait qu'il avait une relation spéciale avec cette jolie blonde.

À cet instant, Rose fit son entrée dans le bureau et me tendit un papier rose de notification d'appel, que j'ajoutai à la pile.

– De quelle couleur était sa voiture ? demandai-je en ouvrant une nouvelle enveloppe.

Quand la police était arrivée et que j'étais sortie de la maison, j'avais pourtant vu la voiture de Frankie, garée dans l'allée d'accès, balayée par l'éclat rouge des gyrophares, mais je n'en avais gardé aucun souvenir précis.

– Bleu marine.

– Et personne ne se souvient avoir vu une Mercury Lynx bleue dans le voisinage de Beryl ?

Marino secoua la tête.

– La nuit, les phares éteints, elle passait inaperçue.

– C'est vrai.

– Et pour liquider Harper, il s'est sans doute arrêté à une certaine distance, et il a fini à pied. (Il fit une pause.) La garniture du siège conducteur était pourrie.

– Je vous demande pardon ? fis-je en levant les yeux de mon courrier.

– Il avait recouvert son siège d'une couverture récupérée dans un avion.

– D'où la fibre orange ?

– On attend le résultat des examens. Mais ça paraît probable. La couverture a des rayures rouge orangé, et Frankie l'avait déjà installée quand il est allé chez Beryl. Ça explique probablement cette histoire de terroristes. Un passager a dû utiliser une couverture semblable pendant un voyage en Europe. Le type change d'avion et une des fibres orange de la couverture reste sur le Boeing piraté en Grèce. Le Marine qui se fait descendre se retrouve avec une fibre orange sur lui. Vous imaginez le nombre de fibres qui se baladent d'un avion à l'autre ?

– En effet, oui, fis-je en me demandant pourquoi mon nom figurait dans le moindre fichier publicitaire du pays. Ça explique aussi pourquoi Frankie avait autant de fibres sur ses vêtements. S'il était chargé de retrouver les bagages perdus, il se promenait dans tout l'aéroport et montait sans doute dans les avions. Il devait ramasser toutes sortes de débris et de poussières.

– Le personnel d'Omega porte des chemises d'uniforme, ajouta Marino. Elles sont en Dynel, de couleur brune.

– Intéressant.

– Vous devriez le savoir, doc, fit-il en se penchant vers moi. Il en portait une quand vous l'avez descendu.

Je n'en avais aucun souvenir. Je ne me souvenais que de son imperméable sombre, de son visage couvert de sang mêlé à la poudre blanche de l'extincteur.

– D'accord, Marino, fis-je. Jusqu'ici, je vous suis, mais ce que je ne comprends pas, c'est comment Frankie a obtenu le numéro de téléphone de Beryl. Elle était sur la liste rouge. Et comment savait-il qu'elle reviendrait de Key West le 29 octobre ? Et où a-t-il appris la date de mon retour de Floride ?

– Par les ordinateurs, répondit-il. Tous les renseignements concernant les passagers, leur numéro de vol, leur adresse, leur téléphone sont dans les ordinateurs. On peut supposer que Frankie pianotait sur les ordinateurs quand il n'y avait personne au comptoir d'une compagnie, pendant la nuit ou très tôt le matin. Il connaissait l'aéroport comme sa poche. On ne faisait pas attention à lui, personne ne pouvait deviner ce qu'il manigançait. C'était un type qui parlait pas beaucoup, discret, on lui demandait jamais rien.

– Selon le Stanford-Binet, remarquai-je en appuyant le tampon dateur dans l'encreur desséché, il était d'une intelligence bien supérieure à la moyenne.

Marino resta silencieux.

– Son QI atteignait presque 130, ajoutai-je.

– Ouais, je sais, fit Marino avec une pointe d'impatience.

– Simple information, dis-je.

– Merde, vous y croyez vraiment à ces tests ?

– Ils fournissent de bonnes indications.

– Mais ils sont pas infaillibles.

– Non, je ne dirais pas que les tests de QI sont infaillibles, admis-je.

– Moi, ça m'a jamais manqué de pas connaître le mien, fit-il.

– Vous devriez essayer, Marino. Il n'est jamais trop tard.

– Tout ce que j'espère, c'est que mon foutu QI est meilleur que mon score au bowling, marmonna-t-il.

– Ça m'étonnerait. À moins que vous ne soyez très mauvais au bowling.

– La dernière fois, j'ai été nul.

J'ôtai mes lunettes et me frottai les paupières avec lassitude. Je n'arrivais pas à me débarrasser de mon mal de crâne.

– Benton et moi, reprit Marino, on pense que Frankie a eu le numéro de Beryl par les ordinateurs de l'aéroport, et qu'ensuite il a suivi tous ses déplacements en avion. C'est sans doute comme ça qu'il a su qu'elle était partie à Miami en juillet, après avoir trouvé le cœur gravé sur sa portière.

– À propos, a-t-on découvert à quel moment il l'a gravé ? l'interrompis-je en rapprochant la corbeille à papiers.

– Quand elle allait à Baltimore, elle laissait sa voiture à l'aéroport. La dernière fois qu'elle est allée rejoindre miss Harper là-bas, c'était début juillet, soit une semaine à peine avant que Beryl découvre le cœur.

– Il a donc pu le faire pendant que la voiture était à l'aéroport.

– À votre avis ? fit Marino.

– Ça me paraît plausible.

– À moi aussi.

– Ensuite Beryl prend l'avion pour Key West, dis-je en continuant de trier mon courrier, et Frankie consulte tous les jours l'ordinateur pour savoir à quelle date elle va réserver son retour. C'est comme ça qu'il a su le jour exact.

– Le soir du 29 octobre, acquiesça Marino. Et Frankie avait mis au point un plan imparable. Pour lui c'était du gâteau. Comme il a accès sans problème à la zone des bagages, il surveille le déchargement, et quand il voit le sac avec l'étiquette de Beryl sur le tapis roulant, il le subtilise. Et Beryl va signaler la perte de son sac.

Frankie avait sans aucun doute utilisé le même subterfuge avec moi. Il avait appris mon retour grâce à l'ordinateur de la compagnie, retiré ma valise du tapis roulant, puis s'était présenté chez moi. Et je lui avais ouvert.

Le gouverneur m'invitait à une réception passée depuis une semaine. Je suppose que Fielding m'y avait remplacée. L'invitation atterrit dans la corbeille.

Marino me raconta ce que la police avait découvert dans l'appartement de Frankie Aims, à Northside.

Dans sa chambre, on avait retrouvé le sac de Beryl, contenant son chemisier et ses sous-vêtements ensanglantés. Près de son lit, une malle servant de table de nuit était remplie de magazines pornographiques violents, ainsi qu'un sac contenant les plombs de chasse ayant servi à lester le bout de tuyau utilisé pour assommer Cary Harper. On retrouva dans cette malle une enveloppe renfermant une deuxième série des disquettes de Beryl, scotchées entre deux bouts de carton, ainsi qu'un exemplaire photocopié de son manuscrit, dans lequel figurait l'original de la première page du chapitre 25, qu'elle avait interverti par mégarde. Selon Benton Wesley, Frankie lisait le livre de Beryl dans son lit pendant qu'il touchait les vêtements qu'elle portait quand il l'avait tuée. Peut-être. Ce qu'en revanche je savais, c'est que Beryl n'avait pas eu la moindre chance d'en réchapper. Lorsque Frankie avait sonné chez elle, il s'était présenté comme un employé de l'aéroport et lui rapportait son sac égaré. Même si elle l'avait reconnu comme étant le même garçon qui avait rapporté le sac de Cary Harper chez les McTigue, il n'y avait aucune raison pour qu'elle s'alarme de cette coïncidence.

– Si seulement elle ne l'avait pas fait entrer, marmonnai-je.

Bon sang, où était encore passé ce satané coupe-papier ?

– Pourquoi aurait-elle refusé ? fit Marino. Frankie était tout sourire, il portait la chemise et la casquette de chez Omega. Il avait le sac de Beryl, donc son manuscrit. Elle ne pouvait être que soulagée. Et même reconnaissante. Elle ouvre la porte, désactive l'alarme, le fait entrer.

– Mais pourquoi a-t-elle rebranché l'alarme, Marino ? Moi aussi j'en ai une, et je reçois des livreurs. Si mon alarme est branchée quand on m'apporte un paquet recommandé, je la désactive et j'ouvre la porte. Et si j'ai confiance dans le coursier, je le fais entrer, mais je ne vais pas rebrancher l'alarme aussitôt pour la désactiver et la rebrancher deux minutes après quand il repartira.

– Ça vous est déjà arrivé de verrouiller votre voiture en oubliant vos clés dedans ? s'enquit Marino avec un regard songeur.

– Je... je ne vois pas le rapport avec...

– Répondez à ma question.

– Bien sûr que ça m'est arrivé, dis-je en retrouvant mon coupe-papier posé sur mes cuisses.

– Et pourquoi ça arrive si souvent, alors que les nouvelles voitures ont des tas de systèmes de sécurité pour l'éviter, hein ?

– C'est juste. On y est tellement habitué qu'on finit par faire les gestes machinalement, et qu'on se retrouve dehors, avec les portes bloquées et les clés qui pendouillent sous le volant !

– Eh bien j'ai l'impression que c'est ce qui est arrivé à Beryl, reprit Marino. Je pense qu'elle était obsédée par cette alarme qu'elle avait fait installer à la suite des premières menaces. Je pense qu'elle la laissait branchée en permanence, et que c'était devenu un réflexe d'appuyer sur ces boutons dès qu'elle fermait la porte. (Il se tut un instant en contemplant d'un regard absent la petite vitrine où je range quelques livres.) C'est bizarre. D'un côté elle oublie son flingue à la cuisine, et de l'autre elle rebranche l'alarme dès que le type est entré. Ça montre à quel point elle était secouée, à quel point ce salopard l'avait rendue nerveuse.

Je rassemblai quelques résultats de tests toxicologiques, les ajoutai à une pile de certificats de décès et les posai dans un coin. Mais, apercevant près de mon microscope la pile de cassettes où étaient enregistrés des rapports d'observation, le découragement me ressaisit.

– Bon sang, fit Marino, ça vous ferait rien de rester un peu tranquille pendant que je termine ? Ça me rend dingue.

– C'est mon premier jour au bureau, lui rappelai-je. Il faut bien que je m'y mette. Regardez un peu ce désordre. On dirait que je me suis absentée un an. J'en ai au moins pour trois semaines à rattraper mon retard.

– À ce rythme-là, je suis sûr que vous aurez tout réglé avant ce soir 8 heures.

– Vous croyez ? fis-je.

– Vous avez un personnel excellent. Ils se débrouillent très bien quand vous n'êtes pas là. Je ne vois pas le problème.

– Il n'y a pas de problème, dis-je.

J'allumai une cigarette et farfouillai dans les papiers à la recherche du cendrier.

Marino le rattrapa juste au bord du bureau et le fit glisser vers moi.

– Hé, je veux pas dire qu'on pourrait se passer de vous, précisa-t-il.

– Personne n'est indispensable.

– Je me doutais bien que vous penseriez ça.

– Je ne pense rien. Je suis juste un peu perdue, fis-je en tendant le bras vers l'étagère pour prendre mon agenda.

Rose avait annulé tous mes rendez-vous jusqu'à la fin de la semaine suivante. Ensuite ce serait Noël. Sans savoir pourquoi, je faillis éclater en sanglots.

Marino se pencha pour secouer sa cendre.

– Comment est le bouquin de Beryl, doc ? me demanda-t-il.

– C'est un livre qui vous brise le cœur et vous emplit de joie, dis-je les larmes aux yeux. C'est incroyable.

– Ouais. Espérons qu'il sera publié. Comme ça on aura l'impression qu'elle n'est pas morte, pas vrai ?

Je pris une profonde inspiration.

– Mark va voir ce qu'il peut faire, dis-je. Je suppose que certains arrangements seront nécessaires. Il n'est pas question que Sparacino s'occupe encore des affaires de Beryl.

– Sauf de derrière des barreaux. Je suppose que Mark vous a parlé de la lettre.

– Oui, dis-je. Il me l'a fait lire.

L'une des lettres de Sparacino à Beryl que Marino avait retrouvées chez elle après sa mort avait acquis un sens nouveau depuis que Mark et moi avions lu le manuscrit :

> *Je suis très satisfait, Beryl, d'apprendre que Joe a aidé Cary – et j'en suis d'autant plus heureux que c'est moi qui les ai mis en contact quand Cary a acheté cette magnifique maison. Non, je ne trouve pas ça le moins du monde bizarre. Joe est l'un des hommes les plus généreux que j'aie jamais rencontrés. J'attends avec impatience de vos nouvelles.*

Ce paragraphe signifiait sans doute beaucoup plus que ne le laissait supposer sa formulation anodine, même si Beryl n'avait aucune preuve de ce qu'elle semblait avoir suggéré. Je doutais fortement qu'en mentionnant le nom de Joseph McTigue, Beryl ait eu la moindre idée de ce qu'elle approchait dangereusement la zone interdite que constituaient les activités illégales de Sparacino, lesquelles comprenaient d'innombrables sociétés bidon destinées au blanchiment d'argent. Mark pensait que McTigue, propriétaire de biens mobiliers et immobiliers considérables, était mouillé jusqu'au cou dans les combines de Sparacino, et que l'aide qu'il avait apportée à un Harper aux abois n'était en rien une manifestation de générosité. La paranoïa de Sparacino au sujet du manuscrit de Beryl provenait du fait que, ne l'ayant jamais lu, il entretenait les plus vives inquiétudes quant à ce qu'elle pouvait involontairement y révéler. C'est pourquoi lorsque le manuscrit avait disparu, ce n'est pas seulement par cupidité qu'il s'était lancé à sa recherche.

– Il a sans doute été soulagé par la mort de Beryl, reprit Marino. Elle serait pas venue l'embêter pendant la préparation du bouquin. Il aurait pu en retirer tout ce qui risquait de dévoiler ses magouilles. Il aurait publié la version expurgée et fait un malheur. Vous vous rendez compte le nombre d'exemplaires qu'il aurait pu vendre, après tout le foin qu'il a fait ! Sans compter qu'on ne sait pas jusqu'où il aurait pu aller. Il aurait été capable de vendre les photos des cadavres de Harper et de sa sœur à un magazine...

– Sparacino n'a jamais récupéré les photos prises par Jeb Price, lui rappelai-je. Dieu merci.

– Peu importe. Ce qu'il y a de sûr c'est qu'après tout ce battage, même moi j'aurais été acheter ce foutu bouquin, moi qu'en ai pas acheté un seul en vingt ans !

– Quel dommage, marmonnai-je. Lire est une activité formidable. Vous devriez essayer, un de ces jours.

Nous levâmes tous les deux la tête en entendant Rose entrer, pour me remettre cette fois une longue boîte blanche ornée d'un somptueux ruban rouge. Perplexe, elle chercha une place libre sur mon bureau puis, renonçant, me fourra le paquet cadeau entre les mains.

– Qu'est-ce que c'est que ça... ? fis-je d'un air ahuri.

Je repoussai mon siège pour pouvoir poser cette livraison surprise sur mes cuisses et entrepris de défaire le ruban de satin sous les regards de Rose et Marino. La boîte contenait deux douzaines de roses rouges resplendissant comme des rubis dans leur papier vert. Je fermai les yeux et humai leur parfum, avant d'ouvrir la petite enveloppe qui était jointe.

« Quand on a une montagne de boulot, pourquoi ne pas en profiter pour partir au ski ? disait la carte. Je vais à Aspen après Noël. Dis que tu t'es cassé une jambe et viens me rejoindre. Je t'aime, Mark. »

1992

ET IL NE RESTERA QUE POUSSIÈRE...

Traduit de l'anglais par
Gilles Berton

Ce roman a paru sous le titre original :

ALL THAT REMAINS

Ce livre, pour Michael Congdon.

Comme toujours, merci.

1

Le dernier jour du mois d'août, un samedi, je commençai à travailler bien avant l'aube. La rosée en s'élevant parut embraser les pelouses et le ciel vira peu à peu au bleu éclatant, mais je ne vis rien de tout cela. Les cadavres se succédèrent toute la matinée sur les tables métalliques, et la morgue ne comporte aucune fenêtre. Richmond avait débuté le week-end du « Labor Day » par un redoublement d'accidents et de fusillades.

Il était 14 heures quand je pus enfin regagner ma maison du West End, où je trouvai Bertha en train de passer la serpillière dans la cuisine. Bertha vient faire mon ménage tous les samedis, et il est convenu entre nous qu'elle ne doit pas répondre au téléphone. C'est pourquoi quand je rentrai, il était en train de sonner sans qu'elle décroche.

– Je ne suis pas là, décrétai-je en ouvrant le réfrigérateur.

Bertha interrompit sa tâche.

– Il a déjà sonné il y a quelques minutes, dit-elle. Et c'était pas la première fois. Toujours la même voix d'homme.

– Je n'y suis pour personne, répétai-je.

– Comme vous voulez, Dr Kay.

J'aurais voulu que le soleil qui inondait la cuisine dissolve la voix impersonnelle qui récitait le message du répondeur. Il ne restait plus que trois tomates. Il me faudrait surveiller ma provision, car elles allaient se faire rares durant l'automne. Et où donc avais-je fourré la salade de poulet ?

Le bip résonna, puis je reconnus la voix familière.

– Doc ? C'est Marino...

Zut, me dis-je en refermant la porte du réfrigérateur d'un coup de hanche. Pete Marino, détective à la section des Homicides de Richmond, était de service depuis minuit, et je venais de le voir à la morgue, où j'avais retiré plusieurs balles d'un cadavre qu'il avait accompagné. À l'heure qu'il était, il aurait dû être en route pour Lake Gaston, où il avait prévu d'aller taquiner le poisson pendant ce qu'il lui restait du week-end. Pour ma part, j'avais hâte de m'occuper de mon jardin.

– Ça fait un moment que j'essaie de vous joindre. Je dois partir. Appelez-moi sur mon bip...

L'urgence que je décelai dans la voix de Marino me fit décrocher le combiné.

– Je suis là.

– C'est vous ou c'est encore votre foutu répondeur ?

– À votre avis ? fis-je.

– Mauvaises nouvelles. Une nouvelle voiture abandonnée. À New Kent, sur l'aire de repos de la 64, direction ouest. Benton vient juste de m'appeler.

– Un couple, comme les autres fois ? l'interrompis-je en traçant une croix sur mes projets pour l'après-midi.

– Fred Cheney, 19 ans, blanc. Et Deborah Harvey, blanche aussi, même âge. Vus pour la dernière fois hier soir vers 20 heures, ils partaient de chez les parents de la fille, à Richmond, pour aller à Spindrift.

– Et la voiture est sur l'autoroute direction *ouest ?* m'étonnai-je.

Spindrift, petite ville de Caroline du Nord, est en effet à trois heures et demie de route à l'est de Richmond.

– Ouais. Comme s'ils revenaient à Richmond. Un policier a trouvé la bagnole il y a une heure. Une Jeep Cherokee. Aucune trace des mômes.

– J'arrive, dis-je.

Bertha n'avait pas cessé son travail, mais je savais qu'elle n'avait pas perdu une miette de la conversation.

– Je m'en irai dès que j'aurai fini ça, me dit-elle. Je fermerai et je mettrai l'alarme. Ne vous faites pas de souci, Dr Kay.

Une sourde angoisse m'envahissait. J'attrapai mon sac à main et courus jusqu'à ma voiture.

Quatre couples avaient déjà disparu dans des circonstances semblables. Leurs cadavres avaient été retrouvés dans un rayon de 70 kilomètres autour de Williamsburg.

Baptisés *The Couple Killings* par la presse, ces meurtres demeuraient inexpliqués. Personne n'avait d'indice ni de théorie plausible, pas même le FBI et son Violent Criminal Apprehension Program, ou VICAP, pourtant doté d'une banque nationale de données informatiques gérée par un système d'intelligence artificielle capable d'établir un lien entre une personne disparue et un cadavre non identifié, ou de faire le rapprochement entre les différentes victimes d'un tueur en série. Lorsque plus de deux ans auparavant, les deux premiers cadavres avaient été découverts, la police locale avait demandé le renfort d'une équipe régionale du VICAP, formée de l'agent spécial du FBI Benton Wesley et du détective Pete Marino, vétéran de la section des Homicides de Richmond. Un autre couple avait disparu, puis deux autres. Chaque fois, le VICAP était informé, le National Crime Information Center, ou NCIC, câblait la description des personnes disparues aux différents services de police des États-Unis. Mais à chaque fois, malgré la célérité des recherches, les adolescents étaient déjà morts, leurs corps se décomposant au fond d'un bois.

J'éteignis la radio, m'acquittai du péage puis fonçai vers l'est sur l'I-64. Des images et des sons me revinrent en mémoire. Des ossements, des vêtements moisis où adhéraient encore des feuilles mortes. Les beaux visages souriants des disparus imprimés dans les journaux. Les parents, au désespoir, interviewés à la télévision ou appelant chez moi.

« Je suis désolée pour votre fille. »

« Je vous en prie, dites-moi comment ma petite fille est morte ! Seigneur, dites-moi si elle a souffert... »

« Nous ne connaissons pas la cause de sa mort, Mrs Dennett. Je ne peux rien vous dire de plus pour l'instant. »

« Comment ça, vous ne *savez* pas ? »

« Nous n'avons retrouvé que son squelette, Mr Martin. Quand il ne reste plus de chair, il est presque impossible de déceler les blessures ayant... »

« Je me fous de votre baratin de toubib ! Je veux savoir comment est mort mon garçon ! Les flics m'ont demandé s'il se droguait, vous vous rendez compte ? Lui qui ne buvait même pas une goutte d'alcool ! Vous m'entendez, docteur ? Il est mort, et ils veulent le faire passer pour un voyou... »

« LE MÉDECIN EXPERT GÉNÉRAL EN ÉCHEC : le Dr Kay Scarpetta avoue ignorer les causes de la mort. »

Causes non déterminées.

La même conversation s'était répétée huit fois. Une fois pour chacune des jeunes victimes.

C'était terrifiant. Je n'avais jamais été confrontée à pareille énigme.

Tout pathologiste bute sur des cas qu'il est incapable d'élucider, mais je n'avais jamais eu autant de « causes non déterminées » que ces huit cadavres dont les morts comportaient de nombreux points communs.

Je fis coulisser le toit ouvrant, et la douceur du temps me remonta un peu le moral. Il faisait à peine plus de 25° C, les feuilles ne tarderaient pas à jaunir. C'est seulement au printemps et en automne que Miami ne me manque pas. L'été de Virginie est aussi chaud qu'en Floride, mais Richmond n'est pas rafraîchi par la brise marine. L'humidité estivale est étouffante et, n'aimant pas le froid, je ne suis pas mieux lotie en hiver. Mais le printemps et l'automne sont proprement euphorisants. Les longues goulées d'air que j'avalai m'enivrèrent aussitôt.

L'aire de repos de New Kent County était située exactement à 46 kilomètres de chez moi. Avec ses tables de pique-nique, ses grils, ses poubelles cerclées de bois, ses toilettes en brique, ses distributeurs de boissons et ses arbustes récemment plantés, elle ressemblait à n'importe quelle autre aire d'autoroute de Virginie. Mais au lieu des habituels touristes ou camionneurs, l'endroit grouillait de véhicules de police.

J'arrêtai la voiture devant le petit bâtiment des toilettes pour dames. Un policier en uniforme gris-bleu, le visage sombre et luisant de sueur, s'approcha de moi.

– Désolé, madame, dit-il en se penchant vers ma vitre ouverte. Cette aire est fermée aujourd'hui. Je dois vous demander de partir.

– Dr Kay Scarpetta, dis-je en coupant le contact. C'est la police qui m'a demandé de venir.

– Pour quelle raison, madame ?

– Je suis le médecin expert général, rétorquai-je.

Il m'examina d'un regard sceptique. Je ne devais pas lui paraître très « officielle ». Vêtue d'une jupe en jean délavé, d'une chemise rose et de chaussures de sport en cuir noir, j'étais dépourvue du moindre élément témoignant de ma position, privée même de ma voiture de fonction, qui attendait des pneus neufs dans le garage de l'administration. À première vue, je n'étais qu'une yuppie sur le retour en train de faire ses courses dans sa Mercedes anthracite, une blonde cendrée en route pour le centre commercial.

– Puis-je voir vos papiers ?

Je fouillai dans mon sac, en sortis un mince portefeuille noir, l'ouvris et lui présentai ma plaque en cuivre de médecin expert, à laquelle je joignis mon permis de conduire. Pendant un long moment, le policier examina les documents d'un air embarrassé.

– Laissez votre voiture ici, Dr Scarpetta, dit-il enfin. Les gens que vous cherchez sont là-bas. (Il pointa le doigt vers le parking réservé aux poids lourds et aux cars.) Bonne chance, ajouta-t-il stupidement en s'éloignant.

Je suivis un mur de brique, tournai au coin du bâtiment et découvris, à l'ombre des arbres, plusieurs autres voitures de police, une dépanneuse avec ses gyrophares en action, et une bonne douzaine d'hommes en civil et en uniforme. Je ne reconnus la Jeep Cherokee que lorsque je fus presque dessus. À l'écart de la rampe de sortie, abandonnée dans un creux de terrain garni de végétation, elle était presque invisible de la chaussée. C'était une deux-portes à la carrosserie couverte de poussière. Lorsque je jetai un coup d'œil par la vitre côté conducteur, je constatai que l'intérieur de cuir beige était très propre et que les bagages, soigneusement rangés sur la banquette arrière, comprenaient une planche de ski nautique, une corde de traction en Nylon jaune et une glacière en plastique rouge et blanc. Les clés pendaient encore sur le contact. Les vitres étaient en partie descendues. Barrant l'herbe de la pente qui descendait de la rampe de sortie, on distinguait la double trace des pneus. La calandre chromée avait été stoppée par un petit bosquet de pins.

Marino était en conversation avec un homme mince et blond que je ne connaissais pas, et qu'il me présenta comme étant Jay Morrell, de la police de l'État. Le policier paraissait diriger les opérations.

– Kay Scarpetta, me présentai-je en constatant que Marino ne m'accueillait que par un vague « doc ».

Morrell tourna ses Ray Ban vert foncé vers moi et hocha la tête. Dépourvu d'uniforme, arborant une moustache guère plus fournie qu'un duvet d'adolescent, il parlait avec cette assurance fanfaronne que j'avais souvent remarquée chez les enquêteurs débutants.

– Voilà ce que nous savons pour l'instant, dit-il en jetant des coups d'œil nerveux autour de lui. La Cherokee appartient à Deborah Harvey. Elle et son ami, euh... Fred Cheney, ont quitté la résidence des Harvey hier soir vers 20 heures. Ils voulaient se rendre à Spindrift, où la famille Harvey possède un bungalow sur la plage.

– La famille de Deborah Harvey était-elle présente quand le couple est parti de Richmond ? demandai-je.

– Non, madame. (Il tourna brièvement ses lunettes vers moi.) Les autres membres de la famille étaient partis dans la journée. Ils étaient déjà à Spindrift. Deborah et Fred ont pris leur propre voiture parce qu'ils devaient revenir à Richmond lundi pour reprendre leurs cours. Ils sont tous les deux élèves au collège Carolina.

Marino sortit son paquet de cigarettes.

– Juste avant de quitter la maison des Harvey hier soir, dit-il, ils ont téléphoné à Spindrift. Ils ont dit à un des frères de Deborah qu'ils étaient sur le départ et qu'ils comptaient arriver entre minuit et 1 heure. À 4 heures du matin, ne les voyant pas arriver, Pat Harvey a appelé la police.

– *Pat Harvey ?* répétai-je d'un ton incrédule.

– Ouais, Pat Harvey en personne, me répondit Morrell. Elle ne devrait pas tarder à arriver. Un hélico est allé la chercher il y a... (Il consulta sa montre.) ... il y a à peu près une demi-heure. Le père, hum... Bob Harvey, est quelque part sur la route. Il était à Charlotte pour affaires et devait rejoindre la famille à Spindrift demain. On n'a pas pu le prévenir. Il ne sait pas encore ce qui est arrivé.

Pat Harvey était la Directrice du Programme national de lutte contre la drogue, une fonction dont les médias ont pris l'habitude de baptiser le titulaire “Drug Czar”, le « Tsar de la drogue ». Directement nommée par le président, ce qui lui avait valu récemment les honneurs de la couverture de *Time*, Mrs Harvey était l'une des femmes les plus puissantes et les plus admirées des États-Unis.

– Et Benton ? demandai-je à Marino. Est-ce qu'il a réalisé que Deborah est la fille de Pat Harvey ?

– En tout cas, il n'a rien dit quand il m'a appelé. Il venait juste d'atterrir à Newport News. Dans un avion du Bureau. Il était pressé de louer une voiture. On n'a pas parlé longtemps.

Voilà qui répondait à ma question. Benton Wesley n'aurait pas sauté dans un avion du FBI s'il avait ignoré qui était Deborah Harvey. Je me demandai toutefois pourquoi il n'en avait rien dit à Marino, son partenaire au sein du VICAP, dont je tentai de déchiffrer le large visage impassible. Le lieutenant faisait jouer ses maxillaires, le haut de son crâne était écarlate et perlé de sueur.

– Pour le moment, reprit Morrell, j'ai disposé des hommes à l'entrée de la bretelle pour empêcher les voitures de l'emprunter. On a vérifié dans les toilettes et aux abords immédiats pour s'assurer que les mômes ne sont pas par ici. Dès que les gars de la Peninsula Search and Rescue seront là, on s'enfoncera dans les sous-bois.

À quelques mètres au-delà du capot de la Cherokee, le paysage propret de l'aire de repos cédait la place à une épaisse végétation d'arbres et de buissons dont les feuilles scintillaient au soleil, et que scrutait un faucon tournoyant dans le ciel. Les centres commerciaux et les lotissements grignotaient peu à peu le paysage le long de l'I-64, mais entre Richmond et Tidewater, il était resté relativement vierge. Cette nature sauvage, que j'aurais auparavant trouvée apaisante, m'emplissait à présent d'une sourde appréhension.

– Merde, lâcha Marino tandis que nous laissions Morrell pour aller inspecter les alentours.

– Désolée pour votre partie de pêche, dis-je.

– Bah, on a l'habitude, pas vrai ? Ça fait des mois que je préparais cette sortie, et voilà qu'elle est foutue. C'est toujours la même histoire.

– J'ai remarqué que quand on quitte l'autoroute, repris-je sans relever son irritation, la rampe se divise tout de suite en deux, l'une conduisant ici à l'arrière du pavillon de l'aire, l'autre passant devant. Ce qui veut dire que comme ces deux voies sont à sens unique, on ne peut pas changer d'idée et revenir devant le pavillon une fois qu'on est passé derrière, à moins de rouler à contresens sur une assez longue distance, ce qui aurait été risqué hier soir, vu qu'il devait y avoir pas mal de circulation en raison du week-end du « Labor Day ».

– Exact. Et il faut pas être expert en balistique pour piger que le type qui a fait rouler la Cherokee là en bas a bien choisi son endroit. C'est parce qu'il y avait trop de monde devant le pavillon. Le type prend la rampe réservée aux poids lourds, qui devait être à peu près déserte, il pousse la Cherokee dans la pente et s'éclipse.

– Il ne voulait sans doute pas qu'on retrouve la voiture tout de suite, ce qui explique pourquoi il l'a poussée loin de la chaussée, hasardai-je.

Marino jeta un regard vers la forêt.

– J'me fais trop vieux pour ce boulot, marmonna-t-il.

Chaque fois que Marino arrivait sur les lieux d'un crime, il ronchonnait et se comportait comme s'il avait préféré se trouver ailleurs. Pour travailler depuis longtemps avec lui, j'étais habituée à cette attitude, mais cette fois, il me sembla qu'il ne jouait pas tout à fait la comédie. Sa frustration semblait alimentée par quelque chose de plus profond que son dépit devant sa partie de pêche gâchée. Je me demandai s'il n'avait pas eu une scène avec sa femme.

– Tiens, tiens, grommela-t-il en regardant du côté du pavillon en brique. Zorro est arrivé.

Me retournant, j'aperçus la silhouette familière de Benton Wesley qui émergeait du bâtiment des toilettes. Il nous dit à peine bonjour en nous rejoignant, ses cheveux argentés mouillés aux tempes, les revers de son costume bleu éclaboussés de gouttes comme s'il venait de s'asperger le visage. Le regard fixé sur la Cherokee, il sortit une paire de lunettes noires de sa poche de poitrine et les chaussa.

– Mrs Harvey est arrivée ? s'enquit-il.

– Non, répondit Marino.

– Et la presse ?

– Personne, fit Marino.

– Parfait.

Le pli qui serrait ses lèvres conférait aux traits bien dessinés de Wesley un air plus dur et encore plus inaccessible que d'habitude. C'est cette expression impénétrable qui m'empêchait de le trouver tout à fait séduisant. Il était en effet impossible de déchiffrer les pensées et les émotions de Benton Wesley, qui avait acquis une telle maîtrise dans l'art de dissimuler sa personnalité que j'en arrivais parfois à me demander si je le connaissais vraiment.

– La plus grande discrétion est souhaitée pour l'instant, poursuivit-il. Dès que la nouvelle sera rendue publique, ça va faire un foin du tonnerre.

– Benton, que savez-vous sur les deux jeunes ? demandai-je.

– Peu de chose. Après avoir signalé leur disparition ce matin, Mrs Harvey a appelé le Directeur chez lui. C'est lui qui m'a ensuite prévenu. Deborah et Fred Cheney se sont rencontrés pendant leur première année au collège, et ils sortent ensemble depuis. D'après ce qu'on sait, tous les deux sont des gosses tranquilles et sans histoires. Rien qui permette de penser qu'ils ont pu se trouver embringués dans une histoire louche – en tout cas, d'après Mrs Harvey. Il m'a toutefois semblé qu'elle n'était pas entièrement convaincue par cette relation. Elle trouve que Cheney et sa fille passent trop de temps seuls ensemble.

– Alors, c'est peut-être pour ça qu'ils voulaient aller sur la côte dans leur propre voiture, suggérai-je.

– Oui, acquiesça Wesley. C'est sans doute la véritable raison. D'après le Directeur, Mrs Harvey n'était pas enchantée que Deborah vienne à Spindrift avec son ami. Elle aurait préféré rester en famille. Mrs Harvey reste à Washington toute la semaine, et elle n'a pas beaucoup vu sa fille et ses deux fils au cours de l'été. À vrai dire, je crois que Deborah et sa mère ne sont pas dans les meilleurs termes depuis quelque temps, et il est possible qu'elles se soient disputées hier matin, juste avant le départ de la famille pour la Caroline du Nord.

– Et si les gosses avaient tout simplement décidé de fuguer ? proposa Marino. Ils ne sont pas bêtes, ils lisent les journaux, regardent la télé, ils ont peut-être vu l'émission sur les meurtres de couples la semaine dernière. Ils sont certainement au courant de ce qui se passe par ici. Qui sait si ça ne leur a pas donné une idée ? Excellent moyen de prendre la poudre d'escampette en embêtant les parents.

– C'est un des scénarios que nous étudions, répliqua Wesley. Raison de plus pour tenir les journalistes dans l'ignorance le plus longtemps possible.

Morrell nous rejoignit alors que nous retournions près de la Cherokee. Une camionnette bleu clair venait de se ranger le long du trottoir. Un homme et une femme vêtus de bottes et de salopettes sombres en descendirent. Ils ouvrirent les portes arrière du véhicule et firent sortir de leur caisse à claire-voie deux limiers haletants qui agitaient frénétiquement la queue. L'homme et la femme agrafèrent de longues laisses aux anneaux des harnais de cuir enserrant le poitrail des animaux.

– Sally, Neptune, au pied !

Je ne savais pas à qui correspondaient ces noms. Les chiens avaient tous deux le poil marron clair, la gueule plissée et les oreilles pendantes. Morrell sourit et tendit la main.

– Comment ça va, toutou ?

Sally, à moins que ce ne fût Neptune, le récompensa d'un coup de langue et frotta son museau contre sa jambe.

Jeff et Gail, les maîtres-chiens, venaient de Yorktown. Gail était aussi grande et paraissait aussi forte que son partenaire. Elle me fit penser à une fermière, le visage tanné par le soleil et le labeur, avec l'attitude flegmatique de ceux qui côtoient la nature et en acceptent indifféremment présents et violences. Gail était capitaine de l'équipe de recherches et secours, et je compris, à la façon dont elle examinait la Cherokee, qu'elle s'assurait que l'on n'avait pas brouillé les odeurs qu'elle allait faire renifler aux chiens.

– On n'a touché à rien, annonça Marino en grattant un des animaux derrière l'oreille. On n'a même pas ouvert les portières.

– Savez-vous si quelqu'un est monté dedans ? demanda Gail. Peut-être la personne qui l'a découverte ?

– Le numéro d'immatriculation, commença Morrell, a été diffusé sur les téléscripteurs tôt ce matin. On a envoyé des BOLO partout et...

– Qu'est-ce que c'est que ça, des BOLO ? l'interrompit Wesley.

– Be On the Lookout[1].

1. Littéralement : « Soyez aux aguets ». Autrement dit : « Avis de recherche ».

Wesley garda un visage de marbre pendant que Morrell poursuivait d'un ton monotone.

– Comme les patrouilleurs ne pointent pas au poste, ils ne sont pas toujours au courant des messages qui tombent sur les téléscripteurs. Ils prennent leur voiture et partent en tournée. Les répartiteurs ont diffusé des BOLO dès qu'on a signalé la disparition du couple, et vers 1 heure de l'après-midi, un routier a repéré la Cherokee et nous a avertis. Le policier qui s'est rendu sur les lieux a dit qu'à part pour s'assurer qu'il n'y avait personne à l'intérieur, il ne s'était même pas approché de la voiture.

J'espérais que c'était vrai. La plupart des policiers, même expérimentés, ne peuvent s'empêcher d'ouvrir la portière d'une voiture abandonnée et, au minimum, de fouiller la boîte à gants dans l'espoir d'y trouver l'identification du propriétaire.

S'emparant des deux laisses, Jeff s'éloigna pour aller faire pisser les deux chiens.

– Vous avez quelque chose à leur faire sentir ? demanda Gail.

– On a demandé à Pat Harvey de nous apporter un habit de Deborah, dit Wesley.

Si Gail fut le moins du monde surprise ou impressionnée en apprenant qui elle allait rechercher, elle ne le montra pas et attendit que Wesley poursuive.

– Elle doit arriver en hélicoptère, ajouta-t-il en consultant sa montre. Elle ne devrait pas tarder.

– Bon, veillez à ce que l'hélico ne se pose pas trop près, fit Gail en se dirigeant vers la voiture. Inutile de tout remuer.

Examinant l'habitacle par la vitre conducteur, elle étudia tout spécialement l'intérieur des portes et le tableau de bord. Ensuite, elle se redressa et observa un bon moment la poignée extérieure en plastique noir.

– Le mieux, ça sera sans doute les sièges, décréta-t-elle. On en fera sentir un à Sally, l'autre à Neptune. Mais d'abord, il va falloir ouvrir sans rien déranger. Quelqu'un aurait un stylo ou un crayon ?

Wesley sortit son Mont-Blanc de sa poche de chemise et le lui tendit.

– Il m'en faut un autre, dit Gail.

Aussi incroyable que cela paraisse, ni Marino ni Morrell ni moi n'avions de stylo. J'aurais pourtant parié que j'en avais une ribambelle dans mon sac.

– Un canif, ça vous irait ? fit Marino en plongeant la main dans une poche de son jean.

– Ça sera parfait.

Stylo dans une main, couteau suisse dans l'autre, Gail enfonça le poussoir d'ouverture et, en même temps, glissa son pied sous la portière et l'ouvrit. Pendant qu'elle opérait, on entendit, de plus en plus proche, le vrombissement des pales d'un hélicoptère.

Quelques instants plus tard, un Bell Jet Ranger rouge et blanc tournoya au-dessus de nous, s'immobilisa, puis, comme une grosse libellule, descendit jusqu'au sol en soulevant un nuage de poussière. Le vacarme devint assourdissant, les arbres ployèrent et l'herbe se coucha sous le souffle puissant du rotor. Yeux fermés, tenant fermement les laisses, Gail et Jeff s'accroupirent près de leurs chiens.

Marino, Wesley et moi nous étions réfugiés près du petit pavillon en brique, d'où nous observâmes la descente de l'appareil. Tandis que l'hélico pivotait lentement sur lui-même dans le vacarme des moteurs et du souffle d'air, j'aperçus un instant Pat Harvey qui se penchait pour voir la Jeep Cherokee de sa fille, avant que le reflet du soleil sur les vitres de la cabine ne la dérobe à ma vue.

Elle descendit de l'hélicoptère et, tête baissée, s'en éloigna à grandes enjambées, la jupe plaquée contre ses jambes tandis que Wesley, à bonne distance de l'appareil, la cravate flottant sur son épaule comme une écharpe d'aviateur, attendait que les pales ralentissent.

Avant de devenir la responsable nationale du programme anti-drogue, Pat Harvey avait exercé au barreau de Richmond, d'abord comme avocate du Commonwealth de Virginie, puis comme avocate fédérale. Les grosses affaires de trafic de drogue qu'elle avait traitées devant les instances fédérales comportaient parfois des victimes que j'avais autopsiées. Mais je n'avais jamais eu à déposer en sa présence. Seuls mes rapports avaient été cités à l'audience. Mrs Harvey et moi ne nous étions jamais rencontrées.

À la télévision et sur les photos que publiaient les journaux, elle avait toujours une allure très professionnelle. En chair et en os, elle était à la fois féminine et très séduisante, mince, les traits finement dessinés, avec de courts cheveux auburn sur lesquels le soleil posait quelques touches de roux et d'or. Wesley procéda aux présentations, et Mrs Harvey serra nos mains avec la politesse et l'assurance d'un politicien accompli. Mais elle ne souriait pas et fuyait nos regards.

– Je vous ai apporté un sweat-shirt, dit-elle à Gail en lui tendant un sac en papier. Je l'ai trouvé dans la chambre de Debbie. Je ne sais pas quand elle l'a porté pour la dernière fois, mais en tout cas, il n'a pas été lavé récemment.

– Quand votre fille est-elle allée pour la dernière fois dans votre maison de la côte ? s'enquit Gail.

– Début juillet. Elle est allée y passer un week-end avec des amis.

– Et vous êtes sûre que c'est elle qui portait ce sweat-shirt ? demanda Gail comme si elle parlait de la pluie et du beau temps. Un de ses amis aurait pu le lui emprunter.

La question décontenança un instant Mrs Harvey.

– Je ne peux pas en être sûre, en effet, admit-elle. Je pense que c'est Debbie qui l'a mis, mais je ne pourrais pas le jurer. Je n'étais pas là.

Son regard se porta au-delà de nous et, par la portière ouverte, elle observa l'intérieur de la Cherokee, s'arrêtant un instant sur les clés toujours insérées dans le contact, un « D » en argent accroché à l'anneau du trousseau. Pendant un long moment, personne ne parla, et je sentis que Pat Harvey devait faire appel à toute sa raison pour ne pas se laisser submerger par l'émotion et la panique. Elle se tourna enfin vers nous.

– Debbie avait sûrement un sac avec elle. En Nylon, rouge vif. Un de ces petits sacs de sport avec une fermeture en Velcro. L'avez-vous retrouvé ?

– Non, madame, répondit Morrell. Pas pour l'instant, en tout cas, mais nous n'avons pas encore fouillé la voiture. Nous attendions les chiens.

– Il devait être sur un des sièges avant, peut-être par terre, poursuivit-elle.

Morrell secoua la tête.

– Mrs Harvey, intervint Wesley, savez-vous si votre fille avait beaucoup d'argent sur elle ?

– Je lui ai donné cinquante dollars pour la nourriture et l'essence. Je ne sais pas ce qu'elle avait d'autre en liquide, mais elle avait ses cartes de crédit et son carnet de chèques.

– Savez-vous combien elle avait sur son compte ? demanda Wesley.

– Son père lui a remis un chèque la semaine dernière, pour ses livres scolaires et ses dépenses courantes. Je suppose qu'elle doit avoir au moins mille dollars en banque.

– Peut-être devriez-vous vérifier, suggéra Wesley. Vous assurer que cet argent n'a pas été retiré.

– Je m'en occuperai dès que je serai rentrée.

Je perçus l'espoir qui renaissait en elle. Sa fille avait de l'argent liquide, des cartes de crédit et un compte approvisionné. Son sac n'étant apparemment plus dans la Cherokee, elle l'avait sans doute avec elle. Ce qui voulait dire qu'elle était saine et sauve, avec son ami.

– Votre fille a déjà menacé de partir avec Fred ? lui demanda sans ménagement Marino.

– Non. (Elle regarda à nouveau la voiture et ajouta, comme pour se raccrocher à cette possibilité :) Mais ça ne veut pas dire qu'elle ne l'a pas fait.

– Comment elle était quand vous lui avez parlé pour la dernière fois ? reprit Marino.

– Nous nous sommes querellées hier matin avant que je ne parte à la plage avec mes fils, répliqua-t-elle d'un ton détaché. Elle m'en veut.

– Elle sait que plusieurs couples ont disparu par ici ? reprit Marino.

– Bien sûr. Nous en avons parlé souvent. Elle était au courant.

– Nous ferions mieux de nous y mettre, dit Gail à Morrell.

– Bonne idée.

– Ah, une dernière question, fit Gail à l'adresse de Mrs Harvey. Qui conduisait la Cherokee, à votre avis ?

– Fred, je suppose, dit-elle. Quand ils prennent la voiture, c'est en général Fred qui conduit.

Gail hocha la tête.

– Je vais encore avoir besoin du stylo et du canif, dit-elle.

Wesley et Marino les lui donnèrent, elle contourna le véhicule et ouvrit la portière passager. Puis elle saisit la laisse d'un des chiens, qui se releva aussitôt et vint se fourrer dans ses jambes, reniflant partout, les muscles jouant sous son souple poil lustré, les oreilles pendantes comme lestées de plomb.

– Allez, Neptune, on a besoin de ton museau magique.

Nous regardâmes Gail diriger la gueule de l'animal sur le siège que Deborah avait probablement occupé la veille, mais soudain, l'animal couina comme s'il était tombé nez à nez avec un serpent à sonnettes et bondit en arrière, arrachant presque la laisse des mains de Gail. Le poil hérissé, il fourra sa queue entre ses jambes, et je sentis un frisson courir le long de ma colonne vertébrale.

– Calme, Neptune. Calme !

Poussant des gémissements, secoué de tremblements, Neptune s'accroupit et déféqua dans l'herbe.

2

Le lendemain, je m'éveillai épuisée, et attendis avec angoisse le journal dominical.

La manchette était si grosse qu'on pouvait la lire à cent mètres :

DISPARITION DE LA FILLE DU TSAR DE LA DROGUE ET DE SON AMI – LA POLICE CRAINT UN NOUVEAU DRAME

Les journalistes avaient réussi à se procurer non seulement une photo de Deborah Harvey, mais aussi un cliché montrant la Jeep Cherokee remorquée hors de l'aire de repos et une autre photo sur laquelle Bob et Pat Harvey marchaient main dans la main sur la plage déserte de Spindrift. Je lus l'article en buvant mon café et ne pus m'empêcher de songer à la famille de Fred Cheney. Lui n'avait pas la chance d'appartenir à une famille célèbre. Il n'était que « l'ami de Deborah ». Et pourtant, lui aussi avait disparu, lui aussi avait une famille qui l'aimait.

Fred était le fils unique d'un homme d'affaires du Southside dont la femme avait succombé l'année précédente à une rupture d'anévrisme au cerveau. L'article précisait que le père de Fred se trouvait en visite chez des parents à Sarasota lorsque la police avait fini par le joindre, tard dans la soirée de la veille. Si l'on ne pouvait écarter la possibilité que Fred ait « fugué » avec Deborah, poursuivait le journal, c'était toutefois une démarche peu conforme au caractère de Fred, décrit comme « poursuivant des études sérieuses au collège Carolina, dont il est par ailleurs membre de l'équipe de natation ». Deborah, quant à elle, à côté de ses excellents résultats scolaires, était une gymnaste si accomplie qu'on la considérait comme un espoir olympique. Pesant une cinquantaine de kilos, elle avait des cheveux châtains tombant sur les épaules et les traits fins de sa mère. Fred était un garçon large d'épaules, élancé, avec des cheveux bruns bouclés et des yeux noisette. Les deux jeunes gens formaient un couple charmant et inséparable.

« Quand vous en voyiez un, vous pouviez être sûr que l'autre n'était pas loin, déclarait un de leurs amis dans l'article. Fred a rencontré Debbie à l'époque où sa mère est morte. Je ne pense pas qu'il aurait surmonté le choc sans elle. »

Comme de bien entendu, l'article reprenait en détail la façon dont les quatre autres couples avaient disparu avant d'être retrouvés assassinés. Mon nom était cité plusieurs fois. L'auteur de l'article me disait frustrée, perplexe et fuyant les interviews. Je me demandai si un seul lecteur songerait que je continuais à autopsier tous les jours des victimes d'homicides, de suicides et d'accidents. Je parlais aux familles, je déposais devant les tribunaux, prononçais des conférences devant des auditoires d'infirmiers ou de policiers. Avec ou sans meurtres de couples, la vie continuait.

Je m'étais levée de table et buvais mon café devant la fenêtre de la cuisine lorsque le téléphone sonna.

M'attendant à entendre ma mère, qui m'appelle souvent à cette heure-là le dimanche pour s'enquérir de ma santé et vérifier si je suis bien allée à la messe, je rapprochai une chaise tout en décrochant.

– Dr Scarpetta ?

– Elle-même.

Je reconnaissais la voix mais ne parvenais pas à mettre un nom dessus.

– Pat Harvey à l'appareil. Pardonnez-moi de vous déranger.

– Vous ne me dérangez pas du tout, répondis-je avec sincérité. Que puis-je faire pour vous ?

– Ils ont cherché toute la nuit. Ils ont mobilisé des renforts, fait venir d'autres chiens, des hélicoptères. (Son débit s'accéléra.) Rien. Aucune trace. Bob participe aux recherches. Je suis revenue à la maison. (Elle eut un moment d'hésitation.) Je me demandais si vous ne pourriez pas venir me rejoindre ? À moins que vous n'ayez d'autres projets pour le déjeuner ?

Après un long silence, je finis par accepter, à contrecœur, son invitation. Lorsque j'eus raccroché, je me le reprochai, car je savais très bien ce qu'elle attendait de moi. Pat Harvey m'interrogerait sur ce qui était arrivé aux autres couples. Si j'avais été à sa place, c'est ce que j'aurais fait.

Je montai dans ma chambre et pris un long bain brûlant pendant que mon répondeur enregistrait des messages auxquels, sauf cas d'urgence, je n'avais aucune intention de répondre. Moins d'une heure après, vêtue d'un ensemble kaki, je repassai les messages. Il y en avait cinq, émanant tous de journalistes ayant appris que j'avais été appelée sur l'aire d'autoroute, ce qui à leurs yeux ne présageait rien de bon pour le couple disparu.

Je tendis la main vers le téléphone pour rappeler Pat Harvey et annuler notre déjeuner, mais je ne pouvais oublier l'expression qu'elle avait eue en sortant de l'hélicoptère avec le sweat-shirt de sa fille dans le sac en papier. Jamais je n'oubliais le visage des parents dans ces moments-là. Raccrochant le combiné, je fermai la maison et montai dans ma voiture.

Les Harvey habitaient près de Windsor, au bord de la James, dans une magnifique demeure de style colonial dominant le fleuve. Le domaine, qui s'étendait sur au moins deux hectares, était clos d'un haut mur de briques portant de loin en loin un panneau « Propriété privée ». À l'entrée d'une lon gue allée ombragée, je fus arrêtée par une solide grille en fer forgé qui s'ouvrit en coulissant avant que je puisse descendre ma vitre pour appuyer sur le bouton de l'interphone. La grille se referma derrière moi dès que je l'eus franchie, et peu après, je garai ma voiture à côté d'une Jaguar noire, devant une sorte de portique romain avec colonnes, maçonnerie de vieilles briques rouges et pourtours blancs.

La porte de la maison s'ouvrit alors que je descendais de voiture. S'essuyant les mains à un torchon, Pat Harvey m'adressa un sourire crâne du haut des marches. Elle avait le visage pâle, le regard terne et las.

– C'est si gentil de vous être déplacée, Dr Scarpetta, dit-elle en s'effaçant. Entrez, je vous prie.

Le vestibule était aussi vaste qu'un salon, et je la suivis, à travers une salle de séjour, jusqu'à la cuisine. Le mobilier était du XVIIIe, les tapis d'Orient couvraient le moindre pouce de parquet, d'authentiques tableaux impressionnistes ornaient les murs et des bûches de hêtre étaient soigneusement empilées dans la cheminée. La cuisine était la seule pièce donnant l'impression qu'on l'utilisait. Il ne semblait y avoir personne d'autre à la maison que Pat Harvey.

– Jason et Michael sont avec leur père, m'expliqua-t-elle. Ils sont revenus ici ce matin.

– Quel âge ont-ils ? m'enquis-je tandis qu'elle ouvrait la porte du four.

– Jason a 16 ans et Michael 14. C'est Debbie l'aînée. (Elle chercha des yeux les gants de cuisine, éteignit le four et posa une quiche sur un des brûleurs. C'est d'une main tremblante qu'elle sortit couteau et spatule d'un tiroir.) Que voulez-vous boire ? Vin, thé, café ? J'ai préparé un repas léger et une salade de fruits. Nous pourrions nous installer sur la terrasse, si cela vous convient.

– Ce sera parfait, dis-je. Je prendrai du café.

L'air absent, elle sortit du réfrigérateur un paquet d'Irish Creme et en versa un peu dans le filtre d'une cafetière électrique. Je l'observai sans mot dire. Elle était désespérée. Son mari et ses fils étaient absents. Sa fille avait disparu, la maison était silencieuse et déserte.

Elle ne commença à me poser des questions que lorsque nous fûmes attablées sur la véranda, dont elle ouvrit en grand les baies coulissantes qui donnaient sur le fleuve scintillant à nos pieds.

– La réaction de ces chiens, dit-elle en piquant une feuille de salade avec sa fourchette. Savez-vous ce qui s'est passé ?

Je le savais mais ne voulais pas le lui dire.

– Le premier chien, en tout cas, a eu une réaction étonnante, n'est-ce pas ?

L'autre chien, Sally, n'avait en effet pas réagi comme Neptune. Après lui avoir fait renifler le siège conducteur, Gail avait agrafé la laisse à son harnais et lui avait ordonné de chercher. L'animal avait regagné l'aire proprement dite, d'où il avait entraîné Gail à travers le parking, droit sur l'autoroute, où il se serait fait emporter par une voiture si Gail ne l'avait pas retenu. Ils avaient alors gagné la bande plantée d'arbustes séparant les deux voies, puis traversé la chaussée opposée. Le limier avait perdu la trace dans le parking de l'aire symétrique à celle où avait été retrouvée la Jeep Cherokee de Deborah Harvey.

– Dois-je en déduire, reprit Mrs Harvey, que la dernière personne à avoir conduit la Cherokee de Debbie a laissé la voiture sur l'aire où nous étions, puis a retraversé à pied l'autoroute ? Dans ce cas, il est probable que cette personne a rejoint une voiture garée sur l'aire opposée et est repartie vers l'est, non ?

– C'est une interprétation plausible, répliquai-je en mordillant un morceau de quiche.

– Quelle autre explication voyez-vous, Dr Scarpetta ?

– Le chien a reniflé une odeur et suivi une trace. La trace de qui ou de quoi, je n'en sais rien. Il peut s'agir de celle de Deborah, comme de celle de Fred, comme de celle d'une tierce personne...

– C'est vrai. Sa voiture est restée là-bas pendant des heures, m'interrompit Mrs Harvey en contemplant le fleuve. N'importe qui aurait pu y chercher de l'argent ou des objets de valeur. Ce pourrait être un auto-stoppeur, quelqu'un qui passait par là à pied... Il a pu fouiller la voiture, traverser ensuite l'autoroute.

J'omis de lui rappeler que la police avait découvert le portefeuille de Fred Cheney dans la boîte à gants, avec plusieurs cartes de crédit et 35 dollars en liquide. Par ailleurs, les bagages des jeunes gens ne semblaient pas avoir été fouillés. D'après les premières constatations, rien ne manquait dans la voiture. Sauf ses occupants et le sac à main de Deborah.

– La façon dont le premier chien a réagi, reprit-elle d'un ton anodin. Je suppose que c'est inhabituel. Il a été effrayé par quelque chose. Troublé, au moins. Une odeur différente, qui n'avait rien à voir avec celle qu'a reniflée l'autre animal. Le siège où était sans doute assise Deborah...

Sa voix mourut alors que nos deux regards se croisaient.

– Oui, il semble que les chiens aient senti deux odeurs bien différentes.

– Dr Scarpetta, je vous demanderai d'être aussi directe que possible avec moi. (Sa voix tremblait.) N'ayez pas peur de me faire du mal. Je vous en prie. Je sais que le chien n'a pas eu cette réaction sans raison. Je suppose que votre travail vous a déjà mise en contact avec ce genre de recherches, où l'on utilise des chiens. En avez-vous déjà vu un réagir de cette façon ?

Oui, j'avais déjà vu ça. Deux fois. La première, quand un limier avait reniflé le coffre d'une voiture qui, comme il fut prouvé par la suite, avait servi à transporter un homme assassiné dont le cadavre avait été découvert dans une benne à ordures. L'autre fois, ce fut lorsque la trace suivie par l'animal nous avait conduits à l'écart d'un sentier de randonnée, où une femme avait été violée, puis tuée par balles. Je ne tenais pas à relater ces deux exemples.

– Les limiers réagissent parfois de façon excessive aux odeurs phérormonales, me contentai-je de dire.

– Je vous demande pardon ? fit-elle en fronçant les sourcils.

– Je veux parler des sécrétions. Les animaux, les insectes sécrètent des produits chimiques. Pour déclencher le désir sexuel, par exemple. Vous n'ignorez pas que les chiens marquent leur territoire, n'est-ce pas ? Ou qu'ils attaquent lorsqu'ils décèlent la peur chez un homme ou un animal ?

Elle se contenta de me fixer en silence.

– Lorsque quelqu'un se trouve dans une situation d'excitation sexuelle, de stress ou d'angoisse, poursuivis-je, son corps subit différentes modifications hormonales. Il est à peu près prouvé que les animaux doués d'un flair subtil, tels que les limiers, sont capables de détecter les phérormones, c'est-à-dire les produits chimiques que certaines glandes de notre corps sécrètent...

– Debbie, m'interrompit-elle, s'est plainte de crampes juste avant que je parte sur la côte avec Jason et Michael. C'étaient ses règles qui commençaient. Cela pourrait-il expliquer... ? Si c'est elle qui était assise côté passager, c'est peut-être ça que le chien a senti, non ?

Je ne répondis pas. Son hypothèse n'expliquait pas la violence de la réaction de Neptune.

– Ça ne suffit pas, reprit-elle. (Pat Harvey détourna le regard et entortilla ses doigts dans sa serviette.) Ça ne suffit pas à expliquer que le chien ait gémi comme il l'a fait, avec le poil tout hérissé. Oh, Seigneur. C'est comme pour les autres couples, n'est-ce pas ?

– Rien ne me permet de l'affirmer pour l'instant.

– Mais vous y pensez. La police y pense. Si ça n'était pas venu aussitôt à l'esprit de tout le monde, on ne vous aurait pas fait venir hier. Je veux savoir ce qui leur est arrivé. Aux autres couples, je veux dire.

Je ne dis rien.

– D'après ce que j'ai lu dans les journaux, insista-t-elle, la police vous a appelée à chaque fois sur les lieux.

– Exact.

Elle plongea la main dans une poche de son blazer et en sortit une feuille de papier qu'elle déplia et lissa sur la table.

– Bruce Phillips et Judy Roberts, me rappela-t-elle comme s'il en était besoin. Un couple de lycéens disparus il y a deux ans et demi, le 1er juin. Partis de chez un ami, à Gloucester, ils n'ont jamais regagné leurs domiciles respectifs. Le lendemain matin, la Camaro de Bruce a été retrouvée abandonnée sur l'US 17, la clé sur le contact, les portières ouvertes et les vitres baissées. Deux mois et demi plus tard, on vous a fait venir dans un bois, à deux kilomètres à l'est du York River State Park, où des chasseurs venaient de découvrir deux corps dont il ne restait pratiquement que les os, allongés face contre terre, à environ 6 kilomètres de l'endroit où on avait retrouvé la voiture de Bruce dix semaines auparavant.

C'est à cette époque que la police locale avait fait appel au VICAP. Mais ce que Marino, Wesley et le détective de Gloucester ignoraient alors, c'est qu'un deuxième couple avait été porté disparu au mois de juillet, soit un peu plus d'un mois après la disparition de Bruce et Judy.

– Ensuite, il y a eu Jim Freeman et Bonnie Smyth. (Mrs Harvey leva les yeux vers moi.) Disparus le dernier samedi de juillet, après une soirée au domicile des Freeman, à Providence Forge. En fin de soirée, Jim a voulu raccompagner Bonnie chez elle, et le lendemain, un policier de Charles City découvrait la Blazer de Jim abandonnée à une quinzaine de kilomètres de chez les Freeman. Quatre mois plus tard, le 12 novembre, des chasseurs découvraient leurs cadavres près de West Point...

Pat Harvey ignorait que malgré mes demandes répétées, je n'avais pas obtenu de copies des éléments confidentiels des rapports de police, ni des clichés pris sur place, ni des listes de scellés. J'attribuais ce manque apparent de coopération au fait que l'enquête avait été menée par différentes juridictions.

Mrs Harvey poursuivit son impitoyable résumé. En mars de l'année suivante, nouvelle disparition. Ben Anderson part en voiture d'Arlington pour rejoindre sa fiancée, Carolyn Bennett, qui l'attend chez ses parents, à Stingray Point, dans la baie de Chesapeake. Ils quittent la maison des Bennett peu avant 7 heures pour retourner à l'Old Dominion University de Norfolk où ils sont étudiants. Le lendemain soir, un policier contacte les parents de Ben et leur annonce que le pick-up de leur fils a été retrouvé abandonné au bord de l'I-64, à environ 8 kilomètres à l'est de Buckroe Beach. Les clés sont sur le contact, les portières non verrouillées, le portefeuille de Carolyn gît sous le siège passager. Leurs corps, presque des squelettes, sont retrouvés dans une forêt, six mois plus tard, par des chasseurs de daim, à 5 kilomètres au sud de la Route 199 dans York County. Cette fois-là, je n'avais même pas reçu d'exemplaire du rapport de police.

C'est par les journaux que j'avais appris, au mois de février dernier, que Susan Wilcox et Mike Martin avaient à leur tour disparu. Ils se rendaient chez Mike, à Virginia Beach, pour y passer quelques jours de congés lorsque, comme les autres couples, ils s'étaient volatilisés. La fourgonnette bleue de Mike avait été retrouvée, vide, le long de Colonial Parkway, près de Williamsburg, le mouchoir blanc noué sur l'antenne pour signaler une panne mécanique n'étant, comme le découvrirent les policiers, qu'une mise en scène. Le 15 mai, un père et son fils partis chasser le dindon sauvage découvrirent les deux corps décomposés dans un bois situé entre la Route 60 et l'I-64, dans James City County.

Je me souvenais avoir, une fois de plus, envoyé les ossements à l'anthropologue du Smithsonian Institute pour qu'il les examine. Huit jeunes gens avaient ainsi péri, et malgré les innombrables heures que j'avais passées à étudier leurs restes, j'étais toujours incapable de dire comment et pourquoi ils étaient morts.

« S'il y a une prochaine fois – Dieu nous en préserve –, n'attendez pas que l'on ait découvert les corps, avais-je dit à Marino. Prévenez-moi dès qu'on retrouve la voiture.

– Ouais. Feriez mieux d'autopsier les bagnoles, vu que les cadavres nous disent rien », avait-il rétorqué en croyant être drôle.

– Dans tous les cas, poursuivait Mrs Harvey, les portières sont déverrouillées, les clés sur le contact, il n'y a aucune trace de lutte et pas de vol apparent. Le *modus operandi* est toujours le même.

Elle replia ses notes et les remit dans sa poche.

– Vous êtes bien informée, me contentai-je de dire.

Je m'abstins de lui poser la question, mais je supposai qu'elle avait demandé à ses collaborateurs de se documenter sur ces affaires.

– Ce que je veux dire, c'est que vous suivez l'enquête depuis le début, dit-elle. Vous avez examiné tous les cadavres. Et pourtant, d'après ce que je comprends, vous ignorez encore comment sont morts ces jeunes.

– C'est exact. J'ignore la cause de leur mort.

– Vous *l'ignorez* ou vous ne voulez pas le dire, Dr Scarpetta ?

La carrière de procureur fédéral de Pat Harvey lui avait valu le respect, sinon la crainte, de tous. Elle savait se montrer directe et même agressive, et j'eus la brusque impression que sa charmante terrasse venait de se transformer en salle de tribunal.

– Si je connaissais la cause de leur mort, je n'aurais pas clos leur dossier sur un avis de « cause indéterminée », répondis-je avec calme.

– Mais vous pensez qu'ils ont été assassinés ?

– Je pense que des personnes jeunes et en bonne santé n'abandonnent pas leur voiture pour aller mourir de mort naturelle dans un bois, Mrs Harvey.

– Et les différentes hypothèses avancées ? Que pouvez-vous m'en dire ? Je suppose que vous les connaissez.

Je les connaissais.

Quatre juridictions et au moins autant de détectives travaillaient sur ces meurtres, chacun avançant diverses suppositions. Selon l'une d'elles, par exemple, les jeunes gens prenaient parfois de la drogue, et ils avaient rencontré un dealer qui leur avait fourgué un nouveau produit indétectable par les examens toxicologiques traditionnels. Ou alors, on invoquait quelque phénomène occulte. Ou bien encore les couples faisaient partie d'une société secrète, et leurs morts étaient en réalité des suicides rituels.

– Je ne crois pas beaucoup aux théories que j'ai entendues, fis-je.

– Pourquoi ?

– Mes constatations les infirment.

– Que confirment-elles, alors ? demanda-t-elle. Et puis de qu'elles *constatations* parlez-vous ? D'après tout ce que j'ai lu et entendu, vous n'avez fait aucune foutue constatation.

Le ciel s'était voilé et, juste sous le soleil, telle une aiguille argentée, un avion tirait son fil blanc. Je regardai, sans rien dire, la traînée s'élargir et disparaître au fur et à mesure. Si Deborah et Fred avaient subi le même sort que les autres, nous n'étions pas près de découvrir leurs corps.

– Ma Debbie n'a jamais pris de drogue, fit Mrs Harvey en refoulant ses larmes. Elle ne fait partie d'aucune secte ni d'aucun groupe bizarre. Elle a son caractère et, comme toute adolescente, ses périodes de déprime. Mais elle ne se serait jamais...

Elle se tut et, l'air égaré, tenta de se ressaisir.

– Concentrez-vous sur ce qui se passe ici et maintenant, lui conseillai-je d'une voix douce. Nous ne savons pas ce qui est arrivé à votre fille. Pas plus qu'à Fred. Nous ne le saurons peut-être pas avant longtemps. Que pourriez-vous me dire à propos de Deborah, et aussi de Fred, qui puisse nous être utile ?

– Un policier est passé ce matin, répondit-elle en prenant une profonde inspiration. Il est allé dans sa chambre, il a pris plusieurs vêtements, sa brosse à cheveux. Il a dit qu'ils feraient renifler les vêtements aux chiens, et qu'ils avaient besoin de la brosse pour comparer les cheveux de Debbie avec ceux qu'on pourrait trouver dans la Cherokee. Voudriez-vous la voir ? Voulez-vous voir sa chambre ?

Curieuse, j'acquiesçai d'un hochement de tête.

Je la suivis jusqu'au premier par un escalier en bois. La chambre de Deborah était située dans l'aile est de la maison, d'où elle pouvait voir le soleil se lever et les nuages d'orage se rassembler au-dessus de la James River. La pièce ne ressemblait pas à la plupart des chambres d'adolescentes. Le mobilier, scandinave, était en teck et de formes sobres. Une couverture en piqué, aux pâles nuances vertes et bleues, recouvrait le lit double dont la descente était un tapis oriental rose et prune. Des encyclopédies et romans emplissaient une étagère et, au-dessus du bureau, sur deux autres rayonnages, étaient disposés des trophées et des dizaines de médailles aux rubans colorés, ainsi qu'une grande photo de Deborah sur une poutre d'équilibre, le dos arqué, les mains posées sur la barre comme deux oiseaux délicats. Comme sa chambre, son visage dégageait à la fois de la grâce et de la discipline. Inutile d'être sa mère pour comprendre que cette fille de 19 ans avait quelque chose d'exceptionnel.

– C'est Debbie qui a tout choisi, m'informa Mrs Harvey tandis que je détaillais la pièce. Les meubles, le tapis, les couleurs. Comment imaginer qu'il y a quelques jours, elle était en train de préparer ses affaires pour aller au collège ? (Elle regarda les quelques valises et la malle empilées dans un coin, puis s'éclaircit la gorge.) C'est quelqu'un de très organisé. Je suppose qu'elle tient ça de moi. (Elle eut un sourire nerveux avant d'ajouter :) Même si c'est ma seule qualité, on ne peut nier que j'ai le sens de l'organisation.

Je songeai à la Jeep Cherokee de Deborah. Elle était impeccable, aussi bien à l'extérieur qu'à l'intérieur. Les bagages y avaient été soigneusement rangés.

– Elle prend un soin extrême de ses affaires, reprit Mrs Harvey en s'approchant de la fenêtre. Je me suis longtemps demandé si nous ne la gâtions pas trop. Garde-robe, voiture, argent. Bob et moi avons eu de nombreuses discussions à ce sujet. Le fait que je travaille à Washington ne facilite pas les choses, bien sûr. Mais lorsque j'ai appris ma nomination, l'année dernière, nous avons décidé d'un commun accord qu'il était inutile de déraciner toute la famille. Et puis Bob a son travail ici. C'était plus facile que je prenne un appartement et que je revienne ici le week-end quand je le pouvais. J'attends de voir ce qui se passera après les prochaines élections.

Elle resta silencieuse un long moment.

– Ce que j'essaie de vous dire, reprit-elle enfin, c'est que je n'ai jamais su dire non à Debbie. Il est difficile d'avoir un comportement rationnel quand vous voulez que vos enfants aient ce qu'il y a de mieux. Surtout quand vous vous souvenez des désirs que vous aviez à leur âge, de vos incertitudes sur la façon de vous habiller, sur votre apparence physique. Vous saviez bien que vos parents ne pouvaient pas s'offrir de dermatologue, de spécialiste orthodontique, de chirurgien esthétique. (Elle croisa les bras.) Nous avons toujours essayé de rester dans des limites raisonnables mais je me demande parfois si nous ne nous sommes pas trompés. Pour sa Cherokee, par exemple. J'étais opposée à ce qu'elle ait une voiture, mais à l'époque, je n'avais pas l'énergie pour la lui refuser. Elle a une fois de plus montré son sens pratique : elle a choisi une voiture capable de rouler par n'importe quel temps.

– Vous parlez de chirurgie esthétique, intervins-je d'un ton hésitant. Faites-vous allusion à une opération qu'aurait subie votre fille ?

– Les poitrines volumineuses sont une gêne pour une gymnaste, Dr Scarpetta, fit-elle sans se retourner. À seize ans, Debbie avait une poitrine bien plus forte que les filles de son âge. C'était une source d'embarras pour elle, et en plus, ça la gênait dans ses activités sportives. Le problème a été résolu l'année dernière.

– Alors, cette photo doit être récente ?

La Deborah que je voyais sur le cliché était aussi parfaite qu'une statue, avec des fesses fermes et de petits seins.

– Elle a été prise au mois d'avril dernier, en Californie.

Les praticiens comme moi se basent sur des particularités anatomiques – existence ou non d'une hystérectomie, état des canaux radiculaires, cicatrice d'intervention esthétique – pour identifier un cadavre. Je les trouvais dans les formulaires de signalement des personnes disparues. Ces détails, peu glorieux mais combien humains, représentaient les meilleurs indices sur lesquels je pouvais me baser, ayant appris par expérience que les bijoux et autres effets personnels ne constituaient pas des preuves fiables.

– Ce que je viens de vous dire ne doit pas sortir des quatre murs de cette pièce, dit Mrs Harvey. Debbie est une personne très discrète. Comme nous tous, d'ailleurs.

– Je comprends.

– Même sa relation avec Fred était très discrète, poursuivit-elle. Trop, peut-être. Comme vous pouvez le constater, rien ici n'atteste l'existence de Fred, aucune photo, rien. Je suis sûre qu'ils se sont fait des cadeaux, donné des photos, échangé des livres, écrit des lettres. Mais Debbie a toujours été muette là-dessus. Par exemple, ce n'est que quelques jours après son anniversaire, en février, que j'ai remarqué qu'elle portait une bague en or au petit doigt de la main droite. Un anneau avec un motif floral. Elle n'en a jamais parlé et je ne lui ai posé aucune question, mais je suis sûre que c'était un cadeau de Fred.

– Le considérez-vous comme un garçon stable ?

– Fred, dit-elle en se tournant vers moi, a une forte personnalité, un tempérament presque obsessionnel, mais pas instable. Je ne peux pas me plaindre de lui. C'est juste que cette relation me paraît trop sérieuse, trop... (Elle détourna le regard en cherchant le mot exact.) Trop absorbante. C'est comme une drogue. On dirait qu'ils sont accrochés l'un à l'autre. (Elle ferma les yeux, me tourna le dos et appuya le front contre la vitre.) Mon Dieu, jamais nous n'aurions dû lui acheter cette sacrée voiture.

Je gardai le silence.

– Fred n'a pas de voiture, reprit-elle. Elle aurait été obligée...

Sa voix mourut.

– Elle aurait été obligée d'aller sur la côte avec vous, dis-je.

– Et tout ça ne serait pas arrivé !

Sur ce, elle quitta brusquement la pièce. Je compris qu'elle ne supportait pas de rester une seconde de plus dans la chambre de sa fille, et je la suivis au rez-de-chaussée, puis jusqu'à la porte. Au moment où je lui tendais la main, elle détourna la tête et les larmes inondèrent son visage.

– Je suis tellement désolée.

Combien de fois devrais-je encore prononcer cette phrase ?

La porte se referma doucement pendant que je descendais les marches du seuil. Dans ma voiture, je priai le ciel, au cas où je devrais rencontrer une nouvelle fois Pat Harvey, pour que ce ne soit pas en tant que médecin expert général.

3

Une semaine passa avant que je n'aie des nouvelles directes de l'enquête Harvey-Cheney qui, d'après le peu que je savais, n'avançait pas. Le lundi suivant, alors que je travaillais à la morgue, du sang jusqu'aux coudes, je reçus un coup de téléphone de Benton Wesley. Il voulait nous parler d'urgence, à Marino et moi, et nous invitait à dîner.

– M'est avis que Pat Harvey le rend nerveux, me dit Marino alors que nous roulions sous la pluie pour nous rendre chez Wesley. Pour moi, elle peut bien aller voir toutes les voyantes qu'elle veut, téléphoner à Billy Graham ou au père Noël, je n'y vois aucun inconvénient.

– Hilda Ozimek n'est pas une voyante, répliquai-je.

– La moitié de ces trucs de diseuses de bonne aventure sont des clandés, en réalité.

– Je sais, fis-je d'un ton las.

Il ouvrit le cendrier. S'il trouvait la place d'y loger son mégot, il aurait droit à une citation dans le Guinness.

– Vous connaissez donc Hilda Ozimek, reprit-il.

– Je ne sais pas grand-chose d'elle, à part qu'elle vit en Caroline.

– Exact. En Caroline du Sud.

– Est-ce qu'elle est toujours chez les Harvey ?

– Plus maintenant, fit Marino qui, apercevant un rayon de soleil pointant derrière un nuage, éteignit les essuie-glaces. J'aimerais bien que ce fichu temps se décide une fois pour toutes. Elle est retournée chez elle hier. Elle a fait l'aller retour à Richmond dans un avion privé, vous imaginez ça ?

– Comment se fait-il que vous soyez au courant ? demandai-je.

Déjà étonnée que Pat Harvey fasse appel à un médium, j'étais stupéfaite qu'en plus, elle le fasse savoir.

– Bonne question. Je vous répète juste ce que Benton m'a dit au téléphone. D'après lui, Hilda la Sorcière a vu quelque chose dans sa boule de cristal qui a causé un gros choc à Mrs Harvey.

– Qu'a-t-elle vu ?

– J'en sais foutre rien. Benton a pas donné de détails.

Je cessai de poser des questions, car évoquer les manières renfermées de Benton Wesley me rendait amère. Autrefois, nous avions travaillé ensemble et nos relations étaient à la fois chaleureuses et empreintes de respect. À présent, je le trouvais distant, et je ne pouvais m'empêcher de penser que cette attitude avait un rapport avec Mark. Lorsque Mark m'avait quittée en prenant un poste dans le Colorado, il avait aussi rompu les liens avec Quantico, où il avait en charge l'enseignement du droit au sein de la Legal Training Unit de l'Académie nationale du FBI. Avec ce départ, Wesley avait perdu un collègue et un ami, et j'en étais probablement la cause à ses yeux. Les liens d'amitié entre hommes peuvent être plus forts que ceux du mariage, et deux flics peuvent se révéler plus loyaux l'un envers l'autre qu'un couple d'amoureux.

Une demi-heure plus tard, Marino quitta l'autoroute et s'enfonça dans la campagne en empruntant un itinéraire compliqué que je renonçai vite à mémoriser. Les prés et les bois, les pâturages clos de barrières blanches, les granges et les fermes auraient pu figurer sur une carte postale typique de la Virginie. De longues allées partaient de la route, menant à de confortables maisons modernes entourées de vastes terrains, avec des voitures de marques européennes garées devant des doubles ou triples garages. Jusqu'alors, mes fréquentes rencontres avec Wesley s'étaient toujours déroulées dans mon bureau ou dans le sien. Il ne m'avait jamais invitée chez lui.

– J'ignorais que les gens de Washington venaient habiter si près de Richmond, remarquai-je.

– Quoi ? Vous vivez ici depuis quatre ou cinq ans et vous avez jamais entendu parler de l'invasion nordiste ?

– Quand on est originaire de Miami comme moi, la guerre de Sécession ne signifie pas grand-chose, vous savez.

– Ça ne m'étonne pas, fit Marino. Pour moi, Miami n'est même plus une ville américaine. Merde, une ville où on doit voter pour savoir si l'anglais va rester langue officielle fait pas partie des États-Unis.

Marino adorait me balancer des piques sur mon lieu de naissance.

Il ralentit et tourna dans une allée de gravier.

– Charmant cabanon, pas vrai ? Je suppose que les Feds paient mieux que la municipalité.

La maison, construite à l'ombre de vieux chênes et de magnolias, était en bardeaux de bois reposant sur des fondations de pierre, avec de grandes baies vitrées. Des rosiers bordaient la façade et les murs est et ouest. Je descendis de voiture et me mis en quête de détails susceptibles de me renseigner sur la vie privée de Benton Wesley. Un panier de basket était fixé au-dessus de la porte du garage, et près d'un tas de bois recouvert d'une bâche en plastique se trouvait une tondeuse à gazon autoportée rouge constellée d'herbe coupée. Au-delà, j'entrevoyais un vaste jardin, avec des parterres impeccablement tenus, des azalées et des arbres fruitiers. Quelques chaises étaient installées non loin d'un barbecue à gaz, et je m'imaginai Wesley et sa femme buvant et faisant frire des steaks par une belle soirée d'été.

Marino sonna. C'est Connie, la femme de Wesley, qui vint nous ouvrir.

– Ben est monté au premier, nous dit-elle en souriant. Il en a pour une minute.

Elle nous guida jusqu'à un salon aux larges fenêtres, avec cheminée et meubles rustiques. C'était la première fois que j'entendais quelqu'un appeler Wesley « Ben ». C'était également la première fois que je rencontrais sa femme. La quarantaine à peine passée, c'était une brune séduisante avec des yeux noisette si clairs qu'ils en étaient presques jaunes, et des traits aussi nets que ceux de son mari. Sa gentillesse et sa réserve dénotaient chez elle tendresse et force de caractère. Le Benton Wesley taciturne que je connaissais était probablement très différent à la maison, et je me demandai jusqu'à quel point Connie connaissait les détails de sa profession.

– Prendrez-vous une bière, Pete ? demanda-t-elle.

Marino se laissa tomber dans un fauteuil.

– C'est moi qui conduis. Je vais m'en tenir au café.

– Kay, que puis-je vous offrir ?

– Du café aussi, si ça ne vous dérange pas, répondis-je.

– Je suis si heureuse de pouvoir enfin vous rencontrer, déclara-t-elle d'un ton sincère. Ben me parle de vous depuis des années. Il vous tient en haute estime.

– Je vous remercie.

Le compliment me surprit, mais ce qui suivit me causa un véritable choc.

– La dernière fois que nous avons vu Mark, je lui ai fait promettre de venir dîner avec vous la prochaine fois qu'il viendrait à Quantico.

– C'est très gentil à vous, articulai-je en me forçant à sourire.

Il était évident que Wesley ne lui disait pas tout, et l'idée que Mark ait pu venir récemment en Virginie sans même m'appeler m'était presque insupportable.

– Vous avez des nouvelles de lui ? me demanda Marino lorsque Connie eut disparu dans la cuisine.

– Denver est une belle ville, répondis-je évasivement.

– C'est dingue, si vous voulez mon avis. Ils lui font faire la taupe, ensuite, ils l'exfiltrent et le gardent un moment sous le coude à Quantico. Ensuite, ils trouvent rien de mieux que de l'expédier dans l'Ouest pour un travail dont il a même pas le droit de parler. Je vous jure que même pour un pont d'or, je rentrerais pas au FBI.

Je ne répondis pas.

– Rien à foutre de votre vie privée, poursuivit-il. Vous savez ce qu'ils disent : « Si Hoover veut que tu sois marié et père de famille, il te fournit la femme et les gosses en même temps que ta plaque. »

– Hoover ne dirige plus le FBI depuis longtemps, dis-je en regardant les arbres qui oscillaient dans le vent.

Il allait sans doute pleuvoir de nouveau, et cette fois, ça ne serait pas une simple averse.

– C'est vrai. N'empêche qu'une fois au FBI, vous n'avez plus de vie à vous.

– Je ne sais pas si aucun d'entre nous en a une, Marino, fis-je.

– C'est bien la foutue vérité, grommela-t-il.

Wesley nous rejoignit, comme à son habitude en costume et cravate, avec un pantalon gris et une chemise blanche immaculée mais légèrement froissée. Il nous demanda si nous étions servis. Il avait l'air fatigué et tendu.

– Connie s'est occupée de nous, dis-je.

Il s'assit dans un fauteuil et jeta un coup d'œil à sa montre.

– Nous avons à peu près une heure avant de passer à table, dit-il en joignant les mains sur ses cuisses.

– Toujours aucun signe de Morrell, commença Marino.

– Parce qu'il n'y a aucun élément nouveau, dit Wesley. Pas le moindre indice.

– J'en attendais pas tant. Je disais juste que je n'avais pas de nouvelles de Morrell.

Le visage de Marino était impénétrable, mais je perçus son amertume. Bien qu'il ne m'en ait pas encore parlé, il devait se sentir comme un quart-arrière confiné sur le banc de touche pendant toute la saison. Il avait toujours eu de bons rapports avec les enquêteurs des autres juridictions, et cette bonne entente constituait une des raisons des succès du VICAP en Virginie. Et puis les couples avaient commencé à disparaître et les enquêteurs s'étaient tus. Ils ne se disaient plus rien entre eux, ne disaient rien à Marino, ne me disaient rien à moi.

– On a dû stopper les recherches, expliqua Wesley. Le chien a perdu la trace sur l'aire de repos en face de celle où a été retrouvée la voiture. Depuis, rien. Le seul élément nouveau est une facture que nous avons retrouvée dans la Cherokee. Deborah et Fred se sont arrêtés dans un Seven-Eleven peu après leur départ de la maison des Harvey à Richmond. Ils ont acheté un pack de Pepsi et quelques autres articles.

– Ça a été vérifié ? fit Marino avec humeur.

– On a retrouvé la caissière. Elle se souvient d'eux. Elle dit qu'il devait être un peu plus de 21 heures.

– Ils étaient seuls ? s'enquit Marino.

– Selon elle, oui. Ils ont fait leurs courses tous les deux.

– Où se trouve ce Seven-Eleven ? demandai-je.

– À sept ou huit kilomètres à l'ouest de l'aire où a été retrouvée la voiture, répondit Wesley.

– Vous dites qu'ils ont acheté d'autres articles, remarquai-je. Avez-vous des précisions ?

– J'allais y venir, fit Wesley. Deborah Harvey a acheté une boîte de Tampax. Elle a demandé si elle pouvait utiliser les toilettes, mais la caissière lui a dit que ça n'était pas autorisé, et lui a indiqué l'aire de repos de la 64, en direction de l'est.

– Celle où le chien a perdu la piste, fit Marino en fronçant les sourcils d'un air dérouté. Et non celle où on a retrouvé la voiture.

– Exact, fit Wesley.

– Et ce Pepsi qu'ils ont acheté ? demandai-je. L'a-t-on retrouvé ?

– La police a retrouvé les six boîtes dans la glacière.

Il se tut en voyant arriver sa femme avec son thé et nos cafés. Elle nous servit en silence, puis se retira avec discrétion.

– Vous pensez qu'ils se sont arrêtés pour que Deborah puisse faire son affaire, dit Marino, et que c'est là qu'ils ont rencontré le salopard qui les a butés.

– Nous ne savons pas ce qui leur est arrivé, nous rappela Wesley. Il nous faut étudier tous les scénarios possibles.

– Comme ? fit Marino en plissant le front.

– L'enlèvement.

– Un kidnapping ? fit Marino d'un air incrédule.

– N'oublions pas qui est la mère de Deborah.

– Ouais, je sais. Madame le Tsar de la Drogue, casée là par le président pour faire plaisir aux féministes.

– Pete, dit Wesley d'un ton calme. Je crois que ce serait une erreur de considérer qu'elle a obtenu son poste en raison de sa fortune ou pour attirer les bonnes grâces des féministes. Même si elle a moins de pouvoir que ne le laisse supposer un titre aussi ronflant, pour la bonne raison que ce poste n'a toujours pas de statut officiel au sein du Cabinet, Pat Harvey est responsable devant le président. Elle coordonne l'activité de toutes les agences fédérales dans la lutte contre la drogue.

– Et n'oublions pas les positions qu'elle avait quand elle était procureur fédéral, renchéris-je. Elle soutenait le projet de la Maison Blanche visant à rendre les meurtres et tentatives de meurtres liés à la drogue passibles de mort. Elle l'a répété souvent.

– Ouais, comme une centaine d'autres politiciens, railla Marino. Si elle était d'accord avec les libéraux qui veulent légaliser la came, là, je dis pas. Un illuminé de la Majorité morale aurait pu se mettre dans la tête que Dieu lui ordonnait d'enlever la fille de Pat Harvey.

– Elle a été très agressive, poursuivit Wesley. Elle a réussi à faire condamner de gros bonnets, elle a contribué à faire passer d'importants décrets, elle a reçu des menaces de mort et il y a quelques années une bombe a même pulvérisé sa voiture...

– Tu parles ! le coupa Marino. Une Jaguar sans personne dedans, garée devant un golf désert. Et ça l'a transformée en héroïne.

– Ce que je veux dire, reprit Wesley d'un ton patient, c'est qu'elle s'est fait pas mal d'ennemis, surtout depuis qu'elle enquête sur certains organismes anti-drogue.

– C'est vrai, j'ai lu quelque chose là-dessus, remarquai-je en m'efforçant de me remémorer les détails.

– Ce qu'on a dit au public n'est qu'une toute petite partie de la vérité, dit Wesley. Elle s'en est prise dernièrement à l'ACTMAD. L'American Coalition of Tough Mothers Against Drugs[1].

– Vous plaisantez, dit Marino. C'est comme accuser l'UNICEF de corruption.

Je m'abstins de préciser que j'envoyais moi-même chaque année de l'argent à l'ACTMAD, dont j'approuvais l'action avec enthousiasme.

– Mrs Harvey, poursuivit Wesley, a rassemblé des preuves montrant que l'ACTMAD sert de couverture à un cartel de la drogue et à d'autres activités illégales en Amérique centrale.

– Bon sang, fit Marino en secouant la tête. Je suis bien content de pas donner un rond ailleurs qu'aux œuvres de la police.

– La disparition de Fred et Deborah nous frappe parce qu'elle nous rappelle celles des quatre autres couples, dit Wesley. Mais peut-être que c'est délibéré, que quelqu'un veut nous faire croire qu'il y a un rapport, alors qu'il n'y en a pas. À moins qu'il ne s'agisse du même tueur. Comment savoir ? Une chose est sûre, quel que soit le cas de figure, nous devons agir avec prudence.

– Si je comprends bien, vous attendez une demande de rançon ou quelque chose comme ça ? fit Marino. Vous pensez

1. La Coalition américaine des mères inflexibles contre la drogue.

qu'un truand colombien va rendre Deborah à sa maman en échange d'un gros paquet de fric ?

– Je ne pense pas que c'est ce qui se passera, Pete, répliqua Wesley. C'est peut-être bien pire. Au début de l'année prochaine, Pat Harvey doit témoigner dans une audition spéciale du Congrès consacrée à ces organismes de charité dévoyés. Je ne vois pas ce qui pourrait lui arriver de pire que de voir disparaître sa fille.

Je sentis mon estomac se serrer. Professionnellement, Pat Harvey ne paraissait guère vulnérable, son parcours s'étant jusqu'ici déroulé sans fautes. Mais elle était aussi une mère. Le bien-être de ses enfants comptait sans doute plus pour elle que sa propre vie. Sa famille était son tendon d'Achille.

– Nous ne pouvons écarter l'hypothèse d'un enlèvement politique, dit Wesley en regardant par la fenêtre son jardin balayé par les rafales de vent.

Wesley aussi avait une famille. Un parrain du milieu, un tueur, quelqu'un que Wesley aurait contribué à faire tomber pouvait s'en prendre à sa femme ou à ses enfants. Sa maison était équipée d'une alarme sophistiquée, et la porte d'entrée, d'un interphone. Il avait choisi de vivre dans un coin retiré, de faire mettre son numéro de téléphone sur liste rouge, de ne jamais donner son adresse aux journalistes, ni même à la plupart de ses collègues et connaissances. Jusqu'alors, j'ignorais moi-même où il habitait. Je pensais qu'il vivait plus près de Quantico, peut-être à McLean ou Alexandria.

– Je suppose que Marino vous a parlé de cette Hilda Ozimek, reprit Wesley.

J'acquiesçai.

– A-t-elle vraiment des pouvoirs ? demandai-je.

– Le Bureau a fait plusieurs fois appel à elle, même si nous préférons ne pas trop l'ébruiter, répondit Wesley. Son don, son pouvoir, quelle que soit la façon dont vous l'appelez, est réel. Ne me demandez pas de vous expliquer en quoi il consiste. Ce genre de phénomène n'appartient pas à mon expérience personnelle. Je peux vous dire cependant qu'un jour, elle nous a permis de localiser un avion du FBI qui s'était écrasé dans les montagnes de Virginie occidentale. Elle avait également prédit l'assassinat de Sadate, et nous aurions peut-être pu empêcher l'attentat contre Reagan si nous l'avions écoutée.

– Vous allez pas nous dire qu'elle avait prévu la tentative d'assassinat contre Reagan ? fit Marino.

– Si, presque au jour près, rétorqua Wesley. Mais nous n'avons pas répercuté ce qu'elle nous avait dit. À vrai dire, nous ne l'avions pas prise au sérieux. Aussi bizarre que cela paraisse, ce fut une grosse erreur. Depuis, le Secret Service a demandé à être tenu au courant de ses prédictions.

– Alors, comme ça, le Secret Service s'intéresse aux horoscopes ? demanda Marino.

– Pour Hilda Ozimek, horoscope est un terme générique, répliqua Wesley d'un air pincé. Et d'après ce que nous savons, elle ne lit pas les lignes de la main.

– Comment Mrs Harvey en a-t-elle entendu parler ? demandai-je.

– Peut-être par quelqu'un du Justice Department, dit Wesley. En tout cas, elle a fait venir la voyante à Richmond vendredi, et celle-ci lui a apparemment dit un certain nombre de choses qui ont rendu Mrs Harvey... enfin... disons que je vois Mrs Harvey comme une bombe à retardement. J'ai peur que ses initiatives ne fassent plus de mal que de bien.

– Que lui a dit exactement la voyante ? voulus-je savoir.

Wesley planta son regard dans le mien.

– Je ne peux pas en parler. Pas pour l'instant.

– Mais c'est elle qui vous en a parlé ? insistai-je. C'est Pat Harvey qui vous a dit qu'elle avait fait appel à une voyante ?

– Je ne suis pas autorisé à discuter de ça, Kay, dit Wesley.

Nous restâmes silencieux un moment.

Je soupçonnai que ce n'était pas Mrs Harvey qui avait transmis l'information à Wesley. Il devait l'avoir apprise d'une autre façon.

– Bah, j'en sais rien, finit par dire Marino. Ça a peut-être pas de rapport avec les autres. On ne peut pas l'exclure non plus.

– On ne doit exclure aucune hypothèse, fit Wesley d'un ton ferme.

– Ça fait deux ans et demi que ça dure, Benton, remarquai-je.

– Ouais, fit Marino. Un sacré long moment. Mais pour moi c'est un cinglé qui fait une fixette sur les couples, un truc de jalousie parce qu'il peut pas avoir de relations et déteste les gens qui en sont capables.

– C'est probable, en effet, dit Wesley. Un type qui va régulièrement à la chasse aux jeunes couples. Il doit fréquenter les lieux de rendez-vous, les aires de repos, tous les endroits où les gosses se retrouvent. Il prend tout son temps pour choisir, et une fois qu'il a frappé, plusieurs mois passent avant que l'envie de recommencer ne redevienne irrésistible et que l'occasion idéale ne se représente. Ce n'est peut-être qu'une simple coïncidence – Deborah Harvey et Fred Cheney se trouvaient peut-être au mauvais endroit, au mauvais moment.

– Aucun indice ne permet de penser que les couples étaient engagés dans une activité sexuelle au moment où ils ont été agressés, fis-je remarquer.

Wesley ne répondit pas.

– Et à part Fred et Deborah, poursuivis-je, les autres couples ne s'étaient pas arrêtés sur une aire de repos, ni dans le genre d'endroits que vous avez mentionnés. Tous allaient quelque part quand quelque chose s'est produit qui les a obligés à se garer sur le bas-côté, puis à laisser quelqu'un monter dans leur véhicule, ou bien à monter eux-mêmes dans un autre véhicule.

– La vieille hypothèse du flic tueur, marmonna Marino. C'est la première fois que je l'entends.

– En effet, ça pourrait être quelqu'un qui se fait passer pour un flic, dit Wesley. Ça expliquerait que les couples arrêtent leur voiture et, peut-être, acceptent de monter dans un autre véhicule, pour vérification du permis de conduire, par exem ple. N'importe qui peut acheter un gyrophare, un uniforme, une plaque, ce que vous voulez. Le problème, c'est qu'un gyrophare attire l'attention. Les autres automobilistes le remarquent, et s'il y a un vrai flic dans le secteur, il s'arrêtera certainement pour proposer un coup de main à son collègue. Jusqu'à présent, aucun témoignage ne mentionne la présence d'un véhicule de police dans le secteur au moment où les couples ont disparu.

– Si cette hypothèse était la bonne, dis-je, il faudrait aussi se demander pourquoi les portefeuilles et les sacs à main sont restés dans les voitures – à l'exception du sac de Deborah Harvey, qui n'a pas été retrouvé. Si les jeunes gens sont montés dans un véhicule de police pour se voir notifier une prétendue infraction, ils n'auraient pas laissé leurs papiers dans leur voiture. Ce sont les premières choses qu'un policier demande à voir, et s'il vous fait monter dans sa voiture, vous les prenez avec vous.

– Ils ne sont peut-être pas montés dans ce véhicule de leur plein gré, Kay, souligna Wesley. Ils se rangent sur le bas-côté parce qu'ils croient être arrêtés par un véritable policier, mais le type sort un pistolet et les oblige à monter dans sa voiture.

– Trop risqué, fit Marino. Si j'étais dans cette situation, je passerais une vitesse et j'écraserais l'accélérateur. Et puis un automobiliste pourrait s'apercevoir de ce qui se passe. Comment voulez-vous obliger quatre fois, peut-être cinq fois de suite deux personnes à monter dans votre voiture sous la menace d'une arme sans que personne ne remarque rien ?

– Il vaudrait mieux se demander, dit Wesley en se tournant vers moi, comment on peut assassiner huit personnes sans laisser le moindre indice, pas même un os égratigné ou une douille vide.

– En ayant recours à l'étranglement, au garrottage ou à l'égorgement, dis-je. (Ça n'était pas la première fois qu'il me posait la question.) Tous les corps étaient en état de décomposition avancée, Benton. Et je vous rappelle que l'hypothèse du flic tueur implique que les victimes sont montées dans le véhicule de l'assassin. Si l'on s'en tient à la trace qu'a suivie le limier le week-end dernier, il semble que le type ait ramené la Cherokee de Deborah sur l'aire opposée à celle où a eu lieu la rencontre, puis ait retraversé l'autoroute à pied pour récupérer sa propre voiture.

Wesley avait le visage fatigué. À plusieurs reprises, il s'était massé les tempes, comme s'il avait mal à la tête.

– Si je vous ai fait venir pour en parler, c'est que cette affaire comporte des aspects qui nous obligent à procéder avec un maximum de prudence, dit-il. J'aimerais qu'il y ait un échange d'informations total et continu entre nous. Et que nous gardions une discrétion absolue. Pas de confidences aux journalistes, aucune divulgation d'informations à quiconque, pas même aux amis intimes, aux parents, aux autres médecins experts ni aux autres flics. Et aucune communication radio. (Il nous considéra tour à tour.) Si les corps de Fred et Deborah sont retrouvés, je veux en être informé aussitôt. Et si Mrs Harvey essaie de joindre l'un ou l'autre d'entre vous, renvoyez-la-moi.

– Elle a déjà repris contact avec moi, dis-je.

– Je sais, Kay, répliqua Wesley sans me regarder.

Je ne lui demandai pas comment il le savait, mais j'en ressentis de l'agacement et il s'en aperçut.

– Vu les circonstances, je comprends que vous soyez allée la voir, ajouta-t-il. Mais il serait préférable que cela ne se reproduise pas, que vous ne discutiez plus de ces affaires avec elle. Cela ne pourrait que susciter des problèmes. Pas seulement parce qu'elle pourrait gêner nos investigations, mais parce qu'elle risquerait de se mettre en danger.

– Comment ça ? Vous pensez qu'elle peut se faire descendre ? fit Marino.

– Je pense plutôt qu'elle pourrait finir par échapper à tout contrôle et adopter une attitude irrationnelle.

Les inquiétudes de Wesley quant à l'équilibre psychologique de Pat Harvey étaient peut-être honorables, mais elles me paraissaient bien peu justifiées. Et, alors que Marino et moi revenions à Richmond, je ne pus m'empêcher de songer que la raison pour laquelle Wesley nous avait fait venir n'avait rien à voir avec la disparition du jeune couple.

– J'ai l'impression d'être manipulée, finis-je par avouer alors que Richmond apparaissait au loin.

– Bienvenue au club, dit Marino d'un ton amer.

– Avez-vous une idée de ce qui se passe ?

– Ma foi... fit-il en enfonçant l'allume-cigare, j'ai ma p'tite idée. Je crois que le FBI est tombé sur un truc qui risque de causer des ennuis à quelqu'un d'important. J'ai l'impression que quelqu'un essaie de se mettre le cul à l'abri et que notre cher Benton est pris entre deux feux.

– Si c'est le cas, alors, nous aussi.

– Exact, doc.

Cela faisait trois ans qu'Abby Turnbull avait franchi la porte de mon bureau, les bras chargés d'un bouquet d'iris et d'une bouteille d'excellent vin. C'était le jour où elle était venue me dire au revoir après avoir démissionné du *Richmond Times*. Elle allait à Washington pour travailler comme chroniqueur judiciaire au *Post*. Comme toujours dans ces cas-là, nous nous étions promis de rester en contact, et aujourd'hui, j'avais honte de ne plus être capable de me souvenir de la dernière fois que je lui avais téléphoné ou envoyé un mot.

– Vous voulez que je vous la passe ? demanda Rose, ma secrétaire. Ou que je prenne un message ?

– Je la prends, dis-je. Scarpetta à l'appareil, ajoutai-je par habitude avant de pouvoir me raviser.

– Toujours ce ton officiel ! commenta la voix familière.

– Abby, je suis désolée ! dis-je en riant. Rose m'a dit que c'était toi, mais comme je suis comme toujours sur trente-six choses à la fois, j'en oublie d'être sympathique au téléphone ! Comment vas-tu ?

– Très bien. Mis à part que le taux des homicides a triplé depuis je suis arrivée à Washington.

– Simple coïncidence, j'espère.

– C'est à cause de la drogue, dit-elle d'un ton nerveux. La cocaïne, le crack et les semi-automatiques. Moi qui croyais que l'enfer, c'était Miami ou New York, eh bien, notre chère capitale est bien pire !

Je levai les yeux vers la pendule murale et notai l'heure sur une fiche d'appel. Encore l'habitude. Remplir une fiche à chaque appel était devenu si automatique chez moi que je prenais mon bloc même si c'était mon coiffeur qui appelait.

– Je voulais savoir si tu serais libre pour dîner ce soir ? dit-elle.

– À Washington ? fis-je d'un ton surpris.

– Je suis à Richmond.

Je lui proposai de venir manger chez moi, rassemblai mes affaires et partis faire des courses. Je réfléchis en poussant mon chariot entre les rayons et, après de longues délibérations, choisis deux filets et de quoi faire une salade. L'après-midi était ensoleillée et la perspective de revoir Abby m'emplissait d'allégresse.

À peine rentrée chez moi, je hachai de l'ail et le mis à macérer dans un bol de vin rouge et d'huile d'olive. Bien que ma mère me reprochât souvent de « gâcher un bon steak », je dois avouer que je n'étais pas dépourvue de talents culinaires. Je faisais même la meilleure marinade de la ville, qui rendait succulente n'importe quelle viande. Après avoir lavé la laitue, je la mis à sécher sur du papier absorbant, puis coupai les champignons, les oignons et ma dernière tomate tout en me préparant mentalement à mettre en route le gril. Incapable de patienter plus longtemps, je sortis sur le patio en brique.

Pendant quelques instants, regardant les fleurs et les arbustes de mon jardin, je me sentis comme une prisonnière en fuite. Je pris une éponge et une bouteille de 409 et me mis à astiquer vigoureusement les meubles de jardin. Ensuite, à l'aide d'un tampon de Brillo, j'entrepris de récurer le gril, que je n'avais plus utilisé depuis cette soirée du mois de mai où j'avais vu Mark pour la dernière fois. Je frottai la graisse brûlée jusqu'à ce que mes coudes me fassent mal. Des images, des voix envahirent mon esprit. Nous avions discuté. Nous nous étions querellés. Puis chacun s'était réfugié dans un silence tendu qui s'était terminé par une étreinte frénétique.

Je faillis ne pas reconnaître Abby lorsqu'elle se présenta à ma porte peu avant 18 h 30. Lorsqu'elle suivait les affaires criminelles à Richmond, elle portait ses cheveux grisonnants jusqu'aux épaules, ce qui lui donnait un air sévère la faisant paraître plus âgée que ses quarante et quelques années. À présent, le gris avait disparu. Elle avait les cheveux courts, d'une coupe élégante qui soulignait la finesse de ses traits et faisait ressortir ses yeux, lesquels étaient de deux teintes différentes de vert, singularité qui m'avait toujours intriguée. Elle était vêtue d'un ensemble de soie bleu marine et d'un chemisier de soie ivoire, et portait une élégante serviette de cuir noir.

– Une vraie Washingtonienne, remarquai-je en l'étreignant.

– Comme ça fait plaisir de te revoir, Kay.

S'étant souvenue que j'aimais le scotch, elle avait apporté une bouteille de Glenfiddich que nous ouvrîmes sans plus tarder. Nous nous installâmes sur le patio, où j'allumai le barbecue dans le crépuscule de fin d'été.

– Richmond me manque parfois, me confia-t-elle. Washington est excitante, mais trop folle. Par exemple, je me suis offert une Saab récemment. On a déjà forcé les serrures, volé les enjoliveurs, défoncé les portières. Je débourse 150 dollars par mois pour la garer, et je ne trouve jamais de place à moins de quatre blocs de chez moi. Comme c'est impossible de se garer autour du *Post*, je vais au travail à pied et je prends une voiture du journal. Non, Washington n'a rien à voir avec Richmond. (Et elle ajouta, peut-être un peu trop résolument :) Mais je ne regrette pas d'être partie.

– Tu travailles toujours le soir ? demandai-je.

Les steaks que je venais de poser sur le gril se mirent à grésiller.

– Non. Je laisse les débutants courir aux nouvelles pendant la nuit, moi je prends le relais pendant la journée. On ne me dérange en dehors des heures de travail qu'en cas d'urgence.

– Je lis tes articles, dis-je. Ils vendent le *Post* à la cafétéria, alors je l'achète quand j'y mange.

– Je ne sais pas toujours sur quoi tu travailles. Mais je suis au courant de certaines choses.

– Ce qui explique ta présence à Richmond ? hasardai-je tout en étalant la marinade sur la viande.

– Oui. L'affaire Harvey.

Je restai silencieuse.

– Marino n'a pas changé.

– Tu lui as parlé ? demandai-je en levant les yeux.

– J'ai essayé, répliqua-t-elle en grimaçant un sourire. À lui et à plusieurs autres. Dont Benton Wesley. J'ai fait chou blanc.

– Eh bien, si ça peut te rassurer, Abby, sache que personne n'est très bavard avec moi non plus. Mais j'aimerais que ceci reste entre nous.

– Toute cette conversation restera officieuse, Kay, dit-elle d'un air grave. Je ne suis pas venue te tirer les vers du nez pour mon article. (Elle se tut un instant.) Je suis depuis le début ce qui se passe en Virginie, et jusqu'ici, cela me préoccupait beaucoup plus que mon rédacteur en chef. Mais depuis que Deborah Harvey et son ami ont disparu, l'affaire a droit aux gros titres.

– Ça ne m'étonne pas.

– Je ne sais pas très bien par où commencer, dit-elle avec nervosité. Il y a des choses que je n'ai racontées à personne, Kay. Mais j'ai l'impression que je me suis engagée sur un terrain où certains ne tiennent pas à me voir.

– Je ne suis pas sûre de bien comprendre, fis-je en tendant la main vers mon verre.

– Moi non plus, dit-elle. Je me demande si je n'ai pas trop d'imagination.

– Abby, tu deviens énigmatique. Explique-toi.

– Je m'intéresse depuis longtemps à la mort de ces couples, dit-elle. Je me suis livrée à certaines recherches, et les réactions que je constate depuis le début sont étranges. Ça va au-delà de l'habituelle réticence de la police à l'égard des journalistes. On dirait que dès que j'aborde le sujet, on me raccroche au nez. Et puis, au mois de juin dernier, le FBI est venu me voir.

Abandonnant les steaks, je la fixai d'un regard dur.

– Je te demande pardon ? fis-je.

– Tu te souviens de ce triple meurtre à Williamsburg ? La mère, le père et le fils tués au cours d'un cambriolage ?

– Oui.

– Je devais faire un papier dessus et je suis donc partie en voiture à Williamsburg. Comme tu le sais, à la sortie de la 64, si tu tournes à droite, tu vas vers Colonial Williamsburg, mais si tu tournes à gauche, tu te retrouves au bout de 200 mètres à l'entrée de Camp Peary. J'étais distraite et j'ai pris la mauvaise direction.

– J'ai fait la même erreur une ou deux fois, dis-je.

– Je me suis arrêtée devant la sentinelle et je lui ai expliqué que je m'étais trompée de direction. Bon sang, tu parles d'un endroit sinistre. Je voyais des tas de grandes pancartes disant : « Entraînement Expérimental des Forces Armées », ou : « Entrer ici implique que vous Admettez la Fouille de votre Personne et de vos Effets Personnels ». Je m'attendais à voir une bande de soudards surgir des buissons en tenue de camouflage et m'emmener.

– Les flics sont rarement amicaux, fis-je d'un air amusé.

– Bref, je suis repartie de là en quatrième vitesse, poursuivit Abby, et j'ai oublié toute cette histoire jusqu'à ce que, quatre jours plus tard, deux agents du FBI me demandent à la réception du *Post*. Ils voulaient savoir ce que j'étais allée faire à Williamsburg et pourquoi je m'étais rendue à Camp Peary. Il était clair qu'on avait filmé ou photographié ma plaque d'immatriculation, et qu'ils étaient remontés jusqu'à moi. C'était très bizarre.

– Mais pourquoi le FBI ? demandai-je. Camp Peary appartient à la CIA.

– Et la CIA n'a pas le droit d'intervenir sur le territoire des États-Unis. C'est peut-être pour ça. Peut-être que ces deux clowns étaient en fait des types de la CIA se faisant passer pour des hommes du FBI. Qui peut savoir ce qui se passe quand on a affaire à ces types-là ? En plus, la CIA n'a jamais admis que Camp Peary est son principal centre d'entraînement, et les agents n'ont pas fait allusion à la CIA lorsqu'ils m'ont interrogée. Mais je savais où ils voulaient en venir, et ils savaient que je savais.

– Qu'ont-ils demandé d'autre ?

– En fait, ils voulaient savoir si j'écrivais quelque chose sur Camp Peary. Ils me soupçonnaient d'avoir tenté de m'y introduire. Je leur ai dit que si j'avais eu l'intention d'y pénétrer sans autorisation, j'aurais choisi un moyen plus discret que de me présenter devant la sentinelle. J'ai ajouté que pour le moment, je n'écrivais rien sur, je cite, « la CIA », mais que j'allais y réfléchir.

– Je suis sûre qu'ils ont apprécié, dis-je.

– Les deux gars n'ont pas cillé. Tu les connais.

– Abby, la CIA est paranoïaque sur tout, mais en particulier sur Camp Peary. Les hélicoptères de la police d'État et des urgences médicales n'ont pas le droit de le survoler. Personne n'est autorisé à violer leur espace aérien ou à franchir le poste de garde sans avoir un papier signé de Jésus-Christ en personne.

– Pourtant, toi aussi tu es arrivée à l'entrée du camp par erreur, comme sans doute des centaines de touristes, me rappela-t-elle. Et aucun type du FBI n'est venu t'interroger, n'est-ce pas ?

– Non. Mais je ne travaille pas au *Washington Post.*

Je retirai les steaks du gril et Abby me suivit à la cuisine. Elle continua son récit pendant que je servais la salade et emplissais nos verres de vin.

– Depuis que ces agents sont venus me voir, il se passe de drôles de choses.

– Par exemple ?

– Eh bien, je pense que mes téléphones sont sur écoute.

– Qu'est-ce qui te fait dire ça ?

– Ça a commencé par le téléphone de mon domicile. Je parlais avec quelqu'un et tout d'un coup, j'entendais des drôles de bruits. Ça s'est passé aussi au travail, surtout ces derniers temps. On me passe une communication et j'ai la nette impression qu'une tierce personne écoute. C'est difficile à expliquer. (Elle joua nerveusement avec ses couverts.) Un grésillement, un silence plein de bruits, je ne sais comment le décrire, mais je le perçois très bien.

– Que t'est-il arrivé d'autre ?

– Il y a quelques semaines, j'attendais devant le People's Drug Store, près de Dupont Circle, où j'avais rendez-vous avec un informateur à 20 heures. Nous avions prévu d'aller dîner dans un endroit tranquille où nous pourrions parler. C'est alors que j'ai aperçu un type, cheveux courts, en blouson et jean, plutôt mignon. Il est passé deux fois au cours des quinze minutes où je suis restée à poireauter sur ce trottoir, et je l'ai de nouveau aperçu un peu plus tard, lorsque mon informateur et moi sommes entrés au restaurant. Je sais que ça peut paraître insensé, mais je pense qu'il nous suivait.

– Avais-tu déjà vu cet homme ?

Elle secoua la tête.

– L'as-tu revu depuis ?

– Non, dit-elle. Mais il y a aussi l'histoire de mon courrier. J'habite dans un immeuble, avec les boîtes aux lettres en bas dans l'entrée. Eh bien, il m'arrive de recevoir du courrier avec des tampons incohérents.

– Si la CIA lisait ton courrier, je peux t'assurer que tu ne t'en apercevrais pas.

– Je ne dis pas que les enveloppes sont déchirées ou quoi que ce soit, mais il est arrivé à plusieurs reprises que quelqu'un – ma mère, mon agent littéraire ou autre – me jure avoir posté telle lettre tel jour à mon intention, et quand je finis par la recevoir, la date du tampon ne coïncide pas avec ce qu'ils m'ont dit. Il y a plusieurs jours, parfois une semaine d'écart. (Elle se tut.) En temps normal, j'aurais mis ça sur le compte du service postal, mais avec ce qui se passe, je me pose des questions.

– Abby, me décidai-je à lui demander, pourquoi voudrait-on mettre ton téléphone sur écoute, te suivre ou lire ton courrier ?

– Si je le savais, je pourrais peut-être faire quelque chose. (Elle se mit enfin à manger.) C'est délicieux !

Malgré ce compliment, elle ne semblait avoir aucun appétit.

– Et si ta rencontre avec ces agents du FBI, après ce qui s'est passé à Camp Peary, t'avait rendue paranoïaque ? lui demandai-je.

– Bien sûr que ça m'a rendue paranoïaque. Mais écoute-moi, Kay, je ne suis pas en train de révéler un nouveau Watergate. Washington, c'est toujours la même merde, un règlement de comptes chasse l'autre. En ce moment, la seule chose importante, c'est ce qui se passe ici. Ces meurtres de couples. Or, je commence à fouiner là-dedans et je m'attire des ennuis. Que dois-je en penser ?

– Je ne sais pas, répondis-je en me remémorant avec un certain embarras les mises en garde formulées la veille par Benton Wesley.

– Je suis au courant de l'histoire des chaussures manquantes.

Je ne répondis ni ne manifestai ma surprise. Ce détail n'avait été communiqué jusque-là à aucun journaliste.

– Ce n'est pas normal, poursuivit-elle, que huit personnes meurent en pleine forêt sans que l'on retrouve une seule chaussure ni chaussette à leur côté, ni dans leurs voitures.

Elle me considéra d'un air interrogateur.

– Abby, fis-je d'un ton calme en remplissant nos verres de vin. Tu sais que je ne peux divulguer aucun détail concernant ces meurtres. Pas même à toi.

– Tu ne vois aucun élément susceptible de m'indiquer à quoi je me frotte ?

– Pour te dire la vérité, j'en sais sans doute moins que toi.

– Voilà une information intéressante. Les meurtres ont commencé il y a deux ans et demi, et tu en sais peut-être moins que moi.

Je me souvins de Marino parlant de quelqu'un qui « cherchait à couvrir son cul ». Je songeai à Pat Harvey et à son audition devant le Congrès. La peur m'envahissait peu à peu.

– Pat Harvey est l'étoile montante de Washington, dit Abby.

– Oui, je sais.

– Ça va au-delà de ce qu'en disent les journaux, Kay. À Washington, les réceptions auxquelles on vous invite importent autant que le nombre de voix que vous récoltez aux élections. Peut-être même plus. Or, Pat Harvey est présente aux côtés de la First Lady sur les listes d'invités les plus prestigieuses. Un bruit a même couru que lors de la prochaine élection présidentielle, Pat Harvey pourrait réussir ce que Geraldine Ferraro a esquissé.

– Accéder à la vice-présidence ? fis-je d'un ton dubitatif.

– C'est le bruit qui court. Je suis sceptique, mais si c'est encore un président républicain, je pense qu'elle a une chance de faire partie de son cabinet, peut-être même de devenir le prochain Attorney General. À condition qu'elle tienne le coup.

– Il va falloir qu'elle fasse un énorme effort sur elle-même pour tenir le coup dans ces circonstances.

– Les problèmes personnels peuvent parfois démolir une carrière, acquiesça Abby.

– Si vous les laissez faire, oui. Mais si vous les surmontez, ils peuvent vous rendre plus fort, plus efficace.

– Je sais, fit-elle à mi-voix en fixant son verre de vin. Je suis à peu près sûre que je n'aurais jamais quitté Richmond sans ce qui est arrivé à Henna.

Peu de temps après que j'avais été nommée à Richmond, la sœur d'Abby, Henna, avait été assassinée. Cette tragédie nous avait rapprochées, Abby et moi, d'abord sur le plan professionnel, puis personnel. Nous étions devenues amies. Quelques mois plus tard, elle avait accepté une proposition du *Post*.

– Ça m'est toujours aussi difficile de revenir à Richmond, dit Abby. En fait, c'est la première fois que j'y reviens depuis que j'ai déménagé. Je suis passée devant mon ancienne maison, ce matin. J'ai presque eu envie de sonner et de demander aux occupants de me laisser jeter un coup d'œil. J'avais envie de traverser une nouvelle fois les pièces, voir si j'aurais le courage de monter dans la chambre d'Henna, de remplacer cette atroce image que je conserve d'elle par quelque chose d'innocent. Mais il n'y avait personne dans la maison. C'est sans doute aussi bien. Je ne pense pas que j'aurais pu tenir le choc.

– Quand tu seras vraiment prête, tu y arriveras, dis-je.

J'aurais voulu lui dire pourquoi j'avais tenu à utiliser le patio ce soir, et pourquoi j'en avais été incapable depuis des mois. Mais c'était un exploit tellement dérisoire, en définitive, et puis Abby ne connaissait pas les détails de mon histoire avec Mark.

– J'ai parlé avec le père de Fred Cheney en fin de matinée, reprit Abby. Et ensuite, je suis passée voir les Harvey.

– Quand paraîtra ton article ?

– Sans doute pas avant le week-end. J'ai encore pas mal de recherches à faire. Le journal veut un portrait de Fred et Deborah, ainsi que tous les détails possibles sur l'enquête en cours

– surtout les similitudes avec les meurtres des quatre autres couples.

– Comment t'ont paru les Harvey quand tu les as vus ce matin ?

– À vrai dire, je n'ai presque pas parlé à Bob. Dès que je suis arrivée, il est parti avec ses fils. Les journalistes ne sont pas sa tasse de thé et j'ai l'impression qu'être « le mari de Pat Harvey » commence à l'agacer prodigieusement. Il ne donne jamais d'interview. (Elle repoussa son steak à moitié mangé et tendit le bras vers ses cigarettes. Elle fumait encore plus que dans mon souvenir.) Je suis inquiète pour Pat. On dirait qu'elle a vieilli de dix ans en une semaine. Et puis c'est bizarre. Je n'ai pas pu me débarrasser de l'impression qu'elle savait quelque chose, qu'elle a déjà élaboré sa propre théorie sur ce qui est arrivé à sa fille. Je crois que c'est ça qui a le plus piqué ma curiosité. Je me demande si elle n'a pas reçu une menace, une lettre, un message de celui qui a enlevé sa fille. Et qu'elle refuse de le dire à quiconque, y compris à la police.

– Je ne peux pas penser qu'elle soit si imprudente.

– Moi, ça ne m'étonnerait pas, fit Abby. Si elle pense qu'il y a la moindre chance que Deborah rentre saine et sauve à la maison, Pat Harvey ne dirait même pas à Dieu le Père ce qui se passe.

Je me levai pour débarrasser la table.

– Je crois que tu ferais mieux de faire du café, dit Abby. Je ne veux pas m'endormir au volant.

– Quand dois-tu repartir ? demandai-je en chargeant la machine à laver la vaisselle.

– Bientôt. Je dois passer à différents endroits avant de retourner à Washington.

Je lui jetai un coup d'œil en versant de l'eau dans la cafetière.

– Entre autres, expliqua-t-elle, dans un Seven-Eleven où Fred et Deborah se sont arrêtés peu après avoir quitté Richmond...

– Comment l'as-tu appris ? la coupai-je.

– J'ai tiré les vers du nez du conducteur de la dépanneuse qui attendait de pouvoir remorquer la Jeep Cherokee hors de l'aire de repos. Il avait entendu des policiers discuter d'une facture qu'ils avaient trouvée dans un sac en papier. Ça n'a pas été facile, mais j'ai réussi à déduire quel Seven-Eleven c'était et qu'elle caissière était là le soir où Fred et Deborah s'y sont arrêtés. C'est une certaine Ellen Jordan, et elle travaille de 16 à 24 heures du lundi au vendredi.

– Qu'espères-tu apprendre de cette caissière ?

– Kay, je ne connais jamais les réponses, et souvent même pas les questions avant d'être devant mon interlocuteur !

– Il n'est pas prudent de te balader là-bas toute seule si tard le soir, Abby.

– Si tu veux jouer les gardes du corps, répliqua-t-elle d'un ton amusé, je ne vois aucun inconvénient à ce que tu m'accompagnes.

– Je ne pense pas que ce soit une très bonne idée.

– Tu as sans doute raison, dit-elle.

Je décidai pourtant de l'accompagner.

4

Trouant l'obscurité, l'enseigne au néon rouge et vert du Seven-Eleven était visible près d'un kilomètre avant la sortie. J'entendis une fois de plus la voix de mon père.

« Dire que ton grand-père a quitté Vérone pour *ça* ! »

C'était sa sempiternelle réflexion lorsque, secouant la tête d'un air désapprobateur, il lisait le journal du matin. C'était ce qu'il disait quand quelqu'un doté d'un accent de Géorgie nous traitait comme si nous n'étions pas de « vrais Américains ». C'était la phrase qu'il marmonnait quand il entendait parler de malhonnêteté, de drogue ou de divorce. Pendant mon enfance à Miami, il était propriétaire d'une petite épicerie et, chaque soir au dîner, il nous racontait sa journée et nous posait des questions sur la nôtre. Mais cela n'avait pas duré. Il était mort alors que je n'avais que 12 ans. J'étais pourtant certaine que s'il était en vie aujourd'hui, il n'aimerait pas ces boutiques ouvertes jour et nuit. Il ne convenait pas de passer ses soirées, ses dimanches et ses vacances à travailler derrière un comptoir ou à avaler un *burrito* au bord de la route. Ces moments devaient être consacrés à la famille.

Abby emprunta la sortie et, moins de 30 mètres après, s'arrêta sur le parking du Seven-Eleven. À part une Volkswagen garée devant la double porte vitrée, nous étions les seuls clients.

– On ne peut pas dire que le coin grouille de flics, dit-elle en coupant le contact. On n'a croisé aucune voiture de patrouille, banalisée ou non, depuis au moins 30 kilomètres.

– Peut-être qu'on ne les a pas vues, dis-je.

La soirée était brumeuse, on ne voyait pas d'étoiles et l'air était chaud et humide. Un jeune homme portant un pack de douze canettes de bière sortit de la boutique. Nous pénétrâmes dans la fraîcheur de l'air conditionné. Dans un coin, les jeux vidéo jetaient leurs lumières vives et derrière le comptoir, une jeune fille garnissait un présentoir à cigarettes. Mince, elle paraissait à peine 18 ans, ses cheveux teints lui faisaient une aura blonde autour du visage, elle était vêtue d'une blouse à carreaux orange et blancs et d'un jean moulant noir. Elle portait les ongles longs et vernis en rouge vif, et lorsqu'elle se retourna pour nous demander ce que nous voulions, je fus frappée par la dureté de son visage.

– Ellen Jordan ? s'enquit Abby.

La fille parut d'abord surprise, puis méfiante.

– Ouais ? À qui ai-je l'honneur ?

– Abby Turnbull. (Ellen Jordan serra mollement la main qu'Abby lui tendit d'une façon toute professionnelle.) De Washington, ajouta Abby. Je travaille au *Post*.

– Quel *Post* ?

– Le *Washington Post*, répondit Abby.

– Ah, fit-elle aussitôt d'un air ennuyé. On le reçoit déjà. Il est là-bas.

Elle désigna une petite pile d'invendus près de la porte.

– Je suis *journaliste* au *Post*, expliqua Abby.

Les yeux d'Ellen se mirent à briller.

– Sans blague ?

– Sans blague. Et j'aimerais vous poser une ou deux questions.

– Pour un article, vous voulez dire ?

– Oui, Ellen, j'écris un article et j'ai besoin de votre aide.

– Qu'est-ce que vous voulez savoir ?

La fille s'appuya contre le comptoir, son expression grave reflétant la subite importance qu'on lui accordait.

– C'est à propos du couple qui est venu ici le vendredi soir de la semaine passée. Deux jeunes, un garçon et une fille. À peu près de votre âge. Ils sont venus vers 21 heures, ils ont acheté un pack de six Pepsi et quelques autres articles.

– Oh ! Ceux qui ont disparu, dit la fille soudain intéressée. Vous savez, j'aurais jamais dû leur indiquer l'aire de l'autoroute, mais c'est une des premières choses qu'on vous dit quand vous travaillez ici : personne dans les toilettes. Moi, ça me ferait rien, surtout avec des gens comme eux. Enfin, je veux dire, je la plaignais, la fille. Je comprenais bien son problème.

– Bien sûr, dit Abby d'un ton encourageant.

– J'étais embarrassée, vous comprenez, poursuivit Ellen. Elle achète les Tampax et elle me demande la permission d'utiliser les toilettes, avec son petit ami qui l'attendait là-bas. Mon Dieu, si j'avais su...

– Comment saviez-vous que c'était son petit ami ? demanda Abby.

Pendant un court instant, Ellen sembla déroutée.

– Eh bien, je... hum... c'est ce que j'ai pensé, voilà tout. Ils se sont promenés dans les rayons ensemble, ils avaient l'air de s'aimer. Vous savez, ça se voit tout de suite quand deux personnes s'aiment. Et à force de rester ici toute seule pendant des heures, j'ai appris à connaître les gens. Prenez les couples mariés, par exemple. On en a tout le temps qui s'arrêtent, avec les gosses dans la voiture. Presque tous ceux que je vois entrer ici, ils sont fatigués et ont pas l'air de s'entendre. Alors que ces deux-là dont je vous parle, ils étaient vraiment tendres l'un envers l'autre.

– Est-ce qu'ils vous ont dit autre chose, à part de vous demander d'utiliser vos toilettes ?

– On a bavardé un peu pendant que je tapais leur addition, répondit Ellen. Rien de spécial. Je leur ai dit que c'était une soirée agréable pour rouler, je leur ai demandé où ils allaient.

– Et que vous ont-ils répondu ? demanda Abby en prenant des notes.

– Hé ?

Abby leva les yeux vers elle.

– Vous ont-ils dit où ils allaient ?

– Oui, à la plage. Je m'en rappelle parce que je leur ai dit qu'ils avaient de la chance, parce que moi j'étais coincée ici. Et en plus, moi et mon fiancé on vient juste de casser, alors vous comprenez, j'avais pas le moral.

– Oui, je comprends, fit Abby avec un sourire chaleureux. Ellen, parlez-moi encore de la façon dont ils se comportaient. Est-ce que quelque chose vous a frappée ?

La fille réfléchit un instant.

– Non, pas vraiment. Ils étaient sympas, mais ils avaient l'air pressé. À cause d'elle qui voulait trouver des toilettes, je suppose. Mais je me souviens surtout qu'ils étaient très polis. Vous savez, il y a constamment des gens qui demandent les toilettes et qui deviennent grossiers quand je leur dis qu'elles sont fermées au public.

– Vous avez dit que vous leur aviez indiqué l'aire de repos de l'autoroute, reprit Abby. Vous souvenez-vous exactement de ce que vous leur avez dit ?

– Bien sûr. Je leur ai dit qu'il y avait une aire pas très loin d'ici, qu'ils avaient qu'à reprendre la 64 vers l'est... (Elle tendit le bras dans la direction indiquée.)... et qu'ils y arriveraient en cinq minutes.

– Y avait-il d'autres personnes dans la boutique à ce moment-là ?

– Des gens entraient et sortaient. Il y a toujours plein de monde sur la route. (Elle se tut une minute.) Je sais qu'il y avait un gamin qui jouait au Pac Man. Un gosse qui est toujours fourré ici.

– Y avait-il quelqu'un d'autre près de la caisse pendant que le jeune couple payait ? demanda Abby.

– Oui. Un homme. Il est entré juste après eux. Il a feuilleté des magazines et commandé une tasse de café.

– Pendant que vous parliez au couple ? voulut savoir Abby.

– Ouais. Il était très sympa avec eux, il a complimenté le garçon sur la Jeep Cherokee, il a dit que c'était une belle voiture. Oui, le couple était arrivé dans une Cherokee rouge. Elle était garée devant la porte.

– Que s'est-il passé ensuite ?

Ellen se jucha sur le tabouret, devant sa caisse.

– Ben, c'est à peu près tout. D'autres clients sont entrés. Le type au café est sorti, et cinq minutes après, le couple est parti aussi.

– Mais cet homme au café, était-il près du comptoir quand vous avez indiqué l'aire de repos au couple ? demanda Abby.

La fille fronça les sourcils.

– Je sais plus très bien. Je crois qu'il feuilletait des magazines quand je leur ai indiqué l'aire. Ensuite, je crois que la fille est allée dans les rayons chercher ce qu'elle voulait, et qu'elle est revenue au comptoir juste au moment où le type payait son café.

– Vous dites que les deux jeunes gens sont partis cinq minutes après le client au café, dit Abby. Qu'ont-ils fait pendant ces cinq minutes ?

– Eh bien, il leur a fallu deux ou trois minutes pour payer, expliqua Ellen. La fille a posé un pack de *Coors* sur le comptoir, alors je lui ai demandé sa carte d'identité, mais vu qu'elle avait pas 21 ans, je pouvais pas lui vendre de bière. Elle l'a pas mal pris, au contraire, ça nous a fait rigoler tous les trois. Mince, moi aussi ça m'est arrivé de tenter le coup. Bref, elle a fini par prendre un pack de Pepsi, et puis ils sont partis.

– Pouvez-vous décrire l'homme qui a commandé un café ?

– Pas très bien.

– Était-il blanc ou noir ?

– Blanc. Mais le teint sombre, il me semble. Les cheveux noirs ou bruns. Dans les 30 ans.

– Grand, petit, gros, maigre ?

Ellen tourna les yeux vers le fond de la boutique.

– Taille moyenne, je dirais. Costaud, mais pas gros.

– Une barbe ou une moustache ?

– Je ne pense pas... Attendez ! (Son visage s'illumina.) Il avait les cheveux courts. Ouais, c'est ça ! Je me souviens. Je me suis dit qu'il ressemblait à un militaire. Vous savez, on a des tas de militaires qui passent par ici, puisque c'est la route de Tidewater.

– À part sa coupe de cheveux, pourquoi vous faisait-il penser à un militaire ? demanda Abby.

– Je sais pas. Son comportement, peut-être. C'est difficile à expliquer, mais quand vous voyez pas mal de militaires, vous arrivez à les reconnaître du premier coup d'œil. Ils ont quelque chose. Beaucoup d'entre eux ont des tatouages.

– Celui-ci en portait-il un ?

Son froncement de sourcils se mua en moue de déception.

– Je n'ai pas remarqué.

– Comment était-il habillé ?

– Euh...

– Costume et cravate ? demanda Abby.

– Non, je ne crois pas, c'était plus banal, un jean ou un pantalon sombre, peut-être un blouson, mais je ne pourrais pas le jurer... Non, vraiment, je ne m'en souviens pas très bien.

– Vous souvenez-vous, par hasard, de la voiture qu'il conduisait ?

– Non, répondit-elle aussitôt. Je n'ai pas vu sa voiture.

– Avez-vous dit tout ça à la police quand on est venu vous interroger, Ellen ?

– Ouais, fit-elle en regardant le parking où une fourgonnette venait de s'arrêter. Je leur ai dit à peu près les mêmes choses qu'à vous. Sauf deux ou trois trucs dont je me souvenais pas à ce moment.

Deux adolescents firent leur entrée et se dirigèrent droit vers les jeux vidéo. Ellen reporta son attention sur nous. Je sentis qu'elle n'avait plus rien à dire et qu'elle commençait à se demander si elle n'en avait pas déjà trop dit.

Abby sembla ressentir la même chose.

– Je vous remercie, Ellen, fit-elle en s'éloignant du comptoir. L'article paraîtra samedi ou dimanche. Ne le ratez pas !

Nous sortîmes.

– Il était temps de sortir de là, sinon elle n'allait pas tarder à hurler que toute cette conversation devait rester officieuse.

– Je doute qu'elle connaisse le sens de ce terme, dis-je.

– Ce qui me surprend, c'est que les flics ne lui aient pas dit de la fermer.

– Ils l'ont peut-être fait, mais elle n'a pas pu résister à l'envie de voir son nom dans le journal.

L'aire de repos de l'I-64 East que la vendeuse avait indiquée à Fred et Deborah était déserte lorsque nous y arrivâmes.

Abby se gara devant le petit bâtiment des toilettes, près d'une rangée de distributeurs de journaux. Nous gardâmes le silence pendant quelques minutes. La silhouette d'un petit houx, argenté par la lumière des phares, se découpait devant nous, tandis que les globes blanchâtres des réverbères alentour s'efforçaient de percer le brouillard. Si j'avais été seule, je ne serais descendue de voiture pour rien au monde, même en cas de besoin pressant.

– C'est sinistre, fit Abby à mi-voix. Seigneur ! Je me demande si c'est toujours aussi désert le mardi soir, ou si ce sont les articles de journaux qui font fuir les gens.

– Il y a sans doute un peu des deux, dis-je. Mais en tout cas ça n'était pas aussi désert le vendredi soir où Fred et Deborah se sont arrêtés.

– Ils se sont peut-être garés là où nous sommes, fit-elle d'un ton songeur. Il y avait sans doute des tas de gens partout, à cause du week-end du Labor Day. Si c'est là qu'ils ont rencontré leur assassin, ce fils de pute est drôlement culotté.

– S'il y avait plein de monde, fis-je, alors il devait y avoir des voitures partout.

– Où veux-tu en venir ? demanda Abby en allumant une cigarette.

– En supposant que c'est ici que Fred et Deborah l'ont rencontré, et que pour une raison ou pour une autre ils l'ont fait monter dans la Cherokee, alors qu'a-t-il fait de sa voiture ? Tu penses qu'il est arrivé ici à pied ?

– Improbable, répliqua-t-elle.

– S'il est arrivé en voiture, repris-je, et qu'il l'a laissée ici, mieux valait qu'il y ait du monde.

– Exact. Parce que si sa voiture était restée seule sur le parking jusque tard dans la nuit, un policier en patrouille pouvait la remarquer et vérifier son numéro par radio.

– Plutôt dangereux quand vous êtes en train de commettre un crime, ajoutai-je.

Abby réfléchit un moment.

– Tu sais, ce qui me frappe, c'est que ce scénario me paraît un mélange de hasard et de logique. L'arrêt de Fred et Deborah sur l'aire de repos est le fait du hasard. S'ils ont eu le malheur de rencontrer ce sale type ici – ou au Seven-Eleven, si c'est lui qui buvait un café –, c'est par hasard. Mais il y a aussi une part évidente de préméditation de sa part. Il est clair qu'il savait ce qu'il faisait.

Je ne répondis pas.

Je songeai à ce qu'avait dit Wesley. Un mobile politique. Ou un agresseur qui venait de connaître plusieurs échecs successifs. En supposant que le couple n'ait pas disparu volontairement, alors je ne voyais pas d'autre issue que tragique.

Abby redémarra.

Elle ne rouvrit la bouche qu'une fois sur l'Interstate.

– Tu penses qu'ils sont morts, n'est-ce pas ?

– Tu veux une citation pour ton article ?

– Non, Kay, je ne cherche pas de citation. Et même, si tu veux savoir, je me fiche pas mal de cet article. Ce que je voudrais, c'est comprendre ce qui se passe.

– Parce que tu te fais du souci pour toi.

– Tu ne t'en ferais pas ?

– Si, sans doute. Si je pensais que mon téléphone est sur écoute, ou que je suis suivie, je me ferais du souci. Et à propos de souci, il est tard, tu es épuisée et il serait ridicule que tu rentres à Washington ce soir.

Elle me jeta un coup d'œil.

– Il y a plein de place à la maison. Tu n'auras qu'à partir tôt demain matin.

– À condition que tu aies une brosse à dents de réserve et quelques couvertures. Et que tu ne voies pas d'objection à ce que je pille ton bar.

Renversant la tête sur mon dossier, je fermai les yeux et marmonnai :

– Tu pourras te saouler tant que tu veux. En fait, je crois que je te tiendrai compagnie.

Juste au moment où nous arrivâmes chez moi, aux alentours de minuit, le téléphone sonna. Je décrochai avant que le répondeur ne se déclenche.

– Kay ?

Je ne reconnus pas tout de suite la voix, puis mon cœur s'emballa.

– Hello, Mark, fis-je.

– Désolé d'appeler si tard...

– Je ne suis pas seule, l'interrompis-je sans pouvoir dissimuler la tension dans ma voix. Je crois t'avoir parlé de mon amie Abby Turnbull, du *Post* ? Eh bien, elle reste dormir ici cette nuit. Ça faisait une éternité que nous ne nous étions pas vues.

Mark ne répondit pas tout de suite.

– Alors, ça serait peut-être mieux que tu me rappelles, quand tu auras un moment ? fit-il au bout d'un instant.

Lorsque j'eus raccroché, je vis Abby qui m'observait, surprise de la détresse qui devait se lire sur mon visage.

– Eh bien, qui était-ce, Kay ?

Durant les premiers mois que j'avais passés à Georgetown, j'étais si absorbée par mes études de droit et si consciente de ma singularité que je préférai garder mes distances avec les autres étudiants. Malgré mon diplôme de docteur en médecine, je n'étais qu'une modeste Italienne de Miami, peu au fait des plaisirs de la vie, qui se trouva soudain projetée dans un milieu de gens beaux et brillants. Bien que je n'éprouve aucune honte de mes racines, j'eus soudain une conscience aiguë de la modestie de ma condition sociale.

Mark James était l'un de ces privilégiés, jeune homme de haute taille à la silhouette élégante, à la fois sûr de lui et réservé. Je l'avais remarqué bien avant de connaître son nom. Nous nous rencontrâmes pour la première fois à la bibliothèque de droit, parmi les rayonnages chichement éclairés, et je n'oublierai jamais l'éclat de ses yeux verts tandis que nous débattions de quelque obscur point juridique. Ensuite nous étions allés boire du café dans un bar et avions parlé jusqu'au petit matin. Dès lors, nous nous revîmes presque tous les jours.

J'eus l'impression, pendant un an, de ne pas fermer l'œil, car même lorsque nous nous couchions, nous faisions tellement l'amour qu'il ne nous restait presque plus de temps pour nous reposer. Plus nous nous donnions du plaisir, moins nous étions rassasiés, et j'étais persuadée, évidemment, que nous resterions toujours ensemble. Notre relation se dégrada au cours de la seconde année et lorsqu'enfin je décrochai mon diplôme, ce fut avec au doigt l'anneau d'un autre homme. Je m'étais convaincue que j'avais oublié Mark, mais il était réapparu mystérieusement dans ma vie.

– Tu avais cru te consoler avec Tony, dit Abby alors que nous buvions du cognac dans la cuisine.

– C'était un type pas compliqué, répliquai-je. En tout cas, c'est la première impression qu'il donnait.

– Ça m'a fait la même chose une fois ou deux, dans mes pathétiques histoires d'amour. (Elle prit son verre.) Je succombe facilement aux coups de foudre. Mais ils sont rares et ne durent pas. Et quand ça se termine, je suis comme un soldat blessé qui rentre chez lui en clopinant et je me jette dans les bras du premier type qui promet de s'occuper de moi.

– Un vrai conte de fées.

– Version Grimm, acquiesça-t-elle avec amertume. Ils te racontent qu'ils vont prendre soin de toi, mais ce qu'ils attendent, c'est que tu leur prépares la popote et que tu leur laves leurs caleçons.

– C'était Tony tout craché, dis-je.

– Qu'est-ce qu'il est devenu ?

– Ça fait une éternité que je ne l'ai pas vu.

– On devrait toujours rester amis.

– Il ne voulait pas, dis-je.

– Est-ce que tu penses toujours à lui ?

– Quand on a vécu six ans avec quelqu'un, il est presque impossible de ne pas y penser de temps en temps. Ce qui ne veut pas dire que j'aie envie de revivre avec lui. Mais une partie de moi se préoccupera toujours de lui. J'espère qu'il s'en sort bien.

– Est-ce que tu l'aimais quand vous vous êtes mariés ?

– Je le croyais.

– Je vois, fit Abby. J'ai comme l'impression que tu n'as jamais cessé d'aimer Mark.

Je remplis nos deux verres, Nous serions dans un drôle d'état le lendemain matin.

– Je trouve ça incroyable, poursuivit Abby, que vous vous soyez remis ensemble après toutes ces années. Et je soupçonne Mark de n'avoir lui non plus jamais cessé de t'aimer.

Lorsqu'il était revenu dans ma vie, ç'avait été comme si nous avions vécu ces années de séparation dans deux pays différents. La langue de nos deux passés nous était incompréhensible l'un à l'autre. Nous ne communiquions vraiment que dans l'obscurité de la chambre. Il m'avait dit qu'il s'était marié et que sa femme avait été tuée dans un accident de voiture. J'avais découvert plus tard qu'il avait abandonné son activité juridique pour s'engager dans le FBI. Nos retrouvailles avaient été euphoriques, ce furent les jours les plus merveilleux que j'aie connus depuis notre première année à Georgetown. Bien sûr, cela ne dura pas. L'histoire a la désagréable habitude de se répéter.

– Je suppose que ce n'est pas sa faute s'il a été muté à Denver, disait Abby.

– Peu importe, rétorquai-je. Il a fait un choix. Moi aussi.

– Tu n'as pas voulu partir avec lui ?

– Je suis la raison pour laquelle il a demandé à être muté, Abby. Il voulait que nous nous séparions.

– Et comme ça, il s'en va à l'autre bout du pays ? C'est une réaction plutôt excessive.

– Quand les gens sont en colère, leur comportement peut être excessif. Ils peuvent commettre des erreurs.

– Et il est sans doute trop têtu pour admettre qu'il a fait une erreur, dit-elle.

– Oui, il est têtu. Autant que moi. Ni lui ni moi ne sommes très doués pour les compromis. J'ai ma carrière et il a la sienne. Il était à Quantico et moi je travaillais ici – c'est vite devenu pénible mais je n'avais pas l'intention de quitter Richmond et lui n'avait aucune intention de venir s'y installer. Et puis il a commencé à envisager de retourner travailler sur le terrain, de se faire muter dans un bureau local ou nommer au quartier général de Washington. Et ça a continué comme ça jusqu'au moment où on a eu l'impression qu'on ne faisait plus rien sauf se disputer. (Je me tus un instant, tentant de trouver une explication à ce qui ne serait jamais clair.) Peut-être suis-je trop rigide dans mes comportements ?

– On ne peut pas espérer vivre avec quelqu'un en continuant de vivre comme on l'a toujours fait, Kay.

Combien de fois Mark et moi nous étions-nous répété cette phrase ? Nous en étions arrivés à un point où nous ne nous disions que rarement quelque chose de nouveau.

– Est-ce que préserver ton autonomie vaut le prix que tu paies, le prix que vous payez tous les deux ?

Il y avait des jours où je n'en étais plus si sûre, mais je n'en fis pas part à Abby.

Elle alluma une cigarette et tendit le bras vers la bouteille de cognac.

– Est-ce que vous avez essayé de consulter un conseiller conjugal ?

– Non.

Ma réponse ne correspondait pas tout à fait à la vérité. Mark et moi n'y étions jamais allés ensemble, mais j'avais consulté et consultais encore une psychiatre.

– Connaît-il Benton Wesley ? demanda Abby.

– Bien sûr. Benton a formé Mark à l'Académie longtemps avant que je ne m'installe en Virginie, répliquai-je. Ils sont très amis.

– Sur quoi travaille Mark à Denver ?

– Aucune idée. C'est une mission spéciale.

– Est-il au courant des meurtres de couples, ici ?

– Oui, je suppose. (Après un instant de silence, j'ajoutai :) Pourquoi ?

– Je ne sais pas. Mais fais attention à ce que tu lui dis.

– C'est la première fois qu'il appelle depuis plusieurs mois. Tu vois que je ne lui en dis pas beaucoup...

Elle se leva et je la conduisis à sa chambre.

Tandis que je lui sortais une robe de chambre et lui montrais le cabinet de toilette, elle continua à parler. Je percevais les effets du cognac dans son débit légèrement pâteux.

– Il rappellera. Ou bien c'est toi qui l'appelleras. Alors sois discrète.

– Je n'ai aucune intention de l'appeler, dis-je.

– Alors c'est que tu es aussi mauvaise que lui, rétorqua-t-elle. Vous êtes deux bourriques incapables de pardonner. Comme je te le dis. C'est mon sentiment sur la situation. Que ça te plaise ou non.

– Je dois être au bureau à 8 heures, dis-je. Je te réveillerai à 7 heures.

Elle me serra contre elle pour me souhaiter bonne nuit et m'embrassa sur la joue.

Le week-end suivant je sortis tôt, achetai le *Post* mais n'y trouvai pas l'article d'Abby. Je ne le vis pas non plus le week-end suivant, ni le suivant. Je trouvai cela étrange. Est-ce qu'Abby allait bien ? Pourquoi n'avais-je aucune nouvelle depuis notre rencontre à Richmond ?

Fin octobre, j'appelai le *Post*.

– Désolé, me répondit un homme qui paraissait débordé. Abby est en disponibilité. Elle ne rentrera qu'en août.

– Est-elle encore à Washington ? demandai-je, ahurie.

– Aucune idée.

Après avoir raccroché, je cherchai son numéro personnel dans mon carnet d'adresses. Je tombai sur un répondeur et laissai un message. Abby ne rappela pas, pas plus qu'elle ne réagit aux autres messages que je laissai au cours des semaines suivantes. Ce n'est qu'après Noël que je commençai à comprendre ce qui se passait. Le lundi 6 janvier, en rentrant chez moi, je trouvai une lettre dans ma boîte. Aucune indication d'expéditeur, mais l'écriture était reconnaissable entre toutes. Dans l'enveloppe, je découvris une feuille de bloc-notes jaune portant la mention « Pour information, Mark », ainsi qu'un court article découpé dans un numéro récent du *New York Times*. Abby Turnbull, lus-je avec incrédulité, avait signé un contrat avec un éditeur pour un livre sur la disparition de Fred Cheney et Deborah Harvey, livre qui se proposait d'exposer les « inquiétants parallèles » entre cette disparition et les quatre disparitions précédentes de couples.

Abby m'avait mise en garde contre Mark, et voilà que Mark me mettait en garde contre Abby. À moins qu'il ait eu une autre raison de m'envoyer cet article ?

Je restai un long moment assise dans ma cuisine, résistant à l'envie de laisser un message indigné sur le répondeur d'Abby ou de téléphoner à Mark. Je décidai finalement d'appeler Anna, ma psychiatre.

– Vous vous sentez trahie, dit-elle lorsque je lui eus expliqué la situation.

– C'est le moins qu'on puisse dire, Anna.

– Vous saviez qu'Abby rédigeait un article. Écrire un livre est-il un acte tellement plus grave ?

– Elle ne m'en a jamais parlé, dis-je.

– Que vous vous sentiez trahie ne veut pas dire que vous l'êtes. C'est la perception que vous en avez pour l'instant, Kay. Il faut attendre un peu. Quant aux raisons pour lesquelles Mark vous a envoyé cet article, attendez de voir, là aussi. Peut-être était-ce simplement une façon de vous faire signe.

– Je me demande si je ne devrais pas consulter un avocat, dis-je. Voir ce que je peux faire pour me protéger. Je n'ai aucune idée de ce qui va sortir dans le livre d'Abby.

– Je crois qu'il serait préférable de lui faire confiance, me conseilla Anna. Elle vous a assuré que votre conversation resterait confidentielle. Vous a-t-elle déjà trahie dans le passé ?

– Non.

– Alors vous devriez lui laisser une chance. Donnez-lui la possibilité de s'expliquer. De plus, ajouta-t-elle, je ne vois pas très bien quel livre elle va bien pouvoir écrire. Il n'y a eu aucune arrestation, et l'on ne sait toujours pas ce qui est arrivé aux deux jeunes gens. Il faudrait d'abord qu'on les retrouve.

Cette dernière remarque devait trouver un bien amer écho deux semaines plus tard, le 20 janvier, alors que l'Assemblée générale de Virginie s'apprêtait à voter une loi autorisant le Bureau de recherches médico-légales à créer une banque de données sur l'ADN.

Je revenais de la cafétéria, une tasse de café à la main, lorsque j'aperçus Pat Harvey, très élégante dans un ensemble de cachemire bleu marine, une mince serviette de cuir noir sous le bras. Elle parlait à un groupe de délégués dans le couloir mais, m'apercevant, elle s'excusa aussitôt auprès de ses interlocuteurs.

– Dr Scarpetta, dit-elle en me tendant la main.

Elle parut soulagée de me voir, mais son visage était tendu et inquiet.

Je me demandai pourquoi elle n'était pas à Washington. Elle devina sans doute mes pensées.

– On m'a demandé de venir soutenir la loi 1-30, expliqua-t-elle avec un sourire nerveux. Je suppose que vous êtes ici pour la même raison.

– Je vous remercie. Nous avons besoin de tous les appuis possibles.

– Je ne pense pas qu'il y ait lieu de s'inquiéter, répliqua-t-elle.

Elle avait sans doute raison. La déposition de la Directrice du programme national de lutte contre la drogue et la publicité qu'elle entraînerait opérerait une forte pression sur le Comité juridique.

– Comment vous sentez-vous ? lui demandai-je alors d'une voix calme.

L'espace d'un instant, ses yeux s'emplirent de larmes. Puis elle m'adressa un bref sourire nerveux avant de détourner le regard vers l'extrémité du hall.

– Si vous voulez bien m'excuser, il y a là quelqu'un que je dois voir.

Pat Harvey était à quelques pas seulement lorsque mon bip retentit.

Une minute plus tard, j'avais trouvé un téléphone.

– Marino est déjà parti, m'informa ma secrétaire.

– J'arrive de suite, dis-je. Préparez-moi le nécessaire, Rose. Et vérifiez que tout soit là. Torche, appareil-photo, piles, gants.

– Entendu.

Pestant contre la pluie et mes talons hauts, je dévalai une volée de marches puis descendis Governor Street en luttant contre le vent qui chahutait mon parapluie. Je me remémorai le regard de Mrs Harvey pendant la fraction de seconde où elle m'avait laissé entrevoir sa douleur. Dieu merci, elle n'était plus là lorsque mon bip avait émis son couinement de mauvais augure.

5

L'odeur vous prenait à la gorge bien avant d'arriver. De grosses gouttes de pluie s'écrasaient sur les feuilles mortes, il faisait aussi sombre qu'en pleine nuit et des silhouettes d'arbres décharnés émergeaient çà et là dans le brouillard.

– Bon Dieu, grommela Marino en enjambant un tronc abattu. Ils doivent être drôlement mûrs. Y'a pas pire comme odeur. On dirait du crabe mariné.

– Et encore, attendez d'être sur place, nous avertit Jay Morrell, qui ouvrait la marche.

Une boue noire collait à nos chaussures, et chaque fois que Marino heurtait un arbuste, je recevais une pluie glaciale. Heureusement, j'avais toujours un gros imperméable à capuche et une paire de bottes en caoutchouc dans le coffre de ma voiture de fonction pour des situations telles que celle-ci. Cependant je n'avais pas retrouvé mes gros gants de cuir, et il était impossible de marcher dans la forêt sans recevoir des branches en pleine figure si je gardais les mains dans les poches.

On m'avait dit qu'il y avait deux corps, sans doute un homme et une femme. Ils se trouvaient à moins de six kilomètres de l'aire de repos où la Jeep Cherokee de Deborah avait été retrouvée l'automne précédent...

« Tu ne sais pas si c'est eux », me répétai-je à chaque pas.

Mais lorsque nous arrivâmes sur les lieux, mon cœur se serra. Benton Wesley n'aurait pas été appelé si la police avait eu le moindre doute quant à l'identité des cadavres. Wesley était empreint d'une rigidité toute militaire et dégageait une tranquille autorité. Il ne paraissait gêné ni par la pluie ni par la puanteur de la chair en décomposition. Contrairement à celui de Marino et au mien, son regard ne furetait pas partout pour s'imprégner des détails de la scène, et je savais pourquoi. Wesley avait déjà tout examiné. Il était arrivé ici bien avant que l'on ne me prévienne.

Les corps étaient allongés côte à côte, face contre terre, dans une petite clairière à quelques centaines de mètres du chemin boueux où nous avions laissé nos voitures. Ils étaient si décomposés que par endroits il ne restait plus que le squelette. Tels des bâtonnets de poussière grisâtre, les os des bras et des jambes perçaient des morceaux de vêtements moisis enduits de feuilles. Les crânes, séparés des corps, gisaient à l'écart, sans doute déplacés par des animaux sauvages.

– Avez-vous retrouvé leurs chaussures et chaussettes ? demandai-je en ne voyant ni les unes ni les autres.

– Non, mais on a trouvé un sac à main, répondit Morrell en désignant le corps le plus à droite. Avec 44 dollars et 26 *cents* dedans. Plus un permis de conduire, au nom de Deborah Harvey. (Il pointa le doigt vers la gauche.) On en a déduit que l'autre corps était celui de Cheney.

Jaune et détrempé, le ruban de police délimitant le périmètre de découverte des corps brillait sur l'écorce sombre des arbres. Des brindilles craquaient sous les semelles des hommes circulant aux alentours, et la pluie fondait leurs voix en un brouhaha monotone. J'ouvris ma serviette, en sortis une paire de gants chirurgicaux et un appareil-photo.

Pendant quelques instants, j'examinai, immobile, les deux cadavres presque décharnés allongés devant moi. Il est parfois difficile de déterminer au premier coup d'œil le sexe et la race d'un corps lorsqu'il est presque à l'état de squelette. Je préférais ne pas me prononcer avant d'avoir examiné les bassins, lesquels, dans le cas présent, étaient en partie dissimulés par des jeans. Cependant, en me basant sur certaines caractéristiques du cadavre se trouvant à ma droite – petits os, crâne de taille modeste doté de mastoïdes peu développés, arcade sourcilière non proéminente, longs cheveux blonds accrochés à des fragments de tissu pourri – j'avais toute raison de croire qu'il appartenait à une femme de race blanche. La taille de son compagnon, la robustesse de ses os, son arcade proéminente, la grande taille du crâne et la platitude de sa face antérieure indiquaient sans conteste un homme de race blanche.

Quant à ce qui leur était arrivé, il était trop tôt pour le dire. Aucun lien n'indiquait une éventuelle strangulation. Aucune perforation ni fracture ne permettait de conclure à des coups violents ou à une mort par balle. Le couple gisait calmement uni dans la mort, les os du bras gauche de la femme glissés sous ceux du bras droit de son compagnon, comme si elle l'avait tenu jusqu'à la fin, leurs deux crânes ruisselants de pluie contemplant le ciel de leurs orbites géantes.

C'est lorsque je me fus agenouillée près d'eux que je remarquai une étroite bande de terre brune au pourtour des corps. S'ils étaient morts durant le week-end du Labor Day, les feuilles n'avaient pas commencé à tomber. Le sol était nu. Je n'aimais pas les déductions qui commençaient à se faire jour dans mon esprit. Il était déjà assez regrettable que les policiers aient piétiné les alentours depuis des heures. Merde. Déplacer ou altérer en quoi que ce soit l'état d'un cadavre avant l'arrivée du médecin expert est une faute grave, et tous les policiers présents le savaient pertinemment.

– Dr Scarpetta ? (Morrell était penché au-dessus de moi, exhalant des nuages de vapeur.) Je viens de parler à Phillips, là-bas. (Du menton, il désigna un groupe d'officiers fouillant un épais sous-bois à une vingtaine de mètres à l'est.) Il a trouvé une montre, une boucle d'oreille et de la monnaie à proximité des corps. Mais le plus curieux, c'est que le détecteur de métal n'arrêtait pas de se déclencher quand il le plaçait au-dessus des cadavres. C'est peut-être à cause d'une fermeture Éclair, j'en sais rien, mais j'ai pensé que ça vous intéresserait.

Je levai les yeux vers son mince visage sérieux. Il grelottait sous sa parka.

– Dites-moi ce que vous avez fait au corps, Morrell, à part y passer le détecteur. Ils ont été déplacés. Il faut que je sois sûre qu'ils sont dans la position exacte où ils ont été découverts ce matin.

– Je ne sais pas ce qu'ont fait les chasseurs, en tout cas, ils disent qu'ils se sont pas approchés, rétorqua-t-il en fouillant les sous-bois du regard. Mais je peux vous assurer qu'ils étaient comme ça quand on est arrivés, doc. Tout ce qu'on a fait, c'est de chercher des effets personnels, c'est pourquoi on a fouillé leurs poches et le sac de la fille.

– Je suppose que vous aviez pris des photos avant de toucher à quoi que ce soit, fis-je d'un ton détaché.

– On a commencé à prendre des photos dès qu'on est arrivés.

Je pris une petite torche et me mis en quête de minuscules indices matériels. Lorsque des cadavres ont été ainsi exposés durant des mois aux intempéries, les chances de retrouver des cheveux, des fibres ou d'autres débris significatifs allaient de minces à inexistantes. Morrell me regarda faire en silence, se dandinant d'un pied sur l'autre d'un air embarrassé.

– L'enquête a-t-elle débouché sur des éléments nouveaux ? lui demandai-je.

En effet, je n'avais pas revu Morrell et ne lui avais pas reparlé depuis le jour où la Jeep Cherokee de Deborah avait été retrouvée.

– À part une possible histoire de drogue, rien, dit-il. On a appris que le type qui habitait avec Cheney au collège était amateur de cocaïne. Peut-être que Cheney en prenait de temps en temps. C'est une des pistes que nous explorons pour l'instant, déterminer si lui et la fille Harvey ont rencontré un vendeur qui les aurait entraînés ici.

C'était absurde.

– Pourquoi Cheney aurait-il laissé la Cherokee sur une aire de repos pour suivre un dealer dans les bois, en emmenant Deborah avec lui ? fis-je. Pourquoi ne pas acheter la drogue sur l'aire et repartir aussitôt ?

– Ils ont peut-être voulu s'envoyer en l'air ici.

– Quel individu sensé voudrait faire la fête dans un endroit pareil à la nuit tombée ? Et où sont leurs chaussures, Morrell ? À votre idée, ils sont venus ici pieds nus ?

– Nous ne savons pas ce que sont devenues leurs chaussures, fit-il.

– Voilà qui est intéressant. Jusqu'à présent, on a retrouvé cinq couples de cadavres sans chaussures. Pas la moindre trace de chaussure ni de chaussette. Vous ne trouvez pas ça curieux, Morrell ?

– Bien sûr que si, doc, fit-il en croisant les bras pour se réchauffer. Bien sûr que je trouve ça bizarre. Mais pour l'instant je dois m'occuper de ces deux cadavres sans penser aux quatre autres couples. Je dois procéder avec ce que j'ai sous la main. Et tout ce que j'ai pour l'instant, c'est une possible histoire de drogue. Je ne peux pas me laisser dérouter par cette histoire de meurtrier en série ni par l'identité de la mère de la victime, sinon je risquerais de passer à côté de l'essentiel.

– J'espère bien que vous ne passerez pas à côté, dis-je.

Il resta silencieux.

– Avez-vous trouvé du matériel de drogué dans la Cherokee ?

– Non, ni dans la voiture ni ici, rien qui puisse suggérer une prise de drogue. Mais nous avons une grande quantité de feuilles et de terre à analyser...

– Je ne pense pas que ce soit une bonne idée de creuser le sol par un temps pareil, objectai-je.

Je me sentais impatiente et irritée. Morrell m'agaçait. La police tout entière m'agaçait. L'eau commençait à s'infiltrer sous mon imperméable. Mes genoux me faisaient mal. Mes doigts et mes pieds perdaient peu à peu leur perception tactile. La puanteur était insupportable et le martèlement incessant de la pluie me portait sur les nerfs.

– Nous n'avons pas encore creusé ni tamisé, précisa Morrell. On s'est dit qu'on avait le temps. Pour l'instant, nous n'avons utilisé que le détecteur de métal. Et nos yeux.

– En attendant, fis-je avec humeur, plus il y a de gens qui marchent là autour, plus on risque de détruire des indices. Les petits os, les dents, ce genre de choses, on les enfonce dans la boue en marchant dessus.

Cela faisait des heures qu'on faisait précisément cela. C'était sans doute déjà trop tard pour préserver l'état des lieux.

– Bon, vous voulez les emporter aujourd'hui, ou attendre que le temps se lève ? demanda-t-il.

Dans des circonstances normales, j'aurais attendu que la pluie s'arrête et que la luminosité s'améliore. Quand des cadavres sont restés dehors pendant des mois, ça ne change pas grand-chose de les recouvrir de plastique et d'attendre un ou deux jours de plus. Mais lorsque Marino et moi nous étions arrêtés sur le chemin forestier, plusieurs camions de la télévision étaient déjà là. Certains journalistes restaient à l'abri dans leurs voitures, d'autres bravaient la pluie pour tenter d'extorquer des bribes d'information aux policiers qui gardaient le périmètre. Les circonstances n'avaient rien de normal. Je n'avais certainement aucun droit de dire à Morrell ce qu'il devait faire, mais selon le Code, j'avais autorité concernant les cadavres.

– J'ai des brancards et des *body bags* dans le coffre, dis-je en sortant mes clés de voiture. Si vous pouviez les faire apporter, j'évacuerais tout de suite les corps à la morgue.

– Entendu. Je m'en occupe.

– Merci, dis-je.

Peu après, Benton Wesley s'accroupit à côté de moi.

– Comment avez-vous appris la nouvelle ? lui demandai-je.

– Morrell m'a contacté à Quantico. Je suis venu tout de suite. (Il examinait les corps, son visage angulaire presque hagard dans l'ombre de son capuchon dégouttant de pluie.) Vos premières constatations, Kay ?

– Tout ce que je peux dire pour l'instant, c'est qu'on ne leur a pas fracassé le crâne et qu'on ne leur a pas tiré une balle dans la tête.

Il ne répondit pas et son silence accentua ma propre tension.

Je déroulais des draps quand Marino nous rejoignit, les mains enfouies dans les poches de son manteau, les épaules rentrées pour se protéger du froid et de la pluie.

– Vous allez attraper une pneumonie, fit Wesley en se relevant. La police de Richmond est-elle à ce point fauchée qu'elle ne peut pas vous payer des chapeaux ?

– Merde, fit Marino, on s'estime heureux quand ils nous fournissent de l'essence et un flingue. Croyez-moi, les locataires de Spring Street sont mieux lotis que nous autres.

Spring Street était le pénitencier de l'État, et il est exact qu'il en coûtait plus chaque année aux contribuables pour héberger ses détenus que pour rémunérer les officiers de police qui les avaient mis hors d'état de nuire. C'était un des sujets de récrimination favoris de Marino.

– J'vois qu'ils ont réussi à vous faire bouger de Quantico, dit Marino. C'est un jour à marquer d'une croix blanche.

– Dès que j'ai été au courant, j'ai demandé si on vous avait prévenu, rétorqua Wesley.

– Ouais, ils ont fini par se souvenir de moi.

– C'est ce que je vois. Morrell m'a dit qu'il n'avait jamais rempli de formulaire pour le VICAP. Peut-être pourriez-vous lui donner un coup de main.

Marino roulait des maxillaires en contemplant les cadavres.

– Il va falloir entrer tout ça dans l'ordinateur, reprit Wesley dans le roulement monotone des gouttes de pluie.

Me détournant d'eux, j'étendis un des draps près des restes de la femme et la retournai sur le dos. Elle resta entière, ligaments et jointures encore intacts. Dans un climat comme celui de la Virginie, il faut au moins un an avant qu'un corps exposé ne devienne tout à fait un squelette, c'est-à-dire un ensemble d'os désarticulés. Les tissus musculaires, le cartilage et les ligaments sont très résistants. La femme était de petite taille, et je me souvins de la photo d'une jolie athlète blonde sur une poutre d'équilibre. Je notai qu'elle portait une sorte de pull-over, peut-être un sweat-shirt, et que la fermeture Éclair de son jean était remontée, bouton agrafé. Ensuite, je déroulai l'autre drap et procédai de la même façon avec son compagnon. Retourner des corps décomposés, c'est comme soulever de grosses pierres. Vous pouvez être à peu près sûr de déloger des insectes. J'eus la chair de poule en voyant plusieurs araignées s'enfuir sous les feuilles.

Alors que je changeais de position dans le vain espoir de trouver un peu plus de confort, je m'aperçus que Wesley et Marino étaient partis. Agenouillée toute seule sous la pluie, je me mis à fouiller dans les feuilles et la boue, en quête d'ongles, de petits os et de dents. J'avais remarqué qu'au moins deux dents manquaient à l'une des mâchoires. Elles étaient probablement quelque part près des crânes. Après une vingtaine de minutes de recherches, j'avais retrouvé une dent, un petit bouton transparent, provenant peut-être de la chemise de l'homme, et deux mégots de cigarettes. On avait retrouvé plusieurs mégots sur chacun des lieux de découverte des corps, alors qu'aucune des victimes ne fumait. Ce qui était curieux, c'était qu'aucun des mégots ne portait de marque de fabricant.

Lorsque Morrell me rejoignit, je lui fis remarquer le fait.

– Jamais été sur les lieux d'un crime où il n'y avait pas de mégots, décréta-t-il.

J'étais prête à parier qu'il ne s'était pas rendu bien souvent sur les lieux d'un crime.

– On dirait qu'on a décollé une partie du papier ou arraché l'extrémité du filtre, lui fis-je remarquer.

Vu l'absence de réaction de la part du policier, je me remis à fouiller la boue.

La nuit tombait quand nous regagnâmes nos voitures, lugubre procession de policiers transportant sur des brancards deux cadavres enfermés dans des sacs en plastique orange vif. Lorsque nous atteignîmes le chemin forestier, le vent du nord se mit à souffler et les gouttes de pluie devinrent glacées. Mon break de fonction bleu marine était équipé comme un corbillard. Le contre-plaqué qui recouvrait le sol à l'arrière était pourvu de fixations empêchant les brancards de bouger pendant le transport. Je m'installai au volant et bouclai ma ceinture, Marino monta à côté de moi et Morrell referma le hayon arrière, le tout sous l'œil des caméras de télévision et des appareils-photo. Comme un journaliste particulièrement insistant frappait contre ma vitre, je verrouillai les portières.

– Bon sang de bon sang ! s'exclama Marino en mettant le chauffage à fond. J'espère que c'est la dernière fois.

Je zigzaguai entre les nids de poules.

– Quelle bande de vautours. (Il regarda dans le rétroviseur extérieur les journalistes s'entasser dans leurs voitures.) Un connard a dû jacter sur sa radio. Sans doute Morrell. Quel abruti, celui-là. S'il était sous mes ordres, j'le balancerais aussi sec à la circulation ou dans les bureaux.

– Vous vous souvenez comment on fait pour rejoindre la 64 ? lui demandai-je.

– Vous prendrez à gauche à la prochaine fourche. Merde. (Il entrouvrit sa fenêtre et sortit ses cigarettes.) Y'a rien de plus agréable que de rouler en bagnole avec des macchabées en décomposition.

Cinquante kilomètres plus tard, je déverrouillai la porte à l'arrière du BCME et appuyai sur un bouton rouge dans le hall d'entrée. Le lourd panneau s'ouvrit en cliquetant et la lumière en provenance de l'intérieur illumina peu à peu l'asphalte mouillé. Je mis le break à cul et ouvris le hayon. Nous sortîmes les brancards et les transportâmes sur des chariots roulants jusque dans la morgue tandis qu'un groupe de pathologistes sortant de l'ascenseur nous saluaient d'un sourire sans accorder à notre chargement plus qu'un vague coup d'œil. Les formes humaines étendues sur des chariots étaient aussi banales ici que les moellons des murs. Vous appreniez vite à contourner les traînées de sang par terre et à ne plus sentir les odeurs nauséabondes qui flottaient çà et là.

Produisant une autre clé, j'ouvris le verrou fermant la porte en acier inoxydable de la chambre froide où, après les avoir enregistrés, leur avoir passé une étiquette aux orteils, les avoir transférés sur un double chariot superposé, nous laissâmes les cadavres pour la nuit.

– Ça vous fait rien si je passe demain voir si vous avez trouvé quelque chose ? demanda Marino.

– Aucun problème.

– C'est eux, dit-il. C'est obligé.

– J'en ai bien peur, Marino. Au fait, où est passé Wesley ?

– Il est retourné attendre les résultats à Quantico, ses jolies pompes Florsheim posées sur son burlingue.

– Je croyais que vous étiez amis, fis-je.

– Ouais, eh ben, la vie est imprévisible, doc. C'est comme quand j'veux aller à la pêche. Tous les bulletins météo promettent un soleil du tonnerre, et juste au moment où je mets le bateau à l'eau, il se met à tomber des cordes.

– Vous êtes de l'équipe de nuit ce week-end ? m'enquis-je.

– Non.

– Dimanche soir, ça vous dirait de venir dîner à la maison ? Vers 6 heures, 6 heures et demie ?

– Ouais, j'devrais pouvoir, dit-il.

Il détourna aussitôt le regard mais j'eus le temps de voir une ombre douloureuse le voiler.

J'avais entendu dire que sa femme était retournée dans le New Jersey depuis Thanksgiving pour s'occuper de sa mère mourante. Depuis lors, j'avais dîné plusieurs fois avec Marino, mais il avait toujours évité d'évoquer ses ennuis.

Je traversai la salle d'autopsie et me dirigeai vers le vestiaire, où je gardais toujours quelques objets de première nécessité ainsi que des vêtements de rechange pour ce que je considérais comme des urgences hygiéniques. J'étais sale et l'odeur de la mort collait à ma peau, à mes cheveux, à mes vêtements. Je fourrai les vêtements que je portais dans un sac poubelle et y scotchai un mot demandant au surveillant de la morgue de les faire laver dès que possible. Ensuite, j'entrai dans la cabine de douche, où je restai un très long moment.

L'un des nombreux conseils que m'avait prodigués Anna après que Mark fut parti à Denver était de contrebalancer les mauvais traitements que j'infligeais en permanence à mon corps.

– Il faut faire de la *gymnastique*, avait-elle dit en insistant sur cet horrible mot. L'endorphine combat la dépression. Vous mangerez mieux, vous dormirez mieux, vous vous sentirez mieux pour tout. Vous devriez reprendre le tennis.

J'avais suivi sa suggestion, ce qui m'avait valu une leçon d'humilité. Je n'avais pas touché à une raquette depuis mon adolescence, et mon revers, qui n'avait jamais été excellent, avait même fini par sombrer dans l'oubli. Je m'étais donc remise à l'entraînement un soir par semaine, le plus tard possible afin d'éviter les regards des curieux attablés sur la terrasse surplombant les courts couverts du Westwood Racquet Club.

En sortant du bureau, j'eus juste le temps de me rendre au club, de me précipiter au vestiaire dames et de me mettre en tenue. Je récupérai ma raquette dans mon casier et me retrouvai sur le court avec tout juste deux minutes d'avance, me torturant les muscles à essayer de toucher mes doigts de pied du bout des doigts sans plier les jambes. Mon sang se mit paresseusement à circuler.

Ted, mon moniteur, émergea de derrière le rideau vert, deux paniers de balles sur les épaules.

– Quand j'ai entendu la nouvelle, je me suis dit que je ne vous verrais pas ce soir, dit-il en posant les paniers avant de quitter sa veste de survêtement.

Ted, l'image même du sportif dynamique, éternellement bronzé, m'accueillait en général avec un sourire et une plaisanterie. Mais ce soir, il n'était pas d'humeur.

– Mon petit frère connaissait bien Fred Cheney, m'annonça-t-il. Moi aussi, mais moins que lui. (Il tourna les yeux vers des joueurs qui s'affrontaient plusieurs courts plus loin.) Fred était un des types les plus sympathiques que je connaissais. Et je ne dis pas ça parce qu'il est... enfin... mon frère est vraiment choqué, vous savez. (Il se pencha pour prendre une poignée de balles.) Mais ce qui me gêne, c'est que les journaux ne parlent que de la fille. On dirait que la seule personne à avoir disparu, c'est la fille de Pat Harvey. C'est injuste. Enfin, vous voyez ce que je veux dire, n'est-ce pas ?

– Je vois très bien, dis-je. Mais l'autre aspect, c'est que la famille de Deborah Harvey est placée sous les projecteurs, et qu'il leur est interdit de vivre leur chagrin entre eux du fait de la position de Mrs Harvey. C'est injuste et tragique d'un côté comme de l'autre.

– C'est vrai, admit Ted. Je n'avais pas réfléchi à la question sous cet angle-là, mais vous avez raison. Je ne pense pas qu'être célèbre soit toujours drôle. Et je ne pense pas non plus que vous me payiez pour rester debout à bavarder. Que voudriez-vous travailler ce soir ?

– Les coups droits. Je veux que vous me fassiez courir sur toute la largeur du court pour me rappeler à quel point je déteste fumer.

– J'ai promis de ne plus vous faire la morale à ce sujet, rétorqua-t-il avant d'aller se placer au niveau du filet.

Je reculai jusqu'à la ligne de fond. Mes reprises n'auraient pas été mauvaises si j'avais joué en double. La douleur physique est une excellente diversion, et j'oubliai les éprouvantes réalités de la journée jusqu'à ce que, rentrée chez moi, le téléphone se mette à sonner alors que je me débarrassais de mes vêtements humides.

Pat Harvey était dans tous ses états.

– Les corps qu'on a trouvés aujourd'hui... Il faut que je sache.

– Ils n'ont pas été identifiés et je ne les ai pas encore examinés, dis-je en m'asseyant sur le bord du lit pour ôter mes tennis.

– Un homme et une femme. C'est ce que j'ai entendu dire.

– C'est ce qu'il semble, en effet. Oui.

– Je vous en prie, dites-moi s'il y a la moindre possibilité qu'il ne s'agisse pas de...

J'hésitai.

– Oh, mon Dieu, chuchota-t-elle.

– Mrs Harvey, je ne peux pas confirmer...

Elle m'interrompit d'une voix à la limite de l'hystérie.

– La police m'a dit qu'ils avaient retrouvé le sac de Debbie, son permis de conduire.

Morrell, pensai-je. Le petit con.

– Nous ne pouvons procéder à une identification uniquement à partir d'effets personnels, dis-je.

– *C'est ma fille !*

Suivraient les menaces et les insultes. J'avais vécu ça avec d'autres parents qui, en des circonstances normales, étaient aussi policés qu'un manuel de catéchisme. Je décidai de donner à Pat Harvey une occupation constructive.

– Les corps n'ont pas été identifiés, répétai-je.

– Je veux la voir.

Tout à fait hors de question, répondis-je en moi-même.

– Les corps ne sont pas identifiables visuellement, dis-je. Ce ne sont pratiquement plus que des squelettes.

Elle eut un haut-le-cœur.

– Il dépend de vous, repris-je, que nous les identifions dès demain, ou que cela prenne plusieurs jours.

– Que voulez-vous que je fasse ? demanda-t-elle d'une voix mal assurée.

– Il me faudrait des radiographies, des diagrammes dentaires, tout ce que vous pouvez retrouver concernant l'histoire médicale de Deborah.

Silence.

– Pensez-vous que vous pourriez me fournir ça ? repris-je.

– Bien sûr, dit-elle. Je m'en occupe tout de suite.

J'étais à peu près sûre qu'elle aurait reconstitué tout le dossier médical de Deborah avant demain matin, dût-elle pour cela tirer du lit la moitié des médecins de Richmond.

L'après-midi suivant, j'étais en train de retirer la protection plastique du squelette anatomique du BCME lorsque j'entendis Marino dans le couloir.

– Je suis là ! criai-je.

Il me rejoignit dans la salle de conférences, alors que je m'affairais autour du squelette aux os attachés par des fils de fer, et qu'un crochet fixé sur le haut du crâne maintenait suspendu à une barre en L. Il était un peu plus grand que moi et ses pieds pendouillaient au-dessus d'un socle en bois à roulettes.

Je rassemblai quelques papiers éparpillés sur une table.

– Ça ne vous ferait rien de me le sortir ?

– Vous emmenez « Slim » faire un tour ?

– Au rez-de-chaussée, répondis-je. Et il s'appelle Haresh.

Je me dirigeai vers l'ascenseur, Marino et son souriant compagnon me suivant dans un grincement de roulettes et un cliquetis d'ossements qui nous valurent les hochements de tête amusés de plusieurs membres de mon personnel. Haresh ne sortait pas souvent, et lorsqu'il le faisait, ça n'était pas en règle générale pour des motifs très sérieux. Au mois de juin précédent, en arrivant dans mon bureau le jour de mon anniversaire, j'avais trouvé Haresh assis dans mon fauteuil, affublé de lunettes et vêtu d'une blouse de labo, une cigarette coincée entre les dents. L'un des experts légistes les plus distraits de l'étage supérieur était passé devant mon bureau en lançant un joyeux « Bonjour ! » sans rien remarquer – c'est du moins ce qu'on m'avait rapporté.

– Pourquoi vous l'avez baptisé comme ça ?

– On m'a dit que quand on l'avait acheté, il y a de ça des années, un scientifique nommé Haresh travaillait ici. Le squelette est aussi d'origine indienne. C'est celui d'un homme, la quarantaine, peut-être plus.

– Indien, comme Sitting Bull ou comme ceux qui se peignent un point rouge sur le front ?

– Indien d'Inde, dis-je en sortant de la cabine au rez-de-chaussée. Les Hindous confient leurs morts aux flots du Gange en espérant qu'ils iront droit au paradis.

– J'espère que le paradis ressemble pas à cette boîte, fit Marino.

Ossements et roulettes cliquetèrent à nouveau tandis que Marino poussait Haresh vers la salle d'autopsie.

Sur un drap blanc couvrant une table en acier inoxydable étaient disposés les restes de Deborah Harvey, os gris sale, touffes de cheveux enduits de boue et ligaments de la couleur et de la résistance du cuir. La puanteur était forte mais supportable car j'avais débarrassé le corps des vêtements. L'état de ces restes était d'autant plus pitoyable qu'Haresh, par contraste, présentait des os blancs brillants dépourvus de la moindre éraflure.

– J'ai plusieurs choses à vous dire, dis-je à Marino. Mais d'abord je veux votre promesse que tout ceci restera entre nous.

Il me regarda d'un air intrigué.

– OK, fit-il en allumant une cigarette.

– Tout d'abord, leur identité ne fait aucun doute, commençai-je tout en disposant les clavicules de part et d'autre du crâne. Pat Harvey nous a apporté des radios et diagrammes dentaires ce matin...

– Elle-même ? m'interrompit-il d'un air surpris.

– Malheureusement oui, répondis-je.

Je n'avais en effet pas prévu que Pat Harvey apporterait elle-même le dossier médical de sa fille. Ç'avait été une erreur de ma part, erreur que je n'étais pas près d'oublier.

– Ça a dû faire un sacré raffut, dit Marino.

Il ne se trompait pas.

Mrs Harvey avait laissé sa Jaguar en stationnement interdit devant la porte, puis était accourue, larmes aux yeux et mille questions aux lèvres. Intimidé par la présence de cette personnalité, le réceptionniste l'avait laissée entrer, et Mrs Harvey s'était aussitôt lancée à ma recherche. Je pense qu'elle serait arrivée jusque dans la morgue si mon administrateur ne l'avait interceptée devant l'ascenseur et guidée jusqu'à mon bureau, où je l'avais retrouvée quelques instants plus tard. Elle était assise sur une chaise, le dos rigide, le visage blanc comme un linge. Sur mon bureau s'étalaient certificats de décès, dossiers en cours et clichés d'autopsie, ainsi qu'un flacon où flottait, dans du formol rosi par le sang, un bloc de chair transpercé d'un coup de couteau, que j'avais excisé pour le conserver. Pendus derrière ma porte, des vêtements sanguinolents que j'avais l'intention d'emporter un peu plus tard à l'étage supérieur, lorsque je ferais ma tournée des labos pour rassembler les premiers résultats. Deux reconstitutions faciales de victimes féminines non identifiées étaient posées en haut d'une armoire à dossiers, telles deux têtes en cire décapitées.

Pat Harvey avait trouvé ce qu'elle cherchait, et même au-delà. Elle avait foncé tête baissée dans les dures réalités de ma profession.

– Morrell m'a apporté aussi le dossier dentaire de Fred Cheney, dis-je à Marino.

– C'est donc bien Fred Cheney et Deborah Harvey ?

– Oui, dis-je avant d'attirer son attention sur des radiographies disposées contre un caisson lumineux fixé au mur.

– Pas possible... fit-il d'un air stupéfait en repérant le point radio opaque qui se détachait sur la silhouette des vertèbres lombaires.

– Deborah Harvey a reçu une balle. (Je désignai la lombaire atteinte.) En plein milieu du dos. La balle a dû perforer la moelle épinière et les pédicules avant de se loger dans le corps vertébral. Ici, ajoutai-je en désignant un point sur la radiographie.

– Je ne vois pas, dit-il en approchant le visage.

– Non, vous ne verrez pas la balle, mais vous voyez le trou, n'est-ce pas ?

– Je vois des tas de trous, ouais.

– Celui-ci est le trou causé par la balle. Les autres sont les orifices vasculaires qui permettent aux vaisseaux d'amener le sang à la moelle et aux os.

– Où sont les pellicules dont vous avez parlé ?

– *Pédicules*, rectifiai-je d'un ton patient. Je ne les ai pas trouvés. Ils ont sans doute été réduits en miettes. Nous avons un orifice d'entrée, mais pas de sortie. À mon avis, il est plus que vraisemblable qu'on lui a tiré dans le dos, non de face.

– Vous avez retrouvé le passage de la balle dans les vêtements ?

– Non.

Sur une table voisine se trouvait un plateau de plastique blanc dans lequel j'avais regroupé les effets personnels de Deborah, dont ses vêtements, ses bijoux et son sac à main en Nylon rouge. Je soulevai délicatement le sweat-shirt en loques, noirci et pourri.

– Comme vous pouvez le constater, il est en très mauvais état, surtout le dos. Presque tout le tissu a disparu, soit sous l'effet de la putréfaction, soit rongé par les prédateurs. Même chose pour l'arrière de son jean à hauteur de la taille, ce qui est logique puisque cette partie aussi était imprégnée de sang. En d'autres termes, les parties du vêtement où j'aurais eu le plus de chances de retrouver la trace du passage d'une balle ont disparu.

– La distance du coup de feu. Vous avez une idée ?

– Comme je vous l'ai dit, la balle n'est pas ressortie. Ce qui me fait conclure qu'il ne s'agit sans doute pas d'un tir à bout portant. Mais je n'ai aucune certitude. Quant au calibre, je dirai que c'est du .38 ou plus, mais encore une fois, c'est une simple supposition, basée sur la taille de l'orifice d'entrée. Nous le saurons avec certitude lorsque j'aurai ouvert la vertèbre et confié la balle au labo de balistique.

– Bizarre, fit Marino. Vous avez pas encore autopsié Cheney ?

– On l'a passé aux rayons X. Pas de trace de balle, mais je ne l'ai pas encore examiné.

– Bizarre, répéta-t-il. Ça colle pas. Qu'elle se soit fait tirer dans le dos, ça colle pas avec les autres meurtres.

– Non, admis-je, c'est vrai.

– En tout cas, c'est ça qui l'a tuée ?

– Je ne sais pas.

– Comment ça, vous savez pas ? s'étonna-t-il.

– Cette blessure n'est pas mortelle tout de suite, Marino. Comme la balle n'a pas tout traversé, elle n'a pas sectionné l'aorte. Si ç'avait été le cas, l'hémorragie dans cette région lombaire aurait provoqué la mort en quelques minutes. Ce qui s'est passé, c'est que la balle, en traversant la moelle épinière, l'a instantanément paralysée en dessous de la taille. Et comme des vaisseaux ont été touchés, elle a beaucoup saigné.

– Combien de temps elle a pu survivre ?

– Plusieurs heures.

– Est-ce qu'il y a eu agression sexuelle ?

– Elle portait encore sa culotte et son soutien-gorge, répondis-je. Ça ne veut pas dire qu'on n'ait pas abusé d'elle. L'agresseur a pu lui permettre de se rhabiller après, dans l'hypothèse où il l'a violée avant de la tuer.

– Alors pourquoi la faire rhabiller ?

– Si vous êtes violée, expliquai-je, et que votre agresseur vous dit de remettre vos vêtements, vous en déduisez qu'il va vous laisser la vie sauve. Cet espoir lui permet de mieux vous contrôler, de vous rendre plus docile aux ordres, parce que vous avez peur qu'en lui désobéissant, il change d'avis.

– J'suis pas convaincu, doc, fit Marino en fronçant les sourcils. Je pense pas que ça s'est passé comme ça.

– C'est un scénario possible. Moi non plus je ne sais pas ce qui s'est passé. Tout ce que je peux vous dire avec certitude, c'est qu'aucun de ses vêtements ou sous-vêtements n'était déchiré, coupé, à l'envers ou déboutonné. Quant aux traces de sperme, inutile d'y penser après plusieurs mois dans la forêt. (Je lui tendis alors un porte-bloc et un crayon.) Tenez, si vous tenez à rester, vous pourriez aussi bien m'aider à prendre mes notes.

– Avez-vous l'intention de mettre Benton au courant ? demanda-t-il.

– Pas pour le moment.

– Et Morrell ?

– Oui, je lui dirai qu'elle a été tuée par balle, dis-je. S'il s'agit d'un automatique ou d'un semi-automatique, la douille devrait encore se trouver sur les lieux. Si les flics veulent parler, qu'ils le fassent, moi, je ne dirai rien.

– Et Mrs Harvey ?

– Elle et son mari savent qu'on a identifié de façon formelle leur fille et Fred. J'ai appelé les Harvey et Mr Cheney dès que j'en ai eu la certitude. Je ne ferai aucune autre déclaration tant que je n'aurai pas terminé les examens.

Les côtes s'entrechoquèrent avec un bruit de cubes en bois lorsque je séparai les gauches des droites.

– Douze de chaque côté, commençai-je à dicter. Contrairement à la légende, les femmes n'ont pas une côte de plus que les hommes.

– Hé ? fit Marino en levant les yeux du porte-bloc.

– Vous n'avez jamais lu la Genèse ?

Il contempla les côtes d'un air perplexe tandis que je les disposais de chaque côté des vertèbres thoraciques.

– Ce n'est pas grave, dis-je.

Je me mis ensuite à chercher les os carpiens, ces os du poignet qui ressemblent à de petits galets de rivière. Il est difficile de distinguer ceux appartenant à la main droite et ceux appartenant à la main gauche, et c'est là que le squelette anatomique se révèle utile. Je le rapprochai et, posant ses mains sur la table, j'entrepris de procéder par comparaison. J'agis de même pour les phalanges distales et proximales, c'est-à-dire les os des doigts.

– Il manque onze os à la main droite, et dix-sept à la main gauche, annonçai-je.

– Sur combien ? demanda Marino en notant ces renseignements.

– La main est composée de vingt-sept os, répondis-je en poursuivant mon travail. C'est ce qui lui donne son extraordinaire flexibilité. C'est ce qui nous permet de peindre, de jouer du violon, d'exprimer notre amour par des caresses.

Et de nous défendre.

Ce n'est qu'au cours de l'après-midi suivant que je compris que Deborah Harvey avait tenté de repousser un agresseur brandissant autre chose que son arme à feu. Le temps s'étant amélioré et beaucoup radouci, la police avait pu procéder toute la journée à une fouille minutieuse du lieu de découverte des corps. Peu avant 16 heures, Morrell passa me voir au bureau pour me remettre plusieurs petits os retrouvés sur place. Cinq d'entre eux appartenaient à Deborah, et sur la face dorsale de sa phalange proximale gauche – c'est-à-dire sur le dessus du plus long os de l'index –, je découvris une entaille d'un peu plus d'un centimètre.

La première question que je me pose lorsque je découvre une lésion sur un os ou dans un tissu musculaire, c'est de savoir si elle a été provoquée avant ou après la mort. Car si l'on ne connaît pas les altérations pouvant intervenir après la mort, on risque de graves erreurs.

Les gens carbonisés dans des incendies présentent souvent des os éclatés ou des traces d'hémorragies épidurales, ce qui peut donner l'impression que quelqu'un les a torturés avant de mettre le feu à la maison pour maquiller le meurtre, alors que ces blessures sont intervenues après la mort en raison de la chaleur intense. L'aspect des cadavres échoués sur les plages ou repêchés dans des rivières ou des lacs peut souvent faire croire qu'un malade mental a mutilé visages, organes génitaux, pieds et mains, alors que c'est là l'œuvre des poissons, des crabes et des tortues. Les restes osseux sont mordus, rongés, déchiquetés par les rats, les chiens, les rapaces et les ratons laveurs.

Les prédateurs à quatre pattes, à écailles ou ailés infligent des dommages spectaculaires, certes, mais heureusement postérieurs au décès de la victime. La nature entreprend alors son grand recyclage. La cendre redevient cendre, la poussière retourne à la poussière.

Or, l'entaille que je constatai sur la phalange proximale de Deborah Harvey était trop nette et trop linéaire pour avoir été causée par une dent ou une griffe. C'était en tout cas mon opinion, laquelle laissait la porte ouverte aux spéculations les plus diverses, y compris celle inévitable suivant laquelle c'était moi qui l'avais causée d'un coup de scalpel malheureux.

Le mercredi soir, la police avait confirmé à la presse l'identité des deux cadavres, et durant les quarante-huit heures suivantes, le BCME fut assailli d'une telle quantité de coups de téléphone que les secrétaires furent contraintes de négliger leurs autres tâches afin de pouvoir répondre à tous les appels. Je restai enfermée dans la morgue et donnai pour instruction à Rose de dire à tout le monde, y compris Benton Wesley et Pat Harvey, que la cause de la mort n'était pas encore déterminée.

Lorsqu'arriva le dimanche soir, j'avais fait tout ce qu'il était possible de faire. Les restes de Deborah et de Fred, nettoyés de toute chair et graisse restantes, avaient été photographiés sous tous les angles, l'inventaire des ossements était terminé. J'étais en train de les ranger dans une boîte en carton lorsque la sonnette de la porte de derrière retentit. J'entendis le bruit des pas du gardien de nuit résonner dans le couloir, le panneau de la porte s'ouvrir. Puis Marino fit son apparition.

– Vous avez l'intention de dormir ici ? fit-il.

Levant les yeux vers lui, je constatai avec surprise que son pardessus et ses cheveux étaient mouillés.

– Il neige, ajouta-t-il.

Il retira ses gants et posa sa radio portative sur le bord de la table d'autopsie où je travaillais.

– Il ne manquait plus que ça, soupirai-je.

– Ça n'arrête pas, doc. Je passais par là et j'ai vu votre bagnole dans le parking. Je me suis dit que vous étiez dans cette cave depuis l'aube et que vous aviez pas vu le temps passer.

Je déroulai un long morceau de papier adhésif et scellai la boîte.

– Je croyais que vous n'étiez pas de service de nuit ce week-end, dis-je.

– Ouais, et je croyais que vous m'aviez invité à dîner.

J'interrompis mon travail et le regardai d'un air interrogateur. Puis je me souvins.

– Oh non... marmonnai-je en levant les yeux vers la pendule murale qui indiquait 20 heures passées. Marino, je suis vraiment navrée.

– Ça ne fait rien. De toute façon j'avais deux ou trois choses à vérifier.

Je devinai toujours quand Marino mentait. Il fuyait mon regard et son visage s'empourprait. Ça n'était certainement pas par hasard s'il avait vu ma voiture dans le parking. Il me cherchait, et pas simplement pour le dîner. Il avait une idée derrière la tête.

Je m'appuyai à la table et lui accordai toute mon attention.

– Je pensais que ça vous intéresserait de savoir que Pat Harvey est restée à Washington tout le week-end et qu'elle a été voir le Directeur, dit-il.

– Vous l'avez su par Benton ?

– Ouais. Il m'a dit qu'il essayait de vous joindre mais que vous le rappeliez pas. Le Tsar de la Drogue s'est plainte que vous la rappeliez pas non plus.

– Je ne rappelle personne en ce moment, dis-je d'une voix lasse. J'ai été très occupée, c'est le moins qu'on puisse dire, et je n'ai rien à déclarer pour l'instant.

Marino baissa la tête vers la boîte posée sur la table.

– Vous savez que Deborah a été tuée par balle. Qu'il s'agit d'un meurtre. Qu'est-ce que vous attendez ?

– Je ne sais toujours pas de quoi est mort Fred Cheney, ni s'ils ont pris de la drogue. J'attends les résultats des tests toxicologiques. Je ne ferai aucune déclaration avant de les avoir reçus et d'avoir parlé avec Vessey.

– Le type du Smithsonian ?

– Je dois le voir demain matin.

– J'espère que vous avez un 4 X 4.

– Vous ne m'avez pas dit pourquoi Pat Harvey était allée voir le Directeur.

– Elle accuse votre bureau d'obstruction, et aussi le FBI. Elle est furieuse. Elle veut voir les rapports d'autopsie de sa fille, les rapports de police, tout le tralala, et elle menace d'avoir recours aux tribunaux, de remuer ciel et terre si on ne lui donne pas satisfaction.

– C'est insensé.

– Exact. Mais si vous voulez mon avis, doc, je vous conseille d'appeler Benton avant demain matin.

– Pourquoi ?

– Je veux pas que vous ayez des ennuis, c'est tout.

– Que voulez-vous dire, Marino ? fis-je en dénouant ma blouse.

– Plus vous restez discrète, plus vous versez de l'huile sur le feu. D'après Benton, Mrs Harvey est convaincue qu'on veut étouffer quelque chose et qu'on fait tous partie d'un complot.

Comme je ne répondais pas, il ajouta :

– Vous m'avez entendu ?

– Oui, j'ai entendu.

Il souleva la boîte en carton.

– Incroyable de penser qu'il y a deux personnes là-dedans, fit-il d'un ton admiratif.

Incroyable, en effet. La boîte était à peu près de la taille d'un four à micro-ondes, et ne pesait que dix ou douze kilos. Tandis que Marino la posait dans le coffre de ma voiture de fonction, je lui dis à mi-voix :

– Merci pour tout.

– Hé ?

Je savais qu'il avait entendu, mais il voulait me l'entendre répéter.

– J'apprécie que vous vous fassiez du souci pour moi, Marino. J'apprécie sincèrement. Et encore une fois toutes mes excuses pour le dîner. Je perds les pédales, parfois...

La neige tombait dru, et comme d'habitude, il ne portait pas de chapeau. Je démarrai, enclenchai le chauffage et, levant la tête vers lui, je me dis qu'il était décidément étrange que sa présence me procure un tel réconfort. Marino me tapait plus sur les nerfs que n'importe quelle autre personne de ma connaissance, et pourtant je ne m'imaginais plus vivre sans le côtoyer presque chaque jour.

– Vous me devez un dîner, fit-il en claquant ma portière.

– Un *pasticcio di scorzonera*.

– J'adore quand vous me dites des cochonneries.

– Idiot, c'est une de mes spécialités. Un gratin de scorsonères.

– Un gratin de *quoi* ?

– De scorsonères. Ce sont des salsifis blancs. Ma mère les appelle les doigts de la mort.

– Les *doigts de la mort* ? s'exclama-t-il en coulant un regard faussement horrifié vers la morgue.

Le trajet de retour chez moi me parut durer une éternité. J'avançai à l'allure d'un escargot sur des routes couvertes d'une mince couche de neige, si concentrée sur ma conduite que mon crâne était sur le point d'exploser lorsqu'enfin je me retrouvai dans ma cuisine en train de me préparer un verre. Je m'assis devant la table, allumai une cigarette et appelai Benton Wesley.

– Vous avez du nouveau ? demanda-t-il aussitôt.

– Deborah Harvey est morte d'une balle dans le dos.

– C'est ce que Morrell m'a dit. Et aussi que la balle était inhabituelle. Une Hydra-Shok 9 mm.

– Exact.

– Et le garçon ?

– Je ne sais toujours pas ce qui l'a tué. J'attends les résultats des tests toxicos, et je dois discuter avec Vessey au Smithsonian. Les deux dossiers sont en suspens pour l'instant.

– Le plus longtemps ils resteront en suspens, le mieux ce sera.

– Je vous demande pardon ?

– Je dis que je préférerais que vous les gardiez le plus longtemps possible en suspens, Kay. Je veux qu'on ne communique aucun rapport à personne, pas même aux parents, et surtout pas à Pat Harvey. Je veux que personne n'apprenne que Deborah a été tuée par balle...

– Voulez-vous dire que les Harvey l'ignorent ?

– Dès que Morrell m'a appris la nouvelle, je lui ai fait promettre de ne pas l'ébruiter. C'est pour ça qu'on n'a rien dit aux Harvey. Enfin, que la police ne leur a rien dit. Ils savent seulement que leur fille et Fred sont morts. (Il se tut un instant avant d'ajouter :) À moins que vous ayez publié un communiqué ?

– Mrs Harvey a essayé de me joindre plusieurs fois, mais je ne lui ai pas parlé, pas plus qu'à n'importe qui d'autre ces jours-ci.

– Continuez comme ça, Kay, dit Wesley d'une voix ferme. Ne communiquez vos informations qu'à moi.

– Il viendra bien un moment, Benton, rétorquai-je d'une voix tout aussi ferme, où il faudra que je fasse état de la cause et des circonstances de la mort. Vous savez très bien que la famille de Fred et celle de Deborah y ont légalement droit.

– Retardez ce moment le plus longtemps possible.

– Auriez-vous l'extrême amabilité de m'expliquer pourquoi ?

Silence.

– Benton ?

Je crus un instant qu'il n'était plus en ligne.

– Ne faites rien sans m'en référer au préalable, dit-il enfin. (Il hésita un instant.) Je suppose que vous êtes au courant du contrat qu'a signé Abby Turnbull pour la publication de son livre ?

– J'ai lu quelque chose là-dessus dans les journaux, répondis-je en sentant la moutarde me monter au nez.

– Vous a-t-elle à nouveau contactée... hum... récemment ?

À nouveau ? Comment Benton Wesley savait-il qu'Abby était venue me voir l'automne dernier ? Ce petit salaud de Mark ! Le soir où il m'avait téléphoné, je lui avais dit qu'Abby était chez moi.

– Je n'ai aucune nouvelle, répliquai-je d'un ton sec.

6

Le lundi matin, la rue devant chez moi était couverte d'une épaisse couche de neige et le ciel gris sombre promettait encore du mauvais temps. Je me préparai une tasse de café tout en débattant intérieurement pour savoir s'il était sage que je me rende à Washington. J'appelai la police de l'État qui m'annonça que la I-95 North était dégagée, avec une couche de neige n'atteignant que deux ou trois centimètres aux pires endroits.

Soupçonnant ma voiture de fonction de ne même pas être capable de s'extirper de mon allée d'accès, je mis la boîte en carton dans ma Mercedes.

Tout en empruntant la bretelle d'accès à l'Interstate, je me dis qu'en cas d'accident ou de contrôle, il ne me serait pas facile d'expliquer la présence de deux squelettes humains dans mon coffre. Présenter ma plaque de médecin expert n'était parfois pas suffisant. Je n'oublierai jamais la fois où j'avais pris l'avion pour la Californie avec une serviette pleine d'accessoires sado-masochistes. La serviette passa sous le portique des rayons X et quelques minutes après le personnel de sécurité de l'aéroport m'entraînait dans un bureau pour un interrogatoire en règle. Pendant un long moment, ces têtes de mules refusèrent de croire que je me rendais à la Convention annuelle des médecins experts, où je devais prononcer une intervention sur l'asphyxie autoérotique. Loin de constituer ma collection personnelle, ces menottes, colliers à pointes et autres ceintures de cuir n'étaient que des pièces à conviction saisies lors de différentes enquêtes.

J'arrivai à Washington à 10 h 30 et réussis à trouver une place à moins d'un bloc du croisement entre Constitution Avenue et Twelfth. Je n'étais pas retournée au Smithsonian's National Museum of Natural History depuis que j'y avais suivi un cours d'anthropologie légale plusieurs années auparavant. Pénétrant, ma boîte sous le bras, dans le hall d'entrée où se mêlaient l'odeur des orchidées en pot et le brouhaha des conversations des visiteurs, je me fis la réflexion que j'aurais de loin préféré admirer les dinosaures et les diamants, les momies et les mastodontes du musée que d'être confrontée aux trésors plus macabres que renfermaient ses murs.

Tapissant du sol au plafond le moindre recoin dissimulé à la vue des visiteurs, des colonnes de tiroirs en bois vert contenaient, entre autres, plus de trente mille squelettes humains. Des os de toutes sortes arrivaient chaque semaine par la poste à l'intention du Dr Alex Vessey. Certains de ces ossements provenaient de fouilles archéologiques, d'autres se révélaient être des griffes d'ours ou de castor, ou des crânes de veaux hydrocéphales, ou encore des os d'apparence humaine trouvés dans un fossé ou mis au jour par une charrue et dont on craignait qu'ils ne fussent ceux des victimes de mort suspecte. Certains paquets recelaient malheureusement les restes d'une personne assassinée. En plus de son activité de scientifique et de conservateur, le Dr Vessey travaillait pour le FBI et prêtait son assistance aux gens de ma partie.

Je retirai un badge de visiteur auprès d'un gardien, l'agrafai au revers de ma veste et pris l'ascenseur en cuivre jusqu'au deuxième étage. Là, je m'enfonçai dans un long couloir plongé dans la pénombre et encombré de hautes piles de tiroirs. Le brouhaha des touristes admirant l'éléphant empaillé deux étages plus bas s'estompa peu à peu et je commençai à ressentir des bouffées de claustrophobie. Je me souvenais avoir tellement souffert de l'absence de tout stimulus sensoriel en ces lieux qu'à la fin de nos huit heures de cours la foule des trottoirs et le vacarme de la circulation étaient de véritables bols d'air.

Je trouvai le Dr Vessey dans son laboratoire, là où je l'avais laissé la dernière fois, parmi les chariots métalliques où s'entassaient squelettes d'oiseaux et de mammifères, dents, fémurs, mandibules. Les rayonnages disparaissaient sous des piles d'ossements et d'autres restes humains tels que crânes reconstitués et têtes réduites. Le Dr Vessey, un homme aux cheveux blancs portant d'épaisses lunettes, était assis à son bureau et parlait au téléphone. Tandis qu'il terminait sa conversation, j'ouvris la boîte en carton et en sortis le sac plastique contenant l'os de la main gauche de Deborah Harvey.

– La fille de la Drug Czar ? fit-il en s'emparant de l'enveloppe.

Je fus un instant décontenancée par sa réaction, qui me fit comprendre que Deborah était désormais réduite à une curiosité scientifique, un indice matériel comme un autre.

– Oui, soupirai-je tandis qu'il sortait la phalange du sachet et l'exposait à la lumière.

– Je peux vous dire tout de suite, Kay, qu'il s'agit d'une coupure antérieure à la mort. Si certaines coupures anciennes peuvent avoir l'air récentes, aucune coupure récente ne peut paraître ancienne. L'intérieur de l'entaille a subi la même décoloration que le reste de l'os. De plus, la manière dont est recourbée la lèvre de la coupure indique que celle-ci n'a pas été infligée sur un os mort. L'os vivant peut se déformer ; pas l'os mort.

– C'est la conclusion à laquelle j'étais parvenue, répliquai-je en approchant une chaise. Mais vous savez qu'on posera inévitablement la question, Alex.

– Ça se comprend, dit-il en m'observant par-dessus ses lunettes. Vous n'imaginez pas ce que nous recevons ici.

Le Dr Vessey me rappelait que le degré de compétence en matière de médecine légale variait considérablement d'un État à l'autre.

– Je m'en doute, répondis-je.

– Un coroner m'a envoyé un colis il y a deux ou trois mois, un gros morceau de chair et d'os. Il prétendait qu'il appartenait à un bébé retrouvé dans un égout et me demandait de déterminer l'âge et la race. Réponse : beagle mâle de deux semaines. Peu de temps avant, un autre coroner qui ne devait pas connaître la différence entre pathologie et herboristerie m'envoie un squelette en m'avouant qu'il ne parvient pas à déterminer la cause de la mort. J'ai relevé sur les os plus d'une quarantaine d'entailles à lèvres recourbées, un exemple éclatant de la flexibilité de l'os vivant. Ce qui excluait la mort naturelle. (Il nettoya ses lunettes avec le bord de sa blouse.) Mais il m'arrive parfois de tomber sur des entailles faites en cours d'autopsie.

– Y a-t-il la moindre possibilité que cette entaille ait été faite par un prédateur ? demandai-je tout en sachant que ça ne pouvait être le cas.

– Il est vrai que les coupures sont parfois difficiles à distinguer des morsures de carnivores. Mais je suis à peu près certain que celle-ci a été causée par une lame. (Il se leva et ajouta avec entrain :) Allons voir ça de plus près.

Ragaillardi par cette nouvelle énigme anthropologique, le Dr Vessey se dirigea vers un gros microscope et positionna l'os sur la platine. Sans mot dire, il l'examina un long moment sous différents angles.

– Tiens, tiens, voilà qui est intéressant, dit-il enfin.

J'attendis en silence.

– C'est la seule coupure que vous ayez trouvée ?

– Oui, répondis-je. Peut-être en découvrirez-vous d'autres, mais c'est la seule altération osseuse que j'aie constatée en dehors de la blessure par balle au niveau de la dixième dorsale.

– Oui. Vous m'avez dit que la balle avait traversé la moelle épinière.

– Exact. On lui a tiré dans le dos. J'ai retrouvé la balle dans la vertèbre.

– Savez-vous où a été tiré le coup de feu ?

– Non. Nous ne savons pas à quel endroit de la forêt elle se trouvait – ni même si elle *était* dans la forêt – quand elle a été tuée.

– Et elle a cette coupure à la main, fit le Dr Vessey d'un air songeur en se repenchant au-dessus des oculaires. Impossible de savoir ce qui est arrivé en premier. Après le coup de feu, elle a dû être paralysée à partir de la taille, mais elle pouvait quand même se servir de ses mains.

– Une blessure de défense ? demandai-je pour entendre confirmer mon opinion.

– Si c'est le cas, c'est très inhabituel, Kay, car la blessure est dorsale, et non palmaire. (Il s'appuya contre son dossier et leva les yeux vers moi.) La plupart des blessures de défense observées sur les mains le sont sur la face palmaire. (Il leva les mains, paumes en avant.) Alors qu'elle a reçu cette blessure sur le *dos* de la main. (Il retourna ses mains.) Les blessures dorsales surviennent souvent chez des personnes qui se défendent de manière agressive.

– En donnant des coups de poing, dis-je.

– Exact. Si je vous attaque avec un couteau et que vous tentez de me repousser à coups de poing, vous serez sans doute blessée au dos de la main. Vous ne risquerez pas d'être entaillée sur la paume, à moins de desserrer vos poings. Mais le plus significatif, c'est que la plupart des blessures de défense sont des coupures glissées. L'agresseur brandit sa lame de droite à gauche, ou pousse la lame vers la victime, qui tente d'éviter le coup avec ses mains. Si la coupure atteint l'os, je suis souvent dans l'incapacité de déterminer le type de lame employé.

– Parce que si la lame est dentelée, extrapolai-je, elle efface en quelque sorte ses propres traces en glissant.

– C'est une des raisons pour lesquelles cette coupure est si intéressante, dit-il. Car il est certain qu'elle a été infligée par une lame dentelée.

– Donc ça ne serait pas une coupure glissée, mais un coup frappé, assené par une lame en dents de scie ? fis-je d'un air dérouté.

– Oui, acquiesça-t-il en remettant l'os dans son sachet. La découpe des dents indique qu'au moins un à deux centimètres de lame se sont abattus sur le dos de sa main. (Il retourna à son bureau et ajouta :) Je crains que ce ne soit les seules informations que je puisse vous donner pour l'instant sur le type d'arme et la manière dont la blessure a été occasionnée. Comme vous le savez, il y a un nombre infini de paramètres. Je ne peux pas vous indiquer la taille de la lame, par exemple, ni si la victime a été blessée avant ou après avoir reçu la balle dans le dos, ni dans quelle position elle était quand elle a été entaillée.

Deborah aurait pu être couchée sur le dos, agenouillée, debout. Je tentai d'imaginer la scène tandis que je regagnais ma voiture. La blessure à la main était profonde, elle avait dû saigner abondamment, donc elle avait dû être blessée après être descendue de voiture, sur le sentier forestier ou dans la clairière, puisqu'on n'avait retrouvé aucune trace de sang dans la Jeep. Cette gymnaste de cinquante kilos s'était-elle battue avec son agresseur ? Avait-elle essayé de le frapper à coups de poing ? Était-elle terrorisée et luttait-elle pour sa vie parce que Fred venait d'être assassiné devant elle ? À quel moment intervenait le coup de feu ? Pourquoi le tueur avait-il eu besoin de deux armes différentes, puisqu'il ne s'était apparemment pas servi de son arme à feu pour tuer Fred ?

J'étais prête à parier que Fred avait eu la gorge tranchée. Il était très probable qu'après avoir reçu le coup de feu, Deborah avait été égorgée ou étranglée. On ne l'avait pas laissée agoniser après le coup de feu. Elle ne s'était pas traînée, à demi paralysée, au côté de Fred pour passer son bras sous le sien. On avait délibérément disposé leurs corps dans la position où nous les avions retrouvés.

Je quittai Constitution et rejoignis bientôt Connecticut, qui me conduisit, au nord-ouest de la ville, dans un quartier qui n'aurait été guère plus qu'un bidonville sans le Washington Hilton qui le dominait. En effet, dressé sur une pente herbue de la surface d'un vaste pâté de maisons, l'hôtel dominait, tel un paquebot blanc, un océan de magasins de vins et liqueurs poussiéreux, de lavomatiques, de night-clubs vantant leurs « danseuses nues » et de pavillons décrépits aux vitres brisées remplacées par des planches. Je laissai ma voiture dans le parking souterrain de l'hôtel, traversai Florida Avenue et escaladai le seuil d'un immeuble en brique crasseux doté d'une marquise bleue défraîchie. J'appuyai sur le bouton de l'appartement 28, où vivait Abby Turnbull.

– Qui est-ce ?

Je reconnus à peine la voix impersonnelle qui jaillit de l'interphone. Je m'annonçai et la serrure électronique s'ouvrit avec un cliquètement.

Je pénétrai dans un hall faiblement éclairé, avec au sol une moquette brune constellée de taches et sur un côté une batterie de boîtes aux lettres en cuivre terni. Je me souvins des craintes d'Abby concernant l'intégrité de son courrier. Il paraissait aussi difficile de pénétrer dans l'immeuble que d'ouvrir une des boîtes aux lettres sans en posséder la clé. Tout ce qu'elle m'avait dit l'automne précédent à Richmond me parut soudain suspect. Lorsque j'eus gravi les cinq étages à pied, j'étais hors d'haleine et hors de moi.

Abby m'attendait sur le seuil.

– Que fais-tu ici ? chuchota-t-elle, le visage tendu.

– Tu es la seule personne que je connais dans cet immeuble, alors devine ce que je viens faire, répliquai-je.

– Tu n'es pas venue à Washington seulement pour me voir.

Elle avait le regard effrayé.

– J'avais à faire.

Par sa porte entrouverte j'apercevais des meubles blancs, des coussins pastel et une série de gravures abstraites de Gregg Carbo, toutes choses que j'avais connues dans sa maison de Richmond. L'espace d'un instant, je fus envahie par les images terribles de ce jour-là. Je me remémorai le cadavre de sa sœur, allongé sur le lit de la chambre du haut, les policiers et les ambulanciers allant et venant autour d'Abby qui restait assise sur le divan, les mains tremblant si fort qu'elle parvenait à peine à tenir sa cigarette. À cette époque, je ne la connaissais que de réputation, et je ne l'appréciais pas du tout. Lorsque sa sœur avait été assassinée, elle avait su gagner ma sympathie, mais ce n'est que plus tard qu'elle avait conquis ma confiance.

– Je sais que tu ne vas pas me croire, me confia-t-elle toujours à mi-voix, mais j'avais l'intention d'aller te voir la semaine prochaine.

– Tu aurais pu me téléphoner.

– Impossible, m'assura-t-elle alors que nous étions toujours debout devant sa porte.

– Abby, vas-tu te décider à me faire entrer ?

Elle fit non de la tête.

Un frisson d'appréhension me parcourut. Je scrutai l'appartement par-dessus son épaule.

– Tu es avec quelqu'un ? demandai-je d'une voix calme.

– Allons faire un tour, souffla-t-elle.

– Mais enfin Abby, vas-tu me dire ce qui... ?

Elle me foudroya du regard en plaçant un doigt devant ses lèvres.

Songeant qu'elle avait perdu l'esprit, j'attendis dans le couloir pendant qu'elle rentrait chercher son manteau. Nous sortîmes de son immeuble et arpentâmes Connecticut Avenue pendant près d'une demi-heure sans prononcer un mot. Elle me conduisit jusqu'au Mayflower Hotel où elle choisit une table dans le coin le plus sombre du bar. Je commandai un expresso et, assise dans mon fauteuil, observai Abby par-dessus la table de bois verni.

– Je sais que tu ne comprends pas ce qui se passe, commença-t-elle.

Elle jetait de fréquents coups d'œil autour d'elle, mais si tôt dans la journée, le bar était presque désert.

– Abby, est-ce que tu te sens bien ?

Sa lèvre inférieure se mit à trembler.

– Je n'ai pas pu t'appeler. Je ne peux même pas te parler dans mon foutu appartement ! Ça se passe exactement comme je te l'ai raconté à Richmond, mais en mille fois pire.

– Tu devrais voir quelqu'un, fis-je d'un ton calme.

– Je ne suis pas folle.

– Tu es à deux doigts de perdre les pédales.

Elle respira un grand coup et planta son regard dans le mien.

– Kay, je suis suivie. Je suis certaine que mon téléphone est sur écoute, et je les soupçonne d'avoir installé des micros dans mon appartement – raison pour laquelle je n'ai pas voulu te faire entrer. Tires-en les conclusions que tu voudras. Dis que je suis paranoïaque, névrosée, ce que tu veux. Mais je sais ce que je vis, je sais ce que je dois supporter. Je sais ce que je sais sur ces meurtres et je sais ce qui m'est arrivé depuis que j'ai commencé à m'y intéresser.

– Qu'est-ce qui s'est passé, au juste ?

La serveuse nous apporta notre commande.

– Moins d'une semaine après mon retour de Richmond la fois où je t'ai vue, reprit Abby lorsqu'elle se fut éloignée, la porte de mon appartement a été forcée.

– On t'a cambriolée ?

– Oh non ! fit-elle avec un rire sans joie. Pas du tout. Celui ou ceux qui ont fait ça étaient bien trop malins pour ça. Rien n'a été volé.

Je la considérai d'un œil interrogateur.

– J'ai un ordinateur pour écrire mes articles, et sur le disque dur j'ai un dossier regroupant toutes mes informations concernant les meurtres de couples. Le traitement de texte que j'utilise comporte une option de sauvegarde automatique du texte, et je l'ai réglée pour qu'elle s'active toutes les dix minutes. Ça empêche de perdre plus de dix minutes de travail en cas de panne de courant ou d'incident quelconque. Surtout dans mon immeuble...

– Abby, l'interrompis-je. Vas-tu en arriver au fait ?

– Ce que je voulais dire, c'est que si tu ouvres un fichier et que tu y travailles plus de dix minutes, non seulement il se crée une sauvegarde automatique, mais quand on referme le dossier, il enregistre la date et l'heure de fermeture. Est-ce que tu me suis ?

– Pas très bien, dis-je en tendant la main vers mon expresso.

– Tu te souviens du jour où j'ai été te voir ?

J'acquiesçai d'un hochement de tête.

– J'ai pris des notes pendant que je parlais avec la caissière du Seven-Eleven.

– Oui, je m'en souviens.

– J'avais parlé à des tas d'autres gens, y compris Pat Harvey, et je voulais entrer ces notes dans mon ordinateur une fois rentrée chez moi. Je suis passée te voir un mardi soir et je suis revenue à Washington le lendemain matin. Eh bien, quand j'ai revu mon rédacteur en chef, on aurait dit qu'il avait perdu tout intérêt pour l'affaire Harvey-Cheney. Il voulait la garder sous le coude mais préférait passer une série d'articles sur le sida pendant le week-end.

» J'ai trouvé ça bizarre, poursuivit-elle. Quelques jours avant, on ne parlait que de l'affaire Harvey-Cheney, le *Post* prévoyait un grand article dessus, et puis je reviens de Richmond et on me balance sur un autre sujet ! (Elle se tut le temps d'allumer une cigarette.) Je n'ai pas eu une minute de libre avant samedi, où je me suis finalement assise devant mon ordinateur pour taper mes notes. J'ouvre mon dossier, et là je m'aperçois que la date de la dernière modification du dossier – à savoir vendredi 20 septembre à 14 h 13 – correspond à un moment *où je n'étais même pas chez moi !* Le dossier a été ouvert, Kay. Quelqu'un l'a consulté.

– Peut-être que l'horloge de l'ordinateur s'est arrêtée...

Elle secoua la tête avant que je finisse d'émettre ma suggestion.

– Non, j'ai vérifié.

– Comment est-ce possible ? demandai-je. Comment pourrait-on entrer par effraction dans ton appartement sans que personne ne voie ni n'entende rien ?

– Le FBI en est capable.

– Abby ! m'exclamai-je d'un ton exaspéré.

– Ce n'est pas tout.

– Alors raconte-moi, s'il te plaît.

– Pour quelle raison penses-tu que je me suis mise en disponibilité du *Post ?*

– D'après le *New York Times*, c'est pour pouvoir écrire un livre.

– Et tu as l'impression que je savais déjà que j'allais écrire ce livre quand j'ai été te voir à Richmond ?

– C'est plus qu'une impression, rétorquai-je en sentant la colère me gagner de nouveau.

– Eh bien, c'est faux. Je te le jure. (Elle se pencha vers moi et ajouta d'une voix que l'émotion faisait trembler :) On m'a changée de service. Est-ce que tu comprends ce que ça veut dire ?

Je restai silencieuse.

– La seule chose qui aurait pu m'arriver de pire, c'est d'être virée, mais ils ne peuvent pas. Ils n'ont aucun motif. Bonté divine, j'ai remporté un prix d'investigation journalistique l'année dernière, et tout d'un coup ils me mettent aux dîners mondains. Tu m'entends ? Je me retrouve à faire le portrait de personnalités ! Allons, dis-moi si tu y comprends quelque chose ?

– Pas vraiment, Abby.

– Moi non plus, figure-toi. (Elle refoula ses larmes.) Mais j'ai mon amour-propre. Je sais qu'il y a une matière sensationnelle à exploiter dans cette affaire, et c'est pour ça que je l'ai vendue. Tu peux en penser ce que tu veux, mais je dois survivre. C'est pour ça que j'ai pris mes distances avec le journal pendant quelque temps. Des portraits de personnalités ! Mon Dieu... Tu sais, Kay, j'ai très peur.

– Parle-moi du FBI, dis-je d'un ton ferme.

– Je t'en ai déjà beaucoup dit. Je t'ai raconté que je m'étais trompée de route, que j'étais arrivée à Camp Peary, et qu'ensuite, des agents du FBI étaient venus m'interroger.

– C'est insuffisant.

– Le valet de cœur, Kay, dit-elle comme si elle me répétait quelque chose que je connaissais depuis longtemps.

Lorsqu'elle comprit que je n'avais aucune idée de ce dont elle parlait, la stupéfaction se peignit sur son visage.

– Tu n'es pas au courant ?

– Quel valet de cœur ?

– Chaque fois qu'il y a eu un meurtre, on a retrouvé une carte, articula-t-elle avec des yeux incrédules plantés dans les miens.

Je me souvins vaguement d'une allusion à ce fait dans une des transcriptions d'interrogatoire de police que j'avais lues. Le détective de Gloucester interrogeait un ami de Bruce Phillips et Judy Roberts, le premier couple. Quelle question avait posée le détective ? Elle m'avait paru étrange. Ah, oui ! Il voulait savoir si Judy et Bruce jouaient aux cartes, et si l'ami en question avait déjà vu des cartes dans la Camaro de Bruce.

– Parle-moi de ces cartes, Abby, dis-je.

– Connais-tu la signification de l'as de pique ? La façon dont il était utilisé au Vietnam ?

Je lui avouai mon ignorance.

– Une certaine unité de soldats américains, après avoir tué un ennemi, aimait marquer le coup en laissant un as de pique sur le cadavre. Ils avaient trouvé un fabricant qui leur fournissait des paquets de cartes composés uniquement d'as de pique.

– Qu'est-ce que cette pratique a à voir avec ce qui se passe aujourd'hui en Virginie ? demandai-je d'un air ahuri.

– Le tueur fait la même chose. Sauf qu'il ne laisse pas un as de pique, mais un valet de cœur. On a retrouvé un valet de cœur dans la voiture des quatre premiers couples.

– Où as-tu dégoté cette information ?

– Tu sais que je ne peux pas te le dire, Kay. Mais elle est confirmée par plusieurs sources. C'est pourquoi j'en suis sûre.

– Est-ce qu'une de tes sources t'a dit qu'on avait aussi retrouvé un valet de cœur dans la Cherokee de Deborah Harvey ?

– Pourquoi, c'est le cas ? fit-elle en remuant son café.

– N'essaie pas ce petit jeu avec moi, l'avertis-je.

– Je n'essaie rien du tout. (Elle croisa mon regard.) Si on a retrouvé un valet de cœur cette fois-ci, je ne suis pas au courant. C'est pourtant un détail essentiel, car il permettrait de lier avec certitude les meurtres de Deborah Harvey et Fred Cheney à ceux des quatre couples. Et crois-moi, je travaille dur à établir ce lien. Mais je ne suis pas sûre qu'il existe. Et s'il existe, je ne sais pas ce qu'il veut dire.

– Quel rapport entre tout ça et le FBI ? demandai-je sans être sûre de vouloir connaître la réponse.

– Ces meurtres les préoccupent depuis le début, Kay. Et ça va bien au-delà de la participation habituelle du VICAP. Le FBI est au courant depuis longtemps de l'existence de ces cartes. Quand on a retrouvé un valet de cœur sur le tableau de bord de la Camaro du premier couple, personne n'y a prêté attention. Et puis le deuxième couple a disparu, et on a retrouvé une autre carte, sur le siège passager cette fois. Dès que Benton Wesley l'a appris, il a entrepris de verrouiller les choses. Il est allé voir le détective de Gloucester et lui a ordonné de ne pas dire un mot sur le valet de cœur à l'enquêteur chargé du deuxième meurtre. Chaque fois qu'on a retrouvé une voiture abandonnée, Wesley a appelé l'enquêteur pour lui transmettre ses consignes.

Elle se tut quelques instants, étudiant mon visage comme pour y lire mes pensées.

– Après tout, ça n'est pas si étonnant que tu ne sois pas au courant, ajouta-t-elle. Ça ne doit pas être difficile pour la police de te cacher certains indices.

– Non, en effet, dis-je. Sauf si les cartes étaient placées sur les cadavres. Dans ce cas, ça aurait été beaucoup plus difficile de me les cacher.

À peine avais-je prononcé ces mots que le doute s'instaura dans mon esprit. La police avait attendu plusieurs heures avant de m'appeler sur les lieux. Quand j'étais arrivée, Wesley était déjà là, les corps de Deborah et Fred avaient été déplacés et fouillés.

– Après tout, il est normal que le FBI veuille rester discret, repris-je en m'efforçant de me raisonner. Ce détail pourrait se révéler crucial pour la suite de l'enquête.

– J'en ai ras-le-bol d'entendre ce genre de baratin ! fit Abby avec colère. Le fait que le tueur laisse sa carte de visite, si on peut dire, n'est crucial que s'il se rend et passe aux aveux. Comme personne ne connaît ce détail en dehors des enquêteurs, ça serait, en effet, une preuve déterminante de sa culpabilité. Or, je ne pense pas que c'est ce qui va se passer. Et je ne crois pas non plus que le FBI dissimule ce point dans l'unique but de protéger l'enquête.

– Alors pourquoi ? demandai-je avec un certain malaise.

– Parce qu'il ne s'agit pas simplement de meurtres en série. Il ne s'agit pas d'un dingue qui a un compte à régler avec les couples. C'est un truc politique. Forcément

Elle se tut et chercha la serveuse du regard. Elle ne reprit la parole que lorsque celle-ci nous eut resservies.

– Kay, reprit-elle d'une voix plus calme, est-ce que ça t'a surprise que Pat Harvey accepte de me parler lorsque je suis allée à Richmond ?

– Oui, franchement oui.

– As-tu réfléchi à la raison pour laquelle elle avait accepté ?

– Je suppose qu'elle aurait tenté n'importe quoi pour récupérer sa fille, dis-je. Et faire du bruit dans les journaux peut parfois aider.

Abby secoua la tête.

– Quand je l'ai rencontrée, Pat Harvey m'a dit des tas de choses que je n'aurais pas mises dans mon article. Et ce n'était pas la première entrevue que j'avais avec elle, loin de là.

– Je ne comprends pas, fis-je.

Je me sentais fébrile, et ce n'était pas dû au seul effet de l'expresso.

– Tu as entendu parler de sa croisade contre les organismes de charité illégaux.

– Vaguement.

– La première information qui lui a mis la puce à l'oreille, c'est moi qui la lui ai fournie.

– *Toi ?*

– L'année dernière, j'ai fait une grande enquête sur le trafic de drogue. Au fur et à mesure que j'avançais, je découvrais beaucoup de choses que je ne pouvais pas vérifier. C'est là que les organisations caritatives frauduleuses entrèrent en scène. Pat Harvey a un appartement ici à Washington, au Watergate, et un soir je suis allée l'interviewer pour mon article. On s'est mises à parler. J'ai fini par lui faire part des allégations qu'on m'avait rapportées pour voir si elle pouvait en corroborer certaines. C'est comme ça que tout a commencé.

– Quelles allégations ?

– À propos de l'ACTMAD, par exemple, répondit Abby. Des allégations selon lesquelles certaines associations de lutte contre la drogue ne sont que des paravents pour les cartels de la drogue d'Amérique centrale. Je lui ai dit que des sources que je considérais comme fiables m'avaient déclaré que des millions de dollars de dons finissaient dans les poches de gens comme Manuel Noriega. Ceci, bien sûr, avant son arrestation. On dit que les fonds de l'ACTMAD et d'autres pseudo-associations charitables servent à acheter des renseignements à des agents américains et à faciliter le transit de l'héroïne par les douanes et les aéroports du Panama, d'Extrême-Orient et d'Amérique.

– Et Pat Harvey, avant que tu ailles la voir, n'avait jamais rien entendu à ce sujet ?

– Non, Kay. Cette histoire l'a mise hors d'elle. Elle a enquêté et a présenté un rapport au Congrès. Une sous-commission a été créée pour mener les investigations, commission auprès de qui, comme tu le sais sans doute, elle a été invitée à jouer le rôle de consultant. Elle semble avoir découvert pas mal de choses, et une audition est prévue pour avril prochain. Certaines personnes, tu t'en doutes, ne voient pas ça d'un bon œil, y compris au sein du Justice Department.

Je commençais à comprendre où cette histoire nous menait.

– Un certain nombre d'informateurs sont impliqués, poursuivit Abby, des gens que la DEA, la Drug Enforcement Administration, le FBI et la CIA cherchent à identifier depuis des années. Or tu sais que le Congrès peut proposer l'immunité à un inculpé en échange d'informations. Donc une fois que ces informateurs auront fait leur déposition devant le Congrès, ce sera terminé. Le Justice Department ne pourra plus les poursuivre !

– Ce qui expliquerait pourquoi le Justice Department n'apprécie qu'à moitié le travail de Pat Harvey.

– Et qu'il se réjouirait secrètement si toute l'enquête de Pat Harvey tombait à l'eau.

– Le Drug Czar, dis-je, dépend de l'Attorney General, qui dirige le FBI et la DEA. Si Mrs Harvey a un conflit d'intérêts avec le Justice Department, pourquoi l'AG ne lui met-il pas des bâtons dans les roues ?

– Parce que ce n'est pas avec l'AG qu'elle a un problème. Son action va au contraire le faire mousser, et la Maison Blanche aussi. Ça voudra dire que leur Drug Czar marque des points contre les trafiquants. Mais ce que le citoyen ordinaire ne saura pas, c'est que cette audition ne fait pas l'affaire du FBI et de la DEA. On va se contenter de dévoiler le nom et les activités réelles des associations frauduleuses. Des groupes comme l'ACTMAD disparaîtront peut-être, mais les crapules qui sont derrière s'en sortiront sans une égratignure. Les agents devront clore les enquêtes en cours, personne ne sera arrêté. Les gros bonnets continueront leurs activités. C'est comme de fermer un bar clandestin. Quinze jours après, il rouvrira dans la rue d'à côté.

– Je ne vois toujours pas en quoi tout ceci a un rapport avec ce qui est arrivé à la fille de Mrs Harvey, répétai-je.

– Réfléchis un peu, rétorqua-t-elle. Si tu avais des problèmes avec le FBI, voire si tu étais en conflit ouvert avec lui, que ressentirais-tu si ta fille disparaissait et que le FBI soit chargé de l'enquête ?

L'idée était en effet déplaisante.

– À tort ou à raison, je me sentirais vulnérable et paranoïaque. Je pense que j'aurais du mal à leur faire confiance.

– C'est exactement le sentiment de Pat Harvey. Je crois qu'elle est convaincue qu'on a voulu l'atteindre à travers sa fille, que Deborah n'a pas été tuée par hasard mais qu'elle constituait un objectif précis. Et Pat Harvey n'est pas convaincue que le FBI ne soit pas impliqué...

– Attends une minute, l'interrompis-je. Tu veux dire que Pat Harvey soupçonne le *FBI* d'être derrière la mort de sa fille et de son ami ?

– Oui, elle y pense.

– Est-ce que par hasard tu étudies toi aussi cette hypothèse ?

– Au point où j'en suis, je n'écarte aucune possibilité.

– Seigneur... lâchai-je à mi-voix.

– Je sais que ça te paraît dingue. Mais je pense que le FBI sait ce qui se passe, qu'il sait peut-être qui est derrière les meurtres, et que c'est pour ça que je les gêne. Les Feds ne tiennent pas à me voir fouiner partout. Ils ont peur que je retourne la pierre et que je découvre ce qui grouille dessous.

– Si c'est le cas, lui rappelai-je, il me semble que le *Post* aurait dû te proposer une augmentation, au lieu de te mettre au rancart. Je n'ai pas l'impression que le *Post* soit un journal qui se laisse facilement intimider.

– Je ne suis pas Bob Woodward, répliqua-t-elle avec amertume. Je suis au journal depuis peu, et la chronique judiciaire n'est pas très prestigieuse, c'est là où les bleus font leurs premières armes. Si le Directeur du FBI ou quelqu'un de la Maison Blanche agite la menace d'un procès à l'encontre du *Post*, on ne me demandera pas mon avis et je ne serai sans doute même pas au courant.

Elle avait raison sur ce point, pensai-je. Si Abby se comportait au sein de sa rédaction de la manière dont elle se comportait avec moi, il est probable que peu de gens veuillent avoir affaire à elle. À vrai dire, je n'étais guère étonnée qu'elle ait été écartée.

– Désolée, Abby, dis-je, mais en admettant que la politique a joué un rôle dans l'assassinat de Deborah Harvey, qu'en est-il des autres meurtres ? Je te rappelle que le premier couple a disparu deux ans et demi avant la mort de Fred et Deborah.

– Kay, répliqua-t-elle avec animation. Je ne connais pas la réponse. Mais je t'assure qu'on essaie d'étouffer quelque chose. Quelque chose que le FBI et le gouvernement veulent à tout prix éviter d'étaler au grand jour. Écoute-moi bien : même si les meurtres cessent, ces assassinats ne seront jamais élucidés si on laisse faire le FBI. C'est contre ça que je me bats. Et c'est à ça que tu es confrontée,

– Pourquoi me racontes-tu tout ça ? lui demandai-je.

– Parce qu'il s'agit de la mort de jeunes gens innocents. Et puis parce que j'ai confiance en toi. Et que j'ai peut-être besoin d'une amie.

– Vas-tu poursuivre la rédaction de ton livre ?

– Oui. J'espère simplement que je pourrai en écrire le dénouement.

– Sois prudente, Abby.

– Je le suis, crois-moi, fit-elle.

Lorsque nous sortîmes du bar il faisait nuit et très froid. De noires pensées tournoyaient dans mon esprit tandis que je raccompagnais Abby jusqu'à son immeuble au milieu de la foule de l'heure du déjeuner. Mon moral ne s'améliora pas durant le trajet de retour à Richmond. J'aurais voulu parler à Pat Harvey, mais n'osais pas l'appeler. J'aurais voulu parler à Wesley, mais je savais qu'il ne me communiquerait pas ses secrets, si secrets il y avait, et j'étais moins sûre que jamais de son amitié.

À peine rentrée, j'appelai Marino.

– Connaissez-vous l'adresse d'Hilda Ozimek en Caroline du Sud ? lui demandai-je.

– Pourquoi ? Qu'est-ce que vous avez trouvé au Smithsonian ?

– Répondez-moi, je vous en prie.

– Un petit bled appelé Six Mile.

– Merci.

– Hé ! Avant de raccrocher, ça vous ferait rien de me dire ce qui s'est passé à Washington ?

– Pas ce soir, Marino. Si je n'arrive pas à vous joindre demain, vous n'aurez qu'à me rappeler.

7

À 5 h 45, le Richmond International Airport était désert. Les restaurants étaient fermés, les paquets de journaux empilés par terre devant les grilles descendues des boutiques, et un homme du personnel d'entretien poussait devant lui sa poubelle, ramassant tel un somnambule mégots et emballages de chewing-gum.

Je trouvai Marino au terminal d'USAir, la tête reposant sur son imperméable roulé en boule, en train de piquer un somme dans une pièce mal éclairée, suffocante et pleine de chaises vides. Pendant un bref instant, je le vis comme un inconnu et mon cœur fut pincé par une tendre tristesse. Marino avait vieilli.

J'avais rejoint mon poste depuis quelques jours à peine quand je l'avais rencontré pour la première fois. J'étais à la morgue, en train d'effectuer une autopsie, lorsqu'un homme massif au visage impassible était entré et s'était planté de l'autre côté de la table où je travaillais. J'avais senti son regard attentif posé sur moi, et éprouvé la désagréable impression qu'il me disséquait de la même façon que je disséquais mon patient.

– Z'êtes notre nouvel expert, avait-il dit.

Il avait prononcé cette constatation sur un ton mordant, comme s'il me mettait au défi de pouvoir occuper un poste qui n'avait jusque-là jamais été tenu par une femme.

– Je suis le Dr Scarpetta, avais-je répliqué. Vous êtes de la police de Richmond, je suppose ?

Il avait marmonné son nom, puis avait attendu en silence que je lui remette les balles retirées du cadavre qu'il m'avait apporté. Il était reparti sans me dire au revoir ni qu'il était enchanté de faire ma connaissance, et c'est ainsi que nos relations professionnelles avaient débuté. Je compris peu à peu qu'il m'en voulait pour l'unique raison que j'étais une femme, et je lui retournai la politesse en le taxant de gros balourd à la cervelle gâtée par la testostérone. À la vérité, il m'avait énormément intimidée.

Ce jour-là à l'aéroport, je pus difficilement croire que Marino ait pu m'impressionner à ce point. Il paraissait vieux et vaincu, la chemise tendue sur son gros ventre, les cheveux gris ébouriffés en mèches rebelles, le front sillonné de rides creusées par la tension et une permanente contrariété.

– Bonjour, fis-je en lui touchant légèrement l'épaule.

– Qu'est-ce que vous trimbalez dans votre sac ? marmonna-t-il sans ouvrir les yeux.

– Je croyais que vous dormiez, fis-je avec surprise.

Il se redressa et bâilla.

M'installant à côté de lui, j'ouvris le sac en papier, en sortis deux gobelets de café et des *bagels* au fromage que j'avais confectionnés à la maison et réchauffés au micro-ondes avant de partir.

– Je suppose que vous n'avez pas mangé ? fis-je en lui tendant une serviette en papier.

– On dirait des vrais *bagels*, dit-il.

– Ce sont des vrais, dis-je en déballant le mien.

– Je croyais que l'avion décollait à 6 heures.

– Non. Je vous ai bien dit 6 heures et demie. J'espère que vous n'attendez pas depuis trop longtemps.

– Ça fait un moment.

– Je suis désolée.

– Vous avez les billets ?

– Dans mon sac, dis-je.

Parfois, Marino et moi ressemblions à un vieux couple.

Des passagers commencèrent à arriver, et je constatai une fois de plus la capacité du lieutenant à modifier l'ordre des choses. Il s'était installé dans une zone non-fumeurs, puis avait rapporté un cendrier sur pied de la zone fumeurs pour le poser près de sa chaise. Cette initiative parut agir comme une invitation subliminale à l'égard d'autres fumeurs à demi éveillés, qui s'agglutinèrent autour de nous, certains apportant des cendriers supplémentaires. Lorsqu'arriva le moment d'embarquer, il ne restait pratiquement plus de cendrier dans la section fumeurs, et personne ne savait plus très bien où s'installer. Quelque peu embarrassée, et résolue à ne prendre aucune part à cette annexion intempestive, je laissai mon paquet de cigarettes dans mon sac.

Marino, qui aimait encore moins que moi prendre l'avion, dormit jusqu'à Charlotte, où nous montâmes à bord d'un petit avion à hélices, qui me rappela cruellement qu'il y a parfois bien peu de chose entre notre pauvre chair et le vide. J'étais intervenue sur plusieurs sites de catastrophes, et je savais quel spectacle présentaient un avion écrasé et ses passagers éparpillés sur plusieurs kilomètres carrés. Lorsque les moteurs se mirent en marche, l'appareil fut pris de soubresauts dignes d'une crise d'épilepsie. Pendant la première partie du vol, j'eus le privilège de voir les pilotes bavarder, s'étirer et bâiller à s'en décrocher la mâchoire jusqu'à ce qu'une hôtesse tire le rideau séparant le poste de pilotage de la cabine. Les turbulences se firent plus fréquentes, les montagnes émergeaient et replongeaient dans le brouillard. Lorsque, pour la deuxième fois, l'avion perdit brusquement de l'altitude, mon estomac me remonta dans la gorge et Marino serra si fort les accoudoirs que les jointures de ses phalanges blanchirent.

– Bon sang de bon sang, marmonna-t-il. (Le voyant sur le point d'être malade, je commençai à regretter de lui avoir proposé un petit déjeuner.) Si ce fer à repasser atterrit en un seul morceau, je me fous de savoir quelle heure il est et je m'en envoie un bien tassé.

– Je vous accompagne, dit un homme devant nous en se retournant.

Marino observait un étrange phénomène qui se déroulait dans l'allée centrale juste devant nous. Il se formait en effet, sortant de sous une plaque de métal au ras du tapis, une curieuse condensation que je n'avais jamais vue dans un avion. On avait l'impression que les nuages s'infiltraient dans l'appareil, et lorsque Marino désigna la chose à l'hôtesse en l'appuyant d'un sonore : « Qu'est-ce que c'est que ce bordel ? », elle l'ignora superbement.

– La prochaine fois je vous mets du phénobarbital dans votre café, le prévins-je les dents serrées.

– Et la prochaine fois que vous allez voir une cinglée de gitane dans un trou perdu, comptez pas sur moi pour vous accompagner.

Pendant une demi-heure, nous tournâmes au-dessus de Spartanburg, notre appareil chahuté et bousculé, des rafales de pluie glacée tambourinant aux hublots.

Le brouillard nous empêchait d'atterrir, et j'avoue qu'il me vint à l'idée que nous allions mourir. Je pensai à ma mère. Je pensai à Lucy, ma nièce. J'aurais dû aller passer Noël en famille, mais j'étais écrasée de soucis, et je ne voulais pas qu'on me pose des questions sur Mark. *J'ai trop de travail, Maman. Je ne peux pas descendre en ce moment*. « Mais c'est Noël, Kay. » Je ne me souvenais pas de la dernière fois où ma mère avait pleuré, mais je percevais quand elle en avait envie. Elle prenait une drôle de voix, espaçait ses mots. « Lucy va être tellement déçue », avait-elle dit. J'avais envoyé à Lucy un chèque généreux et l'avais appelée le matin de Noël. Elle m'avait dit que je lui manquais, mais je crois qu'elle me manquait encore plus.

Soudain, les nuages se dispersèrent et le soleil frappa les hublots. Tous les passagers, dont moi, applaudirent Dieu et les pilotes. Nous célébrâmes notre résurrection en nouant conversation avec nos voisins, comme si nous nous connaissions depuis des années.

– Peut-être bien qu'Hilda la Sorcière veille sur nous, commenta Marino d'un air jovial.

– Peut-être bien, en effet, dis-je en exhalant un gros soupir alors que l'appareil touchait le sol.

– Alors, n'oubliez pas de la remercier pour moi.

– Vous pouvez lui dire merci vous-même, Marino.

– On verra, dit-il.

Il bâilla un grand coup, l'air tout à fait remis de ses émotions.

– Elle a l'air sympathique, dis-je. Pourquoi ne pas montrer un peu d'ouverture d'esprit, pour une fois ?

– On verra, répéta-t-il.

J'avais obtenu le numéro d'Hilda Ozimek par les renseignements et l'avais aussitôt appelée. Je m'attendais à une femme rusée, méfiante et flairant les dollars derrière chaque question. Au lieu de quoi j'avais découvert une femme modeste et étonnamment confiante. Elle ne posa aucune question ni ne demanda aucune preuve de qui j'étais. Sa voix n'avait exprimé qu'une seule fois de l'inquiétude quand elle avait regretté de ne pouvoir nous accueillir à l'aéroport.

Je laissai Marino choisir notre voiture de location. Tel un gamin de seize ans qui achète son premier véhicule, il opta pour une Thunderbird flambant neuve, noire, avec toit ouvrant, lecteur de cassettes, vitres électriques et sièges en cuir. Nous partîmes en direction de l'ouest, toit ouvert et chauffage en marche, tandis que j'achevais de lui raconter ce que m'avait dit Abby à Washington.

– J'avais constaté que les corps de Fred et Deborah avaient été déplacés, dis-je. Maintenant, je commence à comprendre pourquoi.

– Pas moi, dit-il. Pourquoi vous reprendriez pas tout ça dans l'ordre ?

– Vous et moi sommes arrivés sur l'aire de repos avant que quiconque ait fouillé la Cherokee, dis-je. Et nous n'avons pas vu de valet de cœur sur le tableau de bord, ni sur les sièges, ni nulle part, n'est-ce pas ?

– Ça veut pas dire que la carte était pas dans la boîte à gants ou autre part. Les flics l'ont peut-être trouvée. *Si* cette histoire de carte est pas bidon. Parce que je vous répète que j'en ai jamais entendu parler.

– Admettons que ce soit vrai.

– J'écoute.

– Wesley est arrivé sur l'aire après nous, donc il n'a pas pu voir de carte non plus. Plus tard, la voiture a été fouillée par la police, et vous pouvez être sûr que Wesley était sur place ou qu'il a demandé à Morrell ce qu'on y avait trouvé. S'il n'y avait pas de valet de cœur, et je suis prête à parier que c'était le cas, Wesley a dû se poser de drôles de questions. Il a dû se dire, soit que la mort de Fred et Deborah n'avait aucun lien avec celle des autres couples, soit que cette fois-ci, le tueur avait laissé sa carte non dans la voiture mais sur les cadavres eux-mêmes.

– Et vous pensez que c'est pour ça que les corps ont été bougés avant qu'on arrive ? Parce que les flics cherchaient la carte ?

– Les flics ou Benton seul. Oui, c'est ce que je suppose. Sinon je ne comprends pas. Benton sait bien qu'on ne doit jamais toucher un cadavre avant l'arrivée du médecin expert. Mais il n'a pas voulu courir le risque qu'un valet de cœur arrive à la morgue avec les deux corps. Il ne voulait pas que moi, ou quelqu'un d'autre, trouve la carte et apprenne ainsi l'habitude du tueur.

– Dans ce cas il aurait mieux valu qu'il nous en parle et qu'il nous dise de la fermer plutôt que de foutre le bordel sur le lieu de découverte, objecta Marino. Et puis il était pas tout seul dans les bois. Y'avait plein de flics avec lui. S'il avait trouvé une carte, quelqu'un l'aurait vu.

– Sans doute, dis-je. Mais il limitait au moins le nombre de gens au courant. Si j'avais trouvé une carte parmi les effets personnels de Fred ou Deborah, j'aurais dû le mentionner dans mon rapport. Les avoués du Commonwealth, les membres de mon personnel, les familles, les compagnies d'assurances – autant de gens qui auraient pris connaissance des rapports d'autopsie, et donc de la présence de la carte.

– D'accord, d'accord, fit Marino avec impatience. Et puis après ? Qu'est-ce que ça pouvait bien faire ?

– Je ne sais pas. Mais si ce que suggère Abby est vrai, l'existence de ces cartes doit signifier gros aux yeux d'une ou plusieurs personnes.

– Sans vous vexer, doc, j'ai jamais pu encadrer Abby Turnbull. Je l'appréciais pas quand elle était à Richmond, et je ne vois pas pourquoi je l'apprécierais plus maintenant qu'elle est au *Post*. À mon avis elle vous a *tourneboulé* la tête.

– Je ne l'ai jamais entendue mentir, dis-je.

– Vous l'avez jamais *entendue*, mais ça veut pas dire qu'elle le fasse pas.

– Le détective de Gloucester mentionnait des cartes à jouer dans la transcription d'interrogatoire que j'ai lue.

– C'est peut-être là qu'Abby a trouvé son idée. Et maintenant qu'elle a un os à ronger, elle veut en profiter jusqu'au bout. Et que je t'échafaude des hypothèses en espérant qu'elles seront confirmées. En fait, tout ce qui l'intéresse, c'est d'écrire son foutu bouquin.

– Elle n'est plus elle-même, en ce moment. Elle a peur, elle est en colère, mais je ne partage pas votre opinion sur son caractère.

– Écoutez, dit-il. Elle débarque à Richmond, elle vous fait le coup de l'amie perdue de vue. Vous assure qu'elle veut rien de vous. Et ensuite, c'est par le *New York Times* que vous apprenez qu'elle écrit un bouquin sur ces meurtres. Hé, hé, une super amie, hein, doc ?

Je fermai les yeux et me laissai bercer par le morceau de country qui passait en sourdine à la radio. Le soleil frappant le pare-brise me chauffait les cuisses, et, telle une boisson forte, le sommeil me monta d'un coup à la tête et je m'y laissai sombrer. Lorsque je me réveillai, la voiture cahotait sur un chemin de campagne.

– Bienvenue dans la bonne ville de Six Mile, annonça Marino.

– Vous voyez une ville, vous ?

Il n'y avait autour de nous aucun immeuble, aucune boutique, aucune station-service. Les routes étaient bordées d'arbres, on apercevait au loin les contreforts de la Blue Ridge et les maisons, vétustes, étaient si éloignées les unes des autres que votre voisin pouvait tirer un coup de canon sans vous réveiller.

Hilda Ozimek, médium auprès du FBI et voyante attitrée de la CIA, habitait une petite maison de bois blanc avec un jardin jonché de pneus, peints en blanc et emplis de terre, dans lesquels fleuriraient au printemps pensées et tulipes. Des tiges de maïs sèches étaient appuyées contre le porche, et une Chevrolet Impala, les pneus à plat, achevait de rouiller dans l'allée d'accès. Un chien galeux, laid comme tous les péchés de l'enfer, se mit à aboyer. J'allais descendre de voiture, mais me ravisai et attendis. La moustiquaire s'ouvrit en grinçant et le chien, trottinant sur trois pattes, rejoignit sa maîtresse. Celle-ci nous observa en clignant des yeux dans la lumière crue de cette matinée glaciale.

– Du calme, Tootie, fit-elle en caressant le cou de l'animal. Va derrière, maintenant.

Le chien baissa la tête et, agitant la queue, disparut en clopinant derrière la maison.

– Bonjour, fit Marino planté sur les marches de bois du seuil.

Je fus rassurée de percevoir dans sa voix une note de politesse.

– Belle matinée, n'est-ce pas ? rétorqua Hilda Ozimek.

Elle paraissait avoir une soixantaine d'années et, avec son pantalon de polyester noir enserrant avec peine ses larges hanches, son gilet de laine boutonné jusque sous le menton et ses grosses chaussettes, elle faisait aussi campagnarde qu'une meule de foin. Elle avait les yeux bleu pâle et des cheveux dissimulés sous un fichu rouge. Il lui manquait plusieurs dents. Hilda Ozimek ne se regardait sans doute jamais dans un miroir et ne devait prêter attention à son apparence physique que lorsque l'inconfort ou la douleur l'y obligeait.

Elle nous fit entrer dans un salon encombré de vieux meubles et d'étagères emplies de livres aussi inattendus qu'hétéroclites, rangés sans classement logique. On y trouvait des ouvrages sur la religion et la psychologie, des biographies et des travaux historiques, ainsi que quelques romans de certains de mes auteurs préférés : Alice Walker, Pat Conroy et Keri Hulme. Le seul indice des activités spirituelles de notre hôte était constitué par plusieurs livres d'Edgar Cayce, ainsi qu'une demi-douzaine de boules de cristal dispersées sur les tables et les rayons. Marino et moi nous installâmes sur le divan, à côté d'un poêle à kérosène, tandis qu'Hilda s'asseyait dans un fauteuil en face de nous, le visage strié par les rayons du soleil filtrant à travers les stores.

– J'espère que vous avez fait bon voyage. Je suis désolée de n'avoir pas pu vous attendre à l'aéroport, mais je ne conduis plus.

– Vos indications étaient très précises, la rassurai-je. Nous n'avons eu aucun problème pour vous trouver.

– Est-ce que je peux vous demander comment vous vous débrouillez pour vos courses ? intervint Marino. J'ai pas vu un seul magasin dans le coin.

– Beaucoup de gens viennent me consulter ou simplement bavarder, ce qui fait que j'ai toujours quelqu'un sous la main pour me conduire quelque part.

Un téléphone sonna dans une pièce voisine, mais le répondeur le réduisit aussitôt au silence.

– En quoi puis-je vous être utile ? demanda Hilda.

– J'ai apporté des photos, répondit Marino. Le doc m'a dit que vous vouliez les voir. Mais il y a d'abord une ou deux choses que je voudrais éclaircir. Sans vouloir vous offenser, Miss Ozimek, je dois dire que j'ai jamais beaucoup cru à ces histoires de diseuses de bonne aventure. Peut-être que vous m'aiderez à mieux comprendre.

Il était tout à fait inhabituel d'entendre Marino avouer aussi directement son ignorance, surtout sans la moindre trace d'agressivité dans la voix, et, surprise, je tournai la tête pour l'observer. Il regardait Hilda avec la franchise d'un enfant, un singulier mélange de curiosité et de tristesse sur le visage.

– D'abord, sachez que je ne suis pas diseuse de bonne aventure, répondit Hilda d'un ton patient. Je n'aime guère le mot médium, mais en l'absence de meilleur terme, c'est comme ça que l'on me qualifie et c'est comme ça que je me présente moi-même. Tout le monde est doué de cette capacité de sixième sens, mais elle est située dans une partie du cerveau que la plupart des gens préfèrent ne pas utiliser, Moi je l'explique comme une sorte de super intuition. Je capte l'énergie émise par les gens et je fais part des impressions qui me viennent à l'esprit.

– C'est ce que vous avez fait chez Pat Harvey, dit Marino.

Hilda hocha la tête.

– Elle m'a emmenée dans la chambre de Debbie et m'a montré des photos d'elle, puis nous sommes allées sur l'aire où la Cherokee a été retrouvée.

– Quelles impressions avez-vous ressenties ? demandai-je.

Elle détourna le regard et réfléchit un moment.

– Je ne me souviens pas de tout. C'est toujours comme ça, même quand je donne des consultations. Les gens reviennent me voir ensuite et me rappellent quelque chose que je leur ai prédit, et qui s'est confirmé depuis. Il arrive souvent que je ne m'en souvienne pas.

– Vous vous rappelez ce que vous avez dit à Mrs Harvey ? demanda Marino d'un air déçu.

– Dès qu'elle m'a montré la photo de Debbie, j'ai su qu'elle était morte.

– Et son ami ? demanda Marino.

– J'ai vu une photo de lui parue dans le journal. J'ai compris qu'il était mort. Je savais qu'ils étaient morts tous les deux.

– Donc vous suivez l'affaire dans les journaux, fit Marino.

– Non, répondit Hilda. Je ne lis pas les journaux. J'ai vu la photo du garçon parce que Mrs Harvey l'avait découpée pour me la montrer. Elle n'avait pas d'autre photo de lui, vous comprenez.

– Vous pouvez nous expliquer comment vous saviez qu'ils étaient morts ?

– Je l'ai senti. C'est une impression que j'ai eue en touchant leurs photos.

Marino sortit son portefeuille de sa poche.

– Vous pouvez faire la même chose avec cette photo ? Vous pouvez me donner vos impressions ?

– Je vais essayer, dit-elle en prenant le cliché qu'il lui tendait.

Elle ferma les yeux et, du bout des doigts, dessina lentement des cercles sur le portrait. Cela dura une bonne minute avant qu'elle ne reprenne la parole.

– Je sens de la culpabilité. Je ne sais pas si c'est parce que cette femme se sentait coupable au moment où la photo a été prise, ou si elle se sent coupable en ce moment. Mais je le sens très fort. Conflit, culpabilité. Ça va de l'un à l'autre. Elle prend une décision, et la minute d'après elle se met à douter. Ça va et ça vient.

– Est-elle vivante ? demanda Marino en s'éclaircissant la gorge.

– Oui, j'ai l'impression qu'elle est vivante, répliqua Hilda sans cesser de frotter la photo. J'ai aussi l'impression d'un hôpital. Un lieu médical. Je ne sais pas si c'est elle qui est malade, ou quelqu'un de proche. Mais il y a quelque chose de médical, des soucis liés à la maladie, maintenant ou dans le futur.

– Autre chose ? fit Marino.

Elle ferma à nouveau les yeux et se remit à frotter le papier.

– Un gros conflit, répéta-t-elle. Comme si quelque chose était terminé mais qu'elle n'arrive pas à en prendre son parti. C'est douloureux pour elle. Et pourtant, elle sait qu'elle n'a pas le choix. C'est tout ce que je perçois.

Elle ouvrit les yeux et regarda Marino.

Lorsqu'il récupéra la photo, son visage était rouge. Après avoir, sans un mot, remis le portefeuille dans sa poche, il ouvrit sa serviette et en sortit un enregistreur à microcassette ainsi qu'une enveloppe bulle contenant une série de photos allant du chemin forestier de New Kent County à la clairière où avaient été découverts les corps de Fred et Deborah. Hilda les étala sur la table basse et entreprit de les frotter l'une après l'autre du bout des doigts. Pendant un très long moment elle ne prononça pas un mot, les yeux fermés, sourde au téléphone qui ne cessait de sonner dans l'autre pièce. À chaque appel, le répondeur interrompait la sonnerie, mais Hilda ne semblait même pas l'entendre. Il me parut que ses talents étaient plus recherchés que ceux d'un médecin.

– Je sens de l'angoisse, commença-t-elle sur un débit rapide. Je ne sais pas si c'est parce que quelqu'un ressentait de l'angoisse au moment où ces photos ont été prises, ou si quelqu'un a éprouvé de l'angoisse dans ces différents endroits avant que l'on prenne les photos. Mais c'est bien de l'angoisse. (Elle hocha la tête, les yeux toujours clos.) Je la ressens dans chaque photo. Sans exception. Une très grande angoisse.

Telle une aveugle, Hilda déplaçait ses doigts d'une photo à l'autre, y lisant des choses aussi tangibles pour elle que les traits d'un visage.

– Je sens la mort sur celles-ci, poursuivit-elle en touchant trois photos. Je la sens très fort. (Il s'agissait des photos de la clairière elle-même.) Mais pas sur celle-ci.

Ses doigts étaient revenus sur le cliché montrant le chemin forestier.

Je jetai un coup d'œil à Marino. Penché en avant sur le divan, les coudes sur les genoux, il fixait le visage d'Hilda. Jusqu'à présent, elle ne nous avait rien révélé d'extraordinaire. Marino ni moi n'avions jamais pensé que Deborah et Fred avaient été tués sur le chemin forestier, mais bien dans la clairière où on les avait retrouvés.

– Je vois un homme, poursuivait Hilda. Le teint clair, pas très grand, sans être petit. De taille moyenne, mince mais pas maigre. Je ne sais pas qui c'est, mais il est en contact avec le couple. Je perçois de l'amitié, des rires. Comme s'il s'entendait bien avec eux. J'ai l'impression qu'ils plaisantent avec lui. Qu'ils ont confiance en lui.

– Quoi d'autre ? la pressa Marino. Cet homme. À quoi il ressemble ?

Hilda continua de frotter la photo.

– Je vois de l'obscurité. Il est possible qu'il ait une barbe noire, ou quelque chose de sombre sur le visage. Peut-être est-il habillé de noir. En tout cas, je le sens en association avec le couple et en association avec l'endroit où ont été prises ces photos.

Elle ouvrit les yeux et contempla le plafond.

– Je sens que le premier contact a été amical. Rien d'inquiétant. Mais ensuite, il y a eu l'angoisse. Très forte à cet endroit, dans les bois.

– Et ensuite ? fit Marino.

Il était si tendu que les veines de son cou saillaient. S'il se penchait encore de deux centimètres, il allait tomber du divan.

– Je perçois deux autres choses, dit-elle. Elles ne veulent peut-être rien dire, mais je les sens. Je sens un autre endroit, qui ne figure pas sur ces photos, et qui est en rapport avec la fille. Elle est peut-être allée quelque part, ou on l'a emmenée quelque part. À un endroit qui pourrait être proche. Peut-être pas. Je ne sais pas, mais j'ai une impression de foisonnement, de choses qui agrippent. Je sens de la panique, beaucoup de bruit, de mouvement. Toutes ces impressions sont désagréables. Et puis il y a quelque chose de perdu. Quelque chose de métallique, qui a rapport à la guerre. Je ne sens rien d'autre, à part que cet objet n'est pas agressif – l'objet lui-même n'est pas dangereux.

– Qui a perdu cet objet en métal ? demanda Marino.

– Une personne encore vivante. Je ne la vois pas, mais j'ai l'impression que c'est un homme. Il n'est pas vraiment inquiet, mais ça l'ennuie quand même. Cet objet perdu lui revient de temps à autre à l'esprit.

Elle se tut. Le téléphone sonna une fois de plus.

– Avez-vous dit tout ceci à Pat Harvey l'automne dernier ? lui demandai-je.

– Au moment où je l'ai vue, répondit Hilda, les corps n'avaient pas été retrouvés. Je n'avais pas ces photos à ma disposition.

– Vous n'aviez donc pas ressenti tout ça.

Hilda réfléchit un moment.

– Nous sommes allées sur l'aire de repos et elle m'a conduite à l'endroit où la Cherokee avait été retrouvée. Je suis restée un moment. Je me souviens qu'il y avait un couteau.

– Un couteau ? fit Marino.

– J'ai vu un couteau.

– Quel genre de couteau ? insista-t-il.

Je me souvins que Gail, le maître-chien, avait emprunté le couteau suisse de Marino pour ouvrir les portières de la voiture.

– Un long couteau, dit Hilda. Comme un couteau de chasse, ou une sorte de couteau militaire. Je me souviens que la poignée avait quelque chose de particulier. Elle était noire, peut-être en caoutchouc, avec une de ces lames qu'on utilise pour couper des choses dures, du bois par exemple.

– Je ne vois pas très bien, dis-je.

Je comprenais très bien ce qu'elle voulait dire mais je voulais qu'elle donne elle-même les précisions, sans que nous l'influencions.

– Avec des dents. Comme une scie. Une lame dentelée.

– Vous avez vu ça quand vous êtes allée sur l'aire de repos ? fit Marino en la regardant d'un air stupéfait.

– Je n'ai rien senti d'effrayant, dit-elle. Mais j'ai vu le couteau, et j'ai compris que le couple n'était pas dans la Cherokee au moment où on l'avait placée là où elle était. Je n'ai pas ressenti leur présence sur cette aire. Ils n'y sont jamais allés. (Elle se tut, ferma à nouveau les yeux, le front plissé par la concentration.) Je me souviens que j'avais senti de l'anxiété. J'ai eu l'impression de quelqu'un d'anxieux et de pressé. J'ai vu de l'obscurité. Comme si c'était la nuit. Et puis quelqu'un qui marchait rapidement. Je n'ai pas vu qui c'était.

– Vous le voyez, aujourd'hui ? demandai-je.

– Non, toujours pas.

– Mais vous en parlez comme d'un homme.

Elle réfléchit un instant.

– Oui, mon impression est qu'il s'agit d'un homme.

– Vous avez raconté tout ça à Pat Harvey, sur l'aire de repos ? demanda Marino.

– En partie, oui, répondit-elle. Mais je ne me souviens pas de tout ce que je lui ai dit.

– Je vais faire un tour, marmonna Marino en se levant du divan.

Hilda ne manifesta aucune surprise à le voir sortir. La moustiquaire claqua en se refermant derrière lui.

– Hilda, quand vous étiez avec Pat Harvey, dis-je, avez-vous ressenti quelque chose à son sujet ? Avez-vous eu, par exemple, l'impression qu'elle savait quelque chose sur ce qui était arrivé à sa fille ?

– J'ai perçu une grande culpabilité, comme si elle se sentait responsable. Mais ça n'a rien d'étonnant. Quand je rencontre les proches de quelqu'un qui a disparu ou qui s'est fait tuer, je perçois toujours de la culpabilité. Ce qui était un peu plus inhabituel, c'était son aura.

– Son *aura* ?

Je savais ce qu'on entendait par aura en médecine, cette sensation de vapeur qui précède parfois une attaque d'apoplexie, mais je doutais que ce fût dans ce sens qu'Hilda l'entendait.

– L'aura est invisible à la plupart des gens, expliqua-t-elle. Je la vois comme une couleur, une couleur qui baigne et entoure la personne. L'aura de Pat Harvey était grise.

– Cela signifie-t-il quelque chose ?

– Le gris n'est ni la vie ni la mort, dit-elle. Je l'associe avec la maladie. Une maladie du corps, de l'esprit ou de l'âme. Comme si quelque chose retirait la couleur de sa vie.

– Je suppose que ça s'expliquait par son état psychologique à ce moment-là, remarquai-je.

– C'est possible. Mais j'avais ressenti quelque chose de mauvais, d'inquiétant. Comme si elle était en danger. Son énergie n'était pas bonne. Elle n'était ni positive ni saine. J'ai senti qu'elle risquait de s'exposer au danger, ou d'attirer le malheur sur elle par ses propres actes.

– Aviez-vous déjà vu une aura grise auparavant ?

– Rarement.

Je ne pus résister à l'envie de poser la question.

– Percevez-vous une couleur chez moi ?

– Du jaune mêlé de brun.

– Intéressant, dis-je surprise. Deux couleurs que je ne porte jamais. En fait, je crois ne posséder aucun objet jaune ou brun chez moi. Mais j'adore la lumière du soleil et le chocolat...

– L'aura n'a rien à voir avec les couleurs ou les aliments que vous préférez, répliqua-t-elle en souriant. Le jaune peut indiquer la spiritualité, alors que j'associe le brun avec le sens pratique. Quelqu'un dégageant du brun est quelqu'un d'ancré dans la réalité. Je perçois chez vous une aura à la fois spirituelle et pratique. Remarquez bien que c'est mon interprétation. Les couleurs ont une signification qui varie d'une personne à l'autre.

– Et Marino ?

– Une mince bande rouge, voilà ce que je vois autour de lui, dit-elle. Le rouge signifie souvent la colère. Je pense qu'il lui en faudrait un peu plus.

– Vous plaisantez ?

Marino était bien assez colérique à mon goût.

– Quand quelqu'un est faible du point de vue énergétique, je lui dis qu'il a besoin d'un peu plus de rouge dans sa vie. Le rouge donne de l'énergie. C'est ce qui vous fait accomplir des choses, prendre vos soucis à bras-le-corps. Le rouge peut être bénéfique s'il est bien canalisé. J'ai l'impression que le lieutenant a peur de ce qu'il ressent, et c'est cela qui l'affaiblit.

– Hilda, avez-vous vu les photos des autres couples disparus ?

– Mrs Harvey les avait découpées dans le journal, acquiesça-t-elle.

– Les avez-vous touchées ? Les avez-vous étudiées ?

– Oui.

– Qu'avez-vous ressenti ?

– La mort, dit-elle. Tous ces jeunes sont morts.

– Et cet homme au teint clair qui porte une barbe noire ou quelque chose de sombre sur le visage ?

Elle se tut quelques instants.

– Je ne sais pas. Mais je me souviens avoir perçu cette amitié dont je vous ai parlé. Leur première rencontre n'a pas été angoissante. J'ai eu l'impression qu'aucun des jeunes gens n'avait eu peur, du moins au début.

– Maintenant, je voudrais vous interroger à propos d'une carte, dis-je. Vous m'avez bien dit que vous lisiez dans les cartes, n'est-ce pas ?

– On peut utiliser à peu près n'importe quoi. Des cartes de tarot, une boule de cristal, aucune importance. Ce sont de simples outils. Ils ne sont là que pour vous aider à vous concentrer. Mais c'est vrai qu'il m'arrive d'utiliser un jeu de cartes.

– Comment procédez-vous ?

– Je demande à la personne de couper, puis je tire une carte à la fois et j'annonce les impressions qu'elle me suggère.

– Quelle signification particulière accordez-vous au valet de cœur ? demandai-je.

– Tout dépend de la personne qui me consulte, de l'énergie que je perçois chez cet individu. Mais le valet de cœur est l'équivalent du cavalier de coupes dans le jeu de tarot.

– Une bonne ou une mauvaise carte ?

– Ça dépend quelle personne elle symbolise par rapport au consultant, dit-elle. Dans le tarot, les coupes sont des cartes d'amour et d'émotion, tout comme les épées et les deniers sont des cartes d'argent et d'affaires. Le valet de cœur serait donc une carte d'amour et d'émotion. Ce qui peut être très bien, mais aussi très mal si l'amour est mort ou qu'il s'est transformé en haine ou en désir de vengeance.

– En quoi un valet de cœur est-il différent d'un dix de cœur ou d'une dame de cœur, par exemple ?

– Le valet de cœur est une figure, dit-elle. Le roi de cœur est aussi une figure, mais j'associerais le roi à la puissance, à quelqu'un qui se perçoit et qui est perçu comme doté de pouvoir, un peu comme un père ou un patron. Le valet peut représenter, comme le cavalier, quelqu'un qui se voit ou qui est perçu comme un soldat, un défenseur, le champion d'une cause. Ça pourrait être quelqu'un qui se bat sur le terrain des affaires. Peut-être que c'est un sportif qui fait de la compétition. Il pourrait être des tas de personnages, mais comme le cœur représente l'émotion, l'amour, je dirais que quelle que soit la personne que représente cette carte, elle recèle un élément émotionnel beaucoup plus fort qu'un élément financier ou professionnel.

Le téléphone sonna une nouvelle fois.

– Ne croyez pas toujours ce qu'on vous dit, Dr Scarpetta, me déclara alors Hilda.

– À quel propos ? demandai-je, déroutée.

– Quelque chose qui importe énormément pour vous est en train de vous causer du tort, du chagrin. Il s'agit d'une personne. Un ami, une relation romantique. Peut-être un membre de votre famille. Je ne sais pas. En tout cas, quelqu'un qui a une grande importance dans votre vie. Or on vous dit, ou vous imaginez beaucoup de choses. Prenez garde à ne pas tout croire.

Mark, pensai-je, ou peut-être Benton Wesley.

– S'agit-il de quelqu'un avec qui je suis en relation en ce moment ? Que je rencontre ces temps-ci ?

– Comme je ressens beaucoup de confusion et d'incertitude, dit-elle après un moment de réflexion, je dirais que ce n'est pas quelqu'un qui vous est actuellement proche. Je sens une distance, voyez-vous, une distance moins géographique qu'affective. Et cette distance vous empêche d'avoir vraiment confiance. Vous devriez laisser aller les choses, ne rien faire pour l'instant. Vous prendrez une décision en temps utile, mais il faut d'abord vous détendre, dissiper cette confusion, ne pas agir de façon impulsive. Ah, autre chose... Essayez de voir au-delà de ce qui est sous votre nez. Je ne sais pas de quoi il s'agit, mais il y a quelque chose que vous ne voyez pas pour l'instant, quelque chose qui a rapport à votre passé, une chose importante qui vous est arrivée autrefois. Vous en prendrez conscience et cette chose vous mènera à la vérité, mais vous ne comprendrez pas sa signification si vous ne vous ouvrez pas au préalable. Laissez-vous guider par votre foi.

Me demandant ce qui était arrivé à Marino, je me levai et regardai par la fenêtre.

Marino avala deux bourbons à l'aéroport de Charlotte et un troisième dans l'avion. Il ne desserra pratiquement pas les dents pendant le vol de retour à Richmond. Ce n'est qu'une fois dans le parking, alors que nous regagnions nos voitures, que je rompis ce long silence.

– Il faut que nous parlions, dis-je en sortant mes clés.

– Je suis crevé.

– Il est presque 5 heures. Pourquoi ne viendriez-vous pas dîner chez moi ?

Le regard dans le vague, il cligna plusieurs fois des yeux dans la lumière du soleil. Je ne savais pas s'il était en colère ou au bord des larmes, et je crois bien que je ne l'avais jamais vu dans cet état.

– Est-ce que vous m'en voulez, Marino ?

– Pas du tout, doc. C'est juste que j'ai envie d'être seul.

– À mon avis ça n'est pas une bonne idée.

Il boutonna son pardessus jusqu'au cou.

– À plus tard, marmonna-t-il en s'éloignant.

Je rentrai chez moi, épuisée, et, l'esprit vide, je m'agitais dans la cuisine quand la sonnette de la porte d'entrée résonna. Je jetai un coup d'œil par le judas et eus la surprise d'y découvrir Marino.

– J'ai retrouvé ça dans ma poche, fit-il la porte à peine ouverte. (Il me tendit son billet d'avion composté ainsi que les papiers de location de la voiture.) J'me suis dit que vous en auriez peut-être besoin pour vos impôts.

– Merci, dis-je. (Je savais bien que ça n'était pas la vraie raison de sa visite : ayant déjà les facturettes de ma carte de crédit, les papiers qu'il venait de me remettre étaient inutiles.) J'étais en train de préparer à manger. Restez donc, puisque vous êtes là.

– Rien qu'un petit moment, alors, dit-il en évitant mon regard. J'ai des choses à faire.

Il me suivit à la cuisine et s'assit à la table. Je me remis à découper des rondelles de poivrons et les ajoutai aux oignons que je faisais sauter dans l'huile d'olive.

– Vous savez où se trouve le bourbon, dis-je en remuant le mélange.

Il se leva et se dirigea vers le bar.

– Pendant que vous y êtes, ajoutai-je, pourriez-vous me préparer un scotch et soda ?

Il ne répondit pas mais lorsqu'il revint, il posa mon verre sur le plan de travail et s'appuya contre le mur. Je versai oignons et poivrons dans une autre poêle où mijotaient les tomates, puis entrepris de faire revenir des saucisses.

– Je n'ai rien prévu d'autre, m'excusai-je.

– Ça suffira largement.

– De l'agneau au vin blanc, de la poitrine de veau ou du porc rôti aurait été parfait. (J'emplis une carafe d'eau et la posai sur la gazinière.) Je suis championne pour préparer l'agneau, mais il faudra que vous reveniez un autre jour.

– Vous devriez arrêter de découper des cadavres et ouvrir un restaurant.

– J'espère que ce n'est pas ironique.

– Pas du tout, fit-il d'un air impassible en allumant une cigarette. Comment vous appelez ça ? ajouta-t-il en hochant la tête vers la poêle.

– J'appelle ça des nouilles vertes et jaunes aux poivrons et saucisses, répondis-je en versant les saucisses dans la sauce. Mais si je voulais vous impressionner, j'appellerais ça *papardelle del Cantunzein*.

– C'est vrai, c'est impressionnant.

– Marino, fis-je en lui jetant un coup d'œil. Que s'est-il passé ce matin ?

Il répondit à ma question par une autre question.

– Est-ce que vous avez parlé à quelqu'un de la coupure sur l'os de Deborah ?

– Jusqu'à maintenant, vous êtes le seul à qui j'en ai parlé.

– Dans ce cas, comment ça se fait qu'Hilda Ozimek ait vu dans sa tête un couteau de chasse avec une lame dentelée quand Pat Harvey l'a emmenée sur l'aire de l'autoroute ?

– C'est difficile à imaginer, en effet, dis-je en versant les pâtes dans l'eau bouillante. Il y a comme ça des choses dans la vie qu'on ne peut pas expliquer, Marino.

Il ne fallut que quelques secondes aux pâtes fraîches pour être cuites. Je les égouttai et les transférai dans un plat que j'avais chauffé au four. Puis j'y versai la sauce, ajoutai du beurre ainsi que le parmesan frais que je venais de râper, et annonçai à Marino que nous pouvions passer à table.

– J'ai des cœurs d'artichauts au frigo, dis-je en nous servant. Mais pas de salade. Ah... et puis j'ai du pain au congélateur.

– Je ne veux rien d'autre, fit Marino la bouche pleine. Ça ira très bien. C'est parfait.

J'avais à peine touché à mon assiette qu'il était prêt à se resservir. On aurait dit que Marino n'avait rien mangé de la semaine. Il ne prenait aucun soin de lui, et ça commençait à se voir. Sa cravate avait sérieusement besoin de passer au pressing, un ourlet de son pantalon était décousu et sa chemise avait des auréoles jaunâtres aux aisselles. Tout en lui clamait qu'il se négligeait, et j'en étais aussi touchée que révulsée. Mais je savais qu'il avait de gros ennuis dans sa vie privée, qui l'empêchaient de se reprendre en main. Quelque chose de grave était en train de se passer.

Je me levai et tirai un Mondavi rouge du casier à bouteilles.

– Marino, dis-je en emplissant nos verres, qui était sur la photo que vous avez montrée à Hilda ? Votre femme ?

Il s'appuya contre son dossier sans me regarder.

– Je ne vous oblige pas à en parler si vous ne voulez pas, dis-je. Mais je ne vous reconnais plus depuis quelque temps. Vous n'êtes plus le même, ça saute aux yeux.

– Ce qu'elle m'a dit m'a causé un choc, répondit-il.

– Ce qu'a dit Hilda ?

– Ouais.

– J'aimerais que vous m'en parliez.

– J'en ai encore parlé à personne. (Il se tut, prit son verre de vin. Il avait le visage dur, le regard humilié.) Elle est repartie à Jersey City depuis novembre.

– Je crois que vous ne m'avez jamais dit comment elle s'appelait.

– Eh ben dites donc, marmonna-t-il. Parlez d'un commentaire.

– Plus révélateur que vous ne croyez, rétorquai-je. C'est vrai que vous gardez tout pour vous.

– J'ai toujours été comme ça. Mais ça a empiré depuis que je suis flic. Y'a constamment des collègues qui viennent pleurer sur votre épaule en vous parlant de leur petite amie, de leur femme ou de leurs gamins. Ils vous racontent tout, comme si vous étiez des frères. Et puis quand c'est votre tour d'avoir un problème et que vous faites l'erreur de vous confier à l'un d'eux, le lendemain, toute la police de la ville est au courant. Croyez-moi, j'ai appris depuis un sacré bout de temps à fermer ma gueule.

Il se tut et sortit son portefeuille.

– Elle s'appelle Doris, dit-il en me tendant la photo qu'il avait montrée à Hilda Ozimek.

Doris était une femme au visage avenant et à la silhouette rondouillarde. Elle se tenait debout, en habits du dimanche, l'air embarrassé face à l'objectif. Je l'avais vue des centaines de fois, car le monde regorge de Doris. Ce sont ces femmes qui rêvent d'amour sous la véranda, par les belles nuits d'été resplendissantes d'étoiles. Des femmes dont l'importance se mesure aux services qu'elles rendent, et qui ne parviennent à survivre qu'en étouffant peu à peu en elles tout espoir. Jusqu'à ce qu'un beau matin elles se réveillent folles à lier.

– Ça aurait fait trente ans en juin qu'on est mariés, dit Marino lorsque je lui rendis la photo. Et puis tout d'un coup elle a craqué. Elle dit que je travaille trop, que je suis jamais à la maison. Qu'elle me connaît même pas. Des choses comme ça. Mais j'suis pas tombé de la dernière pluie. Je sais bien que c'est pas ça qui va pas.

– Qu'est-ce que c'est, alors ?

– Ça a commencé l'été dernier, quand sa mère a eu une attaque. Doris est allée s'occuper d'elle. Elle est restée dans le Nord pendant presque un mois, elle a sorti sa mère de l'hôpital et l'a mise dans une maison de retraite, elle s'est occupée de tout. Et quand elle est revenue, Doris avait changé. On aurait dit quelqu'un d'autre.

– Que s'est-il passé ?

– Elle a rencontré un homme là-haut, un type qui bosse dans l'immobilier et qui a perdu sa femme il y a deux ou trois ans. C'est lui qui s'est occupé de vendre la maison de la mère de

Doris. Doris m'en a parlé une ou deux fois, en passant. Mais je me suis vite aperçu qu'il y avait quelque chose. Quelquefois, quand le téléphone sonnait tard le soir et que je décrochais, on coupait tout de suite la communication. Doris a pris l'habitude d'aller ramasser le courrier avant moi. Et puis en novembre, elle a fait ses bagages et elle est partie. Elle a prétendu que sa mère avait besoin d'elle.

– Est-ce qu'elle revient vous voir ?

Il secoua la tête.

– Non. Elle appelle de temps en temps. Elle veut divorcer.

– Marino, je suis désolée.

– Sa mère est dans cette maison, vous comprenez. Doris s'occupe d'elle, et en même temps elle voit ce type. Un jour elle est heureuse, un jour elle craque. Elle voudrait revenir, et en même temps elle veut pas. Un jour elle a des remords, le lendemain elle s'en fout. Exactement ce qu'Hilda a dit en regardant sa photo. Elle arrête pas de changer d'avis.

– Ça doit être pénible pour vous.

– Pfft, fit-il en lançant sa serviette sur la table. Elle peut bien faire ce qu'elle veut. J'en ai rien à foutre.

Je savais qu'il ne le pensait pas. Il souffrait et j'avais mal pour lui. Et en même temps, je comprenais sa femme. Marino ne devait pas être facile à aimer.

– Voudriez-vous qu'elle revienne ?

– J'ai passé la plus grande partie de ma vie avec elle. Mais faut voir les choses en face, doc. (Il me regarda, les yeux pleins d'appréhension.) Ma vie ressemble à rien. J'arrive à peine à joindre les deux bouts, on me réveille au milieu de la nuit. On fait des projets pour les vacances et puis boum, on m'appelle, Doris défait les bagages et se ronge les ongles à la maison – comme pour le week-end du « Labor Day », quand la fille Harvey et son copain ont disparu. Ça a été la goutte d'eau en trop.

– Aimez-vous Doris ?

– Elle pense que non.

– Peut-être que vous devriez lui expliquer ce que vous ressentez, la rassurer sur vos sentiments, dis-je. Lui montrer que vous avez envie d'elle et pas seulement *besoin* d'elle.

– Je pige pas, fit-il d'un air étonné.

Il ne pigerait jamais, pensai-je avec découragement.

– Prenez soin de vous, lui dis-je. N'attendez pas qu'elle s'en occupe. Peut-être que ça arrangera les choses.

– Je gagne pas assez de fric, voilà tout.

– Je suis sûre que ce n'est pas ça qui gêne votre femme. Ce qu'elle veut, c'est se sentir aimée, savoir qu'elle a de l'importance pour vous.

– Son type, il a une grande baraque et une Chrysler New Yorker. Toute neuve, avec sièges en cuir et tout le tremblement.

Je restai silencieuse.

– L'année dernière, il s'est payé des vacances à Hawaï, poursuivit Marino qui se laissait gagner par la colère.

– Doris a passé presque toute sa vie avec vous. C'était ça son choix, avec ou sans Hawaï...

– Hawaï est un piège à touristes, m'interrompit-il en allumant une cigarette. Moi je préférerais aller pêcher sur Buggs Island.

– Avez-vous jamais songé que Doris en a peut-être par-dessus la tête de jouer le rôle de la maman avec vous ?

– Elle est pas ma mère, fit-il.

– Alors comment se fait-il que depuis qu'elle est partie, on a l'impression que vous avez besoin d'une maman pour s'occuper de vous, Marino ?

– Parce que j'ai pas le temps de recoudre mes boutons, de préparer à bouffer, de faire le ménage et tous ces trucs-là, voilà pourquoi.

– Moi aussi j'ai un métier, dis-je. Et pourtant je trouve le temps de faire ces trucs-là.

– Ouais, mais vous avez une bonniche. Et vous vous faites probablement dans les cent mille dollars par an.

– Même si je ne gagnais que dix mille dollars, je m'occuperais de moi, Marino. Je le ferais parce que j'ai de l'amour-propre et que *je ne veux pas* laisser quelqu'un s'occuper de moi à ma place. Je veux simplement qu'on ait des attentions pour moi, ce qui n'est pas la même chose.

– Si vous êtes si maligne, doc, alors comment ça se fait que vous êtes divorcée ? Comment ça se fait que votre copain Mark est dans le Colorado et vous ici ? J'ai pas l'impression que vous soyez tellement au point sur les relations de couple, si ?

Je sentis une rougeur m'envahir la nuque.

– Tony ne m'aimait pas vraiment, et dès que je m'en suis aperçue, je suis partie. Quant à Mark, il a peur de s'engager.

– Et vous, vous êtes prête à vous engager ? demanda Marino avec agressivité.

Je ne répondis pas.

– Comment ça se fait que vous êtes pas partie dans l'Ouest avec lui ? Peut-être bien que tout ce qui vous intéresse, c'est votre boulot.

– Nous avions des problèmes, et certains provenaient sans doute de moi. Mark était fâché, il est parti dans l'Ouest... peut-être pour me donner une leçon, peut-être simplement pour s'éloigner de moi, expliquai-je. (J'étais stupéfaite de ne pouvoir maîtriser l'émotion qui faisait trembler ma voix.) Du point de vue professionnel, il m'était impossible de partir avec lui, et de toute façon il n'en a jamais été question.

Marino parut soudain honteux.

– Je suis désolé. Je ne savais pas.

Je restai silencieuse.

– On dirait qu'on est dans la même galère, dit-il.

– Par certains aspects, oui, fis-je sans vouloir m'avouer quels étaient ces aspects. Mais je m'occupe de moi. Si Mark revient dans ma vie, il ne trouvera pas quelqu'un de négligé, au bout du rouleau. J'ai envie de lui, mais je n'ai pas besoin de lui. Peut-être que vous devriez essayer ça avec Doris ?

– Ouais, fit-il avec une certaine conviction. Je vais essayer. En attendant, si on buvait un café ?

– Vous savez le préparer ?

– Vous voulez rire ? fit-il d'un air surpris.

– Leçon numéro un, Marino. Préparation du café. Venez ici.

Après que je lui eus dévoilé les mystères de la cafetière électrique, il reparla des péripéties de la journée.

– Une partie de moi refuse de prendre au sérieux ce qu'a raconté Hilda, dit-il. Mais une autre partie de moi s'y sent obligée. Je dois avouer que ça m'a tracassé.

– Quoi, par exemple ?

– On a tiré sur Deborah Harvey avec un 9 mm. On n'a jamais retrouvé la douille. Difficile de croire que le type a pu la récupérer dans l'obscurité. Ce qui me fait dire que Morrell et les autres ont pas cherché au bon endroit. Souvenez- vous,

Hilda se demandait s'ils n'avaient pas été dans un autre endroit. Elle a parlé de quelque chose que le type avait perdu. D'un objet en rapport avec la guerre. Ça pourrait être une douille.

– Elle a dit aussi que l'objet était inoffensif, lui rappelai-je.

– Une douille vide ne ferait pas de mal à une mouche. C'est la balle qui est dangereuse, et encore, seulement quand on tire.

– Les photos qu'elle a étudiées ont été prises l'automne dernier, dis-je. Même s'il y était à l'époque, l'objet ne s'y trouve peut-être plus à l'heure qu'il est.

– Vous croyez que le tueur est revenu le chercher le lendemain, quand il faisait jour ?

– Hilda a dit que la personne qui l'avait perdu s'en était inquiétée.

– Je pense pas qu'il y soit retourné, dit Marino. Il est trop prudent pour ça. Y'avait trop de risque. Le coin s'est mis à grouiller de flics avec des chiens dès qu'on a signalé la disparition des gosses. Vous pensez bien que le tueur s'est pas montré.

– Peut-être, dis-je alors que le café commençait à passer.

– Je pense qu'on devrait retourner là-bas et fouiller un peu la clairière. Vous êtes partante ?

– Pour tout vous dire, j'y pense depuis un moment.

8

Dans la pleine lumière de l'après-midi, la forêt ne nous parut d'abord pas aussi sinistre que la fois précédente, mais à mesure que Marino et moi approchions de la clairière, les relents de chair décomposée nous reprirent à la gorge. Çà et là, de petits monticules de pommes de pin et de feuilles témoignaient du raclement des pelles et du vidage des tamis. Il faudrait du temps pour que l'endroit retrouve son aspect originel.

Marino avait apporté un détecteur de métal, et je m'étais équipée d'un râteau. Le lieutenant sortit ses cigarettes en jetant un coup d'œil alentour.

– Inutile de chercher par ici, décréta-t-il. Ça a déjà été tourné et retourné une demi-douzaine de fois.

– Je suppose que le sentier aussi a été passé au peigne fin, dis-je en me retournant vers la piste que nous avions suivie depuis le chemin forestier.

– Pas sûr, parce qu'il n'existait pas l'automne dernier, quand le couple a été amené ici.

Je n'avais pas réalisé qu'en effet, ce sentier avait été tracé par le piétinement des policiers et autres participants à l'enquête allant et venant du chemin forestier à la clairière.

Marino fouillait du regard les sous-bois environnants.

– On sait même pas où ils étaient garés, doc. On va partir de l'hypothèse qu'ils ont laissé la voiture à peu près où on s'est arrêtés, et qu'ils ont suivi à peu près le chemin qu'on a suivi jusqu'ici. Mais tout dépend si le tueur *savait* où il allait.

– C'est mon sentiment, dis-je. Ça n'est pas logique de penser qu'il a quitté le chemin forestier et qu'il est arrivé ici par hasard en marchant dans le noir.

Marino mit en marche le détecteur de métal.

– Ça coûte rien d'essayer, dit-il en haussant les épaules.

Partant de la limite du périmètre déjà examiné par la police, nous commençâmes à explorer les sous-bois de part et d'autre du sentier venant du chemin forestier. Pendant près de deux heures, nous examinâmes la moindre ouverture dans les buissons susceptible de laisser passage à un homme. Par deux fois, le sifflement du détecteur nous fit espérer une découverte : le premier n'était dû qu'à une canette de bière Old Milwaukee, le deuxième à un décapsuleur rouillé. Le troisième sifflement retentit bien plus tard, alors que nous étions à l'orée du bois, en vue de la voiture. Nous exhumâmes une vieille cartouche de chasse au plastique décoloré par les années.

Appuyée sur mon râteau, je contemplai avec découragement le sentier, réfléchissant à ce qu'avait dit Hilda au sujet d'un autre endroit où le tueur aurait peut-être emmené Deborah. J'avais d'abord pensé que si Deborah avait voulu s'échapper, elle aurait sans doute profité de l'obscurité pendant que le tueur les conduisait, elle et Fred, du chemin forestier à la clairière. Mais en examinant les bois environnants, je me rendis compte que cette théorie ne tenait pas debout.

– Admettons que nous avons affaire à un seul tueur, dis-je à Marino.

– D'accord, je vous écoute, fit-il en s'essuyant le front d'un revers de manche.

– Si vous étiez le tueur, que vous ayez enlevé deux personnes et que vous les ameniez ici, qui tueriez-vous en premier ?

– Le type, parce que c'est lui qui risque de me poser le plus de problèmes, répondit-il sans hésitation. Je l'éliminerais d'abord et je me garderais la petite pour la fin.

Je n'arrivais toujours pas à imaginer la scène. Comment le tueur avait-il pu forcer deux personnes à marcher ainsi dans les bois à la nuit tombée ? Avait-il une lampe torche ? Connaissait-il assez bien l'endroit pour retrouver la clairière les yeux fermés ? Je demandai son avis à Marino.

– Je me suis posé les mêmes questions, dit-il. D'abord, si c'était moi, je les aurais entravés en leur liant les mains dans le dos. Ensuite j'aurais collé mon flingue dans les reins de la fille pendant qu'on marchait dans la forêt, pour rendre le gars docile. Parce qu'au premier faux pas, je descends sa copine, vu ? Est-ce qu'il avait une torche ? En tout cas il avait quelque chose qui lui permettait de voir.

– Comment pourriez-vous tenir en même temps une arme, une torche et le bras de la fille ? demandai-je.

– Facile. Vous voulez que je vous montre ?

– C'est inutile, dis-je en reculant d'un pas alors qu'il tendait déjà la main.

– Alors avec le râteau. Bon sang, doc, soyez pas si nerveuse.

Il me confia le détecteur et je lui tendis le râteau.

– Imaginons que c'est Deborah, d'accord ? Je lui enserre le cou du bras gauche en même temps que je tiens la torche dans la main, comme ça. (Il mima la prise.) Et j'ai mon flingue dans la main droite, collé dans les reins de la fille. Pas de problème. Fred marche à quelques pas devant nous, suivant le rayon de la torche, et je le quitte pas des yeux. (Marino s'interrompit et tourna la tête vers le sentier.) En tout cas, ils devaient pas marcher vite.

– Surtout s'ils étaient pieds nus, ajoutai-je.

– Et à mon avis ils l'étaient, dit-il. Il ne peut pas leur attacher les pieds s'il veut les faire marcher. Mais il leur fait enlever leurs chaussures, pour leur ôter l'envie de s'enfuir. Peut-être qu'après les avoir butés, il garde leurs chaussures en souvenir.

– Peut-être, fis-je en écho. (Je repensai alors au sac de sport de Deborah.) Si Deborah avait les mains attachées dans le dos, comment se fait-il qu'on ait retrouvé son sac ici ? Impossible de le mettre en bandoulière, puisqu'il n'a pas de courroie. Et puis si quelqu'un vous faisait entrer dans un bois sous la menace d'une arme, pourquoi emmèneriez-vous votre sac de sport ?

– Aucune idée. Ça me turlupine depuis le début.

– Essayons encore, dis-je.

– Oh, merde.

Lorsque nous regagnâmes la clairière, les nuages avaient voilé le soleil et le vent s'était levé, de sorte que la température paraissait être descendue d'un coup de plusieurs degrés. J'avais froid et les muscles de mes bras tremblaient de fatigue à force de râtisser. C'est alors que je remarquai, du côté opposé au sentier, une étendue de terrain d'apparence si hostile que je doutai que les chasseurs eux-mêmes s'y aventurent. La police avait creusé et tamisé le sol sur deux ou trois mètres dans cette direction avant de buter sur une prolifération de ku-dzu s'étendant sur près d'un demi-hectare. Les arbres pris dans les mailles du lierre ressemblaient à des dinosaures luttant pour surnager dans cet océan vert. Tous les buissons, arbres et plantes alentour étaient peu à peu étouffés et étranglés par le ku-dzu.

– Oh non, par pitié, se plaignit Marino en me voyant m'aventurer dans ce fouillis.

– Nous n'irons pas loin, promis-je.

Nous n'eûmes pas à aller très loin.

Le détecteur siffla presque aussitôt. Le sifflement augmenta de puissance et se fit plus aigu lorsque Marino plaça l'appareil au-dessus d'une touffe de ku-dzu distante de moins de cinq mètres de l'endroit de découverte des corps. Râtisser du ku-dzu s'avérant une tâche désespérée, j'abandonnai le râteau et me mis à genoux, arrachant les feuilles à la main et fouillant le sol de mes doigts protégés par des gants chirurgicaux, jusqu'à ce que je sente un objet rond et plat qui n'était pas, je le compris aussitôt, ce que nous cherchions.

– Gardez-le pour le péage, dis-je d'un air découragé à Marino en lui lançant un *quarter* plein de terre.

Quelques pas plus loin, pourtant, le détecteur fit à nouveau entendre son signal, et cette fois, je ne me mis pas à quatre pattes pour rien. Je sentis sous mes doigts une forme cylindrique que j'aurais reconnue entre mille, écartai les pousses de ku-dzu et aperçus un éclat de métal inoxydable, une douille brillante comme de l'argent poli. Je la déterrai avec précaution, m'efforçant de la toucher le moins possible, pendant que Marino, penché au-dessus de moi, me présentait un sachet plastique ouvert.

– Du Federal neuf millimètres, fit-il en déchiffrant le poinçon à travers le plastique transparent. Je veux bien être pendu.

– Il se tenait donc par ici quand il a tiré sur Deborah, dis-je à mi-voix.

Une étrange sensation me parcourut tandis que me revenaient à l'esprit les paroles d'Hilda : elle avait dit que Deborah s'était trouvée dans un lieu « foisonnant » de choses qui « agrippent ». Le *ku-dzu*.

– S'il a tiré de près, dit Marino, elle a dû s'écrouler par ici.

Le détecteur toujours en main, il me suivit un peu plus loin dans les mauvaises herbes.

– Bon sang, comment a-t-il pu la *viser* dans le noir, Marino ? Vous vous imaginez ici en pleine nuit ?

– Il y avait de la lune.

– Elle n'était pas pleine, dis-je.

– Ça suffisait pour y voir.

Les conditions météorologiques de cette nuit-là avaient été déterminées depuis des mois. Le vendredi 31 août, jour de la disparition du couple, il faisait une température d'environ 20° C, avec une lune du premier quartier et un ciel dégagé. Même s'il était équipé d'une puissante lampe torche, je ne voyais toujours pas comment le tueur avait pu contraindre ses deux otages à s'enfoncer dans les bois sans être aussi désorienté et vulnérable qu'eux. Je ne pouvais imaginer que confusion, hésitations et trébuchements.

Pourquoi ne les avait-il pas tués sur le chemin forestier et dissimulés dans les buissons avant de repartir en voiture ? Pourquoi avait-il tenu à les amener ici ?

Il est vrai qu'il s'était passé la même chose avec les autres couples, tous retrouvés dans des endroits retirés et boisés.

Marino explorait du regard l'étendue de ku-dzu, une expression de révulsion sur le visage.

– Encore heureux que ça soit pas la saison des serpents, maugréa-t-il.

– Je vous en prie, Marino, fis-je avec un frisson.

– Vous voulez continuer ? s'enquit-il sur un ton indiquant qu'il n'avait pas la moindre envie de s'aventurer d'un pas de plus dans cette jungle.

– Je pense que c'est assez pour aujourd'hui, fis-je en m'extirpant le plus vite possible du ku-dzu.

Entendre Marino parler de serpents m'avait flanqué la chair de poule et fait frôler la panique.

Il était presque 17 heures et l'obscurité commençait à envahir la forêt lorsque nous regagnâmes la voiture. Chaque fois qu'une brindille craquait sous les pieds de Marino, mon cœur bondissait dans ma poitrine.

– Je déposerai ça au labo demain matin à la première heure, dit Marino. Ensuite, faut que j'aille au tribunal. Ça va être encore une journée formidable.

– Vous allez au tribunal pour quelle affaire ?

– Le meurtre d'un certain Bubba par son ami Bubba, avec un certain Bubba pour seul témoin.

– Vous plaisantez ?

– Pas du tout, fit-il. Je suis tout ce qu'il y a de plus sérieux. (Mettant le contact, il ajouta entre ses dents :) Je commence à détester ce boulot, doc, je vous jure.

– Ces temps-ci, vous détestez le monde entier, Marino.

– Non, c'est pas vrai, fit-il. (Chose rarissime, Marino rit.) Je vous aime bien.

Le dernier jour de janvier, je reçus un courrier officiel de Pat Harvey m'avertissant que si je ne lui envoyais pas un exemplaire des rapports d'autopsie et de toxicologie de sa fille avant la fin de la semaine suivante, elle aurait recours à une injonction judiciaire. Elle avait fait parvenir une copie de sa lettre à mon supérieur, le commissaire aux Services de santé, dont la secrétaire me convoqua dans l'heure.

Abandonnant mes patients à autopsier, je quittai l'immeuble du BCME et parcourus à pied la courte distance qui me séparait de l'ancienne gare de Main Street, qui accueillait certains services administratifs pendant la rénovation de Madison Building. Deux ans auparavant, le Gouverneur avait nommé comme commissaire à la Santé le Dr Paul Sessions, et bien que mes entrevues avec lui fussent rares, elles étaient toujours agréables. J'avais toutefois l'impression qu'aujourd'hui, l'ambiance risquait d'être tendue. Sa secrétaire m'avait transmis la convocation d'un ton penaud, comme si elle savait que je me préparais à passer un mauvais quart d'heure.

Le commissaire était installé dans une suite de bureaux situés au premier étage, auquel menait un escalier en mar bre que les allées et venues des voyageurs avaient poli au cours des années.

Pivotant sur son fauteuil pour décrocher le téléphone, la secrétaire m'accueillit avec un sourire sympathique qui ne fit que renforcer mes appréhensions.

À peine m'eut-elle annoncée que la lourde porte de chêne s'ouvrit, et le Dr Sessions m'invita à entrer. C'était un homme énergique, avec des cheveux bruns qui commençaient à se raréfier et des lunettes à grosse monture qui lui mangeaient le visage.

Il s'assit derrière son bureau, la lettre de Pat Harvey posée au milieu de son sous-main, le visage inhabituellement sombre.

– Je suppose que vous avez eu connaissance de ceci ? fit-il en tapotant la lettre du bout de l'index.

– Oui, dis-je. Il est compréhensible que Pat Harvey veuille connaître les conclusions de l'autopsie de sa fille.

– Le corps de Deborah Harvey a été retrouvé il y a onze jours. Dois-je conclure que vous ne savez toujours pas ce qui les a tués, elle et son ami ?

– Je sais ce qui a tué Deborah, mais j'ignore encore les causes de la mort de Fred.

Le Dr Sessions prit l'air surpris.

– Dans ce cas, Dr Scarpetta, pouvez-vous m'expliquer pourquoi cette information n'a pas été communiquée à la famille Harvey ni au père de Fred Cheney ?

– C'est très simple, répondis-je. Leurs dossiers ne sont pas bouclés car nous attendons le résultat de nouvelles investigations. Par ailleurs, le FBI m'a demandé de ne communiquer aucune information à quiconque.

– Je vois, fit-il.

Il contempla le mur comme s'il comportait une fenêtre, ce qui n'était pas le cas.

– Si vous me demandiez de publier mes rapports, je le ferais, Dr Sessions. À vrai dire, je serais même soulagée de satisfaire la demande de Pat Harvey.

– Pourquoi ?

Il connaissait la réponse, mais voulait connaître mon avis.

– Parce que Mrs Harvey et son mari ont le droit de savoir ce qui est arrivé à leur fille, dis-je. De même Bruce Cheney a le droit de connaître ce que nous savons et ce que nous ignorons encore sur la mort de son fils. Cette attente ne peut que prolonger leur angoisse.

– Avez-vous parlé à Mrs Harvey ?

– Pas récemment.

– Lui avez-vous parlé depuis que les corps ont été retrouvés, Dr Scarpetta ? demanda-t-il.

– Je l'ai appelée pour lui confirmer l'identification des corps, mais je ne lui ai pas parlé depuis.

– A-t-elle essayé de vous joindre ?

– Oui.

– Et vous avez refusé de lui parler ?

– Je viens de vous expliquer pourquoi je ne peux pas lui parler, dis-je. Et je ne pense pas que ce serait très malin de ma part de lui téléphoner pour lui dire que le FBI ne veut pas que je lui parle.

– Ainsi, vous n'avez parlé à personne des instructions du FBI ?

– Sauf à vous, à l'instant.

Il croisa les jambes.

– Et je vous en suis reconnaissant. Mais il vaut mieux n'en parler à personne d'autre. Surtout aux journalistes.

– Je fais de mon mieux pour les éviter.

– Le *Washington Post* a appelé ce matin.

– Qui était-ce ?

Mal à l'aise, je le regardai chercher parmi un petit tas de notifications d'appel. Je me refusais à croire qu'Abby Turnbull ait tenté de me doubler.

– Un certain Clifford Ring, dit-il en levant les yeux. Ce n'est pas la première fois qu'il appelle, et je ne suis pas la seule personne à qui il voudrait tirer les vers du nez. Il a essayé auprès de ma secrétaire et d'autres membres de mon personnel. Je suppose qu'il vous a aussi appelée.

– Beaucoup de journalistes m'ont appelée. Je ne me souviens pas de tous les noms.

– Bref, Mr Ring a l'air de penser qu'on essaie d'étouffer quelque chose, qu'il y a une sorte de conspiration. D'après les questions qu'il pose, on dirait qu'il a en sa possession des éléments tendant à confirmer cette hypothèse.

Bizarre, pensai-je. Contrairement à ce qu'Abby avait affirmé, le *Post* ne semblait pas avoir renoncé à enquêter.

– Il a l'impression, poursuivit le commissaire, que votre bureau retient les informations, et participe donc à cette conspiration.

– Difficile de dire le contraire, admis-je en m'efforçant de ne pas laisser paraître mon dépit. Et du coup je me retrouve prise entre deux feux. Je m'oppose soit à Pat Harvey, soit au Justice Department, et franchement, si j'avais le choix, je préférerais donner satisfaction à Mrs Harvey. Il faudra bien que je lui réponde. Après tout, elle est la mère de Deborah. Je n'ai aucune obligation envers le FBI.

– Je préférerais ne pas me mettre le Justice Department à dos, dit le Dr Sessions.

Inutile de me faire un dessin. Une partie substantielle du budget alloué aux services du commissaire provenait de subventions fédérales, dont une partie était attribuée à mon bureau pour financer la collecte d'un certain nombre de données destinées à diverses agences chargées de la prévention des accidents domestiques ou de la circulation. En contrariant les services fédéraux, nous ne verrions peut-être pas nos crédits supprimés, mais nous avions de bonnes chances de nous rendre la vie impossible. Le commissaire ne tenait pas à être obligé de remplir un justificatif pour chaque crayon ou feuille de papier acheté avec de l'argent fédéral. Je savais comment fonctionnaient ces choses-là. On nous demanderait des comptes sur chaque *cent* dépensé, on nous noierait sous la paperasserie.

Le commissaire saisit la lettre et l'étudia quelques instants.

– On dirait que la seule solution, c'est que Mrs Harvey fasse ce qu'elle menace de faire.

– Si elle obtient une injonction du tribunal, je serai bien obligée de lui communiquer ce qu'elle réclame.

– Je comprends bien. Et l'avantage de cette solution, c'est que le FBI ne pourra rien nous reprocher. L'inconvénient, c'est la mauvaise publicité dont nous ferons l'objet. Les Services de santé ne sortiront pas grandis de cette affaire si le public apprend que nous avons été obligés par injonction judiciaire de fournir à Mrs Harvey les renseignements auxquels elle a légalement droit. Sans compter que cela ne fera que renforcer les soupçons de Mr Ring.

Le citoyen lambda ignorant que le Bureau du médecin expert dépendait des Services de santé, c'est moi qui serais livrée à la vindicte publique. En bon stratège bureaucratique, le commissaire préférait m'exposer en première ligne plutôt que de risquer le courroux du Justice Department.

– Il faut s'attendre, reprit-il, à ce que Pat Harvey mette tout son poids dans la balance, qu'elle se serve de l'influence de ses services pour faire un maximum de bruit. D'un autre côté, peut-être qu'elle bluffe.

– J'en doute, dis-je.

– Nous verrons bien. (Sur ce, il se leva et me raccompagna à la porte.) Je vais écrire à Mrs Harvey pour lui dire que vous et moi avons eu une petite conversation.

Tu parles, pensai-je.

– Faites-moi savoir si vous avez besoin d'aide, ajouta-t-il en fuyant mon regard.

Je venais précisément de lui faire comprendre que j'avais besoin d'aide, mais il aurait aussi bien pu avoir les deux bras cassés : il ne lèverait pas le petit doigt pour moi.

De retour à mon bureau, je demandai aux standardistes et à Rose si un journaliste du *Post* avait appelé, mais aucune ne se souvenait d'un Clifford Ring. Je me dis qu'il ne pouvait pas m'accuser de bloquer les informations s'il n'avait même pas essayé de me joindre. Pourtant, je restais perplexe.

– Au fait, ajouta Rose tandis que je sortais dans le couloir. Linda vous cherche, elle dit que c'est urgent.

Linda était la spécialiste des armes à feu. Marino avait dû lui remettre la douille. Parfait.

Le laboratoire d'analyse des armes à feu, au deuxième étage, aurait pu passer pour une armurerie d'occasion. Revolvers, carabines, fusils et pistolets encombraient le moindre centimètre carré d'espace libre, et les pièces à conviction emballées dans du papier bulle s'empilaient contre un mur jusqu'à hauteur de poitrine. Je crus que tout le monde était parti déjeuner lorsque j'entendis le son étouffé de plusieurs détonations derrière des portes closes. Une petite pièce contiguë au laboratoire, pourvue d'une citerne en acier galvanisé remplie d'eau, servait à tester les armes.

Deux chargeurs plus tard, Linda sortit de la pièce, un .38 Special dans une main, des douilles vides et une boîte à munitions dans l'autre. Mince, féminine, elle avait de longs cheveux bruns, des traits bien découpés et des yeux noisette. Sous sa blouse elle portait une ample jupe noire et un chemisier de soie jaune. Si je m'étais trouvée à côté d'elle en avion et que j'aie dû deviner sa profession, j'aurais dit qu'elle enseignait la poésie ou tenait une galerie d'art.

– Mauvaise nouvelle, Kay, dit-elle en posant le revolver et les douilles vides sur son bureau.

– J'espère que ça n'a pas de rapport avec la douille que Marino vous a remise, dis-je.

– Je crains que si. J'allais y graver mes initiales et un numéro de labo quand j'ai eu une petite surprise. (Elle se dirigea vers le microscope comparatif.) Installez-vous, dit-elle en montrant le siège. Un dessin vaut mieux qu'un long discours.

Je m'assis et collai mes yeux aux oculaires. Dans le cercle de lumière brillait la douille en acier inoxydable.

– Je ne comprends pas, murmurai-je en réglant la netteté.

À l'intérieur de l'extrémité ouverte de la douille, je distinguai les initiales « J.M. ».

– Je croyais que c'était Marino qui vous avait remis la douille, dis-je en levant les yeux vers Linda.

– C'est bien lui. Il est passé il y a environ une heure, rétorqua-t-elle. Il m'a dit que ça n'était pas lui qui avait gravé ces initiales. D'abord ce ne sont pas les siennes, et ensuite, je ne pense pas qu'il se serait amusé à entailler une telle pièce à conviction.

Bien que certains détectives marquent encore de leurs initiales les douilles vides qu'ils trouvent sur les lieux d'un crime, de même que les médecins experts marquent les leurs sur les balles retirées des corps qu'ils examinent, les analystes en balistique essaient de faire cesser cette pratique. Utiliser un stylet sur le métal de la douille était hasardeux car on risquait de brouiller des marques de bloc de culasse, de percuteur, d'éjecteur ainsi que les rainures du canon, c'est-à-dire tous les éléments permettant d'identifier une arme. Marino ne prenait jamais ce risque. Comme moi, il inscrivait ses initiales sur le sachet plastique et laissait intacte la pièce à conviction qui y était enfermée.

– Dois-je en conclure que ces initiales figuraient sur la douille *avant* que Marino ne vous la remette ? demandai-je.

– Apparemment, oui.

J.M. *Jay Morrell*, songeai-je avec stupéfaction. Pourquoi une douille retrouvée sur les lieux d'un meurtre porterait-elle ses initiales ?

– Peut-être qu'un policier participant aux recherches avait cette douille dans la poche et qu'il l'a perdue, suggéra Linda. Peut-être sa poche était-elle trouée ?

– Difficile à croire, dis-je.

– J'ai une autre explication possible. Mais elle ne va pas vous plaire, pas plus qu'à moi, d'ailleurs. La douille a pu être rechargée.

– Dans ce cas, pourquoi porterait-elle les initiales d'un enquêteur ? Qui irait s'amuser à recharger une douille servant de pièce à conviction ?

– C'est déjà arrivé, Kay, mais ce n'est pas moi qui vais vous dire ce qui suit, d'accord ?

J'ouvris les oreilles et m'abstins de tout commentaire.

– Le nombre d'armes, de cartouches et de douilles saisies par la police et présentées aux tribunaux est astronomique. Tout ce matériel vaut une fortune et excite la convoitise de certains, y compris des juges. Ils gardent certaines pièces pour eux ou les revendent à des armuriers. Je suppose donc qu'il est possible que cette douille ait été trouvée par un officier de police et soumise à l'examen d'un tribunal avant d'être revendue et rechargée. Il est possible que celui qui l'a tirée n'ait pas su qu'elle portait des initiales.

– Il m'est impossible de prouver que cette douille contenait la balle que j'ai extraite de la colonne vertébrale de Deborah Harvey, lui rappelai-je, et je ne pourrai pas le prouver tant que nous n'aurons pas retrouvé le pistolet qui l'a tirée. Nous ne pouvons même pas affirmer qu'elle provient d'une cartouche Hydra-Shok. Tout ce qu'on sait, c'est qu'il s'agit de 9 mm Federal.

– Exact. Mais depuis la fin des années 80 c'est Federal qui possède la licence de fabrication des Hydra-Shok.

– Est-ce que Federal vend des balles Hydra-Shok à recharger ? demandai-je.

– Non, et c'est ça le hic. On ne trouve que les cartouches sur le marché. Ce qui ne veut pas dire qu'un particulier n'ait pas réussi à se procurer des balles. Soit en les volant lui-même à l'usine, soit en les faisant voler par un complice qui y travaille. Je pourrais en obtenir, par exemple, si je prétendais travailler sur un projet spécial. Qui sait ? (Elle sortit une canette de Diet Coke de son bureau avant d'ajouter :) Rien ne me surprend plus, vous savez.

– Est-ce que Marino est au courant ?

– Je l'ai appelé.

– Merci, Linda, dis-je en me levant.

Je m'étais fait ma petite hypothèse. Elle était très différente de la sienne et, malheureusement, beaucoup plus vraisemblable. Le simple fait d'y penser me rendait furieuse. Dans mon bureau, je décrochai le téléphone et composai le numéro du bip de Marino. Il me rappela presque aussitôt.

– La salope, siffla-t-il d'emblée.

– Qui ? Linda ? fis-je sur mes gardes.

– Non, Morrell. Le salopard de petit menteur. Je viens de l'avoir au téléphone. Il m'a juré qu'il savait pas de quoi je parlais jusqu'à ce que je l'accuse de voler des douilles vides pour les recharger. Je lui ai demandé s'il piquait des flingues et des cartouches entières, pendant qu'il y était. J'l'ai menacé de lui foutre les Affaires internes au cul. Il a fini par tout me balancer.

– Il a gravé ses initiales sur la douille et l'a laissée exprès sur les lieux, n'est-ce pas, Marino ?

– Exact. Bon dieu, ça fait une semaine qu'ils ont retrouvé l'autre douille, la vraie. Ce petit trou du cul m'a dit qu'il avait laissé celle-ci exprès, et qu'il faisait qu'obéir au FBI.

– Dans ce cas où est la vraie douille ? demandai-je tandis que le sang battait à mes tempes.

– Au labo du FBI. Et vous savez quoi ? Pendant tout l'après-midi qu'on a passé dans les bois, doc, on était observés. Tout le secteur est placé sous surveillance. Heureusement qu'on a pas eu envie de pisser, pas vrai ?

– Avez-vous parlé à Benton ?

– Que dalle. Pour moi, il peut aller se faire foutre, fit Marino en raccrochant avec violence.

9

Situé dans le nord de la Virginie, près de Triangle, à côté de la base du US Marine Corps, le restaurant *Globe and Laurel* était un bâtiment de brique aux lignes simples, dépourvu de tout tape-à-l'œil. La petite pelouse qui s'étendait devant la façade était toujours impeccable, les buis bien taillés, le parking propret, chaque voiture bien rangée à l'intérieur des lignes blanches délimitant les emplacements.

La devise *Semper Fidelis* figurait au-dessus de la porte, et en pénétrant à l'intérieur, je fus accueillie par le gratin des « toujours fidèles » : chefs de la police, généraux quatres étoiles, secrétaires à la Défense, directeurs du FBI et de la CIA. Les photos m'étaient si familières que les visages qui y souriaient d'un air pincé me semblaient ceux d'une bande de regrettés amis. Le major Jim Yancey, dont les bottes de combat qu'il portait au Vietnam, coulées en bronze, trônaient sur le piano en face du bar, traversa le tapis de tartan rouge pour me rejoindre.

– Dr Scarpetta, dit-il avec un sourire tout en me serrant la main. J'avais peur que la cuisine vous ait déçue la dernière fois, et que ce soit pour ça que vous ne reveniez pas.

Le banal pull à col roulé et le pantalon de velours du major ne parvenaient pas à camoufler son ancienne profession. Il était militaire jusqu'au bout des ongles, le dos raide, sans un gramme de graisse, les cheveux blancs coupés court. Bien qu'il ait passé l'âge de la retraite, il paraissait encore parfaitement apte au combat, et je l'imaginais sans peine filant en Jeep sur un terrain défoncé ou avalant ses rations en pleine jungle sous le déluge de la mousson.

– Je me suis toujours régalée ici, rétorquai-je avec chaleur, et vous le savez très bien.

– Vous cherchez Benton. Notre ami vous attend dans son trou d'homme habituel, dit-il en pointant le doigt vers le fond de la salle.

– Merci, Jim. Je connais le chemin. Ça fait plaisir de vous revoir.

Il m'adressa un clin d'œil et repassa derrière son bar.

C'est Mark qui, lorsque j'allais le voir à Quantico deux week-ends par mois, m'avait fait connaître le restaurant du major Yancey. Dans cette salle au plafond et aux murs décorés d'insignes de police et d'objets évoquant le corps des Marines, les souvenirs me mordillèrent le cœur. Je reconnaissais les tables où Mark et moi nous étions assis, et il me sembla bizarre d'y voir des inconnus plongés dans des conversations intimes. Cela faisait près d'un an que je n'étais pas venue au Globe.

Je quittai la grande salle à manger et passai dans un salon aux dimensions plus modestes où Wesley m'attendait dans son « trou d'homme », une table en coin devant une fenêtre aux voilages rouges. Il avait un verre devant lui et n'ébaucha même pas un sourire en me saluant. Un garçon en smoking noir vint prendre ma commande.

Wesley me dévisagea d'un air aussi impénétrable qu'un coffre de banque, et je lui retournai la pareille. Il avait donné le signal du premier round, et à présent nous nous jaugions du regard.

– J'ai peur que nous ayons un problème de communication, Kay, commença-t-il.

– J'ai la même impression, rétorquai-je avec le calme olympien que j'avais appris à maîtriser à la barre des témoins. Je trouve que les communications entre nous laissent à désirer. Est-ce que le FBI a mis mon téléphone sur écoute, à moi aussi ? Est-ce qu'on me file ? J'espère que celui qui était en planque dans les bois a fait de bonnes photos de Marino et moi.

– N'allez pas croire que vous êtes surveillée, répliqua-t-il avec le même calme. C'est la portion de forêt dans laquelle Marino et vous avez été repérés hier après-midi qui est sous surveillance.

– Si vous m'en aviez informée, dis-je en maîtrisant ma colère, j'aurais pu vous prévenir que Marino et moi avions l'intention de nous y rendre.

– L'idée que vous puissiez retourner là-bas ne m'a pas effleuré un seul instant.

– Il m'arrive souvent de retourner sur les lieux d'un meurtre. Vous me voyez travailler depuis assez longtemps pour le savoir.

– Au temps pour moi. En attendant, vous savez que le coin est surveillé. J'aimerais autant que vous n'y retourniez pas.

– Je n'en ai pas l'intention pour l'instant, rétorquai-je avec irritation. Mais si le besoin s'en faisait sentir, je ne manquerais pas de vous avertir. De toute façon, vous l'apprendriez tôt ou tard. Et j'ai vraiment autre chose à faire qu'à ramasser des indices qui ont été placés là exprès par vos agents ou par la police.

– Kay, fit-il d'un ton radouci. Je n'ai aucune intention de gêner votre travail.

– On me raconte des histoires, Benton. On me dit qu'on n'a retrouvé aucune douille sur les lieux, alors que le labo du FBI en examine une depuis plus d'une semaine.

– Quand nous avons décidé de mettre le coin sous surveillance, dit-il, nous ne voulions pas qu'il y ait des fuites. Moins il y avait de gens au courant, mieux c'était.

– De toute évidence, vous vous attendez à ce que le tueur revienne sur les lieux.

– C'est une possibilité.

– L'aviez-vous envisagée pour les quatre premiers meurtres ?

– Cette fois, c'est différent.

– Pourquoi ?

– Parce qu'il a laissé un indice et qu'il le sait.

– S'il s'inquiétait à ce point de sa douille, dis-je, il avait tout le temps d'aller la récupérer l'automne dernier.

– Il n'avait peut-être pas prévu que nous établirions qu'il avait tiré sur Deborah Harvey et qu'une balle Hydra-Shok serait retirée du corps.

– Je ne pense pas que ce type soit un imbécile, dis-je.

Le garçon m'apporta mon scotch et soda.

– La douille que vous avez trouvée a été placée là par nos soins, reprit Wesley. Je ne vais pas le nier. Il est exact aussi que Marino et vous êtes entrés dans une zone placée sous surveillance active. Deux de nos hommes vous ont observés. Ils ont noté chacun de vos gestes, y compris que vous récupériez la douille. Si vous ne m'aviez pas appelé, je l'aurais fait.

– J'aimerais vous croire.

– Je vous aurais tout expliqué. Je n'avais pas d'autre choix, parce que vous avez par inadvertance bousculé tous nos plans. Mais vous avez raison. (Il tendit le bras vers son verre.) J'aurais dû vous prévenir. Rien de tout ça ne serait arrivé, et nous n'aurions pas été contraints d'annuler notre opération, ou plutôt de la reporter.

– Qu'avez-vous reporté, au juste ?

– Si Marino et vous n'aviez pas déboulé au milieu, les journaux de demain matin auraient publié certaine information destinée au tueur. (Il se tut un instant.) De la désinformation destinée à le faire sortir de sa cachette, à le déstabiliser. L'article paraîtra, mais seulement lundi prochain.

– Quelle information contiendra-t-il ? demandai-je.

– Nous voulons lui faire croire que nous avons découvert quelque chose lors de l'examen des cadavres. Quelque chose qui nous laisse penser qu'il a laissé un indice important sur place. On suggérera ceci et cela, assorti de démentis formels et de refus de commentaires de la part de la police. Tout ceci destiné à faire croire que nous n'avons pas encore trouvé l'indice. Le tueur sait qu'il a laissé une douille sur les lieux. Si ça le rend suffisamment paranoïaque pour s'aventurer là-bas, nous le filmerons en train de ramasser la douille que nous avons déposée, et nous n'aurons plus qu'à le cueillir.

– La douille ne sert à rien sans le tireur et l'arme, fis-je remarquer. Pourquoi se risquerait-il à retourner là-bas, surtout en sachant que la police est en train d'y chercher la douille ?

– Il doit être inquiet, parce que cette fois il a perdu le contrôle de la situation, c'est certain. Sinon il n'aurait pas été obligé de tirer sur Deborah. Il aurait pu la tuer sans tirer. Il semble qu'il ait tué Cheney sans se servir de son arme. Comment peut-il savoir exactement ce que nous cherchons, Kay ? Peut-être que c'est une douille, peut-être que c'est autre chose. Il ignore dans quel état se trouvaient les corps quand ils ont été découverts. Nous ne savons pas ce qu'il leur a fait, et il ne peut pas savoir ce que vous avez découvert au cours de l'autopsie.

Il n'essaiera peut-être pas de retourner sur place le lendemain du jour où paraîtra l'article, mais il peut décider d'y aller une semaine ou deux après, si tout lui semble calme.

– Je doute de l'efficacité de cette tactique de désinformation, fis-je.

– Qui ne tente rien n'a rien. Le tueur a laissé un indice. Nous serions stupides de ne pas nous en servir.

L'ouverture était trop belle pour que je ne l'exploite pas.

– Avez-vous pris de telles mesures à partir d'indices retrouvés lors des quatre premiers meurtres, Benton ? J'ai cru comprendre qu'on avait découvert un valet de cœur dans chacune des voitures abandonnées. Vous avez apparemment pris grand soin de dissimuler ce détail.

Il n'eut même pas l'air surpris.

– Qui vous a dit ça ? demanda-t-il sans ciller.

– Est-ce vrai ?

– Oui.

– Avez-vous trouvé une carte dans l'affaire Harvey-Cheney ?

Son regard passa par-dessus mon épaule et il fit signe au garçon.

– Je vous recommande le filet mignon, me dit-il en ouvrant son menu. Ou les côtelettes d'agneau.

Le cœur battant, l'esprit fébrile, je passai ma commande. Incapable de me détendre, j'allumai une cigarette en tentant de trouver un moyen de tourner ses défenses.

– Vous ne m'avez pas répondu.

– Je ne vois pas en quoi cette question a un rapport avec votre rôle dans l'enquête, rétorqua-t-il.

– La police a attendu plusieurs heures avant de m'appeler sur les lieux, et quand je suis arrivée, j'ai constaté que les corps avaient été déplacés. Les enquêteurs ne me communiquent aucune information, vous m'avez ordonné de retarder la publication des causes et circonstances de la mort de Fred et Deborah. Pendant ce temps, Pat Harvey me menace d'une injonction judiciaire si je ne lui communique pas mes conclusions.

Je me tus quelques instants. Il resta silencieux et impassible.

– Enfin, repris-je d'un ton qui se faisait mordant, je suis retournée sur les lieux de découverte des corps sans savoir que le secteur était sous surveillance, ni que la douille que j'y ai trouvée avait été placée là par vos soins. Et vous ne pensez pas que toutes les circonstances de ces meurtres ont un rapport avec mon rôle dans l'enquête ? À vrai dire, je ne sais même pas si j'ai encore un rôle dans cette enquête. Ou tout au moins vous me donnez l'impression de tout faire pour que je n'en aie plus.

– Je ne fais rien de tel.

– Alors c'est quelqu'un d'autre.

Il ne répondit pas.

– Il est très important que je sache si un valet de cœur a été trouvé dans la Cherokee de Deborah ou à proximité des corps, dis-je. Cela me permettrait de lier sans doute possible ce meurtre aux premiers. Je n'aime pas savoir qu'un tueur en série se promène librement en Virginie.

C'est alors qu'il me prit au dépourvu.

– Qu'avez-vous raconté à Abby Turnbull ?

– Je ne lui ai rien dit, répondis-je le cœur battant.

– Vous l'avez rencontrée, Kay. Vous ne pouvez pas dire le contraire.

C'est Mark qui vous l'a dit. Vous ne pouvez pas dire le contraire.

– Si Mark sait que vous avez vu Abby à Richmond ou à Washington, c'est que vous le lui avez dit. Mais ce n'est pas lui qui me l'a appris parce qu'il n'avait aucune raison de me le répéter.

Je le regardai sans mot dire. Comment Wesley aurait-il pu apprendre que j'avais vu Abby à Washington, sinon parce qu'elle était en effet sous surveillance ?

– Le jour où Abby est venue me voir à Richmond, dis-je, Mark m'a appelée et je lui ai dit qu'elle était chez moi. Et vous dites que ce n'est pas lui qui vous l'a appris ?

– Non.

– Alors, comment l'avez-vous su ?

– Il y a certaines choses que je ne peux vous dévoiler, Kay. Il faut me faire confiance, voilà tout.

Le garçon nous apporta nos salades, que nous mangeâmes en silence. Wesley ne reprit la parole qu'une fois nos plats principaux servis.

– Je suis soumis à de grosses pressions, déclara-t-il d'une voix calme.

– C'est ce que je vois. Vous avez l'air épuisé, abattu.

– Merci, docteur, fit-il d'un ton ironique.

– Vous avez changé aussi sur d'autres plans, dis-je en poussant mes pions.

– Je comprends que vous ayez cette impression.

– Vous me tenez à l'écart, Benton.

– Si je garde mes distances, c'est sans doute que vous posez des questions auxquelles je ne peux pas répondre. Comme Marino. Ça ne fait qu'aggraver la pression sur moi. Est-ce que vous me comprenez ?

– J'essaie, dis-je.

– Je ne peux pas tout vous dire. Pouvez-vous l'admettre ?

– Pas tout à fait. Parce que c'est là que nos intérêts divergent. Je possède des informations dont vous avez besoin, et vous disposez d'informations dont j'ai besoin. Je ne vous livrerai pas les miennes si vous ne me donnez pas les vôtres.

À ma surprise, il éclata de rire.

– Pourrons-nous parvenir à un accord ? insistai-je.

– J'ai l'impression que je n'ai pas le choix.

– C'est vrai, dis-je.

– Oui, nous avons trouvé un valet de cœur lors du meurtre Harvey-Cheney. Oui, j'ai déplacé les corps avant votre arrivée. Je sais que ce n'est pas une chose à faire, mais vous ne pouvez pas savoir à quel point la présence de ces cartes est cruciale. Nous aurions à affronter d'énormes problèmes si leur existence était rendue publique. C'est tout ce que je peux vous dire pour l'instant.

– Où était la carte ?

– Dans le sac de Deborah. J'ai retourné son corps avec l'aide d'un autre policier, et nous avons découvert le sac sous elle.

– Pensez-vous que le tueur a emporté le sac dans les bois ?

– Oui. Il serait absurde de penser que Deborah l'a pris avec elle.

– Dans les autres cas, fis-je remarquer, les cartes ont été laissées dans les voitures.

– Exact. Le fait qu'elle ait été cette fois-ci dissimulée dans le sac est une incohérence de plus. Pourquoi ne l'a-t-il pas laissée dans la Cherokee ? Une autre incohérence réside dans le fait que dans les autres cas, la carte était de marque Bicycle. Pas cette fois-ci. Et enfin il y a la question des fibres.

– Quelles fibres ?

J'avais récolté des fibres sur toutes les victimes, mais elles provenaient de leurs propres vêtements ou de la garniture des sièges de leur voiture. Les quelques fibres d'origine non déterminée n'avaient jusqu'à présent pas suffi à établir un lien quelconque entre les meurtres.

– Dans les quatre meurtres précédant ceux de Fred et Deborah, expliqua Wesley, on a retrouvé des fibres de coton blanc sur le siège conducteur de chacun des véhicules.

– Encore un point que j'ignorais, dis-je en sentant remonter ma colère.

– L'analyse des fibres a été conduite dans nos labos, expliqua-t-il.

– Et qu'en avez-vous déduit ?

– Comme aucune des victimes ne portait de vêtement en coton blanc au moment de sa mort, nous en avons déduit que les fibres avaient été déposées par le tueur, ce qui indiquerait qu'il a conduit les voitures des victimes après leur mort. C'est en tout cas ce que nous supposons depuis le début. Ce qui voudrait dire qu'il porte un pantalon ou un uniforme en coton blanc au moment où il rencontre les couples. Or nous n'avons trouvé aucune fibre de coton blanc dans la Jeep Cherokee de Deborah.

– Qu'y avez-vous trouvé ? demandai-je.

– Rien de significatif. L'intérieur de la voiture était impeccable. (Il se tut et coupa un morceau de son steak.) Ce que je veux dire, c'est que le *modus operandi* est si différent cette fois-ci que je me fais du souci, vu le contexte.

– Parce que l'une des victimes est la fille de la Drug Czar, et que vous pensez que ce qui est arrivé à Deborah est peut-être d'origine politique, en raison des activités de sa mère.

Il acquiesça.

– On ne peut exclure que le meurtre de Deborah et de son ami ait été maquillé pour le faire ressembler aux quatre autres.

– Mais, objectai-je, s'ils ont été exécutés par contrat et que leur mort n'a aucun rapport avec les autres, alors comment expliquez-vous que le tueur soit au courant des cartes ? Même moi je n'ai appris l'existence de ces valets de cœur que tout récemment. Personne n'a pu apprendre ce détail dans les journaux.

– Pat Harvey est au courant, rétorqua-t-il à ma grande surprise.

Abby, pensai-je. J'étais prête à parier qu'Abby avait divulgué cet élément à Mrs Harvey, et que Wesley le savait.

– Depuis combien de temps est-elle au courant ?

– Le jour où on a localisé la voiture de sa fille, elle m'a demandé si nous avions trouvé une carte dedans. Et elle m'a reposé la question au moment de la découverte des corps.

– Je ne comprends pas, avouai-je. Comment a-t-elle pu être au courant dès l'automne dernier ? J'ai l'impression qu'elle connaissait tous les détails des autres meurtres *avant* que Fred et Deborah ne disparaissent.

– Elle en connaissait certains détails, c'est exact. Pat Harvey s'est penchée sur ces meurtres bien avant d'avoir des raisons personnelles de s'y intéresser.

– Pourquoi ?

– Vous connaissez les diverses hypothèses liées à la drogue, dit-il. Une surdose d'un nouveau produit, les deux gosses qui meurent en voulant faire la fête dans les bois. Ou bien un dealer qui vend à des couples de la drogue coupée avec un produit dangereux et qui prend son pied à les regarder mourir.

– Je connais ces hypothèses. Rien ne permet de les étayer. Les tests toxicologiques n'ont rien donné chez les huit premières victimes.

– J'ai étudié les rapports, dit-il d'un air songeur. Mais à mon avis, ça n'élimine pas totalement la possibilité que les gosses aient pris de la drogue. Leurs corps ont été retrouvés décharnés, il ne restait presque plus rien pour effectuer les tests.

– Il restait des muscles. C'est suffisant pour détecter des traces d'héroïne ou de cocaïne, ou du moins leurs métabolites. Nous avons également essayé de détecter des traces de drogues de synthèse comme le PCP ou les amphétamines.

– Et la China White ? demanda-t-il en faisant allusion à un puissant analgésique synthétique très prisé en Californie. D'après ce que je sais, il n'en faut pas beaucoup pour provoquer une surdose, et c'est un produit très difficile à détecter.

– C'est exact. Moins d'un milligramme suffit à tuer un homme, ce qui constitue une concentration impossible à déceler sans avoir recours à des analyses spéciales telle que le RIA. (Voyant son air d'incompréhension, j'ajoutai :) C'est- à-dire le

Radioimmunoassay, une procédure basée sur les réactions d'anticorps à une drogue spécifique. Contrairement aux procédés habituels, le RIA est capable de déceler de très faibles quantités de drogue, c'est pourquoi nous l'utilisons pour établir la présence de China White, de LSD ou de THC.

– Que vous n'avez pas trouvé.

– Exact.

– Et l'alcool ?

– Déceler la présence d'alcool dans des corps très décomposés est problématique. Certains tests ont été négatifs, d'autres ont indiqué un taux inférieur à 0,05, qui pourrait provenir de la décomposition elle-même. En d'autres termes, les tests n'ont pas été concluants.

– Et pour Harvey et Cheney ?

– Pas de traces de drogue pour l'instant, lui dis-je. Qu'est-ce qui intéressait Pat Harvey dans les premiers meurtres ?

– Attention, qu'il n'y ait pas de malentendu, rétorqua-t-il. Je ne dis pas qu'elle était obnubilée. Elle a dû apprendre certains détails à l'époque où elle était avocate fédérale, des éléments connus des seuls enquêteurs. Elle a posé quelques questions. Elle voyait ça sous un angle politique, Kay. Je suppose que s'il s'était avéré que la mort de ces couples avait un rapport avec la drogue – que ce soit par surdose ou par homicide lié au trafic – elle aurait utilisé ces informations pour appuyer sa campagne antidrogue.

Ce qui expliquait, pensai-je, pourquoi Pat Harvey m'avait paru si bien renseignée lorsque j'avais déjeuné chez elle à l'automne. Elle possédait sans doute des dossiers constitués à l'époque des premiers meurtres.

– Voyant qu'elle ne pouvait tirer aucun bénéfice politique de ces meurtres, poursuivait Wesley, elle s'en est désintéressée. Jusqu'au jour où Fred et Deborah ont disparu. À ce moment-là, comme vous l'imaginez, tout a dû lui revenir d'un coup.

– Oui, j'imagine. Et j'imagine aussi l'effet qu'aurait la nouvelle s'il s'avérait que la fille de la Drug Czar a succombé à une surdose.

– Vous pensez bien que Mrs Harvey y a pensé, fit-il d'un air sombre.

Cette réflexion me remit la démarche de Pat Harvey en mémoire.

– Elle a le droit de savoir, Benton, dis-je avec vivacité. Je ne peux pas repousser indéfiniment la publication de mes conclusions.

D'un signe de tête, il demanda au garçon de nous apporter le café.

– J'ai besoin d'encore un peu de temps, Kay.

– À cause de votre opération de désinformation ?

– Nous devons tenter le coup. Il est important que rien ne gêne la publication de l'article. Sitôt que Mrs Harvey va prendre connaissance de vos rapports, elle va monter sur ses grands chevaux. Croyez-moi, je sais mieux que vous comment elle va réagir. Elle dévoilera tout aux journalistes, ce qui réduira à néant nos efforts pour tromper le tueur.

– Que va-t-il se passer une fois qu'elle aura obtenu l'injonction du tribunal ?

– Ça prendra du temps. Au moins plusieurs jours. Vous voulez bien attendre encore un peu, Kay ?

– Vous n'avez pas fini vos explications à propos du valet de cœur, lui rappelai-je. Comment un tueur à gages aurait-il été au courant de ces cartes ?

Wesley manifesta quelque réticence avant de répondre.

– Pat Harvey n'obtient pas ses informations seule. Elle a des assistants, un personnel qui s'en occupe. Elle a des contacts avec des politiciens, des notables. Il faudrait savoir à qui elle a livré ses informations, et surtout qui veut la détruire, si c'est le cas, ce dont je ne suis pas convaincu.

– Un meurtre sous contrat maquillé pour ressembler aux autres meurtres, résumai-je d'un ton songeur. Sauf que le tueur a commis une erreur. Il n'a pas laissé le valet de cœur dans la voiture, mais à côté du cadavre de Deborah, dans son sac. Vous pensez qu'il pourrait s'agir d'un individu lié aux organismes de charité bidons contre lesquels doit déposer Pat Harvey ?

– Ce sont des criminels. Des trafiquants. Le crime organisé. (Il remua son café.) Mrs Harvey n'est pas en état d'affronter tout ça pour le moment. Elle a l'esprit ailleurs. Cette audition devant le Congrès est loin d'être sa préoccupation prioritaire.

– Je comprends. Et je suppose qu'elle n'est pas en très bons termes avec le Justice Department à cause de cette audition.

Wesley posa délicatement sa cuillère sur le bord de sa soucoupe.

– C'est un fait, dit-il en levant les yeux vers moi. Son initiative risque de nous desservir. Éliminer l'ACTMAD et d'autres escrocs du même genre est sans doute une excellente chose mais ça ne suffit pas. Nous voulons traîner les responsables en justice. Il y a déjà eu dans le passé des frictions entre Mrs Harvey et la DEA, le FBI, et même la CIA.

– Et aujourd'hui ? demandai-je.

– C'est pire, parce qu'elle est impliquée d'un point de vue affectif, qu'elle doit compter sur le FBI pour résoudre le meurtre de sa fille. Elle est paranoïaque et refuse de coopérer. Elle essaie de nous doubler, de prendre les choses en main elle-même. (Il soupira avant de conclure :) Elle nous pose un gros problème, Kay.

– Elle dit sans doute la même chose du FBI.

– J'en suis sûr, fit Wesley avec un sourire.

Désireuse de poursuivre ce jeu de poker mental pour découvrir si Wesley me cachait autre chose, je décidai de lui lâcher une nouvelle bribe d'information.

– Il semble que Deborah ait été blessée à l'index gauche. Une blessure de défense. Pas une coupure, mais un coup porté avec un couteau à lame dentelée.

– À quel endroit de son index ? demanda-t-il en se penchant légèrement vers moi.

– Sur la face dorsale, dis-je en lui montrant le dessus de mes doigts. À hauteur de la première phalange.

– Intéressant. Atypique, ça aussi.

– Oui. Et difficile à comprendre.

– Nous savons donc qu'il avait un couteau, dit-il comme s'il réfléchissait tout haut. Ce qui me confirme dans mon idée selon laquelle quelque chose a dérapé, là-bas dans les bois. Il s'est passé quelque chose d'inattendu. Il s'est peut-être servi d'un pistolet pour neutraliser le couple, mais il avait l'intention de les tuer au couteau. Peut-être en les égorgeant. C'est alors que quelque chose s'est passé. Deborah a réussi à lui échapper, et il lui a tiré dans le dos. Ensuite, il lui a peut-être tranché la gorge pour l'achever.

– Et il a disposé les corps côte à côte pour qu'ils soient dans la même position que les autres ? ajoutai-je. Se tenant par le bras, à plat ventre et habillés ?

Il fixa le mur au-dessus de ma tête.

Je songeai aux mégots abandonnés sur les lieux de chacun des meurtres. Je songeai aux ressemblances. Le fait que, cette fois-ci, la carte ait été d'une marque différente et laissée à un endroit inhabituel ne prouvait rien. Les assassins ne sont pas des robots. Leurs rituels et habitudes ne sont pas immuables. Rien de ce que m'avait appris Wesley, y compris l'absence de fibres de coton blanc dans la Cherokee de Deborah, ne suffisait à valider la théorie selon laquelle l'assassinat de Fred et Deborah n'était pas lié aux autres meurtres. Je ressentais la même confusion que j'éprouvais à chaque fois que je me rendais à Quantico, lorsque je ne savais jamais si les armes tiraient à balles réelles ou à blanc, si les hélicoptères transportaient de vrais Marines ou des agents du FBI en manœuvres, ou si les bâtiments de Hogan's Alley, la ville fictive aménagée dans l'enceinte de l'Académie, étaient de vrais immeubles ou de simples façades.

Impossible de pousser Wesley plus avant. Il ne me dirait plus rien.

– Il se fait tard, dit-il. Vous avez un long chemin à faire.

J'avais un dernier point à souligner.

– Je ne veux pas que l'amitié vienne interférer dans cette affaire, Benton.

– Cela va sans dire.

– Ce qui s'est passé entre Mark et moi...

–... n'a rien à voir avec tout ça, me coupa-t-il d'une voix ferme mais amicale.

– C'était votre meilleur ami.

– J'espère qu'il l'est toujours.

– M'en voulez-vous d'être une des raisons de son départ pour le Colorado ?

– Je sais pourquoi il est parti, dit-il. Et je le regrette. C'était un excellent élément pour l'Académie.

Le lundi suivant, le projet du FBI de débusquer le tueur grâce à une entreprise de désinformation fut court-circuité par

Pat Harvey, qui annonça une conférence de presse pour ce jour-là.

À midi, elle se présenta devant les caméras dans son bureau de Washington, le pathos de la scène renforcé par la présence à son côté de Bruce Cheney, le père de Fred. Pat était dans un état pathétique. Ni la faculté des caméras à grossir la silhouette, ni son maquillage sévère ne parvenaient à dissimuler sa maigreur et ses cernes.

– Quand ces menaces ont-elles commencé, Mrs Harvey, et quelle en était la nature ? demanda un journaliste.

– La première m'a été adressée peu de temps après que j'ai commencé à enquêter sur ces pseudo-organismes de charité. Je pense que cela doit remonter à un peu plus d'un an, dit-elle sans émotion apparente. C'était une lettre adressée à mon domicile de Richmond. Je ne révélerai pas son contenu exact, mais c'était une menace précise à l'encontre de ma famille.

– Et vous pensez que cette menace était liée à vos investigations concernant les activités frauduleuses d'organismes comme l'ACTMAD ?

– Cela ne fait aucun doute. Il y a eu d'autres menaces, la dernière deux mois avant que Fred Cheney et ma fille ne disparaissent.

Le visage de Bruce Cheney apparut à l'écran. Il était pâle et clignait des yeux sous les projecteurs.

– S'il vous plaît, Mrs Harvey...

– Mrs Harvey...

Les journalistes se bousculaient pour poser leurs questions, mais Pat Harvey demanda le silence et les caméras cadrèrent son visage.

– Le FBI était au courant de la situation, déclara-t-elle. Il pensait que ces menaces avaient une origine précise.

– Mrs Harvey...

– Mrs Harvey... (Une des journalistes parvint à couvrir la voix de ses confrères.)... ça n'est un secret pour personne que le Justice Department et vous-même avez des perspectives divergentes, et qu'un conflit d'intérêts vous oppose à propos de vos investigations sur ces fameux organismes de charité. Est-ce que par hasard vous seriez en train de suggérer que le FBI savait que la sécurité de votre famille était menacée, et *qu'il n'a rien fait* ?

– C'est plus qu'une suggestion de ma part.

– Accuseriez-vous le Justice Department d'incompétence ?

– Non, je l'accuse de complot, rétorqua Pat Harvey.

Je grognai et sortis une cigarette tandis que le vacarme et les exclamations ne cessaient d'augmenter. C'est perdu, me dis-je en regardant d'un air incrédule le petit téléviseur installé dans la bibliothèque du BCME.

Ça ne fit qu'empirer. Mon cœur s'emplit d'effroi lorsque Mrs Harvey, braquant son regard inflexible vers la caméra, commença à impliquer l'une après l'autre toutes les personnes, dont moi, participant à l'enquête. Elle n'épargna personne et rien ne résista à ce sacrilège dévastateur, pas même les détails concernant le valet de cœur.

Wesley avait été bien en dessous de la vérité en disant que Pat Harvey posait problème. Sous sa carapace de rationalité écumait une femme que le chagrin avait rendue folle de rage. À demi sonnée, je l'entendis accuser froidement la police, le FBI et le Bureau du médecin expert de complicité de mensonge et dissimulation de preuves.

– Ces gens-là, conclut-elle, refusent d'établir la vérité sur ces meurtres. Ils ne pensent qu'à servir leurs propres intérêts, même si cela doit se faire au prix de la vie d'innocents.

– Quel tissu de conneries, marmonna mon adjoint Fielding assis non loin de moi.

– De *quels* meurtres parlez-vous ? demanda un journaliste. De ceux de votre fille et de son ami, ou des quatre premiers ?

– De tous, rétorqua Mrs Harvey. Je parle de tous ces jeunes gens traqués et massacrés comme du gibier.

– Que cherche-t-on à dissimuler ?

– L'identité du ou des responsables, dit-elle comme si elle les connaissait. Le Justice Departement n'a pris aucune mesure pour faire cesser ces assassinats. Les raisons sont politiques. Une certaine agence fédérale cherche à se couvrir.

– Pouvez-vous être plus précise ? fit une voix.

– Lorsque j'aurai terminé mon enquête, je ferai des révélations complètes.

– Au cours de votre déposition ? lui demanda-t-on. Suggérez-vous que le meurtre de Deborah et de son ami...

– Il s'appelle Fred.

C'était Bruce Cheney qui venait d'intervenir, et soudain, son visage livide occupa l'écran.

– Fred. Il s'appelle *Frederick Wilson Cheney*, récita le père d'une voix tremblante d'émotion. Il n'était pas simplement *l'ami* de Debbie. Il est mort, assassiné lui aussi. C'était mon fils !

Sa voix se brisa et il détourna la tête pour dissimuler ses larmes.

J'éteignis le téléviseur et, incapable de rester plus longtemps assise, me mis à arpenter la pièce.

Rose avait regardé la conférence depuis le seuil. Elle me regarda et secoua lentement la tête.

Fielding se leva, s'étira, resserra les bretelles de son pantalon de chirurgien.

– Elle vient de se griller devant tout le pays, déclara-t-il en sortant de la pièce.

J'étais en train de me servir une tasse de thé quand je commençai à réaliser ce qu'avait dit Pat Harvey. C'est en les repassant dans ma tête que je saisis le sens de ses paroles.

« *Traqués et massacrés comme du gibier...* »

Ses phrases paraissaient avoir été rédigées à l'avance. Elles n'étaient pas spontanées, ni improvisées dans le feu du discours. *Une agence fédérale cherche à se couvrir ?*

La chasse.

Un valet de cœur qui est l'équivalent d'un cavalier de coupes. Quelqu'un qui est perçu ou se perçoit comme un champion, un défenseur. Un homme qui livre un combat, m'avait dit Hilda Ozimek.

Un chevalier. Un soldat.

La chasse.

Les meurtres avaient été soigneusement calculés, méthodiquement exécutés. Bruce Phillips et Judy Roberts avaient disparu en juin. Leurs corps avaient été retrouvés à la mi-août, à l'époque de l'ouverture de la chasse.

Jim Freeman et Bonnie Smyth avaient disparu en juillet, leurs corps avaient été retrouvés le jour de l'ouverture de la chasse à la caille et au faisan.

Les corps de Ben Anderson et de Carolyn Bennett, disparus en mars, avaient été découverts en novembre pendant la saison du daim.

Quant à Susan Wilcox et Mike Martin, disparus fin février, leurs corps avaient été découverts à la mi-mai, pendant la période de la chasse au dindon.

Enfin, Deborah Harvey et Fred Cheney, disparus à la veille du week-end du Labor Day, n'avaient été retrouvés que plusieurs mois plus tard, dans une forêt écumée par les chasseurs de lapins, écureuils, renards, faisans et ratons laveurs.

Je n'avais pas prêté attention à cette répétition de circonstances, car la plupart des corps décomposés ou décharnés qui arrivent à mon bureau sont découverts par des chasseurs. Lorsque quelqu'un meurt accidentellement dans un bois, ou que le corps d'une victime de meurtre y est abandonné, il est logique que ce soit un chasseur qui ait le plus de chances de découvrir ses restes. Mais je ne pouvais exclure la possibilité que le lieu et l'époque de la découverte des corps des cinq couples aient pu être prévus.

Le tueur voulait que l'on retrouve ses victimes, mais pas trop tôt. C'est pourquoi il les tuait en dehors des périodes d'ouverture de la chasse, comptant que les cadavres ne seraient découverts que lorsque les chasseurs recommenceraient à sillonner les bois. Les corps seraient alors décomposés. La trace des blessures qu'il leur avait infligées aurait disparu avec la chair. S'il y avait eu viol, toute trace de sperme aurait dis paru. La plupart des micro-indices tels que poils et fibres auraient été emportés par le vent ou la pluie. Il se pouvait même qu'il préfère que les cadavres soient découverts par des chasseurs, car lui-même se considérait peut-être dans ses fantasmes comme un chasseur. Le plus grand chasseur de tous.

Les chasseurs traquent un gibier animal, me dis-je le lendemain après-midi en m'asseyant à mon bureau du BCME. Les guérilleros, les militaires des forces spéciales et les mercenaires pratiquent la chasse à l'homme.

Dans un rayon de 75 kilomètres autour du secteur où les corps des couples disparus avaient été retrouvés se trouvaient Fort Eustis, Langley Field et un certain nombre d'autres installations militaires, y compris le West Point de la CIA, fonctionnant sous l'aspect anodin d'une simple base militaire baptisée

Camp Peary. C'est à « la Ferme », comme on surnomme Camp Peary dans les romans d'espionnage, qu'on entraîne les officiers aux techniques paramilitaires d'infiltration, d'exfiltration, de sabotage, de parachutages nocturnes et autres opérations clandestines.

C'est quelques jours après qu'Abby Turnbull eut abouti par erreur à l'entrée de Camp Peary que des agents du FBI étaient venus se renseigner sur elle.

Les Feds étaient paranoïaques, et je commençais à avoir ma petite idée sur l'origine de cette paranoïa. Mon intuition fut renforcée par la lecture des comptes rendus de la conférence de presse de Pat Harvey dans les journaux.

Un certain nombre de journaux, dont le *Post*, étaient empilés sur mon bureau, et j'avais lu plusieurs fois chaque article concernant la conférence. Celui du *Post* était signé Clifford Ring, le journaliste qui harcelait le commissaire et le personnel des Services de santé. Mr Ring ne mentionnait mon nom qu'en passant, lorsqu'il suggérait que Pat Harvey abusait de sa position officielle pour intimider et menacer les personnes mêlées à l'enquête afin d'obtenir des détails sur les circonstances de la mort de sa fille. Je me demandai si Mr Ring n'était pas en réalité l'homme de Benton Wesley au sein des médias, l'instrument par lequel le FBI faisait passer de fausses informations, ce qui, à vrai dire, aurait été un moindre mal. Mais c'étaient les sous-entendus des articles qui me turlupinaient.

Au lieu de présenter les déclarations de Pat Harvey comme les révélations les plus fracassantes de l'année, les journaux n'en parlaient que comme l'incroyable autodestruction de celle qui, quelques semaines auparavant, passait pour une possible vice-présidente des États-Unis. J'étais la première à estimer que les diatribes de Pat Harvey étaient, au mieux, imprudentes et prématurées, mais je trouvais curieux qu'aucun journaliste n'ait cherché à vérifier ses accusations. Ils semblaient, avec une unanimité suspecte, avoir renoncé à contraindre les bureaucrates gouvernementaux aux « pas de commentaires » et autres diversions oratoires dont ils sont si friands en pareil cas.

La seule à faire les frais de cette curée médiatique était Mrs Harvey, et l'on ne manifestait aucune pitié à son égard. WATUEURGATE ? titrait l'un des éditoriaux. On la ridiculisait non seulement dans les articles, mais aussi dans les caricatures. L'une des personnalités les plus respectées du pays était traitée de femelle hystérique influencée par une voyante de Caroline du Sud. Même ses plus fidèles alliés prenaient leurs distances, secouant la tête d'un air fataliste, tandis que ses ennemis, faisant mine de compatir, lui portaient des coups aussi mortels qu'insidieux. « Sa réaction est compréhensible au regard de la perte terrible qu'elle a subie, déclarait ainsi un de ses adversaires démocrates avant d'ajouter : Je pense qu'il vaut mieux oublier son éclat et considérer les accusations qu'elle a portées comme les excès compréhensibles d'un esprit profondément affecté. » Un autre renchérissait : « Ce qui arrive à Pat Harvey est un tragique exemple d'autodestruction causée par des problèmes personnels écrasants. »

Insérant le rapport d'autopsie de Deborah Harvey dans le rouleau de ma machine à écrire, j'effaçai les mots « non déterminées » figurant à la suite de « causes et circonstances de la mort ». Ensuite je tapai « homicide » et « exsanguination par coupures et blessure par arme à feu ». Après avoir modifié et complété le certificat de décès et le rapport du Médecin Expert, je passai au secrétariat et en fis des photocopies. Je mis un exemplaire de chaque imprimé dans une enveloppe, accompagné d'une lettre où je commentais mes conclusions et m'excusais de ce retard, que je mettais sur le compte de l'attente des résultats des tests toxicologiques, résultats d'ailleurs provisoires. C'était la seule concession que j'accordais à Benton Wesley : ce n'est pas moi qui dirais à Pat Harvey qu'il m'avait contrainte à retarder la communication des résultats de l'examen médico-légal de Deborah.

Ainsi les Harvey seraient au courant de tout – mes constatations *de visu*, mes observations microscopiques, le fait que les résultats de la première série de tests toxicologiques étaient négatifs, la balle extraite de la vertèbre de Deborah, la blessure de défense à son index et enfin, la description de ses vêtements, ou plus exactement de ce qu'il en restait. La police avait retrouvé ses boucles d'oreilles, sa montre et l'anneau que lui avait offert Fred pour son anniversaire.

J'envoyai également à son père un exemplaire des rapports d'autopsie de Fred Cheney, me contentant toutefois d'indiquer que son fils était mort par « homicide » dû à des « violences non déterminées ».

Je décrochai le téléphone et composai le numéro du bureau de Benton Wesley. On m'informa qu'il n'était pas là. Je l'appelai chez lui.

– Je lui ai tout envoyé, lui dis-je quand il fut en ligne. Je voulais vous le dire.

Silence.

– Kay, avez-vous regardé sa conférence de presse ? demanda-t-il d'un ton très calme.

– Oui.

– Et vous avez lu les journaux d'aujourd'hui ?

– J'ai regardé sa conférence de presse et j'ai lu les journaux. J'ai parfaitement conscience qu'elle s'est mise dans le pétrin.

– Je dirais même que c'est un suicide.

– On l'y a aidée, dis-je.

Il y eut un instant de silence.

– Que voulez-vous dire ? demanda-t-il enfin.

– Je me ferai un plaisir de vous l'expliquer. Ce soir. En tête à tête.

– Ici ? fit-il d'un ton inquiet.

– Oui.

– Hum, je ne crois pas que ce soit une bonne idée. Pas ce soir, en tout cas.

– Je suis désolée, mais ça ne peut pas attendre.

– Kay, vous ne comprenez pas. Faites-moi confiance...

– Non, Benton, le coupai-je. Pas cette fois-ci.

10

Un vent glacial chahutait les silhouettes sombres des arbres et, à la chiche lueur de la lune, le paysage que je traversais pour aller chez Benton Wesley m'apparut inconnu et menaçant. Les réverbères étaient rares et les routes transversales à peine indiquées. Je finis par m'arrêter en pleine campagne devant une station-service fermée. J'allumai le plafonnier et relus les indications que j'avais griffonnées sur un papier. En vain : j'étais perdue.

Je vis une cabine téléphonique près de la porte de la boutique. J'approchai la voiture et en descendis, laissant les phares allumés et le moteur en marche. Je composai le numéro de Wesley. C'est Connie qui décrocha.

– Vous êtes complètement égarée, dit-elle après que je lui eus expliqué du mieux que je pus l'endroit où je me trouvais.

– Seigneur, grognai-je.

– Ne vous inquiétez pas, vous n'êtes pas très loin. Le problème, c'est que vous ne retrouverez jamais la route pour venir jusqu'ici. (Elle réfléchit un instant puis reprit :) Je crois que le mieux serait que vous restiez où vous êtes, Kay. Verrouillez vos portières et attendez-nous. Un quart d'heure, ça ira ?

J'allumai la radio et attendis. Chaque minute me parut une heure. Pas une seule voiture ne passa. Mes phares découpaient, de l'autre côté de la route, une barrière de bois blanc délimitant un pré à l'herbe blanchie par le givre. La lune était une rondelle blanchâtre flottant dans l'obscurité brumeuse. Je fumai plusieurs cigarettes en jetant des regards nerveux aux alentours.

Je songeai aux couples disparus et me demandai ce qu'ils avaient ressenti lorsque leur assassin les avait forcés à s'enfoncer pieds nus dans les bois. Ils savaient qu'ils allaient mourir. Ils devaient être terrifiés à l'idée de ce qu'il leur ferait avant. Je pensai à ma nièce, Lucy. Je pensai à ma mère, à ma sœur, à mes amis. Imaginer la douleur et la mort d'un être cher était pire que d'imaginer sa propre mort. Je vis au loin grossir une paire de phares. Une voiture que je ne reconnus pas s'arrêta non loin de la mienne. Lorsque j'identifiai le profil du conducteur, une décharge d'adrénaline me secoua.

Mark James descendit de ce que je déduisis être une voiture de location. Je baissai ma vitre et le regardai en silence, trop bouleversée pour prononcer un mot.

– Salut, Kay.

Wesley m'avait prévenue que ce n'était pas le jour, il avait tenté de me faire renoncer, à présent je comprenais pourquoi. Mark était chez lui. Était-ce Connie qui avait demandé à Mark de venir me rejoindre, ou était-ce une idée à lui ? J'ignore qu'elle aurait été ma réaction si, arrivant chez Wesley, j'avais découvert Mark assis dans le salon.

– C'est un vrai labyrinthe pour retourner chez Wesley, dit Mark. Je suggère que tu laisses ta voiture. Ça ne craint rien. Je te raccompagnerai tout à l'heure, comme ça tu ne te perdras pas.

Toujours sans dire un mot, je verrouillai ma voiture et m'installai à côté de Mark.

– Comment vas-tu ? demanda-t-il comme si de rien n'était.

– Ça va.

– Et ta famille ? Comment va Lucy ?

Lucy me demandait toujours de ses nouvelles ; je ne savais jamais quoi dire.

– Ça va, répétai-je.

J'observai son visage, ses mains musclées sur le volant, reconnus chaque contour, chaque trait, chaque veine, et mon cœur se serra d'émotion. Je l'aimais et le haïssais tout à la fois.

– Le travail, ça va ?

– Mark, arrête les politesses, veux-tu ?

– Tu préférerais que je sois aussi grossier que toi ?

– Je ne suis pas grossière.

– Alors, qu'est-ce que tu veux que je te dise, bon dieu !

Je restai silencieuse.

Il alluma la radio et nous nous enfonçâmes dans la nuit.

– Je sais que la situation est bizarre, Kay, dit-il les yeux fixés droit devant lui. C'est Wesley qui a suggéré que j'aille te chercher.

– Quelle délicate attention, fis-je d'un ton mordant.

– Ce n'est pas ce que j'ai voulu dire. J'aurais insisté pour venir même s'il n'avait rien dit. Tu ne pouvais pas savoir que je serais là.

Au bout d'un moment, Mark ralentit et tourna dans la rue de Wesley.

– Je dois te prévenir que Benton n'est pas de très bonne humeur, me dit Mark alors que nous nous arrêtions devant la maison.

– Moi non plus, répliquai-je d'un ton glacial.

Wesley était assis près du feu qui brûlait dans la cheminée, une serviette appuyée au pied du fauteuil, un verre à portée de la main. Il ne se leva pas à mon entrée, se contentant de hocher la tête lorsque Connie m'invita à prendre place sur le divan. Je m'installai à une extrémité, Mark à l'autre.

Connie alla chercher le café à la cuisine.

– Mark, j'aimerais que tu expliques ta présence ici, commençai-je.

– Il n'y a pas grand-chose à expliquer. Je suis à Quantico depuis quelques jours et j'ai eu envie de passer la soirée avec Connie et Benton avant de repartir pour Denver demain. Je ne participe pas à l'enquête et ne m'occupe pas de ces meurtres.

– Je sais, mais tu es quand même au courant.

Je me demandais ce dont Wesley et Mark avaient discuté avant mon arrivée, et ce qu'avait dit Wesley à Mark me concernant.

– Oui, il est au courant, confirma Wesley.

– Alors je vous pose la question à tous les deux, dis-je. Le FBI a-t-il tendu un piège à Pat Harvey ? Ou était-ce la CIA ?

Wesley ne cilla pas.

– Qu'est-ce qui vous fait croire qu'on lui a tendu un piège ? demanda-t-il.

– Il est clair que l'opération de désinformation du FBI ne visait pas seulement à faire sortir le tueur de son trou. Quelqu'un avait aussi pour objectif, à travers les médias, de déstabiliser Pat Harvey.

– Même le président n'a pas un tel pouvoir sur la presse. C'est impossible dans ce pays.

– Ne me prenez pas pour une imbécile, Benton, dis-je.

– Disons que nous avions anticipé ce qu'elle a fait, dit Wesley en croisant les jambes et en prenant son verre.

– Et vous lui avez tendu un piège, dis-je.

– C'est elle qui a parlé pendant sa conférence.

– Peu importe. En tout cas ses accusations ont été largement répercutées et taxées de semi-délires. Qui a renseigné journalistes et politiciens, Benton ? Qui a crié sur les toits qu'elle avait eu recours à une voyante ? Est-ce vous ?

– Non.

– Pat Harvey a vu Hilda Ozimek en septembre dernier, poursuivis-je. Les journaux l'ignoraient jusqu'à aujourd'hui. C'est un coup bas, Benton. Vous m'avez avoué vous-même que le FBI et le Secret Service avaient souvent consulté Hilda Ozimek. C'est même sans doute comme ça que Mrs Harvey l'a rencontrée !

Connie apporta mon café avant de disparaître aussi vite qu'elle était apparue.

Je sentais le regard de Mark posé sur moi, la tension régnant dans la pièce. Wesley ne quittait pas le feu des yeux.

– Je pense connaître la vérité, dis-je sans chercher à dissimuler mon indignation. J'ai l'intention de la rendre publique. Vous trouverez peut-être que je vais trop loin, mais j'en ai par-dessus la tête de vos combines.

– Qu'insinuez-vous, Kay ? fit Wesley en tournant la tête vers moi.

– Si un autre couple est massacré, je ne peux garantir que les journalistes ne découvriront pas ce qui se passe...

– Kay. (C'est Mark qui venait d'intervenir. Je refusai de le regarder. Depuis le début de l'entretien, je m'efforçais de l'ignorer.) Tu ne vas pas te mettre à délirer comme Mrs Harvey.

– Je ne pense pas qu'elle délire, dis-je. Je pense même qu'elle y voit juste. Il est clair qu'on tente d'étouffer quelque chose.

– Je suppose que vous lui avez envoyé vos rapports, fit Wesley.

– Oui. Je refuse de participer plus longtemps à cette manipulation.

– Vous avez commis une erreur.

– Ma seule erreur a été de ne pas les lui envoyer plus tôt.

– Les rapports contiennent-ils des précisions sur la balle que vous avez extraite du corps de Deborah ? Mentionnez-vous en particulier qu'il s'agit d'une Hydra-Shok 9 mm ?

– Le calibre et la marque figurent dans le rapport balistique, répondis-je. Or les rapports balistiques ne sont pas du ressort de mon bureau. Mais j'aimerais savoir pourquoi ce détail vous intéresse tant.

Voyant que Wesley ne répondait pas, Mark intervint.

– Benton, il vaudrait mieux mettre les choses à plat. Wesley resta silencieux.

– Il faut qu'elle sache, insista Mark.

– Je crois savoir, dis-je. Je crois que le FBI a quelques raisons de penser que le tueur est un agent fédéral qui a perdu les pédales. Sans doute quelqu'un de Camp Peary.

Le vent ululait autour de la maison. Wesley se leva pour s'occuper du feu. Prenant tout son temps, il tisonna les braises, ajouta une bûche, balaya les cendres devant l'âtre. Enfin il se rassit et prit son verre.

– Comment en êtes-vous arrivée à cette conclusion ? me demanda-t-il.

– Peu importe.

– Quelqu'un vous a-t-il suggéré cette explication ?

– Non, pas directement. (Je sortis mes cigarettes.) Depuis combien de temps y pensez-vous, Benton ?

– Je pense qu'il vaut mieux que vous ne connaissiez pas tous les détails, répondit-il avec quelque hésitation. Dans votre intérêt. Ça serait un fardeau pour vous. Un très lourd fardeau.

– Je porte déjà un lourd fardeau, répliquai-je. Et j'en ai assez de votre satanée désinformation.

– Vous devez me promettre que rien de ce que nous dirons ce soir ne quittera cette pièce.

– Vous me connaissez suffisamment pour savoir que vous n'avez pas à vous inquiéter.

– Camp Peary est apparu dans le cours de l'enquête peu après les premiers meurtres.

– Parce que le camp est proche des lieux de découverte des corps ? demandai-je.

Wesley se tourna vers Mark.

– Je préfère que ce soit toi qui expliques, lui dit-il.

Je me tournai vers l'homme qui avait autrefois partagé mon lit et illuminé mes rêves. Il était vêtu d'un pantalon de velours bleu marine et d'une chemise à rayures rouges et blanches que je lui avais vu porter à l'époque. Il avait de longues jambes, une silhouette élancée. Des cheveux bruns qui grisonnaient aux tempes. Des yeux verts, un menton volontaire et les traits fins. Il n'avait pas perdu l'habitude d'agiter les mains en se penchant en avant quand il parlait.

– La CIA s'est aussitôt intéressée à cette affaire, commença Mark, parce que les meurtres se produisaient à proximité de Camp Peary. Et tu ne seras sans doute pas étonnée de savoir que non seulement la CIA surveille de près ce qui se passe autour de ses bases, mais qu'elle fait participer les lieux et les habitants des alentours aux entraînements.

– Quel genre d'entraînement ? demandai-je.

– Aux exercices de surveillance, par exemple. Les officiers de Camp Peary s'entraînent souvent à la surveillance, et ils utilisent les gens du coin comme, disons, des cobayes. Les agents exercent une surveillance dans les endroits publics comme les restaurants, les bars, les centres commerciaux. Ils filent certaines personnes, à pied, en voiture, prennent des photos, etc. Ils ne font de mal à personne, bien sûr, mais les gens du coin ne seraient peut-être pas très contents de savoir qu'ils sont suivis, photographiés ou filmés à leur insu.

– Mettez-vous à leur place, fis-je.

– Ces exercices, continua-t-il, comprennent aussi des simulations. Un officier fera semblant de tomber en panne et devra demander de l'aide à un automobiliste. Ce genre d'exercice est destiné à apprendre à mettre un inconnu en confiance. L'officier pourra se faire passer pour un policier, un conducteur de dépanneuse, n'importe quoi. Tous ces exercices sont conçus en vue des missions à l'étranger, afin d'entraîner les agents à agir sans se faire repérer.

– Et ce type de simulation pourrait expliquer ce qui se passe avec les couples, extrapolai-je.

– C'est bien le problème, intervint Wesley. Quelqu'un s'est posé des questions à Camp Peary. On nous a demandé de prendre les choses en main. Quand on a retrouvé le deuxième couple, et qu'on a constaté que le *modus operandi* était le même que pour le premier, la CIA a commencé à paniquer. Ce sont des gens paranoïaques par nature, si j'ose dire, et la pire des tuiles qui pouvait leur tomber dessus, c'est d'apprendre qu'un de leurs officiers à Camp Peary s'entraîne pour de bon à *tuer* des gens.

– La CIA n'a jamais reconnu que Camp Peary était sa principale base d'entraînement, remarquai-je.

– Ça n'empêche que tout le monde le sait, répondit Mark en croisant mon regard. Mais il est exact que la CIA ne l'a jamais admis.

– Raison de plus pour qu'ils préfèrent qu'on n'établisse pas de rapport entre les meurtres et Camp Peary, fis-je.

Je me demandai ce que Mark ressentait. Peut-être ne ressentait-il rien.

– Pour ça et pour beaucoup d'autres raisons, enchaîna Wesley. La publicité qui s'ensuivrait serait catastrophique pour l'Agence, qui n'en a pas vraiment besoin. À quand remonte le dernier article positif que vous ayez lu sur la CIA ? Quand Imelda Marcos a été accusée de fraude et de vol, la défense a affirmé que toutes ses transactions étaient supervisées et approuvées par la CIA...

Il ne serait pas si tendu, il n'aurait pas aussi peur de me regarder s'il ne ressentait rien.

– ... Ensuite on a su que Noriega était payé par la CIA, poursuivait Wesley. Il n'y a pas si longtemps, on a appris que c'est grâce à la protection fournie par la CIA à un trafiquant de drogue syrien qu'une bombe avait pu être placée à bord du Boeing 747 qui a explosé au-dessus de l'Écosse en faisant 270 morts. Et je ne parle pas des rumeurs récentes selon lesquelles la CIA entretient en sous-main des conflits armés entre trafiquants de drogue asiatiques en vue de déstabiliser certains gouvernements de la région.

– S'il s'avérait, dit Mark en détournant son regard de moi, que ces couples d'adolescents ont été assassinés par un officier de la CIA basé à Camp Peary, tu imagines le scandale.

– En effet, dis-je en m'efforçant de me concentrer sur la discussion. Mais pourquoi la CIA croit-elle à ce point que le coupable est l'un des siens ? Quelle preuve ont-ils ?

– Aucune preuve formelle, mais un faisceau de présomptions, répondit Mark. Le fait de laisser une carte à jouer près des cadavres, qui est un truc de militaire. Les similitudes entre les circonstances des meurtres et les exercices qui se déroulent à la Ferme et dans les environs. Par exemple, les secteurs boisés où sont retrouvés les cadavres rappellent les « zones de feu » situées dans l'enceinte du camp, où les officiers s'entraînent à la manipulation des grenades, des armes automatiques et du matériel sophistiqué tel que l'équipement pour la vision de nuit. Ils reçoivent aussi un entraînement défensif, apprennent à désarmer un adversaire, à paralyser ou tuer un homme à mains nues.

– Et comme on n'a pas pu déterminer ce qui a causé la mort des couples, dit Wesley, on en a déduit qu'ils avaient pu être tués sans arme. Par étranglement, par exemple. Et même si on leur a tranché la gorge, on l'a fait de façon rapide et silencieuse. Comme dans la guerre secrète, où il faut trancher la gorge d'une sentinelle sans qu'elle émette le moindre bruit.

– Deborah Harvey a reçu une balle, dis-je.

– Une balle d'arme automatique ou semi-automatique, répondit Wesley. Tirée soit par un pistolet, soit par une arme du genre Uzi. Le type de munition est inhabituel parce qu'utilisé en général par les services de police, les mercenaires, les gens dont les objectifs sont des êtres humains. On ne chasse pas le daim avec des balles explosives ou des Hydra-Shok. (Il se tut un instant avant d'ajouter :) Je pense que vous comprenez mieux à présent pourquoi nous ne voulons pas que Pat Harvey apprenne quel type de balle on a retiré du corps de sa fille.

– Que pensez-vous des menaces qu'elle a évoquées au cours de sa conférence de presse ?

– Elles sont authentiques, répondit Wesley. Peu après sa nomination comme Directrice du programme anti-drogue, elle a reçu des lettres la menaçant, elle et sa famille. Il est inexact d'affirmer que le FBI a négligé ces menaces. Ce n'est pas la première fois qu'elle en reçoit, et nous les avons toujours prises au sérieux. Nous avons une idée de l'identité de ceux qui ont formulé les plus récentes, mais nous pensons qu'elles n'ont pas de rapport avec l'assassinat de Deborah.

– Mrs Harvey a aussi mis en cause une « agence fédérale », dis-je. Faisait-elle allusion à la CIA ? Est-elle au courant de ce que vous venez de m'exposer ?

– C'est un point qui m'inquiète, admit Wesley. Elle a déjà fait des allusions indiquant qu'elle a son idée là-dessus, et ce qu'elle a déclaré lors de sa conférence de presse n'a fait que renforcer mes craintes. Il se peut qu'elle ait pensé à la CIA. N'oublions pas qu'elle a un vaste réseau de relations. Et qu'elle a accès aux informations de la CIA dans la mesure où elles concernent le trafic de drogue. Plus inquiétant, elle a des relations très étroites avec un ex-ambassadeur auprès des Nations-Unies, qui est membre du comité présidentiel aux Affaires étrangères. Les membres de ce comité ont accès aux renseignements les plus confidentiels qui soient. Et ce comité sait ce qui se passe, Kay. Il est possible que Mrs Harvey sache tout.

– Et c'est pourquoi on lui refait le coup qu'on a fait à Martha Mitchell ? fis-je. On se débrouille pour la faire passer pour demi-folle, de façon à ce que le jour où elle raconte tout, personne ne la croie ?

Wesley faisait tourner son pouce sur le rebord de son verre.

– C'est regrettable. Elle s'est montrée incontrôlable, elle a refusé de coopérer. Et le plus paradoxal dans cette affaire, c'est que pour des raisons évidentes, nous tenons peut-être plus qu'elle à découvrir qui a tué sa fille. Nous faisons tout ce qui est en notre pouvoir, nous avons mobilisé tous les moyens possibles pour découvrir le ou les coupables.

– Ce que vous me dites ce soir, dis-je avec humeur, est en contradiction totale avec votre suggestion antérieure, à savoir que Deborah Harvey et Fred Cheney avaient pu être victimes d'un contrat. Ou était-ce encore un de vos écrans de fumée visant à dissimuler les inquiétudes du FBI ?

– J'ignore s'ils ont été victimes d'un tueur à gages, dit-il d'un air sombre. En toute franchise, nous savons très peu de chose. Leur assassinat, comme je vous l'ai déjà expliqué, pourrait être politique. Mais si nous avons affaire à un officier de la CIA qui a déraillé, ou quelqu'un dans ce genre, les meurtres des cinq couples pourraient bien être l'œuvre d'un tueur en série.

– Ça pourrait être un exemple classique d'escalade, suggéra Mark. On parle beaucoup de Pat Harvey, surtout depuis l'année dernière. Si le tueur est un agent de la CIA, il a pu choisir délibérément la fille d'un responsable gouvernemental.

– Pour augmenter les risques, et donc le plaisir, expliqua Wesley. Et pour que le meurtre ressemble aux « neutralisations politiques », c'est-à-dire aux assassinats pratiqués en Amérique centrale ou au Moyen-Orient.

– Je croyais que depuis l'administration Ford la CIA ne pratiquait plus les assassinats, dis-je. La CIA n'est même pas autorisée à organiser des coups d'État dans lesquels la vie d'un dirigeant étranger pourrait être mise en danger.

– C'est exact, confirma Mark. La CIA doit s'abstenir de participer à ce genre d'opérations. Tout comme les soldats américains au Vietnam ne devaient pas tuer de civils. Et comme les flics ne doivent pas faire preuve de violence excessive envers un suspect. Mais quand on se place au niveau individuel, il arrive souvent que les choses échappent à tout contrôle. Les règles volent en éclats.

Je ne pouvais m'empêcher de songer à Abby Turnbull. Que savait-elle au juste ? Mrs Harvey lui avait-elle communiqué des informations sensibles ? Quelle serait la teneur exacte du livre d'Abby ? Pas étonnant qu'elle pense que son téléphone soit sur écoute et qu'elle ait l'impression qu'on la file. La CIA, le FBI et même le comité présidentiel aux Affaires étrangères, qui disposait d'une entrée directe dans le Bureau ovale de la Maison Blanche, avaient d'excellentes raisons de s'inquiéter de ce qu'Abby Turnbull entendait publier, tout comme Abby avait d'excellentes raisons d'être paranoïaque. Elle était peut-être réellement en danger.

Dehors le vent s'était calmé et un léger brouillard voilait la cime des arbres. Wesley referma la porte derrière nous et je suivis Mark jusqu'à sa voiture. Malgré le soulagement que j'éprouvais d'avoir enfin levé certains coins du voile, ma conscience était loin d'avoir retrouvé la paix.

J'attendis pour parler que nous ayons rejoint la route.

– Ce qui arrive à Pat Harvey est scandaleux, dis-je alors. Elle vient de perdre sa fille, et en plus de ça, sa carrière est brisée et sa réputation détruite.

– Benton n'a rien communiqué à la presse, répondit Mark sans quitter des yeux l'étroite chaussée. Contrairement à ce que tu prétends, il n'a rien fait pour enfoncer Mrs Harvey.

– Tu ne vas tout de même pas dire qu'il ne s'est rien passé ?

– Non, mais Benton n'y a joué aucun rôle.

– Peu importe. Le résultat est là. Ne fais pas le naïf.

– Benton a tout fait pour l'aider, mais elle a un compte à régler avec le Justice Department, et elle est persuadée que Benton lui en veut, au même titre que les autres.

– Si j'étais à sa place, j'aurais sans doute la même impression.

– Te connaissant comme je te connais, ça ne m'étonnerait pas.

– Qu'est-ce que ça veut dire au juste ? demandai-je en sentant ma colère, dont la situation faite à Pat Harvey n'était pas la seule cause, refaire surface.

– Rien du tout.

Le silence s'installa et la tension monta à mesure que les minutes s'écoulaient. Je ne reconnaissais pas la route, mais je savais que nous n'en avions plus pour longtemps à être ensemble. Quelques instants plus tard, Mark s'arrêta devant la boutique, à quelques mètres de ma voiture.

– Je suis désolé que nous nous soyons revus dans de telles circonstances, dit-il. (Comme je restais silencieuse, il ajouta :) Mais je ne regrette pas de t'avoir vue.

– Bonne nuit, Mark, dis-je en faisant mine de descendre.

– Attends un instant, Kay, dit-il en posant une main sur mon bras.

– Que veux-tu ?

– Te parler. Je t'en prie.

– Si tu avais tant envie de me parler, pourquoi ne l'as-tu pas fait plus tôt ? fis-je avec humeur en dégageant mon bras. Tu te tais depuis des mois.

– Je peux en dire autant de toi. Je t'ai téléphoné à l'automne et tu ne m'as jamais rappelé.

– Je savais ce que tu allais dire et je n'avais aucune envie de l'entendre, rétorquai-je avec humeur.

– Oh, excuse-moi, j'avais oublié que tu étais si forte pour lire dans mes pensées, dit-il en regardant droit devant lui, les deux mains sur le volant.

– Tu m'aurais dit de ne pas compter sur une réconciliation, que tout était fini. Je ne voulais pas t'entendre dire ce que je savais déjà.

– Pense ce que tu veux.

– Ce n'est pas ce que je *veux* penser ! m'exclamai-je.

Sa capacité à me mettre en rogne me stupéfiait.

– Écoute, dit-il en prenant une profonde inspiration. Ne penses-tu pas que nous pourrions signer un cessez-le-feu ? Oublier le passé ?

– Pas question.

– Super. Merci de te montrer aussi raisonnable. Mince, on ne pourra pas dire que je n'ai pas essayé.

– Essayé ? Combien ça fait, huit mois, neuf mois que tu es parti ? Et qu'est-ce que tu as essayé depuis tout ce temps, Mark ? Je ne sais pas ce que tu cherches, mais pour moi c'est impossible d'oublier le passé. Je ne vois pas comment on pourrait se revoir en faisant comme s'il n'y avait jamais rien eu entre nous. Je refuse !

– Ce n'est pas ça que je demande, Kay. Je voudrais juste que nous oubliions nos disputes, nos colères, les méchancetés que nous nous sommes lancées. Quand je t'ai appelée en septembre, ce n'était pas pour t'annoncer qu'il n'y avait pas d'espoir de réconciliation. Quand j'ai composé ton numéro, j'avais même peur que ce soit *toi* qui me l'annonces. Et comme tu ne m'as pas rappelé, je me suis dit que c'était toi qui ne croyais pas à une réconciliation.

– Tu ne parles pas sérieusement.

– Bien sûr que si.

– Eh bien, peut-être que tu avais des raisons de le penser, après ce que tu as fait.

– Après ce que j'ai fait *moi* ? fit-il d'un ton incrédule. Et toi, tu te souviens de ce que tu as fait ?

– La seule chose que tu puisses me reprocher, c'est d'en avoir eu assez de faire des concessions. Tu n'as jamais vraiment essayé de trouver un appartement à Richmond. Tu ne savais pas ce que tu voulais et tu attendais de moi que je me plie à tes décisions, que je déménage au gré de tes humeurs. Quel que soit mon amour pour toi, je ne pouvais pas renoncer à ce que j'étais, pas plus que je ne te demandais de renoncer à ce que tu étais.

– Si, c'est ce que tu me demandais. Parce que même si j'avais réussi à avoir un poste à Richmond, le travail n'aurait pas correspondu à ce que je voulais.

– Eh bien c'est parfait. Je suis heureuse que tu fasses quelque chose qui te plaît.

– Kay, les torts étaient partagés. Toi aussi tu en avais.

– Ce n'est pas moi qui suis partie. (Mes yeux s'emplirent de larmes et j'ajoutai dans un murmure :) Et puis merde.

Il sortit un mouchoir et le déposa sur mes cuisses.

Je m'essuyai les yeux et appuyai la tête contre la vitre. Je ne voulais pas pleurer.

– Je suis désolé, dit-il.

– Que tu sois désolé ne change rien à l'affaire.

– Ne pleure pas, je t'en prie.

– Je pleurerai si j'en ai envie, rétorquai-je stupidement.

– Je suis désolé, répéta-t-il dans un murmure.

Pendant une seconde, j'eus l'impression qu'il allait me toucher, mais il n'en fit rien. Il s'appuya contre son dossier, renversa la tête et fixa le plafond.

– Écoute, dit-il, si tu veux savoir la vérité, j'aurais préféré que ça soit *toi* qui t'en ailles. Comme ça, c'est *toi* qui te serais plantée, pas moi.

Je ne dis rien. Je n'osai pas.

– Tu m'as entendu ?

– Je ne suis pas sûre, dis-je à la vitre.

Il changea de position sur son siège. Je sentis son regard posé sur moi.

– Kay, regarde-moi.

Non sans réticence, je me retournai.

– Pourquoi penses-tu que je revienne par ici ? commença-t-il d'une voix grave. J'essaie de récupérer mon poste à Quantico, mais ça n'est pas facile. Je tombe au mauvais moment. Le FBI subit lui aussi les restrictions budgétaires. C'est difficile pour des tas de raisons.

– Tu essaies de me dire que tu as des ennuis professionnels ?

– J'essaie de te dire que j'ai fait une erreur.

– Je suis désolée que tu aies commis une erreur professionnelle.

– Je ne parle pas de ça et tu le sais très bien.

– Alors de quoi veux-tu parler ? fis-je.

J'étais décidée à le lui faire dire.

– Tu sais de quoi je veux parler. De nous. Rien n'est plus pareil.

Ses yeux brillaient dans le noir. Il avait un air presque féroce.

– Est-ce que les choses ont changé pour toi aussi ? voulut-il savoir.

– Je pense que nous avons fait tous les deux des erreurs.

– J'aimerais essayer d'en réparer quelques-unes, Kay. Je ne voudrais pas que notre histoire se termine comme ça. Je le pense depuis longtemps, mais... ma foi, je ne savais pas très bien comment te le dire. Je ne savais pas si tu voulais avoir de mes nouvelles. Je me disais que tu voyais peut-être quelqu'un d'autre.

Je m'abstins de lui dire que je m'étais posé les mêmes questions à son propos, avec une peur bleue de connaître les réponses.

Il tendit le bras, me prit la main. Cette fois, je ne me sentis pas la force de résister.

– Je me suis souvent demandé ce qui avait cloché entre nous, dit-il. Tout ce que je sais, c'est que tu es têtue et que je le suis aussi. Je voulais n'en faire qu'à ma tête, et toi aussi. Voilà où ça nous a menés. Je ne sais pas à quoi ressemble ta vie depuis que nous nous sommes quittés, mais je suis prêt à parier qu'elle n'est pas folichonne.

– Toujours aussi prétentieux, à ce que je vois...

Il sourit.

– J'essaie de rester fidèle à l'image que tu t'es faite de moi. L'une des dernières choses que tu m'aies dites avant que je parte, c'est que j'étais un salaud prétentieux.

– C'était avant ou après que je te traite de fils de pute ?

– Avant, je crois.

– Autant que je me souvienne, tu m'en avais balancé quelques-unes de salées, toi aussi. Et puis tu viens de dire qu'il fallait passer l'éponge, pas vrai ?

– Et toi tu viens de dire : « *Quel que soit mon amour pour toi* ».

– Je te demande pardon ?

– « Quel que soit », au présent. Ne dis pas le contraire. Je t'ai très bien entendue.

Il pressa ma main contre son visage, ses lèvres courant sur mes doigts.

– J'ai essayé de ne plus penser à toi. Je n'y arrive pas. (Il se tut, son visage tout près du mien.) Je ne te demande pas de me dire la même chose.

C'est pourtant ce qu'il demandait, et je le lui dis.

Je touchai sa joue et il toucha la mienne, puis nous embrassâmes l'endroit où s'étaient posés nos doigts, jusqu'à ce que nos lèvres se retrouvent. Nous ne dîmes rien de plus. Nous ne pensâmes plus à rien, jusqu'à ce que soudain le pare-brise s'illumine tandis que la nuit se mettait à clignoter en rouge. Nous nous redressâmes d'un coup. Une voiture de police s'était arrêtée à notre hauteur et un officier en descendait, tenant une torche et une radio portative.

Mark ouvrait déjà sa portière.

– Tout va bien ? s'enquit le policier en se penchant pour jeter un coup d'œil à l'intérieur.

L'air sévère, une boule gonflant obscènement sa joue gauche, il détailla le théâtre de nos épanchements.

– Tout va bien, dis-je en tâtant le plancher du bout des orteils à la recherche de ma chaussure.

Le policier recula d'un pas et cracha un long jet de salive noircie par le tabac.

– Nous étions en train de parler, fit Mark.

Il eut la présence d'esprit de ne pas sortir sa plaque. Le policier savait très bien que nous faisions des tas de choses quand il avait fait irruption, mais certainement pas la conversation.

– Ouais, ben si vous voulez continuer de *parler*, dit-il, j'préférerais que ça soit ailleurs qu'ici. C'est pas prudent de rester comme ça dans vot' voiture si tard le soir. On a eu des p'tits problèmes par ici. J'sais pas si vous en avez entendu parler, mais y'a plusieurs couples qu'ont disparu dans le coin.

Mon sang se glaça dans mes veines.

– Vous avez raison, dit enfin Mark. Nous allons partir.

Le policier hocha la tête et cracha un nouveau jet de salive. Nous le regardâmes monter dans sa voiture et s'éloigner lentement sur la route.

– Bon sang... marmonna Mark entre ses dents.

– Chut, fis-je. Ne dis rien. On est vraiment des idiots. Seigneur...

– Tu vois à quel point c'est facile ? (Il ne put s'empêcher d'en parler.) Deux personnes dans une voiture la nuit, une autre voiture s'arrête. Merde, mon arme est dans la boîte à gants, et je n'y ai pas pensé avant que le flic soit déjà à ma vitre. Ça aurait été trop tard si...

– Tais-toi, Mark. Je t'en supplie.

À ma grande surprise, il éclata de rire.

– Je ne trouve pas ça drôle.

– Tu as mal reboutonné ton chemisier ! fit-il en gloussant.

Merde !

– J'espère qu'il ne vous a pas reconnue, madame le médecin expert général Scarpetta !

– Je l'espère aussi, Mr FBI. Et maintenant, je rentre chez moi. (J'ouvris ma portière.) Tu m'as causé assez d'ennuis pour ce soir.

– Hé, c'est toi qui as commencé.

– Ça alors, quel toupet !

– Kay ? (Son visage était redevenu sérieux.) Qu'est-ce qu'on va faire, maintenant ? Je veux dire, je repars à Denver demain. Je ne sais pas ce que je peux provoquer ou si je dois provoquer quoi que ce soit.

Il n'existait pas de réponses faciles à ces questions. Avec nous, il n'y en avait jamais eu.

– Si tu n'essaies pas de provoquer quelque chose, rien ne se passera.

– Et toi ? demanda-t-il.

– Nous avons des tas de choses à éclaircir, Mark.

Il alluma ses phares et boucla sa ceinture.

– Oui, mais toi ? répéta-t-il. Je ne peux pas y arriver tout seul.

– Tiens, c'est nouveau ça.

– Kay, je t'en prie. Ne recommence pas.

– Il me faut du temps pour réfléchir.

Je sortis mes clés. Je me sentais soudain épuisée.

– Ne me donne pas de faux espoirs.

– Ne t'inquiète pas, Mark, dis-je en lui touchant la joue.

Nous nous embrassâmes une dernière fois. J'aurais aimé que ce baiser se prolonge des heures, et en même temps, j'avais envie de partir. Notre histoire avait toujours été tumultueuse. Nous avions toujours vécu des moments sans avenir.

– Je t'appellerai, dit-il.

J'ouvris la portière de ma voiture.

– Suis les conseils de Benton, ajouta-t-il. Fais-lui confiance. Cette histoire sent mauvais.

Je mis le contact.

– J'aurais préféré que tu restes en dehors du coup.

– Tu dis toujours ça, dis-je.

Comme promis, Mark me rappela le lendemain soir, puis à nouveau deux jours plus tard. Après ce qu'il me raconta lors de son troisième coup de fil, le 10 février, je sortis aussitôt chercher le dernier numéro de *Newsweek*.

Pat Harvey, le regard éteint, faisait la couverture. Un gros titre annonçait un article exclusif sur LE MEURTRE DE LA FILLE DE LA DRUG CZAR. En fait d'exclusivité, le magazine reprenait les grandes lignes de sa conférence de presse et ses accusations de complot, avant de rappeler les circonstances dans lesquelles les corps décomposés des autres adolescents disparus avaient été retrouvés dans les forêts de Virginie. J'avais refusé de faire la moindre déclaration, mais le magazine publiait une photo de moi gravissant les marches du palais de justice de Richmond. La légende disait : « Le médecin expert général communique ses conclusions sous la menace d'une action judiciaire. »

– C'est de bonne guerre, dis-je à Mark pour le rassurer lorsque je le rappelai.

Même lorsque ma mère me téléphona dans la soirée de ce même jour, je réussis à garder mon calme.

– Kay, ajouta-t-elle, il y a là quelqu'un qui meurt d'envie de te parler.

Ma nièce Lucy a toujours eu le chic pour me plonger dans l'embarras.

– Alors, t'as des problèmes ? commença-t-elle.

– Non, aucun.

– L'article dit que t'es dans le pétrin, que t'as failli avoir un procès.

– Ce serait trop long à t'expliquer, Lucy.

– Je vais emporter l'article à l'école demain pour le montrer à tout le monde.

Génial, pensai-je.

– Mrs Barrows, poursuivit-elle en faisant allusion à sa surveillante d'étude, m'a demandé si tu ne pourrais pas venir faire un exposé sur ton métier en avril...

Je n'avais pas vu Lucy depuis un an. J'avais de la peine à croire qu'elle était déjà au lycée, et bien qu'elle portât des lentilles de contact et possédât son permis de conduire, je l'imaginais toujours comme la fillette boulotte et exigeante qui voulait toujours qu'on vienne la border, une sorte d'*enfant terrible*[1] qui, pour quelque étrange raison, s'était attachée à moi avant même de savoir se traîner à quatre pattes. Je n'oublierai jamais mon séjour à Miami, le Noël suivant sa naissance, lorsque j'étais restée une semaine chez ma sœur. Lucy avait passé son temps à me dévorer du regard, ses yeux suivant mes moindres gestes comme deux petites lunes brillantes. Elle gazouillait de joie quand je lui changeais sa couche et hurlait dès que je quittais la pièce.

– Est-ce que tu voudrais venir passer une semaine ici cet été ? lui demandai-je.

1. En français dans le texte.

Lucy hésita un instant, puis répondit d'un ton déçu :

– Je suppose que ça veut dire que tu ne pourras pas venir faire l'exposé en avril ?

– On verra ça, d'accord ?

– Je ne sais pas si je pourrai venir cet été, dit-elle d'une voix irritée. J'ai pris un boulot et je ne sais pas si je pourrai m'absenter.

– C'est formidable que tu aies trouvé du travail.

– Ouais. Dans un magasin d'informatique. Je vais essayer de faire des économies pour me payer une voiture. Je veux une voiture de sport, une décapotable. On en trouve des pas chères.

– Ce sont des engins de mort, dis-je aussitôt. Je t'en prie, ne choisis pas une voiture comme ça, Lucy. Pourquoi ne viendrais-tu pas l'acheter à Richmond ? On irait la choisir ensemble. Quelque chose de solide et sûr.

Elle m'avait tendu un piège et, comme d'habitude, j'avais foncé dedans tête baissée. Elle était une véritable experte en manipulation, et il ne fallait pas être psychiatre pour comprendre pourquoi. Lucy avait souffert toute sa vie d'être négligée par sa mère, ma sœur.

– Tu es une jeune fille brillante qui sait ce qu'elle veut, dis-je en changeant de tactique. Je sais bien que tu sauras parfaitement quoi faire de ton temps et de ton argent, Lucy. Mais si tu arrives à te libérer quelques jours cet été, nous pourrions partir quelque part. Tu n'as jamais été en Angleterre, je crois ?

– Non.

– Eh bien, ça pourrait être une idée.

– Tu parles sérieusement ? demanda-t-elle d'un ton sceptique.

– Bien sûr. Ça fait des années que je n'y suis pas retournée, dis-je en me laissant séduire par ma proposition. Il est grand temps que tu connaisses Oxford, Cambridge et les musées de Londres. J'essayerai de nous arranger une visite à Scotland Yard, et si nous pouvons y être en juin, on essaiera d'avoir des places pour Wimbledon.

Silence.

– C'était pour te taquiner, dit-elle alors. Je n'ai pas vraiment envie d'une voiture de sport, tante Kay.

Le lendemain matin, n'ayant pas d'autopsie à pratiquer, je restai dans mon bureau pour classer les piles de papiers en retard. Je devais enquêter sur d'autres morts, préparer des cours, effectuer des dépositions devant les tribunaux, et pourtant, je n'arrivais pas à me concentrer. Dès que je faisais mine de me consacrer à autre chose, le dossier des couples disparus ressurgissait et monopolisait mon attention. Je sentais qu'un élément important m'échappait, alors même que je l'avais sous le nez.

J'avais l'intuition que cet élément concernait le meurtre de Deborah Harvey.

C'était une sportive, une athlète possédant un contrôle parfait de son corps. Elle n'était peut-être pas aussi forte, mais sans aucun doute plus agile et plus rapide que Fred. Je sentais que le tueur avait sous-estimé la force physique de Deborah, et que c'était pour cette raison qu'elle avait un instant échappé à son contrôle. Alors que je fixais d'un regard absent un rapport que j'étais censée corriger, les mots de Mark me revinrent à l'esprit. Il avait parlé de « zones de feu », d'épaisses forêts où s'affrontaient les officiers de Camp Peary, armés de grenades, d'armes automatiques et d'équipement pour la vision de nuit. J'essayai de me représenter ces chasses à l'homme. Peu à peu émergea un macabre scénario.

J'imaginai que lorsque le tueur avait contraint Fred et Deborah à s'engager sur le chemin forestier, c'était peut-être dans l'idée de les faire participer à un jeu terrifiant. Il commence par leur faire ôter leurs chaussures et chaussettes puis leur ligote les mains dans le dos. Il porte un appareil de vision nocturne qui décuple la clarté lunaire et lui permet de voir comme en plein jour. Il les oblige à s'enfoncer dans les bois et les traque l'un après l'autre.

J'étais d'accord avec Marino. Le tueur avait dû se débarrasser d'abord de Fred. Il avait peut-être fait mine de lui donner sa chance en lui permettant de s'enfuir, et pendant que Fred, paniqué, trébuchait à l'aveuglette dans les sous-bois, le tueur nyctalope le suivait, implacable, le couteau à la main. Au moment choisi, il s'embusque, lui enserre le cou par-derrière, lui renverse la tête et lui sectionne la trachée et les carotides. Une attaque de type commando, rapide et silencieuse. Si les corps restaient suffisamment longtemps dans les bois, le médecin expert aurait toutes les peines du monde à déterminer la cause de la mort, puisque tissus et cartilages seraient décomposés au moment de la découverte.

Je poursuivis le scénario. Par pur sadisme, le tueur avait peut-être contraint Deborah à assister à la traque et à la mise à mort de son ami. Je supputai que le tueur l'avait au préalable immobilisée en lui entravant les chevilles, mais qu'il n'avait pas prévu sa souplesse. Il était possible que pendant que l'assassin poursuivait Fred dans l'obscurité, Deborah se soit débrouillée pour faire passer ses mains ligotées sous ses fesses, puis ses jambes entre ses bras, se retrouvant ainsi avec les mains non plus dans le dos mais devant elle. Ainsi elle avait pu détacher les liens qui lui enserraient les chevilles et retrouver la capacité de se défendre.

Si elle avait frappé son agresseur de ses deux poings serrés, celui-ci avait sans doute levé les bras pour se défendre. Comme il tenait le couteau avec lequel il venait d'égorger Fred, c'est peut-être alors qu'avait été provoquée l'entaille sur l'index gauche de Deborah. Celle-ci avait alors bondi pour s'enfuir, et le tueur, surpris, n'avait eu d'autre solution que de lui tirer dans le dos.

Est-ce ainsi que les choses s'étaient passées ? Impossible de le savoir. Mais le déroulement du scénario me paraissait vraisemblable. Seuls clochaient quelques détails. En particulier, que l'assassinat de Deborah ait été l'œuvre d'un professionnel agissant sur contrat ou celle d'un agent fédéral psychopathe qui l'avait choisie parce qu'elle était la fille de Pat Harvey, comment se faisait-il que le tueur ait ignoré que Deborah était une athlète accomplie ? S'il l'avait su, il aurait sans aucun doute tenu compte, dans ses plans, de la souplesse et de la rapidité de sa victime.

D'autre part, lui aurait-il tiré *dans le dos* ?

La manière dont elle avait été tuée n'était-elle pas contradictoire avec le comportement froid et calculateur d'un tueur professionnel ?

Dans le dos.

Lorsque Hilda Ozimek avait étudié les photos de la clairière, elle avait déclaré qu'une grande angoisse s'en dégageait. Il était évident que les victimes étaient terrifiées, mais l'idée ne m'était jamais venue jusqu'ici que le tueur aussi avait pu avoir peur. Tirer dans le dos de quelqu'un est un acte lâche. Voir

Deborah se rebiffer l'avait mis en colère. Il avait perdu tout son sang-froid. Plus j'y réfléchissais, plus j'étais convaincue que Wesley et les autres se trompaient sur le tueur. Traquer la nuit, en pleine forêt, des adolescents pieds nus et entravés, alors que vous êtes armé, que vous connaissez l'endroit et que vous êtes peut-être équipé d'un appareil permettant de voir dans le noir, c'est comme de tirer une vache dans un couloir. C'est bien trop facile, c'est de la triche. Ce n'est pas le *modus operandi* qu'on attend de la part d'un tueur chez qui le plaisir est proportionnel au risque.

Et puis il y avait le problème de son armement.

Si j'étais un officier de la CIA versé dans la chasse à l'homme, qu'utiliserais-je ? Un Uzi ? *Peut-être*. Mais plus probablement un pistolet 9 mm, une arme adaptée, ni plus ni moins, à la tâche envisagée. J'utiliserais des munitions aussi courantes que possible. De banales pointes creuses, par exemple. En aucun cas je ne choisirais des balles aussi rares que des Exploder et des Hydra-Shok.

Les munitions. Creuse-toi la tête, Kay ! Je ne me souvenais pas à quand remontait la dernière fois où j'avais retiré des balles Hydra-Shok d'un cadavre.

Cette balle, spécialement conçue pour un usage policier, était plus expansive à l'impact que n'importe quelle autre balle tirée par un canon de deux pouces. Lorsque le projectile en plomb avec son extrémité évidée pénètre le corps, la violence de l'impact fait s'ouvrir comme les pétales d'une fleur la collerette entourant la tête creuse. La percussion n'occasionnant qu'un très léger recul, il est facile de tirer en rapide succession. Les balles ressortent rarement du corps et causent à la chair et aux organes des dégâts considérables.

Nous avions affaire à un tueur ayant un penchant pour les munitions rares, et qui avait chargé son arme avec ses balles préférées. Il est probable que le fait de choisir une des munitions les plus dévastatrices du marché augmentait sa confiance en lui, lui conférait une sensation de puissance et d'importance. Peut-être même était-ce une question de superstition.

Je décrochai mon téléphone et informai Linda de ce qu'il me fallait.

– Montez, dit-elle.

Je me rendis au laboratoire de balistique et la trouvai assise devant un terminal d'ordinateur.

– Aucun cas cette année, sauf Deborah Harvey, bien sûr, dit-elle en déplaçant le curseur au bas de l'écran. Un seul cas l'année dernière. Un autre l'année précédente. C'est tout pour les Federal. Mais j'ai trouvé deux cas d'utilisation de Scorpion.

– Des Scorpion ? fis-je d'un air surpris en me penchant sur son épaule.

– Une version antérieure, expliqua-t-elle. Dix ans avant que Federal ne rachète la licence, Hydra-Shok Corporation fabriquait à peu de chose près les mêmes cartouches, à savoir les Scorpion .38 et les Copperhead .357. (Elle tapa sur quelques touches pour imprimer le résultat de ses recherches.) Il y a huit ans, nous avons eu un cas d'utilisation de Scorpion .38, mais pas humain.

– Pardon ? fis-je sans comprendre.

– La victime était de race canine. Un chien, quoi. Tué de... voyons... trois balles.

– A-t-il été tué au cours d'un cambriolage ou d'un meurtre ? Ou peut-être avant un suicide ?

– D'après ce que j'ai ici, je ne peux pas vous le dire, répondit Linda sur un ton d'excuse. Tout ce que je sais, c'est que trois balles Scorpion ont été retirées du cadavre de ce chien. On n'a jamais retrouvé l'arme qui les avait tirées. Je suppose que l'affaire n'a jamais été élucidée.

Elle arracha le feuillet imprimé et me le remit.

Il arrivait, en de rares occasions, que le BCME pratique des autopsies sur des animaux. Des daims tués en dehors de la saison nous étaient parfois envoyés par des gardes. Au cas où un animal domestique était tué lors d'un délit, ou retrouvé mort avec ses maîtres, nous l'examinions pour récupérer les balles ou détecter la présence éventuelle de drogue. Mais nous ne rédigions pas de certificats de décès ni de rapports d'autopsie concernant les animaux. J'avais peu de chances de retrouver un document quelconque sur ce chien tué huit ans auparavant.

J'appelai Marino et le mis au courant.

– Vous voulez rire ou quoi ?

– Pouvez-vous vous renseigner discrètement ? Ça n'est peut-être rien, mais la juridiction indiquée est West Point, et ça c'est intéressant. Les corps du deuxième couple ont été retrouvés à West Point.

– Bon, j'vais voir ce que j'peux faire, conclut-il sans grand enthousiasme.

Le lendemain matin, Marino me rejoignit alors que je finissais d'examiner le cadavre d'un garçon de 14 ans jeté la veille de l'arrière d'une camionnette à plateau.

– J'espère que c'est pas vous qui empestez comme ça, dit-il en reniflant.

– Il avait une bouteille d'après-rasage dans la poche de son pantalon. Elle s'est cassée quand il est tombé sur la chaussée, c'est pour ça que ça sent, expliquai-je en désignant du menton un tas de vêtements posés sur un brancard roulant.

– Du *Brut* ? fit-il en reniflant à nouveau.

– Je pense, oui, répondis-je d'un air absent.

– Doris me prenait souvent du *Brut*. Une année, elle m'a même offert *Obsession*, vous vous rendez compte ?

– Avez-vous découvert quelque chose ? demandai-je en poursuivant mon travail.

– Le chien s'appelait Dammit, et c'est pas une blague[1], dit Marino. Il appartenait à un vieux type de West Point, un certain Mr Joyce.

– Avez-vous appris pourquoi on a amené le chien ici ?

– Aucun rapport avec une autre affaire. Ça devait être une faveur, à mon avis.

– Ou alors c'est que le vétérinaire de l'État était en vacances, suggérai-je puisque le cas s'était produit plusieurs fois.

Dans une autre aile de l'immeuble du BCME étaient installés les services du département de Santé animale, qui comprenait une morgue où l'on procédait aux examens des cadavres. En règle générale, les dépouilles étaient envoyées au vétérinaire de l'État, mais il arrivait que les pathologistes de nos services acceptent, sur demande des policiers, de remplacer le vétérinaire en l'absence de celui-ci. J'avais moi-même, au cours de ma carrière, eu l'occasion d'autopsier des chiens torturés, des chats mutilés, une jument qui avait été violée et

1. « Damn it ! », prononcé « Dammit », est un juron courant.

un poulet empoisonné qu'on avait déposé dans la boîte aux lettres d'un juge. Les hommes sont aussi cruels envers les animaux qu'envers leurs semblables.

– Mr Joyce n'a pas le téléphone, mais il habite toujours au même endroit, m'informa Marino. Je pensais aller y faire un tour. Vous voulez venir ?

Je fixai une lame neuve à mon scalpel, songeai à mon bureau débordant de travail en cours, aux rapports que je devais dicter, aux coups de téléphone auxquels je devais répondre et à ceux que je devais passer.

– Pourquoi pas, dis-je d'un ton las.

Il parut hésiter, comme s'il attendait quelque chose.

C'est lorsque je levai les yeux que je le remarquai. Marino était allé chez le coiffeur. Il portait un pantalon kaki maintenu par des bretelles et une veste de tweed qui avait l'air toute neuve. Sa cravate et sa chemise jaune pâle étaient propres. Même ses chaussures étaient cirées.

– Vous êtes très élégant, le complimentai-je avec la fierté d'une mère.

– Ouais, fit-il. (Puis il sourit et son visage s'empourpra.) Rose a sifflé en me voyant passer pour aller prendre l'ascenseur. Ça m'a fait tout drôle. Ça doit faire dix ans qu'une femme avait pas sifflé sur mon passage. Sauf Sugar, mais elle compte pour du beurre.

– Sugar ?

– Elle traîne à l'angle d'Adam et Church. On l'appelle aussi Mad Dog Mama. Un jour qu'elle était saoule perdue, j'ai failli lui rouler dessus. J'ai voulu l'embarquer mais elle s'est débattue comme une chatte en furie et m'a insulté pendant tout le trajet jusqu'au poste. Maintenant, chaque fois que je passe dans le coin, elle me siffle et remonte sa jupe en beuglant comme une poissonnière.

– Et vous dites que vous ne plaisez plus aux femmes ?

11

D'origine indéterminée, Dammit avait apparemment hérité des chromosomes les plus lamentables de son obscure lignée d'ancêtres.

– Je l'ai eu tout petit, commença Mr Joyce en me tendant le Polaroïd de l'animal. Il était abandonné. Je l'ai trouvé un beau matin à la porte de derrière. J'ai eu pitié de lui et je lui ai donné des restes. Après ça j'ai jamais pu m'en débarrasser.

Nous étions assis autour de la table dans la cuisine de Mr Joyce. Un rayon de soleil filtrait à travers la fenêtre poussiéreuse au-dessus d'un évier en porcelaine taché de rouille dont le robinet gouttait. Nous étions là depuis un quart d'heure, mais Mr Joyce n'avait pas eu un seul mot de compassion à l'égard de son chien abattu. Pourtant, ses yeux exprimaient une certaine chaleur et les grosses mains qui caressaient le rebord de son bol de café semblaient capables de tendresse.

– Pourquoi vous l'avez appelé comme ça ? voulut savoir Marino.

– Je lui ai pas donné de nom, en fait. Mais j'étais toujours en train de lui crier après. « *Damn it*, tais-toi ! Viens ici, *damn it ! Damn it !*, si tu la fermes pas, je vais te ficeler la gueule ! » (Mr Joyce eut un sourire penaud.) Tant et si bien qu'il a fini par croire que je l'avais baptisé Dammit. Du coup j'ai gardé le nom.

Mr Joyce, autrefois employé dans une cimenterie, habitait une pauvre maisonnette plantée au milieu de vastes friches qui, d'après Mr Joyce, se couvraient de maïs en été.

Et c'est en été, par une chaude et étouffante soirée de juillet, qu'on avait forcé Bonnie Smyth et Jim Freeman à engager leur voiture sur le chemin peu fréquenté qui passait devant la maison. Et puis novembre était arrivé, et j'avais emprunté le même chemin, devant la maison de Mr Joyce, avec, à l'arrière de mon break, des draps, des brancards et des sacs à viande en plastique noir. C'est à moins de trois kilomètres à l'est de chez Mr Joyce que se trouvait la forêt où, deux ans auparavant, on avait retrouvé les corps du couple. Simple coïncidence ?

– Racontez-nous ce qui est arrivé à Dammit, fit Marino en allumant une cigarette.

– C'était pendant un week-end, commença Mr Joyce. Vers la mi-août, je crois. Toutes les fenêtres étaient ouvertes et je me rappelle que j'étais au salon en train de regarder *Dallas* à la télé. Ce qui veut dire que c'était un vendredi soir. L'émission commençait à 9 heures.

– Il était donc entre 21 heures et 22 heures quand votre chien a été abattu ? fit Marino.

– Oui, à peu près. J'étais en train de regarder la télé et tout d'un coup, je l'entends gratter à la porte en gémissant. J'ai tout de suite compris qu'il était blessé, mais j'ai pensé qu'il s'était battu avec un chat ou un autre chien. Mais quand j'ai ouvert la porte j'ai tout de suite compris que c'était plus grave que ça.

Mr Joyce sortit une blague à tabac et se mit à rouler une cigarette avec des gestes experts et des mains qui ne tremblaient pas.

– Qu'est-ce-que vous avez fait ensuite ? lui demanda Marino.

– Je l'ai mis dans mon camion et je l'ai emmené chez le Dr Whiteside, à sept ou huit kilomètres d'ici.

– Un vétérinaire ? demandai-je.

Il secoua lentement la tête.

Non madame. Ici on n'a pas de vétérinaire. Le Dr Whiteside s'occupait de ma femme avant qu'elle meure. Un type drôlement bien. Mais il a rien pu faire, c'était trop tard. Il m'a conseillé de prévenir la police. Parce que la seule chose qu'on peut tirer en août, c'est les corneilles, et je voyais pas qui s'amusait à tirer les corneilles si tard le soir. Alors j'ai fait ce qu'il me disait. J'ai averti la police.

– Avez-vous une idée de la personne qui a tué votre chien ? demandai-je.

– Dammit aboyait après toutes les voitures qui passaient, mais pour moi, c'était un flic.

– Pourquoi ? demanda Marino.

– Quand on a retiré les balles, on m'a dit qu'elles venaient d'un revolver. Alors je me suis dit que Dammit avait couru après la voiture et qu'un flic lui avait réglé son compte.

– Vous avez vu passer des voitures de police devant chez vous, ce soir-là ? s'enquit Marino.

– Non. Mais ça veut pas dire qu'il y en avait pas. Je sais pas où ça s'est passé, mais à mon avis ça devait pas être tout près parce que sinon j'aurais entendu les coups de feu.

– Pas si la télé était à fond, fit remarquer Marino.

– J'aurais entendu quand même. Y'a pas beaucoup de bruit par ici, surtout le soir. Au bout d'un moment, quand vous vivez à la campagne, vous entendez le moindre bruit inhabituel, même si la télé est allumée et les fenêtres fermées.

– Est-ce que vous avez entendu des voitures passer sur le chemin ce soir-là ? demanda Marino.

Mr Joyce réfléchit un moment.

– Y'en a une qui est passée pas longtemps avant que Dammit vienne gratter à la porte. Je suis à peu près sûr que le type qui a tué mon chien était dedans. L'officier qui a pris ma déposition pensait la même chose.

Le carillon d'une pendule résonna au salon, puis le silence retomba, rythmé seulement par les gouttes tombant du robinet dans l'évier. Mr Joyce n'avait pas le téléphone. Il n'avait que de rares voisins, dont aucun à proximité. Je me demandais s'il avait des enfants. Il n'avait pas l'air d'avoir remplacé son chien ni adopté un chat. Je ne voyais rien qui indique qu'un autre être, humain ou animal, vivait ici.

– Ce vieux Dammit était bon à rien mais on s'y attachait. Le facteur en avait une trouille de tous les diables. Quand je les voyais tous les deux de la fenêtre du salon, je riais à m'en péter la rate. Vous auriez vu ce petit maigrelet qu'osait pas sortir de sa camionnette, et mon Dammit qui courait autour en grognant. Je profitais un peu du spectacle, et puis je sortais dans la cour. Croyez-le ou pas, il me suffisait de lever le doigt pour que Dammit disparaisse, la queue entre les jambes. (Il prit une profonde inspiration, ayant depuis longtemps oublié sa cigarette dans le cendrier.) Y'a trop de méchanceté dans l'monde.

– C'est bien vrai, fit Marino. Même dans un coin tranquille comme celui-ci. La dernière fois que j'suis venu, ça doit remonter à deux ans, un peu avant Thanksgiving, quand on a retrouvé ce couple dans les bois. Vous vous en souvenez ?

– Bien sûr, fit Mr Joyce en hochant gravement la tête. J'ai jamais vu un remue-ménage pareil. J'étais en train de faire du bois quand j'ai vu débouler toutes ces voitures de police avec leurs lumières qui clignotaient. Il devait bien y en avoir une douzaine, avec deux ambulances. (Il se tut et considéra Marino d'un air songeur.) C'est curieux, j'me souviens pas de vous. (Il se tourna vers moi avant d'ajouter :) Et vous, vous étiez là, non ?

– Oui, j'étais là.

– C'est bien ce qui me semblait, fit-il d'un air satisfait. Votre tête me disait quelque chose et ça fait un moment que je me creuse les méninges pour savoir où je vous avais vue.

– Vous êtes allé dans le bois où on a trouvé les corps ? demanda Marino d'un ton anodin.

– Avec toutes ces voitures de police qui passaient devant chez moi, vous pensez bien que j'allais pas rester ici. Je comprenais pas ce qui se passait. Y'a aucune maison dans cette direction, rien que des bois. Et puis je me disais qu'avec tous ces flics ça pouvait pas être un chasseur qu'avait reçu un coup de fusil. Alors j'ai pris ma camionnette et j'y suis allé. J'ai demandé à un flic ce qui se passait. Il m'a dit qu'un chasseur avait trouvé deux cadavres. Il m'a demandé si je vivais par ici, et ensuite ils ont envoyé un détective chez moi pour m'interroger.

– Vous vous souvenez du nom de ce détective ? demanda Marino.

– Non.

– Quel genre de questions il vous a posées ?

– Il voulait surtout savoir si j'avais vu passer quelqu'un dans le coin, à l'époque où ces deux jeunes avaient disparu. Si j'avais vu des voitures bizarres, des choses comme ça.

– Vous en aviez vu ?

– À vrai dire, j'y ai repensé après, et ça me revient de temps en temps depuis, répondit Mr Joyce. Disons que la nuit où, d'après la police, ce couple a disparu, j'ai rien entendu de bizarre. Ça m'arrive de me coucher tôt. J'étais peut-être en train de dormir. Mais il y a quelque chose dont je me suis souvenu il y a deux mois, après qu'on a retrouvé cet autre couple le Premier de l'An.

– Deborah Harvey et Fred Cheney ? demandai-je.

– La fille qui a une mère haut placée.

Marino acquiesça d'un hochement de tête.

– Quand j'ai appris la nouvelle, reprit Mr Joyce, j'ai repensé au couple qu'on a retrouvé près d'ici, et tout d'un coup ça m'est revenu. Je sais pas si vous avez remarqué en arrivant, mais j'ai une boîte aux lettres au bord de la route. Eh ben j'ai été malade peut-être quinze jours avant le meurtre, le meurtre de ceux qui ont été retrouvés ici, à côté.

– Jim Freeman et Bonnie Smyth, précisa Marino.

– Oui, c'est ça. J'avais la grippe, j'arrêtais pas de vomir, j'avais des courbatures partout. Je suis resté au lit deux jours entiers sans avoir la force de me lever pour aller ramasser le courrier. Le soir dont je vous parle, je me suis senti mieux et je me suis levé. Je me suis fait un potage, et je l'ai pas rendu. Alors je suis sorti prendre le courrier. Il devait être 9, 10 heures du soir. Et pendant que je revenais à la maison, j'ai entendu une voiture. Il faisait un noir d'encre et le type roulait sans phares.

– Dans quelle direction il allait ? demanda Marino.

– Par là, répondit Mr Joyce en indiquant la direction opposée aux bois. Il retournait vers l'autoroute. C'était peut-être rien, mais sur le coup je me suis dit que c'était bizarre. D'abord, parce qu'il y a rien du tout là d'où il venait, rien que des champs et des bois. Je me suis dit que ça devait être des gamins qui voulaient être tranquilles pour boire un coup, ou quelque chose comme ça.

– Avez-vous vu la voiture ? demandai-je.

– Je dirais qu'elle était pas très grosse, et de couleur sombre. Noir, bleu marine ou rouge foncé, je sais pas.

– Une vieille voiture, ou plutôt neuve ? demanda Marino.

– Je ne sais pas si elle était toute neuve, mais elle était pas vieille. Et c'était pas une voiture étrangère.

– Comment vous le savez ? s'étonna Marino.

– Au bruit du moteur, répondit Mr Joyce sur le ton de l'évidence. Les voitures étrangères font pas le même bruit que les américaines. Le moteur est plus bruyant, il tourne pas de la même façon, enfin pour moi on peut pas les confondre. Cette voiture que j'ai vue passer avec ses phares éteints, elle faisait presque pas de bruit. Il m'a semblé que ça pouvait être une des dernières Thunderbird, mais j'en mettrais pas ma main au feu. Ou une Cougar.

– Une sportive, alors ? fit Marino.

– Ça dépend comment vous voyez ça. Pour moi, une sportive, c'est la Corvette. Une Thunderbird ou une Cougar, c'est plutôt fantaisie.

– Avez-vous vu combien de personnes étaient à l'intérieur ? demandai-je.

Mr Joyce secoua la tête.

– Là, je pourrais pas vous dire. Il faisait sombre et j'ai pas eu le temps de bien voir.

Marino sortit un carnet de sa poche et le feuilleta.

– Mr Joyce, fit-il, Jim Freeman et Bonnie Smyth ont disparu le soir du samedi 29 juillet. Vous êtes sûr d'avoir vu cette voiture avant, et pas après cette date ?

– Aussi sûr que je vous vois. Pour la bonne raison, comme je vous ai dit, que je suis tombé malade. Ça m'a pris vers la deuxième semaine de juillet. Je me rappelle parce que l'anniversaire de ma femme tombe le 13 juillet et que chaque année ce jour-là je vais mettre un bouquet sur sa tombe. Et c'est en rentrant du cimetière que je me suis senti mal. Le lendemain, j'ai dû rester au lit. (Il se tut un instant, le regard dans le vague.) Ça devait être le 15 ou le 16 quand je suis sorti chercher le courrier et que j'ai vu cette voiture.

Marino chaussa ses lunettes de soleil. Il était prêt à partir.

– Vous pensez qu'il y a un rapport entre le meurtre de ces couples et la mort de mon chien ? lui demanda alors Mr Joyce.

– Nous suivons des tas d'affaires, répondit Marino. En attendant, il serait préférable de garder cette conversation pour vous.

– Soyez tranquille, lieutenant, j'en dirai pas un mot.

– Je vous remercie.

Sur ce, Mr Joyce nous raccompagna à la porte.

– Repassez me voir à l'occasion, dit-il. J'ai plein de tomates en juillet. Les meilleures de Virginie. Remarquez que vous êtes pas obligés d'attendre les tomates, vous pouvez repasser quand vous voulez. Je bouge pas.

Il nous regarda partir debout sous le porche.

Marino me donna son avis alors que nous suivions le chemin qui nous ramenait à la route.

– Intéressant, son histoire de voiture.

– C'est vrai.

– Quant au chien, j'ai des doutes. S'il avait été abattu quelques semaines, ou même quelques mois avant la disparition de Jim et Bonnie, je dis pas. Mais là, bon sang, Dammit s'est fait refroidir plus de cinq ans avant le début des meurtres.

Zones de feu, songeai-je. Peut-être que nous tenons une piste, après tout.

– Marino, avez-vous songé que nous avons affaire à quelqu'un pour qui l'endroit où se passe le meurtre est peut-être plus important que le choix des victimes ?

Il me jeta un regard intéressé.

– Ce type passe peut-être très longtemps à trouver l'endroit qui lui convient, poursuivis-je. Et quand il a fait son choix, il se met en chasse et amène son gibier à l'endroit choisi. L'endroit est l'élément le plus important, aussi important que la saison. Le chien de Mr Joyce a été tué à la mi-août. C'est le moment le plus chaud de l'année, mais en dehors de la saison de la chasse, sauf pour les corneilles. Tous les couples ont également été tués en dehors de la saison de la chasse. Dans chaque cas, les corps ont été retrouvés des semaines, voire des mois après, par des chasseurs, pendant la saison. C'est un trait commun à tous les meurtres.

– Vous pensez que le tueur cherchait un endroit dans les bois pour amener ses prochaines victimes, et que le chien lui a gâché son programme en venant se fourrer dans ses pattes ? fit Marino en fronçant les sourcils.

– C'est juste une idée que je balance sur la table, dis-je.

– Sans vouloir vous vexer, vous pouvez la balancer tout de suite par la fenêtre. À moins que le salopard ait fantasmé pendant des années avant de passer à l'action.

– À mon avis, il a une imagination très active.

– Vous devriez vous mettre au profilage, dit-il. On croirait entendre Benton.

– On dirait que vous voulez l'écarter.

– Pas du tout, mais pour le moment, j'ai pas envie de l'entendre.

– C'est votre partenaire au sein du VICAP, Marino. Vous et moi ne sommes pas les seuls à être sous pression. Ne soyez pas injuste avec lui.

– Vous aimez bien donner des conseils gratuits en ce moment, pas vrai ?

– Soyez heureux qu'ils soient gratuits, Marino. Parce que vous en avez sacrément besoin, ces temps-ci.

– Vous voulez qu'on aille manger un morceau ?

Il était près de 18 heures.

– Non, ce soir j'ai mon cours de tennis, répliquai-je d'un air sombre.

– Bon sang, j'espère que vous allez pas me conseiller d'en faire !

À cette idée, lui et moi sortîmes nos paquets de cigarettes.

J'arrivai en retard à mon cours, bien que j'aie tout fait, à part griller des feux rouges, pour arriver à Westwood à l'heure. Un de mes lacets cassa, ma raquette glissait dans ma paume moite et un buffet mexicain était en cours à l'étage, ce qui fait que la galerie était pleine de gens qui n'avaient rien de mieux à faire qu'assister à mon humiliation en se goinfrant de tacos et de margaritas. Après avoir expédié cinq revers bien au-delà de la ligne de fond, je me mis à plier les genoux et à ralentir mon swing. Les trois balles suivantes atterrirent dans le filet. Mes reprises de volée étaient pathétiques, mes smashes innommables. Plus j'essayais, plus j'étais nulle.

– Vous réagissez trop tôt et frappez trop tard, me dit Ted en me rejoignant. Vous prenez trop d'élan et n'accompagnez pas assez la balle. Résultat ?

– Je vais me mettre au bridge, rétorquai-je en sentant ma frustration tourner à la colère.

Il ramassa une balle et se livra à une démonstration sous mon regard jaloux. Ted avait une musculature à la Michel-Ange, une coordination d'un suprême coulé et pouvait au choix, sans effort apparent, faire rebondir sa balle au-dessus de votre tête, ou la faire mourir à vos pieds. Je me demandai si les athlètes comme lui avaient la moindre idée de la façon dont le commun des mortels se sent face à eux.

– Vos problèmes sont dans votre tête, Dr Scarpetta, dit-il. Au lieu d'entrer sur le court en vous prenant pour Martina, vous feriez mieux d'être vous-même.

– Ça, c'est sûr que je ne suis pas Martina, marmonnai-je.

– Essayez moins de gagner des points que de ne pas en perdre. Il faut jouer malin, bien vous placer, renvoyer la balle jusqu'à ce que votre adversaire la manque ou vous offre une occasion de marquer. C'est comme ça qu'il faut jouer ici. On ne gagne pas un match au niveau d'un club, on le perd. Si quelqu'un vous gagne, ce n'est pas parce qu'il a marqué plus de points que vous, mais parce que vous en avez perdu plus que lui. (Il me considéra quelques secondes avant d'ajouter :) Je parie que vous n'êtes pas aussi pressée dans votre travail. Je parie que vous renvoyez balle après balle, si j'ose dire.

Je ne savais pas s'il avait raison, mais en tout cas ses conseils produisirent l'effet inverse de celui qu'il visait, car ses remarques détournèrent toute mon attention du tennis. *Jouer malin.* Un peu plus tard, plongée dans mon bain chaud, je repensai à ces paroles.

Nous ne l'emporterions pas sur le tueur. Notre jeu offensif – placer une fausse douille sur les lieux, publier un article contenant de fausses informations – n'avait pas marché. Il fallait songer à une tactique défensive. En général, c'est moins par habileté que par chance que les criminels échappent à l'arrestation. Car ils commettent des erreurs. Tous. Le problème, c'est déceler l'erreur, comprendre sa signification, déterminer ce qui était voulu et ce qui ne l'était pas.

Je repensai aux mégots que nous avions trouvés près des corps. Le tueur les avait-il sciemment laissés ? Probablement. Constituaient-ils une erreur ? Non, parce que dans la mesure où nous n'avions pu en déterminer la marque, ils n'avaient aucune valeur en tant qu'indices. Les valets de cœur déposés dans les véhicules l'étaient volontairement. Ils n'étaient pas non plus des erreurs. Nous n'avions trouvé aucune empreinte dessus, et il se pouvait que le seul but de leur présence fût de nous aiguiller vers ce que le tueur voulait nous faire croire.

J'étais sûre d'une chose : tirer sur Deborah Harvey avait été une erreur.

Et puis je commençai à m'interroger sur le passé du tueur. Ce n'était certainement pas un citoyen respectable qui s'était transformé du jour au lendemain en assassin méthodique. À qu'elles horreurs s'était-il livré autrefois ?

Il avait peut-être abattu, huit ans auparavant, le chien d'un vieil homme. Si mon raisonnement était correct, il avait peut-être commis là une autre erreur, car l'incident suggérait que ce n'était pas un étranger, mais quelqu'un du coin. Et dans ce cas, je me demandai s'il n'avait pas tué avant.

Le lendemain, aussitôt après la conférence de travail, je demandai à Margaret, mon analyste informatique, de me sortir la liste de tous les homicides survenus depuis dix ans dans un rayon de 75 kilomètres autour de Camp Peary. Je ne cherchais pas particulièrement de double meurtre, mais c'est pourtant ce que je trouvai.

C'était les numéros C0104233 et C0104234. Je n'en avais jamais entendu parler car ils étaient survenus plusieurs années avant mon arrivée en Virginie. Je m'enfermai dans mon bureau et étudiai les dossiers avec une excitation croissante. Jill Harrington et Elizabeth Mott avaient été assassinées huit ans auparavant, en septembre, soit un mois après la mort du chien de Mr Joyce.

Les deux jeunes femmes, âgées d'une vingtaine d'années, avaient disparu huit ans auparavant, le soir du vendredi 14 septembre, et l'on avait retrouvé leurs corps le lende main matin dans un cimetière attenant à une église. Ce n'est que le surlendemain que la Volkswagen d'Elizabeth avait été localisée dans le parking d'un motel de la Route 60, à Lightfoot, tout près de Williamsburg.

Je me mis à étudier les rapports d'autopsie et les diagrammes corporels. Elizabeth Mott avait reçu une balle dans le cou, après quoi, supposait-on, on lui avait donné un coup de poignard à la poitrine avant de lui trancher la gorge. On n'avait relevé aucun signe de violences sexuelles, retrouvé aucune douille ni blessure de défense, mais les marques à ses poignets indiquaient qu'elle avait été ligotée. Le dossier de Jill contenait en revanche des éléments bien différents. Les blessures de défense qu'elle portait sur les avant-bras et les mains, les lacérations et contusions relevées sur son visage et son cuir chevelu semblaient indiquer qu'elle avait été frappée avec le canon d'une arme. Son chemisier était déchiré. Tout semblait indiquer qu'elle s'était violemment débattue, ce qui lui avait valu onze coups de couteau.

D'après les déclarations des policiers de James City County figurant dans les coupures de presse incluses dans les dossiers, les jeunes femmes avaient été vues pour la dernière fois à Williamsburg, en train de boire une bière à l'*Anchor Bar and Grill*, qu'elles avaient quitté vers 22 heures. On supposait que c'est là qu'elles avaient rencontré leur agresseur. Ça pouvait être un scénario à la « Mr Goodbar » dans lequel les deux femmes quittaient l'établissement en compagnie de l'inconnu et le suivaient dans le motel où avait été retrouvée la voiture d'Elizabeth. À un moment donné, peut-être dans le parking, il les avait menacées et forcées à l'emmener au cimetière, où il les avait assassinées.

Je découvris beaucoup d'incohérences dans le scénario. La police avait découvert du sang, dont on n'avait jamais pu expliquer l'origine, sur la banquette arrière de la Volkswagen. Le groupe n'était celui d'aucune des deux jeunes femmes. Et s'il s'agissait du sang du tueur, que s'était-il passé ? S'était-il battu avec une des jeunes femmes à l'arrière de la voiture ? Si c'était le cas, pourquoi n'avait-on pas retrouvé de sang appartenant à une des victimes ? Si les deux femmes étaient assises à l'avant, et lui à l'arrière, comment avait-il pu être blessé ? Qu'il se soit coupé en luttant avec Jill dans le cimetière était tout aussi incohérent. Après les meurtres, il aurait dû ramener leur voiture au motel, et on aurait retrouvé de son sang à l'avant, sur le siège conducteur, et non à l'arrière. Enfin, si l'assassin avait eu l'intention de tuer les deux femmes après avoir eu des activités sexuelles avec elles, pourquoi ne les avait-il pas tuées dans la chambre de motel ? Et pourquoi les frottis prélevés sur les jeunes femmes n'avaient-ils révélé aucune trace de sperme ? S'étaient-elles lavées après avoir fait l'amour avec cet homme ? *Deux* femmes avec un seul homme ? Un *ménage à trois*[1] ? Ma foi, j'avais à peu près tout vu dans ce métier.

J'appelai Margaret par l'intercom.

– Il me faudrait autre chose, lui dis-je. Une liste des victimes d'homicides présentant des traces de drogue dont s'est occupé le détective R. P. Montana de la James City County Police. J'aimerais cette liste le plus vite possible.

– Pas de problème, fit-elle.

J'entendis ses doigts courir sur le clavier.

Elle me fit parvenir une liste de six meurtres aux victimes présentant des traces de drogue, et dont s'était occupé le détective Montana. Les noms d'Elizabeth Mott et Jill Harrington figuraient sur la liste, car leur examen de sang *post mortem* avait révélé un taux d'alcool positif. Dans les deux cas, le taux était insignifiant : moins de 0,05. De plus, Jill présentait des traces de chlordiazepoxide et de clidinium, les principes actifs du Librax.

1. En français dans le texte.

Je décrochai mon téléphone, composai le numéro de la James City County Police et demandai à parler à Montana. On m'informa qu'il était à présent capitaine aux Affaires internes et on me passa son bureau.

Il s'agissait de faire preuve de la plus grande prudence. S'il subodorait que j'essayais d'établir un lien entre le meurtre des deux femmes et ceux des cinq autres couples, Montana risquait de se refermer comme une huître et refuser de parler.

– Montana, fit une voix de basse.

– Dr Scarpetta à l'appareil, dis-je.

– Comment ça va, doc ? Je vois qu'on se canarde toujours autant à Richmond, pas vrai ?

– Ça ne s'améliore pas, en effet, avouai-je avant de préciser la raison de mon appel. Je recense les meurtres dont les victimes étaient intoxiquées à l'alcool ou aux stupéfiants. J'aimerais vous interroger sur quelques vieilles affaires que nous a indiquées notre ordinateur et dont vous vous êtes occupé.

– Allez-y. Mais ça fait si longtemps que je risque d'être un peu flou sur les détails.

– Je m'intéresse au déroulement des meurtres, aux circonstances ayant entouré la mort. La plupart de ces meurtres ont eu lieu avant que je m'installe à Richmond.

– Exact, c'était plutôt à l'époque de doc Cagney. Bon sang, c'était quelque chose de travailler avec lui ! fit Montana en riant. Il lui arrivait de farfouiller dans un cadavre sans mettre de gants. Rien ne le dégoûtait, à part les mômes. Il aimait pas faire les mômes.

Je repris un à un les dossiers figurant sur la liste fournie par l'ordinateur, et ce que m'en disait Montana ne me surprenait guère. Un mari avait tué sa femme – à moins que ce ne soit le contraire – à la suite d'un abus de boisson mêlé à des problèmes conjugaux. C'était ce que la police appelait cyniquement le « divorce Smith and Wesson ». Un homme imbibé jusqu'à la moelle avait été battu à mort par ses compagnons ivres au cours d'une partie de poker qui avait mal tourné. Un père avec un taux d'alcool de 0,30 s'était fait descendre par son propre fils. Et ainsi de suite. J'en arrivai enfin aux meurtres de Jill et Elizabeth.

– Je m'en souviens bien, dit Montana. Tout ce que je peux dire, c'est que ce qui leur est arrivé est bizarre. J'aurais jamais pensé que c'était le genre de filles à aller dans un motel avec un type rencontré dans un bar. Deux jolies filles, diplômées, avec de bons boulots. M'est avis que le type qui les a levées était drôlement malin. Certainement pas le genre grosse brute. Et j'ai toujours pensé que c'était quelqu'un de passage, pas un type du coin.

– Pourquoi ?

– Parce que s'il était de par ici, je crois qu'on aurait fini par le coincer. Pour moi, c'était un tueur en série. Un type qui drague des femmes au hasard pour les assassiner. Peut-être un type qui se déplace beaucoup, qui reste un moment quelque part avant de repartir.

– Est-ce que les filles ont été dévalisées ? demandai-je.

– Pas que je sache. Quand j'ai eu le dossier entre les mains, j'ai d'abord pensé que les filles prenaient de la drogue de temps en temps, qu'elles étaient parties avec le type pour en acheter, qu'elles lui avaient peut-être donné rendez-vous au motel pour faire la fête ou acheter de la coke. En tout cas, on ne leur avait volé ni argent ni bijoux, et l'enquête n'a révélé aucun élément permettant d'affirmer que les filles sniffaient ou se piquaient.

– J'ai vu dans le rapport toxicologique que le sang de Jill Harrington contenait des traces de Librax, en plus de l'alcool, dis-je. Avez-vous des précisions ?

Il réfléchit un moment.

– Du Librax. Non, ça me dit rien du tout.

Je ne lui demandai rien de plus et raccrochai après l'avoir remercié.

Le Librax est un médicament polyvalent utilisé comme décontractant musculaire, mais aussi pour soulager l'anxiété et la tension. Jill avait peut-être mal aux reins, ou bien s'était blessée en faisant du sport, ou bien encore elle avait des problèmes psychosomatiques tels que des crampes gastro-intestinales. Il me fallait donc trouver son médecin traitant. J'appelai l'un de mes médecins examinateurs à Williamsburg et lui demandai de me faxer les Pages Jaunes contenant la rubrique des pharmacies du coin. Ensuite je composai le numéro du bip de Marino.

– Connaissez-vous quelqu'un à Washington ? lui demandai-je lorsque Marino me rappela. Un collègue digne de confiance ?

– Un ou deux. Pourquoi ?

– Il faut absolument que je parle à Abby Turnbull, dis-je. Mais je préfère ne pas l'appeler.

– Pour échapper aux écoutes ?

– Exactement.

– Si vous voulez mon avis, dit-il, c'est pas une bonne idée que vous lui parliez.

– Je comprends votre point de vue, Marino, mais ça ne me fera pas changer d'idée. Contactez un de vos amis là-bas et demandez-lui d'aller chez elle.

– Je pense que vous faites une erreur. Mais je m'en occupe.

– Qu'il lui dise simplement qu'il faut que je lui parle. Qu'elle m'appelle dès que possible.

Je donnai à Marino l'adresse d'Abby.

Pendant la communication, les Pages Jaunes étaient arrivées sur le fax au bout du couloir, et Rose les déposa sur mon bureau. Je passai le restant de l'après-midi à appeler toutes les pharmacies de Williamsburg chez qui Jill Harrington avait pu se fournir. Je finis par en trouver une qui avait gardé son nom dans ses fichiers.

– Était-elle une cliente régulière ? demandai-je au pharmacien.

– Pour sûr. Elizabeth Mott aussi. Elles habitaient pas très loin d'ici, dans des immeubles. Deux jeunes filles fort sympathiques, j'oublierai jamais le choc que ça m'a fait.

– Vivaient-elles ensemble ?

– Voyons voir. (Courte pause.) Apparemment, non. Leurs adresses et leurs numéros de téléphone sont différents, mais elles habitaient le même ensemble résidentiel. Old Towne, ça s'appelle, à deux ou trois kilomètres d'ici. De beaux immeubles. Beaucoup de jeunes, des étudiants de l'université William and Mary.

Le pharmacien me fournit ensuite des renseignements sur l'histoire médicale de Jill. Pendant une période de trois ans, elle s'était procuré, sur ordonnance, différents antibiotiques, antitussifs et autres médicaments contre la grippe et les infections urinaires. Un mois avant son assassinat, elle était venue acheter du Septra, qu'elle avait apparemment cessé de prendre lorsqu'elle est morte, puisqu'on n'avait retrouvé ni trimethoprim, ni sulfamethoxazole dans son sang.

– Lui avez-vous fourni du Librax ? demandai-je.

J'attendis pendant que mon interlocuteur vérifiait.

– Non, madame. Je ne vois aucune mention de Librax. Peut-être que l'ordonnance était au nom d'Elizabeth Mott ?

– Et son amie Elizabeth Mott ? demandai-je. Vous a-t-elle jamais présenté une ordonnance de Librax ?

– Non.

– Savez-vous si les deux jeunes femmes étaient clientes dans d'autres pharmacies ? demandai-je.

– Désolé, mais je ne peux pas vous aider sur ce point. Je n'en ai aucune idée.

Il me donna ensuite les coordonnées de plusieurs pharmacies du voisinage. J'en avais déjà contacté la plupart, et les autres me confirmèrent qu'aucune des jeunes filles ne leur avait demandé de Librax. D'ailleurs, me dis-je, l'important n'était pas le Librax lui-même, mais l'identité du médecin qui l'avait prescrit.

12

Abby Turnbull était chroniqueur judiciaire à l'époque du meurtre d'Elizabeth Mott et Jill Harrington. J'étais prête à parier que non seulement elle s'en souvenait, mais qu'elle en savait plus long à leur sujet que le capitaine Montana.

Le lendemain matin, elle appela d'une cabine et laissa à Rose un numéro où, disait-elle, elle attendrait un quart d'heure. Abby insista pour que je la rappelle « d'un endroit sûr ».

– Pas de problèmes, docteur ? me demanda Rose d'une voix posée en me regardant ôter mes gants chirurgicaux.

– Dieu seul le sait, répondis-je en dénouant ma blouse.

Le plus proche « endroit sûr » que je voyais était la cabine installée devant la cafétéria du BCME. Hors d'haleine, redoutant d'avoir dépassé la limite fixée par Abby, je composai son numéro.

– Que se passe-t-il ? me demanda-t-elle aussitôt. Un flic est venu chez moi de votre part.

– C'est exact, la rassurai-je. Vu ce que tu m'avais dit, j'ai jugé préférable de ne pas t'appeler chez toi. Comment vas-tu ?

– C'est pour me demander ça que tu m'as fait téléphoner ? fit-elle d'une voix déçue.

– C'est une des raisons, Abby, il faut que je te voie.

Il y eut un long silence au bout du fil.

– Je serai à Williamsburg samedi, dit-elle. Si on se retrouvait au *Treillis* à 19 heures pour dîner ?

Je ne lui demandai pas la raison de sa présence à Williamsburg. Je n'étais pas sûre de vouloir la connaître. Pourtant, le samedi suivant, après avoir garé ma voiture sur Merchant's Square, je sentis fondre mes appréhensions à chaque pas. Difficile en effet d'avoir à l'esprit une série de meurtres et d'autres forfaits alors que je buvais du cidre chaud dans un de mes endroits préférés en Amérique.

Bien qu'on fût au creux de la saison touristique, de nombreux visiteurs allaient et venaient, se pressaient dans les échoppes restaurées, se promenaient en charrettes à chevaux conduites par des cochers en tricorne et hauts-de-chausses. Mark et moi avions eu l'intention de venir passer un week-end à Williamsburg. Nous avions rêvé de louer une demeure XIXe dans le Quartier historique, de longer les trottoirs pavés à la lueur des becs de gaz, de dîner dans une taverne, puis de boire du vin devant la cheminée jusqu'à tomber de sommeil dans les bras l'un de l'autre.

Comme de bien entendu, rien de tout cela ne s'était réalisé. Notre relation avait comporté plus de projets qu'elle n'avait laissé de souvenirs. Serait-ce différent désormais ? Il me l'avait promis au téléphone, mais il l'avait déjà souvent promis, et moi aussi. Il était toujours à Denver, et moi ici.

Chez un bijoutier, j'achetai un petit porte-bonheur en argent travaillé à la main et une jolie chaîne. Ainsi, Lucy recevrait pour la Saint Valentin un cadeau de sa tante négligente. De ma virée chez l'apothicaire je ressortis avec des savonnettes pour ma chambre d'amis, de la crème à raser parfumée pour Fielding et Marino, et des pots-pourris pour Bertha et Rose. Un peu avant 7 heures, je cherchais Abby à l'intérieur du *Treillis*. Lorsqu'elle arriva, une demi-heure plus tard, je commençais à perdre patience.

– Je suis désolée, s'excusa-t-elle en ôtant son manteau. J'ai été retardée. Je suis venue dès que j'ai pu.

Elle me parut tendue et épuisée, lançant des regards nerveux autour d'elle. La plupart des tables étaient occupées et les convives bavardaient à voix basse dans la lueur tremblotante des bougies. Je me demandai si Abby avait l'impression d'avoir été suivie.

– Tu as passé toute la journée à Williamsburg ? lui demandai-je.

Elle acquiesça d'un bref hochement de tête.

– Je n'ose demander ce que tu es venue y faire, repris-je.

– Des recherches, se contenta-t-elle de répondre.

– Pas trop près de Camp Peary, j'espère, dis-je en la regardant dans les yeux.

Elle comprit très bien ce que je voulais dire.

– Tu es donc au courant, fit-elle.

La serveuse se présenta, puis repartit vers le bar pour commander le Bloody Mary d'Abby.

– Comment l'as-tu appris ? demanda Abby en allumant une cigarette.

– J'aimerais mieux savoir comment *tu* as fait, répliquai-je.

– Je ne peux pas te le dire, Kay.

Bien sûr qu'elle ne le pouvait pas. Mais je le savais. Pat Harvey.

– Tu as un informateur, commençai-je avec prudence. Une source. Laisse-moi te poser une seule question. Pourquoi cette source tient-elle tant à t'informer ? Elle ne t'a pas livré ces renseignements sans qu'elle y trouve un intérêt.

– Je le sais bien.

– Alors, quelle en est la raison ?

– La vérité est importante. (Abby détourna le regard.) Moi aussi, je suis une source.

– Je vois. En échange d'informations, tu divulgues ce que tu découvres.

Elle ne répondit pas.

– Est-ce que je fais partie du processus ? demandai-je.

– Je n'ai aucune intention de te mettre dans le pétrin, Kay. L'ai-je jamais fait ?

Elle me lança un regard dur.

– Non, répondis-je avec sincérité. Jusqu'à maintenant, jamais.

On déposa son Bloody Mary devant elle, et elle le remua d'un air absent à l'aide du pied de céleri.

– Tout ce que je peux te dire, poursuivis-je, c'est que tu marches sur un terrain miné. Inutile de te faire un dessin. Tu le sais sans doute mieux que quiconque. Le jeu en vaut-il la chandelle ? Ton livre vaut-il ce prix-là, Abby.

Comme elle ne réagissait pas, j'ajoutai avec un soupir :

– Je suppose que je ne vais pas te faire changer d'avis, n'est-ce pas ?

– T'est-il arrivé de te mettre dans une situation dont tu ne pouvais plus sortir ?

– Constamment, fis-je en grimaçant un sourire. C'est ce qui se passe en ce moment.

– C'est ce qui se passe aussi pour moi, dit-elle.

– Et si tu te trompais, Abby ?

– Il est impossible que ça soit moi qui me trompe, rétorqua-t-elle. Quelle que soit l'identité de celui qui commet ces meurtres, il n'en demeure pas moins que le FBI et d'autres agences agissent à partir de soupçons bien précis et prennent des décisions en fonction de ces soupçons. Je ne vois pas ce qui m'empêcherait d'écrire là-dessus. Et si les Feds et la police se trompent, ça ne fera qu'ajouter un chapitre à mon livre.

– Voilà qui me paraît très cynique, fis-je avec un certain malaise.

– Je suis journaliste de profession, Kay. Toi aussi, quand tu parles de ton travail, tu sembles parfois atrocement cynique.

J'avais parlé à Abby aussitôt après la découverte du cadavre de sa sœur assassinée. Elle m'avait sans doute trouvée froide et clinique en cette horrible occasion.

– J'ai besoin de ton aide sur un point précis, dis-je. Il y a huit ans, deux femmes ont été assassinées tout près d'ici. Elizabeth Mott et Jill Harrington.

Elle me regarda d'un drôle d'air.

– Tu ne penses pas que...

– Je ne sais pas, l'interrompis-je. Mais je dois connaître les détails de cette affaire. Nous avons très peu de chose sur nos fiches. Je n'étais pas en Virginie à l'époque. En revanche, des coupures de presse ont été jointes aux dossiers. Certaines sont signées de ton nom.

– Je peux difficilement imaginer que ce qui est arrivé à Jill et Elizabeth a un rapport avec les autres meurtres.

– Donc tu t'en souviens, constatai-je avec soulagement.

– Je n'oublierai jamais. C'est l'une des rares fois où un travail m'a donné des cauchemars.

– Pourquoi t'est-il difficile d'imaginer un rapport entre ces meurtres et les suivants ?

– Pour plusieurs raisons. D'abord on n'a pas retrouvé de valet de cœur. La voiture n'était pas abandonnée sur un bas-côté, mais garée sur le parking d'un motel. Les corps n'ont pas été retrouvés décomposés dans les bois des semaines ou des mois plus tard, mais le lendemain. Les deux victimes étaient de jeunes femmes, pas des adolescentes. Et enfin, pourquoi le tueur aurait-il attendu cinq ans avant de recommencer ?

– Je suis d'accord sur ces points, dis-je. Le rythme des meurtres ne correspond pas à celui des tueurs en série. Les circonstances de ce double meurtre diffèrent de celles des suivants. Tout comme le choix des victimes.

– Alors pourquoi t'intéresse-t-il tant ? demanda-t-elle avant de boire une gorgée de cocktail.

– Je tâtonne, avouai-je. Or cette affaire, qui n'a jamais été élucidée, m'intrigue. Il est rare que deux personnes soient assassinées en même temps. Il n'y avait aucune trace de violences sexuelles. Les deux femmes ont été tuées par ici, dans la même région que les victimes des autres meurtres.

– Et le tueur a employé une arme à feu et un couteau, ajouta Abby d'un air songeur.

Elle savait donc ce qui était arrivé à Deborah Harvey.

– Il y a certaines similitudes, fis-je d'un air évasif.

Abby avait l'air intéressée, sinon convaincue.

– Que voulais-tu savoir, Kay ?

– Tout ce dont tu te souviens à propos de ces meurtres, dis-je. Le moindre détail.

Son verre à la main, elle réfléchit un long moment.

– Elizabeth travaillait au service des ventes chez un fabricant d'ordinateurs du coin, et elle se débrouillait très bien, dit-elle. Jill venait de finir ses études de droit à William and Mary, et elle avait trouvé du travail dans un petit cabinet de

Williamsburg. Je n'ai jamais cru qu'elles étaient allées dans ce motel pour faire l'amour avec un type rencontré dans un bar. Ni l'une ni l'autre n'était de ce genre-là. Et puis deux filles avec un seul type ? Ça m'a toujours paru étrange. Enfin, on a retrouvé du sang sur la banquette arrière de leur voiture. Du sang qui n'était ni celui d'Elizabeth ni celui de Jill.

Les talents d'Abby ne cessaient de m'étonner. Elle s'était débrouillée pour obtenir les résultats des examens sérologiques.

– Il faut donc supposer qu'il s'agissait du sang du tueur. Or, il y en avait beaucoup, Kay. J'ai vu la voiture. On aurait dit que quelqu'un s'était fait poignarder ou égorger sur le siège arrière. Le tueur se trouvait donc sans doute à cette place, mais il est difficile de comprendre ce qui s'est passé. La police a conclu que les deux femmes avaient rencontré le type à l'*Anchor Bar and Grill*. Mais s'il est parti dans la Volkswagen avec l'intention de les tuer, comment pensait-il regagner sa voiture après ?

– Ça dépend de la distance entre le motel et le bar. Il a pu revenir au bar à pied.

– Le motel est à une dizaine de kilomètres de l'*Anchor Bar and Grill*, lequel, à propos, n'existe plus. Les femmes y ont été vues pour la dernière fois vers 22 heures. Si le tueur avait laissé sa voiture là-bas, elle aurait sans doute été la seule sur le parking à son retour, ce qui aurait été gênant. Un flic aurait pu la repérer.

– Le tueur a pu laisser sa voiture au motel, forcer les femmes à monter dans celle d'Elizabeth, puis revenir chercher la sienne après le meurtre, dis-je.

– Possible, fit Abby. Mais s'il s'est rendu au motel dans sa voiture, à quel moment est-il monté dans celle d'Elizabeth ? Le scénario selon lequel ils auraient passé un moment tous les trois au motel avant de repartir m'a toujours paru bancal. Pourquoi ces complications, ces risques ? Elles auraient très bien pu se mettre à hurler sur le parking du motel, lui résister. Pourquoi ne pas les tuer dans la chambre ?

– Sait-on de façon certaine s'ils sont allés ensemble dans une chambre ?

– C'est le deuxième point obscur, dit-elle. J'ai interrogé le réceptionniste de garde ce soir-là. C'était au *Palm Leaf*, un motel bon marché sur la Route 60, à Lightfoot. On ne peut pas dire que les clients se bousculent. Or le réceptionniste ne se souvenait ni des deux femmes ni d'un homme les accompagnant. La plupart des chambres étaient vides ce soir-là, et aucun client n'a quitté le motel sans rendre sa clé. Difficile de croire que le tueur ait pris la peine de rendre sa clé en partant.

– Quelle était ta théorie à l'époque ? demandai-je.

– La même qu'aujourd'hui. Je ne pense pas qu'elles aient rencontré leur assassin dans ce bar. Je pense qu'il s'est passé quelque chose peu après que Jill et Elizabeth sont sorties.

– Quel genre de chose ?

Abby fronça les sourcils tout en remuant son cocktail.

– Je ne sais pas. Elles n'étaient pas non plus du genre à prendre un auto-stoppeur si tard le soir. Et je n'ai jamais cru non plus à une histoire de drogue. Ni Jill ni Elizabeth ne prenaient de l'héroïne, de la cocaïne ou une autre drogue, et aucun matériel de drogué n'a été retrouvé dans leurs appartements. Elles ne fumaient pas, buvaient modérément. Elles faisaient toutes les deux du jogging, elles étaient très préoccupées de leur santé.

– Sais-tu ce qu'elles avaient l'intention de faire en quittant le bar ? Rentrer chez elles ? S'arrêter quelque part ?

– Impossible de le savoir.

– Elles étaient seules en quittant le bar ?

– Aucun des témoins à qui j'ai parlé ne se souvient les avoir vues en compagnie de quelqu'un pendant qu'elles sont restées au bar. Elles sont restées à leur table, où elles ont bu une bière ou deux en discutant. Personne ne se souvient les avoir vues partir avec quelqu'un.

– Elles auraient pu rencontrer quelqu'un sur le parking, en partant, dis-je. Le tueur les attendait peut-être dans la voiture d'Elizabeth.

– Je doute qu'elles aient laissé la voiture ouverte, mais c'est possible.

– Venaient-elles régulièrement dans ce bar ?

– Je ne crois pas, mais elles y étaient déjà venues.

– Est-ce que c'est un boui-boui ?

– C'est ce que je croyais avant d'y aller, parce que c'est un lieu fréquenté par les militaires, répondit-elle. Mais quand j'y suis entrée, ça m'a rappelé un pub anglais. Très civilisé. Des gens qui bavardent paisiblement en jouant aux fléchettes. C'est pourquoi on pense que le tueur était soit un type de passage, soit un militaire basé pour un temps dans la région. En tout cas certainement pas quelqu'un de leur connaissance.

Peut-être pas, en effet, pensai-je. Mais quelqu'un en qui elles avaient confiance, au moint au début. Je me souvins de ce qu'avait dit Hilda Ozimek à propos des rencontres qui avaient dû être « amicales » dans un premier temps. Je me demandai ce qu'elle ressentirait si je lui montrais les photos de Jill et Elizabeth.

– Sais-tu si Jill avait des problèmes médicaux ? demandai-je à Abby.

Elle réfléchit un moment, l'air perplexe.

– Je ne m'en souviens pas.

– D'où venait-elle ?

– Du Kentucky, je crois.

– Retournait-elle souvent chez elle ?

– Je n'ai pas l'impression. Elle devait y aller pour les vacances, c'est tout.

Il était donc peu probable qu'elle se soit fait faire une ordonnance de Librax dans le Kentucky.

– Tu dis qu'elle venait d'être embauchée dans un cabinet de droit, dis-je. Voyageait-elle souvent ? Son travail l'obligeait-elle à se déplacer ?

Abby attendit qu'on nous ait servi nos salades.

– Elle avait un ami qu'elle avait rencontré pendant ses études de droit. Je ne me souviens pas de son nom, mais je lui ai parlé, je lui ai posé des questions sur les habitudes et les activités de Jill. Il m'a dit qu'il la soupçonnait d'avoir une liaison.

– Pourquoi avait-il cette impression ?

– Parce que pendant leur troisième année de droit, elle allait presque chaque semaine en voiture à Richmond, soi-disant pour y chercher du travail parce qu'elle aimait beaucoup la ville et aurait aimé s'y installer. Son ami m'a dit qu'elle lui empruntait souvent ses notes, parce qu'elle ratait beaucoup de cours à cause de ses déplacements. Il trouvait ça bizarre, d'autant qu'elle a pris un travail dans un cabinet de Williamsburg juste après son diplôme. Il n'arrêtait pas d'en parler parce qu'il avait peur que ses voyages aient un rapport avec son assassinat, par exemple si c'était un homme marié qu'elle allait voir à Richmond, et qu'elle l'ait menacé de tout révéler à sa femme. Peut-être qu'elle avait une liaison avec quelqu'un de connu, un avocat ou un juge, qui n'aurait pas supporté un tel scandale, et qui aurait réduit Jill au silence. Ou qui l'aurait fait faire par quelqu'un d'autre, et qu'Elizabeth ait eu la malchance de se trouver là au mauvais moment.

– Tu as vérifié ?

– Encore une piste qui ne menait à rien, comme 90 % des pistes qu'on m'indique.

– Jill sortait-elle avec l'étudiant qui t'a raconté tout ça ?

– Je crois qu'il aurait voulu, dit-elle, mais il n'y avait rien entre eux. J'ai eu l'impression que c'était en partie l'origine de ses soupçons. Il était très sûr de lui et s'imaginait que la seule raison pour laquelle Jill ne succombait pas à ses charmes, c'est qu'elle avait quelqu'un d'autre, quelqu'un que personne n'avait jamais vu. Un amant secret.

– Cet étudiant a-t-il été suspecté ? demandai-je.

– Non. Il n'était pas en ville le soir du meurtre. Le fait a été établi sans aucun doute possible.

– As-tu parlé à des collègues de travail de Jill ?

– Ça ne m'a pas menée très loin, répondit Abby. Tu connais la discrétion des hommes de loi. Et puis elle ne travaillait que depuis quelques mois. Je ne pense pas que ses collègues la connaissaient bien.

– Elle n'était donc pas extravertie, remarquai-je.

– Les gens qui la connaissaient disent qu'elle était dotée d'un certain charisme, mais qu'elle avait de la retenue.

– Et Elizabeth, demandai-je.

– Plus ouverte, je pense, dit-elle. Il faut l'être pour être une bonne vendeuse.

Nous revînmes au parking de Merchant's Square par des trottoirs pavés qu'éclairaient les becs de gaz. Une épaisse couche de nuages obscurcissait la lune et il faisait froid et humide.

– Je me demande ce que ces couples feraient aujourd'hui, s'ils étaient vivants, dit Abby, le menton rentré dans le col de son manteau, les mains dans les poches.

– Et Henna, que penses-tu qu'elle ferait ? lui demandai-je doucement.

– Elle serait sans doute toujours à Richmond. Moi aussi, d'ailleurs.

– Tu regrettes d'avoir changé de ville ?

– Certains jours, je regrette tout. Depuis que ma sœur est morte, c'est comme si j'étais privée de toute possibilité de choix. Comme si j'étais menée par des forces qui échappent à mon contrôle.

– Il ne faut pas voir les choses de cette façon. C'est toi qui as choisi de prendre ce travail au *Post* et de t'installer à Washington. Aujourd'hui, c'est toi qui choisis d'écrire ce livre.

– Exactement comme Pat Harvey a choisi de tenir cette conférence de presse et de faire toutes ces déclarations qui lui ont fait tant de mal, rétorqua-t-elle.

– C'est vrai, elle aussi a fait des choix.

– Quand tu subis une telle épreuve, tu ne réalises pas ce que tu es en train de faire, même si tu en as l'impression, poursuivit-elle. Et personne ne peut comprendre ce que tu vis à moins d'avoir subi la même chose. Tu te sens isolée. Quand tu sors, les gens t'évitent. Ils fuient ton regard, ils ont peur de te parler parce qu'ils ne savent pas quoi dire. Alors ils chuchotent entre eux : « Vous avez vu une telle ? C'est celle dont la sœur a été étranglée. » Ou bien : « Regarde, c'est Pat Harvey. Oui, tu sais, celle dont la fille... » Tu finis par avoir l'impression de vivre dans une caverne. Tu as peur de te retrouver seule, peur de voir du monde, peur d'être éveillée, peur de t'endormir parce que tu redoutes les horribles heures du petit matin. Tu n'arrêtes pas de fuir et tu finis par t'épuiser. Quand je regarde en arrière, je m'aperçois que tout ce que j'ai fait depuis la mort d'Henna était à moitié fou.

– Je pense que tu t'en es remarquablement tirée, lui dis-je avec sincérité.

– Tu ne sais pas ce que j'ai fait. Les erreurs que j'ai commises.

– Monte, je te raccompagne jusqu'à ta voiture, dis-je lorsque nous atteignîmes Merchant's Square.

Tandis que je sortais mes clés, j'entendis une voiture démarrer dans le parking. Nous étions dans ma Mercedes, portières verrouillées et ceintures bouclées, lorsqu'une Lincoln neuve s'arrêta à notre hauteur. La vitre avant s'abaissa dans un chuintement.

J'entrebâillai juste assez la mienne pour entendre ce que disait le conducteur. Il était jeune, bien coiffé, il repliait avec peine une carte routière.

– Excusez-moi, fit-il avec un sourire penaud. Pouvez-vous m'indiquer comment on fait pour rejoindre la 64 East ?

Je perçus la tension d'Abby pendant que je lui donnais de rapides indications.

– Relève son numéro, fit-elle dès qu'il s'éloigna.

Elle plongea la main dans son sac et en sortit un crayon et un calepin.

– E-N-T-8-9-9, lus-je à haute voix.

Elle l'inscrivit.

– Qu'est-ce que tu as ? demandai-je avec nervosité.

À la sortie du parking, Abby chercha des yeux la Lincoln.

– Tu avais remarqué la voiture en arrivant ? voulut-elle savoir.

Je réfléchis. Le parking était presque désert lorsque nous y étions entrées. J'avais vaguement remarqué, dans un coin sombre, une voiture qui aurait pu être la Lincoln. J'en fis la remarque à Abby.

– Mais je n'ai vu personne dedans, ajoutai-je.

– Naturellement. Parce que le plafonnier n'était pas éclairé.

– Oui, sans doute.

– Et comment faisait-il pour lire sa carte dans le noir, Kay ?

– Très juste, fis-je d'un air surpris.

– Et s'il n'est pas d'ici, comment expliques-tu l'autocollant de parking sur son pare-chocs arrière ?

– L'autocollant de parking ? fis-je.

– Oui, avec le logo Colonial Williamsburg dessus. Le même autocollant qu'on m'a donné il y a des années quand on a retrouvé ces restes de squelette sur le site archéologique de Martin's Hundred. J'avais fait une série d'articles, je suis venue souvent ici, et l'autocollant me donnait l'autorisation de me garer dans le Quartier historique et à Carter's Grove.

– Ce type travaille ici et il nous demande la direction de la 64 East ? marmonnai-je.

– J'espère que tu l'as bien dévisagé ?

– Assez bien, dis-je. Tu penses que c'est le même qui t'a suivie l'autre soir à Washington ?

– Je ne sais pas. Mais peut-être que... Merde, Kay ! Je vais devenir folle !

– Bon, ça suffit, dis-je d'une voix résolue. Donne-moi ce numéro d'immatriculation. Je veux en avoir le cœur net.

Le lendemain matin, je reçus un coup de téléphone de Marino.

– Si vous avez pas encore lu le *Post*, m'annonça-t-il d'emblée, vous feriez mieux d'aller l'acheter.

– Depuis quand lisez-vous le *Post* ?

– Depuis jamais, mais Benton m'a prévenu il y a une heure. Rappelez-moi plus tard. Je serai en ville.

J'enfilai un survêtement, passai un anorak et, sous une pluie battante, partis acheter le journal dans un drugstore voisin. Ensuite, je restai près d'une demi-heure dans ma voiture à l'arrêt, le chauffage à fond et les essuie-glaces battant avec la régularité d'un métronome sous la pluie glaciale. J'étais estomaquée par ce que je lisais. À plusieurs reprises, je me dis que si la famille Harvey n'attaquait pas Clifford Ring en justice, je devais le faire.

À la une était en effet annoncé le premier d'une série d'articles concernant Deborah Harvey, Fred Cheney et les autres couples assassinés. L'article de Ring, qui ne respectait ni le chagrin ni la vie privée des familles, était par ailleurs si bien documenté qu'il exposait des détails que même moi j'ignorais.

Peu de temps avant son assassinat, Deborah Harvey aurait confié à une amie qu'elle suspectait son père d'être alcoolique et d'entretenir une liaison avec une hôtesse de l'air deux fois plus jeune que lui. Deborah aurait surpris plusieurs conversations téléphoniques entre son père et sa supposée maîtresse. L'hôtesse vivait à Charlotte et, selon l'article, Harvey était avec elle le soir où sa fille et Fred Cheney avaient disparu, ce qui expliquait pourquoi sa femme et la police avaient mis si longtemps à le contacter. Paradoxalement, Deborah n'en voulait pas tant à son père qu'à sa mère qui, accaparée par sa carrière et toujours absente, portait aux yeux de Deborah la responsabilité de l'alcoolisme et de l'infidélité de son père.

Paragraphe après paragraphe, l'auteur peignait d'une prose au vitriol le portrait pathétique d'une femme assoiffée de pouvoir qui prétendait sauver le monde entier pendant que sa famille se désintégrait à force de négligence. D'après l'article, Pat Harvey s'était mariée par intérêt, sa demeure de Richmond était un vrai palais, ses bureaux du Watergate regorgeaient de meubles anciens et d'œuvres d'art, dont un Picasso et un Remington. Elle était toujours habillée à la dernière mode, fréquentait les soirées qui comptaient, respectait scrupuleusement les conventions sociales, possédait une connaissance brillante de la politique intérieure et des affaires mondiales.

Pourtant, concluait Ring, derrière cette façade de respectabilité se dissimulait « une femme sortie d'un quartier modeste de Baltimore, que son manque de confiance en elle pousse à se surpasser sans cesse pour prouver sa valeur ». Pat Harvey, assurait-il, était une mégalomane qui pouvait devenir irrationnelle – voire féroce – lorsqu'elle se sentait menacée ou simplement mise à l'épreuve.

La façon dont Ring relatait les meurtres survenus en Virginie depuis trois ans était tout aussi brutale. Il faisait état des craintes de la CIA et du FBI selon lesquelles le coupable serait quelqu'un de Camp Peary, et procédait à cette révélation avec une telle véhémence que tous les milieux de l'enquête en devenaient suspects.

La CIA et le Justice Department étaient impliqués dans une vaste entreprise d'étouffement, et leur paranoïa était telle qu'ils avaient demandé aux enquêteurs de ne pas se communiquer mutuellement leurs informations. Un faux indice avait été abandonné à dessein sur un des lieux de découverte des corps. En organisant de fausses fuites, on avait désinformé la presse, et l'on disait même que certains journalistes avaient été placés sous surveillance. Quant à Pat Harvey, elle était parfaitement au courant de toutes ces manœuvres, et son indignation était loin d'être sincère, comme l'avait démontré son comportement au cours de sa scandaleuse conférence de presse. Engagée dans une lutte à couteaux tirés avec le Justice Department, Mrs Harvey avait utilisé des informations confidentielles en sa possession pour mettre en difficulté les agences fédérales dont elle avait suscité l'hostilité en raison de ses investigations concernant les activités frauduleuses d'organismes anti-drogue.

Le dernier ingrédient parachevant cette mixture empoisonnée, c'était moi. J'avais, sur demande du FBI, gardé par-devers moi des informations relatives aux derniers meurtres, et ce n'est que sous la menace d'une injonction judiciaire que j'avais communiqué mes rapports aux familles. J'avais refusé de parler à la presse. Bien que rien ne m'obligeât à obtempérer aux consignes du FBI, Clifford Ring insinuait que j'y avais été poussée par certaines circonstances de ma vie privée. « Selon une source proche du médecin expert général de Virginie, disait l'article, le Dr Kay Scarpetta a depuis deux ans une relation avec un agent spécial du FBI. Elle s'est ainsi rendue plusieurs fois à Quantico et entretient des rapports amicaux avec le personnel de l'Académie, dont Benton Wesley, le profileur qui travaille sur ces meurtres. »

Je me demandai combien de lecteurs allaient conclure que j'avais une liaison avec Wesley.

En plus de mon intégrité et de ma moralité, l'auteur mettait en cause ma compétence professionnelle. Concernant les victimes des dix meurtres, j'avais été incapable, sauf dans un cas, de déterminer la cause de leur mort, et lorsque j'avais découvert une entaille au doigt de Deborah Harvey, j'avais eu tellement peur, selon Ring, de l'avoir faite avec mon scalpel que j'avais « foncé à Washington en pleine tempête de neige, avec les squelettes de Harvey et Cheney dans le coffre de la Mercedes, pour demander son avis à l'anthropologue du Smithonian's National Museum of Natural History ».

Comme Pat Harvey, j'avais « consulté une voyante ». J'avais accusé les enquêteurs d'avoir déplacé les corps de Fred Cheney et Deborah Harvey, avant de retourner moi-même sur le lieu de découverte pour y chercher une douille égarée, car je ne faisais pas confiance à la police pour la retrouver. J'avais également pris l'initiative d'interroger certains témoins, y compris la vendeuse du Seven-Eleven où Fred et Deborah avaient été vus vivants pour la dernière fois. Je fumais, je buvais, j'avais une licence de port d'arme pour mon .38, j'avais « failli me faire tuer » plusieurs fois, j'étais divorcée et « de Miami ». Cette dernière précision semblait, dans l'esprit de l'auteur, résumer toutes les extravagances précédentes.

Bref, Clifford Ring me faisait passer pour une femme arrogante, une amazone à la détente facile qui, dès qu'il s'agissait de médecine légale, était incapable de distinguer un fémur d'une hémorroïde.

Abby, pensai-je en rentrant chez moi par les rues mouillées. Était-ce ce qu'elle avait voulu dire la veille en parlant de ses « erreurs » ? Était-ce elle qui avait fourni ces informations à son collègue Clifford Ring ?

– Ça ne semble guère probable, fit Marino un peu plus tard alors que nous buvions du café dans ma cuisine. C'est pas que j'aie changé d'opinion sur elle : je pense toujours qu'elle vendrait sa grand-mère pour un bon tuyau. Mais en ce moment elle bosse sur son bouquin, pas vrai ? C'est pas logique de penser qu'elle irait refiler ses informations à la concurrence, surtout depuis que le *Post* lui a joué ce tour de vache.

– Certaines de ces informations ne peuvent venir que d'elle. (Proférer une telle accusation m'était pénible.) L'histoire de la vendeuse du Seven-Eleven, par exemple. Abby et moi étions ensemble ce soir-là. Et puis elle est au courant de ma liaison avec Mark.

– Comment elle l'a appris ? me demanda Marino d'un drôle d'air.

– C'est moi qui le lui ai dit.

Il se contenta de secouer la tête.

Je bus mon café en regardant tomber la pluie. Abby avait appelé deux fois depuis que j'étais revenue du drugstore. Je l'avais écoutée déposer d'une voix tendue un message sur mon répondeur. Je n'étais pas encore prête à lui parler. J'avais peur de ce que je pourrais lui dire.

– Comment va réagir Mark ? demanda Marino.

– Heureusement, l'article ne cite pas son nom.

Je fus submergée d'une nouvelle angoisse. Comme tous les agents du FBI, surtout ceux qui ont passé des années sous une fausse identité, Mark faisait preuve par rapport à sa vie privée d'une discrétion frisant la paranoïa. Je craignais que l'allusion faite à notre liaison dans l'article le perturbe beaucoup. Il fallait que je l'appelle. Ou peut-être que non. Je ne savais que faire.

– Une partie des informations provient sans doute de Morrell, repris-je en réfléchissant à haute voix.

Marino garda le silence.

– Vessey aussi a dû parler, ajoutai-je. Ou sinon lui, quelqu'un du Smithsonian. Mais je ne comprends pas comment Ring a appris que nous étions allés voir Hilda Ozimek.

Marino posa sa soucoupe et sa tasse, se pencha vers moi et planta son regard dans le mien.

– À mon tour de vous donner un conseil d'ami, dit-il.

Je me sentis comme une gamine sur le point de se faire admonester.

– C'est comme un camion plein de ciment qui dévale une colline, doc. Vous n'arriverez pas à l'arrêter. Tout ce que vous pouvez faire, c'est vous écarter de son chemin.

– Vous pouvez me dire ce que ça signifie ? fis-je avec impatience.

– Faites votre boulot et vous occupez pas du reste. Si on vous pose des questions, ce qui ne saurait tarder, dites que vous avez jamais parlé à Clifford Ring, que vous êtes au courant de rien. Faites le dos rond. Si vous vous engagez dans une polémique avec la presse, vous allez finir comme Pat Harvey. Vous passerez pour une idiote.

Il avait raison.

– Et s'il vous reste deux grammes de cervelle, je vous conseille de plus rien dire à Abby.

J'acquiesçai.

– En attendant, j'ai quelques trucs à vérifier, dit-il en se levant. Je vous préviendrai si ça donne quelque chose.

Ce qui me rappela ma promesse. Je tendis le bras vers mon sac et en sortis le papier portant le numéro qu'y avait noté Abby.

– Pourriez-vous vous renseigner sur ce numéro ? dis-je. Une Lincoln Mark Seven, gris anthracite. Voyez ce que ça donne.

– Un type qui vous suivait ? fit-il en glissant le papier dans sa poche.

– Je ne sais pas. Le conducteur nous a demandé son chemin, mais je ne pense pas qu'il était perdu.

– Où ça ? demanda-t-il pendant que je le raccompagnai à la porte.

– À Williamsburg. Il était assis dans sa voiture dans un parking vide. Il devait être entre 10 heures et demie et 11 heures hier soir, sur Merchant's Square. Quand je suis montée dans ma voiture il a allumé ses phares et s'est approché pour me demander comment rejoindre la 64.

– Hum, fit Marino. Sans doute un flic en civil qui s'emmerdait et qui attendait que quelqu'un grille un feu ou fasse un demi-tour interdit. Il a peut-être essayé de vous emballer. Une jeune femme seule le soir qui monte dans sa Mercedes.

Je ne lui dis pas qu'Abby était avec moi. Je ne tenais pas à m'attirer un nouveau sermon.

– Je ne savais pas que les flics conduisaient des Lincoln neuves, dis-je.

– Putain de pluie, lâcha-t-il en courant vers sa voiture.

Fielding, mon adjoint, ne passait jamais devant une sur face réfléchissante sans y jeter un coup d'œil. Ces surfaces incluaient les vitres, les écrans d'ordinateur et les cloisons à l'épreuve des balles séparant le hall des bureaux du rez-de-chaussée. C'est là, en sortant de l'ascenseur, que je l'aperçus, rectifiant sa coiffure devant la porte en acier inoxydable de la chambre froide de la morgue.

– Ça commence à passer par-dessus vos oreilles, remarquai-je.

– Les vôtres commencent à virer au gris, rétorqua-t-il en souriant.

– Couleur cendre, dis-je. Les cheveux blonds deviennent cendrés, jamais gris.

– Exact.

Il resserra machinalement les bretelles de son pantalon de chirurgien, les biceps saillant comme des pamplemousses. Fielding ne pouvait cligner de l'œil sans qu'un de ses muscles ne gonfle. Quand je le voyais penché sur son microscope, il me rappelait une version anabolisée du *Penseur* de Rodin.

– On a évacué Jackson il y a vingt minutes, m'annonça-t-il. (C'était un de nos patients de la matinée.) C'est terminé pour aujourd'hui, mais on a déjà quelqu'un pour demain. Le gars qu'ils maintenaient sous perfusion depuis la fusillade du week-end.

– Qu'avez-vous prévu pour cet après-midi ? lui demandai-je. Vous ne deviez pas aller au tribunal à Petersburg ?

– Le plaignant a assuré sa propre défense... (Il consulta sa montre.)... il y a environ une heure.

– On avait dû le prévenir que c'était vous qui deviez venir.

– La cellule en moellons qui me tient lieu de bureau est remplie jusqu'au plafond de cassettes à transcrire. Voilà mon programme pour cet après-midi. Enfin, c'était mon programme, conclut-il en me regardant d'un air interrogateur.

– J'aurais besoin de votre aide pour retrouver l'identité d'un médecin qui a délivré une certaine ordonnance à Richmond il y a environ huit ans.

– Dans quelle pharmacie ?

– Si je le savais, dis-je alors que l'ascenseur nous emmenait au premier étage, je n'aurais pas besoin de vous. Ce qui veut dire que nous devons organiser une sorte de téléthon et téléphoner à toutes les pharmacies de Richmond.

Fielding fronça les sourcils.

– Seigneur, Kay. Il doit y en avoir au moins une centaine.

– Cent trente-trois exactement, je les ai comptées. Il faudrait qu'une demi-douzaine de personnes se chargent chacune de 22 ou 23 numéros. C'est faisable. Pouvez-vous m'aider ?

– Bien sûr, répondit-il d'un air abattu.

En plus de Fielding, je recrutai mon administrateur, Rose, une autre secrétaire et l'analyste informatique. Nous nous rassemblâmes dans la salle de conférences avec nos listes de pharmacies. Je donnai des instructions précises. Discrétion absolue. Pas un mot aux familles, aux amis, à la police. Comme l'ordonnance devait dater d'au moins huit ans et que Jill était décédée, il y avait de fortes chances pour que son nom ne figure plus dans les fichiers courants. Je demandai donc à mes collaborateurs de demander aux pharmaciens de vérifier aussi dans leurs archives. Si l'un d'eux se montrait réticent ou refusait de divulguer le renseignement demandé, on me le passerait.

Tout le monde regagna son bureau respectif. Deux heures plus tard, Rose vint me voir en se massant l'oreille droite.

Un sourire triomphant aux lèvres, elle me tendit un papier sur lequel était notée une adresse.

– Le Boulevard Drug Store, à l'angle de Boulevard et Broad, m'annonça-t-elle. Jill Harrington y a acheté deux fois du Librax.

Elle me précisa les dates.

– Le nom de son médecin ?

– Le Dr Anna Zenner, répondit-elle.

Dieu du ciel !

Dissimulant ma surprise, je la félicitai.

– Rose, vous êtes formidable. Vous pouvez rentrer chez vous pour aujourd'hui.

– Je finissais à 4 heures et demie. Je suis déjà en retard.

– Alors vous prendrez une pause déjeuner de trois heures demain, dis-je en me retenant de ne pas l'embrasser. Et prévenez les autres que l'opération est terminée. Ils peuvent laisser leurs téléphones.

– Est-ce que le Dr Zenner n'était pas encore récemment la présidente de la Richmond Academy of Medicine ? fit Rose d'un air songeur. Je crois que j'ai lu quelque chose sur elle. Ah oui ! Elle fait de la musique, n'est-ce pas ?

– C'est vrai. Elle présidait l'Academy il y a deux ans et elle joue du violon dans l'orchestre symphonique de Richmond.

– Alors vous la connaissez ? fit ma secrétaire d'un air impressionné.

Trop bien, pensai-je en tendant la main vers le téléphone.

Anna Zenner me rappela le soir même chez moi.

– D'après les journaux, vous avez l'air très occupée ces temps-ci, Kay, me dit-elle. Pas trop débordée ?

Je me demandai si elle avait lu le *Post*. La suite de l'article, parue le matin, comprenait une interview d'Hilda Ozimek, avec une photo d'elle ainsi légendée : « La femme médium savait que les disparus étaient morts ». L'article était émaillé de citations de parents et d'amis des victimes, et un plan d'une demi-page montrait les emplacements où avaient été retrouvés les voitures vides et les cadavres. Camp Peary figurait au beau milieu du plan, tels le crâne et les tibias sur la carte au trésor d'un chef pirate.

– Je vais bien, lui dis-je. Et je me sentirais encore mieux si vous pouviez m'aider. (Je lui expliquai ce que je voulais avant d'ajouter :) Je vous faxerai demain le formulaire citant l'article du Code m'autorisant à consulter le dossier médical de Jill Harrington.

C'était une formalité, et cela me parut bizarre de m'entendre la lui énoncer.

– Apportez-le donc vous-même, fit-elle. Je vous attends pour dîner mercredi à 19 heures, d'accord ?

– Je ne voudrais pas vous déranger pour...

– Vous ne me dérangez pas du tout, Kay, m'interrompit-elle. Ça fait si longtemps qu'on ne s'est pas vues.

Avec ses couleurs pastel, le quartier me rappela Miami Beach. Les maisons avaient des façades roses, jaunes ou bleues, avec des heurtoirs de cuivre poli et des drapeaux qui flottaient mollement au-dessus des porches. La comparaison paraissait encore plus incongrue maintenant que la neige avait remplacé la pluie.

Il y avait une circulation épouvantable et je dus faire deux fois le tour du bloc avant de repérer une place pas trop éloignée de ma boutique de vins préférée. Je choisis quatre bonnes bouteilles, deux de rouge et deux de blanc.

Je repris la voiture et remontai Monument Avenue, dont les ronds-points étaient dominés par les statues équestres des généraux confédérés bravant les rafales de neige tourbillonnante. L'été précédent, j'empruntais cet itinéraire une fois par semaine pour aller chez Anna, puis j'avais espacé mes séances à l'automne avant de les interrompre définitivement pendant l'hiver.

Son bureau était installé chez elle, une charmante maison de bois blanc dans une petite rue pavée. Comme ses patients, j'annonçai mon arrivée par un coup de sonnette, puis entrai dans un vestibule menant à la salle d'attente. Des fauteuils en cuir entouraient une table basse où s'empilaient des magazines et un vieux tapis oriental couvrait en partie le parquet. Dans un coin, une caisse de jouets disposée à l'intention des enfants. Il y avait aussi une table, une machine à café et une cheminée. Au bout d'un long couloir s'ouvrait la cuisine, dont la bonne odeur me rappela que j'avais sauté mon déjeuner.

– Kay ? C'est vous ?

Reconnaissable entre toutes à son fort accent germanique, la voix me parvint en même temps que le bruit des pas rapides d'Anna qui, après s'être essuyé les mains sur son tablier, me serra contre elle.

– Vous avez fermé derrière vous ?

– Oui, et n'oubliez pas de fermer à clé après votre dernier patient, Anna, dis-je comme à chaque fois.

– Vous êtes mon dernier patient.

Je la suivis à la cuisine.

– Est-ce que tous vos patients, comme vous dites, vous apportent du vin ?

– Je ne l'accepterais pas. Je ne les invite pas non plus à dîner. Il n'y a qu'avec vous que je brise toutes les règles.

– C'est vrai, soupirai-je. Comment pourrai-je jamais vous revaloir ça ?

– Pas en me faisant bénéficier de vos talents professionnels, j'espère, dit-elle en posant le sac contenant le vin sur le plan de travail.

– Je vous promets que je serais très douce.

– Oui, mais moi, je serais très nue et très morte, et je me ficherais bien que vous soyez douce ou pas. Vous espérez me saouler, ou bien vous êtes tombée sur des soldes ?

– J'avais oublié de vous demander ce que vous nous prépareriez, répondis-je. Alors ne sachant pas s'il fallait apporter du blanc ou du rouge, j'ai pris les deux.

– Dans ce cas, je ne vous dirai plus rien quand je vous inviterai. Bon sang, Kay ! Ces vins m'ont l'air fantastiques, s'exclama-t-elle à mesure qu'elle sortait les bouteilles et les posait sur le comptoir. Voulez-vous en boire un verre tout de suite, ou préférez-vous quelque chose de plus costaud ?

– Du costaud.

– Comme d'habitude ?

– Oui, s'il vous plaît. (Puis lorgnant sur la grande casserole qui mijotait sur le feu, j'ajoutai :) J'espère que c'est ce à quoi je pense.

Anna faisait un chili fabuleux.

– Ça devrait nous réchauffer. J'y ai mis la boîte de tomates et piments verts que vous m'avez rapportée de Miami. Je les gardais pour une bonne occasion. Il y a aussi du chou haché. Au fait, comment va la famille ?

– Lucy s'est prise d'un intérêt soudain pour les garçons et les voitures, dis-je, mais tant qu'elle ne s'y intéresse pas plus qu'à son ordinateur, ça ne m'inquiète pas. Ma sœur sort un livre pour enfants le mois prochain, mais elle est toujours aussi inapte à élever sa propre fille. Quant à ma mère, à part ses éternelles jérémiades sur ce qu'est devenue Miami, où plus personne ne parle anglais, elle va bien.

– Y êtes-vous descendue pour Noël ?

– Non.

– Votre mère vous a-t-elle pardonné ?

– Pas encore, dis-je.

– Ce n'est pas moi qui le lui reprocherai. Les familles doivent être réunies pour Noël.

Je ne répondis pas.

– Mais c'est très bien, reprit-elle à ma surprise. Vous n'aviez pas envie d'aller à Miami, donc vous n'y êtes pas allée. Ça fait des années que je vous répète que les femmes doivent apprendre l'égoïsme. Deviendriez-vous égoïste ?

– Je crains que ce ne soit inné chez moi, Anna.

– Quand ça ne vous culpabilisera plus, vous serez guérie.

– J'en éprouve toujours de la culpabilité, alors je suppose que je ne suis pas guérie.

– Je sais.

Je la regardai déboucher une bouteille pour la faire respirer, les manches de son chemisier en coton roulées jusqu'aux coudes, les avant-bras aussi fermes et forts que ceux d'une femme moitié moins âgée qu'elle. Je ne savais pas à quoi ressemblait Anna dans sa jeunesse, mais à près de 70 ans, son visage aux traits résolument germaniques, ses cheveux blancs taillés court et ses yeux bleu clair attiraient encore les regards. Elle ouvrit un placard et à peine en avait-elle sorti les bouteilles qu'elle me tendait un scotch et soda, puis elle se prépara un Manhattan.

– Quoi de neuf depuis la dernière fois, Kay ? (Nous rapportâmes nos verres à la cuisine.) C'était avant Thanksgiving, n'est-ce pas ? Ah mais j'oubliais, nous en avons parlé au téléphone. Toujours inquiète à propos de ce livre ?

– Vous savez ce qu'il en est. Vous êtes aussi au courant de ces meurtres. Et de Pat Harvey. Vous savez tout.

Je sortis mes cigarettes.

– Je suis l'affaire dans la presse et à la télé. Mais vous avez l'air en forme. Un petit peu fatiguée, peut-être. Et amaigrie, non ?

– On n'est jamais trop maigre, répliquai-je.

– Je vous ai déjà vue en moins bonne forme, c'est ce que je veux dire. Vous avez l'air de supporter la tension de votre travail.

– Certains jours mieux que d'autres.

Anna but une gorgée de son Manhattan et fixa la cuisinière d'un air songeur.

– Et Mark ? s'enquit-elle.

– Je l'ai revu, dis-je. Et nous nous sommes téléphoné. Il est encore un peu perdu, indécis. Moi aussi, sans doute. Alors en fin de compte, il n'y a peut-être rien de nouveau.

– Vous l'avez revu. Ça, c'est nouveau.

– Je l'aime toujours.

– Ce n'est pas nouveau.

– C'est si difficile, Anna. Et ça l'est depuis le début. Je ne sais pas pourquoi je ne peux pas mettre un terme à cette histoire.

– Parce que vos sentiments sont très forts, mais que vous avez aussi peur l'un que l'autre de vous engager. Chacun de vous veut l'excitation d'une relation, et en même temps l'indépendance. J'ai vu qu'on faisait allusion à lui dans le journal.

– C'est vrai.

– Alors ?

– Je ne le lui ai pas dit.

– À mon avis, c'est inutile. S'il n'a pas vu le journal lui-même, il est à peu près certain que quelqu'un du FBI l'aura averti. S'il était si inquiet que ça, il vous appellerait, non ?

– Vous avez raison, dis-je avec soulagement. Il m'appellerait.

– À présent, au moins, vous avez rétabli le contact. Cela vous rend-il plus heureuse ?

Bien sûr que cela me rendait heureuse.

– Cela vous a-t-il rendu espoir ?

– Je suis curieuse de savoir ce qui va se passer, dis-je. Mais je ne suis pas sûre que ça marchera.

– Personne ne peut jamais être sûr de rien.

– C'est une très triste vérité, fis-je. Je ne suis sûre de rien. Je ne crois qu'en ce que je ressens.

– Alors vous êtes en avant du peloton.

– Je ne sais pas qui est dans ce peloton, mais si je suis dans les premiers, alors cela aussi constitue une bien triste vérité, admis-je.

Elle se leva, versa le chili dans des bols en terre, nous servit une part de chou haché et emplit nos verres de vin. Me souvenant alors du formulaire que j'avais apporté, je le sortis de mon sac et le posai sur la table.

Sans le regarder, Anna finit de nous servir, puis s'assit.

– Voudriez-vous lire son dossier ? demanda-t-elle.

Je connaissais suffisamment bien Anna pour savoir qu'elle n'y avait mentionné aucun détail important. Beaucoup de gens ont un droit d'accès statutaire aux dossiers médicaux, qui peuvent également être présentés devant un tribunal. C'est pourquoi les praticiens comme Anna sont trop avisés pour y faire figurer des renseignements confidentiels.

– Pourquoi ne pas me le résumer ? suggérai-je.

– J'ai diagnostiqué chez elle un problème d'adaptation, dit-elle.

C'est comme si j'avais déclaré que la mort de Jill était due à un arrêt cardiaque ou respiratoire. Que vous soyez tué par balle ou écrasé par un train, vous mourez parce que votre cœur s'arrête et que vous cessez de respirer. Diagnostiquer un problème d'adaptation était une formule passe-partout tout droit sortie d'un manuel de psychiatrie pratique. Il permettait au patient d'être couvert par son assurance sans dévoiler la moindre miette d'information relative à son problème.

– La race humaine tout entière souffre d'un problème d'adaptation, dis-je à Anna.

Elle sourit.

– Je respecte votre éthique professionnelle, poursuivis-je, et je n'ai aucune intention d'étoffer mes propres rapports en y incluant des informations que vous jugez confidentielles. Mais il est important que j'apprenne le plus de choses possible sur Jill afin de comprendre comment et pourquoi elle a été assassinée. Savoir si certains aspects de son mode de vie, par exemple, ont pu la mettre en danger.

– Je respecte moi aussi votre éthique professionnelle.

– Merci. Et maintenant que nous nous sommes déclaré notre admiration mutuelle pour notre intégrité et notre impartialité, peut-être que nous pourrions oublier les formalités et avoir une vraie conversation ?

– Bien sûr, Kay, fit-elle d'une voix douce. Je me souviens très bien de Jill. Il est difficile de ne pas se souvenir d'une patiente sortant de l'ordinaire, surtout si elle meurt assassinée.

– En quoi était-elle spéciale ?

– Spéciale ? répéta-t-elle avec un sourire triste. C'était une jeune femme très brillante, qui attirait tout de suite la sympathie. Elle avait tant de choses pour elle... J'attendais avec joie ses jours de consultation. Si elle n'avait pas été ma patiente, j'aurais aimé l'avoir pour amie.

– Combien de temps l'avez-vous suivie ?

– Pendant plus d'un an. Elle venait trois ou quatre fois par mois.

– Pourquoi venait-elle chez vous, Anna ? demandai-je. Pourquoi n'avait-elle pas choisi quelqu'un à Williamsburg, plus près de l'endroit où elle vivait ?

– Beaucoup de mes patients ne sont pas d'ici. Certains viennent même de Philadelphie.

– Parce qu'ils ne veulent pas qu'on sache qu'ils voient un psychiatre.

Elle acquiesça.

– C'est malheureux, commenta-t-elle, mais de nombreuses personnes sont terrifiées à l'idée que les autres puissent l'apprendre. Vous seriez étonnée du nombre de gens qui viennent me voir et qui repartent par la porte de derrière.

Je n'avais jamais dit à quiconque que je voyais un psychiatre, et si Anna n'avait pas refusé de me faire payer, j'aurais insisté pour régler mes consultations en liquide. Je ne tenais pas du tout à ce qu'un employé du service du Personnel, tombant sur mes demandes de remboursement, propage la nouvelle dans tous les départements du Service de Santé.

– Il est donc évident que Jill ne voulait pas qu'on sache qu'elle voyait un psychiatre, dis-je. Et c'est sans doute la raison pour laquelle elle achetait son Librax à Richmond.

– Je ne savais pas qu'elle l'achetait à Richmond, dit-elle en prenant son verre de vin. Mais cela ne me surprend pas.

Le chili était si épicé que j'en avais les larmes aux yeux. Mais il était succulent, et je félicitai Anna. Ensuite, je lui expliquai ce qu'elle soupçonnait sans doute déjà.

– Il est possible que Jill et son amie Elizabeth Mott aient été assassinées par le même individu qui a tué les cinq couples, dis-je. En tout cas nous avons relevé des similitudes troublantes entre ce meurtre et les autres.

– Inutile de me raconter l'enquête, Kay. Je préfère que vous me posiez des questions. Je ferai de mon mieux pour vous dire ce que je sais de la vie de Jill.

– Pourquoi tenait-elle tant à ce que personne ne sache qu'elle voyait un psychiatre ? Que voulait-elle cacher ?

– Jill venait d'une grande famille du Kentucky, et elle attachait beaucoup d'importance à l'opinion de ses parents. Elle était allée dans de grandes écoles, elle réussissait bien et allait devenir une avocate réputée. Sa famille était très fière d'elle. Ils ne savaient pas.

– Quoi ? Qu'elle voyait un psychiatre ?

– Entre autres, mais aussi et surtout qu'elle avait des relations homosexuelles.

– Avec Elizabeth ?

À vrai dire, je connaissais la réponse. Cette éventualité m'avait traversé l'esprit.

– Oui. Elizabeth et Jill se sont connues pendant la première année de Jill en faculté de droit. Plus tard elles sont devenues amantes. Leur relation était très intense, très difficile, pleine de conflits. C'était une première pour l'une et l'autre, en tout cas c'est comme ça que Jill m'a présenté les choses. Je n'ai jamais rencontré Elizabeth et je ne connais pas sa version. Jill est d'abord venue me voir parce qu'elle voulait changer. Elle refusait d'être homosexuelle et espérait que la thérapie la ramènerait à l'hétérosexualité.

– Y serait-elle parvenue ? demandai-je.

– Je ne sais pas ce qui se serait passé avec le temps, dit Anna. Tout ce que je peux dire c'est que Jill était très attachée à Elizabeth. J'ai eu assez vite l'impression qu'Elizabeth était plus à l'aise dans sa relation que Jill, qui n'arrivait pas à l'accepter intellectuellement tout en étant incapable d'y mettre un terme sur le plan affectif.

– Ce devait être très pénible à vivre.

– Les dernières fois que j'ai vu Jill, son mal-être s'était aggravé. Elle venait de terminer ses études de droit, son avenir était devant elle. Il était temps pour elle de prendre des décisions. C'est alors qu'elle a commencé à souffrir de problèmes psychosomatiques. Elle avait des colites spasmodiques. Je lui ai prescrit du Librax.

– Jill vous a-t-elle raconté une anecdote, un incident susceptible de nous mettre sur la piste de leur meurtrier ?

– J'y ai souvent pensé depuis le meurtre. Quand j'ai lu ça dans les journaux, je n'arrivais pas à le croire. J'avais vu Jill trois jours avant. Je ne peux pas vous dire à quel point j'ai essayé de me souvenir de la moindre chose qu'elle m'avait dite.

J'espérais me souvenir d'un mot, d'un détail révélateur. Je n'y suis jamais arrivée.

– Est-ce que toutes les deux dissimulaient leur relation ?

– Oui.

– Pas d'ami avec qui elles sortaient de temps en temps, pour donner le change ?

– Jill m'a dit que ni l'une ni l'autre ne sortait avec un garçon. Ce n'est donc pas une histoire de jalousie, à moins qu'elle ne m'ait pas tout dit. (Elle remarqua mon bol vide.) Encore un peu de chili ?

– Non, je n'en peux plus.

Elle se leva pour charger la machine à laver la vaisselle. Nous restâmes silencieuses pendant un moment. Anna défit son tablier et le suspendit à un crochet dans le placard à balais. Puis nous emportâmes nos verres et le reste de la bouteille de vin dans son bureau.

C'était ma pièce préférée. Des étagères de livres couvraient deux des murs et, par la fenêtre qui s'ouvrait au centre du troisième, elle pouvait, assise à son bureau encombré, regarder tomber la neige ou voir percer les premiers bourgeons dans son petit jardin. De cette fenêtre, j'avais vu les magnolias fleurir dans une symphonie de blanc citronné, mourir les dernières étincelles de l'automne. Nous avions parlé de ma famille, de mon divorce, de Mark. Nous avions parlé de la souffrance et de la mort. Du divan de cuir râpé sur lequel j'étais assise, j'avais, tel un guide maladroit, emmené Anna à travers ma vie, comme Jill l'avait fait pour la sienne.

Elles étaient donc amantes. Ce qui non seulement établissait un lien entre leur meurtre et les suivants, mais rendait, et je le fis remarquer à Anna, plus improbable encore la théorie « Mr Goodbar ».

– Ça ne paraîtrait pas très logique, en effet, dit-elle.

– On les a vues pour la dernière fois à l'*Anchor Bar and Grill*. Jill vous a-t-elle parlé de cet endroit ?

– Elle n'a pas dit le nom, mais elle m'a parlé plusieurs fois d'un bar où elles se rendaient de temps en temps pour discuter. Elles allaient parfois dans des restaurants éloignés où on ne les connaissait pas. Il leur arrivait aussi de faire de petites virées en voiture, en général à des moments émotionnellement chargés, à l'occasion de discussions sur leur relation.

– Si c'est une discussion de ce genre qu'elles avaient ce vendredi-là à l'*Anchor*, dis-je, il est probable qu'elles étaient tendues, que l'une d'elles devait se sentir rejetée. Est-il possible que Jill ou Elizabeth ait décidé de draguer un homme pour faire enrager l'autre ?

– Ce n'est pas impossible, bien sûr, répondit Anna, mais ça m'étonnerait beaucoup. Je n'ai jamais eu l'impression qu'elles jouaient à ce genre de choses. Je pense plutôt que si elles étaient dans une de leurs discussions ce soir-là, elles étaient très concentrées, très préoccupées l'une de l'autre et se rendaient à peine compte de ce qui se passait autour d'elles.

– Ce qui veut dire que quelqu'un assis près d'elles pouvait entendre leur conversation.

– C'est le risque quand on tient des discussions personnelles dans un endroit public. Je l'avais fait remarquer plusieurs fois à Jill.

– Si elle avait si peur qu'on découvre leur relation, pourquoi prenait-elle ce risque ?

– Elle manquait de détermination, Kay, répondit Anna en prenant son verre. Quand Elizabeth et elle se retrouvaient seules, il leur était trop facile de se replonger dans l'intimité. De s'étreindre, de se consoler, de pleurer ensemble, sans prendre aucune décision.

Cela me rappela quelque chose. Dès que Mark et moi avions, chez lui ou chez moi, une discussion plus vive que d'habitude, elle se terminait inévitablement au lit. Ensuite l'un de nous s'en allait, et les problèmes demeuraient.

– Anna, pensez-vous que la nature de leur relation peut expliquer ce qui leur est arrivé ? demandai-je.

– Au contraire, ça aurait dû rendre la chose encore plus improbable. Il me semble qu'une femme seule dans un bar qui attend de se faire aborder est en bien plus grand danger que deux femmes ensemble qui ne cherchent pas à attirer l'attention.

– Revenons-en à leurs habitudes, dis-je.

– Elles habitaient dans le même immeuble mais pas dans le même appartement, encore une fois pour respecter les apparences. Mais c'était pratique. Chacune pouvait mener sa vie et se retrouver le soir à l'appartement de Jill. Jill préférait que ce soit chez elle. Elle m'avait dit que si sa famille ou d'autres personnes essayaient de l'appeler le soir et qu'elle n'était jamais là, on finirait par se poser des questions. (Elle se tut quelques instants pour réfléchir.) Jill et Elizabeth faisaient de la gymnastique, elles étaient en excellente forme physique. Je crois qu'elles faisaient de la course à pied.

– Où couraient-elles ?

– Il y a un parc près de l'endroit où elles habitaient.

– Quoi d'autre ? Vous souvenez-vous de cinémas, de boutiques, de centres commerciaux qu'elles avaient l'habitude de fréquenter ?

– Je ne vois rien.

– Que vous souffle votre intuition ? Que vous a-t-elle suggéré quand vous avez appris le meurtre ?

– Je pense que Jill et Elizabeth avaient une discussion tendue dans ce bar. Elles voulaient sans doute rester entre elles et auraient mal accueilli une quelconque intrusion.

– Ensuite ?

– Il est clair qu'elles ont rencontré leur assassin pendant cette soirée.

– Avez-vous une idée de la façon dont cela a pu se produire ?

– J'ai toujours pensé que c'était quelqu'un qu'elles connaissaient, suffisamment bien en tout cas pour n'avoir aucune raison de se méfier. À moins qu'elles n'aient été obligées par une ou plusieurs personnes de monter dans une voiture sous la menace d'une arme, soit sur le parking du bar, soit dans un endroit où elles sont allées ensuite.

– Et si un inconnu les avait abordées sur le parking du bar en leur demandant de l'emmener sous prétexte qu'il était en panne...

Elle secouait déjà la tête.

– Ça ne colle pas avec ce que je sais d'elles. À moins, encore une fois, que ce soit quelqu'un qu'elles connais saient bien.

– Et si le tueur, déguisé en policier, leur avait fait signe de s'arrêter pour un contrôle ?

– Là, je ne sais pas. Je suppose que même vous et moi tomberions dans le piège.

Anna avait l'air fatiguée. Je la remerciai pour son dîner et pour le temps qu'elle m'avait accordé. Je savais que cette conversation lui était pénible. Je me demandai ce que j'aurais ressenti si j'avais été à sa place.

Quelques minutes après être rentrée chez moi, le téléphone sonna.

– Je me suis souvenue d'une petite chose qui n'a sans doute guère d'importance, me dit Anna. Jill m'avait confié que quand elles se trouvaient seules à la maison, le dimanche matin, par exemple, elles aimaient faire des mots croisés. C'est peut-être insignifiant, mais c'était une de leurs habitudes, quelque chose qu'elles aimaient faire quand elles étaient ensemble.

– Elles les faisaient dans une revue de mots croisés ? Ou dans le journal ?

– Je ne sais pas, mais Jill lisait beaucoup de journaux, Kay. Elle en apportait presque toujours un en attendant sa séance. Le *Wall Street Journal*, le *Washington Post*.

Je la remerciai à nouveau et promis de lui faire bientôt goûter ma cuisine. Puis j'appelai Marino.

– Deux jeunes femmes ont été assassinées dans la James City County il y a huit ans, lui dis-je sans préambule. Il est possible qu'il y ait un rapport avec les autres meurtres. Est-ce que vous connaissez le capitaine Montana ?

– Ouais, un peu.

– Il faudrait que nous le rencontrions, pour passer le dossier au peigne fin. Saura-t-il garder le silence ?

– Comment vous voulez que je le sache ? fit Marino.

L'aspect physique de Montana correspondait bien à l'État qu'évoquait son nom. C'était un homme de haute taille, à la carrure massive, avec des yeux bleus plantés dans un visage rude et franc que couronnait une épaisse chevelure grise. Lui, Marino et moi nous retrouvâmes le lendemain après-midi chez moi, où nous étions assurés de la discrétion et de la tranquillité nécessaires.

Montana devait avoir dépensé son budget pellicule d'une année entière lors du meurtre de Jill et Elizabeth, car la table de ma cuisine disparaissait sous les clichés des deux cadavres, de la Volkswagen abandonnée au *Palm Leaf Motel*, de l'*Anchor Bar and Grill* et, curieusement, de toutes les pièces des appartements des deux femmes, y compris les placards et penderies. Le capitaine avait également apporté une serviette qui débordait de notes, de plans, de transcriptions d'interrogatoires, de diagrammes, de listes de pièces à conviction, de cahiers contenant les renseignements téléphonés par des correspondants anonymes. Une telle profusion se comprend chez des policiers qui, sachant qu'ils n'enquêteront qu'une ou deux fois dans leur carrière sur de tels meurtres, font preuve d'une extrême méticulosité à cette occasion.

– Le cimetière se trouve juste à côté de l'église, fit Montana en poussant une photo vers moi.

– Elle a l'air très ancienne, remarquai-je en voyant les vieilles briques et les ardoises mangées de mousse.

– Oui et non. Elle date du XVIIIe siècle mais elle a brûlé à cause d'un court-jus il y a une vingtaine d'années. Je me souviens que j'étais en patrouille et que quand j'ai vu la fumée, j'ai cru que c'était une ferme. Après, une association historique s'est intéressée à l'église et ils l'ont retapée exactement comme elle était, intérieur et extérieur. On y arrive par cette petite route secondaire, ajouta Montana en tapotant une autre photo du bout de l'index. Elle passe à moins de 3 kilomètres à l'ouest de la Route 60, et à environ 6 kilomètres à l'ouest de l'*Anchor Bar*, où on a vu les filles pour la dernière fois.

– Qui a découvert les corps ? demanda Marino en scrutant les photos.

– Un homme qui travaille à l'entretien de l'église. Il est passé le samedi matin pour faire le ménage et tout préparer pour le dimanche. Il a dit qu'il venait à peine de se garer quand il a cru voir deux personnes qui dormaient dans l'herbe du cimetière, à quelques mètres de la grille. Les cadavres étaient visibles depuis le parking de l'église. Comme si celui qui avait fait ça se fichait pas mal qu'on les trouve.

– Vous voulez dire qu'il n'y avait personne dans ou autour de l'église le vendredi soir ? demandai-je.

– Non, m'dame. L'église était fermée, il n'y avait personne.

– L'église organise-t-elle des activités le vendredi soir ?

– Ça arrive. Quelquefois le groupe des jeunes se réunit le vendredi. Ou alors il y a répétition de chorale, des choses comme ça. Ça serait absurde de choisir à l'avance ce cimetière pour tuer quelqu'un, parce que vous ne pouvez jamais prévoir s'il y aura du monde ou pas. C'est une des raisons pour lesquelles je pense depuis le début que les meurtres ont été improvisés, et que les filles ont rencontré quelqu'un par hasard ce soir-là, peut-être au bar. Rien n'indique que les meurtres ont été planifiés.

– Le tueur était armé, rappelai-je à Montana. Il avait un couteau et une arme de poing.

– Le monde est rempli de types qui se baladent avec des couteaux et des pistolets dans leur voiture ou sur eux, rétorqua-t-il.

Je rassemblai les photos des corps *in situ* et entrepris de les examiner.

Les femmes gisaient à moins d'un mètre l'une de l'autre, allongées dans l'herbe entre deux pierres tombales en granit. Elizabeth était face contre terre, les jambes légèrement écartées, le bras gauche sous l'estomac, le droit parallèle au corps. Mince, les cheveux bruns coupés court, elle était vêtue d'un jean et d'un pull-over blanc que le sang avait rougi à hauteur du cou. Sur un autre cliché, son corps avait été retourné. Tout le devant du pull-over était maculé de sang et ses yeux avaient le regard fixe et vitreux des morts. Le rapport d'autopsie indiquait que la coupure lui entaillant la gorge était superficielle, que la blessure par balle qu'elle avait reçue au cou n'était pas mortelle, et que c'est le coup de couteau porté à la poitrine qui l'avait tuée.

Les blessures infligées à Jill étaient encore plus effrayantes. Elle gisait sur le dos, le visage tellement couvert de sang séché que je fus incapable d'imaginer à quoi elle ressemblait vivante, à part qu'elle avait des cheveux noirs coupés court et un joli nez droit. Comme son amie, elle était mince. Elle portait un jean et une chemise de coton jaune pâle pleine de sang qui, sortie du pantalon et déchirée jusqu'à la ceinture, laissait voir la trace de multiples coups de couteau, dont plusieurs avaient troué le soutien-gorge. Elle portait de profondes coupures aux mains et aux avant-bras. L'entaille à son cou, superficielle, lui avait été infligée alors qu'elle était déjà morte, ou presque morte.

Pour nous, ces photos avaient une valeur inestimable car elles révélaient un détail qu'aucune coupure de presse ni aucun des rapports que j'avais étudiés ne mentionnait.

Je levai la tête vers Marino et nos regards se croisèrent. Je me tournai alors vers Montana.

– Où sont passées leurs chaussures ? lui demandai-je.

14

– C'est intéressant que vous parliez de ça, remarqua Montana, parce que j'ai jamais compris pourquoi les filles avaient ôté leurs chaussures, sauf si on admet qu'elles ont été dans une chambre du motel et qu'au moment de se rhabiller pour partir, elles ont décidé de rester pieds nus. On a retrouvé leurs chaussures et chaussettes dans la Volkswagen.

– Il faisait chaud ce soir-là ? demanda Marino.

– Oui. Mais tout de même, il me semble qu'elles auraient remis leurs chaussures en se rhabillant, non ?

– Il n'est pas établi qu'elles soient entrées au motel, rappelai-je à Montana.

– C'est vrai, admit-il.

Je me demandai si Montana avait lu la série d'articles dans le *Post*, où il était spécifié que les chaussures et chaussettes des victimes des autres meurtres n'avaient jamais été retrouvées. S'il les avait lus, il ne semblait pas encore avoir fait le rapprochement.

– Avez-vous eu des contacts avec la journaliste Abby Turnbull à l'époque où elle a couvert le meurtre de Jill et Elizabeth ? lui demandai-je.

– Elle me collait aux fesses comme une casserole à la queue d'un chien. Partout où j'allais, elle était là.

– Vous souvenez-vous lui avoir dit que Jill et Elizabeth avaient été retrouvées pieds nus ? lui demandai-je. Lui avez-vous montré les photos des corps ?

Abby était trop avisée pour avoir oublié ce détail, surtout depuis qu'il avait acquis une telle importance.

– Je lui ai souvent parlé, mais jamais de ça, répondit Montana sans hésitation. Je ne lui ai jamais montré ces photos. Et puis je faisais attention à ce que je lui racontais, vous savez. Vous avez lu les journaux, n'est-ce pas ?

– Certains articles, oui.

– Ils ne disaient rien sur la façon dont les filles étaient habillées, ni sur le fait que la chemise de Jill était déchirée, ni que leurs chaussures et chaussettes avaient disparu.

Ainsi, me dis-je avec soulagement, Abby n'était pas au courant.

– Elles portent toutes les deux des marques de ligature aux poignets, dis-je. Avez-vous retrouvé le lien qui a été utilisé pour les ligoter ?

– Non, doc.

– C'est sans doute qu'il a retiré le lien après les avoir tuées, dis-je.

– C'était un type prudent. On n'a pas retrouvé de douille, ni d'arme, ni les liens qu'il a utilisés pour les attacher. Pas de sperme non plus. Donc il ne les a pas violées, ou s'il l'a fait, rien ne le prouve. Et elles étaient habillées toutes les deux. Sauf le chemisier de celle-ci, qui est déchiré, dit-il en désignant une photo de Jill, mais ça a dû se passer pendant qu'il tentait de l'immobiliser.

– Avez-vous retrouvé des boutons sur les lieux ?

– Plusieurs. Dans l'herbe, à côté du corps.

– Et des mégots ?

Montana parcourut ses fiches.

– Non, pas de mégots. (Il chercha un instant parmi ses dossiers et en sortit un.) Mais vous savez ce qu'on a retrouvé ? Un briquet, un beau briquet en argent.

– Où ça ? fit Marino.

– À environ cinq mètres des corps. Comme vous voyez, une grille en fer entoure le cimetière. (Il nous montrait une des photos.) Le briquet était dans l'herbe, à deux mètres à l'intérieur de la grille. Un briquet qui doit valoir cher, allongé, en forme de stylo à encre, le genre qu'on utilise pour la pipe.

– Est-ce qu'il marchait ? demanda Marino.

– Très bien, et il brillait comme un sou neuf, se souvint Montana. Je suis à peu près sûr qu'il n'appartenait pas à une des filles. Elles ne fumaient pas, et personne ne les a jamais vues avec un briquet comme ça. Peut-être qu'il est tombé de la poche du tueur, allez savoir. Il peut appartenir à n'importe qui, peut-être à un touriste. Les gens aiment bien aller regarder les tombes dans les cimetières.

– Est-ce qu'on a relevé des empreintes dessus ? fit Marino.

– La surface ne s'y prêtait pas, répliqua Montana. Elle est gravée en treillis, comme certains stylos. (Il prit un air songeur.) Ce truc doit coûter au moins cent dollars.

– Avez-vous gardé le briquet et les boutons ? demandai-je.

– J'ai gardé toutes les pièces à conviction, dit Montana. J'ai toujours espéré qu'on résoudrait l'affaire.

Il était pourtant loin de l'espérer autant que moi, et ce n'est que plus tard, lorsque Montana nous eût laissés seuls, que Marino et moi échangeâmes nos réflexions.

– C'est le même foutu salopard, fit le lieutenant d'un ton presque incrédule. Cette ordure leur a fait enlever leurs godasses, comme il a fait avec les autres. Pour les empêcher de s'enfuir pendant qu'il les emmenait à l'endroit qu'il avait choisi.

– Qui n'était pas le cimetière, dis-je. Je ne pense pas que c'était son idée au départ.

– Moi non plus. J'ai l'impression qu'il a été dépassé avec ces deux filles. Elles étaient pas assez dociles, ou il s'est passé quelque chose qui lui a fait perdre les pédales. Peut-être que ça a un rapport avec le sang à l'arrière de la Volkswagen. Il a fait arrêter la voiture au premier endroit possible, qui se trouvait être une église déserte avec un cimetière à côté. Vous avez une carte de la Virginie ?

J'allai en chercher une dans mon bureau. Marino l'étala sur la table de la cuisine et l'étudia un moment.

– Regardez ça, me dit-il enfin. Sur la Route 60. Le carrefour qui mène à l'église est à 3 kilomètres à peine avant celui qui mène à la forêt où Jim Freeman et Bonnie Smyth ont été tués cinq ou six ans plus tard. En fait, en allant voir Mr Joyce l'autre jour, on a croisé la route qui mène à l'église.

– Seigneur, marmonnai-je. Je me demande si...

– Ouais, moi aussi, je me demande, me coupa Marino. Peut-être qu'en fin de compte ce salopard était bien dans les bois en train de chercher un coin quand Dammit l'a surpris. C'est pour ça qu'il a descendu le clébard. Un mois après, il enlève ses premières victimes, Jill et Elizabeth. Il a l'intention de les emmener dans les bois qu'il a repérés, mais pour une raison ou une autre, les choses tournent mal. Il écourte le voyage. Ou alors il est trop nerveux, il se trompe en indiquant le chemin à Jill ou Elizabeth et il panique en voyant l'église parce qu'il comprend qu'ils sont pas sur la bonne route. Peut-être même qu'il ne savait pas où ils étaient.

J'essayai d'imaginer la scène. L'une des jeunes femmes conduit, l'autre est assise à côté d'elle, le tueur derrière, les tenant en respect avec son arme. Que s'est-il passé pour qu'il perde tant de sang ? S'est-il tiré dessus par inadvertance ? Peu probable. S'est-il coupé avec son couteau ? Possible, mais j'avais du mal à le croire. D'après ce que j'avais pu constater sur les photos de Montana, les traces de sang paraissaient commencer par des gouttes tombées sur l'appuie-tête du siège conducteur. D'autres gouttes étaient tombées sur le dossier du siège, et une grande quantité s'était répandue sur le tapis de sol au pied de la banquette arrière. Tout ceci semblait indiquer que le tueur se tenait derrière la conductrice, penché en avant. Était-il blessé au visage ou au crâne ?

Aurait-il *saigné du nez* ?

Je soumis l'idée à Marino.

– Si c'est ça, il devait saigner comme un bœuf. Vous avez vu ce qui a coulé. (Il réfléchit un moment.) Peut-être qu'une des filles s'est retournée en lui balançant son coude dans le nez.

– Si vous étiez l'assassin, comment auriez-vous réagi si l'une d'elles vous avait fait ça ? demandai-je.

– Elle l'aurait certainement pas fait deux fois. Je l'aurais peut-être pas descendue dans la voiture, mais je lui aurais balancé mon poing dans la figure, ou je l'aurais frappée avec mon flingue.

– Il n'y avait pas de sang sur les sièges avant, lui rappelai-je. Rien n'indique que l'une ou l'autre ait été blessée dans la voiture.

– Hmmmm.

– Très déroutant, n'est-ce pas ?

– Ouais, fit-il en fronçant les sourcils. Il est assis derrière, penché en avant, et tout d'un coup il se met à saigner. Merde, qu'est-ce qui s'est passé ?

Je préparai une autre cafetière tandis que nous étudiions tous les aspects du problème. Et pour commencer, l'énigme que constituait la capacité d'un homme seul à maîtriser deux personnes.

– La voiture appartenait à Elizabeth, dis-je. Admettons que ce soit elle qui conduise. Ses mains n'étaient donc pas ligotées.

– Mais celles de Jill l'étaient peut-être. Et s'il l'a ligotée pendant le trajet, comme il était derrière, il lui a peut-être demandé de les lever au-dessus de sa tête pour pouvoir les attacher.

– Ou alors il lui a dit de se retourner et de les passer par-dessus le dossier, suggérai-je. C'est peut-être à ce moment-là qu'elle l'a frappé au visage, si c'est ce qui s'est passé.

– Possible.

– En tout cas, repris-je, il est presque certain que quand la voiture s'est arrêtée, Jill était déjà pieds nus et ligotée. Il ordonne alors à Elizabeth de se déchausser et lui lie les mains, puis fait entrer ses deux victimes dans le cimetière sous la menace de son arme.

– Jill a de nombreuses coupures sur les avant-bras et les mains, intervint Marino. Est-ce que c'est possible qu'elle ait été blessée en voulant se protéger des coups de couteau, avec les mains attachées ?

– Oui, si ses mains étaient liées devant elle, et non derrière.

– Ça aurait été plus malin de les attacher derrière.

– C'est peut-être parce qu'il a eu des problèmes cette fois-ci qu'il a ensuite amélioré sa technique, dis-je.

– Elizabeth n'avait pas de blessures de défense ?

– Non.

– Ce salopard aura tué Elizabeth en premier, conclut Marino.

– Comment vous y seriez-vous pris ? demandai-je. Souvenez-vous que vous avez deux otages à surveiller.

– Je les aurais fait s'allonger à plat ventre dans l'herbe. J'aurais collé le canon de mon arme sur la nuque d'Elizabeth pour la faire tenir tranquille pendant que je sortais mon couteau pour la tuer. Si elle s'était mise à résister, j'aurais peut-être appuyé sans le vouloir sur la détente.

– Ce qui pourrait expliquer pourquoi elle a reçu une balle dans le cou, dis-je. Si l'arme était appuyée sur la nuque, le canon a peut-être glissé. Ce scénario ressemblerait à ce qui s'est passé avec Deborah Harvey, encore que je ne pense pas qu'elle ait été allongée quand il a tiré.

– Ce type aime les lames, dit Marino. Il n'utilise son flingue que quand les choses ne se déroulent pas comme il veut. Et jusqu'ici, d'après ce qu'on sait, ça s'est passé seulement deux fois. Avec Elizabeth et avec Deborah.

– Donc il tire sur Elizabeth. Que se passe-t-il ensuite, Marino ?

– Il l'achève avant de s'occuper de Jill.

– Il se bat avec Jill, lui rappelai-je.

– Vous pensez bien qu'elle se laisse pas faire, dit-il. Sa copine vient de se faire tuer devant elle. Jill sait qu'elle a aucune chance, alors elle tente le coup.

– Sauf s'ils étaient déjà en train de se battre, dis-je.

Marino étrécit les yeux, comme il faisait quand il était sceptique.

Jill était avocate. Elle savait fort bien de qu'elles cruautés est capable un individu comme celui qu'elle avait en face d'elle. Quand elle a vu qu'il les faisait entrer dans ce cimetière, en pleine nuit, elle a sans aucun doute compris qu'elles allaient mourir. L'une ou l'autre des jeunes femmes avait peut-être voulu réagir pendant qu'il ouvrait la grille. Si le briquet en argent appartenait bien au tueur, il avait pu tomber de sa poche à ce moment. Ensuite, et peut-être que Marino avait vu juste, le tueur force les deux femmes à s'allonger face contre terre. Voyant qu'il s'apprête à tuer Elizabeth, Jill panique et tente de protéger son amie. Dans la confusion l'arme part, atteignant Elizabeth au cou.

– La nature des blessures de Jill indique l'affolement, dis-je. Elles ont été infligées par un agresseur anxieux et en colère parce qu'il a perdu le contrôle de la situation. Il l'a peut-être frappée à la tête, l'a immobilisée en s'asseyant à califourchon sur elle, puis lui a déchiré son chemisier avant de la frapper à coups de couteau. Il leur tranche la gorge en signe d'adieu, puis remonte dans la Volkswagen et la ramène au motel, d'où il repart à pied, peut-être pour aller récupérer sa voiture, où qu'elle soit.

– Il devait être plein de sang, fit remarquer Marino. Et pourtant, il n'y avait du sang qu'à l'arrière. Rien sur le siège conducteur.

– On n'a retrouvé de sang sur aucun des sièges conducteur des voitures des couples assassinés, observai-je. C'est un type très prudent. Peut-être qu'avant chaque meurtre il prévoit des vêtements de rechange, des chiffons ou je ne sais quoi.

Marino plongea la main dans sa poche, en sortit son couteau suisse et entreprit de se curer les ongles au-dessus d'une serviette. Dieu sait ce que Doris avait enduré auprès d'un tel personnage, songeai-je. Marino ne se donnait sans doute jamais la peine de vider un cendrier, de remporter une assiette sale à la cuisine ou de ramasser son linge à laver. Je préférais ne pas penser à l'état d'une salle de bainss après son passage.

– Abby, *Tourneboule* a essayé de vous recontacter ? demanda-t-il sans lever les yeux.

– Pas depuis plusieurs jours, dis-je. En tout cas, pas que je sache.

– Ça vous intéressera sans doute de savoir qu'elle et Clifford Ring ont une relation qui se limite pas au plan professionnel, doc, dit-il.

– Que voulez-vous dire ? demandai-je avec un certain malaise.

– Je veux dire que l'article que voulait écrire Abby sur les couples a rien à voir avec sa mise à l'écart de la rubrique criminelle, répondit-il. (Il venait de s'attaquer au pouce gauche. Les rognures d'ongle pleuvaient sur la serviette.) Apparemment, elle était devenue si méfiante que plus personne arrivait à lui parler. Elle a touché le fond du tonneau l'automne dernier, juste avant qu'elle vienne vous voir à Richmond.

– Que s'est-il passé ? demandai-je.

– D'après ce qu'on m'a dit, elle a fait une scène en pleine salle de rédaction. Elle aurait balancé un gobelet de café sur Ring avant de claquer la porte, sans dire où elle allait ni quand elle reviendrait. C'est à son retour qu'on lui a annoncé qu'elle était transférée à la rubrique mondanités.

– Qui vous a raconté ça ?

– Benton.

– Comment Benton sait-il ce qui se passe dans la salle de rédaction du *Post* ?

– Je ne lui ai pas demandé, fit Marino en repliant son couteau avant de le remettre dans sa poche.

Il se leva, fit une boule de la serviette et la jeta dans la poubelle.

– Dernière chose, fit-il, planté au milieu de ma cuisine. Cette Lincoln qui vous intéressait.

– Oui ?

– C'est une Mark Seven de 1990. Enregistrée au nom de Barry Aranoff, un Blanc de .38 ans vivant à Roanoke. Il est représentant pour un fabricant de médicaments. Il voyage beaucoup.

– Vous lui avez parlé ?

– J'ai parlé à sa femme. Elle m'a dit qu'il était parti depuis deux semaines.

– Où aurait-il dû se trouver quand j'ai vu sa voiture à Williamsburg ? demandai-je.

– Sa femme ne connaît pas le détail de ses déplacements. D'après elle, il lui arrive de faire une ville par jour. Il se déplace même hors de Virginie, puisqu'il couvre un secteur qui va jusqu'à Boston. D'après elle, le jour dont vous parlez, il devait être à Tidewater, ensuite il devait prendre l'avion à Newport News pour le Massachusetts.

Je demeurai silencieuse, ce que Marino prit pour de la déception. En réalité, je réfléchissais.

– Vous avez eu raison de relever son numéro, mais vous devez vous sentir rassurée de pas avoir été suivie par un barjot.

Je ne dis rien.

– La seule chose où vous vous êtes trompée, c'est la couleur. Vous avez dit que la Lincoln était gris anthracite. La bagnole d'Aranoff est marron.

Plus tard ce soir-là, surgis des profondeurs du ciel, des éclairs illuminèrent les arbres fouettés par le vent tandis qu'un orage d'une violence estivale faisait donner toute la puissance de son arsenal. Assise dans mon lit, feuilletant des revues de médecine, j'attendais que se libère la ligne du capitaine Montana.

Soit son téléphone était en panne, soit quelqu'un le monopolisait depuis deux heures. Après notre séance de travail avec Marino et lui, je m'étais souvenue d'un détail figurant sur une des photos, qui m'avait rappelé quelque chose que m'avait dit Anna. Dans l'appartement de Jill, sur le tapis du salon, au pied d'un fauteuil, se trouvait une pile de dossiers juridiques, des journaux provenant d'autres villes que Richmond et un exemplaire du *New York Times Magazine*. Je ne m'étais jamais adonnée aux mots croisés. Dieu sait que j'ai bien d'autres énigmes à résoudre. Mais je savais que les mots croisés du *Times* étaient aussi populaires que les bons de réduction sur les paquets de biscuits.

Je composai une nouvelle fois le numéro de Montana. Ma patience fut récompensée.

– Vous n'avez jamais pensé à vous abonner au signal d'appel ? lui demandai-je avec bonne humeur.

– Non, mais je pense offrir un standard personnel à ma fille, rétorqua-t-il.

– Je voudrais vous poser une question.

– Allez-y.

– Quand vous avez fouillé les appartements de Jill et Elizabeth, je suppose que vous avez jeté un coup d'œil à leur correspondance.

– Oui. On a vérifié leur courrier sur une assez longue période, pour voir ce qu'elles recevaient, qui leur écrivait. On a aussi vérifié leurs décomptes de cartes de crédit, ce genre de choses.

– Jill était-elle abonnée à des journaux ?

Il y eut un silence au bout du fil.

– Ah, mais, excusez-moi, fis-je tout à coup, vous avez sans doute laissé vos dossiers à votre bureau...

– Non, justement, je suis rentré directement et je les ai ici avec moi. J'étais en train de réfléchir à tout ça. Ça a été une longue journée. Ne quittez pas, je vous prie.

J'entendis tourner des pages.

– Non, il y avait quelques factures, de la publicité. Mais pas de journaux.

Étonnée, je lui expliquai que Jill avait chez elle des journaux qui n'étaient pas vendus en ville.

– Elle a bien dû se les procurer d'une façon ou d'une autre, fis-je.

– Aux distributeurs, peut-être, suggéra-t-il. Il y en a plein autour du collège. À mon avis, c'est comme ça qu'elle les a eus.

Le *Washington Post* ou le *Wall Street Journal* peut-être, pensai-je. Mais pas le *New York Times* dominical. Celui-ci, Jill et Elizabeth devaient l'acheter tous les dimanches au même endroit, dans un drugstore ou un kiosque, en allant prendre leur petit déjeuner. Je remerciai Montana et raccrochai.

J'éteignis ma lampe et, tout en écoutant la pluie tambouriner sur le toit, me pelotonnai dans les couvertures. Des pensées et des images surgirent dans mon esprit. J'eus la vision du sac rouge de Deborah Harvey, souillé de terre humide.

Vander, du labo des empreintes, avait fini de l'examiner et j'avais lu son rapport l'autre jour.

– Qu'allez-vous en faire ? me demandait Rose en découvrant le petit sac sur son bureau, dans une corbeille en plastique. Vous ne pouvez pas le retourner à la famille comme ça.

– Bien sûr que non.

– Peut-être devrions-nous laver les cartes de crédit et les leur renvoyer ? fit Rose d'un ton caustique. (Son visage se tordit alors de colère, et elle repoussa violemment le plateau en hurlant :) Hors de ma vue ! Je ne veux pas de ça sur mon bureau !

Soudain je fus dans ma cuisine. Par la fenêtre, je vis arriver Mark. Je ne reconnus pas tout de suite la voiture, mais c'était bien lui. Je fouillai dans mon sac en quête d'une brosse et me recoiffai frénétiquement. Je voulus courir à la salle de bains pour me laver les dents, mais il était trop tard. La sonnette retentit, une seule fois.

Il me prit dans ses bras, murmura mon nom comme un petit cri de douleur. Je me demandai pourquoi il était ici et non à Denver.

Il m'embrassa tout en repoussant la porte du pied. Elle se referma en claquant avec une violence inouïe.

J'ouvris d'un coup les yeux. Le tonnerre roulait. Un éclair illumina ma chambre, puis ce fut à nouveau le noir, et aussitôt un autre éclair claqua, faisant bondir mon cœur dans ma poitrine.

Le lendemain matin je pratiquai deux autopsies puis montai voir Neils Vander, du laboratoire des empreintes digitales. Je le trouvai dans la salle informatique de l'Automated Fingerprint Identification System, plongé dans ses réflexions devant un moniteur. Je posai sur son clavier l'exemplaire du rapport d'examen du sac de Deborah Harvey qu'il m'avait fait parvenir.

– Je voudrais vous demander une précision, dis-je par-dessus le ronronnement de l'ordinateur.

Vander baissa les yeux sur le rapport, des mèches de cheveux gris pointant au-dessus de ses oreilles.

– Comment avez-vous fait pour trouver quelque chose alors que le sac est resté si longtemps dans les bois ? Je n'en reviens pas.

Il se remit à contempler l'écran.

– Le sac est en Nylon, étanche, et les cartes de crédit étaient protégées par des étuis en plastique, eux-mêmes glissés dans un compartiment à fermeture Éclair. Il m'a suffi de saupoudrer les cartes pour voir apparaître des tas de fragments d'empreintes. Je n'ai même pas eu besoin du laser.

– Impressionnant.

Il eut un petit sourire.

– Mais rien d'identifiable, remarquai-je.

– J'en suis désolé.

– Ce qui m'intéresse, c'est le permis de conduire. Rien n'est apparu dessus.

– Même pas un fragment de trace, dit-il.

– Rien du tout ?

– Aussi net qu'une dent de bébé.

– Merci, Neils.

Mais il était déjà reparti dans son univers de spires et de courbes.

Je redescendis dans mon bureau et cherchai le numéro du Seven-Eleven où Abby et moi étions allées à l'automne. On m'apprit qu'Ellen Jordan, la vendeuse à qui nous avions parlé, n'arriverait qu'à 21 heures. Ensuite je travaillai toute la journée, sans même prendre le temps de déjeuner, inconsciente des heures qui s'écoulaient. Je ne ressentis pas la moindre fatigue lorsque je fus rentrée chez moi.

Je chargeais le lave-vaisselle lorsqu'à 20 heures, la sonnette de l'entrée retentit. Surprise, j'allai à ma porte tout en m'essuyant les mains dans une serviette.

Abby Turnbull se tenait sur le porche, le col de son manteau relevé, le visage blafard, les yeux battus. Le vent froid qui agitait les arbres faisait voleter ses cheveux.

– Tu ne m'as pas rappelée, dit-elle. J'espère que tu ne vas pas me refuser l'entrée de ta maison.

– Bien sûr que non, Abby. Entre, je t'en prie.

J'ouvris la porte en grand et m'effaçai.

Elle n'ôta pas son manteau avant que je l'y invite, et lorsque je lui proposai de le suspendre, elle secoua la tête et le posa sur le dossier d'une chaise, comme pour me signifier qu'elle n'avait pas l'intention de s'éterniser. Elle était vêtue d'un jean délavé et d'un gros pull-over marron. Lorsque je la contournai pour débarrasser la table de la cuisine des papiers et journaux qui l'encombraient, je sentis l'odeur de tabac froid et de transpiration qui émanait d'elle.

– Que veux-tu boire ? lui demandai-je en m'apercevant que j'étais incapable de ressentir de la colère envers elle.

– N'importe quoi ira très bien.

Elle sortit ses cigarettes pendant que je préparais deux verres.

– C'est difficile de commencer, dit-elle lorsque je me fus assise. Les articles étaient injustes à ton égard, c'est le moins qu'on puisse dire. Je comprends ce que tu dois penser.

– Ne nous occupons pas de ce que je pense. Je préférerais savoir ce que *tu* as dans la tête.

– Je t'ai dit que j'avais fait des erreurs, fit-elle d'une voix agitée d'un léger tremblement. Cliff Ring en était une.

Je restai silencieuse.

– C'est un journaliste d'investigation, une des premières personnes que j'ai rencontrées en arrivant à Washington. Un garçon brillant, très sûr de lui. Moi, j'étais vulnérable, j'arrivais dans une nouvelle ville, je venais de vivre... enfin... (Elle détourna les yeux.)... ce qui est arrivé à Henna. Au début, nous étions juste amis, et puis tout s'est enchaîné très vite. Je n'ai pas vu qui il était parce que je ne voulais pas le voir.

Sa voix se brisa. J'attendis en silence qu'elle se ressaisisse.

– Je lui faisais une confiance aveugle, Kay.

– D'où je dois conclure que c'est toi qui lui as fourni les détails de ses articles.

– Non. Mais ils provenaient de mon enquête.

– Que veux-tu dire ?

– Je ne parle jamais à personne de ce que je suis en train d'écrire, dit Abby. Cliff savait que je travaillais sur ces meurtres, mais je n'en ai jamais parlé en détail avec lui. Il ne paraissait même pas s'y intéresser. (Sa voix s'emplissait peu à peu de colère.) Mais il l'était, intéressé, il l'était même beaucoup. Voilà comment il agit !

– Si tu n'en as pas parlé avec lui, alors comment a-t-il obtenu ses informations ?

– Je lui avais confié les clés de mon appartement, pour qu'il puisse relever mon courrier et arroser mes plantes quand je n'étais pas là. Il a très bien pu faire des copies.

Notre conversation au Mayflower me revint à l'esprit. Quand Abby m'avait dit qu'on avait consulté son ordinateur à son insu, et qu'elle avait accusé le FBI et la CIA, j'étais restée sceptique. Un agent expérimenté aurait-il ouvert un dossier sans se douter que l'heure et la date de l'opération seraient consignées ? Peu probable.

– C'est Cliff Ring qui a consulté ton ordinateur ?

– Je ne peux rien prouver, mais j'en suis sûre, dit Abby. Je ne peux pas prouver qu'il a espionné mon courrier, mais je sais qu'il l'a fait. Ce n'est pas très sorcier d'ouvrir une enveloppe à la vapeur et de la recoller après. Surtout quand vous avez fait faire un double de la clé de la boîte aux lettres.

– Savais-tu qu'il préparait une série d'articles ?

– Bien sûr que non. Je ne me suis doutée de rien jusqu'à ce que j'ouvre le journal de dimanche ! Il est entré dans mon appartement en mon absence. Il consultait mon ordinateur, copiait tout ce qui l'intéressait. Ensuite il lui suffisait d'appeler les gens pour obtenir déclarations et informations. Ce n'était pas difficile, puisqu'il savait exactement où chercher et quoi chercher.

– D'autant plus facile qu'on t'avait retirée de la chronique judiciaire. Tu as pensé que le *Post* se désintéressait de l'histoire, alors qu'en réalité on te poussait à l'écart.

Abby acquiesça avec colère.

– Ils ont confié l'article à ce qu'ils considéraient comme des mains plus sûres. Celles de Clifford Ring.

Je comprenais pourquoi Clifford Ring n'avait fait aucun effort pour me contacter. Il savait qu'Abby et moi étions amies. S'il m'avait interrogée sur les meurtres, j'aurais pu en parler à Abby, alors qu'il préférait la laisser le plus longtemps possible dans l'ignorance de ce qu'il préparait.

– Je suis sûre qu'il... (Abby s'éclaircit la gorge et tendit le bras vers son verre. Sa main tremblait.) Il peut se montrer très convaincant. Il obtiendra sans doute un prix. Pour ses articles.

– Je suis désolée, Abby.

– Tout est de ma faute. Je suis stupide.

– Nous prenons toutes des risques quand nous tombons amoureuses...

– Je ne prendrai plus jamais un tel risque, me coupa-t-elle. C'était toujours des problèmes sans fin avec lui. Et c'était toujours à moi de faire des concessions, de lui donner une seconde chance, et puis une troisième, et une quatrième.

– Les gens du journal étaient-ils au courant de votre relation ?

– Nous étions prudents, fit-elle d'un air évasif.

– Pourquoi ?

– La salle de rédaction est un endroit très intime, on jase beaucoup.

– Vos collègues ont dû vous voir ensemble.

– Nous étions très prudents, répéta-t-elle.

– Les gens ont dû sentir qu'il y avait quelque chose entre vous. Ne serait-ce que de la tension.

– De la compétition. Que je veillais sur mon territoire. Voilà ce qu'il dirait.

Et de la jalousie, pensai-je. Abby n'avait jamais été très forte pour dissimuler ses émotions. J'imaginais la violence de ses crises de jalousie. Je me mettais à la place de ses collègues qui l'observaient au journal et qui, interprétant son attitude de façon erronée, pensaient qu'elle était ambitieuse et jalouse de Clifford Ring sur le plan professionnel, alors que ce n'était pas le cas. Elle était jalouse de ses autres centres d'intérêts.

Il est marié, n'est-ce pas, Abby ?

Cette fois, elle ne put contenir ses larmes.

Je me levai pour nous resservir à boire. Elle allait me dire qu'il était malheureux en ménage, qu'il envisageait de divorcer, et qu'elle avait cru qu'il allait tout quitter pour elle. Un scénario aussi prévisible que la trame d'un roman d'Ann Landers. Je l'avais entendu des dizaines de fois. Abby s'était fait manipuler en beauté.

Je posai son verre devant elle sur la table et lui pressai l'épaule avant de me rasseoir.

Elle me dit ce que je m'attendais à lui entendre dire, et je me contentai de la regarder avec tristesse.

– Je ne mérite pas ton amitié, gémit-elle.

– Tu as plus souffert que moi.

– Tout le monde a souffert. Toi. Pat Harvey. Les parents, les amis de ces gosses. Sans ces meurtres, je serais toujours à la chronique judiciaire. Je n'aurais pas eu ces problèmes au journal. Personne ne devrait pouvoir causer tant de mal.

Je compris qu'elle ne pensait plus à Clifford Ring, mais au tueur.

– Tu as raison. Personne ne devrait pouvoir faire tout ce mal. Et personne ne le fera si nous ne le voulons pas.

– Deborah et Fred ne le voulaient pas. Jill, Elizabeth, Jimmy, Bonnie. Tous. (Elle avait le visage hagard.) Ils ne voulaient pas être assassinés.

– Que va faire Cliff, maintenant ? demandai-je.

– Je ne sais pas, mais en tout cas, il le fera seul. J'ai changé toutes mes serrures.

– Tu as toujours peur d'être sur écoute ? D'être filée ?

– Cliff n'est pas le seul à s'intéresser à ce que je fais. Je ne peux plus avoir confiance en personne ! (Ses yeux s'emplirent de larmes de rage.) Tu es la dernière personne à qui je voulais causer du tort, Kay.

– Calme-toi, Abby. Tu auras beau pleurer toutes les larmes de ton corps, ça ne changera rien à rien.

– Je suis désolée...

– Arrête de t'excuser, fis-je d'une voix ferme.

Elle se mordit la lèvre et fixa son verre.

– Dis-moi plutôt de quelle couleur était la Lincoln que nous avons vue la semaine dernière à Williamsburg.

– Gris anthracite, intérieur en cuir sombre, peut-être noir, dit-elle avec des yeux qui se ranimaient.

– Merci. C'est bien ce que je pensais.

– Qu'est-ce qui se passe ?

– Je ne sais pas encore exactement. Mais ce n'est pas tout.

– Qu'y a-t-il ?

J'ai une *mission* pour toi Mais d'abord, quand retournes-tu à Washington ? Ce soir ?

– Je ne sais pas, Kay, dit-elle en détournant les yeux. Je ne peux pas rentrer pour l'instant.

Abby se sentait dans la peau d'une fugitive, et en un sens, elle en était une. Clifford Ring l'avait forcée à fuir Washington. Ceci dit, ce n'était peut-être pas une mauvaise idée qu'elle se mette quelque temps au vert.

– Il y a un *bed and breakfast* au Northern Neck, dit-elle, et je...

– Et j'ai une chambre d'amis, l'interrompis-je. Tu vas rester ici quelque temps.

Elle parut hésiter.

– Kay, songes-tu à l'effet que ça va faire ? fit-elle enfin.

– Pour l'instant, franchement, je m'en moque.

– Pourquoi ? demanda-t-elle en me dévisageant.

– Ton article m'a grillée. Maintenant, c'est quitte ou double. Les choses vont s'arranger ou dégénérer, en tout cas, elles ne resteront pas les mêmes.

– Au moins, tu n'as pas été virée.

– Toi non plus, Abby. Tu avais une liaison et tu t'es comportée avec légèreté devant tes collègues en balançant du café sur ton amant.

– Il le méritait.

– Je n'en doute pas. Mais je ne te conseille pas de t'engager dans une bataille contre le *Post*. Ton livre est ta seule chance de te remettre en selle.

– Et toi ?

– Mon seul souci est d'élucider ces meurtres. Et tu peux m'y aider parce que tu peux faire des choses que je ne peux pas faire.

– Telles que ?

– Mentir, tromper, tricher, fouiner, me faufiler chez les gens, les induire en erreur ou me faire passer pour quelqu'un que je ne suis pas. Je ne peux pas faire tout ça pour la bonne raison que je suis un officier du Commonwealth. Toi, c'est différent, tu es journaliste.

– Quelle image de marque ! protesta-t-elle en sortant de la cuisine. Je vais chercher mes affaires dans la voiture.

Il est assez rare que j'aie des invités, et la chambre d'amis du rez-de-chaussée servait surtout à Lucy. Couvrant le parquet, un tapis iranien orné d'un motif floral aux teintes vives transformait la pièce en véritable jardin, dans lequel, au gré de ses humeurs, ma nièce faisait la rose ou l'ortie.

– On dirait que tu aimes les fleurs, remarqua Abby d'un air absent en posant son sac sur le lit.

– Le tapis est un peu trop envahissant, m'excusai-je. Mais quand je l'ai vu, j'ai eu un coup de cœur, et je n'ai pas d'autre endroit où le mettre. J'ajoute qu'il est pratiquement indestructible, ce qui, par rapport à Lucy, est un atout important.

– Disons que ça l'était, fit Abby en ouvrant la penderie. Lucy n'a plus dix ans.

– Il doit y avoir quelques cintres, dis-je en m'approchant pour vérifier. Si tu en veux d'autres...

– Ça va très bien.

– Tu trouveras des serviettes, du dentifrice et du savon dans le cabinet de toilette, dis-je en lui indiquant la petite pièce.

Mais elle avait commencé à défaire ses bagages et ne me prêtait plus attention.

Je m'assis au bord du lit.

Abby rangeait ses vêtements dans la penderie. Les cintres crissaient le long de la barre métallique. Je la regardai en silence, tentant de maîtriser mon impatience.

Ceci continua pendant plusieurs minutes, les tiroirs qui glissaient, les cintres qui crissaient, l'armoire à pharmacie du cabinet de toilette s'ouvrant et se refermant. Abby rangea son sac dans la penderie puis jeta un coup d'œil circulaire, comme pour voir si elle n'avait rien oublié. Elle ouvrit sa serviette, en sortit un livre et un calepin, qu'elle posa sur la table de nuit. Enfin, avec un certain embarras, je la vis sortir un .38 et une boîte de cartouches et les ranger dans le tiroir de la petite table.

Il était minuit lorsque je montai dans ma chambre. Avant de me mettre au lit, je composai une nouvelle fois le numéro du Seven-Eleven.

– Ellen Jordan ?

– Ouais, c'est moi. Qui est à l'appareil ?

Je me présentai.

– Vous m'avez dit l'automne dernier que lorsque Fred Cheney et Deborah étaient venus à la boutique, Deborah avait voulu acheter de la bière, et que vous lui aviez demandé ses papiers.

– Ouais, exact.

– Pouvez-vous me répéter ce que vous lui avez dit ?

– Je lui ai dit que je voulais voir son permis de conduire, répondit Ellen d'un ton quelque peu surpris. J'ai demandé à le voir, c'est tout.

– Est-ce qu'elle l'a sorti de son sac ?

– Bien sûr. Il fallait bien qu'elle le sorte pour me le montrer.

– Elle vous l'a tendu ?

– Ben, ouais.

– Est-ce qu'il était protégé par quelque chose ? Rangé dans une pochette en plastique ?

– Il était dans rien du tout. Elle me l'a donné, je l'ai regardé et puis je lui ai rendu, point final. (Elle se tut un instant.) Pourquoi ?

– Je voulais juste savoir si vous aviez touché le permis de conduire de Deborah.

– J'étais bien obligée de le toucher pour le regarder. (Soudain, son ton se fit inquiet.) Il ne va rien m'arriver, hein ?

– Mais non, Ellen, lui dis-je d'un ton rassurant. Il ne vous arrivera rien du tout.

15

La mission que j'avais confiée à Abby consistait à se renseigner sur Barry Aranoff. Partie le lendemain matin pour Roanoke, elle revint le soir, quelques minutes avant que Marino, que j'avais invité à dîner, ne se présente à ma porte.

Lorsqu'il découvrit Abby dans la cuisine, ses pupilles se contractèrent et son visage vira à l'écarlate.

– Un Jack Black ? lui demandai-je.

Quand je revins du bar, Abby était en train de fumer, assise à la table, et Marino, debout devant la fenêtre, l'air sombre, contemplait la mangeoire par les stores entrouverts.

– Vous ne verrez pas beaucoup d'oiseaux à cette heure-ci, lui dis-je. À moins que vous ne guettiez les chauves-souris.

Il ne répondit pas ni ne se retourna.

Je servis la salade, mais ce n'est que lorsque je versai du chianti dans les verres que Marino finit par prendre une chaise et s'asseoir.

– Vous m'avez pas dit que vous aviez du monde, fit-il sur un ton de reproche.

– Si je vous l'avais dit, vous ne seriez pas venu, répliquai-je.

– Moi non plus, je n'étais pas prévenue, dit Abby d'un air pincé. Mais maintenant qu'il est clair qu'on est ravis d'être ensemble, mangeons !

Une des rares choses que j'avais apprises lors de mon mariage raté avec Tony, c'était bien d'éviter les affrontements tard le soir ou juste avant de se mettre à table. Je fis de mon mieux pour maintenir un semblant de conversation, mais attendis le café pour dire ce que j'avais à dire.

– Abby va rester quelques jours chez moi, annonçai-je à Marino.

– C'est votre affaire, dit-il en prenant un sucre.

– C'est aussi la vôtre. Nous sommes tous dans la même galère.

– Peut-être, mais d'abord... (Il leva les yeux vers Abby.)... J'aimerais savoir à quel moment de votre bouquin vous allez placer ce charmant petit dîner qu'on vient d'avoir. Comme ça j'aurai pas à tout me taper, j'irai directement à la bonne page.

– Vous savez, Marino, vous êtes vraiment con, parfois, dit Abby.

– Je peux même être drôlement vicieux, si vous voulez savoir.

– Ouh ! J'ai hâte de voir ça !

Sortant un stylo de sa poche de poitrine, Marino le lança sur la table.

– Prenez donc des notes. Je ne voudrais pas que vous déformiez mes propos.

Abby le fusilla du regard.

– Ça suffit ! m'exclamai-je.

Ils tournèrent tous deux la tête vers moi.

– Vous vous conduisez comme les autres, ajoutai-je.

– Qui ça ? demanda Marino.

– Comme tout le monde, dis-je. J'en ai par-dessus la tête des mensonges, de la jalousie, des rapports de force. Ça n'est pas ça que j'attends de mes amis. Je croyais que vous étiez des amis.

Je repoussai ma chaise.

– Si ça vous amuse de vous engueuler comme des chiffonniers, continuez, mais moi j'en ai assez !

Je me levai et emportai mon café au salon, où j'allumai la stéréo et fermai les yeux. La musique était ma thérapie, et depuis quelque temps, j'écoutais beaucoup Bach. C'était la Symphonie n° 2, cantate n° 29 qui était sur la platine. Je me détendis peu à peu. Pendant plusieurs semaines, après le départ de Mark, quand je n'arrivais pas à m'endormir, je redescendais au salon, mettais le casque et m'immergeais dans Beethoven, Mozart ou Pachelbel.

Lorsqu'ils me rejoignirent un quart d'heure plus tard, Marino et Abby avaient l'air penaud d'un couple qui vient de se rabibocher après une scène de ménage.

– Euh... nous avons discuté, dit Abby lorsque j'eus éteint la chaîne. J'ai expliqué les choses du mieux que j'ai pu. Je crois que nous sommes arrivés à un niveau raisonnable de compréhension mutuelle.

Je fus ravie de la nouvelle.

– C'est mieux qu'on se serre les coudes, tous les trois, fit Marino. Et puis merde, Abby est pas vraiment journaliste pour l'instant.

La réflexion n'enchanta guère Abby, mais, miracle ! ils paraissaient décidés à coopérer.

– Quand son livre sortira, reprit Marino, cette histoire sera sans doute terminée. C'est ça le plus important. Ça fait presque trois ans que ça dure et dix gosses sont morts. Douze si on compte Jill et Élizabeth. (Il secoua la tête, le regard dur.) Celui qui bute ces mômes prendra jamais sa retraite, doc. Il va continuer jusqu'à ce qu'on l'épingle. Et en général, dans des affaires comme celle-ci, c'est par un coup de chance qu'on y arrive.

– On a peut-être déjà eu notre coup de chance, lui dit Abby. Ce n'est pas Aranoff qui conduisait la Lincoln.

– Vous êtes sûre ? demanda Marino.

– Certaine. Les quelques cheveux qui restent à Aranoff sont gris. Il mesure dans les 1 m 70 et pèse une centaine de kilos.

– Vous voulez dire que vous l'avez rencontré ?

– Non, répondit-elle. Il n'était toujours pas rentré. J'ai été chez lui et j'ai vu sa femme. J'avais mis un pantalon de travail et des bottes. Je lui ai dit que j'étais de la compagnie d'électricité et que je venais vérifier leur compteur. On s'est mises à bavarder. Elle m'a offert un Coca et j'ai vu une photo de famille. Je me suis assurée que c'était bien Aranoff qui était dessus. C'est comme ça que je sais à quoi il ressemble. Ce n'est pas le type qu'on a vu l'autre jour. Ni celui qui me suivait à Washington.

– Vous vous êtes pas trompée en relevant le numéro ? fit Marino en se tournant vers moi.

– Non, fis-je. Et même si je m'étais trompée, la coïncidence serait incroyable. Les deux voitures seraient des Lincoln Mark Seven de 1990 ? Et Aranoff se trouverait dans le secteur de Williamsburg-Tidewater juste au moment où je relèverais par erreur un numéro de plaque qui serait justement le sien ?

– J'ai l'impression qu'Aranoff et moi, on va avoir une petite conversation, fit Marino.

Marino me rappela au bureau dans la semaine.

– Vous êtes assise ? fit-il sans préambule.

– Vous avez vu Aranoff.

– Bingo ! Il a quitté Roanoke le lundi 10 février pour Danville, Petersburg et enfin, Richmond. Le mercredi 12, il se trouvait du côté de Tidewater, et c'est là que ça devient intéressant. Il devait être à Boston le jeudi 13, c'est-à-dire le jour où Abby et vous étiez à Williamsburg. La veille, c'est-à-dire le mercredi 12, Aranoff a laissé sa voiture au parking longue durée de l'aéroport de Newport News. Il a pris l'avion pour Boston, où il a tourné presque toute la semaine avec une voiture de location. Il est revenu à Newport News hier matin, il a récupéré sa voiture et il est rentré chez lui.

– Vous voulez dire qu'on lui aurait subtilisé ses plaques sur le parking de l'aéroport, et qu'on les lui aurait remises avant son retour ? demandai-je.

– À moins qu'Aranoff mente, et je ne vois pas de raison pour ça, ça me paraît la seule explication, doc.

– Quand il a récupéré sa voiture, il n'a rien remarqué ?

– Non. On l'a examinée ensemble dans son garage. Les deux plaques étaient en place, mais elles étaient poussiéreuses, et on voyait nettement des traces de doigts. J'ai pas relevé d'empreintes, mais celui qui les a démontées devait porter des gants.

– La voiture était-elle garée dans un endroit dégagé, sur le parking ?

– Aranoff dit qu'il l'a laissée à peu près au milieu du parking, qui était presque complet.

– Vous ne croyez pas que si sa voiture était restée plusieurs jours sans plaques, un gardien ou quelqu'un l'aurait remarquée ? dis-je.

– Pas sûr. Les gens ne sont pas si observateurs que ça. Quand ils laissent leur bagnole à l'aéroport ou qu'ils reviennent de voyage, leur seule idée c'est de ne pas rater leur avion, ou bien de fourrer les bagages dans le coffre et de rentrer chez eux le plus vite possible. Même si quelqu'un avait remarqué la voiture, c'est pas évident qu'il l'aurait signalée à la sécurité. Et de toute façon la sécurité n'aurait rien pu faire avant le retour du propriétaire, parce que c'est à lui de signaler ou non la disparition de ses plaques. Quant au vol lui-même, ça n'a rien de compliqué. Allez à l'aéroport après minuit, vous verrez personne. Si c'était moi, je serais allé au parking, comme si je venais récupérer ma voiture, et cinq minutes après, je ressortais avec le jeu de plaques dans ma serviette.

– Vous pensez que ça s'est passé comme ça ?

– Mon hypothèse, dit Marino, c'est que le type qui vous a demandé son chemin la semaine dernière n'était pas un détective, ni un agent du FBI, ni un espion. C'était quelqu'un qui mijotait un coup. Un trafiquant de drogue ou n'importe quoi. Je pense que la Mark Seven gris anthracite qu'il conduisait était à lui, mais que pour plus de sécurité, quand il est sur un coup, il change les plaques au cas où sa bagnole serait repérée.

– Plutôt risqué s'il se fait arrêter et contrôler pour avoir grillé un feu, observai-je. Son numéro ne correspondrait pas aux papiers de la voiture.

– Exact. Mais je pense qu'il ne ferait pas la bêtise de se faire arrêter pour une broutille. Il fait tout pour ne pas se faire repérer, il veut surtout pas qu'on relève son numéro.

– Pourquoi ne pas utiliser une voiture de location ?

– Parce que c'est aussi dangereux que de se balader avec ses propres plaques. N'importe quel flic repère tout de suite une voiture de location puisque leurs numéros commencent par R. Et avec le numéro, on peut savoir qui l'a louée. C'est bien plus sûr de changer ses plaques. Et le parking longue durée d'un aéroport est une excellente idée. J'aurais fait la même chose.

– Et si le propriétaire rentre plus tôt que prévu et s'aperçoit qu'il n'a plus ses plaques ?

– Si je vois que la bagnole est plus dans le parking, je les balance dans une poubelle. Aucun risque dans tous les cas.

– Seigneur ! L'homme que nous avons vu avec Abby était peut-être le tueur, Marino.

– Le type que vous avez vu n'était pas un représentant ni un dragueur, dit-il. Il mijotait quelque chose. Ce qui ne veut pas dire que c'est un tueur.

– L'autocollant Colonial Williamsburg...

– Je vais m'occuper de ça. Voir si je peux récupérer la liste de tous les gens à qui on en a remis un.

– La voiture que Mr Joyce a vue sur la route devant chez lui, avec les phares éteints, aurait pu être une Lincoln Mark Seven, dis-je.

– Possible. La Mark Seven est sortie en 1990. Jim et Bonnie ont été assassinés pendant l'été 1990. Et dans le noir, Mr Joyce a pu confondre une Mark Seven avec une Thunderbird.

– Du travail en perspective pour Wesley, marmonnai-je.

– Ouais, fit Marino. Faut que je l'appelle.

Avec le mois de mars, on sentit que l'hiver touchait à sa fin. Le soleil me réchauffait le dos alors que je nettoyais le pare-brise de la Mercedes pendant qu'Abby faisait le plein. La brise, tiède, paraissait nettoyée par plusieurs jours de pluie. Les gens sortaient, lavaient leur voiture ou enfourchaient leur vélo. La terre s'étirait, pas encore tout à fait réveillée.

J'allai payer l'essence à la caisse et rapportai deux gobelets de café. Ensuite, Abby et moi partîmes pour Williamsburg, les vitres entrouvertes et Bruce Hornsby chantant *Harbor Lights* à la radio.

– J'ai appelé mon répondeur avant de partir, m'annonça Abby.

– Alors ?

– Cinq appels sans message.

– Cliff ?

– À coup sûr, dit Abby. Pas pour me parler, juste pour savoir si je suis chez moi.

– Pourquoi, s'il ne veut pas te parler ?

– Il ne sait pas que j'ai changé mes serrures.

– Alors c'est qu'il est stupide. Sinon, il aurait compris tout de suite que tu avais compris.

– Il n'est pas stupide, répondit Abby en regardant par sa vitre.

J'ouvris le toit et songeai à Pat Harvey. Que faisait-elle ces temps-ci ? À quoi pensait-elle ?

– As-tu parlé à Pat Harvey ? demandai-je à Abby.

– Oui.

– Depuis les articles du *Post* ?

Elle acquiesça.

– Comment va-t-elle ?

– Autrefois j'ai lu un livre écrit par un missionnaire en Afrique. Il avait rencontré dans la jungle un homme qui lui avait paru tout à fait normal jusqu'à ce qu'il sourie. Là il s'était aperçu qu'il avait les dents limées en pointe. C'était un cannibale.

Sa voix était empreinte de colère, son humeur soudain rembrunie. Je ne comprenais pas de quoi elle parlait.

– Pat Harvey est pareille, poursuivit-elle. Je suis passée la voir l'autre jour en allant à Roanoke. Nous avons échangé quelques mots sur les articles du *Post*, et j'ai d'abord cru qu'elle prenait ça avec un certain détachement. Jusqu'à ce qu'elle sourie. Son sourire m'a figé le sang dans les veines.

Je ne savais que dire.

– C'est là que j'ai compris que les articles de Cliff lui avaient fait perdre l'esprit. La mort de Deborah l'avait déjà secouée, mais les articles ont été le coup de grâce. En lui parlant, j'ai eu l'impression qu'il manquait quelque chose, que quelque chose n'était plus là. Et je me suis aperçue que ce qui n'était plus là, c'était Pat Harvey.

– Savait-elle que son mari avait une maîtresse ?

– En tout cas maintenant elle le sait.

– Si c'est vrai, ajoutai-je.

– Cliff n'écrit rien qu'il ne puisse étayer ou attribuer à une source crédible.

Je me demandai ce qui me ferait basculer l'esprit. Lucy, Mark ? Être paralysée des mains ou devenir aveugle à la suite d'un accident ? J'ignorais ce qu'il faudrait pour me rendre folle. Peut-être était-ce comme la mort. Une fois qu'on est de l'autre côté, on n'a plus conscience de rien.

Nous arrivâmes dans Old Towne peu après midi. L'ensemble où avaient vécu Jill et Elizabeth était un groupe d'immeubles en brique banals et tous semblables. Les entrées principales étaient pourvues de marquises portant en rouge le numéro des bâtiments. Des pelouses noircies par le gel et des plates-bandes de fleurs recouvertes de bouts d'écorce tentaient d'égayer les abords.

Nous nous garâmes sur le parking. En levant la tête, nous aperçûmes ce qui avait été le balcon de Jill. À travers les barreaux de la balustrade, deux rocking-chairs bleu et blanc se balançaient doucement dans le vent. Une chaîne destinée à recevoir une plante en pot pendait d'un crochet au plafond. Elizabeth habitait de l'autre côté du parking. Les deux amies pouvaient se voir de leur appartement respectif. Elles savaient quand l'autre allait se coucher ou se levait, quand elle était chez elle ou pas.

Pendant un moment, Abby et moi restâmes plongées dans un triste silence.

– Elles étaient plus qu'amies, n'est-ce pas, Kay ? fit-elle enfin.

– Répondre à cette question serait alimenter les rumeurs.

Abby eut un petit sourire.

– Pour être franche, l'idée m'en était venue à l'époque. Disons que ça m'a traversé l'esprit. Mais personne ne m'en a jamais parlé. (Elle se tut un instant.) Je crois savoir ce qu'elles ressentaient.

Je la regardai.

– Ça devait être un peu comme moi avec Cliff. Toujours à se cacher, à faire semblant, à gaspiller la moitié de son énergie à s'inquiéter du qu'en-dira-t-on, à craindre d'être découverts.

– Et le plus triste dans l'histoire, fis-je en enclenchant une vitesse, c'est qu'en général les gens s'en contrefichent. Ils sont bien trop préoccupés d'eux-mêmes.

Abby regarda défiler les rues en silence.

– Où allons-nous ? demanda-t-elle au bout d'un moment.

– En direction approximative du centre-ville.

Je ne lui avais pas précisé notre itinéraire ce matin. Je lui avais seulement dit que je voulais « jeter un coup d'œil ».

– Tu espères revoir cette foutue voiture, pas vrai ?

– On peut toujours essayer.

– Et que feras-tu si tu la trouves, Kay ?

– On relèvera le numéro. Nous verrons bien à qui elle appartient, cette fois-ci.

– Ça, alors ! fit-elle en riant. Si tu la retrouves, je t'offre cent dollars.

– Tu ferais mieux de préparer ton chéquier, parce que si elle est dans cette ville, je la trouverai.

Et je la trouvai, moins d'une demi-heure plus tard, en suivant le vieux principe selon lequel le meilleur moyen de retrouver un objet perdu, c'est de revenir sur ses pas. En effet, lorsque je revins à Merchant's Square, la Lincoln trônait sur le parking, non loin de l'endroit où nous l'avions aperçue la première fois.

– Seigneur, murmura Abby. Je n'arrive pas à le croire.

La voiture était vide, le soleil se reflétait sur le pare-brise. Brillante comme un sou neuf, elle paraissait sortir du lavage. Le pare-chocs arrière portait à gauche un autocollant de parking. Le numéro de la plaque, qu'Abby releva, était ITU-144.

– C'est trop facile, Kay. Ça ne peut pas être ça.

– Nous ne savons pas encore si c'est la même voiture, fis-je d'un ton doctoral. On dirait que c'est la même, mais nous n'en avons pas la preuve.

J'allai me garer à une vingtaine d'emplacements plus loin, entre un break et une Pontiac, et passai en revue les devantures des magasins bordant la place. Une boutique de souvenirs, un encadreur, un restaurant. J'aperçus, entre un bureau de tabac et une boulangerie, une petite et discrète librairie-dépôt de presse avec une vitrine encombrée de livres. Une enseigne en caractères gothiques était suspendue au-dessus de l'entrée : *The Dealer's Room.*

– Les mots croisés, soufflai-je tandis qu'un frisson glacé me parcourait la colonne vertébrale.

– Quoi ? fit Abby qui examinait toujours la Lincoln.

– Jill et Elizabeth aimaient les mots croisés. Le dimanche matin elles allaient souvent prendre le petit déjeuner dehors, et elles achetaient le *New York Times.*

J'ouvrais déjà ma portière.

Abby posa une main sur mon bras.

– Doucement, Kay, fit-elle. Réfléchissons d'abord.

Je me réappuyai au dossier.

– Tu ne peux pas entrer là-dedans comme ça, me dit-elle d'un ton catégorique.

– Je veux juste acheter le journal.

– Et qu'est-ce que tu feras si le type est là ?

– Je m'assurerai que c'est bien celui qui était au volant l'autre jour. Je pense que je le reconnaîtrais.

– Lui aussi pourrait te reconnaître.

– « Dealer » pourrait être une allusion aux cartes[1], songeai-je à voix haute tandis qu'une jeune femme aux cheveux courts et bouclés entrait dans la boutique. Celui qui distribue les cartes distribue les valets de cœur.

– Tu lui as parlé quand il t'a demandé son chemin, déclara Abby d'une voix ferme. Ta photo est passée à la télé. Pas question que tu y ailles. C'est moi qui y vais.

– Nous irons ensemble.

– C'est de la folie !

– Tu as raison, fis-je d'un ton résolu. Reste ici. J'y vais.

Je sortis avant qu'elle ait eu le temps de réagir. Elle descendit aussi et resta debout à côté de la voiture, interdite, me regardant marcher d'un pas décidé vers la librairie.

Mon cœur cognait dans ma poitrine lorsque je posai la main sur la froide poignée en cuivre, et je sentis mes genoux flageoler en pénétrant dans la boutique.

Il se tenait derrière son comptoir, le sourire aux lèvres, en train de rédiger une facture pour une cliente vêtue d'un ensemble de daim.

–... parce que ça sert à ça, les anniversaires, gazouillait-elle. À offrir à votre mari un livre que *vous* avez envie de lire...

– Peu importe, si vous avez les mêmes goûts, répondit-il.

Il avait une voix douce, apaisante, une voix qui inspirait confiance.

Maintenant que j'étais à l'intérieur, j'avais une violente envie de prendre mes jambes à mon cou et de m'enfuir. Je vis des piles de journaux sur le comptoir, dont le *New York Times*. J'aurais pu en prendre un, le payer et sortir. Mais je ne voulais pas croiser son regard.

C'était lui.

Je fis demi-tour et ressortis.

Abby m'attendait en fumant une cigarette.

1. En anglais, le « dealer » est, entre autres, celui qui distribue les cartes.

– Impossible qu'il travaille ici et ne sache pas comment rejoindre la 64, dis-je en démarrant.

Elle comprit aussitôt.

– Tu veux appeler Marino maintenant, ou attendre que nous soyons rentrées à Richmond ?

– Nous allons l'appeler tout de suite.

Je lui téléphonai d'une cabine, mais on m'informa qu'il était à l'extérieur. Je lui laissai un message : « ITU-144. Rappelez-moi. »

Abby me posa des tas de questions auxquelles je m'efforçai de répondre. Puis la conversation tomba peu à peu et je conduisis en silence. J'avais l'estomac retourné. Je faillis m'arrêter. J'avais envie de vomir.

Abby m'observait, l'air inquiet.

– Mon Dieu, Kay, tu es blanche comme un linge.

– Ça va, ça va.

– Tu veux que je prenne le volant ?

– Non, ça va, je t'assure.

En rentrant, je montai directement dans ma chambre. Mes mains tremblaient en composant le numéro. Le répondeur de Mark se déclencha à la deuxième sonnerie. J'allais raccrocher mais le son de sa voix m'arrêta.

« Désolé, mais je ne peux pas vous répondre pour l'instant... »

Après le bip, j'hésitai un instant puis reposai doucement le combiné sur sa fourche. Levant les yeux, je découvris Abby dans l'encadrement de ma porte. D'après son expression, je compris qu'elle savait ce que je venais de faire.

Mes yeux s'emplirent de larmes, et elle vint s'asseoir sur le lit à côté de moi.

– Pourquoi ne lui as-tu pas laissé de message ? murmura-t-elle.

– Comment sais-tu à qui je téléphonais ? demandai-je en m'efforçant de contrôler ma voix.

– Parce que j'ai la même réaction. Quand ça ne va pas, j'ai envie de décrocher le téléphone. Même maintenant, après tout ce qui s'est passé. J'ai encore envie d'appeler Cliff.

– Tu l'as déjà fait ?

Elle secoua lentement la tête.

– Ne le fais pas, Abby. Ne fais jamais ça.

Elle m'examina attentivement.

– C'est d'avoir vu ce type, dans la librairie ?

– Je ne sais pas.

– Je crois que si. Tu as senti quelque chose.

Je détournai les yeux.

– Je sens quand je m'approche trop près. Ça m'est déjà arrivé. Je me demande pourquoi je recommence.

– Les gens comme nous ne peuvent s'en empêcher, dit-elle. Quelque chose nous pousse. Voilà pourquoi ça nous arrive.

Je ne pouvais lui avouer ma peur. Si Mark avait répondu à mon coup de téléphone, je ne sais pas non plus si j'aurais pu la lui avouer.

– Avec tout ce que tu sais sur la mort, dit Abby sans me regarder, t'arrive-t-il de penser à la tienne ?

Je me levai du lit.

– Où est passé Marino, merde ? fis-je en attrapant le téléphone pour essayer de le joindre.

16

Des jours, des semaines d'anxieuse attente suivirent. Je n'avais aucune nouvelle de Marino depuis que je lui avais transmis l'information concernant *The Dealer's Room*. Je n'avais eu de nouvelle de personne. Chaque heure qui passait rendait ce silence plus assourdissant et plus inquiétant.

Le premier jour du printemps, je sortis de la salle de conférence où je venais de parler pendant trois heures avec deux avocats. Rose m'annonça que j'avais quelqu'un au téléphone.

– Kay ? Benton à l'appareil.

– Bonsoir, dis-je en sentant une décharge d'adrénaline me parcourir.

– Pourriez-vous venir à Quantico demain ?

Je pris mon agenda. Rose avait noté un rendez-vous qui serait facilement reporté.

– Quand ?

– 10 heures, si ça vous va. J'ai prévenu Marino.

Avant que je puisse lui poser la moindre question, il m'annonça qu'il ne pouvait pas me parler et que je saurai tout le lendemain.

Je quittai le bureau à 18 heures. Le soleil était couché et il faisait froid. En m'engageant dans mon allée d'accès, je remarquai que les lumières étaient allumées. Abby était donc à la maison.

Nous nous voyions rarement depuis quelque temps. Nous étions accaparées par des activités qui ne nous laissaient guère le temps de nous parler. Elle ne faisait jamais les courses, mais scotchait de temps à autre un billet de cinquante dollars sur le réfrigérateur, ce qui payait largement le peu qu'elle mangeait. Quand la réserve de vin ou de whisky baissait, je trouvais un billet de vingt dollars sous la bouteille. Quelques jours auparavant, j'avais découvert un billet de cinq dollars sur le couvercle d'un carton de lessive presque vide. Me promener à travers la maison était devenu une étrange chasse au trésor.

Au moment où j'ouvrais la porte, Abby surgit brusquement et me fit sursauter.

– Excuse-moi, dit-elle. J'ai entendu la voiture. Je ne voulais pas te faire peur.

Je me sentis stupide. Depuis qu'elle s'était installée chez moi, je me sentais de plus en plus nerveuse. En fait, je ne réagissais pas très bien à la violation de mon intimité.

– Je te prépare un verre ? demanda-t-elle.

Abby avait l'air fatiguée.

– Oui, merci, dis-je en déboutonnant mon manteau.

Je jetai un coup d'œil dans le salon. Sur la table basse, à côté d'un cendrier plein, j'aperçus un verre à vin vide et plusieurs calepins.

J'ôtai mon manteau et mes gants, montai dans ma chambre et les déposai sur le lit avant d'écouter les messages sur mon répondeur. Ma mère avait appelé. Je pouvais gagner une récompense si je rappelais tel numéro avant 20 heures. Marino m'indiquait à quelle heure il passerait me prendre le lendemain matin. Mark et moi continuions à nous man quer, ne communiquant que grâce à nos répondeurs.

– Je vais à Quantico demain, dis-je à Abby en regagnant le salon.

Elle désigna un verre servi à mon intention sur la table basse.

– Marino et moi avons une réunion avec Benton, dis-je.

Elle prit son paquet de cigarettes.

– Je ne sais pas de quoi il s'agit, poursuivis-je. Peut-être que toi, tu le sais.

– Pourquoi le saurais-je ?

– Je ne te vois pas beaucoup à la maison. Je ne sais pas ce que tu fais ces jours-ci.

– Quand tu es au bureau, je ne sais pas non plus ce que tu fais.

– Rien de particulier, dis-je d'un ton désinvolte pour tenter de dissiper la tension. Que voudrais-tu savoir ?

– Je ne te le demande pas parce que je sais que tu n'aimes pas parler de ton travail, dit-elle. Je ne veux pas être indiscrète.

J'en conclus que si je l'interrogeais sur ce qu'elle faisait, c'est *moi* qui me rendrais coupable d'indiscrétion.

– Abby, tu es distante depuis quelque temps.

– Non, préoccupée. Ne le prends pas pour toi.

Elle avait certainement beaucoup de choses en tête, avec son livre et les questions qu'elle se posait sur son avenir, mais je ne l'avais encore jamais vue aussi renfermée.

– Je m'inquiète, c'est tout.

– Parce que tu ne me connais pas, Kay. Quand je m'implique dans quelque chose, je m'y lance à fond, je ne pense à rien d'autre. (Elle se tut un instant avant d'ajouter :) Tu avais raison de dire que ce livre était pour moi l'occasion de me racheter. C'est tout à fait vrai.

– Heureuse de l'entendre, Abby. Et te connaissant, je suis sûre que ça sera un best-seller.

– Peut-être. Je ne suis pas la seule à avoir pensé à écrire un livre sur ces meurtres. Mon agent a entendu des rumeurs sur d'autres contrats. Mais j'ai de l'avance. J'aurai fini avant tout le monde si je continue à ce rythme.

– Ce n'est pas ton livre qui me préoccupe, c'est toi.

– Moi aussi, je t'aime beaucoup, Kay, dit-elle. J'apprécie ce que tu as fait en m'hébergeant. Je ne resterai plus très longtemps maintenant, je te promets.

– Tu peux rester aussi longtemps que tu voudras.

Elle rassembla ses calepins et son verre.

– Je ne vais pas tarder à me lancer dans l'écriture proprement dite, et pour ça, il me faut mon espace et mon ordinateur.
– C'est donc des recherches que tu fais en ce moment ?
– Oui. Et je découvre des tas de choses dont je ne savais même pas que je les cherchais, dit-elle mystérieusement avant de gagner sa chambre.

Alors que la sortie pour Quantico était en vue, la circulation fut brusquement stoppée. Un accident bloquait l'I-95, et plus personne ne passait. Marino alluma son gyrophare et grimpa sur le talus. Après une bonne centaine de mètres de cahots et de cailloux projetés sous le châssis, nous pûmes rejoindre la bretelle.

Depuis deux heures, j'écoutais Marino m'exposer en détail ses exploits domestiques, tandis que je m'inquiétais pour Abby et me demandais ce que Wesley avait à nous dire.

– J'aurais jamais cru que les stores vénitiens étaient une telle saloperie, se plaignit Marino alors que nous dépassions des baraquements de Marines et un champ de tir. J'ai commencé par les asperger au 409, d'accord ? (Il me jeta un coup d'œil de côté.) J'en avais pour plus d'une minute par latte, avec des feuilles de Sopalin qui volaient partout. Finalement, j'ai décroché ces foutus machins des fenêtres et je les ai mis dans la baignoire avec de l'eau chaude et de la lessive. Ça a marché du tonnerre.
– Génial, marmonnai-je.
– J'ai aussi commencé à arracher la tapisserie dans la cuisine, poursuivit-il. Elle y était quand on est arrivés et Doris a jamais pu s'y faire.
– La question, c'est de savoir si elle vous plaît à *vous*, puisque c'est vous qui vivez dans la maison.

Il haussa les épaules.

– J'y ai jamais fait attention, si vous voulez savoir. Mais je me dis que si Doris dit qu'elle est moche, c'est que ça doit être vrai. On avait aussi parlé de vendre le camping-car et d'investir dans une piscine démontable. J'me suis finalement décidé. Je devrais l'avoir avant l'été.
– Attention, Marino, dis-je d'une voix douce. Soyez bien sûr que vous faites tout ça pour vous.

Il ne répondit pas.

– N'agissez pas en fonction d'un espoir qui ne se réalisera peut-être jamais.

– Bah, ça fait rien, finit-il par répondre. Même si elle revient pas, ça fait pas de mal d'arranger un peu la maison.

– Il faudra bien que vous me la montriez, un de ces jours, dis-je.

– Ouais. J'suis toujours fourré chez vous et vous êtes jamais venue chez moi.

Il gara la voiture et nous en descendîmes. L'Académie du FBI continuait de se développer à la périphérie de la base de l'US Marine Corps. Le bâtiment principal, avec sa fontaine et ses drapeaux, abritait désormais les bureaux de l'administration, tandis que le centre vital de l'Académie avait été transféré dans un bâtiment voisin en brique. Un nouveau bâtiment, sans doute destiné à accueillir des dortoirs, avait surgi du sol depuis ma dernière visite. On entendait au loin des coups de feu semblables à des pétards explosant en série.

Marino déposa son .38 à la réception. Nous signâmes le registre et agrafâmes des badges de visiteurs à nos poches de poitrine, puis il m'entraîna par une série de raccourcis qui nous firent éviter les passages couverts en brique et verre reliant les différents bâtiments. Nous traversâmes une aire de chargement puis des cuisines avant d'émerger à l'arrière d'une boutique de souvenirs, que Marino traversa à grandes enjambées sans un regard pour la jeune vendeuse qui, occupée à ranger un arrivage de sweatshirts, entrouvrit la bouche pour une protestation muette devant notre peu orthodoxe irruption. Sortant du magasin, nous obliquâmes une dernière fois avant d'arriver au *Boardroom*, où Wesley nous attendait à une table d'angle.

Il ne perdit pas de temps en bavardages.

Le propriétaire de la boutique *The Dealer's Room* s'appelait Steven Spurrier. Wesley nous le décrivit comme « un homme de 38 ans, blanc, cheveux noirs, yeux marron. Taille 1 m 78, poids 80 kilos ». Pour l'instant Spurrier n'avait pas été arrêté ni interrogé, mais placé sous surveillance permanente. Ce qu'on avait découvert n'était pas tout à fait habituel.

À plusieurs reprises, tard le soir, il avait quitté son domicile, une maisonnette en brique d'un étage, pour se rendre dans des bars et sur des aires d'autoroute. Il ne restait jamais longtemps au même endroit. Il était toujours seul. La semaine précédente, il avait abordé un jeune couple sortant d'un bar nommé *Tom-Toms*. Il leur avait, à eux aussi, demandé son chemin. Rien ne s'était passé. Le couple était remonté en voiture et était parti. Spurrier avait regagné sa Lincoln et, après bien des détours, avait fini par rentrer chez lui. Sa voiture était équipée de ses vraies plaques.

– Nous avons un problème avec les pièces à conviction, déclara Wesley en me considérant d'un air sévère à travers ses lunettes sans monture. Notre labo a une douille vide, et vous avez la balle qui a été retirée du corps de Deborah Harvey.

– Ce n'est pas moi qui l'ai, précisai-je. C'est le Bureau de pathologie. Je suppose que vous avez commencé l'examen ADN du sang trouvé dans la voiture d'Elizabeth Mott.

– Pas de résultats avant une semaine ou deux.

Je hochai la tête. Le laboratoire ADN du FBI était équipé de cinq sondes polymorphes. Chaque sonde devait rester environ une semaine dans le développeur à rayons X, raison pour laquelle j'avais écrit récemment une lettre à Wesley lui suggérant de demander à Montana un bout de garniture du siège ensanglanté de la Volkswagen afin de procéder tout de suite à son analyse.

– L'examen ADN sert à rien si on a pas de sang du suspect, nous rappela Marino.

– On s'en occupe, fit Wesley.

– Bon, en tout cas, on pourrait coincer Spurrier pour l'histoire des plaques. Lui demander comment ça se fait qu'il se baladait il y a quelques semaines avec les plaques d'Aranoff.

– Nous ne pourrons pas le prouver. Ça sera la parole d'Abby et Kay contre la sienne.

– Tout ce qu'il faut, c'est qu'un magistrat nous signe un mandat, fit Marino. Ensuite on passera la baraque au peigne fin. Si ça se trouve il a dix paires de godasses qui lui appartiennent pas. Ou p't'être un Uzi, ou des balles Hydra-Shok, qui sait ce qu'on pourrait dénicher ?

– C'est bien notre intention, dit Wesley. Mais faisons les choses dans l'ordre.

Il se leva pour aller rechercher du café. Marino prit nos deux tasses et le suivit. À cette heure de la matinée, le *Board-room* était désert. Je regardai, autour de moi, les tables vides, la télévision dans son coin, et j'essayai de m'imaginer ce qui se passait ici tard le soir. Les agents en stage d'entraînement vivaient comme des moines. Les membres du sexe opposé, l'alcool et le tabac étaient interdits dans les chambres, qui ne fermaient pas à clé. Mais le *Boardroom* servait de la bière et du vin. Les arrosages, les querelles, les ragots, tout se passait ici. Mark m'avait raconté qu'il avait un soir mis fin à une bagarre déclenchée par un agent novice du FBI qui avait voulu faire du zèle en « arrêtant » une tablée de vieux routiers de la DEA. On avait fracassé plusieurs tables, bière et pop-corn avaient valdingué partout.

Wesley et Marino revinrent à la table. Wesley posa son café et ôta sa veste de costume gris perle qu'il suspendit avec soin au dossier de sa chaise. Il portait une impeccable chemise blanche, une cravate de soie bleu paon ornée de minuscules fleurs de lis blanches, et des bretelles bleu paon. Marino était le négatif caricatural de cette gravure de mode. Avec son gros ventre, aucun costume n'aurait paru à son avantage, même si je devais lui rendre cette justice que depuis quelque temps, il faisait des efforts.

– Quels autres renseignements avez-vous sur Spurrier ? demandai-je.

Wesley était en train de prendre des notes et Marino étudiait un dossier. J'eus l'impression qu'ils avaient tous deux oublié qu'il y avait une troisième personne à la table.

– Il n'a pas de casier, répondit Wesley en levant les yeux vers moi. Il n'a jamais été arrêté, même pas pour excès de vitesse. Il a acheté sa Lincoln en février 1990 chez un concessionnaire de Virginia Beach qui lui a concédé une reprise sur sa Town Car modèle 86. Il a réglé le reste en liquide.

– Il doit avoir des ressources, dit Marino. Grosses bagnoles, belle maison. J'ai du mal à croire que c'est sa boutique qui lui rapporte tout ça.

– Il ne roule pas sur l'or, rétorqua Wesley. D'après ses déclarations fiscales de l'an dernier, il a gagné moins de 30 000 dollars. Mais il possède des biens d'une valeur d'un demi-million de dollars, un compte boursier, des immeubles en bord de mer, des actions.

– Ben, mon colon, fit Marino en secouant la tête.

– Des personnes à charge ? demandai-je.

– Non, dit Wesley. Il n'est pas marié, ses parents sont morts. Son père a fait fortune dans l'immobilier à Northern Neck. Steven avait une vingtaine d'années quand il est mort. Je suppose que c'est de là que lui vient son argent.

– Et sa mère ? demandai-je.

– Elle est morte environ un an après son mari. Cancer. Steven est né tard, sa mère avait 42 ans. Il a un frère de quinze ans plus âgé que lui, Gordon, qui vit au Texas. Marié, quatre enfants.

Wesley continua de nous débiter ses renseignements sur Spurrier. Né à Gloucester, il avait fréquenté l'université de Virginie, où il avait obtenu une licence d'anglais. Ensuite il s'était engagé dans la marine, où il était resté moins de quatre mois. Il avait travaillé ensuite onze mois dans une imprimerie, où il avait la responsabilité de l'entretien des machines.

– J'aimerais avoir des détails sur son séjour dans la marine, dit Marino.

– Il n'y a pas grand-chose à en dire, répondit Wesley. Après son engagement, il a été envoyé en camp d'entraînement dans la région des Grands Lacs. Ayant choisi comme spécialité le journalisme il a été nommé à l'École d'information militaire du fort Benjamin Harrison, à Indianapolis. Plus tard il a été envoyé en poste auprès du Commandant en chef de la flotte de l'Atlantique, à Norfolk. (Wesley leva les yeux de ses notes.) Un mois après, son père est mort et Steven a béné ficié d'une libération anticipée pour pouvoir retourner à Gloucester s'occuper de sa mère, qui souffrait déjà de son cancer.

– Et le frérot ? demanda Marino.

– Officiellement il n'a pas pu se dégager de ses responsabilités professionnelles et familiales qui le retenaient au Texas. (Il se tut un instant et nous regarda tour à tour.) Il y a peut-être d'autres raisons. Les relations de Steven avec sa famille m'intriguent, mais je ne pourrai pas en savoir plus avant un certain temps.

– Pourquoi ? fis-je.

– Il serait trop risqué d'interroger le frère maintenant. Je ne veux pas qu'il appelle Steven et lui mette la puce à l'oreille. De toute façon il est peu probable que Gordon accepte de coopérer. Les membres d'une même famille ont tendance à se serrer les coudes, même s'ils ne s'entendent pas bien.

– Vous avez interrogé des gens qui ont connu Spurrier ? demanda Marino.

– Deux ou trois personnes de la marine, des gens de l'université de Virginie, le patron de l'imprimerie où il travaillait.

– Qu'est-ce qu'ils en disent ?

– Que c'était un solitaire, répondit Wesley. Qu'il n'était pas bon journaliste. Qu'il aimait mieux lire que faire des interviews ou écrire des articles. C'est pour ça que l'imprimerie lui allait bien. Il restait derrière, le nez dans un bouquin quand il n'y avait pas de travail. D'après son patron, Steven adorait bichonner les machines, mais il lui arrivait de passer des journées entières sans parler à personne. Il dit que Steven avait parfois des réactions bizarres.

– Par exemple ?

– Un jour, dit Wesley, une employée de l'imprimerie s'est sectionné le bout du doigt avec un cutter, et Steven a fait toute une scène parce qu'elle avait fait tomber du sang sur la machine qu'il venait de nettoyer. Sa réaction à la mort de sa mère a été tout aussi étrange. Steven était en train de lire pendant la pause déjeuner quand l'hôpital a appelé pour le prévenir. Il n'a manifesté aucune émotion. Il a regagné sa chaise et repris sa lecture.

– Drôlement chaleureux, le coco, fit Marino.

– Personne ne l'a décrit comme chaleureux.

– Que s'est-il passé après la mort de sa mère ? demandai-je.

– Je pense que c'est à ce moment-là qu'il a touché son héritage. Il s'est installé à Williamsburg, a pris la boutique de Merchant's Square en location et ouvert *The Dealer's Room*. C'était il y a neuf ans.

– Un an avant le meurtre de Jill Harrington et Elizabeth Mott, remarquai-je.

Wesley hocha la tête.

– Il était déjà dans le secteur, dit-il. Il l'est depuis le début des meurtres. Il travaille dans son magasin depuis qu'il l'a ouvert, sauf pendant environ cinq mois il y a... hum... sept ans. La boutique est restée fermée pendant cette période. Nous ne savons pas ce qui a motivé cette absence, ni où était Spurrier.

– Il s'occupe de la boutique tout seul ? demanda Marino.

– C'est une affaire modeste. Il n'a pas d'autre employé. Le magasin est fermé le lundi. Quand il n'a pas de client, il reste assis à lire un livre derrière son comptoir.

– Curieux qu'un individu aussi asocial, dis-je, choisisse un commerce où il est amené à avoir des contacts, aussi limités soient-ils, avec la clientèle.

– Au contraire, rétorqua Wesley. Une telle boutique peut constituer le poste d'observation idéal pour un voyeur, pour quelqu'un qui adore observer les autres sans trop s'impliquer. Nous avons également observé que les étudiants de William and Mary fréquentent sa boutique parce qu'à côté des ouvrages de grande diffusion, il propose des livres rares ou épuisés. Il possède aussi un stock important de romans d'espionnage et de revues militaires, ce qui lui vaut la clientèle des bases voisines. Si c'est bien le tueur, le fait de côtoyer de jeunes couples d'étudiants ou des militaires doit le fasciner, satisfaire son voyeurisme, et en même temps, susciter en lui des sentiments d'inadaptation, de frustration et de colère. Il hait ce qu'il envie, et il envie ce qu'il hait.

– J'aimerais savoir s'il a été humilié ou ridiculisé pendant son séjour dans la marine, fis-je.

– D'après ce qu'on m'a dit, oui. Les collègues de Spurrier le considéraient comme une lavette et un perdant, ses supérieurs le trouvaient arrogant et distant. Spurrier n'avait aucun succès auprès des femmes, et il préférait rester dans son coin, en partie par choix, en partie parce que sa personnalité n'avait rien d'attirant.

– Peut-être que son temps dans la marine a été le seul moment où il s'est cru un homme, dit Marino. Après, son père est mort et sa mère est tombée malade. Il a dû avoir l'impression de se faire baiser.

– C'est très possible, dit Wesley. Et le tueur que nous recherchons est persuadé que ses problèmes sont de la faute des autres. Il refuse d'en assumer la responsabilité. Il pense que sa vie est contrôlée par d'autres, c'est pourquoi contrôler les autres et son propre environnement est devenu pour lui une obsession.

– Une sorte de vengeance, dit Marino.

– Le tueur veut montrer qu'il a du pouvoir, poursuivit Wesley. Si son fantasme comporte des aspects militaires, ce que je crois, alors il pense qu'il est le soldat parfait. Celui qui tue sans se faire prendre. Celui qui échappe à l'ennemi, le nargue et s'en tire toujours. Il est même possible qu'il ait arrangé la mise en scène des meurtres pour que les enquêteurs y voient l'œuvre d'un militaire professionnel, voire d'un agent de Camp Peary.

– Sa manière de faire de la désinformation, dis-je.

– Il sait qu'il ne peut vaincre l'armée, reprit Wesley. Mais il peut ternir son image, la salir.

– Ça doit le faire jouir, fit Marino.

– Je pense que l'élément central, c'est que les actes du tueur sont le résultat de fantasmes sexuels violents que son isolement social a favorisés. Il croit vivre dans un monde injuste dont il peut s'échapper grâce à l'imagination. Ses fantasmes lui permettent d'exprimer ses émotions, de contrôler d'autres êtres humains, d'être le personnage qu'il s'est choisi et d'obtenir ce qu'il veut. Il peut contrôler la vie et la mort. Il a le pouvoir de décider s'il veut seulement blesser ou tuer.

– Dommage que Spurrier ne se contente pas *d'imaginer* qu'il bute des couples, dit Marino. Parce que, dans ce cas, on serait pas là à parler de lui, pas vrai ?

– Ce n'est pas tout à fait ainsi que ça marche, lui répondit Wesley. Si votre pensée et votre imagination sont dominées par l'agressivité et la violence, votre comportement va peu à peu s'en imprégner. Les actes de violence nourrissent des pensées violentes, et les pensées violentes entraînent des actes encore plus violents. Au bout d'un certain temps, la violence et l'assassinat font partie de votre vie et vous n'y voyez plus rien de répréhensible. Plusieurs tueurs en série m'ont déclaré que quand ils tuaient, ils se contentaient de faire ce que beaucoup de gens ne font qu'imaginer.

– Malheur à celui qui a de mauvaises pensées, dis-je.

Je décidai alors d'exposer ma théorie concernant le sac à main de Deborah Harvey.

– Je pense qu'il est possible que le tueur ait su qui était Deborah, dis-je. Peut-être pas au moment où il a obligé le couple à le suivre, mais certainement au moment de la tuer.

– Expliquez-vous, dit Wesley en me considérant avec intérêt.

– Avez-vous vu le rapport du labo des empreintes ? leur demandai-je.

– Ouais, je l'ai vu, dit Marino.

– Quand Vander a examiné le sac de Deborah, il a trouvé des fragments d'empreintes sur ses cartes de crédit, mais rien sur son permis de conduire.

– Oui, et alors ? fit Marino d'un air perplexe.

– Étant en Nylon étanche, son sac n'a pas souffert d'être resté dehors si longtemps. De plus, ses cartes de crédit et son permis étaient enfermés dans des pochettes en plastique, elles-mêmes glissées dans un compartiment avec fermeture Éclair. Le contenu du sac a donc été protégé des intempéries et de l'écoulement des fluides corporels de décomposition. Je n'aurais pas été autrement surprise si Vander n'avait découvert aucune empreinte. Mais ce qui m'intrigue, c'est qu'il y ait des traces sur les cartes de crédit, et pas sur le permis, alors que nous savons que Deborah l'a présenté à la vendeuse du Seven-Eleven quand elle a essayé d'acheter de la bière. On aurait donc dû retrouver les empreintes de Deborah et celles de la vendeuse, Ellen Jordan. Ce que je me demande, c'est si le tueur n'a pas manipulé lui aussi le permis, avant de l'essuyer pour en effacer toute empreinte.

– Pourquoi aurait-il fait ça ? demanda Marino.

– Peut-être que quand ils se sont retrouvés dans la voiture, l'arme pointée sur eux, Deborah lui a dit qui elle était.

– Intéressant, dit Wesley.

– Deborah était peut-être une personne modeste, mais elle était très consciente de la notoriété de sa famille, poursuivis-je. Elle a peut-être cherché à influencer le tueur, à lui faire comprendre que s'il leur faisait du mal, il ne s'en tirerait pas. Il a pu être troublé au point de lui demander de prouver son identité, et c'est à ce moment qu'il aurait sorti le permis de Deborah de son sac.

– Dans ce cas, pourquoi le sac se serait retrouvé dans les bois, avec le valet de cœur à l'intérieur ? demanda Marino.

– Peut-être pour se donner un peu de temps, dis-je. Il se doutait que l'on retrouverait rapidement la Cherokee, et s'il avait compris qui était Deborah, il savait que toutes les polices du coin seraient sur les dents. Peut-être qu'il a préféré agir avec prudence et ne pas laisser le valet de cœur dans la voiture, où on l'aurait découvert tout de suite, mais avec les corps. En mettant la carte dans le sac et le sac sous le corps de Deborah, il était sûr qu'on retrouverait la carte, mais longtemps après. Il modifie un peu les règles, mais il gagne quand même la partie.

– Pas mal, fit Marino avant de se tourner vers Wesley. Qu'est-ce que vous en pensez ?

– Je pense que nous ne saurons peut-être jamais ce qui s'est passé, répondit Wesley. Mais je ne serais pas étonné d'apprendre que Deborah a agi comme vient de le décrire Kay. Une chose est certaine – quoi que Deborah ait pu dire, malgré les menaces qu'elle a pu proférer, le tueur ne pouvait pas courir le risque de les libérer, Fred et elle, parce qu'ils auraient pu l'identifier. Il a donc décidé de poursuivre l'exécution de son plan et de les tuer, mais cet élément inattendu a pu... (Il se tourna vers moi.) c'est vrai, le déstabiliser. Il a peut-être été amené à modifier son rituel. Peut-être aussi qu'il a laissé la carte dans le sac de Deborah pour montrer dans quel mépris il les tenait, elle et sa famille.

– Genre : « Je vous emmerde », dit Marino.

– Possible, répondit Wesley.

Steven Spurrier fut arrêté le vendredi suivant quand les deux agents du FBI et le détective de la ville qui le filaient l'eurent suivi jusqu'au parking longue durée de l'aéroport de Newport News.

Lorsque le coup de téléphone matinal de Marino me réveilla, ma première pensée fut qu'un autre couple avait disparu. Il me fallut un moment pour comprendre de qui il parlait.

– Ils l'ont coincé en train de piquer un jeu de plaques, disait-il. Ça lui a valu une inculpation de vol. Ils n'ont pas su faire mieux, mais au moins, ça nous fournit la cause probable qui va nous permettre de le cuisiner à fond.

– C'était encore une Lincoln ? demandai-je.

– Un modèle 1991, cette fois, gris métallisé. Il est en garde à vue en attendant de passer devant le juge, mais on ne va pas pouvoir le garder pour un délit si mince. Tout ce qu'ils peuvent faire, c'est gagner du temps, faire traîner les choses au maximum. Mais ils seront bien obligés de le relâcher.

– Est-ce qu'on a obtenu un mandat de perquisition ?

– Sa piaule grouille de flics et même de Feds.

– Vous allez les rejoindre, je suppose ?

– Ouais. Je vous tiendrai au courant, dit-il.

Je ne pus me rendormir. Un peignoir jeté sur les épaules, je descendis et allumai une lampe dans la chambre d'Abby.

– Ce n'est que moi, dis-je tandis qu'elle se redressait en se frottant les yeux.

Je lui annonçai la nouvelle, après quoi, nous allâmes dans la cuisine nous préparer du café.

– Je donnerais cher pour assister à la perquisition, dit Abby.

Elle était si nerveuse que je fus surprise de ne pas la voir bondir dans sa voiture.

Elle resta au contraire toute la journée à la maison, prise d'une soudaine frénésie d'activité. Elle nettoya sa chambre, m'aida à la cuisine, balaya même le patio. Elle voulait savoir ce que la police avait découvert, mais elle comprit que se rendre à Williamsburg ne l'avancerait à rien, car on ne l'autoriserait à entrer ni dans la maison ni dans la boutique de Spurrier.

Marino passa à la maison en début d'après-midi alors qu'Abby et moi chargions le lave-vaisselle. D'après son expression, je sus tout de suite que les nouvelles n'étaient pas bonnes.

– Je commencerai par vous dire ce qu'on *n'a pas* trouvé, dit-il. On n'a pas trouvé un seul petit truc qui pourrait convaincre un jury que Spurrier a tué ne serait-ce qu'une seule mouche dans sa vie. Pas de couteau, sauf dans sa cuisine. Pas d'armes, pas de munitions. Aucun souvenir, pas le moindre bijou, chaussure, mèche de cheveux, rien qui puisse appartenir à une des victimes.

– A-t-on fouillé la librairie ? demandai-je.

– Bien sûr.

– Et sa voiture aussi, je suppose.

– Rien.

– Alors dites-nous ce que vous avez trouvé, dis-je avec découragement.

– Assez de trucs bizarres pour me convaincre que c'est lui, doc, dit Marino. Ce type n'est pas un boy-scout. Sa baraque est bourrée de magazines pornos violents, de bouquins sur l'armée et les services secrets, et de tas d'articles sur la CIA. Tout ça catalogué et étiqueté. Ce type est plus maniaque qu'une vieille bibliothécaire.

– Avez-vous trouvé des coupures de journaux concernant les meurtres de couples ? demanda Abby.

– Oui, et même de vieux articles sur Jill Harrington et Elizabeth Mott. On a trouvé aussi pas mal de catalogues de matériel d'espionnage, de ces boutiques qui vendent des articles de survie-sécurité, depuis les voitures blindées jusqu'aux détecteurs de bombes en passant par les lunettes pour voir la nuit. Le FBI va vérifier pour savoir s'il a commandé certains articles. Sa garde-robe aussi est intéressante. Il doit avoir une demi-douzaine de survêtements en Nylon dans sa chambre, tous noirs ou bleu marine, jamais portés, les étiquettes enlevées, comme s'il voulait les mettre par-dessus ses vêtements quand il ferait ses trucs et les jeter après.

– Le Nylon ne s'effiloche presque pas, dis-je. Les K-way, les survêtements en Nylon ne laissent pratiquement aucune fibre.

– Exact. Voyons, quoi d'autre ? (Marino se tut et finit son verre.) Ah oui. Deux boîtes de gants chirurgicaux et un stock de ces machins jetables que vous mettez sur vos chaussures quand vous travaillez en bas.

– Des chaussons ?

– Ouais. Ce que vous mettez à la morgue, pour pas recevoir du sang sur vos chaussures. Et vous savez quoi ? On a trouvé aussi des jeux de cartes tout neufs, encore sous cellophane.

– Vous n'en auriez pas trouvé un auquel il manque un valet de cœur, par hasard ? demandai-je.

– Non, mais c'est pas étonnant. Il doit balancer le reste du paquet une fois qu'il a retiré le valet de cœur.

– Tous les jeux sont de la même marque ?

– Non, de deux ou trois marques différentes.

Abby était assise, silencieuse, les mains croisées sur les cuisses.

– Je n'arrive pas à croire que vous n'ayez pas trouvé d'arme, dis-je.

– Ce type est malin, doc. Malin et prudent.

– Pas assez prudent. Il a conservé les coupures de journaux, les survêtements, les gants. On l'a pris sur le fait en train de voler des plaques. Est-ce qu'il ne s'apprêtait pas à tuer une nouvelle fois ?

– Il avait des plaques volées sur sa voiture quand il vous a demandé la direction de l'I-64, me fit remarquer Marino. Et aucune disparition de couple n'a été signalée pendant ce week-end.

– C'est vrai, fis-je d'un air songeur. Et il ne portait pas non plus de survêtement.

– Peut-être qu'il met son survêt au dernier moment. Peut-être qu'il le garde dans un sac de gym, dans son coffre. Pour moi il a tout un matériel planqué quelque part.

– Vous avez trouvé un sac de sport ? demanda Abby.

– Non, dit Marino.

– Il devait mcttrc tout son attirail dans un sac de sport, ajouta Abby. Son arme, son couteau, ses lunettes et tout le reste.

– Rassurez-vous, on n'a pas fini de chercher.

– Où se trouve-t-il en ce moment ? demandai-je.

– Quand je suis parti, il buvait du café dans sa cuisine, répondit Marino. Incroyable. On était en train de foutre en l'air sa baraque, il a même pas levé le petit doigt. Quand on lui a posé des questions sur les survêtements, les gants et les jeux de cartes, il a juste dit qu'il nous dirait rien en l'absence de son avocat. Et puis il a bu une gorgée de café et allumé une cigarette comme si on n'était pas là. Ah ouais, j'oubliais. Notre oiseau fume.

– Quelle marquc ? dcmandai-jc.

– Des Dunhill. Il a un beau briquet aussi. Très cher.

– Ça pourrait expliquer pourquoi il arrache le papier sur les mégots qu'il laisse sur les licux, dis-jc. Les Dunhill sont très reconnaissables.

– Exact, confirma Marino. Elles ont une bande dorée autour du filtre.

– Vous avez effectué les prélèvements habituels ?

– Ouais, dit-il en souriant. C'est notre atout et son valet de cœur n'y pourra rien. Même si on résoud pas les autres meurtres, on pourra le pendre pour ceux de Jill et Elizabeth. L'examen ADN devrait lui régler son affaire. Dommage que ces foutus tests soient si longs.

Après le départ de Marino, Abby me considéra d'un air sceptique.

– Alors ? fis-je.

– C'est encore très vague, dit-elle.

– Pour l'instant, oui.

– Spurrier a de l'argent, dit-elle. Il va s'offrir le meilleur avocat de la place. Je peux te dire exactement ce qui va se passer. L'avocat va insinuer que son client est accusé sans preuve par la police et les services fédéraux pressés de trouver un coupable à ces meurtres. Il prétendra qu'on cherche un bouc émissaire, ce qui confirmera les accusations de Pat Harvey.

– Abby...

– Parce qu'après tout, le tueur est *peut-être bien* quelqu'un de Camp Peary.

– Tu n'y crois pas toi-même, protestai-je.

Elle jeta un coup d'œil à sa montre.

– Peut-être que les Feds ont découvert qui c'était et réglé le problème sans faire de bruit. Ce qui expliquerait qu'aucun autre couple n'ait disparu après Fred et Deborah. Mais quelqu'un d'autre doit payer pour dissiper les soupçons et régler l'affaire aux yeux du public...

Je me renversai sur mon siège et, la tête en arrière, contemplai le plafond pendant qu'elle continuait sur sa lancée.

– Il est clair que Spurrier est un type louche, sinon, il ne s'amuserait pas à voler des plaques d'immatriculation. Mais peut-être qu'il vend de la drogue. Peut-être que c'est un monte-en-l'air ou un type qui prend son plaisir à circuler en voiture avec des plaques volées. Il est assez bizarre pour correspondre au profil du tueur, mais le monde est plein de gens bizarres qui n'ont tué personne. Est-ce qu'on peut être sûr que ce qu'on a retrouvé chez lui n'a pas été apporté par la police ?

– Ça suffit, Abby, je t'en prie, dis-je.

Mais elle ne voulait plus s'arrêter.

– Moi, je trouve ça un peu gros. Les survêtements, les gants, les jeux de cartes, les magazines pornographiques, les coupures de journaux. Comment se fait-il qu'on n'ait retrouvé ni arme ni munitions, alors que Spurrier s'est fait prendre par surprise ? Hé, hé, si on réfléchit bien, ça n'a rien d'étonnant, c'est même très pratique. Parce que s'il y a bien une chose que les Feds ne pouvaient pas planquer dans la maison de Spurrier, c'est bien l'arme qui a tiré la balle que tu as retirée du corps de Deborah Harvey.

– Tu as raison, ç'aurait été impossible, dis-je en me levant.

Incapable de rester en place, je me mis à essuyer la table et les plans de travail.

– En d'autres termes, la seule pièce à conviction qui n'ait pas été trouvée chez Spurrier est celle-là même qu'on n'aurait pas pu y placer.

J'avais entendu parler d'affaires dans lesquelles la police ou les agents fédéraux plaçaient des indices chez un suspect pour le faire condamner. L'ACLU[1] devait avoir une pièce entière réservée à ces dossiers.

– Tu ne m'écoutes pas, dit Abby.

– Je vais prendre un bain, répliquai-je d'une voix lasse.

Elle s'approcha de l'évier où j'étais en train d'essorer la chiffonnette.

– Kay ?

J'interrompis ce que j'étais en train de faire et me retournai vers elle.

– Tu veux que tout soit clair, n'est-ce pas ? dit-elle.

– Je préférerais que les choses soient toujours claires, oui. Malheureusement elles ne le sont presque jamais.

– Tu voudrais que tout soit clair, répéta-t-elle. Tu ne voudrais pas, par exemple, avoir l'impression que des gens en qui tu as confiance envoient un innocent à la chaise électrique pour se couvrir ?

– Bien sûr que non. Je détesterais penser une chose pareille. Et je refuse d'y penser à moins qu'on ne m'en présente la preuve. Et Marino était chez Spurrier. Il n'aurait jamais marché dans une telle combine.

– Oui, il était chez Spurrier, dit-elle en s'éloignant de moi. Mais il n'y est pas arrivé le premier. Et le temps qu'il arrive, on a pu préparer une mise en scène. Lui présenter ce qu'on voulait.

1. *American Civil Liberties Union*, organisme qui lutte pour le respect du droit des citoyens.

17

La première personne sur laquelle je tombai en arrivant au bureau le lundi matin fut Fielding.

Je venais de pousser la porte vitrée et je le vis, en blouse de travail, attendant devant la porte de l'ascenseur. En remarquant les chaussons de papier plastifié bleu qu'il avait passés par-dessus ses chaussures, je songeai à ceux que la police avait trouvés chez Steven Spurrier. Nos articles médicaux nous étaient fournis par des fabricants ayant un contrat avec l'État. Mais de nombreux fournisseurs vendaient des chaussons et des gants chirurgicaux. Il ne fallait pas être médecin pour acheter ces articles, pas plus qu'il ne fallait être policier pour se procurer un uniforme, une plaque et une arme.

– J'espère que vous avez bien dormi, m'avertit Fielding tandis que les portes de l'ascenseur s'ouvraient.

Nous entrâmes dans la cabine.

– Pourquoi ? demandai-je. On a un programme chargé ce matin ?

– Six autopsies, toutes des victimes d'homicides.

– Formidable, dis-je avec amertume.

– Comme vous dites. Le Club des Flingues et Poignards n'a pas chômé, ce week-end. Quatre morts par fusillades, deux tués à coups de couteau. C'est le printemps, les morts fleurissent.

L'ascenseur nous déposa au premier étage et j'avais ôté ma veste et remonté mes manches quand je pénétrai dans mon bureau. Marino m'attendait assis sur une chaise, une serviette sur les genoux, une cigarette au bec. Je pensais qu'il s'occupait d'une des victimes de la matinée jusqu'à ce qu'il me tende deux rapports de labo.

– J'ai pensé que ça vous intéresserait, dit-il.

Le nom de Steven Spurrier était tapé à la machine en haut d'un des rapports. Le laboratoire de sérologie avait fini d'analyser son sang. L'autre rapport, vieux de huit ans, contenait le résultat des examens du sang trouvé dans la Volkswagen d'Elizabeth Mott.

– Bien sûr, on n'a pas encore les résultats des tests ADN, dit Marino, mais c'est déjà pas mal.

Je m'assis à ma table et étudiai longuement les deux rapports. Le sang provenant de la Volkswagen était de groupe O, avec un PGM de type 1, un EAP de type B, un ADA de type 1 et un ESD de type 1. Cette combinaison se retrouvait chez environ 8 % de la population. Ces résultats coïncidaient avec ceux des examens pratiqués sur le sang prélevé sur le suspect Spurrier. Il appartenait lui aussi au groupe O, les autres caractéristiques analysées étaient identiques, mais comme on avait recherché un plus grand nombre d'enzymes, le résultat était plus précis, et la combinaison ne se retrouvait que chez environ 1 % de la population.

– Ça ne suffit pas pour l'inculper de meurtre, dis-je à Marino. Son groupe sanguin est le même que celui de mil liers de gens.

– Dommage que le rapport d'il y a huit ans soit pas plus précis.

– À l'époque, les examens de routine ne comportaient pas la recherche d'un si grand nombre d'enzymes, expliquai-je.

– On pourrait pas le faire maintenant ? suggéra-t-il. Si on pouvait avoir un résultat plus serré, ça nous aiderait. Le foutu test ADN de Spurrier va prendre des semaines.

– Non, c'est impossible de refaire l'examen, dis-je. Le sang de la Volkswagen est trop vieux. Les enzymes se sont dégradées et les résultats seraient encore moins précis que ceux-ci. La seule chose qu'il pourrait nous indiquer, c'est le groupe ABO, mais près de la moitié de la population est de groupe O. Il ne nous reste plus qu'à attendre les résultats de l'examen ADN. De plus, ajoutai-je, même si vous le mettiez sous les verrous aujourd'hui, vous savez bien qu'il paierait sa caution et sortirait aussitôt. Ceci dit, j'espère qu'il est toujours sous surveillance ?

– On le quitte pas des yeux, et il le sait. L'avantage, c'est qu'il risque pas de buter quelqu'un d'autre. L'embêtant, c'est qu'il a tout son temps pour détruire les preuves qu'on n'a pas trouvées. Par exemple, ses armes.

– Le mystérieux sac de sport que tout le monde cherche.

– C'est pourtant pas faute d'avoir cherché. La seule chose qu'on n'a pas faite, c'est arracher le parquet pour regarder dessous.

– Peut-être qu'il aurait fallu le faire.

– Peut-être bien.

J'étais en train de me demander à quel endroit Spurrier aurait pu cacher un sac de sport quand j'eus une idée. Je ne sais pas pourquoi je n'y avais pas pensé plus tôt.

– Comment est Spurrier, physiquement ? demandai-je.

– Pas très grand, mais musclé. On dirait qu'il a pas un gramme de graisse.

– Donc il doit faire de la musculation.

– Sans doute. Pourquoi ?

– S'il fréquente une salle, il doit louer un casier. J'en ai un, à Westwood. Si je voulais dissimuler quelque chose, ça serait une bonne cachette. Pourquoi soupçonner quelqu'un qui sort d'entraînement avec son sac de gym ou qui le range dans son casier en arrivant ?

– Bonne idée, fit Marino d'un air songeur. Je vais me renseigner.

Il alluma une autre cigarette et ouvrit sa serviette.

– J'ai amené des photos de chez lui, si vous voulez jeter un coup d'œil.

Je consultai l'horloge murale.

– D'accord, mais dépêchons-nous, j'ai du monde qui m'attend en bas.

Il me tendit une épaisse enveloppe bulle contenant des tirages 18 x 24. Les photos étaient rangées dans l'ordre où elles avaient été prises, et les regarder donnait l'impression de visiter la maison de Spurrier à travers les yeux de Marino, en commençant par la façade en brique de style colonial bordée de buis et un sentier de brique menant à la porte d'entrée noire. On apercevait en arrière-plan une allée pavée menant à un garage.

J'étalai devant moi les quelques photos suivantes et me retrouvai dans le salon. Sol en parquet, divan de cuir noir, table basse en verre. Au centre de la table, une plante en cuivre aux bords déchiquetés fichée dans un éclat de corail. Un numéro récent du *Smithsonian*, parfaitement aligné avec les bords de la table. Au centre exact du magazine, une télécommande, destinée, pensai-je, au projecteur de télévision suspendu au plafond tel un vaisseau spatial, et qui devait fonctionner avec l'écran géant de deux mètres de diagonale installé au-dessus d'un meuble bourré de cassettes vidéo soigneusement étiquetées et de dizaines de livres reliés dont je ne pus distinguer les titres. À côté des rayonnages était installé un autre meuble où étaient rangés des appareils électroniques sophistiqués.

– Le coco s'est installé sa propre salle de cinoche, dit Marino. Sono intégrale, haut-parleurs dans toutes les pièces. Son installation a dû lui coûter plus cher que votre Mercedes, et c'est pas le genre à regarder des opéras. Les cassettes que vous voyez là sur les rayons... (Il se pencha par-dessus mon bureau pour me les montrer.) ... c'est tous des trucs du genre *Arme fatale*, des films sur le Vietnam, sur les escadrons de la mort et compagnie. Et sur le rayon au-dessus, vous avez le clou de la collection. Si vous vous fiez aux étiquettes, vous pensez que c'est des trucs inoffensifs. Mais si vous en mettez une dans le magnétoscope, vous aurez des surprises. C'est tout de la pornographie très hard. Benton et moi on a passé la journée d'hier à visionner toute cette merde. Incroyable. Ça m'a donné envie d'aller prendre un bain pour me laver de cette saloperie.

– Y a-t-il des films qu'il a tournés lui-même ?

– Non. Pas de matériel photo non plus.

Je passai à d'autres clichés. Cette fois nous étions dans la salle à manger. Là aussi une table en verre, mais entourée de chaises en acrylique transparent. Là encore un parquet de bois nu. Je n'avais pas encore remarqué de tapis.

La cuisine, immaculée, était hyper-moderne. Mini-stores vénitiens gris aux fenêtres. Dans aucune des pièces il n'y avait de rideaux, ni de draperies, pas même dans la chambre à l'étage. Le lit double en cuivre était fait, les draps blancs, mais pas de dessus-de-lit. Les tiroirs ouverts de la commode laissaient voir les survêtements dont m'avait parlé Marino, et par terre je distinguai les boîtes de chaussons et de gants chirurgicaux.

– Aucun tissu nulle part, constatai-je en rangeant les photos dans l'enveloppe. Je n'avais encore jamais vu de maison sans au moins un tapis.

– Pas de rideaux non plus, ajouta Marino. Même pas dans la douche. C'est une cabine en verre. Mais il a quand même des serviettes, des draps, des vêtements.

– Qu'il lave probablement sans arrêt.

– Sa Lincoln a un intérieur cuir, dit Marino. Et les tapis de sol sont recouverts de housses en plastique.

– Il n'a aucun animal domestique ?

– Non.

– La façon dont il a meublé sa maison ne vient peut-être pas uniquement de sa personnalité.

– C'est aussi ce que je me suis dit, fit Marino.

– Pas de fibres, pas de poils d'animaux, dis-je. Il ne risque pas d'en transporter avec lui.

– Ça vous a pas frappée de voir que toutes les voitures qu'on a retrouvées vides étaient si propres ?

Bien sûr que j'y avais réfléchi.

– Peut-être qu'il passe l'aspirateur dedans après ses crimes, suggéra Marino.

– Dans une station de lavage ?

– Dans une station-service, un lavage automatique, n'importe quel endroit équipé d'un aspirateur à pièces. Les meurtres ont tous été commis tard le soir. S'il allait nettoyer les voitures après, il devait y avoir personne.

– Peut-être, dis-je. Qui sait comment il s'y prenait ? En tout cas, Spurrier donne l'impression d'être quelqu'un d'excessivement propre et prudent. De très paranoïaque aussi, et qui connaît bien les indices importants dans les examens médico-légaux.

Marino s'appuya au dossier de sa chaise.

– Ce week-end, je suis passé au Seven-Eleven où Fred et Deborah se sont arrêtés la nuit de leur disparition. J'ai parlé avec la caissière.

– Ellen Jordan ?

Il acquiesça.

– Je lui ai montré une photo d'un groupe d'individus où se trouvait Spurrier en lui demandant si elle reconnaissait parmi eux le type qui lui avait acheté du café ce soir-là. Elle a désigné Spurrier.

– Elle en est certaine ?

– Oui. Elle m'a dit qu'il portait une veste foncée. Tout ce qu'elle se rappelle, c'est que le bonhomme était habillé en sombre. Je me suis dit qu'il était déjà en survêtement quand il est entré au Seven-Eleven. J'ai ruminé pas mal d'hypothèses. Commençons par deux faits établis. Toutes les voitures abandonnées étaient impeccables, mais lors des quatre meurtres qui ont précédé celui de Fred et Deborah, on a retrouvé des fibres de coton blanc sur le siège conducteur. D'accord ?

– Oui, acquiesçai-je.

– Bon. Moi, je pense que ce salopard était en chasse quand il a repéré Fred et Deborah sur la route, dans leur voiture, serrés l'un contre l'autre, peut-être que Deborah avait la tête sur l'épaule de Fred, ce genre de truc. Ça l'excite. Il les suit, entre au Seven-Eleven juste après eux. Peut-être qu'il se change à ce moment-là, qu'il enfile son survêtement avant de descendre de voiture, à moins qu'il l'ait déjà sur lui. En tout cas, il entre dans la boutique, traîne dans les rayons, feuillette des magazines et commande un café en écoutant ce qu'ils racontent à la caissière. Il entend la fille dire aux deux jeunes qu'il y a une aire de repos un peu plus loin, avec des toilettes. À ce moment, il sort de la boutique, reprend sa voiture et fonce jusqu'à l'aire suivante, où il se gare. Il sort son sac contenant ses armes, ses gants, ses liens, etc. Quand Fred et Deborah arrivent, il attend que Deborah soit entrée aux toilettes, et puis il s'amène vers Fred et lui raconte une histoire comme quoi il est en panne ou n'importe quoi. Peut-être que Spurrier lui explique qu'il revient de sa salle de musculation, ce qui explique pourquoi il est en survêtement.

– Fred n'aurait pas reconnu en lui l'homme qui était avec eux au Seven-Eleven ?

– Possible, dit Marino. Mais Spurrier a peut-être eu le culot de lui dire qu'il les avait justement vus au Seven-Eleven, et que sa voiture l'a lâché juste après. Il prétend qu'il vient d'appeler une dépanneuse, et il demande si Fred pourrait le ramener à sa voiture pour l'attendre, disant qu'elle n'est pas loin, etc. etc. Fred dit qu'il est d'accord, puis Deborah sort des toilettes. Une fois que Spurrier est à l'intérieur de la Cherokee, Fred et Deborah sont à lui.

Fred avait toujours été décrit comme un garçon serviable et généreux. Il n'aurait sans doute pas hésité à aider un inconnu, surtout aussi présentable et poli que Steven Spurrier.

– Quand la Cherokee reprend l'Interstate, Spurrier ouvre son sac, enfile ses gants, ses chaussons, puis sort son arme et la pointe sur la nuque de Deborah...

Je repensai à la réaction du limier quand il avait reniflé le siège où Deborah était assise : il avait senti la terreur qui l'avait saisie.

– ... il ordonne à Fred de rouler jusqu'à l'endroit qu'il a repéré à l'avance. Quand ils arrivent au chemin forestier, il a sans doute déjà lié les mains de Deborah dans son dos. Il lui a aussi fait quitter ses chaussettes et ses chaussures. Spurrier ordonne à Fred de se mettre pieds nus à son tour, puis lui attache les mains. Spurrier leur ordonne de descendre de la Cherokee et de s'enfoncer dans les bois. Peut-être qu'il a mis ses lunettes de vision nocturne, s'il les avait dans son sac.

» C'est alors qu'il commence son petit jeu avec eux, poursuivit Marino d'un ton détaché. Il se débarrasse d'abord de Fred, puis s'occupe de Deborah. Elle résiste, se fait entailler la main, et il lui tire dessus. Il traîne leurs corps jusqu'à la clairière, les positionne côte à côte, passe le bras de Deborah sous celui de Fred, comme s'ils se tenaient la main. Spurrier fume quelques cigarettes, reste assis un moment dans le noir à côté des cadavres, en admirant peut-être le soleil couchant. Puis il revient à la Cherokee, enlève son survêtement, ses gants, ses chaussons, les met dans un sac plastique qu'il a apporté. Peut-être qu'il y met aussi les chaussures et les chaussettes des gosses. Il repart, trouve une station déserte équipée d'un aspirateur et nettoie l'intérieur de la Jeep. C'est terminé, il lui reste plus qu'à se débarrasser du sac plastique. Je suppose que pour les quatre premiers meurtres, il avait placé quelque chose sur le siège conducteur avant de s'y asseoir, peut-être un drap plié, une serviette blanche.

– La plupart des clubs de musculation ont une lingerie. Ils laissent un stock de serviettes blanches dans leurs vestiaires. Si Spurrier entrepose son attirail dans un casier de vestiaire...

– Ouais, vous avez sans doute raison, me coupa Marino. Je ferais mieux de me mettre dessus tout de suite.

– Une serviette blanche expliquerait la présence des fibres, ajoutai-je.

– Sauf qu'il a dû utiliser autre chose pour le meurtre de Fred et Deborah. Merde, qui sait ? Peut-être un sac poubelle. En tout cas, je pense qu'il a mis quelque chose sous lui pour pas déposer de fibres venant de ses vêtements. N'oublions pas qu'à ce moment, il a quitté le survêtement, forcément ensanglanté.

Une fois la Cherokee nettoyée, il repart, l'abandonne à l'endroit où on l'a retrouvée, traverse l'autoroute à pied et reprend sa Lincoln sur l'aire de repos opposée. Il disparaît, mission terminée.

– Il devait y avoir beaucoup de voitures sur les aires de repos ce soir-là, dis-je. Personne n'a remarqué la Lincoln, et même si ç'avait été le cas, le numéro des plaques ne l'aurait pas trahi puisqu'elles avaient été « empruntées ».

– Exact. C'est le dernier truc qui lui reste à faire. Il a le choix entre les balancer ou les remettre sur la voiture où il les a prises. (Il se tut et se passa la main sur le visage.) J'ai l'impression que Spurrier s'est fixé dès le départ un *modus operandi* et qu'il s'y est tenu pour tous ses meurtres. Il se met en chasse, repère ses victimes, les suit et attend qu'elles s'arrêtent quelque part, dans un bar, une aire de repos où elles vont rester assez longtemps pour qu'il puisse préparer sa mise en scène. Ensuite il les approche, gagne leur confiance. Peut-être qu'il arrive à ses fins une fois sur cinquante sorties, mais ça ne fait rien, il recommence parce qu'il aime ça.

– Ce scénario est plausible pour les cinq derniers meurtres, dis-je, mais pas pour ceux de Jill et Elizabeth. S'il a laissé sa voiture au *Palm Leaf Motel*, il était à 7 ou 8 kilomètres de l'*Anchor Bar and Grill*.

– Rien ne prouve que Spurrier les a abordées à l'*Anchor*.

– J'ai la conviction que si.

– Pourquoi ? fit-il d'un air surpris.

– Parce qu'il avait déjà vu les deux femmes dans sa boutique, expliquai-je. Elles connaissaient Spurrier de vue. Lui les avait repérées quand elles venaient acheter leur journal ou des livres. Quand il a compris qu'elles étaient plus que des amies, ça a déclenché le processus. Il est obsédé par les couples. Quand il s'est décidé à passer à l'action, à commencer de tuer, il s'est peut-être dit que deux femmes seraient plus faciles à maîtriser qu'un homme et une femme. Il a conçu le meurtre longtemps à l'avance, chaque nouvelle venue de Jill et Elizabeth à la boutique ravivait ses fantasmes. Il les a peut-être suivies, épiées, il a peut-être fait des répétitions, procédé à des simulations. Il avait choisi depuis longtemps les bois proches de chez Mr Joyce, et c'est sans doute lui qui a abattu le chien. Et puis un soir, il suit les deux filles à l'*Anchor*, et il décide d'en finir. Il laisse sa voiture quelque part, se rend au bar à pied, son sac de sport à la main.

– Vous pensez qu'il est entré et qu'il les a observées à leur table ?

– Non, répondis-je. Il est trop prudent pour ça. Je pense qu'il est resté dehors, qu'il a attendu qu'elles sortent et qu'il les a abordées au moment où elles montaient dans la Volkswagen. Là, il leur fait son numéro. Sa voiture est en panne. Il est le propriétaire de la librairie qu'elles fréquentent. Elles n'ont aucune raison de se méfier. Il monte avec elles. Mais là, très vite, son plan dérape. Ils n'arrivent pas à l'endroit choisi, mais dans un cimetière. Les deux femmes, surtout Jill, ne se montrent pas très coopératives.

– Et il saigne dans la voiture, intervint Marino. Peut-être qu'il saigne du nez. Et aucun aspirateur ne peut faire disparaître des taches de sang.

– Je doute qu'il ait passé l'aspirateur cette fois-là. Il devait paniquer. Il a sans doute abandonné la voiture dès que possible, dans un parking de motel. Quant à l'endroit où il avait laissé la sienne, comment savoir ? À mon avis, il a dû marcher un bon moment pour la récupérer.

– C'est peut-être cette histoire avec les deux femmes qui lui a flanqué une telle frousse qu'il a rien fait pendant cinq ans.

– Je ne pense pas, dis-je. Il manque un morceau du puzzle.

Plusieurs semaines plus tard, je travaillais chez moi, dans mon bureau, lorsque le téléphone sonna. Mon message enregistré s'était à peine déclenché que mon correspondant raccrocha. Une demi-heure s'écoula, puis il y eut un nouvel appel. Cette fois, je décrochai et dis : « Allô ? », mais la personne raccrocha de nouveau.

C'était peut-être quelqu'un qui essayait de contacter Abby mais ne voulait pas me parler ? Ou bien Clifford Ring, qui avait découvert qu'elle était chez moi ? Songeuse, et voulant grignoter un morceau, j'allai inspecter le contenu du réfrigérateur et avalai quelques tranches de fromage.

J'étais remontée dans mon bureau et réglais quelques factures lorsque j'entendis le gravier de l'allée crisser sous les pneus d'une voiture. Je supposai que c'était Abby, jusqu'à ce que retentisse la sonnette d'entrée.

Je jetai un coup d'œil par le judas et découvris Pat Harvey en blouson coupe-vent rouge, la fermeture Éclair remontée sous le menton. C'est elle qui m'avait raccroché au nez. Elle s'était assurée que j'étais à la maison parce qu'elle voulait me parler seule à seule.

– Je suis désolée de vous déranger, dit-elle d'un ton qui démentait ses propos.

– Entrez, je vous prie, fis-je avec réticence.

Elle me suivit à la cuisine, où je lui servis une tasse de café. Elle s'assit sur une chaise, le dos raide, sa tasse serrée entre les mains.

– Je vais être très directe avec vous, commença-t-elle. J'ai appris que l'homme qu'on avait arrêté à Williamsburg, Steven Spurrier, est soupçonné d'avoir tué deux jeunes femmes il y a huit ans.

– Qui vous l'a dit ?

– Peu importe. Ces deux assassinats, qui n'avaient jamais été élucidés, sont maintenant rattachés aux cinq meurtres de couples. Les deux jeunes femmes étaient les premières victimes de Steven Spurrier.

Je remarquai que la paupière inférieure de son œil gauche était agitée de tremblements. La détérioration physique de Pat Harvey depuis notre dernière entrevue était effrayante. Ses cheveux auburn étaient secs, ses yeux dépourvus d'éclat, sa peau pâle et tirée. Elle paraissait encore plus maigre que lors de sa conférence de presse.

– Il a capté leur confiance avant de les assassiner, reprit-elle, exactement comme il a fait avec les autres, avec ma fille, avec Fred.

Elle prononça ces paroles comme si c'était un fait établi. Pat Harvey avait déjà condamné Steven Spurrier.

– Mais il ne sera jamais puni pour le meurtre de Debbie, ajouta-t-elle. Je le sais.

– Il est trop tôt pour savoir ce qui va se passer, répliquai-je d'une voix calme.

– La police n'a aucune preuve. Ce qu'on a trouvé chez lui ne suffit pas. Ça ne tiendra pas devant un tribunal, si ces meurtres sont jamais jugés. Vous ne pouvez pas inculper quelqu'un de meurtre sous prétexte qu'il collectionne les coupures de journaux et les gants chirurgicaux, surtout si la défense soutient que ces objets ont été placés là à l'insu de l'accusé pour le confondre.

Elle a parlé avec Abby, pensai-je avec un sentiment d'écœurement.

– La seule preuve, poursuivit-elle d'un ton amer, est le sang trouvé dans la voiture de ces deux femmes. Tout dépend donc des résultats de l'examen ADN, ce qui ne manquera pas de susciter de longs débats en raison du temps écoulé depuis le meurtre. Et puis il n'est pas du tout certain qu'un jury accepte ces analyses comme preuve, d'autant que la police n'a pas retrouvé les armes qui ont servi aux meurtres.

– On les cherche.

– Il a eu tout le temps de s'en débarrasser, dit-elle.

Elle avait raison.

Marino avait découvert que Spurrier s'entraînait dans une salle de musculation proche de son domicile. La police avait fouillé le casier métallique qu'il louait dans les vestiaires, qui bien sûr fermait à clé, mais en plus avait été équipé d'un cadenas. Le placard était vide. Le sac de sport bleu que les gens du club avaient souvent vu dans les mains de Spurrier n'avait pas été retrouvé et, à mon avis, ne le serait jamais.

– Qu'attendez-vous de moi, Mrs Harvey ?

– Je veux que vous répondiez à mes questions.

– Quelles questions ?

– S'il existe des preuves que je ne connais pas, je pense que vous seriez bien avisée de me les communiquer.

– L'enquête n'est pas terminée. La police et le FBI travaillent sans relâche.

Elle fixa le mur en face d'elle.

– Est-ce qu'ils vous tiennent au courant ? demanda-t-elle.

Je compris d'un seul coup. Aucune des personnes mêlées à l'enquête ne communiquait plus la moindre information à Pat Harvey. Elle était devenue une paria, peut-être même un objet de plaisanteries. Elle ne me l'avouerait jamais, mais c'est pour cela qu'elle s'était présentée à ma porte.

– Pensez-vous que Steven Spurrier a assassiné ma fille ?

– En quoi mon opinion vous importe-t-elle ?

– Elle m'importe beaucoup.

– Pourquoi ? répétai-je.

– Parce que vous ne dites rien à la légère. Vous tirez vos conclusions de faits concrets... (Sa voix tremblait.)... et vous vous êtes occupée de Debbie.

Je ne savais quoi dire.

– Je vous repose donc ma question. Pensez-vous que Steven Spurrier les a assassinés ? Qu'il a tué ma fille ?

J'hésitai, une fraction de seconde, mais ce fut assez. Quand je lui dis qu'il m'était impossible de répondre à une telle question, dont je ne connaissais d'ailleurs pas la réponse, elle ne m'écoutait plus.

Elle était déjà debout.

Sa silhouette se fondit dans la nuit, son profil fut brièvement illuminé par le plafonnier de sa Jaguar lorsqu'elle y monta, puis elle démarra et disparut.

Abby rentra alors que, lasse d'attendre, j'étais montée me coucher. Je dormais d'un sommeil agité et rouvris les yeux dès que j'entendis couler de l'eau au rez-de-chaussée. Je consultai mon réveil. Il était presque minuit. Je me levai et enfilai ma robe de chambre.

Elle avait dû m'entendre car elle m'attendait sur le seuil de sa chambre, pieds nus, un survêtement en guise de pyjama.

– Pas encore couchée ? fit-elle.

– Je t'attendais.

– Eh bien, je...

Sans lui laisser le temps de finir, j'entrai dans sa chambre et m'assis au bord du lit.

– Que se passe-t-il ? demanda-t-elle d'un air embarrassé.

– Il se passe que Pat Harvey est venue me voir tout à l'heure. Tu lui as parlé.

– J'ai parlé à des tas de gens.

– Je sais que tu veux l'aider, dis-je. Je sais que tu n'as pas accepté la façon dont on a utilisé la mort de sa fille pour la faire tomber. Mrs Harvey est une femme respectable et je comprends que tu éprouves de la sympathie pour elle. Mais elle ne doit pas empiéter sur l'enquête, Abby.

Elle me dévisagea sans rien dire.

– Dans son propre intérêt, ajoutai-je d'un ton pressant.

Abby s'assit sur le tapis, jambes croisées, le dos au mur.

– Que t'a-t-elle dit ? demanda-t-elle.

– Elle est persuadée que Spurrier a tué sa fille mais qu'il ne sera jamais châtié.

– Je ne l'ai influencée en rien, dit Abby. Pat est capable de réfléchir toute seule.

– Spurrier sera mis en accusation vendredi. A-t-elle l'intention d'y assister ?

– Il ne sera accusé que d'un simple délit de vol. Mais si tu me demandes si Pat envisage de faire un scandale... (Elle secoua la tête.)... c'est hors de question. Ça ne servirait à rien. Pat n'est pas stupide, Kay.

– Et toi ?

– Quoi ? Si je suis une idiote ? fit-elle en détournant encore une fois la conversation.

– Assisteras-tu à la mise en accusation ?

– Bien sûr. Et je vais te dire exactement ce qui va se passer. Ça va durer à peine une minute. Il va plaider coupable et écopera d'une amende de 1 500 dollars pour vol. Il fera un peu de prison, un mois au maximum. Les flics veulent le faire mijoter derrière les barreaux, lui casser le moral pour le faire parler.

– Comment le sais-tu ?

– Sauf qu'il ne parlera pas, poursuivit-elle. Ils le feront sortir du tribunal devant tout le monde, le feront monter à l'arrière d'une voiture de patrouille. Tout ça pour lui faire peur et l'humilier, mais ça ne marchera pas. Il sait qu'ils n'ont pas de preuves contre lui. Il accomplira sa peine, et puis il sortira. Un mois est vite passé.

– On dirait presque qu'il te fait pitié.

– Non, je ne ressens rien à son égard. Son avocat a déclaré que Spurrier prenait de temps en temps de la cocaïne. Le soir où les flics l'ont surpris en train de voler les plaques, il allait en acheter. Spurrier avait peur de tomber sur un indic qui relève le numéro de sa voiture et le dénonce. Voilà pourquoi il volait des plaques.

– Tu ne crois tout de même pas à ces salades ? fis-je d'un air ébahi.

Abby se leva et, sans un mot, sortit de la pièce. Je la suivis à la cuisine, sentant monter en moi l'incompréhension et la frustration. Tandis qu'elle versait des glaçons dans un verre, je lui saisis les épaules et la rctournai face à moi.

– Est-ce que tu entends ce que je te dis ?

Son regard se radoucit.

– Je t'en prie, ne te mets pas en colère. Ce que je fais n'a rien à voir avec nous, avec notre amitié.

– Quelle *amitié* ? J'ai l'impression de ne plus te connaître. Tu laisses des billets dans toute la maison comme si j'étais ta foutue bonniche. Ça fait une éternité que nous n'avons pas mangé ensemble. Tu m'adresses à peine la parole. Rien n'existe plus à part ton satané bouquin.

Abby se contenta de me fixer en silence.

– J'ai l'impression que tu as une idée derrière la tête, insistai-je. Pourquoi ne me dis-tu pas ce que c'est ?

– Je n'ai aucune idée derrière la tête, répondit-elle d'une voix posée en s'éloignant de moi. Tout est déjà décidé.

Fielding m'appela tôt le samedi matin pour me dire qu'il n'y avait pas d'autopsie, et, épuisée, je me rendormis aussitôt jusqu'au milieu de la matinée. Après une longue douche chaude, je me sentis prête à revoir Abby et à recoller les morceaux de notre amitié.

Mais lorsque je descendis et frappai à sa porte, je n'obtins pas de réponse, et lorsque je sortis ramasser le journal sur le seuil, je constatai avec irritation que sa voiture n'était plus là. Une nouvelle fois, Abby m'évitait.

Je fis du café et buvais ma seconde tasse lorsqu'un titre attira mon attention :

WILLIAMSBURG :
SURSIS POUR LE VOLEUR DE PLAQUES

Je lus avec stupéfaction que contrairement aux prédictions d'Abby, Steven Spurrier n'avait pas été arrêté à la barre et traîné en prison. Il avait plaidé coupable de vol, et comme il n'avait pas d'antécédents judiciaires et s'était toujours conduit en citoyen respectable, il avait été condamné à une amende de 1000 dollars et était ressorti libre du palais de justice.

Tout est déjà décidé, avait dit Abby.

Faisait-elle allusion à cette sentence ? Si elle savait que Spurrier serait libéré, pourquoi m'avait-elle délibérément induite en erreur ?

Je quittai la cuisine et allai dans sa chambre. Le lit était fait, les rideaux tirés. Dans le cabinet de toilette, je remarquai des gouttes d'eau dans le lavabo et sentis une légère odeur de parfum. Elle venait donc juste de sortir. Je cherchai, en vain, sa serviette et son magnétophone. Le .38 n'était plus dans le tiroir de la table de nuit. Je fouillai la commode jusqu'à ce que je découvre ses calepins, dissimulés sous des vêtements.

Je m'assis sur le lit et, feuilletant avec fébrilité les carnets contenant les notes des dernières semaines, la vérité m'apparut peu à peu.

Ce qu'Abby avait entrepris au départ comme une croisade pour la vérité sur les meurtres s'était transformé en une entreprise beaucoup plus ambitieuse. Elle paraissait fascinée par Spurrier. S'il était coupable, elle semblait décidée à faire de sa vie le pivot de son livre, à déchiffrer méthodiquement son esprit de psychopathe. Et s'il était innocent il serait, écrivait-elle, « un nouveau Gainesville », un homme faussement accusé du meurtre de plusieurs étudiants avant d'être innocenté. « Mais ce serait pire que Gainesville, ajoutait-elle. À cause de ce qu'implique la carte. »

Au début, Spurrier avait refusé toutes ses demandes d'interview. Et puis la semaine précédente, elle avait fait une nouvelle tentative et il avait répondu favorablement. Il lui avait suggéré une rencontre après la mise en accusation, en lui disant que son avocat avait « conclu un marché. »

« Il dit qu'il lit mes articles dans le *Post* depuis des années, écrivait Abby, et il se souvenait de ma signature à l'époque où j'étais à Richmond. Il se souvient de ce que j'avais écrit à propos de Jill et Elizabeth. Me dit que c'étaient “des filles formidables” et qu'il avait toujours espéré que les flics mettent la main sur le “dingue” qui avait fait ça. Il est au courant pour ma sœur et dit qu'il a lu des articles sur son assassinat. Il dit que c'est la raison pour laquelle il a finalement accepté que je l'interroge. Parce que je sais ce que c'est que d'être “une victime”, parce que ce qui est arrivé à ma sœur fait aussi de moi une victime.

« *Moi aussi, je suis une victime*, m'a-t-il dit. *J'aimerais en parler avec vous. Peut-être pourrez-vous m'aider à comprendre ce qui se passe.*

« Il m'a proposé d'aller chez lui samedi matin à 11 heures. J'ai accepté, à la condition qu'il m'accorde l'exclusivité des interviews. Il est d'accord et dit qu'il n'a aucune intention de parler à un autre journaliste tant que je défends son point de vue. C'est-à-dire “la vérité”, comme il dit. Merci, Seigneur ! Et va te faire foutre, Cliff, toi et ton bouquin. Tu as perdu. »

Ainsi Clifford Ring écrivait lui aussi un livre sur les meurtres ! Voilà pourquoi le comportement d'Abby était si bizarre.

Elle m'avait menti en me disant ce qui allait se passer lors de la mise en accusation de Spurrier. Elle ne voulait pas que je me doute qu'elle se rendait chez lui, et elle savait qu'une telle pensée ne me viendrait pas à l'esprit si je pensais qu'il était en prison. Elle m'avait dit ne plus faire confiance à personne. Même à moi elle ne faisait plus confiance.

Je jetai un coup d'œil à ma montre. Il était 11 h 15.

Marino était absent, je laissai donc un message sur son bip. Ensuite, j'appelai la police de Williamsburg, et je dus laisser sonner une éternité avant que la standardiste décroche. Je demandai à parler à un des détectives présents.

– Ils sont tous en patrouille.

– Alors passez-moi quelqu'un, n'importe qui.

Elle me passa un sergent.

– Vous savez qui est Steven Spurrier, dis-je après m'être présentée.

– Difficile de pas le savoir, par ici.

– Une journaliste est en train de l'interroger chez lui. J'aimerais que vos équipes de surveillance s'assurent que tout va bien.

Il y eut un long silence. J'entendis un bruit de papier. J'eus l'impression que le sergent était en train de manger quelque chose.

– Spurrier n'est plus sous surveillance, m'annonça-t-il enfin.

– Je vous demande pardon ?

– Je dis qu'on a retiré nos gars.

– Pourquoi ? demandai-je.

– Ça, j'en sais rien, doc. Je viens juste de rentrer de congés et...

– Écoutez, tout ce que je vous demande, c'est d'envoyer une voiture devant chez lui, juste pour être sûr qu'il n'y a pas de problème.

Je parvins à ne pas hurler dans le micro.

– Vous inquiétez pas, fit-il d'une voix aussi calme que la surface d'un étang. Je vais faire un appel.

En raccrochant, j'entendis une voiture s'arrêter dans l'allée. *Abby, Dieu merci.*

Mais quand je regardai par la fenêtre, j'aperçus Marino.

Je lui ouvris avant qu'il ait sonné.

– J'étais dans le coin quand j'ai eu votre message sur mon bip, alors...

– Vite, chez Spurrier ! fis-je en lui empoignant le bras. Abby est là-bas ! Elle a emporté son arme !

Le ciel était sombre et il pleuvait à verse. Marino et moi foncions vers l'est sur la 64. Chaque muscle de mon corps était tendu à craquer. Mon cœur emballé refusait de se calmer.

– Voyons, détendez-vous, fit Marino en empruntant la sortie Colonial Williamsburg. Que les flics le surveillent ou pas, il la touchera pas. Il n'est pas idiot. Vous pensez bien qu'il lui fera rien.

Nous ne vîmes qu'une seule autre voiture dans la rue tranquille où habitait Spurrier.

– Merde, lâcha Marino entre ses dents.

C'était une Jaguar noire.

– Pat Harvey, fis-je. Oh, mon Dieu !

Marino pila.

– Bougez pas.

Il sortit de la voiture comme s'il avait actionné un siège éjectable et, sous la pluie battante, courut jusqu'à la porte noire. Mon cœur cogna encore plus fort dans ma poitrine lorsque je le vis, revolver en main, l'ouvrir d'un coup de pied et disparaître à l'intérieur.

L'encadrement ne resta pas longtemps vide, car Marino réapparut presque aussitôt. La tête tournée dans ma direction, il cria quelque chose que je n'entendis pas.

Je sortis de la voiture et, les vêtements aussitôt trempés, courus vers la maison.

Je sentis l'odeur de la poudre dès que je fus dans l'entrée.

– J'ai appelé du renfort, dit Marino sur le qui-vive. Il y en a deux là-dedans.

Le salon était à ma gauche.

Il monta l'escalier conduisant au premier tandis que les photos de la maison de Spurrier se bousculaient dans ma tête. Je passai dans le salon. Je reconnus la table basse en verre et vis le revolver posé dessus. Un autre gisait sur le parquet à quelques pas du corps de Spurrier, sous lequel s'étalait une mare de sang. Il était à plat ventre, au pied du divan de cuir gris sur lequel reposait Abby, allongée sur le flanc. Elle contemplait d'un regard vitreux le coussin sur lequel était posée sa joue. Le devant de son chemisier bleu pâle était écarlate.

Pendant quelques secondes je ne sus que faire, l'esprit dans un maelström. Je m'accroupis près de Spurrier. Son sang se répandit autour de mes chaussures lorsque je le retournai sur le dos. Il était mort, touché à la poitrine et à l'abdomen.

Je me précipitai vers le divan et tâtai le cou d'Abby. Je ne sentis aucun pouls. Je la tournai sur le dos et tentai la respiration artificielle, mais ses poumons et son cœur avaient déjà oublié ce qu'on attendait d'eux. Serrant son visage entre mes mains, je perçus la chaleur de sa peau et sentis son parfum tandis que les sanglots enflaient dans ma poitrine et me secouaient sans que je puisse les contrôler.

J'entendis des pas sur le parquet mais n'y prêtai tout d'abord aucune attention, jusqu'à ce que je réalise qu'ils étaient trop légers pour être ceux de Marino. Je levai les yeux et vis Pat Harvey qui s'emparait du revolver posé sur la table basse.

Je la regardai les yeux écarquillés, la bouche entrouverte de stupeur.

– Je suis désolée.

Elle pointa le revolver dans ma direction d'une main tremblante.

– Mrs Harvey, articulai-je en tendant vers elle mes mains maculées du sang d'Abby. Je vous en prie...

– Restez où vous êtes.

Elle recula de quelques pas en abaissant le canon de l'arme. Pour je ne sais quelle bizarre raison, je constatai qu'elle portait le même coupe-vent rouge que le jour où elle était venue me voir.

– Abby est morte, dis-je.

Pat Harvey n'eut aucune réaction. Elle avait le teint cendreux, les yeux si sombres qu'ils en paraissaient noirs.

– J'ai essayé d'appeler. Il n'a pas le téléphone.

– Je vous en prie, lâchez cette arme.

– C'est lui. Lui qui a tué ma Debbie. Lui qui a tué Abby.

Marino, pensai-je. *Mon Dieu, dépêchez-vous !*

– Mrs Harvey, tout est fini. Ils sont morts. Je vous en prie, posez cette arme. N'ajoutez pas au gâchis.

– Ça ne peut pas être pire.

– Vous vous trompez. Écoutez-moi, je vous en supplie.

– Je n'ai plus ma place ici, dit-elle du même ton monocorde.

– Je peux vous aider. Lâchez cette arme. S'il vous plaît, dis-je.

Je me levai du divan en la voyant redresser le revolver.

– Non ! la suppliai-je en comprenant ce qu'elle voulait faire.

Elle retourna le canon vers elle. Je bondis.

– *Mrs Harvey ! Non !*

Le coup de feu la fit reculer et elle chancela, laissant tomber le revolver. Je l'écartai d'un coup de pied. Il traversa le parquet en tournoyant lentement sur lui-même tandis que les jambes de Mrs Harvey cédaient sous elle. Elle chercha à se raccrocher à quelque chose, mais ne trouva rien. C'est alors que Marino surgit dans le salon.

– Bordel de merde ! s'exclama-t-il les deux mains serrées autour de la crosse de son revolver pointé au plafond.

Les oreilles encore bourdonnantes, je tremblais de tous mes membres en m'agenouillant près de Pat Harvey. Elle gisait sur le flanc, les genoux repliés, les mains serrées sur sa poitrine.

– Des serviettes ! criai-je.

J'écartai ses mains, déboutonnai son chemisier, remontai son soutien-gorge et appliquai leur tissu roulé en boule sous le sein gauche pour tenter de stopper l'hémorragie. J'entendis Marino jurer en se précipitant hors de la pièce.

– Tenez bon, murmurai-je en appuyant sur mon bandage improvisé pour empêcher l'air de pénétrer par l'orifice et détruire le poumon.

Elle se tordait de douleur et commença à gémir.

– Tenez bon, répétai-je en entendant les sirènes retentir dans la rue.

Les éclats rouges des gyrophares s'insinuèrent entre les lattes des stores baissés devant les fenêtres du salon. On eût dit que tout ce qui était à l'extérieur de la maison de Steven Spurrier venait de s'embraser.

18

Marino me ramena à la maison et me tint compagnie. Je restai assise dans ma cuisine, regardant tomber la pluie par la fenêtre, à peine consciente de ce qui se passait autour de moi. La sonnette retentit, j'entendis des bruits de pas, des voix d'hommes.

Un peu plus tard, Marino revint à la cuisine, tira une chaise et s'assit en face de moi.

– Est-ce qu'Abby a rangé des affaires ailleurs que dans sa chambre ? demanda-t-il.

– Je ne pense pas, murmurai-je.

– On va quand même jeter un coup d'œil. Je suis désolé, doc.

– Je comprends, fis-je le regard perdu au-delà de la fenêtre.

Il se leva.

– Je vais faire du café. On va voir si je me rappelle vos leçons. Ça sera mon premier exercice, d'accord ?

Il ouvrit et ferma les portes de placard, emplit la cafetière, sortit lorsque le café commença à passer et revint en compagnie d'un autre policier.

– Ce ne sera pas long, Dr Scarpetta, dit le détective. J'apprécie votre coopération.

Il parla à voix basse à Marino, puis ressortit. Marino posa une tasse de café devant moi et se rassit à la table.

– Que cherchent-ils ? demandai-je en essayant de me concentrer.

– On cherche dans les carnets dont vous m'avez parlé. On cherche des cassettes, n'importe quoi qui explique pourquoi Mrs Harvey a voulu descendre Spurrier.

– Vous êtes sûr que c'est elle ?

– Oui, c'est bien elle. Un vrai miracle qu'elle soit encore en vie. Elle a manqué son cœur de peu. Elle a eu de la chance, mais elle sera peut-être pas de cet avis si elle s'en tire.

– J'ai appelé la police de Williamsburg. Je leur ai dit...

– Je sais, me coupa-t-il avec douceur. Vous avez fait ce qu'il fallait. Vous avez fait tout ce que vous pouviez faire.

– Ils ne voulaient pas se déranger, dis-je en fermant les yeux pour refouler mes larmes.

– Non, ce n'est pas ça. (Il se tut un instant.) Écoutez-moi, doc.

Je pris une profonde inspiration.

Marino s'éclaircit la gorge et alluma une cigarette.

– Pendant que j'étais dans votre bureau, j'ai appelé Benton. Le FBI a terminé l'analyse du sang de Spurrier et l'a comparé avec celui de la Volkswagen d'Elizabeth Mott. L'ADN ne correspond pas.

– Quoi ?

– L'ADN ne correspond pas, répéta-t-il. On l'a dit seulement hier aux détectives de Williamsburg qui surveillaient Spurrier. Benton essayait de me joindre depuis un moment, mais comme on n'arrêtait pas de se rater, je n'étais pas au courant. Vous comprenez ce que je vous dis ?

Je le fixai d'un œil vide.

– Du point de vue légal, Spurrier n'était plus considéré comme suspect. C'était toujours un pervers, d'accord. Mais il n'a pas assassiné Jill et Elizabeth. Ce n'est pas lui qui a perdu son sang dans la Volkswagen. Il a peut-être tué les autres couples, mais on n'a toujours pas de preuves. Continuer à le suivre, à surveiller sa maison, à frapper chez lui quand il avait des invités, ç'aurait été du harcèlement policier. Spurrier aurait pu porter plainte. Et comme le FBI avait laissé tomber...

– C'est lui qui a tué Abby.

Marino détourna les yeux.

– Ouais, à ce qu'il semble. Elle avait mis son magnéto en marche, tout est sur la bande. Mais ça prouve pas qu'il a tué les couples, doc. Tout ce qui va en ressortir, c'est que Mrs Harvey a descendu un innocent.

– Je veux écouter la bande.

– Il vaut mieux pas. Croyez-moi.

– Si Spurrier était *innocent*, comme vous dites, alors pourquoi a-t-il tué Abby ?

– Je me suis fait ma petite idée d'après ce que j'ai entendu sur la bande et ce que j'ai vu sur les lieux, dit-il. Abby et Spurrier parlaient au salon. Abby était assise sur le divan, là où on l'a trouvée. Quelqu'un a sonné et Spurrier est allé ouvrir. Je ne sais pas pourquoi il a laissé entrer Pat Harvey. Il me semble qu'il aurait dû la reconnaître, mais bon, peut-être que non. Il faut dire qu'elle était en jean et coupe-vent, avec la capuche sur la tête. Impossible de savoir comment elle s'est présentée, ce qu'elle lui a dit. On le saura quand elle sera remise, et encore, c'est pas sûr.

– Bref, il l'a fait entrer.

– En tout cas, il lui a ouvert, dit Marino. À ce moment, elle sort son revolver, un Charter Arms, celui avec lequel elle a essayé de se suicider. Mrs Harvey oblige Spurrier à retourner au salon. Abby est assise au même endroit, avec le magnétophone qui tourne. Comme la Saab d'Abby était derrière la maison, Mrs Harvey ne l'avait pas vue en se garant dans la rue devant. Elle ne s'attendait pas à trouver Abby ici, et elle est tellement surprise que Spurrier en profite pour sauter sur Abby et s'en servir comme bouclier. Ensuite, c'est difficile de savoir ce qui s'est passé, mais Abby avait son revolver avec elle, sans doute dans son sac, posé sur le divan. Elle tente de sortir l'arme tout en essayant de repousser Spurrier. Le coup part et elle est blessée. À ce moment, Mrs Harvey tire sur Spurrier. Deux fois. On a vérifié son revolver. Trois balles tirées, deux dans le barillet.

– Elle a dit qu'elle avait cherché un téléphone, dis-je d'une voix absente.

– Spurrier en avait deux. Un en haut dans sa chambre, un autre à la cuisine, planqué entre deux placards, de la même couleur que le mur. Sacrément difficile à repérer. J'ai failli pas le voir. À mon avis, doc, on est arrivés juste après les coups de feu, peut-être quelques minutes après. Je pense que Mrs Harvey a posé son revolver sur la table basse pour s'occuper d'Abby, voir si elle était gravement touchée, et qu'elle est partie à la recherche d'un téléphone pour appeler du secours. Mrs Harvey devait être dans une autre pièce quand je suis entré, ou alors elle m'a entendu et elle s'est planquée. En tout cas, quand je suis entré, j'ai jeté un coup d'œil et j'ai vu les deux corps dans le salon. J'ai tâté leurs carotides, il m'a semblé que le pouls d'Abby battait encore, mais je ne suis pas sûr. Je vous ai appelée et je suis parti à la recherche de Mrs Harvey.

– Je veux écouter la bande, répétai-je.

Marino se passa la main sur le visage, et quand il me regarda, je vis qu'il avait les yeux troubles et injectés de sang.

– Ça va vous faire du mal.

– Je veux l'entendre.

Il se leva à contrecœur, sortit et revint avec un sac en plastique contenant un magnétophone à micro-cassettes. Il ouvrit le sac, installa l'appareil sur la table, rembobina la bande et appuya sur la touche *Play*.

La voix d'Abby résonna dans la cuisine.

« ... J'ai beau essayer de comprendre votre point de vue, ça ne m'explique pas pourquoi quand vous vous baladez la nuit en voiture, vous arrêtez les gens pour leur demander des choses que vous connaissez déjà. Comme la direction de l'autoroute, par exemple.

– Écoutez, je vous ai dit que je sniffais de la coke. Vous en avez déjà pris ?

– Non.

– Vous devriez. Vous faites des trucs bizarres quand vous êtes défoncé. Vous croyez savoir où vous êtes, et puis tout d'un coup tout s'embrouille et il faut que vous demandiez votre chemin.

– Vous m'avez dit que vous aviez arrêté la coke.

– C'est vrai. Je n'en prends plus. Ça a été une erreur. Mais c'est fini. Terminé.

– Parlez-moi des objets que la police a trouvés chez vous... ? Euh...

On entendit le léger carillon de l'entrée.

– Ouais. Une seconde, disait Spurrier d'une voix tendue.

Bruits de pas qui s'éloignent. Voix non identifiables en arrière-fond. Abby changeait de position sur le divan. Et puis la voix incrédule de Spurrier :

– Hé, attendez. Vous ne savez pas ce que vous...

– Je sais très bien ce que je fais, ordure ! (La voix de Pat Harvey, crescendo.) C'est ma fille que vous avez emmenée dans les bois.

– Je ne comprends pas de quoi v...

– Pat. Non !

Un silence.

– Abby ? Mon Dieu, mais...

– Pat. Ne faites pas ça, Pat. (La voix d'Abby, empreinte d'angoisse. Elle a un hoquet tandis qu'un poids s'abat sur le divan.) Ne me touchez pas ! (Bruits confus, respiration hachée, et puis Abby pousse un hurlement.) Arrêtez ! Arrêtez !

Et puis un coup de feu, comme tiré par un pistolet à amorce.

Et un autre, et encore un autre.

Silence.

Des bruits de pas qui claquent sur le parquet, se rapprochent. S'arrêtent.

– Abby ?

Une pause.

– Je vous en supplie, vous n'allez pas mourir... *Abby...* »

La voix de Pat Harvey tremblait si fort qu'elle était difficilement compréhensible.

Marino tendit la main, éteignit l'appareil et le remit dans le sac tandis que, sous le choc, je regardais fixement le lieutenant.

Le samedi matin où fut enterrée Abby, j'attendis que les assistants se soient dispersés, puis empruntai un sentier courant à l'ombre de chênes et de magnolias, parmi les taches fuchsia et blanc des cornouillers caressés par le doux soleil printanier.

Il n'y avait pas eu foule à l'enterrement d'Abby. J'avais aperçu plusieurs de ses anciens collègues de Richmond et m'étais efforcée de réconforter ses parents. Marino était là. Mark aussi qui, après m'avoir serrée contre lui, me promit de passer à la maison dans la journée. Je voulais parler à Benton Wesley, mais auparavant, j'avais besoin de me retrouver seule quelques instants.

Hollywood Cemetery, la plus vaste cité des morts de Richmond, s'étendait au nord de la James River sur une quinzaine d'hectares de collines vallonnées. Les pentes herbues étaient plantées d'obélisques en granit, de pierres tombales et d'angelots sculptés. Ici étaient enterrés les présidents James Monroe, John Tyler et Jefferson Davis, ainsi que le magnat du tabac Lewis Ginter. Une section militaire regroupait les combattants tués à Gettysburg, et une portion de pelouse accueillait la parcelle de la famille Turnbull, où Abby reposait à présent auprès de sa sœur, Henna.

Je m'arrêtai devant une trouée ménagée dans un rideau d'arbres, par où l'on apercevait en bas le fleuve scintillant comme du vieux cuivre, charriant la boue des pluies récentes. Il me semblait impossible qu'Abby repose désormais ici, au pied d'un bloc de granit que le temps allait user et polir. Je me demandai si, selon l'intention dont elle m'avait fait part, elle était retournée dans son ancienne maison, si elle était montée dans la chambre d'Henna.

Entendant des pas, je me retournai et découvris Wesley qui marchait dans ma direction.

– Kay, vous vouliez me parler ?

J'acquiesçai.

Il ôta sa veste de couleur sombre et desserra son nœud de cravate. Les yeux fixés sur le fleuve, il attendit que je prenne la parole.

– Il y a du nouveau, dis-je. J'ai appelé Gordon Spurrier jeudi.

– Le frère ? fit Wesley en me jetant un regard intrigué.

– Le frère de Steven Spurrier, oui. Je ne voulais pas vous en parler avant d'avoir vérifié quelques détails.

– Je ne l'ai pas encore contacté, dit-il. Mais j'en ai bien l'intention. En tout cas, quel dommage pour ces résultats d'ADN.

– C'est de ça que je voulais vous parler. Il n'y a plus de problème d'ADN, Benton.

– Je ne comprends pas.

– En l'autopsiant, j'ai découvert sur le corps de nombreuses cicatrices chirurgicales. L'une d'elles est une petite incision juste au-dessus du centre de la clavicule. Elle indique un individu ayant des difficultés à garder une sous-clavière.

– C'est-à-dire ?

– On met en place un cathéter en sous-clavière quand un patient nécessite un apport rapide de fluides, une injection urgente de sang ou de médicaments. En d'autres termes, je savais que Spurrier avait eu des ennuis médicaux sérieux dans sa vie, et j'ai pensé que ça pouvait avoir un rapport avec les cinq mois où il a fermé sa boutique et s'est absenté, peu de temps après les meurtres d'Elizabeth et Jill. J'ai trouvé d'autres cicatrices sur sa hanche et sa fesse. Des cicatrices minuscules qui m'ont fait supposer qu'on lui avait prélevé de la moelle à une certaine époque. Alors j'ai appelé son frère pour avoir des précisions.

– Et qu'avez-vous appris ?

– À peu près à l'époque où il a fermé sa boutique, Steven a été traité pour une anémie aplastique. J'ai parlé à son hématologue. Steven a subi un traitement d'irradiation lymphoïde totale et une chimiothérapie. On a implanté sur Steven de la moelle appartenant à Gordon, et Steven est resté un certain temps dans une salle d'écoulement laminaire ou, comme on dit, une « bulle ». Souvenez-vous que la maison de Spurrier ressemblait dans un certain sens à une bulle. Il vivait dans un environnement pour ainsi dire stérile.

– Voulez-vous dire que la greffe de moelle a pu modifier son ADN ? demanda Wesley d'un air incrédule.

– En ce qui concerne le sang, oui. Ses cellules sanguines ont été décimées par l'anémie aplastique. Son groupe de compatibilité transfusionnelle était HLA, qui est précisément celui de son frère, dont le groupe ABO et les autres caractéristiques sanguines sont identiques à celles de Steven.

– Pourtant l'ADN de Steven et celui de Gordon ne peuvent pas être les mêmes.

– Non, c'est impossible, dis-je, sauf s'ils étaient des jumeaux identiques. Ce qui n'est pas le cas. Le sang de Steven, souvenez-vous, coïncidait presque avec celui de la Volkswagen, mais l'ADN a révélé des petites dissemblances parce que Steven avait perdu ce sang avant sa transplantation de moelle. Et ce qu'on a prélevé sur Steven lors de son arrestation était, dans un certain sens, le sang de Gordon. Et ce qu'on a comparé avec le sang de la Volkswagen, ce n'était pas en réalité le sang de Steven, mais celui de Gordon.

– Incroyable, fit Wesley.

– Je veux que l'on procède à un nouvel examen ADN, mais cette fois, à partir de cellules prélevées dans le cerveau, car, ailleurs que dans les cellules sanguines, l'ADN de Steven n'a pas été modifié par la transplantation de moelle. La moelle fabrique des cellules sanguines, de sorte que si vous avez été transplanté, votre nouvelle moelle produira les mêmes cellules que celles du donneur. Mais les cellules du cerveau, de la rate ou du sperme ne changent pas.

– Qu'est-ce que l'anémie aplastique ? demanda Wesley en se remettant à marcher.

– C'est quand la moelle ne produit plus rien. Comme si vous aviez été irradié et que toutes vos cellules sanguines aient été éliminées.

– Qu'est-ce qui la provoque ?

– On pense que c'est une maladie idiopathique, mais personne n'en sait rien. On accuse les pesticides, certains produits chimiques, les radiations, les phosphates organiques. Le benzène, surtout. Or Steven a travaillé dans une imprimerie, où le benzène est utilisé pour le nettoyage des machines. Il y a été exposé tous les jours pendant près d'un an.

– Quels sont les symptômes ?

– Fatigue, difficultés respiratoires, fièvre, parfois des infections, et surtout, des saignements de nez et de gencives. Spurrier était déjà malade quand Jill et Elizabeth ont été assassinées. Il était peut-être sujet à des saignements de nez qu'un rien suffisait à déclencher. Or, le stress aggrave ce genre de maux, et il ne fait guère de doute qu'il était très stressé pendant qu'il était dans la voiture avec Jill et Elizabeth. Voilà qui explique peut-être le sang répandu à l'arrière de la Volkswagen.

– Quand a-t-il fini par consulter un médecin ? demanda Wesley.

– Un mois après le meurtre des deux femmes. L'examen a permis de découvrir que le nombre de ses globules blancs était insuffisant, tout comme son niveau d'hématoblastes et d'hémoglobine. Quand vous avez peu d'hématoblastes, vous saignez beaucoup.

– Et il pouvait commettre des meurtres dans un tel état ?

– On peut traîner longtemps une anémie aplastique avant qu'elle ne prenne une forme virulente, dis-je. On la détecte parfois à l'occasion de simples examens de routine.

– Ce sont ses ennuis de santé et le fait d'avoir perdu le contrôle de ses victimes lors du premier meurtre qui l'ont fait renoncer pendant un certain temps, fit Wesley. Mais les années passant, sa santé s'améliorant, il a recommencé à fantasmer. Il a revécu le premier meurtre et a amélioré sa technique. Bientôt, il a repris suffisamment confiance pour remettre ça.

– Ça expliquerait le long intervalle. Mais qui sait ce qui s'est passé dans sa tête ?

– Nous ne le saurons sans doute jamais, dit Wesley d'un air sombre.

Il s'arrêta un instant pour examiner une vieille pierre tombale.

– Moi aussi, j'ai des nouvelles. Vous vous souvenez qu'on avait retrouvé chez Spurrier le catalogue d'une boutique de New York spécialisée dans le matériel d'espionnage et de protection. Nous avons pu établir qu'il leur a commandé une paire de lunettes de vision nocturne il y a quatre ans. De plus, nous avons retrouvé l'armurerie de Portsmouth où il s'est procuré deux boîtes de cartouches Hydra-Shok moins d'un mois avant la disparition de Fred et Deborah.

– Pourquoi, Benton ? demandai-je. Pourquoi tuait-il ?

– Difficile de répondre de manière satisfaisante à cette question, Kay. Mais d'après un ancien condisciple qui a habité avec lui à l'université, la mère de Spurrier entretenait une relation malsaine avec lui. Elle le critiquait constamment, voulait contrôler tous ses faits et gestes, le rabaissait sans arrêt. Il était très dépendant d'elle, et en même temps, il devait la haïr.

– Et le choix de ses victimes ?

– Je pense qu'il repérait surtout les jeunes femmes qui lui rappelaient ce qu'il ne pouvait obtenir, toutes ces filles qui ne s'étaient jamais intéressées à lui. Il faisait une fixation sur les jeunes couples parce qu'il était lui-même incapable d'avoir une relation. Il prenait possession en tuant, détruisait ce qu'il enviait. (Il se tut un instant avant d'ajouter :) Si vous et Abby ne l'aviez pas rencontré, je ne sais pas si nous lui aurions mis la main dessus. C'est effrayant de voir comment ça se passe. Ted Bundy se fait pincer parce qu'il a un feu stop grillé sur sa voiture. Le Fils de Sam se fait prendre à cause d'une contredanse. Des coups de chance. Nous avons eu de la chance.

Je ne me sentais pas chanceuse. Abby n'avait pas eu de chance.

– Depuis que les journaux ont annoncé sa mort, nous avons reçu de nombreux appels de gens nous signalant qu'un individu ressemblant à Spurrier les avait abordés à proximité d'un bar ou dans une station-service ouverte la nuit. On a même su qu'une fois au moins, il est monté dans la voiture d'un couple. Il leur avait raconté qu'il était en panne. Les gosses l'ont emmené. Il ne s'est rien passé.

– Est-ce qu'il abordait seulement des couples garçon-fille ? demandai-je.

– Pas toujours. Regardez comment il vous a abordées, vous et Abby. Spurrier adorait le risque, l'imprévu. Dans un certain sens, l'assassinat était accessoire, c'est le jeu, la traque qui lui plaisait.

– Je ne comprends toujours pas pourquoi la CIA craignait tant que le tueur soit quelqu'un de Camp Peary, dis-je.

Il s'immobilisa, suspendit sa veste à son autre bras.

– Leurs craintes ne provenaient pas seulement de la technique des meurtres et du valet de cœur, dit-il. Pendant l'enquête sur le meurtre de Jim et Bonnie, la police a trouvé une carte à essence magnétique à l'arrière de leur voiture, sous le siège. On a pensé que le tueur l'avait perdue, qu'elle était tombée d'une de ses poches pendant qu'il enlevait le couple.

– Oui, et alors ?

– La marque figurant sur la carte était Syn-Tron et elle avait été délivrée par l'entreprise Viking Exports. Or, Viking Exports est un nom codé pour Camp Peary. Il s'agissait en réalité d'une carte délivrée au personnel de Camp Peary pour s'approvisionner aux pompes de la base.

– Intéressant, dis-je. Abby parlait d'une carte dans un de ses calepins. Je pensais qu'elle faisait allusion au valet de cœur. Elle savait que vous aviez trouvé cette carte magnétique, n'est-ce pas, Benton ?

– Je soupçonne Pat Harvey de le lui avoir dit. Mrs Harvey connaissait depuis longtemps l'existence de cette carte, ce qui explique qu'elle ait accusé les services fédéraux d'étouffer l'affaire.

– Il semble qu'elle ait changé d'opinion puisqu'elle a décidé de tuer Spurrier.

– Le directeur a eu une entrevue avec elle après sa conférence de presse. Il n'a pas pu faire autrement que de lui dire que nous soupçonnions Spurrier d'avoir laissé exprès la carte magnétique dans la voiture. Nous nous en doutions depuis le début, mais nous ne pouvions en être certains. La CIA, quant à elle, prenait très au sérieux l'éventualité que le tueur soit de chez elle.

– Mrs Harvey a été convaincue ?

– En tout cas, ça l'a fait réfléchir. Après l'arrestation de Spurrier, elle a dû comprendre que le directeur ne lui avait pas menti.

– Comment Spurrier a-t-il pu se procurer une carte à essence provenant de Camp Peary ?

– Des agents du camp fréquentaient sa librairie.

– Vous pensez qu'il a volé la carte à un client ?

– Oui. Imaginez que quelqu'un de Camp Peary ait oublié son portefeuille sur le comptoir. Avant qu'il s'en aperçoive et vienne le réclamer, Spurrier a pu le subtiliser. Ensuite, il laisse la carte à essence dans la voiture de Jim et Bonnie, et l'enquête s'oriente vers la CIA.

– La carte ne portait pas de numéro d'identification ?

– Si, mais sur un autocollant que Spurrier avait pris soin d'arracher. On ne pouvait pas savoir à qui elle appartenait.

J'étais fatiguée et commençais à avoir mal aux pieds lorsque nous arrivâmes en vue du parking où nous avions laissé nos voitures. Les gens venus assister à l'enterrement étaient repartis.

Je déverrouillai ma portière lorsque Wesley posa la main sur mon bras.

– Je suis désolé pour les malentendus qui...

– Moi aussi, rétorquai-je sans le laisser finir. C'est oublié. Repartons sur de nouvelles bases, Benton. Mais faites en sorte qu'on n'accable pas Pat Harvey.

– Je pense qu'un grand jury comprendra combien elle a souffert.

– Connaissait-elle les résultats de l'examen ADN ?

– Malgré nos efforts pour l'en écarter, elle a toujours été tenue au courant des détails les plus confidentiels de l'enquête, Kay. Je suppose donc qu'elle était au courant. Ça expliquerait son geste. Elle était convaincue que Spurrier ne serait jamais puni.

Je montai en voiture et insérai la clé dans le contact.

– Je regrette infiniment ce qui est arrivé à Abby, ajouta-t-il.

Je hochai la tête et, au bord des larmes, claquai la portière.

Je suivis l'allée jusqu'à la sortie du cimetière, franchis les grilles en fer forgé. Le soleil brillait sur les immeubles de bureaux du centre-ville et sur les clochers au-delà. Je baissai les vitres et pris la direction de l'ouest pour rentrer chez moi.

1993

UNE PEINE D'EXCEPTION

Traduit de l'anglais par
Gilles Berton

Ce roman a paru sous le titre original :

CRUEL AND UNUSUAL

Ce livre est dédié à l'inimitable Dr Marcella Fierro.
(Vous avez été un bon maître pour Scarpetta.)

PROLOGUE

(UNE MÉDITATION À SPRING STREET-SUR-DAMNÉS)

Encore deux semaines avant Noël. Quatre jours avant rien du tout. Allongé sur mon sommier métallique, je contemple mes pieds nus et sales et la cuvette blanche du WC sans lunette, et quand les cafards rampent sur le sol, je ne sursaute même plus. Je les observe avec le même regard qu'ils ont pour moi.

Je ferme les yeux et respire lentement.

Je me revois râteler le foin au plus fort de la chaleur pour une paye misérable comparée à celle des Blancs. Je rêve de griller des cacahuètes dans une boîte de conserve, de manger les tomates mûres comme si c'était des pommes. Je m'imagine au volant de la camionnette, le visage luisant de sueur dans ce trou perdu que je m'étais juré de quitter.

Je ne peux pas aller aux gogues, me moucher ni fumer sans que les gardiens notent mes moindres gestes. Il n'y a pas d'horloge. Je ne sais jamais quel temps il fait. J'ouvre les yeux et vois un mur nu qui court à l'infini. Qu'est-ce qu'un homme est censé éprouver quand il est à la veille de faire le grand saut ?

Comme une chanson triste, triste à mourir. Je ne connais pas les paroles. Je ne me souviens pas. Ils disent que ça s'est passé en septembre, quand le ciel était couleur d'œuf de merle, que les feuilles des arbres s'embrasaient et tombaient sur le sol. Ils disent qu'une bête féroce a terrorisé la ville. À présent, il y a un bruit en moins.

Me tuer ne tuera pas la bête. L'obscurité est sa complice, la chair et le sang son régal. Quand tu crois pouvoir cesser d'être aux aguets, alors, mon frère, c'est là qu'il faut te remettre à ouvrir l'œil.

Un péché entraîne l'autre.

Ronnie Joe Waddell

1

Ce lundi où la méditation de Ronnie Joe Waddell se trouva toute la journée dans mon agenda, je ne vis pas le soleil un seul instant. Il faisait encore nuit lorsque je partis travailler. Il faisait nuit lorsque je rentrai. La pluie tourbillonnait en petites gouttes dans le faisceau de mes phares, le brouillard et le froid mordant rendaient l'obscurité lugubre.

J'allumai du feu dans mon salon, l'esprit habité par la vision des champs de Virginie et de tomates mûrissant au soleil. J'imaginai un jeune Noir dans l'habitacle surchauffé d'une camionnette et me demandai si le meurtre hantait déjà son esprit à cette époque-là. Le *Richmond Times-Dispatch* avait publié la méditation de Waddell. Je l'avais découpée et emportée à mon bureau pour l'ajouter à son dossier de plus en plus volumineux. Mais les exigences du travail en avaient détourné mon esprit et je l'avais oubliée dans mon agenda jusqu'au soir. Je l'avais lue plusieurs fois. Je crois que je ne cesserai jamais de m'étonner de voir cohabiter poésie et cruauté dans un même cœur.

Pendant quelques heures je réglai des factures et écrivis des cartes de Noël avec la télévision allumée sans le son. Comme tous les citoyens de Virginie, lorsqu'une exécution était imminente, c'est par les informations que j'apprendrais si les appels étaient rejetés ou si le gouverneur accordait sa grâce. En fonction de sa décision, j'irais me coucher ou reprendrais ma voiture pour me rendre à la morgue.

Le téléphone sonna juste avant 22 heures. Je m'attendais à entendre mon adjoint ou quelque autre membre de mon équipe qui, tout comme moi, passait sa soirée dans l'expectative.

– Allô ? fit une voix masculine que je ne reconnus pas. J'essaie de joindre Kay Scarpetta. Euh... le médecin expert général, Dr Scarpetta ?

– C'est moi, fis-je.

– Bonsoir. Ici le détective Joe Trent, de la police d'Henrico County. J'ai trouvé votre numéro dans l'annuaire. Désolé de vous déranger chez vous à cette heure... (Sa voix était tendue.)... mais nous aurions besoin de votre aide.

– De quoi s'agit-il ? demandai-je en fixant l'écran de télé où passait un spot publicitaire.

J'espérai ne pas être appelée pour une constatation.

– En début de soirée un adolescent de 13 ans, de race blanche, a été enlevé à la sortie d'une boutique du Northside. Il a une balle dans la tête et on dirait qu'il a subi des violences sexuelles.

Mon estomac se serra et j'attrapai crayon et papier.

– Où se trouve le corps ? demandai-je.

– Il n'est pas mort, docteur. On l'a trouvé derrière une épicerie de Patterson Avenue, sur la juridiction du comté. Il n'a pas repris conscience, et personne ne peut dire s'il va s'en tirer. Je sais bien que ça ne vous concerne pas directement puisqu'il n'est pas décédé, mais il présente des blessures bizarres. Je n'en ai jamais vu de semblables. Je sais que vous examinez des tas de blessures différentes. J'espérais que vous pourriez nous renseigner sur la façon dont elles ont été infligées, et pourquoi.

– Décrivez-les-moi, dis-je.

– Il y en a deux. L'une sur la face interne de la cuisse droite, à hauteur de l'aine. L'autre à l'épaule droite. Les plaies sont profondes – la chair a été découpée. Elles présentent des coupures, des éraflures sur le pourtour. Il est au centre d'urgence Henrico Doctor's.

– Avez-vous retrouvé les tissus excisés ? m'enquis-je en cherchant à me souvenir d'affaires similaires.

– Pas pour l'instant. Mais nous sommes en train de passer les alentours au peigne fin. À moins que l'agression n'ait eu lieu dans une voiture.

– Quelle voiture ?

– Celle de l'agresseur. L'endroit où on a trouvé le gosse est à plus de cinq kilomètres de la boutique où il a été vu pour la dernière fois. À mon avis il est monté dans une voiture, peut-être sous la contrainte.

– Vous avez pris des photos des blessures avant que les médecins s'occupent de lui ?

– Oui. Mais ils n'ont pas pu faire grand-chose. Vu la quantité de peau manquante ils vont devoir faire des greffes – ils ont parlé de greffes *totales*, si ça vous dit quelque chose.

Cela m'apprenait qu'on avait débridé les blessures et administré des antibiotiques par voie intraveineuse en attendant de pouvoir lui greffer un morceau de peau prélevé sur la fesse. Cependant, si ce n'était pas le cas, et s'ils avaient nettoyé et recousu les plaies, il ne me resterait pas grand-chose à examiner.

– Ils n'ont donc pas suturé les plaies, dis-je.

– D'après ce que je sais, non.

– Et vous voudriez que j'aille jeter un coup d'œil ?

– Ce serait formidable, répliqua-t-il avec un perceptible soulagement. Comme ça vous verriez les blessures intactes.

– Quand voudriez-vous que je passe ?

– Demain, si ça vous va.

– Entendu. À quelle heure ? Le plus tôt sera le mieux.

– Disons 8 heures ? Je vous attendrai devant l'hôpital.

– J'y serai, dis-je alors que le présentateur adoptait un visage grave de circonstance.

Je raccrochai, saisis la télécommande et montai le son.

– ... Eugenia ? Pouvez-vous nous dire si le gouverneur a fait une déclaration ?

La caméra éclaira les façades du Virginia State Penitentiary où, depuis deux siècles, les plus sinistres criminels du Commonwealth[1] étaient enfermés sur une rive rocailleuse de la James River à l'orée de la vieille ville. Brandissant des pancartes, partisans et opposants à la peine capitale se mêlaient dans l'obscurité, leurs visages violemment illuminés par les projecteurs des équipes de télévision. Que certains puissent rire me glaça le sang. Une jeune et jolie journaliste en manteau rouge apparut à l'écran.

– Comme vous le savez, Bill, commenta-t-elle, une ligne téléphonique a été installée hier entre le bureau du gouverneur Norring et le pénitencier. Or c'est l'absence même de toute déclaration de sa part qui en dit long. En général, le gouverneur reste muet lorsqu'il n'a pas l'intention d'accorder sa grâce.

– Comment ça se passe devant la prison ? La situation est-elle calme ?

1. Rappelons qu'il ne s'agit pas du Commonwealth britannique, mais de la dénomination de certains États américains, dont la Virginie. (NdT)

– Jusqu'à présent, oui, Bill. Plusieurs centaines de personnes montent la garde ici. Bien sûr le pénitencier, lui, est presque vide, puisque, à part quelques dizaines de détenus, presque tous ont été transférés à la nouvelle prison de Greens-ville.

J'éteignis le récepteur et, quelques minutes plus tard, je roulais vers l'est, portières verrouillées et radio allumée. L'épuisement gagnait tous les recoins de mon corps comme un anesthésique. Je me sentais abattue, engourdie. Je détestais les exécutions. Je détestais attendre qu'un homme meure, puis enfoncer mon bistouri dans une chair aussi chaude que la mienne. J'étais médecin et juriste. On m'avait enseigné ce qui donnait la vie et ce qui la supprimait, on m'avait appris la distinction entre le bien et le mal. Ensuite c'est l'expérience qui avait été mon maître, et elle avait foulé aux pieds cette innocente partie de moi-même encore idéaliste et analytique. Que quelqu'un qui réfléchit soit obligé de reconnaître que de nombreux clichés ont une réalité est décourageant. Il n'y a pas de justice sur cette terre. Rien ne déferait jamais ce que Ronnie Joe Waddell avait fait.

Cela faisait neuf ans qu'il attendait dans le couloir des condamnés à mort. Je n'avais pas autopsié la jeune femme qu'il avait tuée, car elle avait été assassinée avant que je ne sois nommée médecin expert général de Virginie et vienne m'installer à Richmond. Mais j'avais étudié le dossier. J'en connaissais le moindre détail horrible. Le matin du 4 septembre, dix ans auparavant, Robyn Naismith avait téléphoné à Channel 8, où elle était présentatrice, pour prévenir qu'elle était malade et ne viendrait pas travailler. Elle était sortie acheter des médicaments, puis était rentrée chez elle. Le lendemain, on avait découvert dans son salon son corps nu et martyrisé, appuyé contre la télévision. Une empreinte digitale ensanglantée relevée sur l'armoire à pharmacie avait été identifiée comme celle de Ronnie Joe Waddell.

Quelques voitures étaient garées derrière la morgue lorsque j'y arrivai. Mon assistant, Fielding, était déjà là, ainsi que mon administrateur, Ben Stevens, et la responsable de la morgue, Susan Story. La baie de l'aire de déchargement était ouverte et la lumière en provenance de l'intérieur éclairait vaguement le tarmac. Assis dans sa voiture pie, un officier de la police de l'État fumait une cigarette. Il descendit de son véhicule pendant que je me garais.

– C'est prudent de laisser la baie ouverte ? lui demandai-je.

Il était grand, maigre, avec d'épais cheveux blancs. Bien que je lui aie déjà souvent parlé par le passé, je ne me souvenais pas de son nom.

– Ça ne risque rien pour l'instant, Dr Scarpetta, dit-il en remontant la fermeture Éclair de son gros blouson en Nylon. Je n'ai pas vu de manifestants dans les parages. Mais dès que les types de l'administration pénitentiaire seront là, je la fermerai et veillerai à ce qu'elle reste fermée.

– Très bien. Pourvu que vous restiez là en attendant.

– Je ne bougerai pas, docteur, comptez sur moi. Et je vais faire venir deux ou trois hommes de plus au cas où nous aurions des problèmes. Il semble qu'il y ait pas mal de contestataires. Vous avez vu dans le journal, cette pétition que tous ces gens ont signée et qu'ils ont portée au gouverneur. J'ai aussi entendu que jusqu'en Californie, certains de ces cœurs tendres se sont mis en grève de la faim.

Je regardai Main Street, au-delà du parking. Une voiture passa, pneus chuintant sur l'asphalte humide. Les réverbères n'étaient que des halos dans le brouillard.

– Bon Dieu, je risque pas de les imiter, reprit l'officier en abritant de sa paume la flamme de son briquet pour allumer une cigarette. Je sauterai même pas une pause café pour Waddell, après ce qu'il a fait à la fille Naismith. Je me souviens l'avoir vue à la télé. Moi, les femmes, je les aime comme le café crème, bien blanches, mais je dois dire que c'était la plus jolie Noire que j'aie jamais vue.

J'avais arrêté de fumer à peine deux mois plus tôt, et voir quelqu'un tirer sur une cigarette me rendait dingue.

– Bon sang, ça doit faire près de dix ans maintenant, poursuivit-il. Mais je me rappellerai toujours le bruit que ça avait fait. Une des pires affaires qu'on ait eues dans le coin. On aurait dit qu'un grizzly avait déchiqueté cette...

Je l'interrompis.

– Vous nous tenez au courant ?

– Oui, docteur. Dès qu'on m'aura contacté par radio, je vous préviendrai.

Sur quoi il regagna la chaleur de sa voiture.

Dans la morgue, les lampes fluorescentes décoloraient les murs du couloir et l'odeur du désodorisant picotait la gorge. Je passai devant le petit bureau où les entreprises de pompes funèbres signaient le registre après avoir déposé un cadavre, puis devant la salle des rayons X, enfin devant la chambre froide, une vaste pièce réfrigérée pourvue de chariots à plateaux et fermée par deux lourdes portes en acier. Des lumières brillaient dans la salle d'autopsie, avec ses étincelantes tables en acier inoxydable. Susan aiguisait un long couteau et Fielding étiquetait des flacons destinés aux échantillons de sang. L'un et l'autre paraissaient aussi fatigués et déprimés que moi.

– Ben regarde la télé en haut dans la bibliothèque, m'annonça Fielding. Il nous prévient dès qu'il se passe quelque chose.

– Vous croyez que ce type avait le sida ? fit Susan en parlant de Waddell comme s'il était déjà mort.

– Je ne sais pas, répondis-je. Mais mieux vaut prendre les précautions habituelles et superposer deux paires de gants.

– J'espère qu'ils nous préviendraient, tout de même, insista Susan. Je n'ai aucune confiance quand ils nous envoient des condamnés. À mon avis ils s'en contrefichent de savoir s'ils sont séropositifs ou pas, parce que ça n'est pas leur problème. Ce n'est pas eux qui doivent pratiquer les autopsies et manipuler les aiguilles.

Depuis quelque temps Susan s'inquiétait de plus en plus des risques professionnels tels que l'exposition aux radiations, aux produits chimiques ou aux maladies. Je ne pouvais lui en vouloir : même si ça ne se voyait presque pas, elle était enceinte de plusieurs mois.

Après avoir passé un tablier en plastique, je gagnai le vestiaire, enfilai un pantalon de chirurgien, mis des surchaussures en papier et sortis deux paires de gants neufs. J'inspectai le guéridon roulant poussé contre la table numéro 3. Tout était étiqueté, avec le nom de Waddell, la date et le numéro de l'autopsie. Les boîtes et flacons ainsi étiquetés seraient jetés à la poubelle au cas où le gouverneur Norring intercéderait à la toute dernière minute. Le nom de Ronnie Waddell serait effacé du registre de la morgue, son numéro d'autopsie attribué au cadavre suivant.

À 23 heures Ben Stevens redescendit et secoua la tête. D'un même mouvement, tous les regards se levèrent en direction de l'horloge murale. Le silence s'installa. Les minutes s'égrenèrent.

L'officier de la police de l'État pénétra dans la salle, sa radio portable à la main. Je me souvins brusquement de son nom : il s'appelait Rankin.

– Décès constaté à 11 h 05, dit-il. Il sera là dans un quart d'heure.

Accompagnant sa manœuvre d'un petit bip d'avertissement, l'ambulance recula contre la baie de déchargement, le hayon s'ouvrit et il en émergea un groupe de gardiens du *Department of Corrections* en nombre suffisant pour réprimer une petite émeute. Quatre d'entre eux sortirent le brancard sur lequel reposait le corps de Ronnie Waddell. Ils le portèrent le long de la rampe inclinée et, dans un cliquètement de métal et le crissement des chaussures sur le carrelage, entrèrent dans la morgue tandis que tout le monde s'écartait. Sans se donner la peine d'en déplier les pieds, ils posèrent le brancard à même le sol carrelé et le tirèrent comme un traîneau, avec son passager maintenu par des sangles et recouvert d'un drap ensanglanté.

– Saignement de nez, m'informa un des gardiens avant que je n'aie le temps de poser la question.

– Qui a saigné du nez ? demandai-je en remarquant que les mains gantées du gardien étaient elles aussi maculées de sang.

– Mr Waddell.

– Dans l'ambulance ? fis-je d'un ton perplexe.

Quand on l'avait mis dans l'ambulance, Waddell aurait dû ne plus avoir de tension.

Mais le gardien, occupé à autre chose, s'était déjà détourné. La réponse devrait attendre.

Nous transférâmes le corps sur le chariot roulant qu'on avait poussé sur la bascule. Plusieurs paires de mains entreprirent de dénouer les sangles et d'ôter le drap. La porte de la salle d'autopsie se referma sans bruit et les hommes de l'administration pénitentiaire disparurent aussi vite qu'ils étaient apparus.

Waddell était mort depuis tout juste vingt-deux minutes. Je perçus les effluves de sa transpiration, de ses pieds nus et sales, ainsi qu'une vague odeur de chair brûlée. La jambe droite de son pantalon était remontée au-dessus du genou, et son mollet enveloppé de la gaze qu'on avait posée sur ses brûlures après sa mort. C'était un homme d'une force peu commune. Les journaux l'avaient baptisé le Gentil Géant, le romantique Ronnie aux yeux si expressifs. Un jour pourtant il s'était servi de ces grosses mains, de ces larges épaules et de ces bras puissants pour ôter la vie à un être humain.

Je défis les attaches en Velcro qui fermaient sa chemise en jean bleu clair et commençai à le déshabiller en procédant à l'inventaire du contenu des poches. Dans un tel cas, chercher les effets personnels est une procédure routinière mais généralement inutile. Les détenus n'étant pas autorisés à emporter quoi que ce soit à la chaise électrique, je fus très étonnée de découvrir, dans la poche arrière de son jean, ce qui semblait être une lettre. L'enveloppe était cachetée. Dessus était inscrit, en grosses capitales :

ULTRA CONFIDENTIEL.
À ENTERRER AVEC MOI SVP !!

– Vous photocopierez l'enveloppe et son contenu et remettrez les originaux avec ses effets personnels, dis-je en tendant le papier à Fielding.

– Seigneur, il est encore plus costaud que moi, marmonna-t-il en glissant l'enveloppe sous le formulaire d'autopsie fixé sur son porte-bloc.

– Je ne pensais pas que c'était possible, dit Susan à l'adresse de mon adjoint à la carrure de bodybuilder.

– Heureusement qu'il n'est pas mort depuis longtemps, reprit-il, sinon il aurait fallu des vérins pour le déplier.

Quand elles sont mortes depuis plusieurs heures, les personnes très musclées sont en général aussi peu coopératives que des statues de marbre. Mais la rigidité cadavérique ne s'était pas installée. Waddell était aussi souple que de son vivant. On aurait pu le croire endormi.

Il fallut nous y mettre à plusieurs pour l'allonger sur la table. Il pesait près de 130 kilos. Ses pieds dépassaient du bord. J'étais en train de mesurer la taille des brûlures occasionnées à ses jambes lorsque l'interphone de l'entrée résonna. Susan alla répondre, et peu après le lieutenant Pete Marino fit son entrée, l'imperméable ouvert, le bout de sa ceinture traînant sur le carrelage.

– La brûlure au dos du mollet mesure neuf centimètres et demi sur sept centimètres, dictai-je à Fielding. Elle est sèche, contractée et cloquée.

Marino alluma une cigarette.

– Ils font du barouf parce qu'il a saigné, fit-il avec une certaine agitation.

– Sa température rectale est de 40 degrés, annonça Susan en retirant le thermomètre chimique. Température relevée à 23 h 49.

– Vous savez pourquoi il avait le visage en sang ? demanda Marino.

– Un des gardiens m'a dit qu'il avait saigné du nez, répondis-je avant d'ajouter : Retournons-le.

– Vous avez vu ça, sur la face interne du bras ? fit Susan en me montrant une petite plaie superficielle.

Munie d'une loupe j'examinai la contusion sous la forte lumière.

– Je ne sais pas. Peut-être est-ce dû au frottement de la sangle.

– Il y en a une autre sur le bras droit.

Je me penchai sur la seconde écorchure pendant que Marino m'observait en fumant. Nous retournâmes le corps et glissâmes un coussinet sous les épaules. Du sang s'écoula de la narine droite. Crâne et menton avaient été grossièrement rasés. Je procédai à l'incision en Y.

– On dirait qu'il y en a aussi sur la langue, dit Susan après avoir jeté un coup d'œil dans la bouche.

– Sectionnez-la.

J'insérai le thermomètre dans le foie.

– Seigneur, marmonna le lieutenant Marino.

– Tout de suite ? s'enquit Susan en pointant son scalpel.

– Non. Photographiez les brûlures autour du crâne. Mesurez-les. Ensuite vous pourrez retirer la langue.

– Merde, se plaignit-elle. Qui s'est servi de l'appareil photo pour la dernière fois ?

– Désolé, dit Fielding. Il n'y avait plus de pellicule dans le tiroir. J'ai oublié de vous le dire. Mais c'est à vous de veiller à ce qu'il y ait toujours de la pellicule.

– Ça serait plus simple si vous me préveniez quand le tiroir est vide.

– On prétend que les femmes ont de l'intuition. Je ne pensais pas être obligé de vous le dire.

– Voilà, j'ai les dimensions des brûlures à la tête, dit Susan en ignorant la remarque.

– Bien.

Susan dicta les mesures à Fielding, puis s'occupa de la langue.

Marino s'éloigna de quelques pas.

– Seigneur, répéta-t-il. Je m'y ferai jamais.

– La température du foie est de 40,5 degrés, dis-je à Fielding.

Je levai la tête vers la pendule. Waddell était mort depuis une heure. Il n'avait pas beaucoup refroidi. Il était costaud. L'électrocution réchauffe le corps. La température cervicale de certains condamnés que j'avais été amenée à autopsier pouvait dépasser 43° C. Celle du mollet de Waddell devait être au moins de cet ordre : il était très chaud au toucher, le muscle complètement tétanisé.

– Petite égratignure à la lisière, dit Susan. Mais rien de grave.

– C'est en se mordant la langue qu'il a tant saigné ? voulut savoir Marino.

– Non, dis-je.

– En tout cas, ils commencent à faire du foin, dit Marino qui ajouta en élevant la voix : Je pensais que ça vous intéresserait de le savoir.

J'interrompis ma tâche et posai ma main tenant le bistouri sur le bord de la table.

– Au fait, vous étiez témoin, dis-je.

– Oui. Je vous avais dit que j'irais.

Tout le monde se tourna vers lui.

– Ça risque de mal tourner dehors, dit-il. Je veux voir personne sortir d'ici seul.

– Qu'est-ce qui se passe ? demanda Susan.

– Une secte d'illuminés s'est rassemblée dans Spring Street depuis ce matin. Je ne sais pas comment ils ont fait, mais ils ont su que Waddell avait saigné, et quand l'ambulance est partie avec le corps, ils l'ont poursuivie comme une bande de zombies.

– Avez-vous vu à quel moment il s'est mis à saigner ? lui demanda Fielding.

– Ouais, bien sûr. Ils lui ont envoyé deux fois le jus. La première fois, ça a fait une espèce de sifflement, comme de la vapeur qui s'échappe d'un radiateur, et le sang s'est mis à couler sous le masque. Il se pourrait que la chaise ait pas bien fonctionné.

Susan mit en marche la scie Stryker, et personne ne tenta de se faire entendre par-dessus le vrombissement de l'appareil découpant la calotte crânienne. Je poursuivis mon examen des organes. Le cœur était en bon état, les coronaires splendides. Lorsque la scie s'arrêta, je repris ma dictée à l'intention de Fielding.

– Vous avez le poids ? demanda-t-il.

– Le cœur pèse 330 grammes, et il comporte une adhérence du ventricule supérieur gauche à la crosse aortique. J'ai aussi trouvé quatre parathyroïdes, au cas où vous ne l'ayez pas noté.

– Si, c'est fait.

Je posai l'estomac sur la planche à découper.

– Il est presque tubulaire, constatai-je.

– Tiens, c'est curieux, dit Fielding en se penchant pour regarder de plus près. Un type aussi fort a besoin d'un minimum de quatre mille calories par jour.

– Il ne les avait certainement pas ces derniers temps, dis-je. Il n'y a même pas de contenu gastrique. Son estomac est vide et propre.

– Il n'aurait pas mangé son dernier repas ? fit Marino.

– On ne dirait pas.

– Est-ce qu'ils le mangent, d'habitude ?

– Oui, dis-je. En général oui.

Nous terminâmes à 1 heure du matin, et nous suivîmes les croque-morts jusqu'à la baie de déchargement, devant laquelle attendait le corbillard. Lorsque nous sortîmes du bâtiment, l'obscurité était trouée de pulsations lumineuses rouges et bleues. Des parasites radio grésillaient dans l'air froid et humide, les moteurs ronronnaient, et au-delà de la chaîne marquant la limite du parking, j'aperçus un cercle de feu. Des hommes, des femmes et des enfants étaient rassemblés en silence, le visage tremblant à la lueur des bougies.

Les croque-morts enfournèrent en hâte le corps de Waddell à l'arrière du fourgon, puis refermèrent le hayon.

Quelqu'un cria quelque chose que je ne saisis pas, et bientôt une grêle de bougies vint s'abattre mollement sur l'asphalte telle une pluie d'étoiles filantes.

– Bande de cinglés ! pesta Marino.

Des mèches rougeoyantes et de petites flammes ponctuaient la chaussée. Le corbillard manœuvra rapidement pour sortir du parking. Les flashes des appareils photos crépitèrent. J'aperçus la camionnette de Channel 8 garée dans Main Street. Une silhouette courait sur le trottoir. Tout en éteignant les bougies sous leurs semelles, les agents en uniforme avancèrent vers la chaîne et demandèrent au petit groupe de se disperser.

– Nous ne voulons pas d'histoires, déclara un officier. À moins que certains d'entre vous aient envie de passer la nuit en cellule.

– Bouchers ! hurla une femme.

D'autres voix se joignirent à la sienne, des mains saisirent la chaîne et commencèrent à la secouer.

Marino m'entraîna vers ma voiture.

Une sorte de chant tribal s'éleva dans la nuit : « *Bou-chers, bou-chers, bou-chers...* »

Je cherchai ma clé de contact d'une main fébrile, laissai tomber le trousseau sur le tapis de sol, finis par trouver la bonne clé.

– Je vous suis jusque chez vous, me dit Marino.

Je réglai le chauffage au maximum sans parvenir à me réchauffer. Je vérifiai par deux fois que mes portières étaient bien verrouillées. La nuit prit un aspect surnaturel, une étrange asymétrie de fenêtres illuminées ou obscures, avec des ombres qui s'agitaient aux coins de mes yeux.

Dans ma cuisine je nous servis du scotch car je n'avais plus de bourbon.

– Je comprends pas comment vous pouvez ingurgiter ce truc, fit Marino avec une grimace.

– Vous pouvez prendre autre chose, lui dis-je.

– Ça va, je tiendrai le coup.

Je ne savais pas comment aborder le sujet, et il était clair que Marino n'allait pas me faciliter la tâche. Il était tendu, le visage congestionné. Des mèches de cheveux gris s'accrochaient à son crâne humide et dégarni, et il fumait cigarette sur cigarette.

– Vous aviez déjà assisté à une exécution ? lui demandai-je.

– Ça m'a jamais tenté, non.

– Pourtant cette fois-ci, vous vous êtes porté volontaire. La tentation a dû être irrésistible.

– Je parie qu'avec un peu de citron et de soda ce truc serait buvable.

– Si vous voulez vraiment gâcher un bon whisky, je vais voir ce que je peux faire.

Il poussa le verre dans ma direction et j'ouvris le réfrigérateur.

– Je n'ai que du jus de citron vert, pas de citron frais, dis-je en explorant les étagères.

– Ça ira.

Je versai quelques gouttes de jus dans son verre et y ajoutai du Perrier. Sans prêter plus d'attention à l'étrange mixture qu'il ingurgitait, Marino ajouta :

– Vous avez peut-être oublié, mais c'est moi qui avais été chargé de l'enquête sur le meurtre de Robyn Naismith. Moi et Sonny Jones.

– Je n'étais pas encore dans les parages.

– Oui, c'est vrai. C'est drôle, on dirait que vous êtes là depuis toujours. Mais vous savez comment ça s'est passé, n'est-ce pas ?

J'étais le médecin expert auxiliaire de Dade County à l'épo que où Robyn Naismith avait été assassinée. Je me souvenais avoir suivi l'enquête dans les journaux et à la télévision, puis plus tard avoir assisté à la projection d'un diaporama sur l'affaire lors d'un congrès national. L'ex-Miss Virginie était une fille splendide dotée d'une belle voix d'alto. Elle était d'une aisance et d'un charisme étonnants devant la caméra. Elle n'avait que 27 ans.

La défense avait soutenu que Ronnie Waddell avait seulement l'intention de cambrioler l'appartement, et que pour son malheur Robyn l'avait surpris en revenant de la pharmacie. Les avocats prétendirent que Waddell ne regardait pas la télévision et qu'il ne connaissait ni le nom ni le brillant avenir auquel était promise Robyn, lorsqu'il avait saccagé l'appartement puis l'avait agressée. Il était tellement drogué, soutint la défense, qu'il ne savait pas ce qu'il faisait. Les jurés avaient rejeté l'hypothèse de la démence temporaire de Waddell au moment des faits et avaient demandé la peine de mort.

– Je sais que la pression pour retrouver son assassin a été incroyable, dis-je à Marino.

– Absolument incroyable. On avait l'empreinte, on avait les marques de dents. On avait mis trois hommes à éplucher les fichiers nuit et jour. Je sais pas combien d'heures j'ai passé sur cette foutue enquête. Et on a fini par coincer ce salopard parce qu'il se baladait en Caroline du Nord avec un timbre de contrôle technique périmé. (Il se tut quelques instants et, le regard dur, ajouta :) Mais Jones était déjà plus là. Dommage qu'il ait pas vu la fin de Waddell.

– Vous tenez Waddell pour responsable de ce qui est arrivé à Jones ? demandai-je.

– Hé, bien sûr, non ?

– C'était un ami proche.

– On bossait ensemble aux Homicides, on pêchait ensemble et on était dans la même équipe de bowling.

– Je sais que sa mort a été un coup dur pour vous.

– Cette affaire l'a épuisé. On travaillait jusqu'à point d'heures, on dormait pas, on était jamais à la maison. Ça, croyez-moi, ça a pas arrangé les choses avec sa femme. Il n'arrêtait pas de me répéter qu'il en pouvait plus, jusqu'au jour où il m'a plus rien dit. Et puis un soir il a décidé de bouffer son flingue.

– Je suis désolée, dis-je avec sympathie. Mais est-ce suffisant pour en faire retomber la faute sur Waddell ?

– J'avais un compte à régler.

– Le fait d'avoir assisté à l'exécution l'a-t-il réglé ?

Pendant un moment Marino ne répondit pas. Il resta le regard fixé devant lui, la mâchoire contractée. Je le regardai fumer et terminer son verre.

– Vous en voulez un autre ?

– Ma foi, pourquoi pas ?

Je me levai et procédai à mon petit mélange tout en songeant à toutes les injustices et les douleurs qui avaient contribué à faire de Marino ce qu'il était. Il avait survécu à une enfance pauvre et privée d'affection dans les quartiers les moins reluisants du New Jersey, et entretenu une défiance tenace à l'égard de ceux que le sort avait plus favorisés. Peu de temps auparavant, sa femme l'avait quitté après trente ans de vie commune, et il avait un fils dont personne ne savait rien. En dépit de son respect indéfectible pour la loi et l'ordre, et de sa carrière exemplaire dans la police, s'entendre avec la hiérarchie ne faisait pas partie de son patrimoine génétique. On avait l'impression que le voyage de sa vie l'avait engagé sur une route difficile. Je pressentais que ce que Marino espérait trouver à la fin de sa vie, ce n'étaient ni la paix ni la sagesse, mais une revanche. Marino était toujours en colère contre quelque chose.

– Je vais vous poser une question, doc, dit-il lorsque j'eus repris place à la table. Qu'est-ce que vous ressentiriez si on arrêtait les salauds qui ont tué Mark ?

Sa question me prit au dépourvu. Je ne voulais pas penser à ces hommes.

– Est-ce qu'il n'y aurait pas une partie de vous qui voudrait les voir au bout d'une corde ? poursuivit-il. Est-ce qu'une partie de vous n'aurait pas envie de se porter volontaire pour le peloton d'exécution, pour appuyer vous-même sur la détente ?

Mark était mort à Londres, à Victoria Station, tué par l'explosion d'une bombe dissimulée dans une corbeille à papiers devant laquelle il passait. Le choc et le chagrin m'avaient projetée bien au-delà du désir de vengeance.

– Envisager de punir un groupe de terroristes me paraît un exercice futile, répondis-je.

Marino planta son regard dans le mien.

– Voilà encore une de vos foutues réponses à la mords-moi-le-nœud, fit-il. Vous leur feriez une autopsie gratis si vous pouviez. Et vous préféreriez qu'on vous les amène vivants, pour pouvoir les découper tout doucement. Je vous ai raconté ce qui était arrivé à la famille de Robyn Naismith ?

Je tendis le bras vers mon verre.

– Son père était médecin dans le nord de la Virginie, enchaîna-t-il. Un type très bien. Six mois après le procès, il a développé un cancer, et il est mort trois mois plus tard. Robyn était fille unique. La mère déménage au Texas, elle a un accident de voiture et finira sa vie dans un fauteuil roulant, avec ses souvenirs pour seule compagnie. Waddell a tué toute la famille de Robyn. Il a empoisonné toutes les existences qu'il a touchées.

Je repensai à l'enfance de Waddell dans sa ferme, des images de sa méditation défilaient dans mon esprit. Je le vis assis sur les marches du porche, mordant dans une tomate qui avait goût de soleil. Je me demandai à quoi il avait pensé à la dernière seconde de sa vie. Je me demandai s'il avait prié.

Marino écrasa sa cigarette. Il paraissait sur le point de partir.

– Connaissez-vous un certain Trent, détective dans la police du comté d'Henrico ? lui demandai-je.

– Joe Trent. Il travaillait au K-Neuf. Il a été nommé détective il y a deux ou trois mois, après être passé sergent. Un peu nerveux, mais un bon flic.

– Il m'a appelé au sujet d'un gamin...

– Eddie Heath ? m'interrompit-il.

– Je ne connais pas son nom.

– Un garçon d'environ 13 ans, de race blanche ? On est dessus. *Lucky's* est sur la juridiction de la ville.

– *Lucky's* ?

– La boutique où il a été vu pour la dernière fois. C'est sur Chamberlayne Avenue, dans le Northside. Qu'est-ce qu'il voulait, Trent ? (Marino fronça les sourcils.) Il a su que Heath n'allait pas s'en tirer et il a pris rendez-vous d'avance chez vous ?

– Il veut que j'examine des blessures inhabituelles, peut-être des mutilations.

– Seigneur. Ça me rend malade quand c'est un gosse. (Marino repoussa sa chaise et se frotta les tempes.) Merde. Chaque fois qu'on se débarrasse d'un fumier, y'en a un autre pour prendre sa place.

Après le départ de Marino je m'installai au salon et regardai rougeoyer les braises dans la cheminée. J'étais lasse et envahie d'une tristesse sourde et implacable que je n'avais même plus la force de chasser. La mort de Mark avait laissé une déchirure dans mon âme. J'avais peu à peu compris, avec incrédulité, à quel point ma personnalité était liée à l'amour que je lui portais.

La dernière fois que je l'avais vu, c'était le jour de son départ pour Londres. Nous avions juste eu le temps de déjeuner ensemble dans le centre avant qu'il ne parte pour Dulles

Airport. Mes souvenirs de cette dernière heure passée en sa compagnie se résumaient à des coups d'œil nerveux jetés à nos montres, au ciel assombri par de gros nuages d'orage et aux gouttes de pluie qui battaient la vitre derrière laquelle nous étions installés. Il s'était entaillé la joue en se rasant, et plus tard, quand je me représentais son visage, j'étais obsédée par cette petite coupure qui, je ne sais pourquoi, me bouleversait.

Il était mort en février, à l'époque où la guerre du Golfe s'achevait. Afin de m'aider à surmonter mon chagrin, j'avais vendu ma maison et étais partie m'installer dans un autre quartier. En fait, je m'étais déracinée sans vraiment aller ailleurs, et la verdure, le voisinage auxquels j'étais habituée et qui m'avaient autrefois réconfortée, avaient disparu. Décorer ma nouvelle maison ou travailler au jardin ne faisait qu'accentuer ma détresse. La moindre occupation engendrait des distractions que je n'avais pas le temps de me permettre, et j'imaginai Mark secouant la tête en me voyant.

– Pour quelqu'un d'aussi rationnel... aurait-il dit en souriant.

– Et toi, que ferais-tu ? lui rétorquais-je pendant mes nombreuses insomnies. Bon dieu, qu'est-ce que tu ferais si c'était *toi* qui étais resté tout seul ?

Je regagnai la cuisine, rinçai mon verre puis me rendis dans mon bureau pour écouter les messages sur mon répondeur. Il y avait plusieurs appels de journalistes, un de ma mère et un de Lucy, ma nièce. Plus trois messages nuls.

J'aurais préféré être sur liste rouge mais c'était impossible. Les policiers, les avoués du Commonwealth et les quelque quatre cents médecins experts répartis sur le territoire de l'État devaient pouvoir me joindre à toute heure. Afin de préserver ma vie privée, j'utilisais le répondeur pour filtrer les appels, et si quelque anonyme laissait un message de menaces ou formulait des obscénités, il courait le risque d'être identifié par le Caller ID, l'identificateur d'appel.

J'enfonçai le bouton Review de cet appareil et passai en revue les numéros qui s'affichaient sur le petit écran. Lorsque je vis apparaître le numéro correspondant aux trois messages nuls, je restai perplexe et vaguement inquiète. Ce numéro m'était devenu familier. Il s'inscrivait plusieurs fois par semaine depuis quelque temps, et à chaque fois le correspondant raccrochait sans laisser de message. Un jour, j'avais essayé de rappeler au numéro indiqué, mais je n'avais perçu que le bip aigu d'un fax ou d'un modem. Pour une raison inconnue cette personne avait composé trois fois mon numéro entre 22 h 20 et 23 heures, alors que j'attendais le corps de Waddell à la morgue. C'était absurde. Les appels automatiques gérés par ordinateur ne se succédaient pas si rapidement et n'étaient de toute façon pas programmés à une heure aussi tardive, et si c'est un modem qui, voulant en contacter un autre, tombait sur moi, son opérateur aurait dû se rendre compte de l'erreur depuis belle lurette.

Je me réveillai plusieurs fois durant les quelques heures précédant le petit matin. Le moindre craquement, le plus petit grincement de la maison accélérait mon pouls. Les voyants rouges du tableau du système d'alarme installé en face de mon lit brillaient d'une manière inquiétante et lorsque je me retournais dans mon lit ou arrangeais mes couvertures, les détecteurs de mouvement, que je débranchais quand je me trouvais à la maison, me fixaient en silence de leurs petits yeux rouges. Je fis des rêves étranges. À 5 h 30 j'allumai et m'habillai.

Dehors il faisait encore nuit et je ne rencontrai pratiquement pas de circulation en me rendant au bureau. Le parking de la morgue, désert, était jonché de dizaines de petites bougies en cire d'abeille qui me rappelèrent les bacchanales amoureuses de Moravie et d'autres rites religieux. Mais ces bougies avaient servi à protester. Quelques heures auparavant, on les avait brandies comme des armes. Une fois dans mon bureau, je préparai du café et me penchai sur les papiers que m'avait laissés Fielding, curieuse de savoir ce que contenait l'enveloppe trouvée dans la poche arrière de Waddell. Je m'attendais à y découvrir un poème, peut-être une autre méditation ou une lettre de son pasteur.

À ma grande surprise, ce que Waddell avait considéré comme « ultra confidentiel » et demandé à emporter dans la tombe se résumait à quelques tickets de caisse : cinq certificats de péage et trois factures de restaurant, dont l'une pour un poulet rôti commandé dans un Shoney deux semaines plus tôt.

2

Sans sa barbe et la calvitie précoce qui dégarnissait ses cheveux blonds virant au gris, le détective Joe Trent aurait pu paraître jeune. Grand, tiré à quatre épingles, il arborait un élégant imperméable serré autour de la taille et des chaussures impeccablement cirées. Il cligna nerveusement des paupières lorsque nous nous serrâmes la main sur le trottoir devant le centre d'intervention d'urgence Henrico Doctor's. Il était visiblement bouleversé par ce qui était arrivé à Eddie Heath.

– Si ça ne vous fait rien, dit-il en exhalant un nuage de vapeur blanche, j'aimerais vous dire deux mots avant d'entrer. À l'abri des oreilles indiscrètes.

Frissonnant de froid, je serrai les coudes le long de mon corps tandis qu'un hélicoptère du Medflight décollait dans un bruit assourdissant d'un monticule herbu faisant office d'héliport. La lune était comme un glaçon fondant sur un ciel gris ardoise, les voitures rangées sur le parking étaient maculées de sel anti-gel et de coulures de pluie. Dans le petit matin décoloré, le vent brûlait les joues comme une gifle, et la raison de ma présence me faisait ressentir le froid avec une plus grande intensité. Même si la température avait brusquement grimpé d'une dizaine de degrés et que le soleil s'était mis à briller, je ne crois pas que j'aurais eu plus chaud.

– C'est une très vilaine affaire, fit-il en clignant des paupières. Je pense que vous serez d'accord pour qu'aucun détail ne filtre dans la presse.

– Parlez-moi du garçon, dis-je.

– J'ai interrogé sa famille et plusieurs personnes qui le connaissaient. Eddie est un gamin ordinaire – il aime le sport, il distribue les journaux le dimanche et n'a jamais eu d'ennui avec la police. Son père travaille à la compagnie de téléphone et sa mère fait des travaux de couture. Hier soir, Mrs Heath a eu besoin d'une boîte de sauce aux champignons pour un plat qu'elle préparait. Elle a demandé à Eddie d'aller en chercher chez *Lucky's*.

– La boutique est-elle loin de chez eux ?

– À deux ou trois blocs, pas plus, et Eddie y va souvent. Les caissiers l'appellent par son prénom.

– À quelle heure l'y a-t-on vu pour la dernière fois ?

– Vers 17 h 30. Il n'est resté que quelques minutes.

– Il faisait donc déjà nuit, remarquai-je.

– Oui, en effet. (Trent regarda s'éloigner l'hélicoptère qui fendait les nuages en bourdonnant comme une grosse mouche blanche.) Vers 20 h 30, un officier en tournée de routine inspectait l'arrière des bâtiments bordant Patterson quand il a découvert le gosse, adossé à un conteneur à ordures.

– Vous avez des photos ?

– Non. Quand il a vu que le garçon vivait encore, il a tout de suite appelé du secours. Il n'a pas pensé à demander le photographe. Mais l'officier m'a fait une description détaillée. Le garçon était nu, en position assise, les jambes allongées, les bras le long du corps, la tête inclinée sur la poitrine. Ses vêtements étaient empilés sur le trottoir, près d'un sac plastique contenant une boîte de sauce aux champignons et une barre de Snickers. Il faisait - 2° C et il était resté comme ça de quelques minutes à une demi-heure avant d'être découvert.

Une ambulance s'arrêta près de nous. Des portières claquèrent, du métal s'entrechoqua, les infirmiers déplièrent sans ménagement les pieds d'un brancard roulant et poussèrent un vieillard vers les portes en verre qui s'ouvrirent devant eux. Nous les suivîmes et, en silence, longeâmes un corridor brillant et aseptisé où se croisaient docteurs, infirmiers, et patients assommés par les malheurs qui les avaient amenés là. Dans l'ascenseur qui nous emportait au deuxième étage je voulus savoir si l'on n'avait pas perdu trop d'indices.

– Et ses vêtements ? demandai-je à Trent tandis que les portes de la cabine s'ouvraient. A-t-on retrouvé une balle ?

– Ses vêtements sont dans ma voiture, ainsi que son PERK[1]. Je porterai le tout au labo cet après-midi. La balle est toujours dans le cerveau. Ils n'ont pas encore essayé de l'extraire. Bon Dieu, j'espère qu'ils ont fait de bons prélèvements.

L'unité pédiatrique de soins intensifs était installée au bout d'un couloir au sol ciré, derrière des doubles portes vitrées dont les montants de bois étaient recouverts d'une tapisserie

1. *Physical Evidence Recovery Kit* : Nécessaire à collecte d'indices physiologiques.

portant des motifs de dinosaures. À l'intérieur, des arcs-en-ciel égayaient les murs bleus, et des mobiles d'animaux tournaient lentement au-dessus de lits hydrauliques dans les huit alcôves disposées en demi-cercle autour du bureau des infirmières. Trois jeunes femmes étaient installées devant des moniteurs. L'une tapait sur son clavier, une autre parlait au téléphone. La troisième, une mince brune vêtue d'un pantalon de velours rouge et d'un chandail à col roulé, se présenta comme l'infirmière en chef. Trent lui expliqua la raison de notre venue.

– Le médecin n'est pas là pour l'instant, s'excusa-t-elle.

– Nous voulons juste examiner les blessures d'Eddie, dit Trent. Nous n'en aurons pas pour longtemps. Ses parents sont encore avec lui ?

– Ils sont restés toute la nuit.

Nous la suivîmes sous l'éclairage tamisé, parmi les chariots à médicaments et les réservoirs à oxygène verts qui ne se seraient pas trouvés là, devant la porte de ces garçons et de ces filles, si le monde était ce qu'il devrait être. Lorsque nous arrivâmes devant la chambre d'Eddie, l'infirmière entra en laissant la porte entrebâillée derrière elle.

– Juste quelques minutes, l'entendis-je dire aux parents Heath. Le temps de l'examiner.

– C'est quel genre de spécialiste, cette fois ? s'enquit le père d'une voix brisée.

– Un docteur qui connaît bien les blessures. C'est une sorte de chirurgien de la police.

Pleine de tact, l'infirmière s'abstint de dire que j'étais un médecin expert, ou pire, légiste.

Après un moment de silence, le père reprit la parole.

– Ah. Alors c'est pour trouver des indices, dit-il d'une voix résignée.

– Exactement. Voulez-vous du café ? À moins que vous ne préfériez manger quelque chose ?

Les parents d'Eddie, tous deux obèses, sortirent de la chambre avec les vêtements froissés dans lesquels ils avaient dormi. Ils avaient cet air ahuri des gens simples à qui on annonce l'imminence de la fin du monde, et quand ils nous dévisagèrent de leur regard las, j'aurais voulu pouvoir leur dire quelque chose, sinon pour les réconforter, du moins pour alléger leur peine. Mais les mots me restèrent dans la gorge tandis que le couple s'éloignait.

Eddie Heath était allongé, immobile sur le lit, la tête enveloppée de pansements. L'appareil à respiration artificielle envoyait de l'air dans ses poumons pendant que des liquides coulaient goutte à goutte dans ses veines. Il avait le teint laiteux, la peau imberbe, la mince membrane de ses paupières luisait d'un éclat bleuté dans la pénombre. La teinte blonde de ses sourcils m'apprit la couleur de ses cheveux. Il n'avait pas encore émergé de ce fragile état prépubère durant lequel les garçons ont les lèvres pleines et chantent d'une voix plus douce que leurs sœurs. Ses avant-bras étaient minces, le corps sous le drap menu. Seule la grandeur disproportionnée des mains immobiles que perçaient les cathéters annonçait sa future virilité. Il ne paraissait pas ses 13 ans.

– Le docteur veut voir les blessures à la cuisse et à l'épaule, chuchota Trent à l'infirmière.

Elle enfila une paire de gants et m'en donna une. Le garçon était nu sous le drap, la peau sale au creux des plis, les ongles noirs. On ne peut laver à fond les patients trop fragiles.

Trent se raidit lorsque l'infirmière ôta les pansements humidifiés des blessures.

– Seigneur, lâcha-t-il entre ses dents. C'est encore plus moche qu'hier soir.

Il secoua la tête et recula d'un pas.

Si on m'avait dit que le garçon avait été mordu par un requin, j'aurais presque pu le croire. Sauf que la netteté des lèvres des blessures dénotait l'emploi d'un instrument tranchant tel qu'un rasoir ou un couteau. Des morceaux de chair de la taille d'une soucoupe avaient été arrachés de l'épaule et de la face interne de la cuisse droite. J'ouvris ma mallette, en sortis une règle, mesurai les plaies en prenant garde de ne pas les toucher, puis les photographiai.

– Vous voyez les coupures et les éraflures sur les bords ? me fit remarquer Trent. C'est de ça que je parlais. On dirait qu'on a découpé la peau, et qu'ensuite on a arraché tout le morceau.

– Avez-vous constaté un déchirement anal ? demandai-je à l'infirmière.

– Je n'ai rien vu d'anormal quand je lui ai pris sa température, et personne n'a rien remarqué dans sa bouche ou sa gorge quand on l'a intubé. J'ai aussi recherché des traces de fractures antérieures.

– Pas de tatouages ?

– Des tatouages ? fit-elle comme si elle n'en avait jamais vu de sa vie.

– Des tatouages, des marques de naissance, des cicatrices. Quelque chose qu'on aurait pu vouloir faire disparaître.

– Je ne crois pas, répondit l'infirmière d'un ton hésitant.

– Je vais demander à ses parents, dit Trent en épongeant la sueur de son front.

– Ils sont peut-être à la cafétéria.

– Je les trouverai, dit-il en sortant.

– Que disent les médecins ? demandai-je à l'infirmière.

– Il est dans un état critique, sans aucune réaction.

Elle avait formulé l'évidence, sans émotion.

– Puis-je voir l'endroit où a pénétré la balle ? demandai-je.

Elle desserra le pansement qui enserrait la tête d'Eddie et remonta la gaze pour découvrir le petit orifice noir à la circonférence brûlée. La blessure était située sur la tempe droite, légèrement vers l'avant.

– Elle a traversé le lobe frontal ?

– Oui, répondit-elle.

– On a fait une analyse de sang ?

– Il n'y a aucune circulation dans le cerveau du fait que les tissus ont enflé. Aucune activité encéphalique non plus, et quand nous lui avons mis de l'eau froide dans l'oreille, nous n'avons constaté aucune activité calorique. Le potentiel cervical paraît détruit.

Debout de l'autre côté du lit, ses mains gantées le long du corps, le visage dépourvu d'expression, elle énuméra les tests effectués et les diverses tentatives pour faire diminuer la pression intracrânienne. J'avais passé suffisamment de temps dans les salles d'urgence et les unités de soins intensifs pour savoir qu'il est plus facile de garder un langage clinique avec les patients sans connaissance. Et Eddie Heath ne reprendrait jamais connaissance. Son cortex était fichu. Tout ce qui faisait de lui un être humain, ce qui lui permettait de penser et de ressentir, était irrémédiablement détruit. Ses fonctions vitales étaient intactes, mais son cerveau réduit au strict minimum. Il n'était plus qu'un corps qui respirait, avec un cœur qui pour l'instant continuait de battre grâce à des machines.

Je cherchai des traces de blessures de défense. Prenant garde à ne pas déplacer ses sondes, je tenais sa main sans y penser lorsqu'il serra mes doigts, me faisant presque sursauter. De tels réflexes ne sont pas rares chez des personnes en état de mort cérébrale. C'est comme un bébé qui vous agrippe le doigt, un mouvement instinctif qui n'est provoqué par aucun processus conscient. Je lâchai avec précaution sa main et pris une profonde inspiration en attendant que mon cœur se desserre.

– Vous avez trouvé quelque chose ? me demanda l'infirmière.

– C'est difficile d'examiner quoi que ce soit avec tous ces tuyaux, dis-je.

Elle repositionna les pansements et remonta le drap jusqu'au menton du garçon. J'ôtai mes gants et les jetai dans la corbeille au moment où le détective Trent revint, le regard fébrile.

– Pas de tatouages, fit-il en haletant comme s'il avait fait l'aller-retour jusqu'à la cafétéria au pas de course. Pas de marque de naissance ni de cicatrice.

Quelques instants plus tard nous nous dirigions vers le parking. Le soleil jouait à cache-cache avec les nuages et de minuscules flocons de neige voltigeaient autour de nous. Clignant des yeux contre le vent je constatai que Forest Avenue était bloquée par les embouteillages. Certaines voitures portaient des couronnes de Noël fixées sur la calandre.

– Vous feriez mieux de vous préparer à l'éventualité de sa mort, dis-je à Trent.

– Si j'avais su, je ne vous aurais pas demandé de venir. Merde, quel froid !

– Vous avez très bien fait, au contraire. Encore quelques jours et ses blessures ne m'auraient plus rien appris.

– Ils prévoient du sale temps pour tout le mois de décembre. Un froid de canard et beaucoup de neige. (Il baissa les yeux sur le trottoir.) Vous avez des enfants ?

– Une nièce, seulement.

– J'ai deux garçons. Dont un de 13 ans.

Je sortis mes clés.

– Voilà ma voiture, dis-je.

Trent hocha la tête et me suivit. Il me regarda en silence déverrouiller les portières de ma Mercedes grise. Ses yeux détaillèrent le revêtement de cuir de l'habitacle pendant que je montais et attachais ma ceinture. Il jaugea la voiture du même regard que s'il s'était agi d'une belle femme.

– Et les morceaux de chair qui manquent ? demanda-t-il. Vous avez déjà vu ça ?

– Il est possible que nous ayons affaire à un individu enclin au cannibalisme, dis-je.

Je retournai à mon bureau, relevai mon courrier, visai une pile de rapports du labo, emplis une grande tasse du goudron liquide restant au fond de la cafetière et ne dis mot à personne. Rose entra avec une telle discrétion au moment où je m'installais à ma table que je ne l'aurais peut-être pas remarquée si elle n'avait ajouté une nouvelle coupure de presse à la petite pile posée au centre de mon sous-main.

– Vous avez l'air fatiguée, remarqua-t-elle. À quelle heure êtes-vous venue ce matin ? Quand je suis arrivée le café était prêt et vous étiez déjà repartie.

– La police d'Henrico County a une sale affaire sur les bras, expliquai-je. Un garçon qui va sans doute finir chez nous.

– Eddie Heath.

– Oui, fis-je avec surprise. Comment le savez-vous ?

– On parle aussi de lui dans le journal, répondit Rose pendant que je remarquais la nouvelle paire de lunettes qui rendait son visage patricien un peu moins hautain.

– J'aime bien vos lunettes, dis-je. Ça vous va beaucoup mieux que ces lorgnons à la Benjamin Franklin que vous portiez au bout du nez. Que disent-ils ?

– Pas grand-chose. L'article raconte juste qu'on l'a trouvé dans Patterson Avenue avec une balle dans la tête. Si mon fils avait son âge, pas question que je le laisse distribuer des journaux.

– Eddie Heath ne distribuait pas de journaux quand il a été agressé.

– Ça ne fait rien, je le lui interdirais quand même, avec tout ce qui se passe. Voyons. (Elle posa un doigt sur l'aile de son nez.) Fielding est en bas, sur une autopsie, et Susan est allée porter quelques cerveaux au MCV[1] pour consultation. À part ça, il ne s'est rien passé pendant votre absence, sinon que l'ordinateur est tombé en panne.

– L'a-t-on réparé ?

– Je crois que Margaret s'en occupe, dit Rose. Il devrait bientôt repartir.

– Bien. Dès qu'elle aura fini, vous lui direz que je voudrais qu'elle fasse une recherche pour moi. Les mots clés sont *coupure, mutilation, cannibalisme, morsure*. Elle peut élargir la recherche à *excisé, peau, chair*, et combiner ces différents termes. Qu'elle essaie aussi *démembrement*, quoique je ne pense pas qu'il s'agisse de ça.

– Pour quelle partie de l'État et sur quelle période ? demanda Rose sans cesser de prendre des notes.

– Toute la Virginie au cours des cinq dernières années. Je m'intéresse surtout aux affaires impliquant des enfants, mais qu'elle ne se restreigne pas à ça. Demandez-lui aussi de s'adresser au Service de recensement des traumatismes. J'ai parlé à son directeur lors d'une réunion le mois dernier, et il semblait disposé à mettre leurs données à notre disposition.

– Vous voulez étendre les recherches aux victimes qui ont survécu, c'est ça ?

– Si c'est possible, oui. Rose, il faut tout mettre en œuvre pour essayer de retrouver des cas semblables à celui d'Eddie Heath.

– Je vais en informer Margaret et voir si nous pouvons redémarrer l'ordinateur, dit ma secrétaire en sortant.

Je parcourus les articles qu'elle avait découpés dans différents journaux du jour. Ils parlaient tous de Ronnie Waddell et de son saignement « des yeux, de la bouche et du nez ». La section locale d'Amnesty International avait déclaré que son exécution était aussi barbare que n'importe quel homicide. Un porte-parole de l'ACLU affirmait que la chaise électrique avait « mal fonctionné, ce qui avait causé de terribles souffrances à Waddell », et poursuivait en comparant cet incident avec celui d'une précédente exécution en Floride, pendant laquelle l'utilisation pour la première fois d'un casque muni de garniture en

1. *Medical College of Virginia*. (NdT)

éponge synthétique avait provoqué l'embrasement des cheveux du condamné.

Je glissai les articles dans le dossier de Waddell et tentai d'imaginer quel lapin son avocat allait cette fois sortir de son chapeau. Quoique espacées, nos rencontres se transformaient invariablement en confrontations. J'en étais venue à me dire que son objectif secret était de mettre en doute mes compétences professionnelles et de me faire passer pour une idiote. Mais ce qui me gênait le plus, c'est que Grueman n'avait jamais paru se souvenir que j'avais été son étudiante à Georgetown. Il est vrai que j'avais pris cette première année de droit à la légère, puisque c'est alors que j'avais écopé de mon unique B et raté mon examen sur la Révision juridique. De ma vie je n'oublierais pas Nicholas Grueman, et je trouvais injuste que lui m'ait effacée de sa mémoire.

Il m'appela le jeudi suivant, peu de temps après qu'on m'eut annoncé la mort d'Eddie Heath.

– Kay Scarpetta ? fit la voix de Grueman au bout du fil.

– Oui, c'est moi.

Je fermai les yeux et compris, à la pression qui les comprimait, qu'une nouvelle migraine approchait.

– Nicholas Grueman à l'appareil. J'ai parcouru le rapport provisoire d'autopsie de Mr Waddell et j'aurais quelques questions à vous poser.

Je gardai le silence.

– Je veux parler de Ronnie Joe Waddell.

– En quoi puis-je vous être utile ?

– Commençons par ce que vous appelez son estomac *presque tubulaire*. Description intéressante, je dois dire. Je me demande si c'est une expression de votre invention, ou un terme médical précis. Est-ce que je me trompe en déduisant que Mr Waddell ne se nourrissait pas ?

– Je ne peux pas dire qu'il ne mangeait rien, mais son estomac s'était rétracté. Il était vide et propre.

– Peut-être vous a-t-on dit qu'il avait entamé une grève de la faim ?

– Je n'en ai pas été informée.

Je levai les yeux vers la pendule et la lumière me brûla les yeux. Je n'avais plus d'aspirine et avais oublié mon décongestif à la maison.

Je l'entendis feuilleter des pages.

– Vous dites que vous avez relevé des contusions sur ses bras, dit Grueman, plus précisément sur la face interne de la partie supérieure des bras.

– Oui, juste au-dessus de la dépression antécubitale.

Une pause.

– La *dépression antécubitale*, répéta-t-il avec stupéfaction. Voyons un peu. Voilà, je tends mon bras, paume en l'air, et je regarde l'intérieur de mon coude... enfin, l'endroit où le bras se plie, pour être précis. C'est bien cela, n'est-ce pas ? On peut dire que la face interne, c'est le côté où le bras se plie, et la fosse antécubitale, l'endroit où il se plie ?

– C'est à peu près ça.

– Bon, bon, très bien. Et à quoi attribuez-vous les blessures relevées sur les bras de Mr Waddell ?

– Peut-être aux sangles, répondis-je avec humeur.

– Aux sangles ?

– Oui, une chaise électrique est pourvue de sangles.

– Vous avez dit *peut-être*. Ça *pourrait* être les sangles, n'est-ce pas ?

– Oui, c'est ce que j'ai dit.

– Dois-je comprendre que vous n'en êtes pas sûre, Dr Scarpetta ?

– Il y a peu de choses en ce bas monde dont on puisse être sûr, Mr Grueman.

– Ce qui veut dire qu'il est légitime de penser que ces contusions ont peut-être une autre origine. Une origine humaine, par exemple. Qu'elles ont pu être causées par des mains humaines.

– Les éraflures que j'ai constatées ne peuvent pas avoir été causées par des mains, dis-je.

– Mais elles ont pu être causées par les sangles dont est pourvue la chaise électrique.

– C'est la supposition que j'ai faite.

– Une *supposition*, Dr Scarpetta ?

– Je n'ai pas examiné la chaise électrique, rétorquai-je.

Ma réplique fut suivie d'un long silence, manie qu'affectionnait Nicholas Grueman pendant ses cours lorsqu'il voulait voir étalée l'ignorance d'un étudiant. Je le revoyais penché au-dessus de moi, les mains dans le dos, le visage impénétrable, pendant que la pendule égrenait ses tic-tac. Il m'était arrivé d'endurer ce silence pendant plusieurs minutes tandis que mes yeux parcouraient fébrilement les pages de l'ouvrage ouvert devant moi. Et ce jour-là, vingt ans plus tard, assise à mon solide bureau en noyer, dotée d'assez de diplômes pour en tapisser un mur, je sentis à nouveau mon visage s'empourprer pendant que me revenaient l'humiliation et la colère de ces instants-là.

Susan entra dans le bureau au moment où Grueman mettait brusquement fin à notre conversation en me souhaitant le bonjour.

– Le corps d'Eddie Heath est arrivé. (Sa blouse était dénouée, son visage brouillé.) Est-ce qu'il peut attendre demain matin ?

– Non, dis-je. Il ne peut pas attendre.

Le garçon paraissait plus petit sur la froide table métallique que dans les draps immaculés de son lit d'hôpital. Il n'y avait pas d'arcs-en-ciel dans cette salle-ci, pas de murs ni de fenêtres décorés de dinosaures ou peints de couleurs vives. Eddie Heath nous était arrivé nu, avec les aiguilles intraveineuses, le cathéter et les pansements encore en place. Ces bandes et appareillages étaient comme les dernières et tristes traces de ce qui l'avait retenu en ce monde, puis s'en était détaché, comme la ficelle d'un ballon qui va se perdre en plein ciel. Pendant près d'une heure je relevai les caractéristiques des blessures et les marques laissées par les soins pendant que Susan prenait des photos et répondait au téléphone.

Nous avions verrouillé les portes de la salle d'autopsie, et alors que dehors la nuit tombait nous entendîmes nos collègues qui sortaient de l'ascenseur pour rentrer chez eux. Deux fois la sonnette retentit dans le hall : des employés des pompes funèbres qui venaient déposer ou emporter un cadavre. Les blessures sur l'épaule et la cuisse d'Eddie avaient séché et acquis une brillante teinte rouge sombre.

– Mon Dieu, fit Susan en les observant. Qui a pu faire une chose pareille ? Regardez toutes ces petites entailles sur les bords. On dirait qu'on a tailladé la peau avant d'arracher la chair.

– C'est exactement ce que je pense.

– Vous croyez que l'agresseur a voulu graver un motif sur la peau ?

– Je pense qu'on a essayé d'enlever quelque chose, et comme ça n'a pas marché, on a arraché la peau.

– Enlever quoi ?

– Tout ce que je sais, c'est que ça n'y était pas avant, dis-je. Il n'avait pas de tatouages, pas de marques de naissance, pas de cicatrices. Donc s'il n'y avait rien avant, c'est qu'on a ajouté quelque chose, et qu'on l'a ensuite fait disparaître pour effacer les traces.

– Vous pensez à des traces de morsures ?

– Oui, dis-je.

Le corps n'était pas encore rigidifié ni même complètement refroidi. J'entrepris, à l'aide de cotons-tiges, de prélever d'éventuels indices dans les endroits que le gant de toilette aurait pu négliger : aisselles, pli fessier, arrière et intérieur des oreilles, nombril. Je coupai les ongles au-dessus d'une enveloppe ouverte, cherchai des fibres et d'autres débris dans les cheveux.

Susan suivait mes gestes d'un œil attentif. Elle paraissait tendue.

– Vous cherchez quelque chose de précis ? s'enquit-elle.

– Du sperme séché, pour commencer.

– Sous ses aisselles ?

– Oui. Dans les plis, les orifices, n'importe où.

– D'habitude, ça n'est pas là que vous cherchez.

– D'habitude je ne cherche pas de zèbres.

– Pardon ?

– C'était une expression que nous avions en fac de médecine. Si tu entends un bruit de sabots, cherche des chevaux. Mais dans un cas comme celui-ci, je sais qu'il faut chercher des zèbres.

Je scrutai à la loupe chaque centimètre carré du corps. Quand j'en arrivai aux poignets, je tournai et retournai lentement ses mains dans tous les sens pendant un si long moment que Susan interrompit sa tâche pour me regarder. En me référant aux diagrammes corporels serrés sous la pince de ma planchette, je comparai chaque trace de soin avec celles que j'avais notées.

– Où sont les rapports ? demandai-je en les cherchant des yeux.

– Ici, fit Susan en prenant une pile de feuilles sur une table.

Je feuilletai graphiques et diagrammes en me concentrant surtout sur les constatations faites en salle d'urgence et sur le rapport rédigé par l'équipe de policiers accourus sur les lieux. Nulle part je ne trouvai mentionné le fait que les mains d'Eddie Heath avaient été ligotées. Je m'efforçai de me souvenir de la description que m'avait faite le détective Trent de l'endroit où l'on avait trouvé le garçon. Ne m'avait-il pas dit que les bras d'Eddie étaient disposés le long de son corps ?

– Vous avez trouvé quelque chose ? finit par demander Susan.

– Il faut la loupe pour le voir. Là, regardez. Le dessous des poignets et là, sur la gauche, juste au niveau de l'os. Vous voyez ce résidu caoutchouteux ? Les traces d'adhésif ? On dirait des empreintes de poussière grise.

– On les distingue à peine. On dirait qu'il y a aussi quelques fibres collées, dit Susan d'un ton admiratif alors que nos deux épaules se touchaient.

– Et la peau est imberbe, poursuivis-je en reprenant mes observations. Il y a moins de poils par ici qu'ailleurs.

– C'est en ôtant l'adhésif qu'on les a arrachés.

– Exactement. Nous allons prélever quelques poils sur les poignets. Quant aux résidus de colle, nous les comparerons avec la bande adhésive si nous la récupérons. Et si on retrouve le morceau de bande qui le ligotait, on pourra remonter jusqu'au dévidoir.

– Je ne comprends pas, dit-elle en se redressant. Ses sondes étaient maintenues par de l'adhésif. Vous êtes sûre que ça ne pourrait pas être une explication ?

– Il n'y a aucune trace de piqûre, rétorquai-je. On ne lui a pas placé de sonde à cet endroit-là. Vous avez vu l'emplacement des adhésifs quand on l'a apporté. Rien à voir avec ces traces-là.

– C'est vrai.

– Prenons quelques photos, ensuite je prélèverai l'adhésif et nous verrons ce que le labo en dit.

– On a retrouvé le corps dans la rue, à côté d'une poubelle. Les types du labo vont s'arracher les cheveux.

– Ça dépend si ce résidu d'adhésif a été en contact avec le trottoir, dis-je en commençant à le racler au scalpel.

– Je ne pense pas qu'ils aient passé l'endroit à l'aspirateur.

– Non, c'est même certain. Mais je pense que nous pourrions obtenir un balayage en le demandant poliment. Ça ne peut pas faire de mal d'essayer.

Je poursuivis mon examen des minces avant-bras et poignets d'Eddie Heath pour chercher des contusions ou des écorchures qui m'auraient échappé, mais n'en trouvai point.

– Il n'y a rien d'anormal à ses chevilles, on dirait, fit Susan de l'autre bout de la table. Je ne vois pas d'adhésif ni de poils arrachés. Pas de contusions non plus. On n'a pas dû lui attacher les chevilles, juste les poignets.

Je ne me souvenais que de deux cas dans lesquels des liens serrés n'avaient laissé aucune trace sur la peau de la victime. De toute évidence la bande adhésive avait été en contact direct avec la peau d'Eddie. Il avait dû remuer les mains, pour lutter contre l'inconfort et la gêne causée par l'entrave à la circulation du sang. Mais il n'avait pas opposé de résistance. Il ne s'était pas débattu, n'avait pas gigoté ni tenté de s'échapper.

Je songeai aux gouttes de sang sur l'épaule de son blouson, aux surpiqûres de son col sali. J'examinai une fois de plus les alentours de la bouche, scrutai sa langue, consultai les diagrammes. S'il avait été bâillonné, il n'en subsistait aucune trace, pas d'écorchure ni d'éraflure, aucune trace d'adhésif. Je l'imaginai, adossé à la poubelle, nu dans le froid glacial, ses vêtements en tas à côté de lui, empilés ni avec soin, ni n'importe comment, mais de la manière banale qu'on m'avait rapportée. Lorsque j'essayai de ressentir l'ambiance du crime, je n'éprouvai ni colère, ni panique, ni peur.

– On l'a tué d'abord, non ? (Susan avait le regard circonspect de l'étranger qu'on croise dans une rue obscure et déserte.) On lui a attaché les poignets après lui avoir tiré une balle dans la tête.

– C'est mon avis.

– Bizarre, dit-elle. Je ne vois pas l'utilité de ligoter quelqu'un qu'on vient de tuer.

– On ne connaît pas les fantasmes de ce type, dis-je.

La sinusite était passée à l'offensive et j'étais tombée comme une ville assiégée. J'avais les yeux larmoyants, il me semblait que mon crâne était trop petit de deux tailles.

Susan déroula la bobine du câble et brancha la scie Stryker. Elle remplaça les lames des bistouris, vérifia le fil des couteaux disposés sur le guéridon. Elle disparut dans la salle de rayons X et en rapporta les radiographies d'Eddie, qu'elle suspendit aux caissons lumineux des négatoscopes. Cette agitation frénétique finit par provoquer un incident qui ne lui était jamais arrivé. Elle heurta violemment le chariot qu'elle avait garni et fit tomber deux bocaux de formol par terre.

Je me précipitai tandis qu'elle sautait en arrière avec un hoquet, battait des bras pour éloigner les effluves et envoyait valser partout des morceaux de verre brisé en se retenant de tomber.

– Vous en avez reçu au visage ? lui demandai-je en l'entraînant vers le vestiaire.

– Je ne crois pas, non. Oh ! mon Dieu, j'en ai sur les pieds et les jambes. Sur le bras aussi, je crois.

– Vous êtes sûre que vous n'en avez pas dans les yeux ou la bouche ?

Je l'aidai à enlever sa blouse.

– Oui, oui, je suis sûre.

Je bondis dans la cabine de douche et ouvris l'eau tandis qu'elle arrachait presque le reste de ses vêtements.

Je la fis rester sous le jet d'eau tiède un très long moment, pendant qu'équipée d'un masque, de lunettes de sécurité et d'épais gants en caoutchouc, j'épongeais le reste du dangereux produit avec les tampons prévus pour de tels accidents biochimiques. Je balayai le verre brisé et enfermai le tout dans un double sac plastique. Puis j'aspergeai le carrelage au jet d'eau, me lavai et changeai de blouse. Susan émergea enfin de la douche, la peau rose vif, le visage encore sous le choc.

– Dr Scarpetta, je suis tellement désolée, dit-elle.

– J'ai surtout eu peur pour vous. Ça va ?

– Je me sens faible et j'ai la tête qui tourne un peu. Je sens encore les vapeurs.

– Je vais finir de nettoyer. Rentrez donc chez vous.

– Je crois que je vais d'abord aller me détendre un moment en haut.

Ma blouse de labo était suspendue au dossier d'une chaise. Je plongeai la main dans une des poches.

– Tenez, lui dis-je en lui tendant mes clés. Allez vous allonger sur le divan de mon bureau. Appelez-moi par l'interphone si le vertige continue ou si vous sentez que votre état empire.

Elle redescendit au bout d'environ une heure, vêtue de son gros manteau d'hiver boutonné jusqu'au col.

– Comment vous sentez-vous ? lui demandai-je en suturant l'incision en Y.

– Un peu fébrile, mais ça va. (Elle me regarda en silence pendant quelques instants, puis ajouta :) J'ai pensé à quelque chose pendant que j'étais là-haut. Je préférerais que vous ne me mentionniez pas comme témoin cette fois-ci.

Je levai vers elle un regard surpris. La procédure de routine était que toutes les personnes présentes lors d'une autopsie soient mentionnées comme témoins sur le rapport officiel. La demande de Susan était sans grande conséquence, mais je la trouvais curieuse.

– Je n'y ai pas participé, poursuivit-elle. J'ai pris part à l'examen externe mais je n'étais pas là pour la suite. Or je sais que ça va être une grosse affaire – si jamais on arrête le coupable et qu'il y a procès. C'est pourquoi je préfère ne pas être mentionnée comme témoin puisque, je le répète, je n'étais pas là.

– Comme vous voulez, dis-je. Ça ne pose aucun problème.

Elle laissa mes clés sur la table et sortit.

Je trouvai Marino chez lui lorsque, une heure plus tard, je l'appelai à tout hasard de ma voiture en profitant du ralentissement à un poste de péage.

– Connaissez-vous le directeur du pénitencier de Spring Street ? lui demandai-je.

– Frank Donahue, oui. D'où m'appelez-vous ?

– De ma voiture.

– C'est bien ce qui me semblait. La moitié des routiers de Virginie doivent être en train de nous écouter sur leur CB.

– Ils n'apprendront pas grand-chose.

– J'ai su pour le gosse, dit-il. Vous avez fini avec lui ?

– Oui. Je vous rappellerai de chez moi. En attendant vous pourriez me rendre un service. Je voudrais vérifier certains détails au pénitencier.

– Le problème avec le pénitencier, c'est qu'il n'aime pas trop qu'on l'embête avec les détails.
– C'est pour ça que vous viendrez avec moi.

J'avais au moins retenu une chose de ces deux éprouvants semestres sous la férule de mon ancien professeur : il m'avait appris à me préparer. Ce n'est donc que le samedi après-midi suivant que Marino et moi partîmes pour le pénitencier de l'État. Ciel de plomb, vent agitant les arbres le long des routes, l'univers était dans un état d'agitation glaciale qui semblait refléter ma propre humeur.
– Si vous voulez mon avis, me confia Marino pendant le trajet, je pense que vous vous faites avoir par Grueman.
– Vous vous trompez.
– Alors comment ça se fait qu'à chaque fois qu'il y a une exécution et que Grueman est dans le coup, vous perdez vos moyens ?
– Comment réagiriez-vous à ma place ?
Il enfonça l'allume-cigare.
– Comme vous. Je ferais une petite visite au couloir de la mort, je jetterais un coup d'œil à la chaise, je me renseignerais sur tout pour pouvoir lui dire que c'est un connard. Ou même mieux, je raconterais à la presse que c'est un connard.
Dans le journal du jour, on citait une phrase de Grueman disant que Waddell n'avait pas été alimenté de façon correcte et qu'il portait des contusions que j'étais incapable d'expliquer de façon satisfaisante.
– Qu'est-ce qu'il veut à la fin ? reprit Marino. Est-ce qu'il défendait ces fumiers quand vous étiez avec lui à la fac ?
– Non. C'est quand on l'a nommé directeur du Centre de justice criminelle de Georgetown qu'il a commencé à s'intéresser aux condamnés à mort.
– Ce type doit être cinglé.
– Il est violemment opposé à la peine de mort et avec tout le battage qu'il fait, il arrive à rendre ses clients célèbres. Surtout Waddell.
– Mouais. Saint Nicholas, patron des fumiers. Si c'est pas attendrissant, ça, fit Marino. Vous devriez lui envoyer des photos couleurs d'Eddie Heath et lui proposer d'aller bavarder avec ses parents. Ça le ferait peut-être changer d'idées.

– Rien ne fera changer Grueman d'opinion.

– Il a des enfants ? Une femme ? Quelqu'un qu'il aime ?

– Peu importe, Marino. Je suppose que vous n'avez rien de nouveau sur Eddie.

– Non, les flics d'Henrico non plus. On a juste ses vêtements et une balle de 22. Peut-être que le labo découvrira quelque chose dans ce que vous leur avez transmis.

– Et le VICAP ? demandai-je en évoquant le *Violent Criminal Apprehension Program*, dont Marino et le profileur du FBI, Benton Wesley, formaient l'équipe locale.

– Trent prépare un rapport. Il nous l'enverra d'ici quelques jours, répondit Marino. Et j'ai mis Benton au courant hier soir.

– Eddie était-il du genre à monter dans la voiture d'un inconnu ? demandai-je.

– D'après ses parents, non. À mon avis on a affaire soit à une agression éclair, soit à quelqu'un qui avait su gagner la confiance du gosse puisqu'il est monté avec lui sans se méfier.

– A-t-il des frères et sœurs ?

– Un frère et une sœur, de dix ans de plus que lui. Je pense qu'Eddie était un accident, commenta Marino tandis que nous arrivions en vue du pénitencier.

Des années de négligence avaient décoloré son revêtement de stuc rose. Les fenêtres étaient aveuglées par des rectangles d'épais plastique que le vent agitait et déchirait. Nous sortîmes à Belvedere, puis tournâmes à gauche dans Spring Street, dont le tracé reliait deux entités n'appartenant pas au même monde. La rue se poursuivait en effet après le pénitencier jusqu'à Gambles Hill, où le siège en briques blanches d'Ethyl Corporation s'élevait sur une impeccable pelouse tel un grand héron planté en lisière d'une décharge publique.

La petite pluie fine avait tourné au grésil lorsque nous nous garâmes et descendîmes de voiture. Nous contournâmes un conteneur à ordures, puis je suivis Marino le long d'une rampe inclinée menant à un quai de livraison, occupé par une ribambelle de chats dont on percevait la circonspection sous l'apparente insouciance. L'entrée principale était constituée d'une grande porte en verre, et lorsque nous eûmes pénétré dans ce qui faisait office de hall d'entrée, nous nous trouvâmes environnés de barreaux. Il n'y avait aucun siège. L'air glacial sentait le renfermé. À notre droite, le guichet de réception était fermé par une petite fenêtre coulissante qu'une robuste femme en uniforme de gardien prit tout son temps pour ouvrir.

– Puis-je vous aider ?

Marino lui montra sa plaque en lui annonçant que nous avions rendez-vous avec Frank Donahue, le directeur. Elle nous demanda d'attendre. La fenêtre se referma.

– C'est Helen, alias le Fléau de Dieu, m'informa Marino. Je suis venu des centaines de fois et elle fait toujours comme si elle ne me reconnaissait pas. Bah, je ne dois pas être son genre. Vous allez faire connaissance dans quelques minutes.

Derrière une grille s'ouvrait un corridor crasseux aux murs de moellons et au sol de carrelage brun, bordé de petits bureaux semblables à des cages. Au-delà le regard butait contre le premier bloc de cellules aux barreaux verdâtres constellés de points de rouille. Les cellules étaient vides.

– Quand doivent être transférés les derniers détenus ? demandai-je.

– À la fin de la semaine.

– Qui reste-t-il ?

– La fine fleur des gentilshommes de Virginie, ceux qu'on maintient en isolement. Ils sont enchaînés à leur lit dans des cellules fermées à triple tour, dans le Bloc C, là-bas, précisa-t-il en pointant vers l'ouest. Ne vous inquiétez pas, on n'y entrera pas. Je veux pas vous imposer ça. Certains de ces trous du cul ont pas vu de femme depuis des années. Le Fléau de Dieu compte pour du beurre.

De l'autre bout du couloir, un jeune homme musclé en uniforme bleu du *Department of Corrections* avança dans notre direction. Son visage dur avait quelque chose de séduisant et ses froids yeux gris nous détaillèrent à travers les barreaux. Une moustache roux sombre dissimulait des lèvres que j'imaginais bien adopter à l'occasion un pli cruel.

Marino procéda aux présentations.

– Nous sommes venus voir la chaise, ajouta-t-il.

– Ouais. Je m'appelle Roberts. C'est moi qui dois vous faire faire la visite. (Des clés tintèrent contre le métal lorsqu'il ouvrit les lourdes grilles.) Donahue est malade aujourd'hui. (Le claquement des grilles se refermant derrière nous résonna entre les murs.) Excusez-moi, mais on doit d'abord vous fouiller. Si vous voulez bien avancer par ici, lieutenant.

Pendant qu'il passait Marino au scanner une autre grille s'ouvrit et Helen émergea du bureau de réception. C'était une femme au visage austère, aussi massive qu'une église baptiste, dont seule la ceinture de cuir brillant indiquait qu'elle avait une taille. Ses cheveux coupés court étaient coiffés à la garçonne et teints d'un noir luisant comme du cirage. Je remarquai son regard pénétrant lorsque nos yeux se croisèrent. Le badge d'identité épinglé sur sa poitrine monumentale indiquait qu'elle s'appelait Grimes.

– Votre sac, m'ordonna-t-elle.

Je lui tendis ma mallette. Elle la fouilla, puis me fit tourner sans ménagement d'un côté et de l'autre tandis qu'elle me passait au scanner et m'infligeait une série de palpations manuelles tout en respirant bruyamment. La fouille ne dura pas plus d'une vingtaine de secondes, mais cela lui suffit pour explorer chaque centimètre de mon corps, m'écrasant contre sa poitrine caparaçonnée comme quelque énorme araignée pendant que ses doigts épais tâtaient mes vêtements. Puis soudain elle hocha la tête et, après avoir décrété que je pouvais passer, regagna son antre de moellons et de métal.

Marino et moi suivîmes Roberts le long d'interminables rangées de barreaux. Dans l'air froid qui semblait accentuer le moindre tintement de métal, il nous fit franchir d'innombrables grilles qu'il ouvrait et refermait aussitôt après notre passage. Il ne nous posa aucune question sur nos activités et ne fit à aucun moment la moindre tentative pour se montrer amical. Il semblait exclusivement attentif à tenir son rôle, qui paraissait osciller entre le guide et le chien de garde.

Après un virage, nous pénétrâmes dans le premier bloc de cellules, un immense espace balayé de courants d'air, avec des murs en moellons verts et des fenêtres aux carreaux brisés, et occupé par quatre rangées de cellules superposées s'élevant jusqu'à un faux plafond en métal ajouré sur lequel était déroulé du fil de fer barbelé. Au centre du sol en carrelage brun étaient disposés en piles grossières des dizaines d'étroits matelas recouverts de plastique. Des balais, des serpillières et des chaises délabrées traînaient dans tous les coins. Des chaussures de tennis en cuir, des blue-jeans et d'autres effets personnels encombraient le rebord des hautes fenêtres. Dans de nombreuses cellules on apercevait encore des téléviseurs, des livres et des cantines. Nous apprîmes que lorsqu'on les avait transférés, les détenus n'avaient pas eu le droit d'emporter toutes leurs affaires avec eux, ce qui expliquait les obscénités rageuses inscrites au marqueur sur les murs.

Notre guide ouvrit et referma d'autres portes, et nous nous retrouvâmes bientôt dans la cour, un carré d'herbe brune cerné par ces horribles blocs de cellules. Aucun arbre. Des miradors s'élevaient à chaque angle, occupés par des gardiens en gros manteaux, armés de fusils. Sans prononcer un mot, nous traversâmes en hâte l'espace découvert, sous le grésil qui nous picotait les joues. Nous descendîmes quelques marches, puis empruntâmes un court passage qui nous amena devant une porte métallique plus massive encore que toutes celles que nous avions vues.

– Voilà le sous-sol Est, dit Roberts en insérant une clé dans la serrure. L'endroit où personne ne voudrait entrer.

Nous étions dans le quartier des condamnés à mort.

Cinq cellules étaient ménagées contre le mur oriental, équipée chacune d'un sommier métallique, d'un lavabo et d'une cuvette de WC en porcelaine blanche. Le centre de l'espace libre était occupé par un grand bureau et quelques chaises où les gardiens s'asseyaient lorsqu'une ou plusieurs cellules étaient occupées.

– Waddell était dans la cellule 2, dit Roberts en nous la montrant. Selon les lois du Commonwealth, un condamné doit être transféré ici quinze jours avant son exécution.

– Qui pouvait lui rendre visite pendant qu'il était ici ? demanda Marino.

– Les gens autorisés à entrer dans le couloir de la mort. Les avocats, les membres du clergé et l'équipe d'exécution.

– L'équipe d'exécution ? fis-je.

– Elle est composée d'officiers pénitentiaires et de contrôleurs dont l'identité reste confidentielle. L'équipe est formée dès qu'un détenu nous est envoyé de Mecklenburg. Ils le surveillent, organisent tout du début jusqu'à la fin.

– Ça doit pas être drôle de se voir confier ce genre de boulot, commenta Marino.

– On ne le leur impose pas, ce sont des volontaires, répliqua Roberts avec le machisme et l'impénétrabilité d'un entraîneur interviewé après un grand match.

– Et vous, ça ne vous embêterait pas ? insista Marino. Allons, quoi, j'ai vu Waddell aller à la chaise. C'est obligé que ça vous fasse quelque chose.

– Ni chaud ni froid. Quand c'est fait je rentre à la maison, je bois quelques bières et je vais me coucher.

Il plongea la main dans la poche de sa chemise d'uniforme et en sortit un paquet de cigarettes.

– Donahue m'a dit que vous vouliez savoir ce qui s'était passé. Eh bien je vais vous expliquer. (Il s'assit sur le bureau, tira sur sa cigarette.) Au jour dit, le 13 décembre, Waddell fut autorisé à recevoir une visite de deux heures des membres de sa proche famille, qui se résumait à sa mère. On lui a mis la ceinture en métal, les fers aux pieds, les menottes et on l'a conduit au parloir vers 13 heures.

» À 17 heures il a mangé son dernier repas. Il a demandé du faux-filet, une salade, une patate cuite au four, et un gâteau à la noix de pecan, qu'on lui avait fait préparer à la Bonanza Steak House. Ça n'est pas lui qui a choisi le restaurant. Les détenus n'en ont pas le droit. Et, comme le veut la procédure, on a commandé deux repas identiques. Le condamné en mange un, un membre de l'équipe d'exécution mange l'autre. Ceci afin qu'un cuisinier zélé ne décide pas d'accélérer les choses en ajoutant au repas du condamné une épice du genre arsenic.

– Waddell a-t-il mangé son repas ? demandai-je en songeant à son estomac vide.

– Il n'avait pas très faim. Il nous a demandé de le lui garder pour le lendemain.

– Il croyait que le gouverneur Norring allait le grâcier, dit Marino.

– Je ne sais pas ce qu'il pensait. Je ne fais que vous rapporter les paroles de Waddell quand on lui a servi son repas. Ensuite, à 19 h 30, les officiers chargés de ses effets personnels sont entrés dans sa cellule pour faire l'inventaire de ses affaires et lui demander ce qu'il voulait qu'on en fasse. Ces effets consistaient en un bracelet-montre, une bague, quelques vêtements, et puis des lettres, des livres, de la poésie. À 20 heures on l'a extrait de sa cellule. On lui a rasé le crâne, le visage et le mollet droit. On l'a pesé, douché et revêtu de la tenue qu'il porterait pour l'exécution. Ensuite il a regagné sa cellule.

» À 22 h 45, on lui a lu sa condamnation à mort, en présence de l'équipe d'exécution. (Roberts se leva du bureau.) Puis on l'a conduit, sans entrave, dans la pièce adjacente.

– Comment se comportait-il à ce moment ? demanda Marino tandis que Roberts déverrouillait et ouvrait une porte.

– Disons que du fait de sa race, il était difficile qu'il soit blanc comme un linge. Sinon, il l'aurait sans doute été.

La pièce était plus petite que je n'avais imaginé. À environ deux mètres du mur du fond, placée sur un carré de ciment brun brillant, était installée la chaise, rigide et massif trône de sombre chêne poli. De larges sangles de cuir étaient fixées sur le haut dossier, les accoudoirs et les deux pieds avant.

– On a installé Waddell et attaché la première sangle, celle de la poitrine, poursuivit Roberts du même ton indifférent. Ensuite les deux sangles des bras, la sangle du ventre, et les sangles des jambes. (Au fur et à mesure qu'il les énumérait, il tirait d'un petit coup sec sur chaque bride.) Ça a pris une minute pour l'attacher. On a recouvert son visage du masque en cuir – je vous le montrerai dans une minute. On a placé le casque sur sa tête, fixé la jambière sur son mollet droit.

Je sortis mon appareil photo, une règle et les photocopies des diagrammes corporels de Waddell.

– À 23 heures et 3 minutes exactement, il a reçu la première décharge – c'est-à-dire deux mille cinq cents volts à six ampères et demi. Je précise que deux ampères suffisent à tuer un homme.

Les blessures constatées sur le corps de Waddell correspondaient exactement à la configuration de la chaise et à l'emplacement des sangles.

– Le casque est fixé à ceci.

Roberts désignait une gaine descendant du plafond, et terminée par un écrou à ailettes en cuivre suspendu juste au-dessus de la chaise.

Je photographiai la chaise sous tous les angles.

– Et la jambière vient se fixer sur cet autre écrou, ici.

Les éclairs du flash me causèrent une sensation étrange. Je commençai à me sentir nerveuse.

– Le type devient un énorme court-circuit.

– Quand a-t-il commencé à saigner ? demandai-je.

– Dès la première décharge, docteur. Et il n'a pas arrêté jusqu'à la fin. Ensuite on a tiré le rideau qui le dissimule à la vue des témoins. Trois membres de l'équipe d'exécution ont défait sa chemise, le toubib l'a ausculté au stéthoscope, lui a tâté la carotide et l'a déclaré mort. Waddell a été placé sur un brancard et emporté dans la chambre de refroidissement, que je vais vous montrer tout de suite.

– Que pensez-vous de la rumeur selon laquelle la chaise n'a pas fonctionné ? demandai-je à Roberts.

– Des foutaises. Waddell mesurait un mètre 1,90 m, il pesait 130 kilos. Il avait dû commencer à mijoter bien avant de s'asseoir sur la chaise, sa tension devait crever le plafond. Après la constatation du décès, le sous-directeur est venu l'examiner à cause des saignements. Ses yeux n'étaient pas sortis de leurs orbites. Ses tympans n'avaient pas éclaté. Waddell a eu un simple saignement de nez, comme les gens qui poussent trop fort en allant aux gogues.

J'approuvai mentalement. Le saignement de nez de Waddell était dû à la manœuvre de Valsalva, une brutale augmentation de la pression intrathoracique. Nicholas Grueman n'allait certainement pas apprécier mon rapport.

– À quels tests avez-vous procédé pour vérifier que la chaise fonctionnait correctement ? demanda Marino.

– Les mêmes que d'habitude. D'abord les types de la compagnie d'électricité Virginia Power viennent inspecter l'installation et voir si tout va bien. (Il montra un grand boîtier fermé par des portes métalliques grises et fixé au mur derrière la chaise.) Dans ce placard, sur une planche en contreplaqué, sont installées vingt ampoules de 200 watts. Elles servent aux tests. Nous testons l'installation durant toute la semaine précédant l'exécution, plus trois fois le jour de l'exécution, et une dernière fois devant les témoins quand ils sont au complet.

– Oui, j'ai vu ça, fit Marino en observant le box vitré des témoins installé à moins de cinq mètres de l'endroit où nous nous tenions.

À l'intérieur se distinguaient douze chaises de plastique noir disposées sur trois rangées impeccables.

– Tout a marché comme sur des roulettes, commenta Roberts.

– Est-ce que ça fonctionne toujours correctement ? demandai-je.

– À ma connaissance, oui, docteur.

– Et le bouton, où se trouve-t-il ?

Il me montra un boîtier fixé au mur à droite du box des témoins.

– On branche le jus avec une clé. Mais le bouton se trouve dans la salle de contrôle. Le directeur ou une autre personne désignée à cet effet tourne la clé et pousse le bouton. Vous voulez voir ?

– Je crois qu'il vaut mieux.

Il n'y avait pas grand-chose à voir dans cette pièce minuscule aménagée juste derrière le mur devant lequel était installée la chaise. Un grand tableau électrique avec différents cadrans permettait de régler l'intensité du courant, qu'on pouvait pousser jusqu'à 3 000 volts. Des alignements de petits témoins lumineux attestaient que tout se passait bien ou qu'au contraire il y avait un problème quelque part.

– À Greensville, tout sera informatisé, ajouta Roberts.

Dans un placard en bois étaient rangés le casque, la jambière et deux gros câbles qui, expliqua Roberts en nous les montrant, « se fixent aux écrous situés l'un au-dessus et l'autre sur le côté de la chaise, et qu'on rattache ensuite à cet écrou au sommet du casque, et à celui-ci, sur l'électrode de la jambe ». Joignant le geste à la parole, il nous fit une démonstration de la facilité de l'opération avant d'ajouter :

– C'est pas plus compliqué que de brancher un magnétoscope.

Le casque et la jambière étaient faits de plaques de cuivre percées de trous à travers lesquels passait le fil de coton qui maintenait la garniture intérieure en éponge. Le casque était étonnamment léger, avec une patine verdâtre aux points de jonction des plaques. Je ne parvenais pas à m'imaginer avec un tel objet fixé sur la tête. Quant au masque noir, ça n'était qu'une large ceinture de cuir brut pourvue d'une découpe en triangle pour le nez, et qu'on bouclait sur la nuque du condamné. Si je l'avais aperçu dans une vitrine de la Tour de Londres, l'idée ne me serait pas venue de douter de son authenticité.

Nous passâmes devant un transformateur d'où émergeaient des câbles qui disparaissaient dans le plafond, et Roberts déverrouilla une autre porte. Nous entrâmes.

– Ça, c'est la chambre de refroidissement, nous informa-t-il. Nous avons poussé le brancard ici et allongé Waddell sur cette table.

Laquelle était en métal, avec des traces de rouille au niveau des soudures.

– On l'a laissé refroidir une dizaine de minutes, en mettant des sacs de sable sur sa jambe. Tenez, ils sont là.

En effet les sacs de sable étaient empilés par terre, au pied de la table.

– Cinq kilos chacun. Ça doit être un réflexe, mais en tout cas, la jambe est drôlement tordue à chaque fois. On met les sacs pour la redresser. Et si les brûlures sont profondes, comme l'étaient celles de Waddell, on les enveloppe de gaze. Quant il a été prêt, on a remis Waddell sur la civière et on l'a sorti par le même chemin que vous avez emprunté pour venir. Sauf qu'on a évité les escaliers. Pas la peine de risquer une hernie : on a pris l'ascenseur qui sert aux livraisons des cuisines, et on est ressortis par la grande porte, où on l'a chargé dans l'ambulance. Ensuite on l'a emmené chez vous, comme on fait toujours quand on offre un petit feu d'artifice privé à un de nos protégés.

Les lourdes portes se refermèrent avec un bruit sourd. Des clés tintèrent. Des serrures cliquetèrent. Roberts continua à parler avec animation en nous raccompagnant à l'entrée. Je l'écoutais à peine et Marino restait coi. Le grésil mêlé de pluie collait des perles de givre sur l'herbe et les murs. Le trottoir était détrempé, le froid vif. Je me sentais l'estomac barbouillé. J'avais hâte de prendre une longue douche chaude et de me changer.

– Les types comme Roberts sont juste un petit cran au-dessus des détenus, fit Marino en s'installant au volant. En fait, certains ne valent pas mieux que les types qu'ils surveillent.

Quelques instants plus tard nous nous arrêtâmes à un feu rouge. Sur le pare-brise les gouttes de pluie miroitaient comme du sang avant d'être balayées et aussitôt remplacées par mille autres. Le givre enrobait les arbres d'un manteau de verre.

– Est-ce que j'ai le temps de vous montrer quelque chose ? dit Marino en essuyant la buée du pare-brise avec la manche de son manteau.

– Si c'est vraiment important, je prendrai le temps, dis-je avec réticence.

J'avais espéré qu'il me proposerait de me raccompagner tout de suite chez moi.

– J'aimerais vous faire refaire les derniers pas d'Eddie Heath, dit-il en actionnant son clignotant. Je crois que vous devriez voir l'endroit où on a retrouvé le corps.

Les Heath vivaient à l'est de Chamberlayne Avenue, c'est-à-dire, comme me le fit remarquer Marino, du mauvais côté. À quelques blocs à peine de leur petite maison de brique se trouvaient un restaurant *Golden Skillet* et la boutique où Eddie était allé chercher une boîte de sauce aux champignons. Plusieurs voitures, de taille imposante et de marques américaines, étaient rangées dans l'allée d'accès des Heath, et de la fumée sortait de la cheminée pour se perdre dans le ciel gris cendre. L'aluminium scintilla d'un éclat mat lorsqu'une vieille femme emmitouflée d'un manteau noir ouvrit la moustiquaire et sortit sur le seuil avant de se retourner pour s'adresser à quelqu'un resté dans la maison. Cramponnée à la rampe comme si elle craignait qu'une bourrasque ne la renverse, elle descendit lentement les marches du seuil en jetant un regard sans expression à notre Ford LTD blanche qui passait dans la rue.

Si nous avions poursuivi notre route de quelques kilomètres, nous serions tombés au beau milieu des zones de combat que les cités de construction récente avaient suscitées.

– Autrefois ce quartier était blanc, dit Marino. Je me souviens qu'à l'époque où je suis arrivé à Richmond, c'était un endroit très agréable. Que des gens bien, travailleurs, qui entretenaient leur pelouse et allaient à la messe le dimanche. Les temps changent. Maintenant, je vous assure que je laisserais jamais sortir mes gosses à la nuit tombée. Mais c'est vrai que quand on habite un quartier, on finit par s'y sentir en sécurité. Eddie s'y promenait sans crainte, à livrer ses journaux ou à faire des courses pour sa mère.

» Le soir où ça s'est passé, il est sorti de chez lui, a pris un raccourci pour rejoindre Azalea, puis a tourné à droite, comme nous le faisons en ce moment. Voilà *Lucky's*, sur notre gauche, à côté de la station-service. (Il montrait un petit drugstore dont l'enseigne s'ornait d'un fer à cheval en néon vert.) Le carrefour là-bas est un rendez-vous de camés. Ils vendent quelques doses de crack, ramassent la monnaie et disparaissent. On en pince quelques-uns de temps en temps, mais deux jours après on les retrouve à un autre coin de rue, en train de faire la même chose.

– Pensez-vous qu'Eddie prenait de la drogue ?

Ma question m'aurait parue saugrenue au début de ma carrière, mais plus à présent. Les adolescents constituaient désormais environ dix pour cent des arrestations pour trafic de stupéfiants opérées dans l'ensemble de la Virginie.

– On n'en sait rien pour l'instant, répondit Marino. Mais je suis presque sûr que non.

Il entra dans le parking du libre-service, et nous restâmes à observer les publicités scotchées sur les vitrines et les lumières qui perçaient le brouillard d'un éclat cru. Les clients faisaient la queue à la caisse pendant que l'employé s'activait sur sa machine sans même lever la tête. Un jeune Noir en bottes montantes et manteau de cuir sombre sortit d'un pas traînant de la boutique, nous jeta un regard insolent, puis entra dans la cabine téléphonique installée à côté de la porte du magasin et inséra quelques pièces dans l'appareil. Un homme au visage pivoine vêtu d'un jean constellé de taches de peinture arracha la cellophane d'un paquet de cigarettes tout en regagnant son camion.

– Je parie que c'est ici qu'il a rencontré son agresseur, déclara Marino.

– Comment ça s'est passé, d'après vous ?

– Tout bêtement, à mon avis. Il est sorti de la boutique et le type l'a abordé en lui racontant un bobard pour le mettre en confiance. Eddie l'a suivi et est monté dans sa voiture.

– Les constatations physiques, dis-je, sembleraient accréditer cette thèse : aucune blessure de défense, aucune trace de lutte. Et dans le magasin, quelqu'un l'a-t-il vu en compagnie d'un inconnu ?

– Aucun témoin n'en a parlé jusqu'à présent. Mais vous pouvez constater qu'il y a beaucoup de va-et-vient dans la boutique, et puis il faisait sombre dehors. Si quelqu'un a vu quelque chose, ça ne peut être qu'un client qui arrivait ou qui retournait à sa voiture. Je vais faire passer une annonce dans les journaux pour retrouver les gens qui se sont arrêtés ici entre 5 et 6 heures ce soir-là. Et puis ils doivent en parler à l'émission « Crime Stoppers ».

– Eddie avait-il suffisamment l'habitude de la rue pour être sur ses gardes ?

– Vous savez, avec un salopard qui sait s'y prendre, même un gosse avisé peut se laisser piéger. Je me souviens d'une affaire à New York où une fillette de 10 ans était sortie acheter une livre de sucre à l'épicerie du coin. Au moment où elle en ressort, un pédophile l'aborde et lui dit que c'est son père qui l'envoie. Il lui raconte qu'on vient d'emmener sa mère à l'hôpital en urgence et que son père lui a demandé de les rejoindre avec la fillette. Elle monte dans sa voiture et elle finit dans les tableaux de statistiques. (Il me jeta un coup d'œil.) Alors, à votre avis, Noir ou Blanc ?

– De quelle affaire parlez-vous ?

– D'Eddie.

– D'après ce que vous m'avez dit, l'agresseur est blanc.

Marino se dirigea vers la sortie du parking et attendit de pouvoir s'insérer dans la circulation.

– Le *modus operandi* plaide en effet pour un Blanc, dit-il. Le père d'Eddie n'aime pas les Noirs, Eddie lui-même s'en méfiait, donc il est peu probable qu'un Noir ait pu gagner sa confiance. Et puis quand les gens voient un garçon blanc parler avec un adulte blanc – même si le garçon paraît mal à l'aise – ils pensent que ce sont deux frères ou un père et son fils. (Il tourna à droite en direction de l'ouest.) À vous, doc. Quoi d'autre ?

Marino adorait ce petit jeu. Il retirait presque autant de plaisir à m'entendre confirmer ses hypothèses qu'à me prouver que j'étais à côté de la plaque.

– Si l'agresseur est blanc, alors on peut en conclure qu'il n'habite pas les nouveaux ensembles du quartier, malgré leur proximité.

– À part la race, quelle autre raison voyez-vous pour déduire que l'agresseur n'est pas du quartier ?

– Le *modus operandi*, encore une fois, rétorquai-je. Ça ne serait pas la première fois que quelqu'un – même un garçon de

13 ans – reçoit une balle dans la tête au cours d'un combat de rue, mais à part ça, rien ne coïncide. Eddie a été tué avec un 22, pas avec un 9 ou 10 mm ni avec un revolver de gros calibre. Son corps a été trouvé nu et mutilé, ce qui suggère que son agression est de nature sexuelle. Autant que nous le sachions, il n'avait rien sur lui qui vaille la peine d'être volé, et ne semble pas avoir eu un mode de vie qui lui aurait fait courir de dangers particuliers.

La pluie tombait à verse maintenant, et les rues étaient dangereuses en raison des voitures qui fonçaient, tous phares allumés, à des vitesses déraisonnables. Beaucoup de gens se précipitaient dans les centres commerciaux, ce qui me fit penser que je n'avais pas préparé grand-chose pour Noël.

L'épicerie de Patterson Avenue apparut à notre gauche. Je ne me souvenais plus de son ancien nom, toutes les enseignes avaient été retirées, et il ne restait plus qu'une bâtisse en briques aux fenêtres murées. L'endroit était chichement éclairé, et je suppose que les policiers ne se seraient pas donné la peine d'aller faire un tour derrière cette presque ruine s'il n'y avait pas eu une rangée de commerces en activité à sa gauche. J'en dénombrai cinq : une pharmacie, une cordonnerie, un pressing, une quincaillerie et un restaurant italien. Tous étaient fermés et déserts la nuit où Eddie Heath avait été laissé pour mort à cet endroit.

– Vous souvenez-vous quand cette épicerie a fermé ? demandai-je.

– C'était à l'époque où y'en a des tas qui ont fermé, au début de la guerre du Golfe, répondit Marino.

Il s'enfila dans une petite ruelle, ses phares balayant des murs de brique et tressautant dans les nids-de-poule. Derrière la boutique une clôture grillagée séparait un carré de goudron craquelé d'un terrain boisé frémissant dans le vent. À travers les silhouettes décharnées des arbres j'aperçus au loin des réverbères et l'enseigne au néon d'un *Burger King*.

Marino arrêta la voiture, les phares braqués sur un conteneur à ordures à la peinture écaillée, mangé de rouille, avec des filets d'eau coulant le long des flancs. La pluie tambourinait sur le toit et le pare-brise, et les dispatchers envoyaient les voitures de patrouille sur les lieux d'accidents.

Marino appuya ses mains sur le volant en arrondissant les épaules puis se massa la nuque.

– Bon Dieu, je me fais vieux, se plaignit-il. J'ai un imper dans le coffre.

– Vous en aurez plus besoin que moi, dis-je en ouvrant ma portière.

Marino enfila son imperméable bleu marine d'uniforme et je remontai mon col sur mes oreilles. La pluie froide me piquait le visage et détrempait mon crâne. Mes oreilles devinrent presque insensibles. Le conteneur était poussé presque contre le grillage, sur le côté du trottoir le plus éloigné de la chaussée, à environ sept mètres de l'arrière de la boutique. Je remarquai que le conteneur s'ouvrait par le dessus, et non de côté.

– Le couvercle du conteneur était-il ouvert ou fermé quand la police est arrivée ? demandai-je à Marino.

– Fermé. (Gêné par la capuche de son imperméable, il ne pouvait me regarder qu'en pivotant tout son torse.) Vous avez remarqué qu'il n'y a rien pour grimper. (Il balaya de sa torche les abords du conteneur.) Et puis il était vide. Y'avait rien dedans, à part de la rouille et un rat si gros qu'on aurait pu le monter pour faire du rodéo avec.

– Est-ce qu'on peut soulever le couvercle ?

– De quelques centimètres, pas plus. Presque tous les conteneurs ont une crémaillère de chaque côté. Si vous êtes assez grand, vous pouvez entrouvrir le couvercle, glisser votre main à l'intérieur le long du flanc et lever le couvercle en remontant les crans un par un. Comme ça vous arrivez à l'ouvrir assez pour fourrer un sac poubelle dedans. Le problème avec celui-ci, c'est que les crans sont déglingués. Pour l'ouvrir il vous faudrait donc relever complètement le couvercle et le laisser retomber de l'autre côté. Sauf que c'est impossible à faire sans grimper sur quelque chose.

– Combien mesurez-vous ? Un mètre quatre-vingt-trois, un mètre quatre-vingt-cinq ?

– À peu près. Donc si j'arrive pas à l'ouvrir, lui non plus n'y est pas arrivé. Notre hypothèse la plus plausible pour l'instant c'est qu'il a sorti le corps de la voiture et l'a adossé contre le conteneur pendant qu'il essayait de soulever le couvercle – comme quand on pose un sac poubelle pour avoir les mains libres. Voyant qu'il ne peut pas ouvrir, il se tire en laissant le gosse et ses affaires sur le trottoir.

– Il aurait pu le cacher là bas dans les arbres.

– Il y a un grillage, objecta-t-il.

– Pas très haut. Pas plus d'un mètre cinquante. Il aurait pu au moins laisser le corps *derrière* le conteneur. Comme il l'a laissé, n'importe qui passant dans le coin était obligé de le voir.

Marino examinait les alentours en silence, fouillant de sa torche le bouquet d'arbres s'étendant au-delà du grillage. Les gouttes de pluie traversaient le faisceau de la torche comme un million de clous jetés du ciel. Je pouvais à peine plier les doigts. J'avais les cheveux détrempés et de l'eau glaciale me dégoulinait dans le cou. Nous rentrâmes dans la voiture et Marino monta le chauffage.

– Trent et ses gars ne jurent plus que par l'hypothèse du conteneur. Ils brodent sur le modèle du couvercle et tout le tralala, dit-il. Pour moi, la seule et unique raison de ce conteneur, c'est que le salopard s'en est servi comme chevalet pour exposer son œuvre.

Je regardai tomber la pluie à travers ma vitre.

– En fait, poursuivit-il d'une voix dure, il n'a pas amené le gosse ici pour le planquer, mais pour être sûr qu'on le trouverait. Mais les types d'Henrico County ne s'en rendent pas compte. Alors que moi, non seulement je le sais, mais je le sens, comme si quelqu'un me soufflait dans le cou.

Je continuai à fixer le conteneur, y superposant l'image du petit corps pantelant d'Eddie avec autant de netteté que si je m'étais trouvée sur les lieux au moment de sa découverte. L'éclair de compréhension qui me vint me pétrifia.

– Quand avez-vous étudié le dossier Robyn Naismith pour la dernière fois ? demandai-je à Marino.

– Peu importe. Je m'en souviens dans le moindre détail, répondit-il le regard fixé droit devant lui. Je voulais voir si vous y penseriez. Ça m'a frappé dès que je suis arrivé ici l'autre soir.

3

Ce soir-là j'allumai un feu et m'installai devant la cheminée pour manger une soupe de légumes tandis que des flocons de neige se mêlaient peu à peu à la pluie glaciale. J'avais éteint les lampes et ouvert les rideaux des baies coulissantes. La pelouse était blanche de givre, les feuilles de rhododendrons toutes recroquevillées, les silhouettes dénudées des arbres se détachaient en noir sur le clair de lune.

La journée m'avait épuisée, comme si quelque force obscure et vorace avait aspiré toute la lumière de mon être. Je sentis à nouveau les mains envahissantes d'une gardienne de prison nommée Helen, reniflai l'odeur viciée de baraquements ayant abrité des hommes haineux et dépourvus de remords. Je me souvins d'un soir où je regardais des diapositives à la lumière d'une applique d'un bar d'hôtel à La Nouvelle-Orléans lors du congrès annuel de l'Académie américaine de sciences médico-légales. Le meurtre de Robyn Naismith n'avait pas encore été élucidé, et discuter de ce qu'on lui avait fait alors que les fêtards du Mardi Gras défilaient à grands cris dans les rues m'avait paru saugrenu.

Elle avait été battue et violentée, avant, pensait-on, d'être tuée à coups de couteau dans son salon. Mais c'étaient les actes de Waddell après le meurtre qui avaient choqué le plus l'opinion, son étrange et macabre rituel. Une fois morte, il avait déshabillé sa victime. On ignorait s'il l'avait violée, il n'y avait pas de preuve. Il avait préféré, semblait-il, mordre et enfoncer à de nombreuses reprises son couteau dans les parties les plus tendres du corps de la malheureuse. Quand sa collègue était passée chez elle pour prendre de ses nouvelles, elle avait trouvé le corps pantelant de Robyn adossé à la télévision, la tête inclinée sur la poitrine, les bras le long du buste, les jambes allongées, avec une pile de vêtements à côté d'elle. Elle ressemblait à quelque sanguinolente poupée grandeur nature jetée dans un coin après un jeu qui avait tourné à l'horreur.

Lors du procès, un psychiatre avait expliqué dans sa déposition qu'aussitôt après le meurtre, Waddell avait été pris de remords, qu'il s'était assis et qu'il avait parlé au cadavre, pendant plusieurs heures peut-être. Un psychologue criminel auprès du Commonwealth s'était inscrit en faux contre cette hypothèse, affirmant au contraire que Waddell savait que Robyn était une personnalité de la télévision, et que c'est symboliquement qu'il avait placé son cadavre contre un téléviseur. Ainsi il continuait à la voir sur l'écran et à fantasmer à son sujet. Il l'avait rendue au média par lequel il l'avait connue, ce qui, bien sûr, impliquait la préméditation. Les nuances et les arguties des innombrables hypothèses n'avaient fait que se compliquer avec le temps.

L'exposition grotesque du corps de cette présentatrice de 27 ans était la signature bien particulière de Waddell. Or voilà que dix ans plus tard un jeune garçon était assassiné et que son meurtrier signait son forfait – la veille même de l'exécution de Waddell – de façon identique.

Je préparai du café, le versai dans le Thermos et l'emportai dans mon bureau. Je m'assis à ma table, démarrai l'ordinateur et établis la communication avec celui de mon bureau à la morgue. Je n'avais pas encore lu le compte rendu des recherches qu'avait effectuées Margaret à ma demande, bien qu'il dût faire partie de la pile d'autres rapports qui débordait de mon casier le vendredi soir précédent. Mais son fichier devait se trouver sur le disque dur. Lorsque apparut le message de bienvenue d'UNIX je tapai mes nom d'utilisateur et mot de passe, sur quoi le mot *Courrier* se mit à clignoter. Margaret, mon analyste informatique, m'avait laissé un message.

« Voir fichier Chair », lus-je.

– Quelle horreur, murmurai-je à mi-voix comme si Margaret pouvait m'entendre.

Je trouvai le fichier Chair dans le répertoire « Chef » où Margaret stockait les rapports et les copies de fichiers que j'avais demandés.

Le document était assez important car Margaret avait sélectionné de nombreuses affaires, puis mélangé ces données avec celles qu'elle avait puisées dans le Service de recensement des traumatismes. Je ne fus pas surprise de constater que la plupart des affaires que l'ordinateur avait sorties concernaient des accidents dans lesquels les victimes avaient perdu des membres ou des fragments de chair lors d'un carambolage ou d'une maladresse dans la manipulation d'une machine. Quatre affaires concernaient des homicides dans lesquels les victimes portaient des traces de morsures. Deux avaient été tuées à coups de couteau, les deux autres étranglées. L'une des victimes était un homme adulte et deux des femmes adultes. La dernière était une fillette de 6 ans. Je notai les références et les codes ICD-9.

Ensuite, écran après écran, je cherchai, parmi les dossiers du Service de recensement des traumatismes, ceux de victimes ayant survécu assez longtemps pour pouvoir être transportées à l'hôpital. Je m'attendais à ce qu'il soit difficile d'obtenir des informations et je ne m'étais pas trompée. Les hôpitaux communiquaient leurs données après les avoir autant stérilisées et dépersonnalisées qu'une salle d'opération. Pour respecter la confidentialité des données, noms, adresses, numéros de sécurité sociale et autres moyens d'identification étaient supprimés. Aucun lien ne permettait de suivre le dossier d'un patient à travers le labyrinthe de paperasserie administrative générée par les équipes d'intervention, les salles d'urgence, les différents services de police et autres institutions concernées. Le gros inconvénient de ce système était que les données concernant une seule personne, dispersées entre les bases de données de six administrations différentes, risquaient de ne jamais être reliées entre elles, surtout si des erreurs avaient été commises au cours de la saisie. Il était donc possible que je découvre un cas intéressant, mais sans pouvoir m'assurer de l'identité du patient ni de son sexe, ni savoir s'il ou elle avait fini par succomber à ses blessures.

Après avoir noté les numéros de dossiers qui pourraient s'avérer intéressants, je refermai le fichier. Enfin je lançai une commande pour voir s'il n'y avait pas de vieux rapports, mémorandums ou notes que je pouvais éliminer de façon à libérer de l'espace sur mon disque dur. C'est alors que je tombai sur un document qui suscita mon incompréhension.

Il était baptisé TTY07. Il ne faisait que seize octets et était daté du 16 décembre, soit le jeudi précédent, à 16 h 26. Le contenu du document se résumait à une phrase aussi sibylline qu'inquiétante :

Je ne le trouve pas.

Je décrochai mon téléphone et commençai à composer le numéro personnel de Margaret, puis me ravisai. Le répertoire

Chef et ses fichiers étaient verrouillés. Bien que n'importe qui puisse voir s'afficher le nom du répertoire Chef, personne, à moins d'entrer mon nom d'utilisateur et mon mot de passe, ne pouvait en afficher le contenu ni en ouvrir les dossiers. À part moi, Margaret était la seule personne qui connaissait mon mot de passe. Si elle était entrée dans mon répertoire, qu'y cherchait-elle qu'elle n'avait pas trouvé, et à qui le disait-elle ?

Margaret ne ferait pas ça, me dis-je en fixant la courte phrase affichée sur l'écran.

Mais je n'arrivais pas à me convaincre, et puis je songeai à ma nièce. Peut-être Lucy connaissait-elle UNIX. Je consultai ma montre. Il était 8 heures passées, nous étions samedi soir, et j'allai avoir le cœur brisé si je trouvais Lucy chez elle. À son âge, elle aurait dû être sortie avec son amoureux ou des amies. Elle était à la maison.

– Salut, tante Kay, fit-elle d'une voix surprise qui me rappela que je ne l'avais pas appelée depuis un certain temps.

– Comment va ma nièce préférée ?

– Je suis ta *seule* nièce. Ça va bien.

– Que fais-tu à la maison un samedi soir ? demandai-je.

– Je finis un devoir. Et toi, que fais-tu chez toi un samedi soir ?

Pendant quelques secondes je ne sus que répondre. À 17 ans, ma nièce était la personne de ma connaissance qui me remettait en place avec le plus de facilité.

– Je me creuse la tête sur un problème d'informatique, avouai-je.

– Alors tu es tombée dans le meilleur service, rétorqua Lucy que la modestie n'étouffait pas. Ne quitte pas. Je débarrasse ma table pour pouvoir poser mon clavier.

– Ça n'est pas un problème de PC, dis-je. Je suppose que tu ne connais pas le système UNIX, n'est-ce pas ?

– Je ne dirais pas qu'UNIX est un système, tante Kay. C'est comme de parler de la pluie et du beau temps alors qu'il s'agit en réalité d'environnement, lequel englobe le temps et tous les autres éléments de la chaîne. Est-ce que t'utilises un AT et T ?

– Mon Dieu, Lucy, je n'en sais rien.

– Comment, tu ne connais pas la marque de ton ordinateur ?

– Un NCR.

– Donc c'est bien un AT et T.

– Je crains qu'on n'ait violé le système de sécurité, dis-je.

– Ça arrive. Qu'est-ce qui te fait penser ça ?

– J'ai trouvé un drôle de fichier dans mon répertoire, Lucy. Mon répertoire et ses fichiers sont verrouillés. On ne devrait pas pouvoir les ouvrir sans le mot de passe.

– Faux. Si tu as le statut d'utilisateur privilégié, tu deviens superutilisateur et tu peux faire ce que tu veux et ouvrir les fichiers que tu veux.

– Il n'y a qu'une seule superutilisatrice, c'est mon analyste informatique.

– Peut-être, mais il peut y avoir un certain nombre d'autres utilisateurs privilégiés, des utilisateurs que tu ne connais même pas mais que tu as importés avec tes logiciels. C'est facile à vérifier, mais parle-moi d'abord de ce drôle de fichier. Comment s'appelle-t-il et que contient-il ?

– Il est baptisé t-t-y-zéro-sept et il ne contient qu'une seule phrase disant : « Je ne le trouve pas. »

J'entendis une cavalcade de touches.

– Que fais-tu ? demandai-je.

– Je prends des notes. Bon. Commençons par le plus évident. Le premier indice, c'est le nom du fichier, t-t-y-zéro-sept. C'est un numéro de périphérique, c'est-à-dire que t-t-y-zéro-sept correspond sans doute à un des terminaux de ton service. Ça pourrait être une imprimante, mais je crois plutôt que la personne qui est entrée dans ton répertoire a voulu envoyer un message à l'appareil nommé t-t-y-zéro-sept, mais que cette personne s'est plantée et a créé un fichier à la place.

– Mais, quand tu envoies un message, tu ne crées pas automatiquement un fichier ? demandai-je surprise.

– Non, le message est effacé une fois lu.

– Comment tu fais ça ?

– Facile. Tu es dans UNIX ?

– Oui.

– Tape cat redirect t-t-y-q-.

– Attends une minute.

– T'occupe pas de barre oblique-périph-.

– Lucy, va moins vite.

– Laissons de côté le catalogue périphériques, ce qui est à mon avis ce que la personne a fait.

– Qu'est-ce que je fais après cat ?

– Bon, alors, cat redirect, périphérique-.

– Moins vite, je t'en prie.

– Tu dois avoir un processeur 486 dans ce truc, tante Kay. Comment ça se fait qu'il est si lent ?

– Ce n'est pas le foutu processeur qui est lent !

– Oh ! c'est vrai, excuse-moi, fit Lucy d'un ton sincèrement désolé. J'avais oublié.

– Oublié quoi ?

– Bon, revenons à nos moutons, reprit-elle. Au fait, je suppose que tu n'as pas de périphérique nommé t-t-y-q. Où en es-tu ?

– J'en suis toujours à cat, dis-je. Bon, ensuite je tape redirect... Zut ! C'est la touche avec la flèche pointant à droite, non ?

– Oui. Maintenant tu tapes Retour et ton point d'insertion va passer à la ligne suivante, qui est vide. Là, tu tapes le message que tu veux envoyer sur l'écran de t-t-y-q.

– Voir Spot run, tapai-je.

– Maintenant tu fais Retour, puis Commande-C, dit Lucy. Maintenant tu peux faire un ls moins un et le balancer dans p-g. Tu devrais voir apparaître ton fichier.

Je tapai « ls » et eus la brève vision de quelque chose qui traversait l'écran.

– Voilà ce qui s'est passé, à mon avis, dit Lucy. Quelqu'un est entré dans ton répertoire – nous reviendrons là-dessus dans une minute. Peut-être cette personne cherchait-elle quelque chose dans tes fichiers et ne l'a pas trouvé. La personne envoie donc un message, ou du moins essaie d'en envoyer un au périphérique nommé t-t-zéro-sept. Sauf qu'elle va trop vite, et qu'au lieu de taper cat redirect barre oblique périph barre oblique t-t-y-zéro-sept, elle oublie de spécifier « catalogue périphériques » et tape juste cat redirect t-t-y-zéro-sept. Ce qui fait qu'il n'y a pas d'écho sur l'écran de t-t-y-zéro-sept, et qu'au lieu d'envoyer un message à t-t-y-zéro-sept, la personne a involontairement créé un fichier nommé t-t-y-zéro-sept.

– Si la personne avait tapé la commande correcte et envoyé son message, est-ce qu'il aurait été enregistré ? demandai-je.

– Non. Le message serait apparu sur l'écran de t-t-y-zéro-sept et y serait resté jusqu'à ce que l'utilisateur l'efface. Mais tu n'en aurais vu aucune trace dans ton répertoire ni ailleurs. Il n'y aurait pas eu création de fichier.

– Ce qui veut dire qu'il est impossible de savoir combien de fois un utilisateur inconnu a pu envoyer un message depuis mon répertoire, en admettant qu'il ait suivi la bonne procédure ?

– Exact.

Je revins à la question qui me taraudait.

– Comment se fait-il qu'on ait pu entrer dans mon répertoire ?

– Tu es sûr que personne d'autre ne connaît ton mot de passe ?

– À part Margaret, il n'y a personne.

– C'est ton analyste informatique ?

– Oui.

– Tu ne penses pas qu'elle l'ait communiqué à quelqu'un d'autre ?

– Ça me paraît tout à fait improbable.

– Bon. On peut entrer dans ton répertoire sans mot de passe si on est utilisateur privilégié, expliqua Lucy. C'est ce qu'on va vérifier tout de suite. Sélectionne le répertoire etc, ouvre le fichier Group et cherche le *root group*, le fichier des utilisateurs privilégiés – tu tapes r-o-o-t-g-r-p. Regarde quelle liste d'utilisateurs il te donne.

Je commençai à taper.

– Qu'est-ce qu'il affiche ?

– Attends une seconde, je n'ai pas fini, répliquai-je sans pouvoir dissimuler mon agacement devant son impatience.

Elle répéta ses instructions plus lentement.

– Je vois trois noms avec autorisation d'accès dans le *root group*, lui dis-je.

– Bon. Tape-les. Ensuite tu tapes deux points, q, bang et tu sors de Group.

– Bang ? fis-je perplexe.

– Point d'exclamation, si tu préfères. Maintenant il te faut afficher le fichier mot de passe – tu tapes p-a-s-s-w-d – et tu repères ceux des utilisateurs privilégiés qui n'ont pas de mot de passe.

– Lucy, fis-je en levant les mains du clavier.

– C'est facile à voir parce qu'après le nom de l'utilisateur, tu as la formule codée de son mot de passe, s'il en a un. S'il n'y a que deux points à la suite du nom, c'est que l'utilisateur n'a pas de mot de passe.

– Lucy.

– Désolée, tante Kay. J'ai encore été trop vite ?

– Je ne suis pas programmatrice en UNIX. C'est comme si tu me parlais en swahili, tu sais.

– Tu devrais apprendre. UNIX est vraiment rigolo.

– Je te remercie, mais en ce moment j'ai autre chose à faire. Quelqu'un est entré à mon insu dans le répertoire où je garde des notes et des rapports confidentiels. J'aimerais bien savoir qui est cette personne, ce qu'elle cherche et pourquoi.

– Identifier la personne est facile, à moins qu'elle contacte ton ordinateur depuis l'extérieur, par modem.

– Mais le message a été envoyé à quelqu'un de mon bureau – à un périphérique de mon bureau.

– Ça ne prouve pas que quelqu'un de tes services n'a pas indiqué la marche à suivre à quelqu'un d'extérieur, tante Kay. Peut-être que le fouineur ne connaît pas UNIX et qu'il avait besoin d'un complice pour entrer dans ton répertoire, ce qui expliquerait qu'il ait fait intervenir un programmeur extérieur.

– Ça serait très grave, dis-je.

– Possible. En tout cas j'ai l'impression que ton système de sécurité n'est pas très au point.

– Quand dois-tu rendre ton devoir ?

– Après les vacances.

– Tu l'as fini ?

– Presque.

– Quand commencent les vacances de Noël ?

– Lundi.

– Aimerais-tu monter ici quelques jours pour me donner un coup de main ?

– Tu plaisantes ?

– Je suis très sérieuse, au contraire. Mais ne te fais pas trop d'illusions. Ne t'attends pas à ce que la maison soit pleine de guirlandes et de décorations. Quelques poinsettias et bougies aux fenêtres, ça sera à peu près tout. En revanche, je ferai la cuisine.

– Pas de sapin ?

– Ça t'embête ?
– Bah, pas plus que ça. Est-ce qu'il neige ?
– Ce soir, oui.
– Je n'ai jamais vu la neige. Pas en vrai.
– Passe-moi ta mère, je vais en parler avec elle, dis-je.

Dorothy, ma sœur unique, fit preuve d'un empressement inhabituel au bout du fil.

– Est-ce que tu travailles toujours autant, Kay ? Je n'ai jamais vu quelqu'un travailler plus que toi. Ça impressionne toujours beaucoup les gens quand je leur dis que nous sommes sœurs. Quel temps fait-il à Richmond ?

– Il y a de bonnes chances pour que nous passions Noël sous la neige.

– Ça doit être joli. Lucy doit voir la neige au moins une fois dans sa vie. Moi je ne l'ai jamais vue. Enfin si, une fois, à Noël, l'année où j'ai été faire du ski dans l'Ouest avec Bradley.

Je ne me souvenais plus de Bradley. J'avais renoncé depuis plusieurs années à suivre le ballet des maris et amants de ma sœur cadette.

– J'aimerais que Lucy vienne passer Noël avec moi, dis-je. Crois-tu que ça soit possible ?

– Tu ne peux pas venir à Miami ?

– Non, Dorothy. Pas cette année. Je suis sur plusieurs affaires très difficiles et j'ai des dépositions prévues au tribunal pratiquement jusqu'à la veille de Noël.

– Je ne me vois pas passer un Noël sans Lucy, fit-elle avec réticence.

– C'est déjà arrivé. Ne serait-ce que l'année où tu es partie skier avec Bradley.

– Exact, mais ça a été dur, rétorqua-t-elle sans se laisser démonter. Et chaque fois que j'ai passé des vacances loin d'elle, je me suis promis que ça serait la dernière fois.

– Je comprends. Alors ça sera pour une autre année.

J'en avais par-dessus la tête du petit jeu de ma sœur. Je savais pertinemment qu'elle cherchait la moindre occasion de se débarrasser de Lucy.

– Le seul problème, c'est que je suis en retard pour mon prochain livre et que je vais sans doute devoir passer mes vacances devant l'ordinateur, dit-elle en faisant machine arrière.

Peut-être que Lucy serait mieux chez toi, après tout. Elle risque de ne pas beaucoup s'amuser ici. Est-ce que je t'ai dit que j'avais un agent à Hollywood, maintenant ? Un type fantastique qui connaît tout le monde là-bas. Il négocie un contrat avec Disney.

– C'est formidable. Je suis sûre que tes livres feraient des films sensationnels.

Dorothy écrivait d'excellents livres pour enfants qui lui avaient valu plusieurs prix prestigieux. C'est en tant que personne qu'elle était nulle.

– Maman est à côté de moi, me dit-elle. Elle veut te parler. Ça me fait plaisir d'avoir de tes nouvelles. Nous devrions nous appeler plus souvent. Veille à ce que Lucy mange autre chose que des salades. Et puis je te préviens : elle te rendra sans doute dingue avec sa musculation. J'ai peur qu'elle ne commence à prendre une allure masculine.

Avant que j'aie pu lui répondre, ma mère lui avait pris le combiné.

– Pourquoi ne descends-tu pas, Katie ? Il fait tellement beau ! Tu verrais comme les pamplemousses sont beaux !

– C'est impossible, Maman. Je suis désolée, je t'assure.

– Et en plus tu nous enlèves Lucy ? C'est ce que j'ai cru comprendre, non ? Qu'est-ce que je vais faire ? Manger la dinde à moi toute seule ?

– Tu seras avec Dorothy, non ?

– Quoi ? Tu veux rire ? Elle sera avec Fred et je ne le supporte pas.

Dorothy avait une nouvelle fois divorcé l'été précédent. Je ne demandai même pas qui était Fred.

– Je crois qu'il est iranien ou quelque chose comme ça. Il tirerait du sang d'une pierre et il a du poil dans les oreilles. En plus il n'est pas catholique et Dorothy n'emmène plus Lucy à la messe depuis un bon bout de temps. Si tu veux mon avis, cette petite finira en enfer.

– Maman, elles vont t'entendre.

– Mais non, ne t'inquiète pas. Je suis dans la cuisine, devant un évier qui déborde d'assiettes sales. Dorothy me réserve sa vaisselle de plusieurs jours quand je viens la voir. C'est comme quand elle vient à la maison parce qu'elle n'a rien à dîner. Elle compte sur moi pour lui préparer un petit plat, mais tu crois qu'elle apporterait quelque chose ? Est-ce qu'elle se rend compte que je suis une vieille femme, presque une handicapée ? J'espère que tu mettras un peu de plomb dans la cervelle de Lucy.

– Pourquoi, elle en manque ?

– Elle n'a aucun ami, à part cette fille, mais tu verrais le genre... Il faudrait que tu voies la chambre de Lucy. On se croirait dans un film de science-fiction avec ces ordinateurs, les imprimantes et tout le bataclan. Ça n'est pas normal qu'une adolescente ne pense qu'à ça. Elle devrait sortir avec des gosses de son âge. Elle me fait faire autant de souci que toi quand tu étais adolescente.

– Je n'ai pas trop mal tourné, dis-je.

– Ma foi, je trouve que tu lis beaucoup trop de livres scientifiques, Katie. Ça t'a déjà gâché un mariage.

– Maman, j'aimerais que Lucy prenne l'avion demain, si c'est possible. Je m'occupe de la réservation et du billet. Veille à ce qu'elle prenne des vêtements chauds. S'il lui manque quelque chose, un gros manteau par exemple, on le trouvera ici.

– Elle pourrait presque mettre tes habits, tu sais. Depuis quand ne l'as-tu pas vue ? Depuis Noël dernier ?

– Je ne sais pas, mais ça fait longtemps.

– Sais-tu qu'elle commence à avoir de la poitrine ? Et tu verrais la façon dont elle se fagote ! Tu crois qu'elle aurait demandé l'avis de sa grand-mère avant de faire couper ses beaux cheveux ? Penses-tu. Pourquoi se donnerait-elle la peine de me...

– Maman, il faut que j'appelle l'aéroport.

– J'aurais tellement préféré que tu descendes. On aurait été tous ensemble.

Je m'aperçus qu'elle avait une drôle de voix. Ma mère était au bord des larmes.

– Moi aussi j'aurais bien aimé, dis-je.

Le dimanche en fin de matinée, je me rendis à l'aéroport par des routes boueuses qui traversaient un monde de cristal aveuglant. Des morceaux de glace fondue par le soleil se détachaient des fils téléphoniques, des toits et des arbres, et se fracassaient par terre comme des missiles de verre lancés du ciel. Le bulletin météo annonçait une nouvelle tempête de neige mais, paradoxalement, j'en étais plutôt contente. Ce serait l'occasion de passer des moments tranquilles devant la cheminée avec ma nièce. Lucy avait grandi.

J'avais l'impression qu'il n'y avait pas si longtemps qu'elle était née. Je n'oublierais jamais ses grands yeux fixes qui suivaient mes moindres gestes quand je me trouvais chez sa mère, ni ses incroyables crises de colère et de chagrin quand je la contrariais pour une broutille. L'adoration que me vouait Lucy me bouleversait autant qu'elle m'effrayait. Elle m'avait fait ressentir une profondeur de sentiments que je n'avais jamais éprouvée auparavant.

J'expliquai les raisons de ma présence aux gardes de sécurité et allai attendre au bas de la passerelle de débarquement, dévisageant chaque passager qui en descendait. Je cherchais une adolescente boulotte avec de longs cheveux auburn et un rectificateur dentaire lorsqu'une ravissante jeune femme croisa mon regard et sourit.

– Lucy ! m'exclamai-je en l'enlaçant. Mon Dieu, j'ai failli ne pas te reconnaître !

Ses cheveux courts coiffés à la sauvage faisaient ressortir ses yeux vert d'eau et des pommettes que je ne lui connaissais pas. Il n'y avait plus la moindre trace de métal dans sa bouche, et elle avait remplacé ses grosses lunettes par des montures en écaille de tortue qui lui donnait l'air à la fois séduisant et sérieux d'une étudiante de Harvard. Mais ce sont les transformations qu'avait subies son corps qui me surprirent le plus, puisque depuis la dernière fois où je l'avais vue, elle était passée de l'adolescente sans grâce à une souple athlète tout en jambes, vêtue d'un jean délavé trop court de plusieurs centimètres, d'un chemisier blanc, d'une ceinture de cuir rouge tressé, et de mocassins sans chaussettes. Elle portait une serviette et j'aperçus le bref éclat d'un délicat bracelet de cheville en or. J'étais à peu près sûre qu'elle ne portait ni maquillage ni soutien-gorge.

– Où est ton manteau ? lui demandai-je tandis que nous nous dirigions vers les tapis à bagages.

– Il faisait 27° C quand on a décollé de Miami ce matin.

– Tu vas être gelée avant d'arriver à la voiture.

– Il est physiquement impossible que je gèle avant d'arriver à ta voiture, à moins que tu te sois garée à Chicago.

– Tu as un autre chandail dans ta valise ?

– Est-ce que tu te rends compte que tu me parles de la même façon que Mamie te parle ? À propos, elle trouve que j'ai l'air d'une punkette.

– J'ai plusieurs anoraks, des pantalons de velours, des bonnets, des gants. Tu n'auras qu'à te servir.

Elle passa son bras sous le mien et renifla mes cheveux.

– Tu ne fumes toujours pas.

– Je ne fume toujours pas et j'ai horreur qu'on me rappelle que je ne fume plus parce que ça me donne envie de fumer.

– En tout cas ça te donne meilleure mine et tu n'empestes plus le tabac. Et en plus tu n'as pas grossi. À part ça, dis-moi, c'est mignon tout plein ce petit aéroport, ajouta Lucy dont le cerveau informatique comportait quelques erreurs de formatage au niveau diplomatique. Pourquoi ils appellent ça l'aéroport *international* de Richmond ?

– Parce qu'on peut y prendre l'avion pour Miami.

– Pourquoi Mamie ne vient jamais te voir ?

– Elle n'aime pas voyager et déteste l'avion.

– C'est pourtant plus sûr que la voiture. Sa hanche ne s'arrange pas, tu sais.

– Je sais. Je vais te laisser récupérer ton bagage pendant que j'irai chercher la voiture, dis-je lorsque nous arrivâmes aux tapis. Mais voyons d'abord où il faut que tu attendes.

– Il n'y a que trois tapis. Je pense pouvoir me débrouiller.

Je la quittai et sortis dans l'air froid et brillant, heureuse de ces quelques instants de solitude. Les changements intervenus chez ma nièce me prenaient au dépourvu et j'étais moins sûre que jamais de la façon dont je devais me comporter avec elle. Lucy n'avait jamais été quelqu'un de facile. Dès sa naissance sa prodigieuse intelligence d'adulte avait été dirigée par des émotions infantiles, une volatilité qui avait pris accidentellement forme lorsque sa mère avait épousé Armando. Mes seuls avantages avaient été l'âge et la taille. À présent Lucy était aussi grande que moi et parlait avec la voix basse et calme d'une adulte. Elle ne se réfugierait plus dans sa chambre en claquant la porte. Elle ne mettrait plus un terme à un désaccord en hurlant qu'elle me détestait ou qu'elle était bien contente que je ne sois pas sa mère. Je prévoyais des changements d'humeur imprévisibles, des disputes dans lesquelles je n'aurais pas le dessus. Je l'imaginai sortant tranquillement de la maison pour aller faire un tour avec ma voiture.

Nous ne parlâmes guère durant le trajet, car Lucy était subjuguée par le spectacle de l'hiver. Le monde fondait comme une sculpture de glace alors qu'un nouveau front de froid surgissait à l'horizon sous forme d'une bande grise menaçante. Lorsque nous arrivâmes dans le quartier où j'avais déménagé depuis sa dernière visite, elle observa les maisons cossues, les pelouses, les décorations de Noël et les trottoirs de brique. Un homme emmitouflé comme un esquimau promenait son vieux chien obèse, et une Jaguar noire rendue grisâtre par le sel répandu sur la chaussée souleva une gerbe d'eau lorsqu'elle nous croisa.

– C'est pourtant dimanche et je ne vois pas d'enfants. Il n'y en a pas dans le quartier ? demanda Lucy comme si elle me reprochait cette absence.

– Si, quelques-uns, dis-je en tournant dans ma rue.

– Pas de vélos, pas de traîneaux ni de cabanes dans les arbres. Les gens ne sortent jamais de chez eux dans ce pays ?

– C'est un quartier très tranquille, tu sais.

– C'est pour ça que tu l'as choisi ?

– En partie. Et aussi parce qu'il est sûr, et que j'espère avoir fait un bon investissement.

– Sécurité renforcée ?

– Oui, répondis-je avec un malaise croissant.

Elle continuait de regarder défiler les vastes demeures.

– Je parie que tout le monde reste enfermé chez soi sans voir personne. Même dehors tu ne dois pas voir grand monde, sauf quand un voisin promène son chien. Mais tu n'as pas de chien. Combien de gosses sont venus frapper chez toi pour Halloween ?

– Ça a été assez calme, répondis-je d'un air évasif.

À vrai dire, ma sonnette n'avait retenti qu'une seule fois, alors que je travaillais dans mon bureau. Apercevant sur mon moniteur vidéo les quatre gosses venus me faire choisir entre « trick or treats », j'avais pris le micro et allais leur dire que je descendais ouvrir lorsque j'avais surpris leur conversation.

– Mais non, y'a pas de cadavre, chuchotait un bambin déguisé en supporter de l'équipe de l'université de Virginie.

– Moi je te dis que si, rétorquait un Spiderman. Elle passe souvent à la télé parce qu'elle découpe les morts en morceaux pour les mettre dans des bocaux. C'est mon père qui me l'a dit.

J'entrai la voiture au garage.

– On va installer ta chambre, dis-je à Lucy, ensuite nous allumerons un feu et nous boirons une bonne tasse de chocolat chaud. Nous nous occuperons du déjeuner plus tard.

– Je ne bois pas de chocolat. Est-ce que tu as une machine à expresso ?

– Oui, ça tombe bien.

– Super ! Surtout si tu as du déca français. Est-ce que tu connais tes voisins ?

– Je sais qui ils sont. Tiens, donne-moi ta valise et prends le sac, comme ça je pourrai ouvrir la porte et désactiver l'alarme. Seigneur, que c'est lourd !

– Mamie a insisté pour que j'apporte des pamplemousses. Ils sont pas mauvais mais pleins de pépins. (Lucy jeta un regard circulaire en entrant dans la maison.) Wow ! Des Vélux. Comment on appelle ce style d'architecture, à part « riche » ?

Peut-être finirait-elle par corriger ses manières si je faisais mine de ne rien remarquer.

– La chambre d'amis est derrière, par ici, dis-je. Tu peux te mettre en haut si tu préfères, mais j'ai pensé que tu préférerais rester en bas avec moi.

– Le rez-de-chaussée sera très bien. Tant que je ne suis pas trop loin de l'ordinateur.

– Il est dans mon bureau, juste à côté de ta chambre.

– J'ai apporté mes bouquins et mes notes sur UNIX, plus quelques affaires. (Elle s'immobilisa devant les portes coulissantes du salon.) Ton jardin n'est pas si joli que celui que tu avais.

À l'entendre on aurait cru que j'avais laissé tomber tous les gens que je connaissais.

– J'ai des années de travail qui m'attendent dans ce jardin, dis-je. Ça me permet d'avoir des projets.

Lucy passa lentement en revue la maison, puis son regard s'arrêta sur moi.

– Tu as des caméras aux entrées, des détecteurs de mouvements, une clôture, des barrières de sécurité, quoi d'autre encore ? Des nids de mitrailleuse ?

– Pas de nid de mitrailleuse.

– C'est ton Fort Apache, pas vrai, tante Kay ? Tu t'es installée ici parce que Mark est mort et qu'il ne reste plus rien au monde que des gens méchants.

Sa remarque me causa un choc terrible et mes yeux se brouillèrent. Je me réfugiai dans la chambre d'amis, posai sa valise, puis passai dans le cabinet de toilette pour m'assurer qu'elle aurait assez de serviettes, de savon et de dentifrice. Je revins dans la chambre, ouvris les rideaux, jetai un coup d'œil aux tiroirs de la commode, arrangeai le placard et réglai le chauffage pendant que ma nièce, assise sur le bord du lit, suivait chacun de mes gestes. Au bout de quelques minutes je me sentis de nouveau capable de croiser son regard.

– Quand tu auras déballé tes affaires, je te montrerai un placard où tu trouveras des vêtements d'hiver, lui dis-je.

– Tu ne l'as jamais vu de la même façon que les autres le voyaient.

– Lucy, parlons d'autre chose.

J'allumai une lampe et vérifiai que le téléphone était branché.

– Tu es mieux sans lui, ajouta-t-elle avec conviction.

– Lucy...

– Il n'était pas aussi proche de toi qu'il aurait dû. Et il ne l'aurait jamais été parce qu'il était comme ça. Et chaque fois que les choses ont été mal pour toi, tu as changé.

Debout devant la fenêtre je regardai les clématites et les roses gelées sur leurs treillis.

– Lucy, il faut que tu apprennes à montrer plus de tendresse et de tact. Tu ne peux pas continuer à dire les choses comme tu les penses.

– Ça me fait drôle d'entendre ça dans ta bouche. Tu m'as toujours dit que tu détestais la malhonnêteté et les faux-fuyants.

– Les gens ont des sentiments.

– Exact. Et moi aussi, dit-elle.

– Aurais-je heurté tes sentiments ?

– Comment crois-tu que j'ai pris ça ?

– Je ne suis pas sûre de te comprendre.

– Parce que tu n'as pas pensé à moi une seule seconde. C'est pour ça que tu ne comprends pas.

– Je n'arrête pas de penser à toi.

– C'est comme si tu me disais que tu étais riche et que tu ne me donnais jamais le moindre *cent*. Qu'est-ce que tu veux que ça me fasse, si tu le dissimules ?

Je ne sus que répondre.

– Tu ne m'appelles plus. Tu n'es pas venue me voir une seule fois depuis qu'il est mort. (Sa voix exprimait une peine longtemps retenue.) Je t'ai écrit et tu ne m'as pas répondu. Et puis tout d'un coup tu m'appelles parce que tu as besoin de moi.

– Je ne l'ai pas fait uniquement pour ça.

– Maman fait pareil.

Je fermai les yeux et appliquai mon front contre la vitre froide.

– Tu attends trop de moi, Lucy. Je ne suis pas parfaite.

– Je ne te demande pas d'être parfaite. J'espérais juste que tu étais différente.

– Je ne sais comment me défendre quand tu dis des choses comme ça.

– Tu ne *peux pas* te défendre !

J'aperçus un écureuil courant au sommet de la clôture. Des oiseaux cherchaient des graines dans la pelouse.

– Tante Kay ?

Je me retournai. Ce fut la première fois que je lui vis des yeux aussi égarés.

– Pourquoi les hommes sont-ils toujours plus importants que moi ?

– Ils ne sont pas plus importants, Lucy, murmurai-je. Je te le jure.

Ma nièce voulut une salade de thon et du *caffe con latte* pour le déjeuner, et pendant qu'installée devant la cheminée je terminais la mise au point d'un article pour une revue médicale, elle farfouilla dans ma penderie et les tiroirs de la commode. J'essayai de ne pas penser au fait que quelqu'un d'autre touchait mes vêtements, les repliait d'une façon qui n'était pas la mienne ou raccrochait une veste à un cintre qui ne lui était pas destiné. Lucy avait le don de me faire sentir comme un soldat en fer-blanc rouillant au fond d'une forêt. Étais-je en train de devenir l'adulte rigide et sérieuse que je me jurais de ne pas devenir quand j'avais son âge ?

– Qu'en penses-tu ? me demanda-t-elle en émergeant de ma chambre vers 13 h 30.

Elle avait passé un de mes survêtements de tennis.

– Je pense que ça a duré bien longtemps pour ne choisir que ça. Mais enfin, je reconnais qu'il te va bien.

– J'ai choisi une ou deux autres choses, mais je trouve que tes vêtements sont trop classe. Tous ces costumes d'avocat bleu marine, cette soie rayée gris et noir, ce kaki, ce cachemire, ces chemisiers blancs. Tu dois avoir une vingtaine de chemisiers blancs et autant de cravates. À propos, tu ne devrais pas porter de brun. Par contre je n'ai pas vu de rouge, alors que ça t'irait drôlement bien, avec tes yeux bleus et tes cheveux blond grisonnant.

– Blond cendré, dis-je.

– Les cendres sont grises ou blanches, pas blondes. Regarde dans ta cheminée. Ah ! j'ai vu qu'on n'avait pas la même taille de chaussures. Remarque, ça fait rien parce que je n'aime pas tellement les Cole-Haan ni les Ferragamo. Mais j'ai trouvé un blouson en cuir noir pas mal du tout. Tu faisais de la moto dans une de tes vies antérieures ?

– C'est de l'agneau, tu as bien fait de le prendre.

– Pareil pour ton parfum Fendi et tes bijoux ? Sinon, tu aurais un jean ?

– Sers-toi, fis-je en riant. Oui, je dois avoir un jean quelque part, peut-être au garage.

– Je veux t'emmener faire des courses, tante Kay.

– Il faudrait que je sois folle.

– Je t'en prie...

– On verra, dis-je.

– Et puis si ça ne te fait rien, j'irais bien faire un peu de musculation à ton club. Le voyage en avion m'a engourdie.

– Si tu as envie de faire du tennis, je demanderai à Ted s'il peut te consacrer un peu de temps. Mes raquettes sont dans le placard de gauche. Je viens juste de m'acheter une Wilson. Avec ça, tu expédies ta balle à 150 kilomètres/heure. Tu vas adorer !

– Non, merci. Je préférerais faire du StairMaster et soulever quelques poids, et ensuite aller courir. Pourquoi n'en profiterais-tu pas pour prendre une leçon avec Ted pendant que je fais mes exercices, comme ça on pourrait y aller ensemble, non ?

Obéissante, je pris le téléphone et composai le numéro du club de Westwood. Ted avait des cours jusqu'à 10 heures du soir. J'indiquai le trajet à Lucy et lui confiai mes clés de voiture. Après son départ je lus un moment devant la cheminée avant de sombrer dans le sommeil.

Lorsque je rouvris les yeux j'entendis craquer les braises des bûches calcinées et tinter les petites figurines en étain suspendues à l'extérieur des baies coulissantes. La neige tombait en gros flocons paresseux, sous un ciel couleur de tableau sali par la poussière de craie. Les lampes du jardin s'étaient allumées et la maison était si silencieuse que je percevais le tic-tac de la pendule. Il était 16 heures passées et Lucy n'était toujours pas rentrée. J'appelai mon téléphone de voiture, mais personne ne répondit. Je songeai avec anxiété que Lucy n'avait jamais conduit sur de la neige. Et puis j'avais besoin de la voiture pour aller chercher le poisson que j'avais prévu au dîner. Je décidai d'appeler le club et de la faire demander par haut-parleur, puis je me dis que c'était ridicule. Lucy était partie depuis deux heures à peine. Elle n'était plus une enfant. À 16 h 30 je rappelai ma voiture. Personne. À 17 heures je fis demander Lucy au club, mais on n'arriva pas à la joindre. Je commençai à paniquer.

– Vous êtes sûre qu'elle n'est pas au StairMaster, ou peut-être dans les vestiaires, sous la douche ? À moins qu'elle ne soit à la cafétéria ?

Cela faisait plusieurs fois que je demandais la même chose à la jeune standardiste.

– Nous avons passé quatre annonces par haut-parleur, Dr Scarpetta. Et j'ai moi-même été voir si je la trouvais. Je veux bien essayer encore une fois. Si je la trouve, je lui dis de vous rappeler aussitôt.

– Savez-vous si elle est venue, au moins ? Elle aurait dû arriver vers 14 heures.

– Ça, je ne peux pas vous dire. J'ai pris mon service à 4 heures.

Je continuai à appeler ma voiture.

« Le correspondant de Richmond Cellular que vous venez d'appeler ne répond pas... »

J'essayai de joindre Marino, mais il n'était ni chez lui ni au quartier général. À 18 heures j'étais dans ma cuisine, plantée devant la fenêtre à regarder dehors. La neige hachurait le halo crayeux des réverbères. Le cœur battant j'allais de pièce en pièce, composant encore et encore le numéro de ma voiture. À 18 h 30 j'étais décidée à signaler la disparition de Lucy à la police lorsque le téléphone sonna. Je me précipitai dans mon bureau et m'apprêtais à décrocher lorsque je reconnus avec un frisson le numéro familier qui s'affichait sur l'écran de l'identificateur d'appel. Les appels s'étaient interrompus depuis l'exécution de Waddell. Je n'y avais plus repensé. Désorientée, je suspendis mon geste et attendis que l'inconnu, comme à son habitude, raccroche sans laisser de message. J'éprouvai un choc en reconnaissant la voix qui s'adressait au répondeur.

– Je déteste vous annoncer des choses comme ça, doc, mais...

Je décrochai d'un geste brusque et m'éclaircis la gorge.

– Marino ? fis-je d'un ton incrédule.

– Ouais, c'est moi, fit-il. J'ai de mauvaises nouvelles.

4

– Où êtes-vous ? demandai-je les yeux rivés au numéro inscrit à l'écran.

– Dans l'East End, et ça tombe comme vache qui pisse, dit Marino. On m'a appelé pour un décès. Une femme, blanche. À première vue, ça a tout du suicide aux gaz d'échappement. La voiture dans le garage, avec un tuyau branché sur le pot. Mais il y a des détails bizarres. Vous feriez mieux de venir faire un tour.

– D'où appelez-vous ? demandai-je d'une voix si brusque qu'il parut surpris et hésita un instant avant de répondre.

– De chez la défunte. Je viens d'arriver. Encore un point qui me turlupine. La maison était ouverte, du moins la porte de derrière était pas verrouillée.

J'entendis se refermer la porte de mon garage.

– Ah, Dieu merci. Marino, ne quittez pas un instant, fis-je avec un indicible soulagement.

Froissements de sacs en papier, puis la porte de la cuisine qui claque.

– C'est toi, Lucy ? criai-je en collant ma paume sur le combiné.

– Non, c'est Glagla le Bonhomme de Neige. Tu verrais ce qui tombe dehors ! Ça fait peur !

J'attrapai crayon et papier.

– Nom et adresse de la défunte ? demandai-je à Marino.

– Jennifer Deighton. Deux-un-sept Ewing.

Le nom ne me disait rien. Quant à Ewing, elle se trouvait derrière Williamsburg Road, pas très loin de l'aéroport, dans un quartier que je connaissais mal.

Lucy entra dans le bureau au moment où je raccrochais. Son visage était rosi par le froid et ses yeux lançaient des étincelles.

– Bon sang où étais-tu passée ? fis-je.

Son sourire s'effaça.

– J'ai été faire des courses.

– Bon, nous en reparlerons plus tard. Pour l'instant il faut que j'aille constater un décès.

Elle haussa les épaules et me retourna mon irritation.

– Toujours la même chose, hein ?

– Je suis désolée, mais je ne suis pas en mesure de demander aux gens de mourir aux heures qui me conviennent.

J'attrapai mon manteau et mes gants et passai au garage. Je démarrai, bouclai ma ceinture, réglai le chauffage et étudiai le plan de ville avant de me souvenir brusquement de la télécommande d'ouverture de porte que je laissais fixée à mon pare-soleil. Il est stupéfiant de voir à quelle vitesse un espace clos s'emplit de fumée.

– Bon sang de bon sang, marmonnai-je en déclenchant l'ouverture de la porte tout en me reprochant ma distraction.

L'empoisonnement par les gaz d'échappement est une cause de décès relativement courante. Un jeune couple s'étreint sur la banquette arrière, avec le moteur qui tourne et le chauffage en marche, et puis on s'endort et on ne se réveille plus. Des candidats au suicide transforment leur voiture en petite chambre à gaz et laissent à d'autres le soin de régler leurs problèmes.

J'avais oublié de demander à Marino si Jennifer Deighton vivait seule.

La couche de neige atteignait déjà près de dix centimètres et la nuit en était illuminée. Je ne rencontrai aucune circulation dans mon quartier, et très peu sur la voie express ralliant le centre-ville. La radio enchaînait chansons et musiques de Noël tandis que les pensées tourbillonnaient dans mon esprit désorienté avant d'atterrir une à une dans un champ d'angoisse. Jennifer Deighton, ou une personne appelant de chez elle, m'avait téléphoné à plusieurs reprises et raccroché sans laisser de message. Aujourd'hui elle était morte. De l'autoroute aérienne qui traversait la partie orientale de la ville je voyais les lignes de chemin de fer s'entrecroisant au sol comme des plaies suturées, tandis que des parkings à étages s'élançaient plus haut dans le ciel que de nombreux immeubles. Telle l'étrave d'un gros paquebot, la gare de Main Street au toit de tuiles blanchi par la neige semblait fendre la brume laiteuse derrière l'œil de cyclope de sa grosse horloge.

Dans Williamsburg Road je dépassai à petite allure un centre commercial désert, et trouvai Ewing Avenue, juste avant la limite marquant le début de la juridiction d'Henrico County. C'était un quartier de maisons modestes, devant lesquelles étaient garés des camions à ridelles et de vieilles voitures américaines. Au numéro 217, les véhicules de police encombraient la cour et débordaient sur les trottoirs. Je me garai derrière la Ford de Marino, pris ma mallette et empruntai l'allée d'accès non pavée, au bout de laquelle le garage à une place était éclairé comme une crèche de Noël. La porte était relevée et un groupe de policiers était assemblé autour d'une vieille Chevrolet beige. Je trouvai Marino accroupi à hauteur de la portière arrière côté conducteur, en train d'examiner un bout de tuyau d'arrosage vert dont une extrémité était raccordée au pot d'échappement, l'autre coincée dans une vitre entrouverte. L'intérieur de la voiture était sali par la fumée, dont l'odeur flottait encore dans l'air froid et humide.

– Il y a encore le contact, m'informa Marino. Le moteur a tourné jusqu'à ce qu'il n'y ait plus d'essence.

La défunte semblait avoir entre 50 et 60 ans. Assise derrière le volant, son corps s'était affaissé sur le côté droit. La chair de son cou et de ses mains m'apparut d'un rose étonnamment vif.

Sous sa tête, un liquide sanguinolent, à présent séché, avait taché la housse brune du siège. D'où je me tenais, je ne pouvais voir les traits de son visage. J'ouvris ma mallette, sortis le thermomètre chimique pour prendre la température du garage, et enfilai une paire de gants chirurgicaux. Je demandai à un jeune policier de m'ouvrir les portières avant.

– On allait les passer à la poudre à empreintes, dit l'officier.

– Allez-y, j'attendrai.

– Johnson, si tu commençais par poudrer les poignées pour que le toubib puisse monter ? fit-il en posant sur moi une paire d'yeux noirs. Au fait, je m'appelle Tom Lucero. Pour vous résumer la situation, disons que les différents éléments de la scène ne coïncident pas tout à fait. Pour commencer, je trouve bizarre qu'il y ait du sang sur le siège avant.

– Il y a plusieurs explications possibles à ça, dis-je. L'une étant ce qu'on appelle la purge postmortem.

Il étrécit les yeux.

– C'est ce qui se produit lorsque la pression dans les poumons expulse du liquide sanguinolent par les narines et la bouche, expliquai-je.

– Ah. Sauf qu'en général ça n'arrive pas avant que le corps ait commencé à se décomposer.

– En général, non.

– D'après nos premières constatations, cette dame est morte depuis vingt-quatre heures à peine, et ce garage est aussi froid qu'un frigo de morgue.

– Exact, dis-je. Mais si en plus des gaz d'échappement, le chauffage était branché, la voiture a dû rester chaude au moins jusqu'à ce qu'il n'y ait plus d'essence.

J'aperçus Marino qui, derrière une vitre rendue opaque par la fumée, levait la tête vers nous.

– La manette du chauffage est poussée à fond, dit-il.

– Une autre possibilité, poursuivis-je, est qu'en s'affaissant au moment où elle a perdu conscience, son visage a pu heurter le volant ou le tableau de bord. Son nez a pu se mettre à saigner. Elle a aussi pu se mordre la langue ou se fendre la lèvre. Je connaîtrai la réponse quand je l'aurai examinée.

– D'accord, mais ça ne vous étonne pas qu'elle soit en chemise de nuit ? dit Lucero. Ça ne vous paraît pas bizarre comme tenue pour sortir par un froid pareil, aller dans le garage, brancher son tuyau et monter dans une voiture glaciale ?

C'était une chemise de nuit bleu pâle à manches longues, en tissu synthétique bon marché, et qui descendait jusqu'aux chevilles. Il n'y a pas de règle en ce qui concerne l'habillement des suicidés. Il aurait été logique que Jennifer Deighton mette un manteau et des chaussures avant de sortir par une glaciale nuit d'hiver, mais si elle était décidée à se supprimer, elle savait bien qu'elle ne sentirait pas longtemps le froid.

L'officier de l'identité judiciaire avait fini de relever les empreintes sur les portières. Je consultai le thermomètre chimique. Il faisait presque – 2° C dans le garage.

– Quand êtes-vous arrivé ? demandai-je à Lucero.

– Il y a environ une heure et demie. Il faisait plus chaud avant qu'on ouvre la porte, mais pas beaucoup plus. Le garage n'est pas chauffé. D'ailleurs le capot était froid. Je suppose que le moteur s'est arrêté et que la batterie s'est déchargée plusieurs heures avant qu'on nous prévienne.

J'ouvris la portière conducteur et pris quelques photos avant de contourner la voiture pour examiner la tête reposant sur le siège passager. Je me préparai mentalement à reconnaître un détail, à voir ressurgir un souvenir depuis longtemps oublié. Mais je ne vis rien de familier. Je ne connaissais pas Jennifer Deighton. Je ne l'avais jamais vue de ma vie.

Ses cheveux oxygénés, sombres au niveau des racines, étaient ourlés par de petits bigoudis roses dont certains étaient de travers. Malgré l'obésité de la défunte, je compris à ses traits raffinés qu'elle avait peut-être été très belle – et plus mince – dans sa jeunesse. Je palpai son crâne et son cou mais ne sentis aucune fracture. Je plaçai le dos de ma main contre sa joue, puis m'efforçai de tourner le corps. Mais il était froid et raidi, sauf le côté de sa tête ayant reposé sur le tissu du siège, qui était pâle et cloqué par la chaleur. Il apparaissait que le corps n'avait pas été déplacé après la mort, et la peau ne blêmissait pas quand on y appuyait le doigt. Elle était morte depuis au moins douze heures.

C'est au moment où j'allais lui emballer les mains que je remarquai quelque chose sous l'ongle de son index droit. Je me munis d'une torche pour mieux voir, ainsi que d'une enveloppe à indice et d'une paire de pinces. Le minuscule éclat d'un vert métallique était incrusté sous l'ongle. Décorations de Noël, me dis-je. Je trouvai aussi des fibres dorées, et ma récolte grossit avec chaque doigt que j'examinai. Après avoir passé les sacs en papier brun autour de ses mains et les avoir fixés aux poignets avec des élastiques, je fis le tour de la voiture pour jeter un coup d'œil aux pieds. Les jambes rigides refusaient de bouger et je dus batailler pour les décoincer de dessous le volant afin de les examiner. Je trouvais, accrochées à la semelle de ses grosses chaussettes de laine sombre, des fibres ressemblant à celles que j'avais découvertes sous ses ongles. Constatant qu'il n'y avait en revanche pas la moindre trace de poussière, de boue ou d'herbe, une alarme se mit à résonner dans ma tête.

– Vous avez trouvé des choses intéressantes ? me demanda Marino.

– Vous n'avez pas remarqué de pantoufles ni de chaussures ? dis-je.

– Non, répondit Lucero. C'est ce que je vous disais. Je trouve bizarre qu'elle soit sortie par une nuit aussi froide sans...

Je l'interrompis.

– Il y a un petit problème, fis-je. Ses chaussettes sont trop propres.

– Merde, lâcha Marino.

– Il faut la transporter en ville, dis-je en m'éloignant de la voiture.

– Je vais demander une équipe, proposa Lucero.

– Je veux voir l'intérieur de la maison, dis-je à Marino.

– Ça tombe bien. (Il avait ôté ses gants et soufflait dans ses mains.) Je voulais vous faire visiter.

En attendant l'équipe qui emporterait le corps, je passai en revue l'intérieur du garage, prenant garde à ne pas poser les pieds n'importe où et à ne pas gêner les policiers. Il n'y avait pas grand-chose à voir, si ce n'est l'habituel entassement d'outils et de produits pour le jardin, ainsi que d'objets qu'on ne sait pas où ranger. Je vis des piles de vieux journaux, des paniers en osier, des pots de peinture couverts de poussière et un gril rouillé qui ne devait pas avoir servi depuis des années. Dans un coin, grossièrement enroulé sur lui-même comme une grosse couleuvre décapitée, je vis le tuyau d'arrosage dont avait sans doute été sectionné le bout fixé ensuite au pot d'échappement. Je m'agenouillai près de l'extrémité coupée sans la toucher. Le plastique ne semblait pas avoir été scié, mais coupé d'un seul coup, légèrement en biais, par un instrument tranchant. J'aperçus tout près une petite entaille dans le ciment du sol. Je me relevai et inspectai les outils suspendus à une planche munies de crochets. Il y avait une hache et une masse, toutes deux rouillées et enrobées de toiles d'araignée.

L'équipe d'intervention arriva avec le brancard et le sac à cadavre.

– Avez-vous trouvé dans la maison un instrument dont elle aurait pu se servir pour couper le bout de tuyau ? demandai-je à Lucero.

– Non.

Jennifer Deighton refusait de sortir de la voiture, la mort résistait aux efforts des vivants. Je montai du côté passager pour donner un coup de main. Trois d'entre nous la saisîmes sous les aisselles et à la taille pendant qu'un quatrième lui tirait les jambes. Lorsque le cadavre fut ensaché, la fermeture à glissière remontée et le sac sanglé sur le brancard, on l'emporta dans la nuit neigeuse et je remontai l'allée d'accès en compagnie de Lucero tout en regrettant de ne pas avoir mis mes bottes. Nous entrâmes dans la maison en brique par la porte arrière donnant dans la cuisine.

Celle-ci paraissait rénovée depuis peu. Les éléments étaient noirs, les plans de travail et les placards blancs, les murs tapissés d'un papier oriental aux motifs floraux pastel sur un fond d'un bleu délicat. Percevant l'écho d'une conversation, nous traversâmes un étroit couloir au sol parqueté et nous arrêtâmes sur le seuil de la chambre où Marino et un officier de l'identité judiciaire fouillaient les tiroirs d'une commode. Pendant un long moment, j'observai les étonnants indices de la personnalité de Jennifer Deighton. Sa chambre ressemblait à quelque pile solaire dans laquelle elle emprisonnait de l'énergie pour la convertir en magie. Je repensai aux appels nuls reçus par mon répondeur, et ma paranoïa enfla par vagues.

Les murs, les rideaux, la moquette, les draps et le mobilier en osier, tout était blanc. Curieusement, sur le lit défait, près des deux oreillers appuyés contre la tête, une feuille de papier machine vierge était coincée sous un gros cristal. Sur la commode et la table de chevet étaient disposés d'autres cristaux, tandis que d'autres encore, de taille plus modeste, étaient suspendus aux cadres des fenêtres. J'imaginais les arcs-en-ciel dansant dans la pièce et la lumière se réfléchissant sur les prismes lorsque le soleil brillait.

– Bizarre, hein ? fit Lucero.

– Elle était voyante ou quelque chose ? demandai-je.

– Disons qu'elle avait monté sa petite affaire, et que presque tout se passait là. (Il s'approcha du répondeur posé sur une table près du lit. Le témoin clignotant des messages affichait en rouge le nombre 38.) *Trente-huit* messages depuis hier soir. J'en ai écouté quelques-uns. Elle faisait dans les horoscopes. Les gens l'appelaient pour savoir si la journée leur serait favorable, s'ils allaient gagner à la loterie ou s'il leur resterait assez d'argent après Noël pour régler leurs factures de carte bancaire.

Après avoir ouvert le couvercle du répondeur, Marino se servit de son canif pour extraire la cassette, qu'il scella dans une pochette en plastique. Intriguée par plusieurs autres objets posés sur la table de nuit je m'en approchai pour les examiner. Près d'un calepin et d'un stylo était posé un verre contenant deux doigts d'un liquide transparent. Je me penchai et reniflai. Aucune odeur. De l'eau, me dis-je. À côté se trouvaient deux ouvrages en édition de poche, *Paris Trout* de Pete Dexter et *Seth Speaks* de Jane Roberts. C'étaient les deux seuls livres présents.

– J'aimerais jeter un coup d'œil à ces livres, dis-je à Marino.

– *Paris Trout*, lut-il d'un air songeur. Ça parle de quoi ? De la pêche en France ?

Malheureusement, il était sérieux.

– Ça pourrait me renseigner sur son état d'esprit juste avant sa mort, ajoutai-je.

– Pas de problème. Je demanderai au service Documents de voir s'il y a des empreintes, ensuite ils vous les transmettront. On leur fera aussi analyser ce papier pendant qu'on y est, ajouta-t-il en désignant la feuille blanche posée sur le lit.

– Ouais, elle a peut-être laissé un mot à l'encre sympathique avant de se suicider, plaisanta Lucero.

– Venez, me dit Marino. J'aimerais vous montrer une ou deux choses.

Il m'emmena dans le salon, où un sapin de Noël artificiel trônait dans un coin, ployant sous les décorations criardes, étranglé par les guirlandes et les cheveux d'ange. À son pied étaient entassés des boîtes de bonbons et de pâtes de fruit, un flacon de bain moussant, un bocal en verre qui paraissait contenir du thé aux épices, et enfin une licorne en céramique avec des yeux bleu vif et une corne dorée. Le tapis à longs poils or était à l'origine, pensai-je, des fibres que j'avais remarquées sous les chaussettes et les ongles de Jenni fer Deighton.

Marino produisit une petite lampe torche de sa poche et s'accroupit.

– Regardez ça, dit-il.

Je m'accroupis à côté de lui. Le faisceau de la torche éclaira, parmi les poils épais du tapis à la base de l'arbre, un scintillement métallique et un morceau de cordon doré.

– Quand je suis arrivé, la première chose que j'ai faite, dit Marino en éteignant sa torche, c'est de regarder s'il y avait des cadeaux au pied du sapin. Il est clair qu'elle les a ouverts tôt. Elle a brûlé le papier d'emballage et les cartes de vœux dans la cheminée. On a retrouvé un tas de cendres avec des morceaux de papier aluminium intacts. La voisine d'en face a remarqué hier soir de la fumée qui sortait de la cheminée, juste avant la tombée de la nuit.

– C'est elle qui a appelé la police ? demandai-je.

– Ouais.

– Pourquoi ?

– Ça, je ne sais pas encore. Je dois l'interroger.

– Quand vous la verrez, demandez-lui à tout hasard si elle sait si Jennifer Deighton avait des problèmes médicaux, psychiatriques ou autres. J'aimerais aussi avoir le nom de son médecin.

– Je vais la voir tout à l'heure. Accompagnez-moi. Vous lui poserez la question vous-même.

Tout en continuant à examiner la pièce en essayant d'enregistrer tous les détails, je songeai à Lucy qui m'attendait à la maison. Mes yeux s'arrêtèrent sur quatre petites marques carrées imprimées sur la moquette au centre de la pièce.

– J'ai vu ça aussi, dit Marino. On dirait que quelqu'un a apporté une chaise, sans doute de la salle à manger. Il y en a quatre autour de la table. Elles ont les pieds carrés.

– Une autre chose qu'il faudrait peut-être vérifier, pensai-je tout haut, c'est son magnétoscope. Regardez si elle avait programmé un enregistrement. Ça pourrait nous en apprendre un peu plus à son sujet.

– Bonne idée.

Nous sortîmes du salon et passâmes dans la petite salle à manger avec sa table en chêne et ses quatre chaises à dossier droit. Le tapis tressé couvrant en partie le parquet paraissait neuf, à moins qu'on eût rarement marché dessus.

– On dirait que la pièce où elle passait le plus clair de son temps était celle-ci, dit Marino en traversant le couloir et en entrant dans le bureau.

La pièce était encombrée de tout le matériel nécessaire à la marche d'une petite entreprise, y compris un fax, que j'inspectai aussitôt. Il était éteint, sa ligne branchée sur une prise téléphonique à une seule fiche fixée au mur. Plus je regardais autour de moi, plus j'étais intriguée. Un ordinateur, une machine à oblitérer, des formulaires et des enveloppes envahissaient une table et un bureau. Sur les étagères s'alignaient des encyclopédies et des ouvrages sur la parapsychologie, l'astrologie, les signes du Zodiaque et les religions, occidentales et orientales. Je remarquai plusieurs traductions de la Bible et des dizaines de registres portant une date sur la tranche.

Près de l'oblitérateur s'empilaient des formulaires d'abonnement. J'en parcourus un. Pour 300 dollars par an, vous pouviez appeler jusqu'à une fois par jour, et Jennifer Deighton consacrerait trois minutes à vous dévoiler votre horoscope « basé sur des détails personnels, dont l'alignement des planètes au moment de votre naissance ». Pour 200 dollars de plus par an, vous aviez également droit à une « consultation hebdomadaire ». Lorsqu'il avait envoyé l'argent, l'abonné recevait une carte portant un code d'identification valable tant que l'on continuait à régler la cotisation annuelle.

– Quelles foutaises, fit Marino.

– Je suppose qu'elle vivait seule, n'est-ce pas ?

– Apparemment oui. Une femme seule faisant ce métier, c'était fatal qu'elle finisse par tomber sur un tordu.

– Marino, savez-vous combien de lignes téléphoniques elle avait ?

– Non, pourquoi ?

Je lui parlai des appels nuls que j'avais reçus. Il me fixa d'un air dur et se mit à faire jouer ses maxillaires.

– Il faut que je sache si son fax et son téléphone sont sur la même ligne, conclus-je.

– Nom de dieu.

– Si c'est le cas et que son fax était branché le soir où j'ai rappelé le numéro inscrit sur mon identificateur d'appel, poursuivis-je, ça expliquerait la tonalité que j'ai entendue.

– Bon Dieu de bon Dieu, dit-il en tirant sa radio portative de sa poche, pourquoi vous ne m'en avez pas parlé avant ?

– Je ne voulais pas en parler tant qu'il y avait du monde. Il plaça la radio devant sa bouche.

– Sept-dix. (Puis, s'adressant à moi :) Si ces appels vous inquiétaient depuis plusieurs semaines, pourquoi vous m'en avez pas parlé ?

– Ils ne m'inquiétaient pas tellement.

– Sept-dix, fit la voix nasillarde du dispatcher.

– Dix-cinq huit-vingt et un.

Le dispatcher envoya un appel demandant 821, le code radio de l'inspecteur.

– Je vais vous demander d'appeler un numéro, dit Marino quand la communication avec l'inspecteur fut établie. Vous avez votre téléphone portable avec vous ?

– Dix-quatre.

Marino lui donna le numéro de Jennifer Deighton, puis alluma le fax. Pendant quelques secondes, il émit une série de bips et de divers couinements.

– Ça répond à votre question ? me demanda Marino.

– Ça répond à une question, fis-je, mais pas à la plus importante.

La voisine d'en face, qui avait prévenu la police, s'appelait Myra Clary. J'accompagnai Marino jusqu'à sa maison aux flancs en aluminium, avec son Père Noël en plastique illuminé sur la pelouse et les guirlandes accrochées aux buis. Marino avait à peine sonné que Mrs Clary ouvrait la porte et nous invitait à entrer sans même nous demander qui nous étions. Je me dis qu'elle avait sans doute guetté notre arrivée derrière une fenêtre.

Elle nous fit entrer dans un salon lugubre où nous découvrîmes son mari recroquevillé près du feu artificiel, le peignoir rabattu sur des jambes maigrelettes, le regard vide fixé sur l'écran de télévision où un homme se frictionnait au savon déodorant. La pitoyable usure des années se manifestait partout. Le frottement répété avait usé jusqu'à la corde et souillé le capitonnage des fauteuils. Le bois était assombri par d'innombrables couches de cire, les gravures accrochées aux murs avaient jauni derrière leur verre. L'odeur huileuse d'un million de repas préparés à la cuisine et mangés devant la télé imprégnait l'air.

Marino expliqua les raisons de notre visite à Mrs Clary, qui, s'activant avec fébrilité, débarrassa quelques journaux du canapé, éteignit la télévision et emporta les assiettes sales à la cuisine. Son mari n'émergea pas de son monde intérieur, sa tête branlant sur un cou mince comme une tige. On parle de maladie de Parkinson quand la machine tremble violemment juste avant de rendre l'âme, comme si, consciente de ce qui l'attend, elle protestait de la seule façon possible.

– Non, nous ne voulons rien, dit Marino lorsque Mrs Clary nous proposa de boire ou manger quelque chose. Asseyez-vous et détendez-vous. Je sais que vous avez eu une journée difficile.

– On m'a dit qu'elle était montée dans sa voiture pour respirer ces gaz. Oh, mon dieu, j'ai vu comme de la fumée derrière la fenêtre, j'ai cru que le garage avait pris feu. C'est à ce moment que j'ai compris.

– Qui entendez-vous par « on » ? demanda Marino.

– Les policiers. Je les ai appelés tout de suite et je les ai guettés. Quand ils sont arrivés, je suis sortie pour voir si Jenny allait bien.

Mrs Clary était incapable de rester dans le fauteuil faisant face au canapé où Marino et moi étions assis. Des mèches de cheveux gris s'étaient échappées du chignon noué au sommet de son crâne. Elle avait le visage ridé comme une vieille pomme, les yeux avides de détails et luisants de frayeur.

– Je sais que vous avez déjà parlé à la police, dit Marino en approchant de lui le cendrier. Mais je voudrais que vous nous racontiez tout en détail depuis le début, en commençant par la dernière fois où vous avez vu Jennifer Deighton vivante.

– Je l'ai vue l'autre jour...

– Quel jour ? la coupa Marino.

– Vendredi. Le téléphone a sonné, alors j'ai été décrocher à la cuisine et je l'ai vue par la fenêtre. Elle remontait son allée en voiture.

– Est-ce qu'elle mettait toujours sa voiture au garage ? demandai-je.

– Toujours.

– Et hier ? intervint Marino. Vous les avez vues, elle ou sa voiture, hier ?

– Non. Mais quand je suis sortie relever le courrier... Il était tard, mais c'est toujours comme ça en hiver. On a pas le courrier avant 3 ou 4 heures de l'après-midi. Ça devait être 5 heures et demie, peut-être même plus, quand j'ai pensé à aller voir une nouvelle fois la boîte. La nuit tombait et j'ai remarqué que de la fumée sortait de la cheminée de Jenny.

– Vous en êtes sûre ? voulut savoir Marino.

Elle hocha la tête avec fermeté.

– Ça, oui. Je me suis même dit que c'était une belle soirée pour faire du feu. Chez nous c'est toujours Jimmy qui allumait les feux, vous comprenez. Il m'a jamais appris. Les choses qu'il savait faire, c'était son domaine réservé. C'est pour ça que j'ai renoncé aux feux de bois et qu'on a fait installer ce feu électrique.

Jimmy Clary regardait sa femme avec des yeux fixes. Je me demandais s'il comprenait de quoi elle parlait.

– J'aime bien cuisiner, poursuivait-elle. Je fais beaucoup de pâtisseries en cette saison. Des gâteaux que j'offre aux voisins. Hier, je voulais en porter un à Jenny, mais je préfère appeler avant de passer. C'est difficile de savoir quand les gens sont chez eux, surtout quand la voiture est toujours au garage. Et si vous laissez un gâteau sur le seuil, c'est un chien qui le mangera. Donc je l'ai appelée et je suis tombée sur le répondeur. J'ai essayé de l'avoir toute la journée, toujours pas de réponse. Je vous assure que je me faisais du souci.

– Pourquoi ? demandai-je. Est-ce qu'elle avait des problèmes de santé ? D'autres problèmes que vous connaîtriez ?

– Elle avait du cholestérol. Un jour elle m'a dit qu'elle faisait plus de cent kilos. Plus de l'hypertension. Ça, elle disait que c'était de famille.

Je n'avais vu aucun médicament chez Jennifer Deighton.

– Savez-vous qui était son médecin ? demandai-je.

– Je ne me souviens pas. Mais Jenny croyait aux remèdes naturels. Elle m'a dit que quand elle se sentait mal elle faisait de la méditation.

– Vous étiez donc assez proches, toutes les deux ? remarqua Marino.

Mrs Clary tira sur sa jupe avec nervosité.

– Je reste ici toute la journée, sauf pour aller faire les courses. (Elle jeta un regard à son mari, qui fixait à nouveau le téléviseur.) Je passais la voir de temps en temps, entre voisines, vous voyez. De temps en temps je lui apportais un plat que j'avais préparé.

– Est-ce qu'elle était du genre liante ? demanda Marino. Elle recevait beaucoup de visites ?

– Ma foi, comme vous savez elle travaillait à la maison. Je crois qu'elle faisait presque tout par téléphone. Mais il m'est arrivé de voir entrer des gens chez elle.

– Des gens que vous connaissiez ?

– Pas que je m'en souvienne.

– Vous avez vu arriver quelqu'un chez elle hier soir ? demanda Marino.

– Je n'ai rien remarqué.

– Et quand vous êtes sortie relever votre boîte aux lettres et que vous avez vu la fumée qui sortait de la cheminée, est-ce que vous vous êtes dit qu'elle avait du monde ?

– Je n'ai pas vu de voiture. Rien n'indiquait qu'elle avait de la visite.

Jimmy Clary avait sombré dans le sommeil. Sa tête était inclinée sur sa poitrine.

– Vous dites qu'elle travaillait chez elle, dis-je. Est-ce que vous avez une idée de ce qu'elle faisait ?

Mrs Clary me regarda avec des yeux ronds. Elle se pencha en avant et baissa la voix.

– J'étais au courant de ce que les gens disaient, me confia- t-elle.

– Et que disaient les gens ? demandai-je.

Elle serra les lèvres et secoua la tête.

– Mrs Clary, intervint Marino. Tout ce que vous pouvez nous dire peut nous aider. Et je sais que vous voulez nous aider.

– Il y a une église méthodiste à deux blocs d'ici. On la voit de loin. Le clocher est éclairé chaque nuit depuis la construction de l'église, il y a trois ou quatre ans.

– J'ai vu cette église en venant, dit Marino. Mais qu'est-ce que ça peut bien avoir à faire avec...

– Eh bien, le coupa Mrs Clary, Jenny est venue s'installer ici, je crois que c'était début septembre. Je n'ai jamais compris. L'éclairage du clocher. Vous regarderez bien quand vous repartirez. À moins que maintenant... (Elle s'interrompit, une expression déçue sur le visage.) Peut-être que ça le fera plus.

– Qu'est-ce qui fera plus quoi ? demanda Marino.

– S'éteindre et se rallumer. C'est la chose la plus étrange que j'ai jamais vue. C'est éclairé, et une minute après vous regardez à nouveau par la fenêtre, et la lumière est éteinte, c'est sombre comme si l'église n'existait pas. Et puis deux minutes après, voilà que le clocher est rallumé. Je l'ai chronométré. Il s'allume une minute, s'éteint deux minutes, se rallume pendant deux minutes. Ça arrive qu'il reste allumé pendant une heure. Mais c'est pas du tout régulier.

– Qu'est-ce que Jennifer Deighton a à voir avec ça ? demandai-je à mon tour.

– Je me souviens, c'était peu de temps après qu'elle s'installe, quelques semaines avant que Jimmy ait son attaque. Il faisait frisquet et il avait décidé d'allumer un feu. J'étais dans la cuisine, en train de faire la vaisselle, et par la fenêtre je voyais le clocher, allumé comme chaque soir. Et puis Jimmy est entré dans la cuisine pour se verser un verre, et je lui ai dit : « La Bible dit qu'il faut s'enivrer d'Esprit saint et non de vin. » Et il m'a répondu : « Je ne bois pas de vin, c'est du bourbon. La Bible ne dit rien du tout sur le bourbon. » Et vlan ! juste à ce moment-là, le clocher s'est éteint. Comme si l'église s'était évaporée. « Tiens, j'ai dit à Jimmy, regarde. C'est la réponse du Seigneur. Voilà ce qu'il pense de toi et de ton bourbon. »

» Il a rigolé comme un bossu, mais il a plus jamais bu une goutte. Tous les soirs il venait à la cuisine et se plantait devant la fenêtre. Le clocher était allumé, et puis il s'éteignait. Je faisais croire à Jimmy que c'était Dieu qui faisait ça – n'importe quoi pour qu'il oublie sa bouteille. C'était jamais arrivé avant que miss Deighton s'installe dans notre rue.

– Le clocher continue de s'allumer et de s'éteindre, ces temps-ci ? demandai-je.

– Encore hier soir. Aujourd'hui, j'en sais rien. Pour vous dire la vérité, j'ai même pas regardé.

– Donc vous pensez qu'elle avait une influence sur l'éclairage du clocher ? fit Marino d'une voix douce.

– Je dis que plusieurs habitants de cette rue ont vite compris.

– Compris quoi ?

– Que c'était une sorcière, répondit Mrs Clary.

Son mari s'était mis à ronfler. Il émettait d'affreux gargouillis étranglés que sa femme ne semblait pas remarquer.

– Votre mari aussi s'est mis à aller mal à peu près au moment où miss Deighton est arrivée et que les lumières se sont mises à se comporter d'une drôle de façon, dit Marino.

Elle parut stupéfaite.

– Tiens, c'est vrai. Il a eu son attaque fin septembre.

– Vous aviez jamais fait le rapprochement ? Vous vous êtes jamais dit que Jennifer Deighton avait peut-être quelque chose à y voir, de la même façon que vous pensez qu'elle a une influence sur les lumières de l'église ?

– Jimmy ne l'appréciait guère, fit Mrs Clary dont le débit s'accélérait de minute en minute.

– Vous voulez dire, fit Marino, qu'ils ne s'entendaient pas bien tous les deux.

– Juste après son installation, elle lui a demandé plusieurs fois de venir l'aider chez elle, pour faire quelques petits travaux de bricolage. Un jour sa sonnette d'entrée s'était coincée et faisait un bruit terrible chez elle, elle est sortie sur le seuil en criant que sa maison allait prendre feu. Alors Jimmy y est allé. Je crois bien aussi qu'un jour son lave-vaisselle s'était bouché. Jimmy était toujours prêt à rendre service, fit-elle en jetant un coup d'œil furtif vers son mari qui ronflait.

– Vous ne nous avez toujours pas expliqué pourquoi il ne s'entendait pas avec elle, lui rappela Marino.

– Il disait qu'il aimait pas aller là-bas, répondit-elle. Il n'aimait pas ces cristaux. Et le téléphone qui sonnait tout le temps. Mais ce qui l'a vraiment mis mal à l'aise, c'est quand elle lui a dit qu'elle lisait l'avenir et qu'elle pourrait lui dévoiler le sien gratis s'il continuait à s'occuper de l'entretien de la maison. Il lui a répondu, et je m'en souviens comme si c'était hier :

« Non, merci, Mrs Deighton. C'est Myra qui s'occupe de mon avenir. Minute par minute. »

– Est-ce que par hasard vous sauriez si quelqu'un a eu un problème avec Jennifer Deighton, un problème assez grave pour vouloir lui faire du mal ? demanda Marino.

– Vous pensez qu'on l'a tuée ?

– Il y a beaucoup de choses que nous ne savons pas encore. Nous étudions toutes les possibilités.

Mrs Clary croisa les bras sous sa poitrine affaissée et se serra les flancs.

– Et du point de vue émotionnel ? intervins-je. Est-ce qu'elle vous a paru déprimée ? Ces derniers temps, avait-elle des problèmes ?

– Je ne la connaissais pas assez, dit-elle en évitant mon regard.

– Consultait-elle un médecin ?

– Je ne sais pas.

– Elle avait des parents ? Une famille ?

– Aucune idée.

– Et son téléphone ? dis-je. Est-ce qu'elle décrochait quand on l'appelait, ou laissait-elle le répondeur branché en permanence ?

– Chaque fois qu'elle était chez elle, c'est elle qui répondait.

– Raison pour laquelle vous vous êtes inquiétée aujourd'hui en voyant qu'elle ne répondait pas à vos coups de téléphone ? dit Marino.

– Exactement, oui.

Myra Clary réalisa trop tard la signification de ce qu'elle venait de dire.

– Intéressant, commenta Marino.

Une rougeur envahit la nuque de Mrs Clary et ses mains s'immobilisèrent.

– Comment saviez-vous qu'elle était chez elle aujourd'hui ? lui demanda Marino.

Elle ne répondit pas. La respiration de son mari se fit rauque, puis il toussa et ouvrit les yeux.

– Je l'ai senti, voilà tout. Parce que je ne l'ai pas vue partir. Avec sa voiture... fit Mrs Clary d'une voix mourante.

– Peut-être que vous êtes passée chez elle ce matin ? suggéra Marino comme s'il essayait de l'aider. Pour lui porter un gâteau ou dire bonjour, en pensant que la voiture était au garage.

Elle épongea ses yeux larmoyants.

– Je suis restée à la cuisine toute la matinée à faire de la pâtisserie et je ne l'ai pas vue prendre le journal ni sortir la voiture. Alors vers 10 heures, quand je suis sortie, j'y suis allée et j'ai sonné. Personne n'a répondu. Alors j'ai été jeter un coup d'œil dans le garage.

– Vous voulez m'expliquer que vous avez vu plein de fumée derrière les fenêtres et que vous ne vous êtes pas dit que quelque chose clochait ? dit Marino.

– Je ne savais pas ce qui se passait, je ne savais pas quoi faire, dit-elle d'une voix qui gagna huit octaves. Seigneur, seigneur ! J'aurais mieux fait d'appeler quelqu'un tout de suite ! Peut-être qu'elle était...

Marino l'interrompit.

– On ne sait pas si elle était encore vivante à ce moment, ni même si elle avait une chance de l'être, dit-il en me regardant.

– Quand vous avez jeté un coup d'œil dans le garage, est-ce que le moteur de la voiture tournait encore ? demandai-je à Mrs Clary.

Elle secoua la tête et se moucha.

Marino se leva et remit son calepin dans la poche de son manteau. Il avait l'air abattu, comme si les manières d'anguille et les dissimulations de Mrs Clary le décevaient au plus haut point. À présent je connaissais tous les rôles qu'il pouvait décider de jouer.

– J'aurais dû vous appeler plus tôt, dit Mrs Clary d'une voix chevrotante en se tournant vers moi.

Je ne répondis pas. Marino fixait des yeux le tapis.

– Je ne me sens pas bien. Je vais aller m'allonger.

Marino sortit une de ses cartes de son portefeuille et la lui tendit.

– Si vous repensez à quelque chose qui pourrait m'intéresser, appelez-moi.

– Oui, monsieur, dit-elle d'une voix faible. Promis.

– Vous faites l'autopsie ce soir ? me demanda Marino une fois que nous fûmes dehors.

Nous avions de la neige jusqu'aux chevilles et elle continuait à tomber.

– Non, demain matin, dis-je en sortant mes clés de voiture de ma poche.

– Qu'est-ce que vous en dites ?

– Je pense que son activité la mettait en contact avec des gens peu fréquentables. Je pense aussi que son mode de vie, solitaire si l'on en croit Mrs Clary, et le fait qu'elle ait ouvert ses cadeaux de Noël en avance rendent plausible la thèse du suicide. Mais la propreté de ses chaussettes est un gros problème.

– Vous avez tout pigé, dit Marino.

La maison de Jennifer Deighton était violemment éclairée, et un porteur aux pneus équipés de chaînes avait reculé dans l'allée d'accès. Les voix des hommes qui s'activaient étaient étouffées par la neige. Les voitures de la rue étaient recouvertes d'un épais manteau blanc qui en arrondissait les formes.

Je suivis le regard de Marino, fixé au-delà du toit de la maison de miss Deighton. À quelques blocs de là, l'église se détachait sur le ciel gris perle, avec son étrange clocher en forme de coiffe de sorcière. Les arcades de la façade nous regardaient de leurs yeux sombres et vides lorsque soudain l'édifice s'illumina. La lumière emplit les vides, peignit les surfaces d'un ocre lumineux et fit de la façade un visage grave mais bienveillant flottant dans la nuit.

Je tournai la tête vers la maison des Clary et vis un rideau bouger à la fenêtre de la cuisine.

– Bon Dieu, j'en ai marre de ce quartier, fit Marino en me quittant.

– Vous voulez que je prévienne Neils pour la voiture de Jennifer ? criai-je dans son dos.

– Ouais, hurla-t-il. Ça serait bien.

Lorsque je rentrai chez moi, la maison était éclairée et je sentis d'appétissantes odeurs en provenance de la cuisine. Un feu brûlait dans la cheminée, devant laquelle deux couverts étaient mis sur la table basse. Je posai ma mallette sur le canapé et tendis l'oreille. De mon bureau de l'autre côté du couloir me parvenait le cliquètement d'un clavier.

– Lucy ? appelai-je en ôtant mes gants et déboutonnant mon manteau.

– Je suis là.

La frappe des touches continua.

– Qu'est-ce que tu as préparé ?

– Le dîner.

Je me dirigeai vers le bureau, où ma nièce, assise à la table, garda les yeux fixés sur le moniteur. Je fus stupéfaite d'y découvrir l'annonciateur de ligne en forme de symbole de la livre. Elle était en UNIX. Elle s'était débrouillée pour se connecter avec l'ordinateur installé dans mon bureau de la morgue.

– Comment as-tu fait ? lui demandai-je. Je ne t'ai donné ni la commande de connection, ni le nom d'utilisateur, ni le mot de passe, rien.

– C'est inutile. J'ai trouvé le fichier expliquant la commande *bat*. En plus certains de tes programmes contiennent les codes de ton nom d'utilisateur et de ton mot de passe, pour éviter que l'ordinateur te les demande à chaque fois. C'est un raccourci pratique mais risqué. Ton nom d'utilisateur est Marley et ton mot de passe : *cerveau*.

– Tu es une fille dangereuse, dis-je en approchant une chaise vers elle.

– Qui est Marley ? demanda-t-elle sans cesser de taper.

– Nous avions des places numérotées dans les labos de l'université de médecine. Je suis restée deux ans à côté de Marley Scates. Depuis, il est devenu neurochirurgien.

– Tu étais amoureuse de lui ?

– Nous ne sommes jamais sortis ensemble.

– Est-ce qu'il t'aimait ?

– Tu poses trop de questions, Lucy. Tu ne peux pas poser aux gens toutes les questions qui te viennent à l'esprit.

– Bien sûr que si. Mais ils ne sont pas obligés de répondre.

– Ça peut être blessant.

– Je crois que j'ai trouvé comment on a pu entrer dans ton répertoire, tante Kay. Tu te souviens, je t'avais dit que les références de certains utilisateurs privilégiés étaient intégrées aux logiciels.

– Oui.

– Il y en a un qui s'appelle démo. C'est un utilisateur privilégié mais il n'a pas de mot de passe spécifique. À mon avis c'est lui qu'on a utilisé, et je vais te montrer ce qui se passe dans ce cas. (Ses doigts voletaient sans répit au-dessus du clavier pendant qu'elle me parlait.) Je vais entrer dans le menu du gestionnaire système pour afficher la liste des demandes d'ouverture de session. On va chercher un utilisateur spécifique bénéficiant du statut d'utilisateur privilégié. Maintenant je n'ai plus qu'à taper g pour « go » et boum... voilà !

Elle pointa du doigt la ligne de texte apparue à l'écran.

– Le 16 décembre à 17 h 06, quelqu'un s'est connecté à partir d'un périphérique nommé t-t-y-quatorze. Cette personne est un utilisateur privilégié, et nous admettrons que c'est elle qui est entrée dans ton répertoire. Je ne sais pas ce qu'elle a consulté, mais vingt minutes plus tard, à 17 h 26, au lieu d'envoyer le message « Je ne le trouve pas » à t-t-y-zéro-sept, elle s'est trompée et a créé un fichier à la place. La personne a quitté le système à 17 h 32, donc la session a duré vingt-six minutes en tout. Ah ! à propos, il semble que rien n'ait été imprimé. J'ai vérifié dans le fichier d'impression de fond de l'imprimante, qui comptabilise les fichiers imprimés. Je n'ai rien vu de spécial.

– Donc si j'ai bien compris, dis-je, quelqu'un a essayé d'envoyer un message de t-t-y-quatorze à t-t-y-zéro-sept.

– Oui. J'ai vérifié, ces deux périphériques sont des terminaux.

– Pouvons-nous savoir dans quels bureaux se trouvent ces terminaux ?

– Ça m'étonne qu'il n'y ait pas une liste de terminaux quelque part, dit Lucy. En tout cas je ne l'ai pas encore trouvée. Si rien d'autre ne marche, on peut toujours suivre les câbles reliant les terminaux entre eux. En général, ils sont étiquetés. Et si mon opinion personnelle t'intéresse, je ne pense pas que l'espion soit ton analyste informatique. D'abord parce que connaissant tes noms d'utilisateur et mot de passe, elle n'aurait pas eu besoin de passer par le fichier démo. Ensuite parce que comme je suppose que l'ordinateur se trouve dans son bureau, j'en déduis qu'elle utilise le terminal système.

– Exact.

– Le code du terminal système est t-t-y-b.

– Exact.

– Un autre moyen de découvrir l'identité du fouineur est d'aller dans chaque bureau quand son occupant n'est pas là mais que l'ordinateur est en marche. Tout ce que tu as à faire, c'est te mettre en UNIX, taper « qui suis-je ? » et le système te répondra.

Elle repoussa sa chaise et se leva.

– J'espère que tu as faim. J'ai préparé du blanc de poulet et une salade de riz sauvage avec des noix de cajou, du poivre et de l'huile de sésame. Et on a du pain. Est-ce que ton gril marche ?

– Je te signale qu'il est 11 heures passées et qu'il neige.

– Je ne te proposais pas de manger dehors. Je voudrais juste faire le poulet au gril.

– Où as-tu appris à faire toutes ces bonnes choses ? lui demandai-je pendant que nous gagnions la cuisine.

– Pas chez Maman en tout cas. Tu sais pourquoi j'étais si grosse avant ? À force de manger toutes ces cochonneries qu'elle nous rapportait. Sandwiches, sodas, pizza au goût de carton. J'ai des cellules de graisse qui resteront enflées toute ma vie à cause de Maman. Je ne lui pardonnerai jamais.

– Il faut que nous parlions de ton retard de cet après-midi, Lucy. Si tu n'étais pas rentrée, j'aurais demandé à la police de lancer un avis de recherche.

– J'ai fait des exercices pendant une heure et demie, ensuite j'ai pris une douche.

– Tu t'es absentée pendant quatre heures et demie.

– Je voulais acheter de la nourriture et d'autres choses.

– Pourquoi n'as-tu pas répondu au téléphone, dans la voiture ?

– J'ai cru que c'était quelqu'un qui essayait de te joindre. De toute façon je ne sais pas me servir d'un téléphone de voiture. Et puis je n'ai plus 12 ans, tante Kay.

– Je sais. Mais tu ne connais pas la ville et tu n'avais jamais pris ma voiture. C'est pour ça que j'étais inquiète.

– Je suis désolée, dit-elle.

Nous mangeâmes à la lueur du feu de bois, assises par terre de chaque côté de la table basse. J'avais éteint toutes les lampes. Les flammes faisaient danser les ombres autour de nous, comme pour célébrer ces instants magiques.

– Qu'est-ce qui te ferait plaisir pour Noël ? lui demandai-je en saisissant mon verre de vin.

– Des leçons de tir, dit-elle.

5

Lucy continua à taper sur le clavier jusque tard dans la nuit, et elle dormait encore lorsque mon réveil sonna, tôt le lundi matin. J'ouvris les rideaux de ma chambre et regardai tourbillonner les gros flocons dans la lumière des lampes du patio. La neige recouvrait tout d'une couche épaisse et rien ne bougeait dans le voisinage. Après avoir bu mon café et parcouru le journal, je m'habillai et m'apprêtai à sortir lorsque je me ravisai. Peu importe que Lucy n'eût plus 12 ans. Je ne pouvais pas partir sans la voir.

Je me glissai dans sa chambre. Elle dormait, allongée sur le côté, parmi un enchevêtrement de draps, le duvet à demi glissé par terre. J'eus un pincement de cœur en voyant qu'elle avait utilisé un de mes sweat-shirts comme pyjama. Personne n'avait jamais dormi dans un vêtement à moi. Je la recouvrai en prenant garde de ne pas la réveiller.

Le trajet jusque dans le centre fut horrible, et j'enviai les gens à qui leur direction avait accordé un jour de congé en raison de la neige. Ceux qui n'avaient pas cette chance se traînaient au pas sur la route, dérapant au moindre coup de frein, scrutant la chaussée à travers des pare-brise maculés que les essuie-glaces étaient impuissants à nettoyer. Je me demandai comment j'allais expliquer à Margaret que mon adolescente de nièce estimait notre système informatique peu sûr. Qui était entré dans mon répertoire et pourquoi Jennifer Deighton m'avait-elle appelée à plusieurs reprises sans laisser de message ?

Il était 8 h 30 passées lorsque j'arrivai enfin au bureau, et en entrant dans la morgue je m'immobilisai, intriguée, dans le hall. Un chariot portant un cadavre recouvert d'un drap était abandonné contre le mur près des portes en acier inoxydable de la chambre froide. Je consultai l'étiquette attachée à un orteil, lus le nom de Jennifer Deighton et jetai un regard alentour. Personne dans le bureau d'accueil ni dans la salle de rayons X. J'ouvris la porte de la salle d'autopsie et vis Susan, en tenue de travail, qui composait un numéro de téléphone. Elle raccrocha vivement et me souhaita un bonjour nerveux.

– Contente de voir que vous ayez pu venir, dis-je en la considérant avec curiosité.

– C'est Ben qui m'a amenée, dit-elle. (Ben Stevens, mon administrateur, était propriétaire d'une jeep 4 x 4.) Pour l'instant, il n'y a que nous trois.

– Pas de nouvelles de Fielding ?

– Il a appelé il y a quelques minutes pour dire qu'il ne pouvait pas sortir sa voiture. Je lui ai dit que nous n'avions qu'une autopsie pour l'instant, mais que s'il nous en arrivait d'autres Ben irait le chercher.

– Savez-vous que notre autopsie est garée dans le hall ?

Elle rougit, l'air hésitant.

– Je l'emmenais aux rayons X quand le téléphone a sonné. Désolée.

– Est-ce que vous avez eu le temps de noter son poids et sa taille ?

– Non.

– Commençons par ça.

Avant que je puisse ajouter quoi que ce soit, Susan sortit en hâte de la salle. Les employés administratifs et les scientifiques travaillant dans les labos des étages passaient souvent par la morgue pour entrer ou sortir du bâtiment, parce que c'était le plus court chemin pour rejoindre le parking. Le personnel de ménage et d'entretien allait et venait lui aussi en permanence. Laisser un cadavre sans surveillance dans le hall était une entorse assez sérieuse à la procédure et pouvait même avoir de graves conséquences si la chaîne des indices se trouvait mise en doute devant le tribunal.

Susan revint en poussant le chariot et nous nous mîmes au travail, l'estomac retourné par la puanteur de la chair en décomposition. Je pris des gants et un tablier en plastique sur une étagère, puis insérai plusieurs formulaires dans un porte-bloc. Susan était silencieuse et tendue. Lorsqu'elle actionna les boutons sur la console de la bascule électronique, je remarquai que ses mains tremblaient. Peut-être n'était-ce qu'un passage à vide matinal ?

– Tout va bien ? lui demandai-je.

– Juste un peu fatiguée, c'est tout.

– Vous êtes sûre ?

– Certaine. Elle pèse 90 kilos tout rond.

J'enfilai une blouse, puis nous poussâmes le chariot dans la salle des rayons X de l'autre côté du couloir, où nous transférâmes le corps sur une table. J'écartai le drap et plaçai un coussinet de bois sous le cou pour stabiliser la tête. La chair du cou était propre, dépourvue de dépôt de fumée, car une fois montée dans la voiture avec le moteur en marche, elle avait baissé le menton sur la poitrine. Je ne vis aucune blessure, pas d'ecchymoses ni d'ongles cassés. Son nez était intact. Elle ne s'était pas mordu l'intérieur des joues ni la langue.

Susan prit les radios et les entra dans le processeur pendant que j'examinai la face antérieure du corps à la loupe. Je récoltai un certain nombre de fibres blanchâtres presque invisibles pouvant provenir d'un drap, ainsi que plusieurs autres identiques à celles que j'avais trouvées sous ses chaussettes. Elle ne portait aucun bijou et était nue sous sa chemise de nuit. Je me remémorai les draps en désordre sur son lit, les oreillers dressés contre la tête de lit et le verre d'eau posé à portée de main. Le soir de sa mort elle avait mis des bigoudis, s'était déshabillée et avait peut-être lu quelques pages dans son lit.

Susan sortit de la pièce de développement et s'appuya contre le mur, les mains croisées dans le dos.

– Que sait-on sur elle ? demanda-t-elle. Est-ce qu'elle était mariée ?

– Non, il semble qu'elle vivait seule.

– Elle travaillait ?

– Oui, à la maison.

Quelque chose attira mon regard.

– Quel genre de travail ?

– Elle était une sorte de voyante, à ce qu'il paraît.

C'était une plume minuscule, souillée de fumée, accrochée à la chemise de nuit de Jennifer Deighton, à hauteur de la hanche gauche. Je saisis un sachet en plastique tout en essayant de me souvenir si j'avais remarqué des plumes dans la maison. Peut-être ses oreillers étaient-ils garnis de plumes.

– Vous êtes certaine qu'elle était versée dans l'occultisme ?

– Certains de ses voisins la considéraient comme une sorcière, dis-je.

– Qu'est-ce qui leur faisait penser ça ?

– Il y a une église près de chez elle. On nous a raconté que les lumières du clocher se sont mises à s'allumer et s'éteindre sans raison peu après l'installation de Jennifer Deighton dans le quartier.

– C'est une plaisanterie ?

– Je les ai vues s'allumer d'un coup quand nous sommes partis de là-bas. Le clocher était plongé dans l'obscurité, et soudain il s'est illuminé.

– Bizarre.

– Ça nous a fait un drôle d'effet, oui.

– Peut-être qu'il y a un programmateur.

– Peu probable. Les ampoules claqueraient à force de s'éclairer et de s'éteindre toute la nuit. Si c'est vrai qu'elles s'éteignent et s'allument sans arrêt. Je ne l'ai vu se produire qu'une seule fois.

Susan resta silencieuse.

– Il se peut que ce soit un simple court-circuit, ajoutai-je.

Tout en continuant mon travail, je résolus d'appeler l'église dès que possible. Peut-être y avait-il un problème dans l'installation et qu'ils ne s'en étaient pas rendu compte.

– Vous avez vu des choses étranges chez elle ?

– Des cristaux. Quelques livres inhabituels.

Silence.

– J'aurais préféré que vous me mettiez au courant avant, dit soudain Susan.

– Pardon ? fis-je en relevant la tête.

Elle fixait le cadavre, l'air mal à l'aise. Elle avait le visage pâle.

– Êtes-vous sûre que tout va bien ? demandai-je.

– Je n'aime pas ce genre de truc.

– Quel genre de truc ?

– C'est comme quelqu'un qui a le sida ou autre chose. Vous devriez me prévenir tout de suite. Surtout en ce moment.

– Il est fort peu probable que cette femme ait le sida ou une...

– On aurait dû me prévenir. Avant que je la touche.

– Susan...

– J'étais à l'école avec une fille qui était sorcière.

J'interrompis ma tâche. Susan s'était raidie contre le mur, elle pressait les mains sur son ventre.

– Elle s'appelait Doreen. Elle se réunissait avec d'autres sorcières et en dernière année elle a jeté un sort à ma sœur Judy. Judy s'est tuée en voiture deux semaines avant son examen.

Je la considérai avec ahurissement.

– Vous savez bien que tout ce qui a trait à l'occulte me rend à moitié folle. Comme cette langue de bœuf transpercée d'aiguilles que les flics ont apportée il y a quelques mois. Elle était enveloppée dans un papier portant une liste de personnes décédées. On l'a trouvée sur une tombe, dans un cimetière.

– C'était un canular, lui rappelai-je d'un ton calme. La langue provenait d'une charcuterie, et la liste de noms n'avait aucune signification. Ils avaient été relevés au hasard sur les tombes.

– Canular ou pas, on ne doit pas plaisanter avec le satanique, déclara-t-elle d'une voix tremblante. Je crois autant au diable qu'à Dieu.

Susan était fille de pasteur et avait abandonné la religion depuis longtemps. Je ne l'avais jamais entendue faire la moindre allusion à Satan ni prononcer le nom de Dieu, sauf de manière profane. Je ne l'aurais jamais soupçonnée d'être superstitieuse ni impressionnable. Elle était sur le point de pleurer.

– Vous savez quoi, fis-je d'une voix rassurante. Puisqu'il semble que nous allons manquer de personnel aujourd'hui, vous pourriez monter au bureau et vous occuper du téléphone pendant que je finis en bas.

Voyant ses yeux s'emplir de larmes je m'approchai d'elle.

– Allons, c'est fini. (Je la pris par les épaules et l'accompagnai hors de la salle.) Calmez-vous, dis-je tandis qu'elle sanglotait contre mon épaule. Voulez-vous que Ben vous remmène chez vous ?

Elle acquiesça d'un signe de tête.

– Je suis désolée, chuchota-t-elle. Désolée.

– Il faut vous reposer, dis-je. Ça ira mieux ensuite.

Je la fis asseoir et décrochai le téléphone.

Jennifer Deighton n'avait pas respiré de monoxyde de carbone ni de fumée car lorsqu'on l'avait enfermée dans la voiture elle ne respirait déjà plus. Il ne faisait désormais aucun doute que nous avions affaire à un assassinat, et tout l'après-midi je laissai des messages pressants à Marino pour qu'il me rappelle. J'essayai aussi plusieurs fois de joindre Susan, mais personne ne décrocha.

– Je suis inquiète, dis-je à Ben Stevens. Susan ne répond pas au téléphone. Quand vous l'avez raccompagnée chez elle, vous a-t-elle dit qu'elle avait l'intention de sortir ?

– Elle m'a dit qu'elle allait se coucher.

Assis à son bureau, il était plongé dans la lecture de kilomètres d'imprimé informatique. Sur une étagère un poste de radio diffusait en sourdine un morceau de rock and roll, et une bouteille d'eau minérale parfumée à la mandarine était posée sur le bureau. Stevens était jeune, intelligent, mignon comme un garçonnet. Il travaillait dur et, à ce qu'on me disait, fréquentait avec assiduité les bars pour célibataires. J'étais persuadée que le poste d'administrateur de mon service n'était pour lui qu'une étape vers une fonction plus importante.

– Peut-être qu'elle a décroché pour ne pas être réveillée, dit-il en se penchant sur sa calculette.

– Peut-être bien.

Il se lança dans une nouvelle évaluation de nos doléances budgétaires.

En fin d'après-midi, alors que l'obscurité commençait à tomber, Stevens m'appela sur le circuit interne.

– Susan vient de téléphoner. Elle ne viendra pas demain. J'ai aussi un certain John Deighton en ligne. Il dit qu'il est le frère de Jennifer Deighton.

Stevens bascula la communication sur mon poste.

– Bonjour. Il paraît que c'est vous qui avez fait l'autopsie de ma sœur, marmonna une voix masculine. Euh, je suis le frère de Jennifer Deighton.

– Votre nom, je vous prie ?

– John Deighton. J'habite Columbia, en Caroline du Sud.

Je levai les yeux à l'arrivée de Marino et lui indiquai une chaise.

– On dit qu'elle a branché un tuyau dans sa voiture pour se suicider.

– Qui vous a raconté ça ? fis-je. Et pouvez-vous parler un peu plus fort, s'il vous plaît ?

Il hésita.

– Je ne me souviens plus. J'aurais dû noter son nom mais j'étais sous le choc et je n'y ai pas pensé.

Mon interlocuteur ne me fit pas l'effet d'être choqué. Sa voix était si étouffée que j'avais du mal à saisir ce qu'il disait.

– Mr Deighton je suis vraiment navrée, dis-je, mais si vous désirez des informations sur le décès de votre sœur, vous devrez en faire la demande par écrit. Il nous faudra également une preuve que vous êtes bien de sa famille.

Silence au bout du fil.

– Allô ? fis-je. Allô ?

Seule la tonalité me répondit.

– Étrange, dis-je à Marino. Avez-vous entendu parler d'un certain John Deighton qui se dit le frère de Jennifer Deighton ?

– C'était lui ? Merde, on a essayé de le joindre.

– Il dit qu'on l'a déjà prévenu de la mort de sa sœur.

– Vous savez d'où il appelait ?

– De Columbia, Caroline du Sud, je suppose. Il m'a raccroché au nez.

Marino ne manifesta guère d'intérêt.

– Je viens du bureau de Vander, dit-il. (Neils Vander était notre expert en empreintes digitales.) Il a passé la voiture de Jennifer Deighton au peigne fin, plus les livres qui étaient à son chevet et un poème glissé dans un des bouquins. Mais il a pas encore étudié la page blanche qu'était sur le lit.

– Des empreintes ?

– Quelques-unes. Il les entrera sur l'ordinateur si c'est nécessaire. La plupart appartiennent sans doute à Jennifer. Tenez, ajouta-t-il en posant un sac en papier sur le bureau. Bonne lecture.

– Je crois qu'on va demander très vite à ce qu'on passe les empreintes à l'ordinateur, fis-je d'un air sombre.

Les yeux de Marino s'assombrirent. Il se massa les tempes.

– Jennifer Deighton ne s'est pas suicidée, l'informai-je. Son taux d'oxyde de carbone n'était que de sept pour cent. Aucune trace de fumée dans ses bronches. La teinte rose vif de sa peau était due au froid, pas à l'empoisonnement au CO.

– Bon Dieu, lâcha-t-il.

Je remuai les papiers étalés devant moi et lui tendis un schéma corporel, puis ouvris une enveloppe et en retirai les clichés Polaroïds du cou de Jennifer Deighton.

– Comme vous pouvez le constater, repris-je, il n'y a aucune blessure externe.

– Et le sang sur le siège ?

– C'est un phénomène postérieur au décès, dû à une réaction de purge. Elle commençait à se décomposer. Je n'ai pas trouvé d'ecchymoses ni de meurtrissures, et pas de contusions à l'extrémité des doigts. Ici en revanche... (Je lui indiquai une photo du cou en cours d'autopsie.) ... on constate des hématomes irréguliers sur les deux faces du sterno-cléido-mastoïdien. Et une fracture de la branche droite de l'hyoïde. Elle est morte asphyxiée à la suite d'une pression exercée sur le cou...

– Vous voulez dire qu'on l'a étranglée ? m'interrompit Marino d'une voix puissante.

Je lui montrai une autre photo.

– Sur celle-ci on voit les pétéchies faciales dues à de minuscules hémorragies. On les constate en cas d'étranglement. Pas de doute, il s'agit d'un meurtre, et je suggère que nous taisions le fait à la presse aussi longtemps que possible.

– J'avais vraiment pas besoin de ça, vous savez, dit-il en levant vers moi des yeux injectés de sang. J'ai déjà huit meurtres non élucidés qui m'attendent sur mon bureau. Les flics d'Henrico ont toujours rien sur Eddie Heath, et le père du gosse m'appelle presque tous les jours. Sans parler de la guerre qui fait rage à Mosby Court pour le contrôle du marché de la came. Putain de joyeux Noël ! Non, j'avais vraiment pas besoin de ça.

– Jennifer Deighton non plus n'avait pas besoin de ça, Marino.

– Allez-y. Qu'est-ce que vous avez découvert encore ?

– Comme nous l'a dit sa voisine, Mrs Clary, elle faisait de l'hypertension.

– Ah ouais, fit-il en détournant le regard. Comment vous le savez ?

– J'ai constaté une hypertrophie du ventricule gauche, autrement dit un épaississement du côté gauche du cœur.

– Et l'hypertension peut provoquer ça ?

– Tout à fait. Je devrais découvrir des modifications fibrinoïdes dans les micro-vaisseaux des reins ou un début de néphrosclérose. Je m'attends aussi à ce que l'hypertension ait causé certaines modifications dans les artérioles cérébrales, mais je ne peux pas l'assurer avant d'avoir procédé aux examens microscopiques.

– Ça veut dire que la tension artérielle peut bousiller les cellules des reins et du cerveau ?

– On peut le dire comme ça, oui.

– Autre chose ?

– Rien de significatif.

– Et son contenu gastrique ? s'enquit Marino.

– De la viande et des légumes, en partie digérés.

– De l'alcool ? Des traces de drogue ?

– Pas d'alcool. On est en train de vérifier pour la drogue.

– Aucune indication de viol ?

– Aucune blessure ni indication d'acte sexuel. J'ai procédé à des frottis pour établir s'il y avait des traces de sperme, mais il faut attendre les résultats. De toute façon, même quand on les aura, on ne pourra rien en conclure avec certitude.

Marino affichait un visage impénétrable.

– Qu'est-ce que vous avez en tête ? finis-je par demander.

– Eh bien, j'essaie d'imaginer comment ça s'est passé. Le coupable s'est donné beaucoup de mal pour nous faire croire qu'elle s'était asphyxiée, alors qu'elle était déjà morte. À mon avis, il n'avait pas l'intention de la refroidir dans la maison. Peut-être qu'il a voulu l'immobiliser en lui faisant une clé au cou et qu'il a trop serré. Ce qui veut peut-être dire qu'il ne savait pas qu'elle était en mauvaise santé.

Je secouai la tête.

– L'hypertension n'a rien à voir là-dedans, dis-je.

– Alors expliquez-moi comment elle est morte.

– Supposons que l'agresseur est droitier. Il passe son bras gauche autour du cou de Jennifer et, de sa main droite, lui tord le poignet gauche, dis-je en mimant le geste. La prise exerce une pression décentrée sur le cou, qui provoque une fracture de la corne droite de l'os hyoïque. La pression rompt le haut de l'œsophage, comprime les artères carotides et entraîne l'hypoxie, c'est-à-dire une pénurie d'oxygène dans le sang. Parfois, une pression sur le cou provoque une bradycardie, autrement dit une diminution du rythme cardiaque, qui elle-même entraîne une arythmie.

– Est-ce que l'autopsie peut montrer que l'agresseur a commencé par lui serrer le cou, et qu'en fait il l'a étranglée ? En d'autres termes, est-ce qu'il a juste essayé de la maîtriser, mais qu'il y est allé trop fort ?

– Je ne pourrais pas vous le dire d'après mes examens.

– Mais c'est possible ?

C'est dans le domaine du possible.

– Allons, doc ! s'exclama Marino d'un ton exaspéré. Ne faites pas comme si vous étiez dans le box des témoins, d'accord ? Il n'y a personne d'autre que vous et moi dans ce bureau, non ?

C'était exact. Mais j'étais sur les nerfs. La majorité de mon personnel n'était pas venu travailler et Susan s'était comportée de façon bizarre. Jennifer Deighton, que je ne connaissais ni d'Ève ni d'Adam, m'avait appelée plusieurs fois avant d'être assassinée, et un homme se prétendant son frère venait de me raccrocher au nez. Sans parler de l'humeur massacrante de Marino. Lorsque je sentais ainsi le sol s'effriter sous mes pas, j'adoptais un langage le plus clinique possible.

– Écoutez, dis-je. Il se peut qu'il ait voulu simplement la maîtriser, mais qu'il a méjugé de sa force et l'a étranglée sans le vouloir. J'irais même plus loin : il a sans doute cru qu'elle avait perdu connaissance et n'a même pas réalisé qu'elle était morte quand il l'a transportée à la voiture.

– Dans ce cas on aurait affaire à un crétin.

– Je n'irais pas si vite à votre place. Mais demain matin il risque d'avoir une sacrée surprise s'il voit dans le journal que Jennifer Deighton a été assassinée. Il va se demander quelle erreur il a commise. C'est pourquoi je suis d'avis de ne pas divulguer les détails à la presse.

– Aucun problème, je suis d'accord. Au fait, c'est pas parce que vous connaissiez pas Jennifer Deighton qu'elle ne vous connaissait pas.

J'attendis ses explications.

– J'ai repensé aux messages nuls sur votre répondeur. On vous voit à la télé, dans les journaux. Peut-être qu'elle savait que quelqu'un lui en voulait et que, ne sachant pas à qui s'adresser, elle a essayé de vous contacter. Quand elle est tombée sur votre répondeur, elle s'est méfiée et n'a pas laissé de message.

– Voilà une hypothèse salement déprimante.

– Comme tout ce qu'on pense dans ce boulot, non ? fit-il en se levant.

– Rendez-moi un service, dis-je. Retournez chez elle. Essayez de voir si elle avait des oreillers garnis de plumes, des vêtements en duvet, des plumeaux, n'importe quoi avec des plumes.

– Pourquoi ça ?

– J'ai trouvé une petite plume sur sa chemise de nuit.

– Entendu. Je verrai ça. Vous partez ?

Je jetai un coup d'œil vers le couloir en entendant s'ouvrir et se refermer les portes de l'ascenseur.

– C'est Stevens qui s'en va ? demandai-je.

– Ouais.

– Il me reste deux ou trois choses à finir avant de partir, dis-je.

Après que Marino eut pris l'ascenseur, j'allai au bout du couloir, jusqu'à la fenêtre qui dominait le parking à l'arrière du bâtiment. Je voulais m'assurer que la Jeep de Ben Stevens était bien partie. Elle n'était plus là. Je vis Marino marcher sur la neige tassée qui luisait dans la lumière des réverbères. Arrivé à sa voiture, tel un chat qui vient de marcher dans l'eau, il tapa vigoureusement ses pieds par terre pour en faire tomber la neige, puis se glissa au volant. Rien ne devait souiller son sanctuaire privé. Je me demandai s'il avait des projets pour Noël et regrettai de ne pas l'avoir invité à réveillonner avec Lucy et moi. Ce serait son premier Noël depuis son divorce d'avec Doris.

Tout en revenant sur mes pas dans le couloir désert, je pénétrai dans chaque bureau pour jeter un coup d'œil sur les terminaux informatiques. Malheureusement, aucun n'avait de session en cours, et le seul câble portant une étiquette était celui de Fielding. Et ça n'était ni tty07 ni tty14. Frustrée, j'ouvris le bureau de Margaret et allumai la lumière.

Comme à l'accoutumée, on aurait dit qu'une tornade venait de balayer la pièce. Des papiers étaient dispersés sur le bureau, des rangées de livres s'étaient affaissées sur les étagères, d'autres gisaient à terre. Des liasses de papier informatique bâillaient en accordéon tandis que des notes indéchiffrables et des numéros de téléphone griffonnés à la hâte étaient collés çà et là sur les murs et les moniteurs. Le mini-ordinateur ronflait comme un insecte électronique et des lumières dansaient sur la rangée de modems alignés sur une étagère. Je m'installai sur la chaise de Margaret, devant le terminal système, ouvris un tiroir à ma droite et parcourus du doigt les étiquettes de fichiers. J'en trouvai plusieurs portant des titres prometteurs tels qu'« utilisateurs » ou « réseaux », mais un examen plus poussé ne me fit rien découvrir d'intéressant. Tout en réfléchissant, je promenai un regard circulaire dans la pièce et remarquai un épais faisceau de câbles qui grimpait le long du mur derrière l'ordinateur et disparaissait dans le plafond. Chaque câble était étiqueté.

Les deux câbles tty07 et tty14 étaient reliés à l'ordinateur. Je commençai par débrancher tty07 et courus d'un terminal à l'autre pour voir lequel était coupé. Le terminal du bureau de Ben Stevens était débranché, et se ralluma lorsque j'eus remis le câble en place. Je me consacrai alors à tty14, et fus d'abord surprise de constater que rien ne se passait lorsqu'on le débranchait. Tous les terminaux continuaient à ronronner comme si de rien n'était. C'est alors que je me souvins du bureau de Susan, installé en bas dans la morgue.

Dès que j'en eus ouvert la porte, deux détails curieux me sautèrent aux yeux. D'abord l'absence de photos et de bibelots personnels, et ensuite, sur une étagère, les manuels de référence UNIX, SQL et WordPerfect. Je me souvins que Susan avait suivi plusieurs cours d'informatique au printemps précédent. J'allumai son ordinateur pour essayer de lancer une session et fus déconcertée de le voir se mettre en route : il ne pouvait donc s'agir de tty14. C'est alors que je remarquai quelque chose qui m'aurait fait éclater de rire si je n'avais été saisie d'horreur.

Regagnant mon bureau du premier, je fis une courte pause sur le seuil et jetai un coup d'œil à l'intérieur comme si c'était une inconnue qui y travaillait. Autour du bureau supportant la station de travail étaient déployés des rapports de labo, des notifications d'appel, des certificats de décès et les épreuves d'un manuel de médecine légale que je corrigeais. Le retour de la table, où j'avais installé le microscope, présentait le même désordre. Contre un mur s'élevaient trois hauts placards à dossiers. En face se trouvait le canapé, placé suffisamment en avant des étagères à livres pour que l'on puisse passer derrière et en prendre un. Juste derrière ma chaise était une petite crédence en chêne que j'avais dénichée plusieurs années plus tôt dans l'entrepôt où l'administration entassait ses surplus. Ses tiroirs munis de serrures constituaient une excellente cachette pour mon portefeuille et les dossiers d'affaires en cours particulièrement sensibles. J'en dissimulais la clé sous mon téléphone. Et c'est alors que je repensai au jeudi précédent, quand Susan avait cassé un flacon de formol pendant que je procédais à l'autopsie d'Eddie Heath.

N'en ayant jamais eu l'utilité, je ne connaissais pas le code d'identification de mon ordinateur. Je m'assis devant, tirai le porte-clavier et essayai de lancer une session. En vain. En débranchant tty14, j'avais débranché mon propre terminal.

– Merde ! m'exclamai-je entre les dents tandis que mon sang se glaçait dans mes veines. Merde !

Je n'avais envoyé aucun message à l'intention du terminal de mon administrateur. Ce n'est pas moi qui avais tapé la phrase « Je ne le trouve pas ». En réalité, au moment où le fichier était créé par erreur dans l'après-midi du jeudi précédent, je me trouvais en bas à la morgue. Mais pas Susan. Je lui avais donné les clés de mon bureau pour qu'elle puisse s'allonger le temps d'évacuer les vapeurs de formol qu'elle avait inhalées. Était-ce possible qu'elle ait non seulement pénétré dans mon répertoire, mais qu'elle ait aussi fouillé dans les dossiers et les papiers qui traînaient sur ma table ? Avait-elle envoyé un message à Ben Stevens parce qu'elle ne trouvait pas ce qu'ils cherchaient ?

Un des experts en indices travaillant dans les étages supérieurs me fit sursauter en se profilant brusquement dans l'embrasure.

– Bonjour, fit-il en farfouillant dans des papiers qu'il tenait, la blouse boutonnée jusqu'au col.

Extrayant un épais rapport de sa liasse, il me le tendit.

– Tenez, j'allais le laisser dans votre casier, dit-il. Mais comme vous êtes encore là, je vous le donne en mains propres. J'ai terminé l'examen des résidus d'adhésif que vous avez recueillis sur les poignets d'Eddie Heath.

– Des matériaux de construction ? fis-je en parcourant la première page du rapport.

– Exact. De la peinture, du plâtre, du bois, du ciment, de l'amiante, du verre. D'habitude, on trouve ces résidus dans les cas de cambriolage, souvent sur les vêtements mêmes du suspect, dans les ourlets, les poches, les chaussures, etc.

– Y avait-il de tels débris sur les vêtements d'Eddie Heath ?

– Quelques-uns, oui.

– Des débris de peinture, aussi ?

– J'en ai identifié cinq sortes différentes. Trois sont disposés en couches, ce qui signifie qu'ils proviennent d'une surface qui a été repeinte plusieurs fois.

– Ces débris sont d'origine véhiculaire ou domestique ?

– Un seul est véhiculaire. Il s'agit d'une laque acrylique utilisée en couche externe sur les véhicules General Motors.

Peut-être provenait-il de la voiture ayant servi à transporter Eddie Heath, songeai-je. Mais il pouvait tout aussi bien provenir de n'importe où.

– Quelle couleur ? demandai-je.

– Bleue.

– Stratifiée ?

– Non.

– Et les débris trouvés sur le trottoir à l'endroit où on a découvert le corps ? J'ai demandé à Marino de faire procéder à des balayages pour que vous puissiez les examiner.

– Du sable, de la poussière, des fragments de revêtement, plus tous les débris qu'on peut trouver près d'un conteneur. Du verre, du papier, de la cendre, du pollen, de la rouille, des débris végétaux.

– Ce qui n'a donc rien à voir avec les débris collés à l'adhésif des poignets ?

– Non. À mon avis, la bande adhésive a été collée puis enlevée de ses poignets dans un endroit jonché de matériaux de construction et fréquenté par des oiseaux.

– Des oiseaux ?

– Vous lirez ça à la page trois du rapport, dit-il. J'ai trouvé pas mal de fragments de plumes.

Lorsque je rentrai chez moi je trouvai Lucy énervée et irritable. Pour occuper sa journée, elle avait pris l'initiative de revoir l'arrangement de mon bureau. Elle avait déplacé l'imprimante laser, le modem et tous mes manuels de référence.

– Pourquoi as-tu fais ça ? lui demandai-je.

Elle était assise sur ma chaise, le dos tourné, et elle me répondit sans quitter l'écran des yeux ni ralentir le rythme de ses doigts sur le clavier.

– C'est plus logique comme ça.

– Lucy, tu ne peux pas entrer dans le bureau de quelqu'un et changer les choses de place comme ça. Que dirais-tu si je faisais ça dans ta chambre ?

– Il n'y a aucune raison de bouger quoi que ce soit dans ma chambre. Tout est à sa place. (Elle cessa de taper et fit pivoter le siège.) Regarde, comme ça tu peux accéder à l'imprimante sans avoir à te lever. Tes manuels sont à portée de main, et le modem ne t'encombre plus. À propos, tu ne devrais pas empiler des livres ou poser des tasses de café sur le modem.

– Tu as passé la journée enfermée ici ?

– Où voulais-tu que j'aille ? Tu avais pris la voiture. J'ai été courir un moment dans le quartier. Est-ce que tu as déjà essayé de courir dans la neige ?

J'approchai une chaise, ouvris ma mallette et en sortis le sac en papier que m'avait donné Marino.

– Tu veux dire que tu as besoin d'une voiture ?

– Je me sens coincée, ici.

– Où voudrais-tu aller ?

– À ton club. À part ça je ne vois pas où j'irais. J'aimerais juste en avoir la possibilité. Qu'est-ce qu'il y a dans ce sac ?

– Des livres et un poème. C'est Marino qui me les a donnés.

– Il a appris à lire ? (Elle se leva et s'étira.) Je vais me faire une tisane. Tu en veux ?

– Je préférerais du café, s'il te plaît.

– C'est pas bon pour la santé, dit-elle en quittant la pièce.

– Et merde ! grommelai-je avec irritation lorsque, en sortant les livres du sac, de la poudre rouge fluorescente se répandit sur mes mains et mes vêtements.

Neils Vander avait comme à son habitude procédé à ses examens minutieux, et j'avais oublié sa passion pour son nouveau jouet. Quelques mois auparavant il s'était débarrassé de son laser et avait acquis un nouvel appareillage. Le Luma-Lite, avec « sa lampe dernier cri à arc à vapeur de métal avec faisceau bleu haute intensité de 350 watts », comme Vander la décrivait avec délectation chaque fois que le sujet venait sur le tapis, faisait ressortir en orange vif des poils et fibres invisibles à l'œil nu. Les taches de sperme et les résidus de drogue devenaient aussi éblouissants que des protubérances solaires, mais surtout la lumière dévoilait des empreintes digitales qui n'auraient jamais été détectées par les techniques traditionnelles.

Vander avait fait subir le grand jeu aux livres de poche de Jennifer Deighton. Il les avait placés dans le conteneur en verre et exposés aux vapeurs de Super Glue, l'ester de résine cyanoacrylate qui réagit à la sueur déposée par la peau humaine. Puis il avait badigeonné les couvertures glacées avec la poudre fluorescente rouge dont j'étais à présent maculée. Enfin, il avait soumis les livres au faisceau bleu pâle du Luma-Lite et empourpré les pages de Ninhydrine. J'espérais que ses efforts avaient été récompensés. Ma récompense à moi consista à me rendre dans la salle de bains pour me nettoyer avec un gant humide.

Un survol rapide de *Paris Trout* ne m'apprit rien. Le roman racontait le meurtre d'une jeune Noire, et si le sujet avait un rapport quelconque avec l'histoire de Jennifer Deighton, j'ignorais lequel. *Seth Speaks* était le récit d'un être vivant dans une autre vie et racontant son expérience par l'intermédiaire de l'auteur. Il n'y avait rien de surprenant à ce qu'une femme comme miss Deighton, pour qui le surnaturel était familier, lise une histoire pareille. Ce qui m'intéressa le plus, ce fut le poème.

Il était tapé sur une feuille de papier blanc taché de mauve par la Ninhydrine, que Vander avait protégée par une pochette en plastique.

JENNY

Tous les baisers de Jenny
ont réchauffé le penny de cuivre
qu'elle porte noué au cou
par un cordon de coton.

C'est au printemps
sur le chemin poussiéreux
de la prairie

qu'il l'avait trouvé
et le lui avait donné.
Aucun mot d'amour
ne fut prononcé.
Mais c'était la preuve
qu'il l'aimait.
Aujourd'hui la prairie est jaunie
et envahie de ronces.
Il est parti.
Et la piécette endormie
est toute froide
au fond
de la fontaine aux vœux
d'une grande forêt.

Il n'y avait pas de date, ni de nom d'auteur. Le papier était froissé d'avoir été plié et replié. Je me levai et allai au salon où Lucy, après avoir servi le thé et le café sur la table, ranimait le feu.

– Tu n'as pas faim ? demanda-t-elle.

– Je suis affamée, tu veux dire. (Je parcourus une nouvelle fois le poème en me demandant ce qu'il pouvait bien signifier. Cette « Jenny » était-elle Jennifer Deighton ?) Que voudrais-tu manger ?

– Ça va te paraître incroyable, mais je voudrais un steak. À la condition qu'il soit bon et qu'il ne vienne pas d'un bœuf gavé d'hormones, dit Lucy. Est-ce que tu crois que tu pourrais emprunter une voiture au travail et me laisser la tienne cette semaine ?

– En général je n'emprunte pas de voiture de fonction sauf cause urgente de service.

– Tu as été appelée hier soir et tu n'étais pas de service. Tu es toujours de service, tante Kay.

– Bon, d'accord, dis-je. Voilà ce que nous allons faire. Nous allons manger dans le meilleur restaurant à steaks de la ville et ensuite nous passerons à mon bureau et je prendrai le break pendant que tu ramèneras la voiture. Mais il y a encore un peu de verglas sur les routes. Il faut me promettre d'être extrêmement prudente.

– Je n'ai jamais vu ton bureau.

– Je te ferai visiter si tu veux.

– Pas question. Pas la nuit.

– Les morts ne peuvent pas te faire de mal.

– Bien sûr que si, rétorqua Lucy. Papa m'a fait mal quand il est mort. Il m'a abandonnée aux mains de Maman.

– Allons chercher nos manteaux.

– Comment se fait-il que chaque fois que je fais allusion à notre famille tordue, tu changes de conversation ?

Je me dirigeai vers ma chambre pour y prendre un manteau.

– Veux-tu mettre mon blouson en cuir ?

– Tu vois bien, tu recommences ! hurla-t-elle.

Nous discutâmes pendant tout le trajet jusqu'à la Ruth's Chris Steak House, de sorte que lorsque je garai la voiture j'avais mal au crâne et étais dégoûtée de moi-même. Lucy était arrivée à me faire hausser le ton, alors que jusqu'alors la seule personne qui y arrivait de manière régulière était ma mère.

– Pourquoi es-tu si difficile ? lui glissai-je à l'oreille tandis qu'on nous guidait jusqu'à une table.

– Je voudrais te parler mais tu ne veux jamais écouter, répliqua-t-elle.

Un serveur surgit aussitôt pour prendre nos commandes de boissons.

– Un Dewar et un soda, dis-je.

– De l'eau minérale pétillante avec un zeste de citron, dit Lucy. Tu ne devrais pas boire d'alcool quand tu vas conduire.

– Je n'en boirai qu'un. Mais tu as raison. Ça serait mieux de ne pas en prendre du tout. Tu vois, tu es encore à me critiquer ! Comment veux-tu te faire des amis si tu parles aux gens de cette façon ?

– Je ne cherche pas d'amis, dit-elle le regard lointain. Ce sont les autres qui voudraient que j'en aie. Peut-être que je ne veux pas d'amis parce que la plupart des gens m'ennuient.

Le désespoir me serra le cœur.

– Lucy, je crois que tu as plus besoin d'amis que n'importe qui de ma connaissance, dis-je.

– Ça ne m'étonne pas que tu penses ça. Je suppose que tu t'attends aussi à ce que je me marie dans deux ans.

– Pas du tout. Au contraire, j'espère que tu ne te marieras jamais.

– Pendant que je bidouillais dans ton ordinateur aujourd'hui, enchaîna ma nièce, je suis tombée sur un fichier baptisé Chair. Comment as-tu pu donner un nom pareil à un fichier ?

– Parce que je suis sur une affaire très difficile.

– C'est ce garçon nommé Eddie Heath ? J'ai vu son dossier dans le fichier des affaires en cours. On l'a trouvé nu à côté d'un conteneur à ordures. On lui avait découpé des morceaux de peau.

– Lucy, tu ne devrais pas lire mes dossiers, dis-je.

Au même instant mon bip retentit. Je le dégrafai de la ceinture de ma jupe et consultai le numéro affiché.

– Excuse-moi un instant, dis-je à Lucy.

Je me levai au moment où nos boissons arrivaient et demandai où se trouvait le téléphone. Il était presque 20 heures.

– Il faut que je vous voie, me dit Neils Vander qui était toujours au bureau. Essayez de m'apporter la fiche d'empreintes de Ronnie Waddell.

– Pourquoi ?

– Nous avons un petit problème inédit. Je vais aussi appeler Marino.

– D'accord. Dites-lui de nous rejoindre à la morgue dans une demi-heure.

Lorsque je revins à la table, Lucy comprit à l'expression de mon visage que j'allais encore lui gâcher sa soirée.

– Je suis désolée, tu sais, dis-je.

– Où allons-nous ?

– À mon bureau, et ensuite au Seaboard Building, dis-je en sortant mon portefeuille.

– C'est quoi, le Seaboard Building ?

– C'est là où ont été transférés récemment les labos de sérologie, d'ADN et d'empreintes digitales. Marino sera là. Ça fait longtemps que tu ne l'as pas vu.

– Des abrutis dans son genre ne s'améliorent pas avec le temps.

– Lucy, ce n'est pas gentil de dire ça. Marino n'est pas un abruti.

– C'en était un la dernière fois que je l'ai vu.

– Il faut dire que tu n'as pas été très agréable avec lui.

– Je ne l'ai pas traité d'imbécile.

– Non, mais tu lui as balancé plusieurs réflexions désobligeantes et tu n'as pas arrêté de lui corriger ses fautes de syntaxe.

Une demi-heure plus tard je laissai Lucy dans le bureau de la morgue pendant que je courais jusqu'à l'ascenseur pour monter dans mon bureau. J'ouvris le tiroir de la crédence, y pris le dossier de Waddell, et à peine les portes de la cabine s'étaient-elles refermées que j'entendis la sonnette de l'entrée. C'était Marino, en jean et parka bleu marine, son crâne dégarni protégé du froid par une casquette de baseball des Richmond Braves.

– Inutile de faire les présentations, je suppose ? dis-je lorsque nous fûmes tous trois réunis. Lucy est venue passer Noël à la maison pour m'aider à résoudre un problème d'informatique, expliquai-je alors que nous sortions dans la nuit glaciale.

La façade du Seaboard Building s'élevait de l'autre côté de la rue longeant le parking de la morgue et rejoignait en diagonale la gare de Main Street que les services administratifs du ministère de la Santé avaient investi pendant que l'on supprimait l'amiante de leurs locaux attitrés. L'horloge du clocher de la gare nous dominait comme une pleine lune et de petites lumières clignotantes signalaient le sommet des plus hauts immeubles aux avions volant à basse altitude. Quelque part dans l'obscurité un train bringuebalait sur sa voie, faisant gronder et craquer le sol comme un navire en haute mer.

Marino marchait devant nous, le bout de sa cigarette rougeoyant à intervalles réguliers. Il n'appréciait pas la présence de Lucy, et elle le sentait. Lorsque nous atteignîmes le Seaboard Building, d'où partaient les wagons de ravitaillement confédérés pendant la guerre de Sécession, j'appuyai sur la sonnette extérieure. Presque aussitôt Vander accourut pour nous ouvrir.

Il ne salua pas Marino et ne demanda pas qui était Lucy. Même si une personne en qui il avait confiance se présentait à lui accompagnée d'un extra-terrestre, Vander ne poserait aucune question. Nous le suivîmes dans un escalier qui nous conduisit au premier étage, où les vieux couloirs et bureaux avaient été repeints en gris acier, meublés de tables et d'étagères aspect merisier et de chaises capitonnées bleu-vert.

– Qu'est-ce qui vous a retenu si tard ? demandai-je à Vander alors que nous entrions dans la salle abritant l'*Automated Fingerprint Identification System*[1], ou AFIS.

– Le dossier Jennifer Deighton, dit-il.

– Alors pourquoi avez-vous demandé la fiche d'empreintes de Waddell ? demandai-je avec perplexité.

– Je veux m'assurer que c'est bien Waddell que vous avez autopsié la semaine dernière, rétorqua-t-il.

– Mais bon Dieu, qu'est-ce que vous racontez ? fit Marino d'un air stupéfait.

– Patientez encore une seconde, dit-il.

Vander s'assit devant le terminal d'entrée déporté, qui ressemblait à un PC ordinaire mais était relié par modem à l'ordinateur de la police de l'État de Virginie, dans lequel était installée une base de données de plus de six millions d'empreintes. Il enfonça plusieurs touches qui mirent l'imprimante laser sous tension.

– Les empreintes lisibles sont rares mais nous en avons une excellente ici, dit Vander qui, après avoir tapé sur quelques autres touches, fit apparaître à l'écran une empreinte d'un blanc brillant. Voyez cette volute très claire sur l'index droit ? (Il indiqua un tourbillon de lignes blanches.) Cette latente a été relevée chez Jennifer Deighton.

– Dans quelle partie de la maison ? demandai-je.

– Sur une chaise de la salle à manger. Au début, je me suis demandé s'il n'y avait pas une erreur quelque part. Mais apparemment non. (Vander garda un instant le regard fixé sur l'écran, puis se remit à taper.) L'ordinateur indique que cette empreinte appartient à Ronnie Joe Waddell.

– Mais c'est impossible, fis-je avec un sursaut.

– Ça devrait l'être, répliqua Vander d'un air absent.

– Avez-vous trouvé quoi que ce soit chez Jennifer Deighton indiquant qu'elle et Waddell se connaissaient ? demandai-je à Marino tout en ouvrant le dossier de Waddell.

– Non.

1. Système d'identification automatisée des empreintes digitales.

– Si vous avez apporté les empreintes de Waddell relevées à la morgue, me dit Vander, nous allons pouvoir les comparer avec celles d'AFIS.

Je sortis deux enveloppes bulle, et m'aperçus aussitôt qu'elles étaient moins lourdes et plus minces qu'auparavant. Le sang me monta au visage lorsque, ouvrant les deux enveloppes l'une après l'autre, je constatai qu'elles ne contenaient rien d'autre que des photos. Aucune trace de la fiche d'empreintes de Waddell. Je relevai la tête et vis que tout le monde me regardait.

– Je ne comprends pas, fis-je en sentant peser sur moi le regard embarrassé de Lucy.

– Vous avez perdu ses empreintes ? demanda Marino d'un ton incrédule.

Je feuilletai une nouvelle fois la liasse de photos.

– Non, elles n'y sont plus.

– C'est Susan qui s'en charge, d'habitude, non ? fit-il.

– Oui, tout le temps. Elle en fait toujours deux jeux. Un pour le *Corrections Department* et un pour nous. Elle les a peut-être remis à Fielding et il aura oublié de me les transmettre.

Je sortis mon carnet d'adresses et m'approchai du téléphone. Fielding était chez lui. Il ne savait rien.

– Je ne me souviens pas l'avoir vu prendre les empreintes de Waddell, dit-il, mais il faut dire que je ne remarque pas la moitié de ce que les gens font au boulot. Je pensais qu'elle vous avait donné les relevés.

Je composai alors le numéro de Susan en essayant de la revoir en train de sortir le matériel à empreintes et les fiches, ou de faire rouler les doigts de Waddell sur le tampon encreur.

– Avez-vous vu Susan relever les empreintes de Waddell ? demandai-je à Marino alors que les sonneries restaient sans réponse à l'autre bout du fil.

– Elle l'a pas fait devant moi. Sinon je lui aurais proposé de l'aider.

– Ça ne répond pas, dis-je en raccrochant.

– Waddell a été incinéré, fit Vander.

– Oui, dis-je.

Nous restâmes silencieux un moment.

Soudain Marino se tourna vers Lucy.

– Tu permets ? lui dit-il avec une inutile brusquerie. Il faut qu'on cause tous les trois.

– Tu peux aller dans mon bureau, dit Vander. Au fond du couloir, dernière porte à droite.

Marino attendit que Lucy soit sortie pour reprendre la parole.

– Waddell est resté en taule pendant dix ans, dit-il. C'est impossible que l'empreinte recueillie sur la chaise de Jennifer Deighton ait été faite il y a dix ans. Miss Deighton s'est installée dans le Southside il y a quelques mois à peine, et le mobilier de la salle à manger a l'air neuf. En plus, il y avait des marques sur le tapis du salon indiquant qu'on y a transporté une chaise de la salle à manger, peut-être le soir où elle est morte. C'est pour ça que j'ai demandé à ce qu'on passe les chaises à la poudre.

– Une vraie énigme, dit Vander. Surtout qu'on n'a plus aucune possibilité de prouver que l'homme exécuté la semaine dernière était bien Ronnie Joe Waddell.

– Il y a sans doute une autre explication à la présence de l'empreinte de Waddell sur une des chaises de Jennifer Deighton, dis-je. Le pénitencier, par exemple, a un atelier de menuiserie qui fabrique des meubles.

– Très peu probable, décréta Marino. D'abord parce qu'on fait pas de meubles ni de plaques minéralogiques dans le couloir de la mort. Et même si c'était le cas, la grande majorité des meubles fabriqués en prison ne se retrouve pas chez des particuliers.

– Ça ne fait rien, dit Vander. Il faut essayer de savoir à qui elle a acheté sa salle à manger.

– Vous inquiétez pas. On le saura.

– Le casier complet de Waddell, y compris ses empreintes, doit se trouver dans son dossier au FBI, ajouta Vander. Je demanderai une copie de ses empreintes et je récupérerai la photo de l'empreinte de son pouce relevée chez Robyn Naismith. Où Waddell a-t-il été arrêté, à part ici ?

– Nulle part, dit Marino. La seule juridiction possédant son casier est celle de Richmond.

– L'empreinte relevée sur la chaise est la seule que vous ayez identifiée ? demandai-je à Vander.

– La plupart de celles qu'on a trouvées appartenaient naturellement à Jennifer Deighton, dit-il. En particulier celles figurant sur les livres trouvés près de son lit et la feuille de papier pliée avec le poème. Sinon, quelques empreintes latentes sur sa voiture, mais qui peuvent aussi bien avoir été laissées par quelqu'un qui l'a aidée à charger ses courses dans le coffre ou qui lui a servi de l'essence. Pour l'instant c'est tout ce qu'on a.

– Et pour Eddie Heath, toujours rien de nouveau ? demandai-je.

– On n'a pas grand-chose à se mettre sous la dent. Le sac en papier, la boîte de sauce, la barre de friandise. J'ai essayé le Luma-Lite sur ses vêtements et ses chaussures. Ça n'a rien donné.

Un peu plus tard, Vander nous raccompagna jusqu'à l'entrée où étaient stockés, dans des congélateurs cadenassés, assez d'échantillons de sang de détenus pour transfuser une petite ville. Une fois ces échantillons analysés, les résultats seraient entrés dans la banque de données ADN du Commonwealth. Devant la porte était stationnée la voiture de Jennifer Deighton, qui me parut encore plus pathétique que dans mon souvenir, car elle avait subi de nombreuses dégradations depuis le meurtre de sa propriétaire. La tôle des flancs présentait de multiples bosses causées par les chocs répétés des portières des véhicules voisins. La peinture rouillait par endroits, s'écaillait en d'autres, et la capote en vinyle était fendillée. Lucy jeta un coup d'œil dans l'habitacle noirci par les gaz d'échappement.

– Hé, touche à rien, lui dit Marino.

Elle le regarda droit dans les yeux, sans un mot, puis nous repartîmes.

Lucy prit ma voiture et rentra à la maison sans nous attendre. Lorsque Marino et moi arrivâmes, elle était déjà enfermée dans mon bureau.

– Toujours aussi sociable, votre nièce, fit Marino.

– Vous n'avez pas été très aimable non plus ce soir, rétorquai-je en ouvrant l'écran de la cheminée pour ajouter des bûches.

– Elle gardera pour elle ce qu'elle a entendu ?

– Oui, fis-je d'un ton las. Bien sûr que oui.

– Mouais. Vous avez confiance en elle parce que vous êtes sa tante. Mais vous savez, doc, je ne suis pas sûr que ça soit une bonne chose qu'elle ait assisté à tout ça.

– J'ai confiance en Lucy. Elle représente beaucoup pour moi. Vous aussi, vous représentez beaucoup. J'espère que vous deviendrez amis. Le bar est ouvert, à moins que vous ne préfériez du café.

– Du café, oui.

Il s'assit près de la cheminée et sortit son couteau suisse.

Pendant que je préparais le café, il se coupa les ongles en jetant les rognures au feu. J'appelai une nouvelle fois Susan, mais en vain.

– Je crois que Susan n'a pas pris ses empreintes, dit Marino lorsque je posai le café sur la table basse. J'ai réfléchi pendant que vous étiez à la cuisine. En tout cas elle les a pas prises pendant que j'étais là, et je suis resté presque tout le temps. Donc soit elle l'a fait dès l'arrivée du corps, soit elle a oublié.

– Non, elle n'a pas pris les empreintes tout de suite, fis-je de plus en plus troublée. Les types du *Corrections Department* sont arrivés et tout ce mouvement nous a distraites. Il était tard et nous étions tous fatigués. Susan aura oublié de relever les empreintes et j'étais trop occupée pour le remarquer.

– Vous *espérez* qu'elle a oublié.

Je pris ma tasse de café.

– D'après ce que vous m'avez raconté, reprit Marino, il y a quelque chose qui ne va pas chez Susan. Je dois dire qu'elle m'inspire une confiance limitée.

À cet instant, j'éprouvais la même chose.

– Il faut en parler à Benton, dit-il.

– Vous avez vu Waddell sur la table, Marino. Vous avez assisté à son exécution. Ça me paraît invraisemblable qu'on ne puisse pas affirmer qu'il s'agissait bien de lui.

– C'est pourtant la vérité. Même en comparant les photos d'identité judiciaire et celles que vous avez prises à la morgue, on ne pourrait pas affirmer que c'est le même bonhomme. Je l'avais pas revu depuis son arrestation il y a dix ans. Le type qu'on a mis sur la chaise devait bien peser quarante kilos de plus. On lui avait rasé la tête, la moustache et la barbe. Bien sûr, il lui ressemblait assez pour que je me pose pas de questions. Mais j'en mettrais pas ma main au feu.

Je me souvins du moment où Lucy était descendue de l'avion. C'était ma propre nièce, je l'avais vue à peine un an avant, et pourtant j'avais failli ne pas la reconnaître. Je ne savais que trop bien à quel point les identifications visuelles sont fragiles.

– Ça veut dire qu'il y aurait eu échange de détenus, dis-je. Que Waddell est libre et qu'on a exécuté quelqu'un d'autre à sa place. Dans ce cas, vous voulez bien m'expliquer pourquoi ?

Marino versa une nouvelle cuillerée de sucre dans son café.

– Une raison valable, bon sang, Marino. Vous voyez quelque chose ?

Il leva la tête vers moi.

– Non, je ne vois pas.

À ce moment, Lucy ouvrit la porte et émergea de mon bureau. Marino et moi tournâmes la tête. Elle entra dans le salon et alla s'asseoir près de la cheminée, du côté opposé à Marino, qui tournait le dos au feu, les coudes sur les genoux.

– Parle-moi d'AFIS, me dit-elle comme si Marino n'était pas dans la pièce.

– Que veux-tu savoir ? demandai-je.

– En quel langage il est. Et s'il tourne sur une unité centrale.

– Je ne connais pas les détails techniques. Pourquoi ?

– Je peux savoir si on a modifié certains fichiers.

Je sentis le regard de Marino posé sur moi.

– Lucy, tu ne peux pas pirater l'ordinateur de la police.

– J'y arriverais certainement, mais ce n'est pas ce que je propose. Il doit exister d'autres moyens d'y entrer.

Marino se tourna vers elle.

– Tu veux dire que tu pourrais savoir si on a bidouillé au dossier Waddell dans AFIS ?

– Exact. Enfin, on dit bidouiller *un* dossier, pas *au* dossier.

Je vis Marino serrer les mâchoires.

– À mon avis si un type est assez futé pour ça, il a pris ses précautions pour qu'une gamine le remarque pas.

– Je ne suis pas une gamine. Je ne suis *plus* une gamine.

Ils retombèrent dans le silence, figés de chaque côté de l'âtre comme deux serre-livres dépareillés.

– Tu ne peux pas entrer dans AFIS, dis-je à Lucy.

Elle me considéra d'un air impassible.

– Pas toute seule, ajoutai-je. Pas sans être certain d'y accéder par un moyen sûr. Et même dans ce cas, je préférerais que tu restes en dehors de tout ça.

– Je ne crois pas que c'est ce que tu préférerais, tante Kay. Si on a modifié quelque chose, tu sais très bien que je le découvrirai.

– Cette gamine fait un complexe de supériorité, dit Marino en se levant.

– Vous pourriez atteindre le chiffre douze sur la pendule, là-bas ? lui demanda Lucy. Si vous dégainiez, vous pourriez taper dans le douze ?

– Je ne vois pas l'utilité de démolir la maison de ta tante pour te prouver quelque chose, rétorqua Marino.

– Vous pourriez avoir le douze de là où vous êtes ?

– Ouais, bien sûr.

– Vous en êtes certain ?

– Bien sûr que j'en suis certain.

– Le lieutenant est affligé d'un gros complexe de supériorité, m'annonça Lucy.

Marino se retourna en hâte vers le feu, mais j'eus le temps d'apercevoir sur ses lèvres l'ébauche d'un sourire.

– Vander n'a qu'une station de travail et une imprimante, reprit Lucy. Il est relié à l'ordinateur de la police de Virginie par un modem. Ça a toujours été le cas ?

– Non, répondis-je. Avant qu'il ne déménage dans leur nouvel immeuble, il avait beaucoup plus de matériel.

– Dis-moi lequel.

– Eh bien, il y avait plusieurs machines. Mais son ordinateur ressemblait beaucoup à celui de Margaret. (Réalisant que Lucy ne connaissait pas le bureau de Margaret, je précisai :) Un mini, si tu préfères.

Le feu faisait danser les ombres sur le visage de Lucy.

– Je parie qu'AFIS n'est pas une vraie unité centrale. Je pense plutôt que c'est un ensemble d'ordinateurs fonctionnant en réseau et fonctionnant sous UNIX ou un autre environnement multi-utilisateurs et multi-tâches. Tante Kay, si tu me procurais un accès au système, je pourrais sans doute tout faire à partir de ton terminal, ici dans ton bureau.

– Je ne veux surtout pas qu'on puisse remonter jusqu'à moi, objectai-je.

– Ça ne laissera aucune trace. Je me connecterai à ton terminal de la morgue et je ferai une série de procédures compliquées pour établir un contact détourné. La chaîne sera impossible à remonter.

Marino se rendit aux toilettes.

– Il fait comme s'il était chez lui, remarqua Lucy.

– Pas tout à fait, répliquai-je.

Quelques minutes plus tard, je raccompagnai Marino à la porte. La neige durcie qui recouvrait la pelouse semblait irradier de la lumière, et l'air était aussi frais que la première bouffée d'une cigarette mentholée.

– J'aimerais que vous veniez passer le réveillon avec nous, dis-je à Marino sur le seuil.

Il hésita, regarda sa voiture garée dans la rue.

– C'est drôlement gentil à vous, doc, mais je supporterais pas.

– Je voudrais tant que vous vous entendiez mieux avec Lucy, dis-je d'un ton déçu.

– J'en ai assez qu'elle me traite comme un plouc qu'a encore du fumier sous les bottes.

– C'est que parfois vous vous conduisez comme un plouc avec du fumier sous les bottes. Et vous n'avez jamais vraiment essayé de gagner son respect.

– Ça n'est qu'une morveuse trop gâtée, voilà ce que c'est.

– À 10 ans, c'était peut-être une morveuse, dis-je. Mais elle n'a jamais été gâtée. Bien au contraire. Je veux que vous vous réconciliez. Ça sera mon cadeau de Noël.

– Qui a dit que je voulais vous faire un cadeau ?

– Moi. Vous n'y couperez pas. Et vous allez m'offrir ce que je viens de vous demander. Et je sais exactement comment on va arranger ça.

– Comment ? fit-il d'un air suspicieux.

– Lucy voudrait apprendre à tirer. Vous lui avez juré que vous pouviez viser le douze de la pendule. Vous pourriez lui donner une leçon ou deux.

– Vous rigolez, non ? dit-il.

6

Les trois jours suivants furent typiques d'une période de congés. Tout le monde était absent et personne ne donnait suite aux messages téléphoniques. Les parkings étaient à moitié vides, les pauses déjeuner avaient tendance à s'éterniser et les sorties en ville pour motif professionnel étaient prétexte à des visites aussi discrètes que personnelles dans les magasins, à la banque ou à la poste. En réalité, le Commonwealth avait cessé toute activité avant même le début officiel des vacances. Mais Neils Vander était, sous tout point de vue, un cas à part. Il n'avait visiblement aucune notion de ce qui se passait autour de lui lorsqu'il m'appela dans la matinée, à la veille de Noël.

– Je vais procéder à une amélioration d'image qui devrait vous intéresser, me dit-il. C'est à propos de Jennifer Deighton.

– J'arrive.

En longeant le couloir je faillis percuter Ben Stevens qui sortait des toilettes.

– Je vais voir Vander, dis-je. Je ne devrais pas en avoir pour longtemps, et j'ai mon bip.

– Je voulais vous voir une seconde, dit-il.

Je me résolus à l'écouter, tout en me demandant s'il se rendait compte des efforts qu'il m'en coûtait pour continuer à me comporter de manière normale avec lui. Lucy continuait à surveiller notre ordinateur depuis le terminal de mon bureau à la maison afin de détecter si quelqu'un entrait dans mon répertoire. Jusqu'à présent, aucune nouvelle effraction n'avait été tentée.

– J'ai eu Susan au téléphone ce matin, me dit Stevens.

– Comment va-t-elle ?

– Elle ne reviendra pas, Dr Scarpetta.

Je n'en fus pas étonnée, mais j'étais froissée qu'elle ne m'annonce pas sa décision elle-même. J'avais essayé de la joindre une demi-douzaine de fois chez elle, mais soit personne ne répondait, soit son mari décrochait et me débitait quelque prétexte comme quoi Susan ne pouvait pas me parler.

– C'est tout ? demandai-je. Elle ne veut plus travailler ici ? A-t-elle donné une explication ?

– Je crois qu'elle supporte mal sa grossesse. Ce genre de travail n'est pas ce qu'il lui faut en ce moment.

– Il faut qu'elle envoie une lettre de démission, dis-je sans pouvoir dissimuler ma colère. Vous vous chargerez des détails avec la direction du personnel. Il faut chercher tout de suite quelqu'un pour la remplacer.

– Vous savez bien que l'embauche est gelée pour l'instant, me rappela-t-il tandis que je m'éloignais.

Dehors, la neige chassée par les lames des engins s'était accumulée sur les bords de la chaussée en monticules de glace souillée qui empêchaient de se garer, et qu'il était impossible d'escalader. Le soleil blafard tentait de percer la couche de nuages. Un tramway transportant un orchestre de cuivres passa dans la rue, et, le sel crissant sous mes pas, je gravis une volée de marches en granite aux accents de *Joy to the World*. Un officier de la police scientifique me fit entrer dans le Seaboard Building. Je montai à l'étage et trouvai Vander dans une salle illuminée par les moniteurs couleurs et les lampes ultraviolettes. Installé devant l'améliorateur d'image, il fixait des yeux l'écran tout en manipulant la souris.

– Il y a quelque chose, m'annonça-t-il sans même me saluer. On a écrit quelque chose sur un papier posé sur celui-là. Si vous regardez attentivement, vous distinguerez des traces d'écriture.

Je compris peu à peu de quoi il parlait. À sa gauche, centrée sur un caisson lumineux, était posée une feuille de papier blanc. Je me penchai vers l'écran. Les traces étaient si faibles que je n'étais pas sûre de ne pas les imaginer.

– C'est le papier qu'on a trouvé coincé sous un cristal sur le lit de Jennifer Deighton ? demandai-je en sentant monter l'excitation.

Il acquiesça d'un hochement de tête et déplaça la souris pour ajuster les tons de gris.

– Vous êtes en direct ?

– Non. La caméra vidéo a enregistré les marques et les a stockées sur le disque. Mais ne touchez pas le papier. Je n'ai pas encore procédé à la recherche d'empreintes. Je commence juste. Croisez les doigts. Allez, allez. (Il se mit à parler à sa machine.) Je sais que la caméra les a repérées. Je te demande juste un petit coup de main.

Les procédés informatiques d'amélioration de l'image sont basés sur le contraste et ce qu'on pourrait nommer la vision de l'invisible. Une caméra peut différencier plus de deux cents niveaux de gris, contre moins d'une quarantaine pour l'œil humain. Ce n'est pas parce que quelque chose n'est pas là qu'il n'existe pas.

– Dieu merci, avec le papier on n'est pas embêté par les brouillages de fond, dit Vander tout en poursuivant ses manipulations. Ça accélère beaucoup les choses quand on n'a pas à s'occuper de ça. L'autre jour j'ai détecté une empreinte sur un drap. Je suis arrivé à distinguer les traces de sang dans le tissage, vous vous rendez compte. Il n'y a pas si longtemps, on en aurait rien tiré. Ah voilà... (Une nouvelle teinte de gris couvrit la zone où il travaillait.) On y arrive. Vous voyez ? fit-il en me montrant de vagues formes linéaires sur la moitié supérieure de l'écran.

– Pas tellement, non.

– J'essaie de faire ressortir les ombres, non de faire réapparaître des traces d'écriture effacée, parce que rien n'a été effacé sur ce papier. L'ombre apparaît quand la lumière frappe obliquement la surface du papier, avec ses dépressions. C'est là que la caméra vidéo a pu distinguer les ombres. Vous et moi n'aurions rien vu. Maintenant essayons d'améliorer la définition des verticales. (Il déplaça la souris.) On va foncer un tantinet les horizontales... Voilà, ça vient. Deux, zéro, deux, tiret. C'est un numéro de téléphone.

J'approchai une chaise et m'assis.

– C'est l'indicatif de la région de Washington, dis-je.

– Je distingue un quatre et un trois. Ou est-ce un huit ?

Je clignai les paupières.

– Moi je vois un trois.

– Là... voilà qui est mieux. Vous avez raison. C'est un trois.

Il poursuivit son décryptage. Des lettres et d'autres chiffres apparurent peu à peu à l'écran. Puis il exhala un soupir.

– Zut. Je n'arrive pas à avoir le dernier chiffre. Il n'y a rien. Mais regardez là, juste avant l'indicatif de Washington. Il y a un « à » suivi de deux points. Et en dessous, « de », suivi de deux points et un autre numéro. Huit, zéro, quatre. C'est un numéro d'ici. Mais il est difficilement lisible. Un cinq et peut-être un sept, ou un neuf ?

– À mon avis c'est le numéro de Jennifer Deighton, dis-je. Son fax et son téléphone ont le même numéro. Elle avait un fax dans son bureau, avec alimentation feuille à feuille au papier machine ordinaire. Elle aurait donc écrit un fax sur une feuille posée sur ce papier-ci. Qu'est-ce qu'elle a envoyé ? Un document séparé ? On ne voit pas de message.

– Je n'ai pas encore terminé. Regardez, ça ressemble à une date. Un onze ? Non, ça c'est un sept. Le 17 décembre. Je vais descendre le document.

Il bougea la souris et les pointeurs glissèrent au bas de l'écran. Il frappa une touche pour agrandir la zone sur laquelle il voulait travailler, puis lui affecta différentes teintes de gris. Je restai aussi immobile qu'une statue tandis que des formes se matérialisaient peu à peu au milieu d'un fouillis de lettres, avec des courbes, des points et des *t* aux barres transversales nettement marquées. Vander travaillait en silence. Nous respirions à peine, osions à peine cligner des yeux. Nous restâmes ainsi pendant une heure, regardant, molécule après molécule, point après point, émerger les mots sous les passages successifs de gris. Vander les révélait, les faisait surgir à l'existence. C'était incroyable à voir. Tout était là, invisible et pourtant là.

Tout juste une semaine auparavant, deux jours à peine avant d'être assassinée, Jennifer Deighton avait faxé le message suivant à un numéro domicilié à Washington :

« Oui, j'accepte de coopérer, mais il est trop tard, trop tard, trop tard. Vous feriez mieux de venir. Tout ceci est si injuste ! »

Lorsque, enfin, alors que Vander envoyait l'impression, je détachai mes yeux de l'écran, je me sentis dans un état proche de l'euphorie. Ma vision resta brouillée quelques secondes, et je sentis l'adrénaline filer dans mes veines.

– Il faut faire voir ça tout de suite à Marino. J'espère qu'on arrivera à découvrir à qui correspond ce numéro de fax à Washington. Il nous manque juste le dernier chiffre. Combien peut-il y avoir de fax à Washington dont les premiers chiffres sont les mêmes que ceux-ci ?

– Le dernier chiffre est forcément compris entre zéro et neuf. (Vander éleva la voix pour se faire entendre par dessus le crépitement de l'imprimante.) Donc il ne peut y en avoir que dix au maximum. Dix numéros, de fax ou de téléphone, identiques à celui-ci sauf pour le dernier chiffre.

Il me remit un tirage papier.

– Quand j'aurai fini de nettoyer tout ça, je vous ferai porter un meilleur tirage, dit-il. Euh, encore une chose. Je n'arrive pas à obtenir l'empreinte de Ronnie Waddell, la photo de l'empreinte de son pouce recueillie chez Robyn Naismith. Chaque fois que j'appelle les Archives, ils me disent qu'ils n'ont pas encore trouvé sa fiche.

– N'oubliez pas que nous sommes à la veille de Noël, dis-je sans pouvoir chasser un mauvais pressentiment. Il ne doit pas y avoir grand monde chez eux.

De retour dans mon bureau, j'appelai Marino et lui expliquai ce que venait de nous révéler l'améliorateur d'image.

– Merde, inutile de compter sur la compagnie de téléphone, dit-il. Mon contact là-bas est en congé et personne remuera le petit doigt la veille de Noël.

– On pourrait essayer de découvrir par nous-mêmes le destinataire du fax, proposai-je.

– Je vois pas comment, à part envoyer un fax avec « Qui êtes-vous ? » et espérer recevoir en réponse : « Salut, je suis l'assassin de Jennifer Deighton. »

– Tout dépend si le fax du destinataire dispose d'un en-tête intégré.

– Pardon ?

– Les fax les plus perfectionnés vous permettent d'enregistrer votre nom ou le nom de votre entreprise dans la machine. Cet en-tête apparaîtra sur tous les documents envoyés. Mais le plus intéressant, c'est que le numéro de fax du destinataire apparaît aussi sur le petit écran du fax source. En d'autres termes, si je vous envoie un fax, je vais voir apparaître « Richmond Police Department » sur la fenêtre d'affichage de mon fax, juste au-dessus du numéro que je viens de composer.

– Vous savez où trouver un de ces trucs perfectionnés ? On en a un chez nous, mais c'est une vieille guimbarde.

– J'en ai un ici au bureau.

– Bon, tenez-moi au courant si vous trouvez quelque chose. Faut que j'y aille.

Je notai les six chiffres mis à jour par Vander, puis inscrivis à leur suite, verticalement, les dix chiffres de zéro à neuf.

Ensuite je les composai l'un après l'autre. Un seul me répondit par une tonalité aiguë qui me déchira l'oreille.

Le fax était installé dans le bureau de mon analyste informatique, et par chance Margaret était elle aussi en congé. Je fermai la porte et m'assis à sa table pour réfléchir entre l'ordinateur qui ronronnait et les témoins du modem qui clignotaient. Les en-têtes fonctionnent dans les deux sens, ce qui veut dire que dès que l'émission du fax commencerait, le numéro de mon bureau allait s'afficher sur le fax destinataire. Je devais donc interrompre la communication très vite, avant que l'émission soit terminée. J'espérai que le temps que quelqu'un s'approche de la machine pour voir qui envoyait un fax, la mention « Bureau central du médecin expert » suivie de notre numéro aurait disparu de la fenêtre d'affichage.

Je posai une feuille vierge blanche sur le plateau d'alimentation, composai le numéro qui avait répondu par un bip et attendis que la communication s'établisse. Aucun numéro ne s'afficha. Merde. Le fax que j'avais contacté ne disposait pas d'éditeur d'en-tête. Il faudrait chercher autre chose. J'interrompis l'opération et, découragée, regagnai mon bureau.

Je venais juste de m'asseoir lorsque le téléphone sonna.

– Dr Scarpetta, dis-je dans le combiné.

– Nicholas Grueman à l'appareil. Je ne sais pas ce que vous avez essayé de me faxer, mais ça n'est pas passé.

– Je vous demande pardon ? fis-je stupéfaite.

– Je n'ai reçu qu'une feuille blanche avec le numéro de votre bureau. Il est écrit aussi, euh... « erreur code zéro-zéro-un, prière de recommencer l'opération ».

– Je vois, dis-je en sentant se hérisser les poils de mes bras.

– Vous vouliez peut-être m'envoyer une rectification à vos conclusions ? Je crois savoir que vous êtes allée inspecter la chaise électrique.

Je gardai le silence.

– Très consciencieux de votre part, Dr Scarpetta. Peut-être avez-vous appris quelque chose sur ces blessures aux faces internes des bras de Mr Waddell dont nous avions parlé ? Les *dépressions antécubitales*, n'est-ce pas ?

– Redonnez-moi votre numéro de fax, répliquai-je d'un ton calme.

Il me le dicta. C'était bien le numéro que j'avais composé.

– Le fax est-il dans votre bureau, Mr Grueman, ou le partagez-vous avec des collègues ?

– Il est juste à côté de mon bureau. Inutile de le rédiger à mon attention : il m'arrivera directement. Mais faites vite, je vous prie, Dr Scarpetta. Je ne vais pas tarder à m'en aller.

Je quittai mon bureau peu après, rongée de frustration. Je n'étais pas arrivée à joindre Marino. Je ne voyais pas ce que je pouvais faire d'autre. Je me sentais prise dans un étrange réseau de connexions, tout en étant incapable de mettre le doigt sur l'élément qui les reliait.

Prise d'une impulsion subite, je me garai sur le parking d'un West Cary où un vieil homme vendait des guirlandes et des sapins de Noël. Assis sur un tabouret au milieu de sa petite forêt qui sentait bon l'air frais, il faisait songer à quelque bûcheron de conte de fées. Peut-être que ma réticence à l'égard de l'esprit de Noël avait soudain cédé, à moins que ce ne fût qu'un désir de distraction de ma part. Pour m'y être prise aussi tard, il ne restait pas grand choix parmi ces arbres délaissés, mal formés ou déjà secs, qui avaient de bonnes chances de rester orphelins jusqu'à la fin des fêtes. Celui que je choisis aurait été joli sans sa scoliose. Le décorer releva plus du bricolage orthopédique que du rituel festif, mais avec quelques décorations et guirlandes électriques aux points stratégiques, et du fil de fer redressant les branches trop difformes, il finit par faire bel effet dans mon salon.

– Voilà, dis-je à Lucy en reculant de quelques pas pour admirer mon œuvre. Qu'en penses-tu ?

– Je trouve bizarre que tu aies eu envie d'un sapin la veille de Noël. Depuis combien de temps ça ne t'était pas arrivé ?

– Depuis mon mariage, je crois.

– C'est de là que viennent les décorations ?

– À l'époque je me donnais beaucoup de mal pour préparer Noël.

– C'est pour ça que tu ne veux plus le faire ?

– Je suis beaucoup plus occupée, maintenant, dis-je.

Lucy ouvrit la vitre de la cheminée et arrangea les bûches avec le pique-feu.

– Est-ce que toi et Mark, vous avez passé un Noël ensemble ?

– Tu ne te souviens pas ? Nous sommes descendus te voir l'année dernière.

– Non, c'est pas vrai. Vous n'êtes restés que trois jours. Noël était déjà passé et vous êtes repartis la veille du Nouvel An.

– Il avait passé Noël en famille.

– Tu n'étais pas invitée ?

– Non.

– Pourquoi ?

– Mark était d'une vieille famille de Boston. Ce sont des gens qui ont une façon particulière de voir les choses. Qu'est-ce que tu as décidé de mettre ce soir ? Est-ce que ma veste avec le col de velours noir te va ?

– Je n'ai encore rien essayé. Bon sang, pourquoi tiens-tu tant à m'emmener ? fit Lucy. Je ne connais personne.

– Ne t'inquiète donc pas. Il faut juste que je passe donner un cadeau à une collègue enceinte qui a décidé de ne plus revenir travailler. Ensuite il faudra que je me montre à la soirée du quartier. J'avais accepté l'invitation avant de savoir que tu venais. Mais tu n'es pas obligée de m'accompagner.

– Je préférerais rester ici, dit-elle. J'ai hâte de commencer à travailler sur AFIS.

– Patience, lui dis-je malgré ma propre impatience.

En fin d'après-midi, je laissai un nouveau message au dispatcher, en me disant que le bip de Marino devait être en panne, à moins que le lieutenant ne soit trop occupé pour chercher une cabine. Des bougies brûlaient sur les fenêtres de mes voisins sous l'œil d'une lune oblongue brillant haut au-dessus des arbres. Je mis la musique de Noël interprétée par Pavarotti et l'orchestre philharmonique de New York pour essayer de me fondre dans l'ambiance pendant que je prenais ma douche et m'habillais. La réception ne commençait pas avant 19 heures. Ce qui me laissait le temps de passer chez Susan pour lui donner son cadeau et avoir une petite conversation avec elle.

Je fus surprise de l'entendre répondre elle-même au téléphone, mais je la sentis tendue et réticente lorsque je lui demandai si je pouvais passer.

– Jason n'est pas là, me dit-elle comme si cela avait la moindre importance. Il est allé faire des courses.

– J'ai quelques petites choses pour vous, dis-je.

– Quel genre de choses ?

– Des choses de Noël. Je ne m'éterniserai pas parce que je dois me rendre à une soirée. Ça ne vous dérange pas ?

– Ma foi, venez. Ça sera avec plaisir.

J'avais oublié qu'elle habitait le Southside, quartier où j'allais rarement et où j'avais tendance à me perdre. La circulation était encore pire que ce que je craignais. L'autoroute Midlothian était engorgée par les gens qui faisaient leurs achats de dernière minute et étaient prêts à vous pousser dans le fossé pour fêter leur Joyeux Noël. Les parkings des centres commerciaux regorgeaient de véhicules et les supermarchés étaient si illuminés qu'ils en étaient aveuglants. Le quartier de Susan, en revanche, était très peu éclairé et je dus m'arrêter deux fois pour relire à la lumière de la veilleuse les instructions qu'elle m'avait données. Après de nombreux détours je finis par trouver sa petite maison de style ranch, prise en sandwich entre deux autres habitations identiques.

– Hello, lui dis-je à travers les feuilles du poinsettia rose que je tenais.

Elle referma nerveusement la porte et m'indiqua le salon, où elle débarrassa la table basse pour y poser la plante.

– Comment allez-vous ? lui demandai-je.

– Mieux. Voulez-vous boire quelque chose ? Donnez-moi votre manteau.

– Merci, mais je n'ai pas le temps. Je passe en coup de vent. (Je lui tendis un paquet.) Tenez, un petit souvenir de San Francisco que j'ai acheté cet été.

Je m'assis sur le divan.

– Eh bien dites donc ! On peut dire que vous vous y prenez en avance, pour vos cadeaux. (Elle évita mon regard tout en se lovant dans un fauteuil.) Dois-je l'ouvrir tout de suite ?

– Comme vous voulez.

Elle coupa le scotch d'un coup d'ongle et défit le ruban de satin. Après avoir soigneusement replié le papier comme si elle avait l'intention de s'en resservir, elle le posa sur ses genoux et ouvrit la boîte noire.

– Oh ! s'exclama-t-elle en dépliant le foulard de soie rouge.

– J'ai pensé qu'il irait bien avec votre manteau noir, dis-je. Je ne sais pas si ça vous fait la même chose, mais moi je n'aime pas sentir la laine contre ma peau.

– Il est magnifique. C'est vraiment très gentil à vous, Dr Scarpetta. C'est la première fois qu'on me rapporte quelque chose de San Francisco.

L'expression que je lus sur son visage me pinça le cœur et je pris soudain conscience de l'environnement. Susan portait un peignoir en éponge jaune qui s'effilochait aux poignets, et une paire de socquettes noires qui devaient appartenir à son mari. Le mobilier bon marché était abîmé, les garnitures des sièges lustrées par l'usure. Le sapin de Noël en plastique posé à côté de la télévision était à peine décoré, et il lui manquait plusieurs branches. Il n'y avait que quelques cadeaux à son pied. La crèche dressée contre le mur paraissait d'occasion.

Susan surprit mes regards qui parurent l'embarrasser.

– Qu'est-ce que c'est propre, chez vous, dis-je.

– Vous me connaissez, avec mes tendances obsessionnelles-compulsives.

– Heureusement. C'est grâce à vous que la morgue est si bien tenue.

Elle replia avec soin le foulard, le rangea dans sa boîte, puis serra son peignoir autour d'elle et se mit à contempler le poinsettia en silence.

– Susan, dis-je d'une voix douce. Voulez-vous que nous parlions de ce qui se passe ?

Elle ne me regarda pas.

– Ça ne vous ressemble pas de craquer comme vous l'avez fait l'autre matin. Ça ne vous ressemble pas de ne pas venir au travail sans même m'avertir.

Elle prit une profonde inspiration.

– Je suis vraiment désolée. Je n'arrive pas à vivre les choses comme il faut en ce moment. J'ai des réactions excessives. Comme quand je me suis souvenue de Judy.

– Je sais que la mort de votre sœur a été un choc terrible.

– Nous étions jumelles. Mais pas identiques. Judy était bien plus jolie que moi. C'est d'ailleurs en partie de ça qu'est venu le problème. Doreen était jalouse d'elle.

– Doreen, c'est la fille qui se disait sorcière ?

– Oui. Je vous répète que je suis désolée. Je n'ai pas envie d'être mêlée à ce genre d'histoire. Surtout en ce moment.

– Si ça peut vous réconforter, j'ai appelé l'église voisine de la maison de Jennifer Deighton et l'on m'a dit que les lumières du clocher étaient des lampes au sodium et qu'elles ont eu des problèmes il y a quelques mois. Il semble que personne ne se soit aperçu qu'elles avaient été mal réparées. En tout cas ça explique qu'elles s'éteignent et se rallument toutes seules.

– Quand j'étais petite, il y avait parmi les fidèles de notre congrégation des pentecôtistes qui croyaient à la chasse aux démons et au don des langues. Je me souviens d'un homme qui racontait avoir rencontré des démons, ou qui disait que certaines nuits, alors qu'il était couché, il entendait quelque chose respirer dans le noir, ou bien c'était des livres qui tombaient des étagères ou voltigeaient dans la pièce. J'étais morte de peur en entendant ces histoires. J'ai refusé d'aller voir *L'Exorciste* quand il est sorti.

– Susan, dans notre travail il faut rester rationnel et garder la tête froide. Nous ne pouvons pas laisser nos souvenirs d'enfance, nos croyances ou nos phobies interférer avec ce que nous avons à faire.

– Vous n'avez pas eu un père pasteur.

– Non, j'ai été élevée dans la religion catholique.

– Rien ne peut être pire que d'être élevée par un pasteur fondamentaliste, déclara-t-elle en refoulant ses larmes.

Je gardai le silence.

– J'avais l'impression de m'être libérée de tout ça, et puis de temps en temps ça me revient, poursuivit-elle avec difficulté. Comme si quelqu'un à l'intérieur de moi s'ingéniait à me créer des ennuis.

– Quel genre d'ennuis ?

– Des choses qui se sont gâtées.

J'attendis qu'elle s'explique, mais elle ne le fit pas. Elle garda la tête baissée, le regard pitoyable.

– C'est trop. Trop de pression.

– Qu'est-ce qui est trop de pression ?

– Le travail.

– En quoi est-il différent d'avant ?

Je m'attendais à ce qu'elle me dise qu'attendre un enfant changeait tout.

– Jason pense que c'est malsain pour moi. D'ailleurs il l'a toujours pensé.

– Je vois.

– Quand je rentre à la maison, il n'aime pas que je lui raconte ma journée. Il me dit que c'est un travail horrible, que ça n'est pas bon pour moi. Il a raison. Je n'arrive pas toujours à décompresser. J'en ai assez de voir défiler des cadavres décomposés, des femmes violées, des gens mutilés ou tués par balle. J'en ai assez des bébés morts et des accidentés de la route. Je ne veux plus de violence. (Elle me regarda, la lèvre tremblante.) Je ne veux plus de mort.

Je songeai aux difficultés que nous aurions à la remplacer. Embaucher quelqu'un d'inexpérimenté signifiait que le travail ralentirait, parce que l'apprentissage prendrait beaucoup de temps. Le pire, c'était de sélectionner un candidat en éliminant les tordus. Tous les gens qui désirent travailler dans une morgue ne sont pas des parangons de normalité. Et comme j'appréciais Susan, je me sentais à la fois blessée et troublée. Elle me cachait quelque chose.

– Vous n'avez vraiment rien d'autre à me dire ? lui demandai-je sans la quitter des yeux.

Elle me jeta un bref regard dans lequel je lus de la peur.

– Non, je ne vois pas ce que je pourrais vous dire.

J'entendis claquer une portière.

– Tiens, voilà Jason, ajouta-t-elle d'une voix presque inaudible.

Notre conversation étant terminée, je me levai.

– Si vous avez besoin de quoi que ce soit, Susan, n'hésitez pas à me contacter, lui dis-je. Que ce soit pour une lettre de recommandation ou juste pour bavarder. Vous savez où me joindre.

En sortant, je n'échangeai que quelques mots avec son mari. Il était grand et bien bâti, avec des cheveux bruns bouclés et un regard distant. Malgré sa politesse, je sentis qu'il était contrarié de me trouver chez lui. Sur le pont qui franchissait le fleuve, je songeai tout à coup à l'image que devait avoir de moi ce jeune couple qui avait visiblement du mal à joindre les deux bouts. Pour eux j'étais sans doute *la patronne* en costume griffé qui arrivait avec sa Mercedes pour faire présent de quelques babioles à la veille de Noël. La défiance qu'avait manifestée Susan à mon égard touchait à mes doutes les plus intimes. Je n'étais plus sûre de la qualité de mes relations, ni de la façon dont on me percevait. J'avais peur d'avoir échoué à je ne sais quel test après la mort de Mark, comme si ma réaction à cette perte apportait la réponse à certaines questions que se posait mon entourage. Après tout, j'étais supposée m'accommoder mieux que quiconque de la mort. Dr Kay Scarpetta, médecin expert. Au lieu de quoi je m'étais retirée en moi-même, et je savais que les gens ressentaient cette distance malgré tout le soin que j'apportais à me montrer amicale ou attentionnée. Mon personnel ne se confiait plus à moi. Voilà qu'à présent notre système de sécurité informatique avait été violé et que Susan démissionnait.

Je pris la sortie de Cary Street et tournai à gauche en direction de mon quartier pour me rendre chez Bruce Carter, juge au tribunal de district. Il vivait dans Sulgrave, à plusieurs blocs de chez moi, et soudain je me revis gamine à Miami, devant ces maisons qui m'apparaissaient comme autant de luxueuses résidences. J'allais de porte en porte avec un chariot chargé d'une bonbonne de jus de citron, consciente que les mains élégantes qui cherchaient leur monnaie appartenaient à des personnes inaccessibles qui n'agissaient ainsi que par pitié. Et lorsque je retournais à la maison avec une poche pleine de piécettes, c'était pour sentir à nouveau l'odeur de maladie qui flottait dans la chambre où mon père se mourait.

Windsor Farms était un quartier à la richesse sans ostentation, traversé de rues aux noms britanniques bordées de maisons de style Tudor ou géorgien, entourées de parcs ombragés clos par des murs de brique. Des systèmes de sécurité sophistiqués veillaient sur ces gens pour qui une alarme anti-cambriolage était aussi banale qu'un aspersoir de pelouse. Les conventions tacites étaient encore plus strictes que la loi ordinaire. Il était impensable d'offenser son voisin en étendant du linge dehors ou en passant chez lui sans être annoncé. Vous n'étiez pas obligé de posséder une Jaguar, mais si votre véhicule était une fourgonnette plus très jeune ou un break de la morgue, mieux valait le rentrer au garage.

À 19 h 15, je me garai derrière une longue file de voitures stationnées devant une maison de brique blanche au toit d'ardoises. Des loupiotes scintillaient dans les sapins et les buis comme autant de petites étoiles, et une odorante couronne de fleurs fraîches était suspendue à la porte rouge. Nancy Carter accueillit mon arrivée avec un sourire charmant et tendit les mains pour me débarrasser de mon manteau. Elle babillait sans une seconde de répit par-dessus le brouhaha de la foule tandis que les reflets lumineux faisaient clignoter les sequins cousus sur sa longue robe rouge. L'épouse du juge était une femme d'une cinquantaine d'années que l'argent avait permis de transformer en un objet d'art convenable. Je la soupçonnai de n'avoir pas été très belle dans sa jeunesse.

– Bruce ne doit pas être bien loin... fit-elle en parcourant la foule du regard. Le buffet est par là.

Elle me conduisit au salon, où les habits éclatants des invités se mariaient à la perfection avec les teintes vives d'un immense tapis persan qui avait dû coûter plus cher que la maison où je venais de me rendre sur l'autre rive du fleuve. J'aperçus le juge en conversation avec un homme que je ne connaissais pas. Je passai en revue les visages et reconnus plusieurs médecins et avocats, un membre d'un groupe de pression, et l'assistant du gouverneur. Je finis par me retrouver avec un verre de Scotch et soda à la main, à côté d'un homme qui me toucha le bras.

– Dr Scarpetta ? Frank Donahue, se présenta-t-il d'une voix forte. Je vous souhaite un joyeux Noël.

– À vous aussi, dis-je.

Le directeur de la prison, qui était malade le jour où Marino et moi avions été visiter ses locaux, était un homme de petite taille aux traits grossiers coiffés d'épais cheveux gris. Son habit voulait sans doute parodier celui d'un annonceur des toasts britannique, avec une queue-de-pie rouge vif, une chemise blanche à jabot et un nœud papillon rouge orné de minuscules lumières clignotantes. Son verre de whisky sans eau s'inclina de manière dangereuse lorsqu'il me tendit sa main libre et se pencha vers mon oreille.

– J'ai été très déçu de ne pouvoir vous servir de guide quand vous êtes venue visiter le pénitencier.

– Un de vos officiers s'est occupé de nous, je vous remercie.

– Je suppose que ça devait être Roberts.

– Oui, je crois me souvenir de ce nom.

– Bah, c'est regrettable que vous ayez dû vous déplacer. (Il releva la tête et adressa un clin d'œil à quelqu'un derrière moi.) Toutes ces histoires, c'est du baratin, vous savez. Waddell était sujet aux saignements de nez, il avait de la tension. Il se plaignait toujours de quelque chose. Maux de tête, insomnies, que sais-je encore.

Je me penchai vers lui pour ne pas perdre une parole.

– Ces types, dans le couloir de la mort, sont des simulateurs consommés. Et pour vous dire la vérité, Waddell était un des plus malins.

– Je ne savais pas, dis-je en relevant la tête.

– C'est ça le problème, personne ne le sait. Vous avez beau expliquer, personne n'est au courant, sauf les gens comme nous qui côtoyons ces types en permanence.

– Oui, bien sûr.

– Ce Waddell qui prétendait s'être refait une conduite, il se serait presque fait passer pour un cœur tendre. Un jour il faudra que je vous raconte ça, Dr Scarpetta, la façon dont il se vantait auprès des autres détenus de ce qu'il avait fait à cette pauvre fille Naismith. Il faisait le coq parce qu'il était devenu une célébrité.

La pièce était surchauffée et on manquait d'air. Je sentais son regard détailler mon corps.

– Ceci dit, je suppose que peu de choses vous surprennent encore, dit-il.

– Exact, Mr Donahue. Il y a peu de choses qui me surprennent.

– Pour vous parler franchement, je me demande comment vous pouvez supporter ce que vous faites. Surtout en cette saison, avec les gens qui en tuent d'autres ou qui se suicident, comme cette pauvre femme qui s'est asphyxiée dans son garage après avoir ouvert ses cadeaux de Noël.

Ses dernières paroles me firent l'effet d'un coup de poing à l'estomac. Un court article dans le journal du jour relatait la mort de Jennifer Deighton et citait une source policière disant que la victime avait ouvert ses cadeaux avant l'heure. Ce qui pouvait impliquer qu'elle s'était suicidée, mais rien ne l'indiquait expressément.

– De qui parlez-vous ?

– J'me rappelle pas son nom. (Donahue vida son verre et son visage s'empourpra. Ses yeux brillaient et ne cessaient de se mouvoir.) Triste, vraiment triste. Eh bien, il faudra que vous veniez nous rendre visite dans nos nouveaux locaux de Greensville un de ces jours.

Il me gratifia d'un grand sourire, puis me délaissa pour une matrone à la forte poitrine toute vêtue de noir. Il l'embrassa sur la bouche et ils rirent.

Je rentrai chez moi dès que je pus. Je trouvai un grand feu allumé dans la cheminée, et Lucy étendue sur le divan qui lisait un livre. Je remarquai que de nouveaux cadeaux avaient rejoint le pied du sapin.

– Comment c'était ? demanda-t-elle en bâillant.

– Tu as eu raison de ne pas venir, dis-je. Est-ce que Marino a appelé ?

– Nan.

Je lui téléphonai une nouvelle fois, et après quatre sonneries il répondit d'un ton irrité.

– J'espère que ça n'est pas trop tard, fis-je en manière d'excuse.

– J'espère aussi. Qu'est-ce qui ne va pas ?

– Beaucoup de choses ne vont pas. J'ai rencontré votre ami Donahue ce soir.

– Quelle chance vous avez !

– Il ne m'a pas trop impressionnée. En revanche c'est peut-être juste de la paranoïa mais j'ai trouvé bizarre qu'il me parle de la mort de Jennifer Deighton.

Silence.

– L'autre petit problème, poursuivis-je, c'est que Jennifer Deighton a envoyé un fax à Nicholas Grueman moins de deux jours avant son assassinat. D'après ce qu'elle écrivait, elle était aux abois, et j'ai eu l'impression qu'il lui demandait une rencontre. Elle lui suggérait de venir à Richmond.

Nouveau silence de Marino.

– Vous êtes toujours là ? demandai-je.

– Je réfléchis.

– Ça fait du bien de le savoir. Mais peut-être que nous réfléchirions mieux à deux. Vous êtes sûr de ne pas vouloir venir dîner demain soir ?

Il prit une profonde inspiration.

– J'aimerais bien, doc, mais je...

J'entendis en arrière plan une voix féminine qui demandait : « Dans quel tiroir ? »

Je compris que Marino couvrait le combiné de sa paume et marmonnait quelque chose. Puis, avant de revenir à notre conversation, il s'éclaircit la gorge.

– Je suis désolée, dis-je. Je pensais que vous étiez seul.

– Ouais, fit-il avant de retomber dans le silence.

– Je serais ravie de vous avoir tous les deux à dîner demain, proposai-je.

– Y'a le Sheraton qu'organise un buffet. On avait prévu d'y aller.

– Comme vous voulez, mais il y a quelque chose pour vous sous le sapin. Si vous changez d'avis, appelez-moi demain matin.

– Qu'est-ce que j'entends ? Vous avez craqué ? Vous avez acheté un sapin ? J'parie qu'il a une sale tronche, vot' sapin.

– Détrompez-vous. Tout le quartier me l'envie, dis-je. Souhaitez un bon Noël à votre amie de ma part.

7

Le lendemain je m'éveillai au son du carillon de l'église. Les voilages de mes fenêtres resplendissaient de soleil. Bien que j'aie très peu bu la veille, je me sentais la tête lourde. Traînant au lit, je me rendormis et rêvai de Mark.

Lorsque, enfin je me levai, des senteurs de vanille et d'orange embaumaient la cuisine. Lucy moulait du café.

– Tu me gâtes trop. Qu'est-ce que je ferai quand tu ne seras plus là ? fis-je en l'embrassant sur le sommet du crâne. (Je remarquai alors une boîte de céréales inhabituelle sur le plan de travail.) Qu'est-ce que c'est que ça ?

– Du muesli du Cheshire. Un régal. J'en ai apporté de Miami. C'est meilleur avec du yaourt nature, mais tu n'en as pas, alors on se débrouillera avec du lait écrémé et de la banane. En plus, on a du jus d'orange frais et du déca français à la vanille. Je crois qu'on devrait appeler Maman et Mamie.

Pendant que je composai le numéro de ma mère depuis la cuisine, Lucy alla décrocher le combiné de mon bureau pour suivre la conversation. Ma sœur était déjà chez ma mère et bientôt nous fûmes quatre sur la ligne. Ma mère se plaignit longuement du temps. Miami était balayée par la tempête. Des pluies torrentielles accompagnées de vents violents avaient commencé à tomber dans la soirée de la veille, et cette matinée de Noël avait commencé par une sarabande d'éclairs.

– C'est imprudent de parler au téléphone un jour d'orage, leur dis-je. Nous vous rappellerons.

– Tu es trop paranoïaque, Kay, me reprocha Dorothy. Tu vois toujours tout en noir.

– Lucy, parle-moi de tes cadeaux, intervint ma mère.

– On ne les a pas encore ouverts, Mamie.

– Ouh là ! s'exclama Dorothy par-dessus les parasites. Celui-ci est tombé tout près. La lumière a vacillé.

– Maman, j'espère que tu n'avais pas de fichier ouvert sur ton ordinateur, dit Lucy. Sinon ça a dû tout effacer.

– Dorothy, as-tu pensé à apporter du beurre ? s'enquit ma mère.

– Mince. Je savais bien que je...

– J'ai dû te le répéter trois fois hier soir.

– Maman, je t'ai déjà dit que je ne me souviens jamais de rien quand on m'appelle pendant que j'écris.

– Non mais tu te rends compte ? C'est Noël et qu'est-ce que tu fais au lieu de venir à la messe de minuit avec moi ? Tu restes chez toi à travailler sur ton livre et tu oublies le beurre.

– Je vais aller en chercher.

– Parce que tu crois que tu trouveras quelque chose d'ouvert aujourd'hui ?

– Mais oui, je trouverai.

Je levai les yeux lorsque Lucy entra dans la cuisine.

– Je n'en crois pas mes oreilles, chuchota-t-elle tandis que ma mère et ma sœur continuaient à se chamailler.

Quand j'eus raccroché, Lucy et moi passâmes au salon, où nous retrouvâmes notre paisible matinée hivernale de Virginie, avec ses arbres décharnés aux silhouettes immobiles et ses plaques de neige immaculée. Je ne me voyais plus vivre à Miami. Le cycle des saisons, comme les phases de la lune, me poussait en avant et modifiait mon point de vue. J'avais besoin de la pleine lune, de la nouvelle lune et toutes les phases intermédiaires, j'avais besoin de jours froids et courts pour apprécier pleinement les matinées de printemps.

Le cadeau de ma mère à Lucy était un chèque de cinquante dollars. Dorothy lui avait également offert de l'argent, et je me sentis penaude lorsque Lucy ouvrit mon enveloppe et ajouta mon chèque aux leurs.

– Offrir de l'argent n'est pas un cadeau très personnel, fis-je en manière d'excuse.

– Ça ne fait rien, c'est ce que je voulais. Tu viens de m'offrir un mégaoctet de mémoire supplémentaire pour mon ordinateur.

Elle me tendit un petit mais lourd paquet enveloppé de papier argent et rouge, et elle ne put dissimuler sa joie en découvrant l'expression de mon visage lorsque j'ouvris la boîte et soulevai la feuille de papier pelure.

– J'ai pensé que tu pourrais y noter tes convocations au tribunal, dit-elle. Il est assorti à ton blouson de moto.

– Lucy, c'est magnifique.

Je tâtai la couverture en agneau de l'agenda et lissai ses pages crème. Je repensai au dimanche où elle était arrivée, à mon inquiétude de ne pas la voir revenir quand je lui avais prêté ma voiture pour aller au club. Cette cachottière était allée m'acheter un cadeau.

– Et ça, reprit-elle en posant un paquet plus petit sur mes genoux, ce sont des recharges pour le carnet d'adresses et l'agenda de l'année prochaine.

À cet instant le téléphone sonna.

Marino me souhaita un joyeux Noël et m'annonça qu'il passerait me faire mon « cadeau ».

– Dites à Lucy de prendre des vêtements chauds mais pas trop serrés, ajouta-t-il d'un ton bourru.

– Que mijotez-vous ? fis-je intriguée.

– Qu'elle mette pas un jean moulant si elle veut pouvoir sortir les cartouches de sa poche. Vous m'avez bien dit qu'elle voulait apprendre à tirer, non ? Première leçon ce matin. Si elle rate son cours, c'est son problème. À quelle heure on mange ?

– Entre une heure et demie et deux heures. Mais je croyais que vous étiez pris.

– Ouais, mais je me suis libéré. Je serai chez vous dans une vingtaine de minutes. Dites à la chipie qu'on se les gèle dehors. Vous voulez nous accompagner ?

– Pas aujourd'hui. Je vais rester à la maison pour préparer le repas.

L'humeur de Marino ne s'était pas bonifiée lorsqu'il arriva, et il fit tout un numéro pour vérifier mon revolver personnel, un Ruger .38 à crosse de caoutchouc. Après avoir ôté la sécurité, il bascula le barillet et le fit tourner lentement en examinant chaque chambre. Puis il arma le chien, jeta un coup d'œil dans le canon et actionna la détente. Tandis que Lucy l'observait en silence mais avec curiosité, il pontifia sur les résidus qu'avait déposé le solvant dont je me servais, et m'informa que mon Ruger comportait très certainement des « ergots » qu'il faudrait limer. Puis il emmena Lucy dans sa Ford.

Lorsqu'ils revinrent quelques heures plus tard, ils avaient tous deux le visage rosi par le froid, et Lucy arborait avec fierté une grosse ampoule à l'index droit.

– Comment s'est-elle débrouillée ? demandai-je en m'essuyant les mains à mon tablier.

– Pas mal, fit Marino en regardant par dessus mon épaule. C'est du poulet frit que je sens, non ?

– Non, ce n'est pas du poulet, dis-je en le débarrassant de son manteau. Ce que vous sentez, ce sont des *cotoletta di tacchino alla bolognese*.

– J'ai fait mieux que « pas mal », précisa Lucy. Je n'ai manqué que deux fois la cible.

– Il faudra que tu continues à tirer à blanc jusqu'à ce que tu cesses d'appuyer comme une dingue sur la détente. Rappelle-toi que tu dois ramener le chien tout doucement en arrière.

– Je suis plus sale que le père Noël à la sortie d'une cheminée, dit Lucy avec enthousiasme. Je vais prendre une douche.

Je nous servis du café dans la cuisine pendant que Marino inspectait la table où s'entassaient le Marsala, le parmesan frais rapé, le prosciutto, les truffes blanches, les filets de dinde sautés et autres ingrédients entrant dans la composition de notre repas. Nous allâmes au salon où flambait le feu de bois.

– C'est très gentil, ce que vous avez fait, lui dis-je. Vous ne pouvez pas savoir combien j'apprécie.

– Une seule leçon ne suffit pas. Peut-être qu'on pourra remettre ça une fois ou deux avant qu'elle reparte en Floride.

– Merci, Marino. J'espère que ça n'est pas pour ça que vous avez bouleversé vos projets.

– C'est rien, fit-il avec brusquerie.

– On dirait que vous avez renoncé à votre déjeuner au Sheraton, fis-je pour tenter d'en savoir plus. Vous auriez pu amener votre amie.

– Il y a eu un imprévu.

– Est-ce qu'elle a un nom ?

– Tanda.

– Un nom peu banal.

Le visage de Marino virait à l'écarlate.

– Et à quoi ressemble Tanda ? demandai-je.

– Je vais vous dire : elle vaut même pas la peine qu'on parle d'elle.

Sur ce, il se leva, passa dans le couloir et disparut en direction des toilettes.

J'avais toujours pris soin de ne pas interroger Marino au sujet de sa vie privée à moins qu'il ne m'y ait invitée. Mais cette fois, je ne pus résister.

– Comment avez-vous rencontré Tanda ? lui demandai-je lorsqu'il revint.

– Au bal annuel de la police.

– Je trouve ça très bien que vous sortiez et rencontriez des gens nouveaux.

– Ça vaut rien du tout, si vous voulez mon avis. J'ai pas donné un rencard à une femme depuis plus de trente ans. Je suis comme Rip Van Wrinkle se réveillant dans une autre époque. Les femmes sont différentes de ce qu'elles étaient.

– De quel point de vue ? fis-je en réprimant un sourire car de toute évidence Marino n'avait pas le cœur à rire.

– Elles sont pas aussi simples qu'avant.

– Simples ?

– Ouais, comme Doris. Ce qu'on vivait était pas compliqué. Et puis au bout de trente ans elle me laisse tomber et il faut que je recommence tout à zéro. J'ai été à ce foutu bal de la police parce que des collègues m'ont poussé à y aller. Tout d'un coup voilà Tanda qui s'amène à ma table. Et après deux verres de bière, croyez-le ou pas, elle me demande mon numéro de téléphone.

– Vous le lui avez donné ?

– Je lui ai dit que si elle voulait qu'on se revoie, elle avait qu'à me donner le sien, de numéro, et que c'est moi qui appellerais. Elle m'a demandé de quel zoo je m'étais échappé, et puis elle m'a invité à faire un bowling. C'est comme ça que ça a commencé. Et ça s'est fini quand elle m'a demandé de lui faire sauter un PV qu'elle avait eu quinze jours avant pour avoir carambolé une bagnole.

– C'est moche. (Je pris le cadeau de Marino sous le sapin et le lui tendis.) J'espère que ça vous aidera à rencontrer quelqu'un d'autre.

Il déplia le papier et découvrit une paire de bretelles rouge vif et une cravate en soie assortie.

– C'est drôlement chic, doc. Bonté divine. (Il se leva et marmonna d'un air dégouté :) Ces foutus cachets, qu'est-ce que ça me fait pisser...

Il retourna aux toilettes et réapparut quelques minutes plus tard.

– Quand avez-vous eu votre dernier contrôle ? lui demandai-je.

– Il y a quinze jours.

– Et alors ?

– À votre avis ? fit-il.

– Vous faites de l'hypertension, voilà mon avis.

– Tout juste.

– Qu'est-ce que vous a dit le docteur exactement ? demandai-je.

– Qu'elle était de quinze sur dix et que ma foutue prostate avait gonflé. C'est pour ça que je prends ces foutus cachets, pour me faire pisser. Ce qui fait que j'arrête pas de courir aux gogues parce que j'ai l'impression que j'ai envie et la moitié du temps, y'a rien à faire. Si ça s'améliore pas, le toubib m'a dit qu'il allait me *turper*.

« Turp » signifiait *TransUrethral Resection of the Prostate*, une résection transuréthrale de la prostate. Sans être une partie de plaisir, c'était une intervention sans risque. Mais la pression artérielle de Marino m'inquiétait. C'était le candidat idéal pour une congestion cérébrale ou une crise cardiaque.

– En plus, j'ai les chevilles qui enflent, poursuivit-il. Mes pieds me font mal et j'ai des migraines terribles. Je devrais arrêter de fumer, renoncer au café, perdre au moins vingt kilos et me faire moins de bile.

– Ça me semble un excellent programme, fis-je avec conviction. Mais j'ai l'impression que vous n'êtes pas près de vous y mettre.

– Parce qu'il faudrait que je change toute ma façon de vivre. Ça vous est facile d'en parler.

– Je ne fais pas d'hypertension et j'ai cessé de fumer il y a exactement deux mois et cinq jours. Quant à mon poids, si j'avais perdu vingt kilos, vous ne me verriez même plus.

Il fixa le feu en silence.

– Écoutez, repris-je. Si nous nous y mettions tous les deux ? Nous pourrions essayer de diminuer le café et faire du sport ensemble.

– Je vous vois pas très bien en train de faire de l'aérobic, fit-il avec amertume.

– Je vous laisse l'aérobic. Je ferai du tennis.

– Rien que de voir quelqu'un avec une paire de collants, j'ai envie de lui tordre le cou.

– Vous n'êtes pas très coopératif, Marino.

Il changea brusquement de conversation.

– Vous avez une copie du fax dont vous m'avez causé ?

J'allai chercher ma serviette dans mon bureau, l'ouvris et lui donnai un tirage du texte que Vander avait découvert grâce à l'améliorateur d'image.

– C'est ce qui était sur la page blanche qu'on a trouvée chez Jennifer Deighton ? fit-il.

– Exact.

– J'ai toujours pas compris pourquoi elle avait une feuille blanche sur son lit avec un cristal dessus. Qu'est-ce qu'elle pouvait fabriquer avec ça ?

– Je ne sais pas, dis-je. Et les messages sur son répondeur ? Du nouveau ?

– On est en train de les éplucher. Il nous reste pas mal de monde à interroger. (Il sortit un paquet de Marlboro de sa poche de poitrine et exhala un profond soupir.) Merde, lâcha-t-il en balançant le paquet sur la table. Maintenant vous allez m'engueuler à chaque fois que j'allumerai une clope, pas vrai ?

– Pas du tout. Je me contenterai de la regarder, mais je ne dirai pas un mot.

– Vous vous souvenez de l'interview que vous avez donnée sur PBS il y a un ou deux mois de ça ?

– Vaguement.

– Jennifer Deighton l'avait enregistrée. La bande était dans son magnétoscope. Quand on l'a passée, on a vu que c'était vous.

– Quoi ? fis-je stupéfaite.

– Bien sûr, il y avait pas que vous dans l'émission. Il y avait aussi un truc sur des fouilles archéologiques et sur un film d'Hollywood qui a été tourné par ici.

– Pourquoi m'aurait-elle enregistrée ?

– C'est encore un morceau du puzzle qui colle pas avec ce qu'on sait. Sauf par rapport aux messages nuls sur votre répondeur. Mais on dirait bien que Jennifer Deighton pensait à vous avant d'être assassinée.

– Qu'avez-vous découvert d'autre à son sujet ?

– Il faut que je fume. Vous voulez que je sorte ?

Bien sûr que non.

– Plus on creuse, plus ça devient bizarre. En fouillant son bureau on a retrouvé un jugement de divorce. Elle s'est mariée en 1961 et, deux ans plus tard, elle a divorcé et récupéré son nom de Deighton. Ensuite elle a quitté la Floride pour venir s'installer à Richmond. Son ex s'appelle Willie Travers et c'est un de ces dingues de santé corporelle – vous savez, la santé globale. Merde, je me rappelle plus comment ça s'appelle.

– La médecine holistique.

– Tout juste. Il vit toujours en Floride, à Fort Myers Beach. Je l'ai appelé. Il a pas été très bavard, mais j'ai quand même appris quelques trucs. Lui et miss Deighton ont gardé des relations amicales même après leur séparation. En fait, ils continuaient à se voir.

– Il est venu ici ?

– Travers dit que c'est elle qui descendait le voir en Floride. Ils se revoyaient « en souvenir du bon vieux temps », comme il dit. La dernière fois qu'elle est descendue, c'était en novembre, aux alentours de Thanksgiving. Il m'a aussi donné quelques renseignements sur le frère et la sœur de miss Deighton. La sœur est beaucoup plus jeune qu'elle. Elle est mariée et vit dans l'Ouest. Le frère est l'aîné, il a dans les 55 ans et il possède une boutique d'alimentation. Il a eu un cancer de la gorge il y a deux ou trois ans et on lui a enlevé le larynx.

– Hé, attendez une minute..., fis-je.

– Ouais, vous savez la voix que ça vous fait, après. Vous l'auriez tout de suite reconnu. C'est impossible que ça soit John Deighton qui vous ait appelé à votre bureau. C'est quelqu'un d'autre, quelqu'un qui a de bonnes raisons de s'intéresser aux résultats de l'autopsie de Jennifer Deighton. Un type qui la connaissait bien puisqu'il sait comment s'appelle son frère et sait qu'il habite Columbia en Caroline du Sud. Mais c'est quelqu'un qui n'est pas au courant des problèmes de santé de John Deighton et qui ne sait pas que quand il parle, on dirait une voix synthétique.

– Travers sait-il que son ex-femme a été assassinée ? demandai-je.

– Je lui ai dit que le médecin expert avait pas terminé ses examens.

– Il était en Floride le jour de sa mort ?

– C'est ce qu'il dit. Moi j'aimerais savoir où était votre ami Nicholas Grueman ce jour-là.

– Il n'a jamais été mon ami, répliquai-je. Comment allez-vous vous y prendre pour l'approcher ?

– Je ne vais rien faire pour l'instant. Avec un type comme Grueman, vous n'avez droit qu'à une seule cartouche. Quel âge a-t-il ?

– Dans les 60 ans, dis-je.

– Est-ce qu'il est costaud ?

– Je ne l'ai pas revu depuis la faculté. (Je me levai pour tisonner le feu.) À l'époque Grueman était d'une minceur frisant la maigreur. Quant à sa taille, je dirais qu'il est dans la moyenne.

Marino resta silencieux.

– Jennifer Deighton pesait quatre-vingt-dix kilos, lui rappelai-je. Or son assassin l'a transportée jusqu'à la voiture après l'avoir étranglée.

– D'accord, mais peut-être que Grueman avait un complice. Vous voulez que je vous expose un scénario, même s'il est un peu tiré par les cheveux ? Vous me direz ce que vous en pensez. Grueman était le représentant légal de Ronnie Waddell, qui n'était pas exactement un poids plume. Ou peut-être qu'on devrait plutôt dire que Waddell *n'est pas* un poids plume. On a trouvé une empreinte de Waddell chez Jennifer Deighton. Peut-être que Grueman est allé la voir, et qu'il était pas seul.

Je plongeai mon regard dans le feu.

– Au fait, j'ai rien vu chez elle qui puisse expliquer la présence de cette plume que vous avez trouvée, ajouta-t-il. Vous m'aviez demandé de vérifier.

À cet instant, son bip retentit. Il le décrocha de sa ceinture et déchiffra le numéro inscrit sur le petit écran.

– Merde, lâcha-t-il avant de se lever pour aller téléphoner dans la cuisine.

– Qu'est-ce qui... *Quoi ?* l'entendis-je dire. Oh nom de Dieu. Vous êtes sûr ? (Il se tut quelques instants, et c'est d'une voix tendue qu'il ajouta :) Vous inquiétez pas. Je suis à peine à cinq mètres d'elle.

Marino grilla un feu rouge à l'angle de West Cary et de Windsor Way, puis fila vers l'est. Les phares de la Ford LTD blanche perçaient la nuit et les témoins du scanner dansaient sur le tableau de bord. Les codes 10 grésillaient à la radio tandis que j'imaginais Susan recroquevillée sur son fauteuil, serrant autour d'elle son peignoir pour apaiser des tremblements qui n'avaient rien à voir avec la température de la pièce. Je me souvins de l'expression de son visage qui changeait sans arrêt comme un ciel traversé de nuages, et de ses yeux qui gardaient leur secret.

Je frissonnais sans pouvoir reprendre une respiration normale. Mon cœur emballé semblait être remonté dans ma gorge. Des policiers avaient trouvé la voiture de Susan dans une ruelle donnant dans Strawberry Street. Elle était assise au volant, morte. On ne savait pas ce qu'elle était venue faire dans ce quartier, et on ignorait tout des raisons de son agression.

– Que vous a-t-elle dit d'autre hier soir ? me demanda Marino.

Je ne me souvenais de rien de significatif.

– Elle était tendue, dis-je. Quelque chose la chiffonnait.

– Mais quoi ? Vous pensez à quelque chose ?

– Non, je ne vois pas.

D'une main tremblante je rouvris ma mallette et en vérifiai une fois de plus le contenu. Appareil photo, gants, tout était là. Je me souvins qu'un jour Susan m'avait dit que si on essayait de l'enlever ou de la violer, il faudrait d'abord qu'on la tue.

Il nous était souvent arrivé de rester seules le soir au bureau pour ranger et remplir des papiers. Nous avions de nombreuses conversations concernant la signification d'être une femme et d'aimer un homme, sur l'effet que ça devait faire d'être mère. Une fois nous avions parlé de la mort et Susan m'avait avoué en avoir peur.

– Et je ne parle pas des flammes et du soufre de l'enfer dont mon père m'a abreuvée, m'avait-elle dit. Ça je n'en ai pas peur. Ce dont j'ai peur, c'est de penser qu'il n'y a rien de plus que ça.

– Il n'y a pas que ça, avais-je rétorqué.

– Comment le savez-vous ?

– Parce que quelque chose n'est plus là. Regardez leur visage, vous verrez bien. Leur énergie s'en est allée. L'esprit n'est pas mort avec eux. Il n'y a que le corps qui est mort.

– Comment pouvez-vous le savoir ? avait-elle répété.

Relâchant l'accélérateur, Marino tourna dans Strawberry Street. Je jetai un coup d'œil dans le rétroviseur latéral. Une autre voiture de police nous suivait, ses gyrophares rouges et bleus tournoyant sur le toit. Nous dépassâmes des restaurants et une petite alimentation. Tout était fermé, et les rares voitures qui roulaient se rangèrent pour nous laisser passer. À l'approche du Strawberry Street Café, la ruelle était encombrée de véhicules de patrouille et de voitures banalisées, et une ambulance bloquait l'accès d'une ruelle. Deux camionnettes de la télévision étaient garées un peu plus loin. Des journalistes faisaient les cent pas devant le périmètre délimité par un ruban jaune. Marino arrêta la voiture et nous ouvrîmes simultanément nos portières. Aussitôt les caméras se braquèrent sur nous.

J'emboîtai le pas à Marino. Les appareils photos cliquetaient, les pellicules se dévidaient, on levait des micros vers nous. Marino poursuivit son chemin à grandes enjambées sans répondre à aucune question. Je détournai mon visage. Nous contournâmes l'ambulance et nous baissâmes pour passer sous le ruban jaune. La vieille Toyota lie-de-vin était arrêtée au milieu de la ruelle, sur des pavés couverts d'une neige souillée par le piétinement. Des murs de brique sales bordaient la voie de chaque côté, empêchant les rayons rasants du soleil de pénétrer. Les policiers prenaient des photos, se concertaient, détaillaient les lieux. De l'eau gouttait des toits et des échelles d'incendie rouillées. Une odeur de détritus flottait dans l'air humide qui balayait la ruelle.

Je réalisai à peine que j'avais rencontré récemment le jeune officier à l'allure latine qui parlait dans une radio portative. Nous voyant arriver, Tom Lucero ajouta quelques mots dans son micro puis coupa la communication. De l'endroit où je me trouvais, je ne voyais par la portière ouverte de la Toyota qu'une hanche et un bras gauches. J'éprouvai un choc en reconnaissant le manteau de laine noire, l'anneau de mariage plaqué-or et la montre de plastique noir. Et puis, coincée entre le pare-brise et le tableau de bord, la plaque de médecin expert de Susan.

– D'après l'immatriculation, la voiture appartient à un certain Jason Story. Je pense que c'est son mari, dit Lucero à Marino. On a trouvé les papiers de la victime dans son sac à main. Le permis de conduire est au nom de Susan Dawson Story, sexe féminin, race blanche, 28 ans.

– De l'argent ?

Onze dollars dans son portefeuille et quelques cartes de crédit. Jusqu'ici, rien n'indique que le vol soit le mobile. Vous la reconnaissez ?

Marino se pencha pour mieux voir. Ses mâchoires se contractèrent.

– Ouais, je la reconnais. On a trouvé la voiture comme ça ?

– On a juste ouvert la portière, c'est tout, dit Lucero en rempochant sa radio portative.

– Le moteur était arrêté, les portières déverrouillées ?

– Oui. Comme je vous l'ai dit au téléphone, c'est Fritz qui a découvert la voiture au cours d'une patrouille de routine, euh... aux alentours de 15 heures. Il a tout de suite remarqué la plaque de médecin expert. (Il me jeta un coup d'œil.) Si vous regardez par la vitre passager, vous remarquerez du sang à hauteur de l'oreille droite. Pas de doute, c'est du travail soigné.

Marino recula de quelques pas et examina la neige souillée.

– Ça va être plutôt duraille de retrouver des empreintes de pas.

– Vous l'avez dit. Ça fond plus vite qu'un esquimau à la vanille. Il n'y avait déjà presque plus de neige quand on est arrivés.

– Des douilles ?

– Niet.

– La famille est prévenue ?

– Pas encore. Je me suis dit que vous préféreriez le faire vous-même, répliqua Lucero.

– Surtout que la presse n'apprenne pas son nom ni le travail qu'elle faisait avant que la famille soit au courant. Seigneur... (Il se tourna vers moi.) Vous avez des choses à faire ici ?

– Je ne veux toucher à rien dans la voiture, marmonnai-je en jetant un regard aux alentours. (Je sortis mon appareil photo. J'avais les sens en alerte et l'esprit clair mais mes mains ne voulaient pas cesser de trembler.) Laissez-moi une minute. Je veux jeter un coup d'œil avant qu'on l'emmène.

– Le doc peut y aller ? demanda Marino à Lucero.

– Pas de problème, on a fini.

Susan était vêtue d'un jean délavé et d'une paire de bottes à lacets usées. Son manteau de laine noire était boutonné jusque sous le menton. Mon cœur se serra lorsque j'aperçus le foulard de soie rouge dépassant du col. Elle portait des lunettes noires et était adossée au siège comme quelqu'un qui dort. Derrière son crâne, une tache rougeâtre marquait la garniture gris clair du siège. Je contournai la voiture et vis le sang dont avait parlé Lucero. Je pris quelques photos puis, me penchant tout près de son visage, je sentis un léger parfum d'eau de Cologne masculine. Je remarquai aussi que sa ceinture de sécurité n'était pas bouclée.

Je ne touchai son crâne qu'après que l'équipe d'intervention eut enfourné le brancard à l'arrière de l'ambulance. Je m'assis à côté du corps et passai plusieurs minutes à chercher les orifices d'entrée des balles. J'en trouvai un à la tempe droite et un second dans le creux de la nuque. Je passai ma main gantée dans ses cheveux châtains à la recherche d'autres épanchements de sang mais n'en trouvai pas.

Marino me rejoignit dans l'ambulance.

– Combien de coups de feu ? demanda-t-il.

– J'ai trouvé deux entrées. Les balles ne sont pas ressorties, mais j'en ai senti une sous la peau au niveau du temporal gauche.

Il consulta sa montre d'un air tendu.

– Les Dawson sont pas très loin. Ils habitent à Glenburnie.

– Les Dawson ? répétai-je en ôtant mes gants.

– Ses parents. Il faut que j'aille leur parler. Tout de suite. Avant qu'un abruti aille tout raconter à un journaliste et qu'ils apprennent ça par la radio ou la télé. Je vais demander à une voiture de patrouille de vous raccompagner chez vous.

– Non, dis-je. Je vais avec vous. Je ne peux pas ne pas le faire.

Les réverbères s'allumaient lorsque nous reprîmes la voiture. Marino gardait les yeux fixés sur la chaussée, le visage congestionné.

– Merde ! s'exclama-t-il en martelant le volant de son poing. Merde de merde ! Lui tirer une balle dans la tête. *Tirer sur une femme enceinte.*

Je regardai par la vitre, l'esprit en bataille, empli dc fragments d'images distordues.

Je m'éclaircis la gorge.

– A-t-on prévenu son mari ?

– Personne ne répond chez eux. Peut-être qu'il est chez ses beaux-parents. Bon Dieu, je déteste ce boulot. Je ne veux pas y aller. Putain de joyeux Noël. Je viens vous voir pour vous annoncer une nouvelle qui va vous gâcher le restant de votre vie.

– Vous n'avez gâché la vie de personne.

– Ouais, eh ben préparez-vous, parce que je vais pas tarder à le faire.

Il tourna dans Albemarle. Les poubelles rangées au bord du trottoir débordaient de sacs plastiques pleins de déchets de Noël. Les fenêtres brillaient d'une lumière chaleureuse, certaines teintées par les lumières multicolores d'un sapin. Un jeune père tirait une luge sur laquelle était juché son bambin. Ils nous sourirent et nous adressèrent un signe de la main lorsque nous les dépassâmes. Glenburnie était un quartier de classes moyennes, de jeunes cadres célibataires, mariés ou homosexuels. À la saison chaude, les gens sortaient devant chez eux et faisaient la cuisine dans leur jardin. Ils organisaient des soirées et se hélaient d'un trottoir ou d'une maison à l'autre.

La modeste demeure des Dawson, de style Tudor, était joliment décorée de plantes vertes entretenues avec soin. Les fenêtres du rez-de-chaussée et du premier étaient éclairées. Un vieux break était garé le long du trottoir.

En réponse à notre coup de sonnette, une voix féminine se fit entendre de l'autre côté de la porte.

– Qui est là ?

– Mrs Dawson ?

– Oui ?

– Détective Marino, de la police de Richmond. Il faut que je vous parle, dit-il d'une voix forte en exhibant sa plaque à hauteur du judas.

Mon pouls s'emballa lorsque les verrous s'ouvrirent. Mon expérience hospitalière m'avait plus d'une fois mise en présence de blessés graves qui hurlaient de douleur en me suppliant de ne pas les laisser mourir. Je les avais rassurés par de pieux mensonges, « Ne vous inquiétez pas, vous allez vous en tirer », alors qu'ils expiraient en s'agrippant à ma main. J'avais dit « Je suis désolée » à des proches désespérés, dans de petites chambres étouffantes où même les prêtres se sentaient perdus. Toutefois il ne m'était jamais arrivé d'annoncer un décès le jour de Noël.

La seule ressemblance que je trouvai entre Mrs Dawson et sa fille était la forte courbure de leur mâchoire. Mrs Dawson avait un visage anguleux, des cheveux blancs et courts. Avec ses cinquante kilos à peine, elle faisait penser à un oisillon affolé. Lorsque Marino me présenta, elle eut un regard paniqué.

– Qu'est-il arrivé ? parvint-elle tout juste à articuler.

– Je crains d'avoir à vous annoncer une très mauvaise nouvelle, Mrs Dawson, dit Marino. Il s'agit de votre fille, Susan. Elle a été tuée.

Un bruit de petits pas se fit entendre dans la pièce voisine, et une fillette surgit à notre droite. Elle s'immobilisa et nous dévisagea avec de grands yeux bleus.

– Hailey, où est Grand-Père ? lui dit Mrs Dawson d'une voix vacillante.

Son visage avait viré au gris cendre.

– En haut.

Hailey était un garçon manqué en blue-jean et mocassins de cuir neufs. Sa chevelure blonde resplendissait comme de l'or et elle portait des lunettes pour corriger un œil gauche paresseux. Je lui donnai 8 ans à peine.

– Va lui dire de descendre, dit Mrs Dawson. Et toi, attends-moi là-haut avec Charlie.

La fillette hésita un instant sur le pas de la porte et se mit deux doigts dans la bouche. Elle nous regarda, Marino et moi, d'un air suspicieux.

– Hailey, qu'est-ce que je t'ai dit !

La petite fille s'éclipsa.

Nous allâmes nous asseoir à la cuisine en compagnie de la mère de Susan. Elle n'appuya même pas son dos à la chaise. Elle retint ses pleurs jusqu'à l'arrivée de son mari, quelques minutes plus tard.

– Oh ! Mack, fit-elle d'une voix brisée. *Oh ! Mack*, répéta-t-elle en éclatant en sanglots.

Il lui passa le bras autour des épaules et la serra contre lui. Il pâlit et contracta les mâchoires en entendant Marino expliquer ce qui s'était passé.

– Oui, je sais où se trouve Strawberry Street, dit le père de Susan. Je ne comprends pas pourquoi elle est allée là-bas. Je ne crois pas qu'elle fréquentait le quartier. En plus aucun magasin n'était ouvert aujourd'hui. Vraiment je ne vois pas.

– Savez-vous où se trouve son mari, Jason Story ? demanda Marino.

– Il est ici.

– Ici ? fit Marino en jetant un regard circulaire.

– En haut. Il dort. Jason ne se sentait pas très bien.

– À qui sont les enfants ?

– À Tom et Marie. Tom est notre fils. Ils sont venus pour les vacances et sont partis en début d'après-midi voir des amis à Tidewater. Ils ne devraient pas tarder à rentrer. (Il prit la main de sa femme.) Millie, ces gens ont sans doute des tas de questions à poser. Tu devrais aller chercher Jason.

– Attendez un instant, dit Marino. Je préférerais lui parler seul à seul une minute. Vous pouvez me montrer sa chambre ?

Cachant son visage dans ses mains, Mrs Dawson hocha la tête.

– Tu ferais mieux d'aller t'occuper de Hailey et Charlie, lui dit son mari. Essaie d'appeler ta sœur. Elle pourra peut-être venir.

Ses yeux bleu clair suivirent son épouse et Marino qui quittaient la cuisine. Le père de Susan était grand, il avait un visage finement modelé, d'épais cheveux bruns à peine parsemés de gris. Il se mouvait avec une grande économie de gestes et dissimulait ses émotions. Susan avait hérité de ses traits, et peut-être de son caractère.

– Sa voiture est vieille. Elle ne possède rien qui puisse tenter les voleurs, et je sais qu'elle n'avait pas de mauvaises fréquentations. Pas d'histoires de drogue ni rien de ce genre.

Il essaya de lire sur mon visage.

– Nous ignorons tout des raisons de ce drame, révérend Dawson.

– Elle était enceinte, dit-il d'une voix étranglée. Comment peut-on faire une chose pareille ?

– Je ne sais pas, dis-je. Je ne sais pas comment on peut faire ça.

Il toussota.

– Elle ne possédait pas d'arme.

Pendant un instant, je ne saisis pas ce qu'il avait voulu dire, puis je compris et le rassurai aussitôt.

– Non, la police n'a pas trouvé d'arme. Aucun élément n'indique qu'elle se soit suicidée.

– La police ? Vous n'appartenez pas à la police ?

– Non, je suis le médecin expert général, Kay Scarpetta.

Il me considéra d'un œil absent.

– Votre fille travaillait avec moi.

– Oh. Oui, bien sûr. Je suis désolé.

– Je ne sais comment vous réconforter, articulai-je. Je voulais juste vous assurer que je ferai tout ce qui est humainement possible pour découvrir ce qui s'est passé. Je tenais à vous le dire.

– Susan parlait souvent de vous. Elle a toujours rêvé de devenir docteur.

Il détourna le regard en réprimant ses larmes.

– Je l'ai vue hier soir. Je suis passée chez elle. (J'hésitai à toucher du doigt les zones sensibles de leurs vies.) Susan avait l'air inquiète. Ces derniers temps, elle n'avait plus toute la tête à son travail.

Il déglutit, les doigts entrelacés sur la table, tellement serrés que ses jointures étaient blanches.

– Il nous faut prier. Voulez-vous prier avec moi, Dr Scarpetta ? (Il me tendit la main.) Je vous en prie.

Lorsque ses doigts s'emparèrent des miens, je ne pus m'empêcher de songer à l'indifférence de Susan envers son père, et à la méfiance qu'elle manifestait à l'égard de tout ce qu'il représentait. Les fondamentalistes me faisaient peur, à moi aussi. Ce n'est pas sans une certaine appréhension que je fermai les yeux tandis que le révérend Mack Dawson remerciait Dieu pour une miséricorde dont l'évidence m'échappait et invoquait des promesses qu'Il ne pourrait désormais plus tenir. Je rouvris les yeux et retirai ma main. Pendant quelques pénibles secondes, je craignis que le père de Susan ne sente mon scepticisme et m'interroge sur ma foi. Mais le sort de mon âme n'était pas son sujet de préoccupation du moment.

Un éclat de voix nous parvint du haut des escaliers, une protestation étouffée dont je ne saisis pas le sens. Un pied de chaise racla par terre. Le téléphone sonna longuement et, au premier étage, on entendit la même voix pousser un hurlement de douleur et de rage. Dawson ferma les yeux. Il marmonna quelques mots qui me parurent étranges car je crus entendre « Reste dans ta chambre. »

– Jason n'a pas quitté la maison de la journée, dit-il. (Je voyais son sang battre à ses tempes.) Il vous le dira lui-même, mais je tiens à vous le confirmer.

– Vous avez dit qu'il ne se sentait pas très bien.

– Il s'est levé ce matin avec un début de rhume. Susan a pris sa température après le déjeuner et l'a convaincu d'aller se coucher. Il ne ferait jamais de mal à... Bah. (Il toussota.) Je sais que les policiers doivent poser des questions, essayer de comprendre les situations familiales. Mais ça n'est pas le cas ici.

– Révérend Dawson, à quelle heure Susan a-t-elle quitté la maison aujourd'hui ? A-t-elle dit où elle allait ?

– Elle est sortie après le repas, quand Jason est monté se coucher. Il devait être 1 heure et demie ou 2 heures. Elle nous a dit qu'elle allait chez une amie.

– La connaissez-vous ?

Il regarda par-dessus mon épaule.

– Une amie avec qui elle était au lycée. Dianne Lee.

– Où habite Dianne ?

– Dans le Northside, à côté du séminaire.

– On a trouvé la voiture de Susan dans Strawberry Street, pas dans le Northside.

– Je suppose que si quelqu'un... On aurait pu la retrouver n'importe où.

– Il serait utile de savoir si elle est arrivée chez Dianne, et qui a eu l'idée de cette visite, dis-je.

Il se leva et se mit à ouvrir des tiroirs. Il en essaya trois avant de trouver l'annuaire, qu'il feuilleta d'une main tremblante avant de composer un numéro. Après s'être éclairci la gorge à plusieurs reprises, il demanda à parler à Dianne.

– Je vois. Comment ? (Il écouta en silence quelques instants.) Non, non. (Sa voix se brisa.) Non, ça ne va pas bien du tout.

Tandis qu'il expliquait ce qui s'était passé, je réalisai que quelques années auparavant, il avait dû prier et téléphoner de la même façon après la mort de son autre fille, Judy. Lorsqu'il revint s'asseoir à la table, il confirma mes craintes. Non seulement Susan ne s'était pas rendue chez son amie, mais il n'en avait jamais été question entre elles, pour la bonne raison que Dianne n'était pas en ville.

– Elle est dans sa belle-famille, en Caroline du Nord, m'expliqua le père de Susan. Depuis plusieurs jours. Pourquoi Susan nous a-t-elle menti ? Elle n'avait pas à le faire. Je lui ai toujours dit que quel que soit le problème, elle ne devait pas nous mentir.

– De toute évidence elle ne voulait pas qu'on sache où elle allait, ni qui elle allait voir. Je comprends que cela soulève des questions embarrassantes, mais nous devons les affronter, dis-je d'une voix aussi douce que possible.

Il baissa la tête et contempla ses mains.

– Jason et elle s'entendaient-ils bien ?

– Je ne sais pas. (Il parvint à se ressaisir.) Mon Dieu, ça ne va pas recommencer. (Une nouvelle fois, il murmura son étrange incantation.) Va dans ta chambre. Je t'en prie, va dans ta chambre. (Lorsqu'il releva la tête ses yeux étaient injectés de sang.) Elle avait une sœur jumelle. Judy est morte alors qu'elles étaient au lycée.

– Dans un accident de voiture, oui. Susan m'a raconté. Je suis tellement désolée.

– Elle ne s'en est jamais remise. Elle en rejetait la faute sur Dieu. Et sur moi.

– Ça n'est pas l'impression qu'elle m'a donnée, dis-je. Si elle rejetait la faute sur quelqu'un, c'était plutôt sur une fille du nom de Doreen.

D'un geste posé Dawson sortit un mouchoir de sa poche et se moucha.

– Qui ? fit-il.

– Une fille du lycée. Susan disait qu'elle était un peu sorcière.

Il secoua la tête.

– Elle aurait jeté un sort à Judy, repris-je.

Il était inutile d'insister. Dawson ne savait pas de quoi je parlais. Nous tournâmes en même temps la tête lorsque Hailey entra dans la cuisine. Les yeux apeurés, elle serrait dans ses bras un gant de base-ball.

– Qu'est-ce que tu nous apportes là, ma chérie ? fis-je en essayant de sourire.

Elle s'approcha tout contre moi. Je sentis l'odeur du cuir neuf. Le gant était plié et cousu par du gros fil, et une *softball*[1] reposait en son centre comme une perle dans son huître.

– C'est tante Susan qui me l'a donné, fit-elle d'une petite voix. Il faut attendre qu'il s'ouvre. Je dois le mettre sous mon matelas. Pendant une semaine, tante Susan a dit.

Son grand-père tendit les bras, la souleva et l'assit sur ses genoux. Il enfouit son nez dans ses cheveux et la serra.

– Je veux que tu ailles dans ta chambre pendant un petit moment, fillette. Veux-tu faire ça pour moi le temps que je finisse ? Juste un petit moment, d'accord ?

Elle acquiesça sans me quitter des yeux.

– Qu'est-ce qu'ils font, grand-mère et Charlie ?

– Je ne sais pas.

Elle se laissa glisser à terre et nous quitta à contrecœur.

– Vous l'avez déjà dit, lui fis-je remarquer.

Il sembla perdu.

– Vous lui avez déjà dit d'aller dans sa chambre, dis-je. Je vous ai entendu le dire tout à l'heure, vous avez marmonné

1. La *softball*, beaucoup moins dure que les balles professionnelles, est utilisée pour l'entraînement. (NdT)

quelque chose comme : « Va dans ta chambre. » À qui parliez-vous ?

Il baissa les yeux.

– L'enfant, c'est le plus profond de nous-même. Il ressent les choses intensément, il pleure, il est incapable de maîtriser ses émotions. Parfois il est préférable de l'envoyer dans sa chambre comme je viens de le faire avec Hailey. Pour rester maître de soi. C'est un truc que j'ai appris il y a longtemps. Quand j'étais gosse. J'étais bien obligé : mon père réagissait mal quand je pleurais.

– Pleurer est quelque chose de parfaitement naturel, révérend Dawson.

Ses yeux s'emplirent de larmes. J'entendis le pas de Marino dans les escaliers. Lorsqu'il entra dans la cuisine, Dawson, d'une voix angoissée, marmonna une nouvelle fois sa phrase entre ses dents.

Marino le regarda, décontenancé.

– Je crois que votre fils est arrivé, dit-il.

Des portières claquèrent dans l'obscurité glacée et, alors que le père de Susan fondait en larmes, des rires résonnèrent sous le porche.

Le dîner de Noël finit à la poubelle, et je passai la soirée à arpenter la maison, pendue au téléphone, tandis que Lucy restait cloîtrée dans mon bureau. Il fallait tout réorganiser. Le meurtre de Susan bouleversait mon service. Il faudrait enfermer son dossier à double tour, dissimuler les photos du crime à ceux qui l'avaient connue. La police voudrait fouiller son bureau, son placard de vestiaire. On allait interroger les membres de mon personnel.

– Je ne peux pas quitter la maison, me dit mon assistant Fielding au téléphone.

– Je comprends bien, dis-je en sentant une boule dans ma gorge. Je ne m'attends ni ne veux voir personne au bureau.

– Et vous ?

– Je dois y aller.

– Juste ciel. Je n'arrive pas à croire qu'une telle chose ait pu se produire. Je n'arrive tout simplement pas à y croire.

Le Dr Wright, mon assistant à Norfolk, accepta gentiment de venir à Richmond tôt le lendemain matin. Comme nous étions dimanche, il n'y avait personne dans l'immeuble, sauf Vander venu procéder aux examens avec son Luma-Lite. Même si mon état émotionnel m'avait permis de procéder à l'autopsie de Susan, j'aurais quand même refusé de la faire. Le pire des torts que je pouvais lui causer aurait été que l'objectivité de mes conclusions soit mise en doute par les avocats de la défense sous prétexte que l'expert que j'étais se trouvait également être le patron de la victime. C'est pourquoi je restai assise à un bureau de la morgue pendant que procédait le Dr Wright. De temps à autre, par-dessus le cliquètement métallique des instruments, il commentait le déroulement des opérations et je l'écoutais, les yeux rivés au mur de moellons. Je ne touchai aucun formulaire concernant Susan, n'étiquetai aucun tube à essai. Je ne me retournai même pas pour regarder.

– Avez-vous senti une odeur sur elle ou ses vêtements ? lui demandai-je à un certain moment. Une eau de Cologne ou quelque chose ?

Il interrompit son travail et je l'entendis faire quelques pas.

– Oui, en effet. Sur le col de son manteau et son foulard.

– Reconnaissez-vous l'odeur d'une eau de Cologne masculine ?

– Hmm. Je crois, oui. Oui, je dirais qu'il s'agit d'un parfum plutôt masculin. Peut-être que son mari se parfume à l'eau de Cologne ?

Proche de la retraite, Wright était un homme bedonnant qui parlait avec l'accent de Virginie occidentale. C'était un excellent pathologiste et il avait aussitôt deviné l'hypothèse à laquelle je pensais.

– Bonne question, dis-je. Je demanderai à Marino de se renseigner. Mais hier son mari était malade. Il a passé son après-midi au lit. Ce qui ne veut pas dire qu'il ne s'était pas mis d'eau de Cologne. Ce qui ne veut pas dire non plus que son frère ou son père ne s'étaient pas parfumés avant de l'embrasser.

– On dirait que c'est du petit calibre. Il n'y a pas d'orifice de sortie.

Je fermai les yeux et écoutai.

– La blessure à la tempe droite est de 4,6 millimètres, avec une brûlure de 12 millimètres – mais l'auréole est incomplète. Un peu de grenure et de poudre, mais la plus grande partie s'est dispersée dans les cheveux. Un peu de poudre sur le muscle temporal. Pas grand-chose dans l'os et la dure-mère.

– La trajectoire ? demandai-je.

– La balle pénètre la face postérieure du lobe frontal droit, traverse la face antérieure jusqu'aux ganglions sphénopalatins, percute l'os temporal gauche et se fiche dans le tissu musculaire juste sous la peau. Il s'agit d'une balle en plomb, chemisée de cuivre mais non blindée.

– Elle ne s'est pas fragmentée ? demandai-je.

– Non. Nous avons une seconde blessure à la base de la nuque. Auréole noire, brûlée et abrasée, avec la marque de l'embout du canon. Déchirures d'environ un millimètre et demi sur le pourtour. Beaucoup de poudre dans les muscles occipitaux.

– Forte pression ?

– Oui. Il semble qu'on ait appuyé fortement sur le canon. La balle pénètre à la jonction du trou occipital et de la C-1, détruit la jonction cervico-médullaire et perfore le pont de Varole.

– Quel angle ? demandai-je.

– La trajectoire est montante. À mon avis si Susan était assise dans la voiture au moment du tir, elle était penchée en avant ou avait la tête inclinée.

– Ça ne correspond pas à la position dans laquelle on l'a trouvée. Elle avait la tête relevée, le buste appuyé contre le dossier.

– Alors c'est que l'assassin l'a redressée, dit Wright. Après l'avoir tuée. Je pense que la balle qui a perforé le pont de Varole a été tirée en dernier. Susan devait déjà être incapable de réagir lorsqu'il a tiré la seconde balle. Son buste s'était peut-être affaissé.

Par intermittence, j'étais capable d'entendre froidement ce qu'il me disait, comme si la victime m'était parfaitement inconnue. Puis soudain un frisson me parcourait et je devais refréner mes larmes. Par deux fois je dus sortir sur le parking, rester un moment dans le froid. Lorsque Wright en arriva au fœtus de dix semaines – une fille – qu'elle portait en elle, je battis en retraite et montai dans mon bureau. Aux yeux de la loi virginienne, un enfant non né n'était pas considéré comme une personne, et donc il ne pouvait avoir été assassiné puisqu'on ne peut tuer une non-personne.

– Deux pour le prix d'une, remarqua amèrement Marino au téléphone un peu plus tard ce même jour.

– Oui, je sais, dis-je en sortant le tube d'aspirine de mon sac à main.

– Au tribunal on dira même pas aux jurés qu'elle était enceinte. L'argument sera refusé, ça compte pas qu'il ait buté une femme enceinte.

– Je sais, répétai-je. Wright a bientôt terminé. L'examen externe n'a rien donné. Aucun indice, pas le moindre bout de piste. Et de votre côté ?

– Susan traversait une passe difficile, ça fait pas de doute, dit Marino.

– Des problèmes avec son mari ?

– D'après lui, c'est avec vous qu'elle avait un problème. Il prétend que vous lui faisiez de drôles de coups, que vous arrêtiez pas de l'appeler, que vous étiez toujours après elle. Certains jours elle rentrait du travail à moitié dingue, comme si quelque chose la rendait morte de trouille.

– Susan et moi n'avions aucun problème, fis-je avant d'avaler trois aspirines avec une gorgée de café froid.

– Je vous répète juste ce que le gars m'a dit. L'autre truc, et je crois que ça va vous intéresser, c'est qu'on a trouvé une autre plume. Je dis pas que ça établit un lien entre le meurtre de Jennifer Deighton et celui de Susan, doc, ni que c'est mon hypothèse préférée, mais merde ! Peut-être que notre fumier porte des gants fourrés, ou un anorak. J'en sais rien. Mais c'est un indice plutôt rare. La seule autre histoire de plumes que je me souviens, c'est quand ce mec avait cambriolé une baraque et qu'il s'était déchiré sa veste fourrée en cassant un carreau.

Ma migraine me faisait tellement souffrir que j'en avais mal à l'estomac.

– On a trouvé un minuscule bout de duvet blanc dans la voiture de Susan, poursuivit Marino. Accroché à la garniture de la portière passager, à quatre ou cinq centimètres en dessous de l'accoudoir.

– Vous pouvez me le faire passer ?

– Bien sûr. Qu'est-ce que vous allez faire ?

– Appeler Benton.

– J'ai déjà essayé, mais je crois que sa femme et lui sont absents.

– Je veux lui demander si Minor Downey pourrait nous aider.

– Vous parlez de quelqu'un ou d'un assouplissant[1] ?

– Je parle de Minor Downey, qui travaille sur les fibres et les poils dans les labos du FBI. C'est un spécialiste des plumes.

– Et il s'appelle vraiment *Downey* ? demanda Marino d'un ton incrédule.

8

Le téléphone sonna un long moment à l'Unité d'étude du comportement du FBI installée dans les sous-sols de l'Académie, à Quantico. Je m'imaginais son morne labyrinthe de couloirs et de bureaux où étaient exposés les trophées de valeureux guerriers tel que Benton Wesley, dont on me dit qu'il était parti au ski.

– À vrai dire, je suis seul ici en ce moment, m'expliqua l'agent courtois qui me répondit.

– Je suis le Dr Scarpetta et je dois le joindre d'urgence.

Benton Wesley me rappela presque aussitôt.

– Benton, où êtes-vous ? fis-je en élevant la voix à cause du terrible grésillement de la ligne.

– Dans ma voiture, répondit-il. Connie et moi avons passé Noël dans sa famille, à Charlottesville. Nous sommes en route pour Hot Springs. J'ai appris ce qui était arrivé à Susan Story. Bon sang, je suis désolé. J'allais vous appeler ce soir.

– La communication est très mauvaise. Je ne vous entends presque pas.

– Ne quittez pas.

Je patientai une bonne minute avant d'entendre à nouveau Benton.

1. Downey signifie *"en duvet"*, c'est pourquoi Minor Downey, que l'on pourrait traduire par *"Minor Duveteux"*, justifie l'étonnement de Marino. (NdT)

– Voilà, c'est mieux. Nous étions dans un creux. Bon, que puis-je faire pour vous ?

– J'ai besoin de l'aide du Bureau pour examiner des plumes.

– Pas de problème. Je vais appeler Downey.

– Il faut que je vous parle, dis-je avec réticence car je le prenais au débotté. Ça ne peut pas attendre.

– Un instant. (Cette fois, la pause n'était pas due aux parasites. Il s'entretenait avec sa femme. Il revint bientôt en ligne :) Est-ce que vous savez skier ? Connie et moi allons passer quelques jours au Homestead. Nous pourrions discuter là-bas. Pouvez-vous vous libérer ?

– Je me débrouillerai, dussé-je remuer ciel et terre. Et j'amènerai Lucy.

– Parfait. Connie et elle feront connaissance pendant que nous bavarderons. Je vous réserverai une chambre dès notre arrivée. Vous pouvez m'apporter les dossiers ?

– Bien sûr.

– Y compris tout ce que vous avez sur l'affaire Robyn Naismith. Il faut étudier toutes les hypothèses, même les plus farfelues.

– Merci, Benton, fis-je avec reconnaissance. Et remerciez Connie de ma part, je vous prie.

Je décidai de quitter le bureau sur-le-champ, en ne fournissant que le minimum d'explications.

– Ça vous fera du bien, fit Rose en notant le numéro du Homestead.

Elle ne comprit pas que mon intention n'était pas d'aller me détendre dans un hôtel cinq étoiles. Ses yeux s'emplirent de larmes lorsque je lui dis de donner le numéro de l'hôtel à Marino, de façon qu'il puisse me joindre aussitôt s'il avait du nouveau sur le meurtre de Susan.

– Mais je vous en conjure, ajoutai-je, ne donnez ce numéro à personne d'autre.

– Trois journalistes ont appelé au cours des vingt dernières minutes, dit-elle. Dont quelqu'un du *Washington Post*.

– Je ne veux faire aucune déclaration sur la mort de Susan pour l'instant. Donnez-leur l'explication habituelle : on attend les résultats du labo. Dites-leur juste que je suis partie et qu'on ne peut pas me joindre.

Des images me hantaient l'esprit alors que nous roulions vers l'ouest en direction des montagnes. Je revoyai Susan dans ses habits minables, me remémorai le visage de ses parents lorsque Marino leur avait annoncé la nouvelle.

– Est-ce que ça va ? me demanda Lucy qui n'avait cessé de m'observer depuis que nous avions quitté la maison.

– Je suis préoccupée, c'est tout, fis-je en me concentrant sur la route. Tu vas adorer le ski. J'ai le sentiment que tu te débrouilleras très bien.

Elle demeura silencieuse et garda les yeux fixés au-delà du pare-brise. Le ciel était couleur de jean délavé, les montagnes à l'horizon coiffées de neige.

– Je suis désolée de ce qui se passe, ajoutai-je. On dirait que chaque fois que tu viens me voir, il arrive quelque chose qui m'empêche de me consacrer à toi.

– Je n'ai pas besoin que tu te consacres à moi.

– Un jour tu comprendras.

– Qu'est-ce qui te dit que je ne suis pas pareille avec mon travail ? Peut-être bien que tu m'as influencée. J'aurai sans doute une belle carrière comme toi.

J'avais la tête aussi lourde que du plomb. Heureusement que je portais des lunettes noires. Je ne voulais pas que Lucy voie mes yeux.

– Je sais que tu m'aimes, poursuivit ma nièce. C'est ça qui compte. Et je sais que ma mère ne m'aime pas.

– Dorothy t'aime autant qu'elle est capable d'aimer quelqu'un.

– Très juste. Autant qu'elle est capable d'aimer, ce qui ne fait pas beaucoup, parce que je ne suis pas un homme. Elle n'aime que les hommes.

– Non, Lucy. Ta mère n'aime pas vraiment les hommes. Ils ne sont que le révélateur de sa quête obsessionnelle de quelqu'un qui l'épanouira complètement. Elle ne comprend pas que c'est à elle de s'épanouir.

– Pour l'instant la seule chose qu'elle réussit à tous les coups, c'est à dégoter des trous du cul.

– J'admets que sa moyenne n'est pas terrible.

– Je ne vivrai jamais comme ça. Je ne veux pas lui ressembler.

– Tu n'es pas comme elle, dis-je.

– J'ai vu dans une brochure qu'ils faisaient du ball-trap, là où on va.

– Il y a des tas d'activités là-bas.

– Est-ce que tu as apporté un de tes revolvers ?

– On ne fait pas du ball-trap avec un revolver, Lucy.

– Si t'es de Miami, tu peux.

– Arrête de bâiller, tu me donnes sommeil.

– Pourquoi tu n'as pas apporté d'arme ? insista-t-elle.

Le Ruger était dans ma valise, mais je préférais ne pas le lui dire.

– Pourquoi t'inquiètes-tu de savoir si j'ai pris une arme ou pas ? demandai-je.

– Je veux apprendre à tirer. Je veux savoir taper à tous les coups dans le douze de la pendule, dit-elle d'une voix ensommeillée.

J'éprouvai un pincement au cœur tandis qu'elle roulait sa veste pour s'en faire un oreiller. Elle se recroquevilla sur son siège et s'endormit, sa tête frôlant ma cuisse. Elle ne pouvait savoir à quel point j'avais envie de la renvoyer sur-le-champ à Miami. Mais j'aurais juré qu'elle avait senti mon angoisse.

Situé dans les Allegheny Mountains au milieu de 7 000 hectares de forêt et de torrents, le Homestead comportait un bâtiment principal en briques rouge sombre coupé de colonnades blanches. La coupole blanche affichait une horloge à chaque point cardinal, toujours à l'heure et visible des kilomètres à la ronde. Les courts de tennis et les terrains de golf étaient blancs de neige.

– Tu as de la chance, dis-je à Lucy tandis que des grooms empressés en uniforme gris avançaient vers la voiture. La neige va être excellente.

Comme promis, une réservation nous attendait à la réception. Benton Wesley nous avait choisi une chambre double avec une porte-fenêtre donnant sur un balcon dominant le casino. Sur une table trônait un bouquet de fleurs de la part de Connie et lui.

« Rendez-vous sur les pistes, disait la carte. Nous avons réservé un cours pour Lucy à 15 h 30. »

– Dépêchons-nous, dis-je à ma nièce en ouvrant ma valise. Ta première leçon de ski est dans tout juste quarante minutes. Essaie ça. (Je lui lançai un fuseau rouge, puis un anorak, des chaussettes, des gants et un pull volèrent à travers la pièce pour atterrir sur son lit.) N'oublie pas ta banane. On te trouvera ce qui manque plus tard.

– Je n'ai pas de lunettes, dit-elle en enfilant un chandail bleu vif. La neige va m'éblouir.

– Prends les miennes. De toute façon le soleil ne va pas tarder à descendre.

Le temps que nous attrapions la navette, louions l'équipement de Lucy et trouvions son moniteur au bas d'un remonte-pente, il était 15 h 29. Les taches de couleur vive des skieurs sillonnaient les pentes, et ce n'est que de près qu'ils ressemblaient à des êtres humains. Skis aux pieds, la main en visière, je scrutai les files d'attente et les œufs de télésièges. Malgré la neige qui étincelait sous le soleil descendu presque au niveau du sommet des arbres, les ombres s'allongeaient et la température baissait rapidement.

Si je repérai aussi facilement le couple, c'est parce qu'ils skiaient avec une grâce inégalable, les bâtons légers comme des plumes, soulevant à peine quelques flocons de neige alors qu'ils virevoltaient comme deux oiseaux. Je levai le bras en reconnaissant la chevelure argentée de Benton Wesley. Il tourna la tête vers Connie, lui cria quelque chose que je n'entendis pas, puis, tel un poignard, fonça vers moi tout schuss, les skis si serrés qu'on n'aurait pas pu glisser entre eux une feuille de papier.

Lorsque, après s'être arrêté dans une gerbe de neige, il souleva ses lunettes, je réalisai d'un seul coup qu'il aurait attiré mon regard même si je ne l'avais pas connu. Son fuseau noir moulait des jambes dont je n'avais jamais remarqué la musculature sous les classiques pantalons de costume qu'il portait d'habitude, et son anorak avait les couleurs d'un coucher de soleil à Key West. Son visage et ses yeux vivifiés par le froid rendaient ses traits plus séduisants encore. Connie nous rejoignit et s'arrêta à côté de lui.

– C'est formidable que vous soyez venue, dit Wesley.

Je ne pouvais jamais le voir ou l'entendre sans que cela me rappelle Mark. Ils avaient été collègues et amis intimes. Ils auraient pu passer pour frères.

– Où est Lucy ? demanda Connie.

– Elle va faire sa première descente, dis-je en désignant sa silhouette au bas du remonte-pente.

– J'espère que ça ne vous a pas embêtée que je l'inscrive à un cours.

– Embêtée ? Je ne sais comment vous remercier de votre attention. Elle est absolument enchantée.

– Je vais rester ici un moment pour la regarder, dit Connie. Ensuite j'irai boire quelque chose de chaud. Je pense que Lucy en aura bien besoin aussi. Ben, on dirait que tu n'en as pas eu assez.

– Vous êtes prête pour une petite descente ou deux ? me demanda Wesley.

Nous bavardâmes de choses et d'autres pendant que nous faisions la queue, puis nous nous tûmes lorsque le télésiège nous contourna en grinçant pour se présenter derrière nous. Wesley abaissa la barre de sécurité et l'engin nous emporta vers le sommet. L'air d'une pureté parfaite avait sur moi un effet apaisant. Le silence n'était troublé que par le chuintement des skis qui glissaient sur la neige au-dessous de nous et trépidaient en rencontrant une plaque durcie. Derrière les bosquets s'élevaient, telles des fumées blanches, les gerbes de neige soufflées par les canons.

– J'ai appelé Downey, m'informa-t-il. Il vous recevra au quartier général quand vous voudrez.

– Excellente nouvelle, dis-je. Benton, que vous a-t-on dit exactement ?

– C'est surtout par Marino que je suis au courant. Il semble que vous ayez plusieurs affaires simultanées, qui, sans être reliées par des indices matériels, présentent une curieuse coïncidence temporelle.

– Je pense qu'il s'agit d'autre chose que d'une simple coïncidence. Vous savez qu'on a relevé une empreinte de Waddell chez Jennifer Deighton, n'est-ce pas ?

– Oui, fit-il en contemplant le contre-jour d'une rangée de sapins sur le soleil couchant. Comme je l'ai dit à Marino, j'espère qu'on trouvera une explication logique à la présence de cette empreinte.

– La seule explication logique risque bien d'être que Waddell s'est effectivement trouvé, à un certain moment, chez Jennifer Deighton.

– Si c'était le cas, nous serions confrontés à une situation qui défierait toute logique, Kay. Un condamné enfermé dans le couloir de la mort continuerait à commettre des meurtres à l'extérieur. Ce qui voudrait dire qu'un autre détenu a pris sa place sur la chaise dans la nuit du 13 décembre. Je doute pourtant qu'il y ait eu beaucoup de volontaires.

– Difficile à croire en effet, dis-je.

– Que savez-vous de l'histoire judiciaire de Waddell ?

– Peu de choses.

– Je l'ai rencontré il y a plusieurs années, à Mecklenburg.

Je tournai la tête vers lui avec curiosité.

– Avant de vous raconter ça, sachez qu'il s'est montré très peu coopératif dans la mesure où il a refusé de parler des circonstances du meurtre de Robyn Naismith. Il prétendait que s'il l'avait tuée, il ne s'en souvenait pas. C'est assez courant. La plupart des criminels que j'ai interrogés prétendent qu'ils ne se souviennent de rien, ou bien nient carrément avoir tué. Avant votre arrivée, je me suis fait faxer une copie du Protocole d'évaluation psychologique de Waddell. Nous l'étudierons après dîner.

– Benton, je me sens déjà mieux d'être ici.

Il garda le regard fixé devant lui. Nos épaules s'effleuraient à peine. La pente en dessous de nous s'accentuait. Nous restâmes un moment silencieux.

– Comment vous sentez-vous ces jours-ci, Kay ? me demanda-t-il brusquement.

– Mieux. Mais il y a encore des moments difficiles.

– Je sais. Il y en aura toujours. De moins en moins, j'espère. Il y aura des jours entiers où vous n'y penserez pas.

– C'est déjà le cas, dis-je. Il y a des jours où j'oublie.

– Nous avons une piste sérieuse concernant le chef du groupe. Nous pensons savoir qui a placé la bombe.

Nous soulevâmes la pointe de nos skis et nous penchâmes en avant lorsque le siège nous éjecta comme deux oisillons chassés du nid. La montée m'avait engourdi et refroidi les jambes, et les pistes à présent plongées dans l'ombre dissimulaient de traîtresses plaques de verglas. Les longs skis blancs de Wesley se confondaient avec la neige, puis l'instant d'après étincelaient sous un rayon de soleil. Il descendait tel un danseur soulevant d'éblouissantes aigrettes de poussière de diamant, s'arrêtant de temps à autre pour jeter un coup d'œil derrière lui. Tout en effectuant de laborieux virages parmi les petites buttes, je lui faisais signe de continuer en levant mon bâton. Au bout d'un moment, je me sentis réchauffée, assouplie, l'esprit libre et alerte.

Lorsque, l'obscurité venue, je regagnai ma chambre, je découvris que Marino avait laissé un message disant qu'il serait au quartier général jusqu'à 17 h 30, et que je devais le rappeler dès que possible.

– Que se passe-t-il ? demandai-je lorsqu'il décrocha.

– Quelque chose qui va pas vous aider à retrouver le sommeil. D'abord Jason Story vous traîne dans la boue devant toute personne assez patiente pour l'écouter, y compris des journalistes.

– Il doit bien diriger sa colère sur quelqu'un, fis-je en sentant mon humeur se rassombrir.

– Sauf que c'est pas bon pour nous, et que c'est pas le plus grave. Imaginez-vous qu'on n'arrive pas à mettre la main sur la fiche d'empreintes de Waddell.

– Vous voulez dire qu'on ne la trouve *nulle part* ?

– Tout juste. On a cherché dans son dossier de la police de Richmond, dans celui de la police de l'État et au FBI, les trois juridictions qui devraient avoir sa fiche. Pas le moindre bout d'empreintes. J'ai contacté Donahue au pénitencier pour savoir si on pouvait récupérer les effets personnels de Waddell, ses livres, son courrier, sa brosse à cheveux, sa brosse à dents – tout ce qui pourrait nous fournir une empreinte même partielle. Et devinez quoi ? D'après Donahue, les seules choses que sa mère a voulu garder, c'est sa montre et sa bague. Le *Corrections Department* a brûlé tout le reste.

Je me laissai tomber sur le bord du lit.

– Et je vous ai gardé le meilleur pour la fin, doc. Le labo de balistique a rendu ses conclusions et vous allez pas y croire. Les balles qui ont tué Eddie Heath et Susan Story ont été tirées par la même arme, un 22.

– Dieu du ciel, fis-je.

En bas, un orchestre de jazz animait le Homestead Club, mais l'assistance était clairsemée et la musique suffisamment discrète pour permettre la conversation. Connie avait emmené

Lucy au cinéma, nous laissant, Wesley et moi, installés à une table dans un coin tranquille de la piste de danse. Nous avions tous deux commandé un cognac. Wesley paraissait moins fatigué physiquement que moi, mais la tension était réapparue sur son visage.

Il tendit le bras derrière lui, attrapa la bougie d'une table libre et la posa à côté des deux autres qui brûlaient sur la nôtre. Quoique vacillante, la lumière était suffisante pour lire, et si les consommateurs répartis dans la salle ne nous dévisagèrent pas, ils nous jetèrent toutefois des coups d'œil curieux. Ils devaient penser que c'était un endroit étrange pour travailler, mais nous n'aurions été tranquilles ni dans le hall ni dans le restaurant de l'hôtel, et Wesley était bien trop prudent pour proposer que nous nous installions dans une de nos chambres.

– Un certain nombre d'éléments sont contradictoires dans cette affaire, fit-il en guise de préliminaires. Mais le comportement humain n'est pas un bloc de pierre. Waddell est resté en prison dix ans. Nous ne savons pas dans quelle mesure son emprisonnement a pu le changer. Je définirais l'assassinat d'Eddie Heath comme un meurtre à mobile sexuel, alors qu'à première vue celui de Susan Story ressemble plus à une exécution, à un contrat.

– Comme s'il y avait deux assassins, remarquai-je en faisant tournoyer le cognac dans mon verre.

Il se pencha en avant, feuilletant le dossier de Robyn Naissmith.

– Intéressant, fit-il sans lever les yeux. On invoque toujours le *modus operandi*, la signature de l'assassin. Il choisit tel type de victime, opère dans tel type de lieu, préfère utiliser un couteau, etc. En réalité ça n'est pas toujours vrai. La charge émotionnelle du crime n'est pas non plus toujours évidente. J'ai dit tout à l'heure que le meurtre de Susan Story n'avait pas, *à première vue*, de mobile sexuel. Mais en y réfléchissant, j'en suis venu à la conclusion qu'il y avait un élément sexuel. Je pense que ce type donne dans le piqueurisme.

– Robyn Naismith a été poignardée à de nombreuses reprises, remarquai-je.

– Oui. Pour moi, il s'agit pour ainsi dire d'un cas d'école. Aucune preuve de viol. Ce qui ne veut pas dire qu'il n'a pas eu lieu, mais en tout cas on n'a retrouvé aucune trace de sperme.

L'enfoncement répété du couteau dans l'abdomen, les fesses et la poitrine est un substitut à la pénétration du pénis. C'est du piqueurisme à l'état pur. La morsure est de nature moins évidente, sans aucun lien avec les composants oraux de l'acte sexuel, c'est en tout cas mon opinion, mais elle aussi joue le rôle de substitut à la pénétration. Le cannibalisme, les dents qui s'enfoncent dans la chair, comme ce qu'a fait John Joubert au garçon livreur qu'il avait tué dans le Nebraska. Ensuite nous avons les armes à feu. Tout d'abord on ne songerait pas à associer une arme à feu au piqueurisme, mais il suffit d'y réfléchir un peu. Il arrive alors que la dynamique de certaines affaires s'éclaire brusquement. C'est toujours quelque chose qui pénètre la chair. C'était le truc du Fils de Sam.

– Il n'y a aucun indice de piqueurisme dans le meurtre de Jennifer Deighton.

– Exact. Ce qui nous renvoie à ce que je disais. Il n'y a pas toujours de schéma évident. Nous n'avons certainement pas affaire à un schéma clair dans les meurtres d'Eddie Heath, de Susan Story et de Jennifer Deighton, mais ils ont tous trois un élément commun : il s'agit de meurtres que je définirais comme organisés.

– Pas si organisé que ça dans le cas de Jennifer Deighton, fis-je remarquer. Il semble que le tueur ait tenté en vain de dissimuler le meurtre en suicide. À moins qu'il n'ait pas eu l'intention de la tuer au départ, et qu'il l'ait étranglée par accident en voulant l'immobiliser.

– Le plan ne prévoyait certainement pas qu'elle meure avant d'être enfermée dans la voiture, convint Wesley. Mais les circonstances semblent indiquer qu'il y avait bien un plan. N'oublions pas que le bout de tuyau qui a servi à envoyer les gaz dans la voiture a été sectionné avec un instrument tranchant qui n'a pas été retrouvé. Soit le tueur a apporté sa propre arme ou son propre outil sur les lieux, soit il a emporté l'outil qu'il a trouvé sur place et dont il s'est servi. Et ça, c'est un comportement organisé. Mais avant que nous poussions plus avant dans cette direction, je voudrais souligner que nous n'avons pas de balle de calibre 22 ni aucun autre indice susceptible d'établir un lien entre le meurtre de Jennifer Deighton et ceux du jeune Heath ou de Susan.

– Je pense que si, Benton. On a relevé l'empreinte de Ronnie Waddell sur une des chaises de Jennifer Deighton.

– Rien ne dit que c'est Ronnie Waddell qui a tiré sur les deux autres victimes.

– Eddie Heath a été retrouvé dans une position reproduisant celle où avait été trouvée Robyn Naismith. Le gosse a été agressé la nuit de l'exécution de Ronnie Waddell. Vous ne trouvez pas que ça fait un sacré fil conducteur ?

– Je vais vous dire une chose, fit-il : je ne veux tout simplement pas y penser.

– Je n'en ai pas plus envie que vous. Mais quel est votre sentiment intime, Benton ?

Lorsqu'il fit signe à la serveuse de nous apporter deux autres cognacs, la lueur des bougies sculpta la ligne nette de sa pommette et de son menton.

– Mon sentiment intime ? répéta-t-il. Disons que j'ai un très mauvais sentiment sur toute cette affaire. Je sens que Ronnie Waddell est le dénominateur commun à ces crimes, mais je ne comprends pas ce que cela signifie. On a identifié comme sienne une empreinte relevée sur les lieux d'un meurtre récent, mais il est impossible de retrouver sa fiche digitale permettant une identification formelle. On ne lui a pas non plus pris les empreintes à la morgue, et la personne qui a oublié de le faire a été assassinée avec la même arme qui a tué Eddie Heath. Le conseiller légal de Waddell, Nick Grueman, connaissait apparemment Jennifer Deighton, puisqu'elle lui a semble-t-il envoyé un fax quelques jours avant sa mort. Enfin, c'est vrai, il existe une vague mais indéniable ressemblance entre les morts d'Eddie Heath et de Robyn Naismith. En toute franchise, je ne peux m'empêcher de me demander si, pour je ne sais quelle raison, on n'a pas voulu donner à l'agression d'Eddie Heath une valeur symbolique.

Il attendit que la serveuse ait posé nos verres devant nous, puis ouvrit une enveloppe bulle incluse dans le dossier de Robyn Naismith. Ce geste anodin me fit songer à quelque chose auquel je n'avais pas pensé auparavant.

– Il a fallu que je demande ces photos aux Archives, dis-je.

Wesley me jeta un bref regard tout en chaussant ses lunettes.

– Les dossiers des affaires anciennes, poursuivis-je, sont régulièrement transférés sur microfilm. Ce sont des tirages papiers que vous avez dans votre dossier. Les documents originaux sont détruits, sauf les photos, que nous conservons et qui sont stockées aux Archives.

– Lesquelles se trouvent où ? Dans unc pièce de votre immeuble ?

– Non, Benton. Dans un entrepôt près de la bibliothèque de l'État. Le même entrepôt dans lequel le Bureau des sciences médico-légales conserve les indices matériels des affaires classées.

– Vander n'a toujours pas retrouvé la photo de l'empreinte que Waddell a laissée chez Robyn Naismith ?

– Non, dis-je.

Nos regards se croisèrent. Nous savions tous les deux que Vander ne la retrouverait jamais.

– Seigneur, fit-il. Qui a été chercher les photos de Robyn Naismith ?

– Mon administrateur, répondis-je. Ben Stevens. Il s'est rendu aux Archives une semaine ou deux avant l'exécution de Waddell.

– Pour quelle raison ?

– Lors des dernières sessions des jugements en appel, de nombreuses questions sont soulevées à chaque fois, et je préfère avoir sous la main les dossiers concernés. Faire un tour aux Archives relève donc de la routine. La seule petite différence dans le cas présent, c'est que je n'ai pas eu besoin de demander à Stevens d'aller chercher les photos aux Archives. C'est lui qui s'est porté volontaire.

– C'est inhabituel ?

– En y repensant, je dois admettre que oui.

– Ce que vous dites pourrait impliquer que votre administrateur s'est proposé pour aller aux Archives parce que ce qui l'intéressait, c'était le dossier de Waddell – ou plus précisément la photo de l'empreinte qui s'y trouvait.

– Tout ce que je peux dire avec certitude, c'est que si Stevens voulait trafiquer quelque chose dans un dossier conservé aux Archives, il lui fallait un prétexte pour s'y rendre. Il savait très bien que je trouverais étrange qu'il s'y soit rendu sans qu'un médecin expert ait demandé quoi que ce soit.

Je racontai alors à Wesley l'effraction dont avait été victime le système de sécurité informatique de mon bureau et lui précisai que les deux terminaux concernés étaient celui de Stevens et le mien. Wesley prenait des notes tout en m'écoutant. Lorsque je me tus, il leva les yeux vers moi.

– Il semble donc qu'ils n'aient pas trouvé ce qu'ils cherchaient, dit-il.

– C'est mon avis.

– Ce qui nous amène à la question de savoir ce qu'ils cherchaient.

Je fis tourner lentement le cognac dans mon verre. À la lueur des bougies l'alcool était couleur d'ambre, et chaque gorgée me brûlait délicieusement.

– Peut-être est-ce en rapport avec la mort d'Eddie Heath. J'ai lancé des recherches pour retrouver d'autres affaires dans lesquelles les victimes portaient des marques de morsures ou des blessures s'apparentant à du cannibalisme. J'avais ouvert un dossier spécial dans mon répertoire. À part ça, je ne vois pas ce qu'on aurait pu vouloir espionner.

– Gardez-vous les documents internes à votre service dans votre répertoire ?

– Dans le traitement de texte, un sous-catalogue.

– Le même mot de passe permet d'accéder à tous ces documents ?

– Oui.

– Stockez-vous dans le traitement de texte des rapports d'autopsie et autres documents concernant vos affaires en cours ?

– Oui. Mais le jour où on a pénétré dans mon répertoire, je ne pense pas qu'il y ait eu quoi que ce soit de confidentiel dedans.

– Peut-être, mais celui qui l'a consulté ne pouvait pas le savoir.

– Bien sûr que non.

– Parlons un peu du rapport d'autopsie de Ronnie Waddell, Kay. Était-il dans l'ordinateur le jour où notre fureteur a commis son effraction ?

– Obligatoirement. Waddell a été exécuté le lundi 13 décembre. L'effraction a eu lieu le jeudi 16 en fin d'après-midi, alors que je pratiquais l'autopsie d'Eddie Heath et que Susan était en haut dans mon bureau, où je l'avais envoyée se reposer après l'incident des bocaux de formol.

– Très étonnant, dit-il en fronçant les sourcils. En admettant que c'est Susan qui est entrée dans votre répertoire, pourquoi se serait-elle intéressée au rapport d'autopsie de Waddell – si c'est bien ça qui l'intéressait ? Elle a *assisté* à l'autopsie. Qu'aurait-elle pu apprendre dans votre rapport qu'elle ne savait déjà ?

– Rien, je ne comprends pas.

– Essayons de formuler la question autrement. Que pouvait-elle vouloir savoir concernant l'autopsie de Waddell qu'elle n'aurait pu apprendre le soir où l'on a apporté le corps de Waddell à la morgue ? Ou peut-être devrais-je dire *un* corps, puisque nous ne sommes plus sûrs qu'il s'agissait bien de Waddell ? ajouta-t-il d'un air sombre.

– Elle ignorait le contenu des rapports du labo, dis-je. Mais les examens n'étaient pas terminés au moment où l'on a violé mon répertoire. La détection de stupéfiants ou du HIV, par exemple, prennent des semaines.

– Et ça, Susan le savait.

– Bien sûr.

– Tout comme votre administrateur.

– Absolument.

– Il doit bien y avoir autre chose, fit Wesley.

Il y avait autre chose, en effet, mais lorsque j'y repensai, je ne parvins pas à lui trouver une quelconque signification.

– Waddell, en tout cas celui que nous tenions pour Waddell, transportait dans la poche arrière de son pantalon une enveloppe qu'il voulait faire enterrer avec lui. Fielding ne l'a ouverte qu'une fois remonté dans son bureau avec les formulaires, après l'autopsie.

– Donc Susan n'a pas pu apprendre ce qu'il y avait dans l'enveloppe pendant qu'elle était à la morgue ce soir-là ? demanda Wesley.

– C'est juste. Elle ne pouvait pas savoir.

– Y avait-il quelque chose d'important dans cette enveloppe ?

– Elle ne contenait que quelques factures de restaurant et des tickets de péage.

Wesley fronça les sourcils.

– Des factures, répéta-t-il. Bon sang, que pouvait-il en faire ? Les avez-vous apportées ?

– Elles sont dans son dossier, dis-je en sortant les photocopies. Elles sont toutes datées du même jour, le 30 novembre.

– Ce qui correspond à la date où Waddell a été transféré de Mecklenburg à Richmond.

– Exact. Le transfert a eu lieu quinze jours avant son exécution, dis-je.

– Il faut décrypter les codes de ces factures pour voir d'où elles proviennent. Ça peut être important. Très important, même, vu l'hypothèse que nous devons considérer.

– Celle selon laquelle Waddell est toujours en vie ?

– Oui. Que d'une façon ou d'une autre il y a eu permutation, et qu'il a été libéré. Peut-être que l'homme qui est passé sur la chaise a placé ces factures dans sa poche parce qu'il voulait nous dire quelque chose.

– Comment aurait-il pu les obtenir ?

– Peut-être au cours du transfert de Mecklenburg à Richmond, répliqua Wesley. C'était le meilleur moment pour tenter quelque chose. Peut-être qu'il y avait deux hommes dans le fourgon, Waddell et un autre détenu.

– Vous pensez qu'ils se sont arrêtés quelque part pour manger ?

– Les gardiens sont censés ne pas s'arrêter au cours du transfert d'un condamné à mort. Mais s'il y a eu machination, tout est possible. Peut-être qu'ils se sont arrêtés pour acheter des repas à emporter, et que c'est à ce moment que Waddell a été libéré. Ensuite l'autre détenu a été emmené à Richmond et enfermé dans la cellule de Waddell. Réfléchissez-y un instant. Comment voulez-vous que les gardiens ou qui que ce soit d'autre à Spring Street se rendent compte que le détenu qu'on leur confiait n'était pas Waddell ?

– Il l'a peut-être dit, mais personne ne l'aura écouté.

– Oui, ça m'étonnerait qu'on l'ait cru.

– Et la mère de Waddell ? fis-je. Il paraît qu'elle lui a rendu visite quelques heures avant l'exécution. Elle aurait vu tout de suite que le détenu qu'on lui présentait n'était pas son fils.

– Nous devons d'abord nous assurer que cette visite a bien eu lieu. Mais que ce soit le cas ou pas, Mrs Waddell avait tout intérêt à ne pas révéler l'échange de détenu. Je suppose qu'elle ne tenait pas à voir mourir son fils.

– Ainsi vous pensez qu'on n'a pas exécuté le bon détenu ? fis-je en fronçant les sourcils.

C'était là l'hypothèse que j'aurais préféré plus que toute autre voir invalider. Pour toute réponse, Wesley ouvrit l'enveloppe contenant les photos de Robyn Naismith, dont il sortit une liasse de tirages en couleurs que je n'arrivais toujours pas à regarder sans tressaillir, puis il parcourut lentement le récit en images du calvaire de Robyn.

– Pour moi, le profil de Waddell ne colle pas avec les trois meurtres récents, déclara-t-il enfin.

– Que voulez-vous dire, Benton ? Que sa personnalité a changé après dix ans de prison ?

– Tout ce que je peux vous dire, c'est qu'il existe plusieurs exemples de tueurs organisés qui décompensent et finissent par dérailler. Ils commettent des erreurs. Prenez Bundy, par exemple. Vers la fin, il est devenu frénétique. Ce qui en revanche n'arrive jamais, c'est de voir un individu désorganisé au départ acquérir cette organisation. Un individu psychotique ne devient jamais méthodique, rationnel – bref, organisé.

Lorsque Wesley faisait allusion aux Bundy et autres Fils de Sam qui écument notre monde, il le faisait de manière théorique, impersonnelle, comme si ses analyses et théories provenaient de sources indirectes. Il n'était pas du genre à se vanter. Il ne parsemait pas sa conversation de noms de criminels célèbres et ne laissait jamais sous-entendre qu'il les connaissait personnellement. C'était là une attitude destinée à induire son interlocuteur en erreur.

En réalité, il avait passé de nombreuses heures en compagnie des homologues de Theodore Bundy, David Berkowitz, Sirhan Sirhan, Richard Speck ou Charles Manson, sans parler des trous noirs moins connus qui avaient avalé un peu de lumière de la planète Terre. Un jour Marino m'avait raconté qu'au retour de ces visites dans les établissements de sécurité renforcée où étaient enfermés ces criminels, Wesley avait le visage pâle et paraissait vidé. Cela le rendait presque physiquement malade d'absorber le poison que distillaient ces hommes et de supporter les liens qui finissaient inévitablement par se créer avec eux. Certains des plus grands sadiques de ce temps lui écrivaient à intervalles réguliers, lui envoyaient une carte de vœux pour le Nouvel An et demandaient des nouvelles de sa famille. À vrai dire il n'y avait rien d'étonnant à ce que Wesley ait l'air d'un homme sur qui pesait un lourd fardeau, ni à ce qu'il soit si souvent taciturne. Afin de soutirer des informations à ces monstres, il faisait ce que personne d'entre nous n'accepte de faire : il leur permettait de nouer un rapport avec lui.

– A-t-on établi de façon certaine que Waddell était psychotique ? demandai-je.

– Il a été établi qu'il était parfaitement sain d'esprit lorsqu'il a assassiné Robyn Naismith. (Wesley sortit une photo de la pile et la glissa vers moi.) Mais franchement, il y a de quoi en douter.

Il me présentait le cliché dont je me souvenais avec le plus de précision, et tout en l'étudiant une nouvelle fois je ne pouvais imaginer la réaction d'une personne non prévenue découvrant un tel spectacle.

En fait de mobilier, le salon de Robyn Naismith ne comportait que quelques fauteuils crapauds aux coussins vert foncé et un canapé en cuir brun. Un petit tapis persan recouvrait le centre du parquet, et les murs étaient lambrissés de larges planches à l'aspect merisier ou acajou. La console de télévision, installée contre la cloison faisant face à la porte d'entrée, présentait à qui entrait une vue frontale de l'horrible parodie d'œuvre d'art conçue par Ronnie Joe Waddell.

En ouvrant la porte de l'appartement, l'amie de Robyn avait découvert un corps nu assis dos au téléviseur, la peau tellement maculée de sang séché que la nature exacte de ses blessures n'avait pu être déterminée que plus tard, à la morgue. Sur la photo, la flaque de sang coagulé s'étendant autour des fesses de Robyn ressemblait à une plaque de goudron rouge. On apercevait à proximité du corps plusieurs serviettes sanguinolentes. L'arme du crime n'avait jamais été retrouvée, bien que la police ait découvert qu'un couteau à découper inoxydable de fabrication allemande manquait à la série accrochée à la cuisine, et que les blessures infligées pouvaient sans doute lui être imputées.

Wesley ouvrit alors le dossier Eddie Heath et en sortit un plan des lieux dessiné par l'officier de la police d'Henrico County ayant découvert le garçon mortellement blessé derrière l'ancienne épicerie. Wesley posa le plan à côté de la photo de Robyn Naismith. Pendant quelques instants, nous restâmes silencieux, nos yeux faisant la navette entre les deux documents. Les similitudes étaient plus nettes que je n'avais remarqué, la position des corps presque identique, depuis le placement des mains le long du corps jusqu'à la pile grossière des vêtements des deux victimes, entassés à côté de leurs pieds nus.

– J'avoue que ça fait froid dans le dos, remarqua Wesley. On dirait que la mise en scène du meurtre d'Eddie Heath reflète point par point celle-ci. (Du bout de l'index il tapota la photo de Robyn Naismith.) Les deux cadavres arrangés comme des poupées de chiffon, adossés à des objets en forme de parallélépipèdes. Une grosse console de télé d'une part, un conteneur de l'autre.

Tel un tireur de cartes, il étala quelques photos sur la table et en sortit une autre de la pile restante. Il s'agissait d'un gros plan du cadavre de Robyn à la morgue, avec les marques circulaires aux bords déchiquetés, typiques d'une morsure de dents humaines, nettement visibles sur le sein gauche et la face interne de la cuisse gauche.

– Encore une ressemblance frappante, dit-il. Ces deux morsures correspondent assez précisément aux morceaux de chair manquant à l'épaule et à la cuisse d'Eddie Heath. En d'autres termes... (Il ôta ses lunettes et planta son regard dans le mien.)... Eddie Heath a sans doute été mutilé par morsure, et le pourtour des blessures excisé pour dissimuler un indice trop évident.

– Ce qui veut dire que le tueur possède au moins quelques notions médico-légales, dis-je.

– N'importe quel criminel emprisonné les apprend très vite. Même si Waddell ignorait tout des procédés d'identification de morsures lorsqu'il a tué Robyn Naismith, il ne fait pas de doute qu'il les a appris depuis.

– Vous parlez comme si c'était lui l'assassin d'Eddie Heath, lui fis-je remarquer. Il y a quelques minutes encore, vous disiez que son profil ne correspondait pas.

– Tout ce que je dis, c'est que ça ne correspond pas à son profil d'il y a dix ans.

– Vous disiez que vous aviez apporté son Protocole d'évaluation psychologique. Pouvons-nous en parler ?

– Bien sûr.

Le Protocole était un questionnaire d'une quarantaine de pages que le FBI complétait au cours d'un tête-à-tête organisé avec un criminel violent dans sa prison.

– Regardez vous-même, dit Wesley en me tendant le Protocole de Waddell. J'aimerais écouter vos réactions sans commentaires de ma part.

L'entrevue entre Wesley et Ronnie Joe Waddell s'était déroulée six ans plus tôt dans le quartier des condamnés à mort de la prison de Mecklenburg County. Le Protocole débutait par les habituels renseignements d'ordre descriptif. Le comportement de Waddell, son état émotionnel, ses manies et son style de conversation indiquaient un individu agité et sujet à confusion. Lorsque Wesley l'avait autorisé à poser des questions, Waddell n'en avait formulé qu'une : « J'ai vu tomber de petits flocons blancs tout à l'heure en passant devant une fenêtre. Est-ce qu'il neige ou est-ce que ce sont les cendres de l'incinérateur ? »

L'entretien avait lieu en plein mois d'août.

Les questions sur la façon dont le meurtre aurait pu être évité n'avaient mené nulle part. Waddell aurait-il tué sa victime dans un endroit où il y avait beaucoup de monde ? L'aurait-il assassinée devant témoins ? Quelque chose, et quoi, aurait-il pu l'empêcher de la tuer ? Avait-il considéré le risque d'être condamné à mort comme un élément dissuasif ? Waddell affirmait ne pas se souvenir avoir tué « la fille de la télé ». Il ne savait pas ce qui aurait pu l'empêcher de commettre un acte dont il ne se rappelait pas. Son seul souvenir était d'avoir eu une sensation « gluante », comme, disait-il, quand on sort d'un rêve érotique. Mais ça n'était pas son propre sperme qui lui avait causé cette sensation gluante. C'était le sang de Robyn Naismith.

– La liste de ses problèmes d'adolescence semble assez banale, songeai-je à haute voix. Maux de tête, extrême timidité, tendance prononcée à la rêverie, abandon du foyer familial à 19 ans. Je ne vois rien là-dedans qui puisse s'assimiler aux prédispositions habituelles. Pas d'acte de cruauté envers les animaux, pas d'incendie volontaire, pas d'agressions, rien.

– Continuez, intervint Wesley.

Je parcourus quelques pages.

– Drogues et alcool, lus-je.

– S'il n'avait pas été emprisonné, il serait devenu junkie ou aurait été descendu, dit Wesley. Mais ce qui est intéressant, c'est qu'il se soit mis à la drogue à la sortie de l'adolescence, alors qu'il abordait l'âge adulte. Waddell m'a dit qu'il n'avait pas bu une goutte d'alcool jusqu'à l'âge de 20 ans, et qu'il ne l'avait fait qu'après être parti de chez lui.

– Il a été élevé à la campagne ?

– À Suffolk. Une assez grosse exploitation qui faisait des cacahuètes, du maïs et du soja. Toute sa famille travaillait pour le compte du propriétaire. Ronnie Joe était le cadet de quatre frères. Leur mère était très pratiquante et emmenait ses enfants à l'église tous les dimanches. À la maison, alcool, jurons et cigarettes étaient interdits. Il a eu une enfance très protégée. Il n'a pratiquement jamais quitté la ferme jusqu'à la mort de son père, laquelle a décidé Ronnie à partir. Il a pris un car pour Richmond, où il n'a guère eu de difficulté à trouver du travail vu sa force physique. Il maniait le marteau-piqueur, portait des objets lourds, ce genre de choses. Pour moi, il n'a pas su résister à la tentation lorsqu'elle s'est présentée. Ça a commencé par la bière et le vin, puis ce fut la marijuana. En moins d'un an il s'était mis à la cocaïne et à l'héroïne, qu'il achetait et revendait, volant ce qui lui tombait sous la main quand il n'avait rien.

» Quand je lui ai demandé combien d'actes criminels il avait commis avant d'être arrêté, il m'a avoué qu'il était impossible d'en faire le compte. Il cambriolait des maisons, des voitures. Au début il ne s'agissait que de vol. Et puis il a voulu cambrioler l'appartement de Robyn Naismith, et elle a eu le malheur de le surprendre.

– Pourtant, Benton, remarquai-je, on ne le décrit pas comme violent.

– C'est vrai. Son profil ne correspond pas au traditionnel criminel violent. La défense s'est basée là-dessus pour affirmer qu'il avait perdu temporairement la raison à cause de sa consommation de drogue et d'alcool. Et j'avoue que je crois que c'est exactement ce qui s'est passé. Peu avant l'assassinat de Robyn Naismith il avait commencé à prendre du PCP. Il est fort possible qu'il ait été complètement disjoncté lors du cambriolage chez Robyn Naismith, et qu'ensuite il ne se soit plus du tout ou mal souvenu de ce qu'il lui avait fait.

– Qu'a-t-il emporté, s'il a volé quelque chose ? demandai-je. A-t-on vraiment la preuve qu'en pénétrant chez elle son intention était seulement de cambrioler ?

– Il avait mis l'appartement à sac. Des bijoux avaient disparu. L'armoire à pharmacie avait été pillée et le portefeuille de Robyn Naismith vidé. Du fait que Robyn vivait seule, il a été impossible de déterminer si d'autres choses avaient été dérobées.

– Pas de liaison stable ?

– C'est un point intéressant. (Wesley observait un couple âgé qui se dandinait sur la piste au son d'un saxophone poussif.) On a trouvé des taches de sperme sur un drap et sur le matelas. À moins que Robyn n'ait pas eu l'habitude de refaire souvent son lit, la tache sur le drap devait être récente, et elle ne provenait pas de Waddell. Elle ne correspondait pas à son groupe sanguin.

– Aucune des connaissances de Robyn n'a jamais fait allusion à un amant ?

– Personne. Naturellement nous aurions beaucoup aimé connaître l'auteur de cette tache, mais comme il n'a jamais contacté la police, nous en avons conclu que Robyn avait sans doute une relation avec un de ses collègues ou informateurs mariés.

– Possible, dis-je. En tout cas ça n'est pas lui qui l'a tuée.

– Non. C'est Ronnie Joe Waddell qui l'a tuée. Voyons un peu.

J'ouvris le dossier de Waddell et montrai à Wesley les photos du condamné que j'avais autopsié dans la nuit du 13 décembre.

– Reconnaissez-vous l'homme que vous avez rencontré il y a six ans ? lui demandai-je.

D'un air impassible, Wesley examina les photos une à une. Il étudia les gros plans du visage et de la nuque, consulta rapidement les clichés du torse et des mains. Il sortit du Protocole d'évaluation une photo d'identité judiciaire de Waddell et la compara avec les photos du cadavre autopsié.

– Je constate une ressemblance, dis-je.

– C'est à peu près tout ce que nous pouvons dire, fit Wesley. Ce cliché a dix ans. Waddell portait la barbe et la moustache, et il était mince. Son visage était émacié. Alors que ce type-là... (Il désigna une des photos de la morgue.)... ce type-là est rasé et beaucoup plus enrobé. Il a le visage plus rond. Il est impossible d'affirmer que ces photos représentent le même individu.

J'étais du même avis. Je repensai à certaines photos de moi sur lesquelles personne n'aurait pu me reconnaître.

– Avez-vous une idée de la façon dont nous allons pouvoir résoudre ce problème ? demandai-je à Wesley.

– J'en ai une ou deux, dit-il en ramassant les photos et en tapotant la liasse sur la table pour aligner les bords. Votre vieil ami Nick Grueman est, qu'il le veuille ou non, impliqué dans cette partie, et j'ai réfléchi à un moyen de le sonder sans découvrir notre main. Si c'est Marino ou moi qui l'interrogeons, il sera aussitôt sur ses gardes.

Je compris où il voulait en venir et tentai d'y mettre le holà, mais Wesley ne m'en laissa pas le loisir.

– Marino m'a parlé des difficultés que vous causait Grueman. Il paraît qu'il vous appelle souvent et essaie de vous coincer. Et puis bien sûr il y a le passé, vos années d'études à Georgetown. Vous devriez essayer de lui parler.

– Je ne veux pas lui parler, Benton.

– Il possède peut-être des photos de Waddell, des lettres, d'autres documents. Quelque chose qui porterait les empreintes de Waddell. Il peut lâcher une information intéressante au cours d'une conversation. L'intérêt, c'est que vous avez un prétexte tout trouvé pour l'approcher dans le cadre de votre travail, ce qui n'est pas le cas pour Marino et moi. Et puis de toute façon vous devez vous rendre à Washington pour voir Downey.

– Non, m'obstinai-je.

– C'est juste une idée que j'ai eue. (Il tourna la tête et fit signe à la serveuse de nous apporter l'addition.) Combien de temps Lucy doit-elle rester chez vous ? me demanda-t-il.

– Elle ne reprend ses cours que le 7 janvier.

– Je crois me souvenir qu'elle s'y connaît bien en informatique.

– Elle s'y connaît très bien.

Wesley eut un petit sourire.

– C'est ce que Marino m'a dit. D'après lui elle pourrait nous aider à éclaircir l'énigme AFIS.

– Je suis sûre qu'elle serait ravie d'essayer, dis-je.

De nouveau, je me sentis tiraillée entre mon désir de la protéger en la renvoyant à Miami et celui de la garder près de moi.

– Je ne sais pas si vous vous en souvenez, dit Wesley, mais Michele travaille au Département des services de justice criminelle, lequel participe à la gestion d'AFIS aux côtés de la police de l'État.

– Je suppose qu'en ce moment ça doit vous causer quelque inquiétude, dis-je.

– Pas un jour de ma vie ne se passe sans que j'éprouve quelque inquiétude, dit-il.

Le lendemain matin, une neige fine commença à tomber alors que Lucy et moi étions en train de revêtir des tenues de ski qu'on aurait pu distinguer depuis le sommet de l'Eiger.

– J'ai l'air d'un cône des Ponts et Chaussées, fit-elle en voyant sa silhouette orange vif dans le miroir.

– C'est vrai, dis-je. Si tu te perds hors piste, on n'aura aucune difficulté à te retrouver.

J'avalai des vitamines et deux aspirines que je fis descendre avec un quart d'eau minérale gazéifiée du minibar.

Ma nièce contempla ma tenue, presque aussi éclatante que la sienne, puis secoua la tête.

– Étonnant que quelqu'un d'aussi classique que toi se déguise en paon au néon quand tu fais du sport.

– C'est pour ne pas toujours être couleur passe-muraille, répliquai-je. Tu as faim ?

– Je meurs de faim.

– Nous devons retrouver Benton au restaurant à 8 heures et demie. Nous pouvons descendre tout de suite si tu ne veux pas attendre.

– Je suis prête. Connie ne mange pas avec nous ?

– On la retrouvera sur les pistes. Benton veut d'abord que nous parlions boutique.

– À mon avis ça doit l'embêter d'être tenue à l'écart, dit Lucy. On dirait qu'il l'éloigne chaque fois qu'il a quelque chose à dire à quelqu'un.

Je verrouillai la porte et nous empruntâmes le couloir silencieux.

– Je soupçonne Connie de préférer ne rien savoir du tout, dis-je à mi-voix. Ça serait un poids trop lourd pour elle si elle connaissait les détails de la vie de son mari.

– Et donc il préfère te parler à toi.

– À propos du travail, oui.

– Et le travail est la chose qui compte le plus pour vous deux, n'est-ce pas ?

– Ça passe avant tout, en effet.

– Est-ce que Mr Wesley et toi allez avoir une relation ?

– Non, nous allons avoir un petit déjeuner, rétorquai-je avec un sourire.

Comme il est coutumier dans ce genre d'établissement, le buffet du Homestead croulait sous les victuailles. De longues tables recouvertes de nappes proposaient du bacon et du jambon de Virginie, des œufs accommodés de toutes les façons imaginables, des pâtisseries, différentes sortes de pains et de galettes. Apparemment insensible à ces sollicitations, Lucy fonça droit sur les céréales et les fruits frais. Me sentant contrainte de suivre un tel exemple, d'autant que j'avais encore le souvenir du récent sermon que j'avais administré à Marino au sujet de sa santé, je délaissai tout ce qui me tentait, y compris le café.

– Les gens te regardent, tante Kay, me souffla Lucy.

Je supposai que cette attention était due à nos peu discrètes tenues jusqu'à ce que j'ouvre le *Washington Post* et y découvre mon portrait à la une. Sous le titre : MEURTRE À LA MORGUE suivait un long article relatant le meurtre de Susan, illustré par une photo de moi arrivant sur les lieux, le visage tendu. Il était clair que l'informateur principal du journaliste était le malheureux mari de Susan, Jason, qui laissait entendre que sa femme, moins d'une semaine avant sa mort, avait quitté son travail dans des circonstances étranges, pour ne pas dire suspectes.

L'article soulignait par exemple que Susan et moi nous étions affrontées récemment lorsque j'avais tenté de la faire figurer sur la liste des témoins de l'autopsie d'un jeune garçon tué par balles, alors qu'elle n'avait pas assisté à ladite autopsie. Lorsque Susan était tombée malade à la suite « du bris d'un bocal de formol » et qu'elle s'était absentée du travail, je l'avais tellement harcelée chez elle qu'elle avait fini par avoir peur de répondre au téléphone. Enfin, je m'étais « présentée chez elle à l'improviste la veille de son assassinat », avec un poinsettia et de vagues promesses de faveurs.

« Quand je suis rentré chez moi après avoir fait mes courses de Noël, déclarait le mari de Susan, j'ai découvert le médecin expert général dans mon salon. Elle [le Dr Scarpetta] est partie aussitôt, et dès que la porte s'est refermée, Susan a éclaté en sanglots. Elle était effrayée par quelque chose, mais refusa de me dire quoi que ce soit. »

Aussi ébranlée fussé-je par cette attaque en règle de la part de Jason Story, ça n'était rien à côté des révélations auxquelles procédait ensuite le journaliste concernant les récentes transactions financières opérées par Susan. Il apparaissait en effet que quinze jours avant sa mort, et juste après avoir versé 3 500 dollars sur son compte, elle avait dépensé pour plus de 3 000 dollars à l'aide de différentes cartes de crédit. Cette prospérité soudaine ne pouvait être expliquée. Son mari avait été licencié de son emploi de vendeur durant l'automne, et Susan gagnait moins de 20 000 dollars par an.

– Mr Wesley arrive, m'avertit Lucy en me prenant le journal des mains.

Wesley était vêtu d'un fuseau noir et d'un chandail à col roulé, et portait sous le bras un anorak rouge vif. L'expression de son visage et ses mâchoires contractées m'apprirent qu'il était au courant de l'article.

– Le *Post* a-t-il tenté de vous contacter ? demanda-t-il en approchant une chaise. Je n'arrive pas à croire qu'ils aient passé un tel article sans vous donner la moindre chance de donner votre avis.

– Un journaliste du *Post* a appelé hier au bureau juste au moment où je partais, expliquai-je. Il voulait m'interroger sur le meurtre de Susan, mais j'ai refusé de lui parler. Je suppose que s'ils m'ont donné une chance, je l'ai ratée.

– Donc rien ne vous a laissé prévoir qu'ils allaient présenter l'affaire sous cet angle ?

– J'ignorais tout jusqu'à ce que je tombe dessus tout à l'heure.

– Les médias en font leurs choux gras, Kay, dit Wesley en croisant mon regard. Je l'ai entendu à la télé ce matin. Marino m'a appelé. Il m'a dit que la presse de Richmond s'en donnait à cœur joie. Ils insinuent que le meurtre de Susan a un rapport avec le bureau du médecin expert, autrement dit que vous avez peut-être quelque chose à y voir et que c'est pour ça que vous avez quitté brusquement la ville.

– C'est insensé.

– Qu'y a-t-il de vrai dans cet article ? demanda-t-il.

– Tous les faits ont été déformés. J'ai effectivement appelé Susan chez elle lorsque j'ai constaté qu'elle ne s'était pas présentée à son travail. Je voulais m'assurer qu'elle allait bien, et aussi savoir si elle se souvenait avoir pris les empreintes de Waddell à la morgue. J'ai en effet été la voir la veille de Noël pour lui donner son cadeau et un poinsettia. Quant à ce qu'ils appellent mes promesses de faveurs, je suppose que ça vient du fait que lorsqu'elle m'a dit qu'elle ne voulait plus revenir travailler, je lui ai dit de ne pas hésiter à m'appeler si elle avait besoin d'une lettre de recommandation ou d'autre chose.

– Et cette histoire selon laquelle elle aurait refusé d'être citée comme témoin de l'autopsie d'Eddie Heath ?

– Ça s'est passé le jour où elle a cassé des bocaux de formol et qu'elle est montée s'allonger dans mon bureau. C'est une procédure routinière de citer comme témoins les assistants ou les techniciens présents lors d'une autopsie. Dans ce cas précis, Susan n'a assisté qu'à l'examen externe, et elle a catégoriquement refusé d'être citée comme témoin dans le rapport d'autopsie d'Eddie Heath. J'ai trouvé cette demande, et son attitude en général, curieuses, mais à aucun moment le ton n'est monté entre nous.

– D'après cet article on a l'impression que tu la soudoyais, intervint Lucy. En tout cas c'est ce que je me dirais si je ne te connaissais pas.

– Je peux t'assurer que je ne la soudoyais pas, mais il semble que quelqu'un le faisait, dis-je.

– On va peut-être y voir un petit peu plus clair, remarqua Wesley. Si ce qu'ils disent de sa situation financière est exact, Susan avait hérité d'une somme substantielle, ce qui veut dire qu'elle avait rendu service à quelqu'un. C'est d'ailleurs à peu près à ce moment-là qu'on a pénétré dans votre ordinateur et que l'attitude de Susan s'est modifiée. Elle est devenue nerveuse et peu fiable. Elle cherchait à vous éviter. Je crois qu'elle ne pouvait plus vous regarder en face, Kay, parce qu'elle était consciente de vous trahir.

Je hochai la tête en m'efforçant de me ressaisir. Susan s'était embarquée dans quelque chose dont elle n'avait plus su comment sortir, et l'idée me traversa l'esprit que c'était peut-être pour cette raison qu'elle n'avait pas voulu assister à l'autopsie d'Eddie Heath, ni plus tard à celle de Jennifer Deighton. Son excessive émotivité n'avait rien à voir avec la sorcellerie ni avec les vapeurs de formol. En réalité elle paniquait. Elle ne voulait pas assister à ces autopsies.

– Intéressant, fit Wesley lorsque je lui eus exposé ma théorie. Si vous vous demandez ce qui dans l'existence de Susan Story était susceptible d'être monnayé, la réponse est : des informations. Si elle n'assistait pas aux autopsies, elle n'avait pas d'informations. Et la personne qui lui achetait ces informations était sans doute celle qu'elle est allée voir le jour de Noël.

– Quelle information pourrait être assez importante pour valoir plusieurs milliers de dollars et justifier l'assassinat d'une femme enceinte ? demanda Lucy d'une seule traite.

Nous l'ignorions, mais nous avions notre petite idée. Le dénominateur commun, une fois de plus, semblait être Ronnie Joe Waddell.

– Susan n'a pas oublié de prendre les empreintes de Waddell ou de celui qui a été exécuté à sa place, dis-je. Elle a délibérément omis de les prendre.

– Ça m'en a tout l'air, acquiesça Wesley. Quelqu'un lui a demandé de s'arranger pour oublier de le faire. Ou de faire disparaître le relevé au cas où vous-même ou un membre de votre personnel les relèverait quand même.

Je pensai à Ben Stevens. Le salaud.

– Tout ceci nous ramène à notre conclusion d'hier soir, Kay, poursuivit Wesley. Il nous faut remonter à la nuit où Waddell aurait dû être exécuté, et savoir qui on a sanglé à sa place sur la chaise. Un des points de départ pourrait être AFIS. Ce que nous voulons, c'est savoir si, et si oui, quels dossiers ont été modifiés. (Il s'adressait à présent à Lucy.) J'ai tout arrangé pour que tu puisses jeter un coup d'œil au journal des transactions, si le cœur t'en dit.

– Le cœur m'en dit, rétorqua Lucy. Quand voulez-vous que je m'y mette ?

– Quand tu veux, parce que pour l'instant tu n'auras à utiliser que le téléphone. Il te faut appeler Michele. Elle est analyste informatique au Département des services de justice criminelle et travaille au quartier général de la police de l'État. Elle connaît bien AFIS et t'expliquera exactement comment ça marche. Ensuite elle éditera les bandes du journal pour que tu puisses y avoir accès.

– Ça ne lui fait rien que je fasse ça ? demanda prudemment Lucy.

– Au contraire. Elle est tout excitée. Le journal des transactions n'est rien d'autre qu'un fichier temporaire où sont enregistrées toutes les modifications apportées à la base de données d'AFIS. Ce sont des trucs illisibles. Je crois que Michele les a appelés des vidages hexa, si tu vois ce que ça veut dire.

– Des vidages de mémoire en hexadécimal, c'est-à-dire en base 16. Aussi lisibles que des hiéroglyphes, répondit Lucy. Il faudra que je déchiffre les données et que je mette au point un programme qui recherchera les opérations ayant affecté les numéros d'identification des dossiers qui vous intéressent.

– Tu t'en sens capable ? demanda Wesley.

– Ça ne posera aucun problème sitôt que j'aurai trouvé le code et l'agencement du dossier. Pourquoi cette analyste que vous connaissez ne le fait-elle pas elle-même ?

– Nous voulons un maximum de discrétion. Ça attirerait trop l'attention si Michele laissait tomber d'un coup ses tâches habituelles pour éplucher le journal des transactions dix heures par jour. Toi, en revanche, tu peux travailler en toute discrétion depuis le terminal de ta tante en te connectant grâce à une ligne de maintenance.

– Tant que les incursions de Lucy ne pourront pas être remontées jusque chez moi, dis-je.

– Il n'y a aucun risque, m'assura Wesley.

– Et personne ne risque de s'apercevoir que quelqu'un se connecte à l'ordinateur de la police de l'État pour farfouiller dans le journal ? demandai-je.

– Michele m'a assuré qu'elle se débrouillerait pour que personne ne se rende compte de rien. (Wesley ouvrit la fermeture à glissière d'une poche de son anorak et en sortit une carte qu'il donna à Lucy.) Voici ses numéros personnel et professionnel.

– Comment savez-vous que vous pouvez lui faire confiance ? demanda-t-elle à Wesley. Si on a bidouillé certains dossiers, comment pouvez-vous être sûr qu'elle n'est pas dans le coup ?

– Michele n'a jamais su mentir. Quand elle était petite et qu'elle s'y essayait, elle baissait la tête et devenait rouge comme une pivoine.

– Vous la connaissiez quand elle était petite ? demanda Lucy décontenancée.

– Et même avant, répliqua Wesley. C'est ma fille aînée.

9

Après de longs débats nous tombâmes d'accord sur la solution qui nous parut la plus raisonnable. Lucy resterait au Homestead avec les Wesley jusqu'au mercredi, ce qui me donnerait le temps de régler mes problèmes sans avoir à me soucier d'elle. Après le petit déjeuner, je partis sous une légère neige qui, lorsque j'arrivai à Richmond, s'était transformée en pluie.

Je me rendis au bureau et fis la tournée des labos. Je m'entretins avec Fielding et quelques autres experts légistes, et évitai Ben Stevens. Je ne rappelai aucun journaliste et m'abstins de consulter mon courrier électronique, car si le commissaire à la Santé m'avait fait parvenir un message, je ne voulais pas en connaître le contenu. À 16 h 30 je faisais le plein à la station Exxon de Grove Avenue lorsqu'une Ford LTD blanche vint se ranger derrière ma voiture. Je vis en sortir Marino, qui remonta son pantalon et se dirigea vers les toilettes. Lorsqu'il réapparut quelques instants plus tard il jeta de discrets regards aux alentours comme s'il s'inquiétait de ce qu'on l'ait vu se rendre aux toilettes. Enfin il s'approcha de moi.

– Je vous ai vue en passant, dit-il en enfonçant ses mains dans les poches de son blazer bleu.

– Où est votre manteau ? demandai-je tout en nettoyant mon pare-brise.

– Dans la bagnole. Ça me gêne pour conduire. (Il enfonça la tête dans les épaules pour se protéger du froid.) Si vous n'avez pas encore songé à faire cesser ces rumeurs, vous feriez bien de vous y mettre.

D'un geste irrité je balançai la raclette à vitres dans le seau de liquide nettoyant.

– Et qu'avez-vous à me suggérer, Marino ? Vous voulez que j'appelle Jason Story pour lui dire que je suis désolée que sa femme et son futur enfant soient morts, mais que j'apprécierais beaucoup s'il dirigeait sa colère ailleurs que sur moi ?

– Il vous en veut, doc.

– Après ce qu'il a raconté au *Post*, il y a des tas de gens qui risquent de m'en vouloir. Il me fait passer pour une garce machiavélique.

– Vous avez faim ?

– Non.

– Moi j'ai l'impression que vous avez faim.

Je le dévisageai comme s'il avait perdu la raison.

– Et quand j'ai une impression comme ça, ajouta-t-il, c'est mon devoir de voir de quoi il retourne. Alors je vous donne le choix, doc. Soit je prends des Nabs et des sodas au distributeur que je vois là-bas, et on mange debout dehors, à se cailler les miches, à respirer les gaz d'échappement et à empêcher les clients de prendre de l'essence. Ou alors on va chez Phil. Dans les deux cas c'est moi qui régale.

Dix minutes plus tard nous étions attablés dans un box d'angle et consultions d'appétissants menus proposant tout ce qu'on voulait depuis des spaghettis jusqu'au poisson grillé. Marino faisait face à la porte d'entrée, tandis que je jouissais d'une vue imprenable sur celle des toilettes. Comme la plupart des consommateurs autour de nous, Marino fumait, ce qui me rappela une fois encore qu'y renoncer est un véritable enfer. Vu les circonstances du moment, le lieutenant n'aurait pu choisir meilleur endroit. Le Philip's Continental Lodge était un vieil établissement de quartier, où les clients, qui se connaissaient depuis toujours, se donnaient régulièrement rendez-vous pour un bon repas arrosé de quelques bouteilles de bière. Les habitués y étaient toujours d'humeur enjouée et sociable, et personne ne risquait de me reconnaître tant que ma photo ne paraissait pas dans les pages sportives des journaux.

– C'est comme ça, fit Marino en refermant sa carte. Jason Story pense que Susan serait toujours en vie si elle avait fait un autre boulot. Il a sans doute raison. En plus, c'est un perdant-né – un de ces trous du cul qui pensent que tout est de la faute des autres. À la vérité, il est certainement plus responsable que n'importe qui de la mort de Susan.

– Vous ne suggérez tout de même pas qu'il l'a tuée ?

La serveuse se présenta et nous passâmes notre commande. Poulet grillé et riz pour Marino, chili casher pour moi, et deux sodas sans sucre.

– Je dis pas que Jason a buté sa femme, reprit Marino d'un ton posé. Mais il l'a poussée à s'embringuer dans ce qui a fini par causer sa mort. C'est Susan qui réglait les factures, et elle avait de gros soucis financiers.

– Ça n'est guère étonnant, dis-je. Son mari venait de perdre son emploi.

– Dommage qu'il ait pas perdu aussi ses « goûts de luxe ». Et quand je dis « goûts de luxe », je parle chemises Polo, pantalons Britches of Georgetown et cravates en soie. Quinze jours à peine après s'être fait licencier, ce connard claque 700 dollars en équipement de ski et s'en va passer le week-end à Wintergreen. Avant ça il s'était payé un blouson de cuir à 200 dollars, et un vélo à 400 dollars. Pendant ce temps Susan s'échinait à la morgue et quand elle rentrait à la maison, elle se retrouvait à payer des factures que son salaire arrivait pas à couvrir.

– Je ne m'en rendais pas compte, fis-je.

J'éprouvai un serrement de cœur en revoyant Susan assise à sa table. Elle avait pour habitude de passer sa pause déjeuner dans son bureau, où je la rejoignais parfois pour bavarder. Je me souvins de ses chips bon marché et de ses sodas en promotion. Je ne l'avais jamais vue manger ou boire quelque chose qu'elle n'avait pas apporté de chez elle.

– Les envies de riche de Jason, reprit Marino, expliquent les emmerdements qu'il vous cause. Il vous traîne dans la boue parce que vous êtes un Grand Sachem-Toubib-Avocat qui roule en Mercedes et habite une grande maison à Windsor Farms. Cet abruti se dit qu'en vous collant sur le dos la mort de sa femme il obtiendra peut-être une compensation financière.

– Ça alors ! Il peut toujours essayer...

– Comptez sur lui.

Nos boissons arrivèrent et je changeai de sujet de conversation :

– J'ai rendez-vous avec Downey demain matin.

Le regard de Marino se porta sur le téléviseur installé derrière le bar.

– Lucy va s'attaquer à AFIS, poursuivis-je, et moi je vais m'occuper de Ben Stevens.

– Vous devriez vous en débarrasser.

– Savez-vous qu'il est très difficile de licencier un fonctionnaire ?

– Ouais, on dit que ça serait plus facile de licencier Jésus-Christ, fit Marino. À moins qu'il s'agisse de quelqu'un qui a obtenu son poste grâce à un diplôme extérieur, comme vous. Vous devriez quand même essayer de virer ce salopard.

– Lui avez-vous parlé ?

– Bien sûr. Il dit que vous êtes arrogante, ambitieuse et bizarre. Bref, une emmerdeuse.

– C'est vraiment ce qu'il a dit ?

– En gros, oui.

– J'espère qu'on va vérifier ses finances. Je serais curieuse de savoir s'il n'a pas viré de grosses sommes sur son compte récemment. Susan ne s'est pas embarquée seule dans cette histoire.

– C'est aussi mon avis. Je pense que Stevens en sait long et qu'il fait tout pour brouiller les pistes. Au fait, j'ai contacté la banque de Susan. Un des caissiers se rappelle qu'elle a viré ses 3 500 dollars *en liquide*. Des billets de 20, 50 et 100 dollars qu'elle avait dans son sac à main.

– Qu'a dit Stevens à propos de Susan ?

– Il prétend qu'il la connaissait pas beaucoup, mais qu'il sentait des frictions entre vous. Bref, il abonde dans le sens de ce que raconte la presse.

Nos plats arrivèrent, et j'étais si énervée que je ne pus manger qu'une bouchée du mien.

– Qu'en dit Fielding ? demandai-je. Est-il du même avis ? Pense-t-il que c'est un calvaire de travailler avec moi ?

Marino détourna le regard.

– Il dit que vous êtes impulsive et qu'il n'est jamais arrivé à vous comprendre.

– Je ne l'ai pas engagé pour qu'il me comprenne, et je sais que je dois lui paraître impulsive. Fielding est un désenchanté qui a perdu son intérêt pour la médecine légale depuis des années. Il préfère dépenser son énergie dans les salles de musculation.

– Doc, fit Marino en me regardant droit dans les yeux, vous êtes plus impulsive que *n'importe qui*, et la plupart des gens vous comprennent pas. Comme vous n'êtes pas du genre à vous balader le cœur en bandoulière, c'est normal que certaines personnes vous considèrent comme dépourvue de sentiments. Vous êtes si difficile à percer que les gens qui vous connaissent pas peuvent penser que rien ne vous touche. Les collègues, certains avocats me posent des questions à votre sujet. Ils veulent savoir qui vous êtes vraiment, comment vous pouvez faire ce boulot jour après jour – qu'est-ce qui vous pousse ? Ils vous voient comme quelqu'un qui garde ses distances.

– Et que leur répondez-vous ?

– Je leur dis rien du tout.

– Avez-vous fini de me psychanalyser, Marino ?

Il alluma une cigarette.

– Écoutez, je vais vous dire quelque chose qui va pas vous faire plaisir. Vous donnez cette impression réservée, très professionnelle, de quelqu'un qui est pas pressé de s'ouvrir, mais une fois que vous avez accepté quelqu'un, c'est pour toujours. La personne sait qu'elle peut compter sur vous et que vous feriez n'importe quoi pour elle. Pourtant, depuis un an, vous avez changé. Vous vous êtes entourée d'un rempart infranchissable depuis la mort de Mark. Pour ceux qui vous connaissent depuis un moment, c'est comme d'avoir été habitués à vivre dans une pièce où il faisait vingt degrés, et où tout d'un coup il ne fait plus que dix. J'ai l'impression que vous vous en rendez même pas compte.

» C'est pour ça qu'il y a pas grand monde qui se sent proche de vous en ce moment. Peut-être même que les gens vous en veulent parce qu'ils ont l'impression que vous les ignorez ou que vous les méprisez. Peut-être qu'ils ne vous ont jamais aimée. Peut-être qu'ils sont juste indifférents. Vous savez, qu'on soit assis sur un trône ou sur la chaise électrique, les gens essaient de se servir de vous, ils vous utilisent dans leur propre intérêt. Et le fait qu'il y ait pas de lien entre vous et eux leur permet d'obtenir plus facilement ce qu'ils convoitent, parce qu'ils se foutent complètement de ce qui peut vous arriver. Et c'est là que vous en êtes. Il y a des tas de gens qui attendent depuis des années de vous voir saigner.

– Je n'ai aucune intention de me laisser faire, dis-je en repoussant mon assiette.

– Doc, fit-il en soufflant un nuage de fumée, vous perdez déjà votre sang. Et quand vous commencez à saigner au milieu d'une bande de requins, vous avez intérêt à sortir de l'eau en vitesse.

– Serait-il possible de discuter une minute ou deux sans faire appel à des clichés ?

– Même si je vous le disais en chinois ou en portugais, vous m'écouteriez pas plus.

– Si vous parlez chinois ou portugais, je vous jure que je serai tout ouïe. Mais je vous écouterais encore mieux si vous vous décidiez à parler anglais.

– Voilà le genre de remarques qui rebute les gens. C'est exactement de ça que je parlais.

– Je l'ai dit en souriant.

– Je vous ai vue ouvrir des ventres avec un sourire.

– Jamais. Je me sers toujours d'un bistouri.

– Quelquefois il n'y a pas grande différence entre les deux. J'ai vu votre sourire faire saigner des avocats de la défense.

– Si je suis si antipathique, comment se fait-il que nous soyons amis ?

– Parce que je suis protégé par un rempart plus haut que le vôtre. Il y a des fumiers à tous les coins de rue, vous savez. On nage dans des eaux infestées de requins. Et ils veulent nous bouffer tout crus, tous autant qu'ils sont.

– Marino, vous faites de la paranoïa.

– Vous avez raison, et c'est pour ça que je voudrais que vous gardiez un profil bas pour le moment. Je vous en conjure, doc.

– Impossible.

– Vous voulez que je vous dise ? Si vous continuez à vous occuper de ces affaires, on va croire que vous vous battez pour vos intérêts. Vous allez en ressortir avec une image encore pire qu'elle est.

– Susan est morte, répliquai-je. Eddie Heath est mort. Jennifer Deighton est morte. On a soudoyé des membres de mon personnel et on n'est même pas sûr de l'identité du type qui a été exécuté l'autre jour. Et vous proposez que je tourne le dos à tout ça en attendant que les choses se remettent en place par je ne sais quelle opération du Saint-Esprit ?

Marino tendit la main vers le sel, mais je m'en emparai avant lui.

– Interdit, le sel. Mais vous pouvez prendre tout le poivre que vous voulez, dis-je en poussant vers lui la poivrière.

– Ces conneries vont finir par me rendre dingue, fit-il avec emportement. Un de ces jours ça va me foutre tellement en rogne que je vais tout faire d'un coup. Fumer cinq clopes à la fois, avec un bourbon dans une main et un café dans l'autre, un steak, une patate avec du beurre, de la crème fraîche et plein de sel. Ce jour-là, je ferai sauter tous les fusibles.

– Non, vous ne le ferez pas, dis-je. Vous allez vous ménager pour vivre au moins aussi longtemps que moi.

Pendant quelques instants, nous grignotâmes en silence ce qui restait dans nos assiettes.

– Doc, sans vouloir vous vexer, qu'est-ce que vous espérez apprendre sur ces foutues plumes ?

– J'espère découvrir d'où elles viennent.

– Ça, je peux vous renseigner tout de suite, dit-il. Les plumes, ça vient des oiseaux.

Il était près de 19 heures lorsque je quittai Marino pour regagner le centre-ville. Il faisait 5° C et la nuit obscure était fouettée par des averses si violentes qu'elles stoppaient la circulation. Les réverbères à la vapeur de sodium faisaient de vagues halos couleur de pollen derrière la morgue, éclairant faiblement les portes closes de l'aire de déchargement et le parking désert. Je pénétrai dans le bâtiment et empruntai le couloir brillamment éclairé. Mon pouls accéléra lorsque je dépassai la salle d'autopsie pour gagner le petit bureau de Susan.

En ouvrant la porte, je n'aurais su dire ce que je m'attendais à y trouver, mais j'inspectai fébrilement son placard et ses tiroirs, vérifiai le titre de chaque livre et parcourai ses vieux messages téléphoniques. Tout paraissait à la même place qu'avant sa mort. Marino était expert dans l'art de fouiller un endroit sans en perturber le désordre naturel. Le téléphone était toujours posé de travers dans le coin droit du bureau, le fil entortillé comme un tire-bouchon. Une paire de ciseaux et deux crayons à la mine cassée gisaient sur le sous-main vert, la blouse de labo était suspendue au dossier d'une chaise. Un pense-bête comportant la date d'un rendez-vous avec son médecin était scotché sur le moniteur, et en regardant les courbes timides et la légère inclinaison de l'écriture appliquée de Susan, je fus prise d'un tremblement intérieur. Quand avait-elle commencé à partir à la dérive ? Après son mariage avec Jason Story ? Ou bien sa destruction était-elle programmée depuis bien plus longtemps, depuis l'époque où elle n'était encore qu'une fillette placée sous la coupe d'un pasteur inflexible, la jumelle restée seule après la mort de sa sœur ?

Je m'assis sur sa chaise et la fis rouler jusqu'à son armoire de classement, dont je sortis un à un les dossiers pour en examiner le contenu. La plupart ne renfermaient que des brochures et des catalogues concernant le matériel, chirurgical et autre, que nous utilisions à la morgue. Rien n'éveilla ma curiosité jusqu'à ce que je me rende compte qu'elle avait conservé pratiquement toutes les notes de service que lui avait adressées Fielding, mais pas une seule provenant de Ben Stevens ou de moi-même, alors que j'étais bien placée pour savoir qu'elles étaient fréquentes. Je fouillai tiroirs et étagères et, ne découvrant aucun dossier au nom de Stevens ou du mien, dus en tirer la seule conclusion possible : ils avaient disparu.

Ma première réaction fut de penser que Marino les avait emportés, mais une idée soudaine me traversa l'esprit et je quittai en toute hâte le bureau de Susan pour regagner le mien. Je me dirigeai droit vers le meuble où je conservais la paperasserie administrative anodine telle que notifications d'appels téléphoniques, notes de service, tirages papier des messages électroniques qui m'avaient été adressés, brouillons de propositions budgétaires et projets à long terme. Prise de frénésie, j'ouvris classeurs et tiroirs. Le gros dossier que je cherchais était simplement étiqueté « Service », et il contenait un exemplaire de toutes les notes que j'avais envoyées à mes proches collaborateurs et aux différents départements de mon service répartis sur le territoire de la Virginie. Je fouillai le bureau de

Rose et fis une nouvelle fois le tour du mien. Le dossier avait disparu.

– Fils de pute, marmonnai-je entre mes dents tout en descendant le couloir à grandes enjambées furieuses. Espèce de sale fils de pute.

Le bureau de Ben Stevens était rangé de manière si impeccable qu'on aurait dit une pièce témoin dans un magasin de meubles à prix réduits. Le mobilier était constitué d'une reproduction de secrétaire Williamsburg avec poignées de cuivre et placage acajou, et de lampadaires en cuivre aux abat-jour vert foncé. Le sol était recouvert d'un tapis persan mécanique, les murs ornés de gravures représentant des skieurs en haute montagne, des joueurs de polo montés sur des chevaux fringants, et des navires fendant des flots déchaînés. Je commençai par consulter le dossier professionnel de Susan. La description de son travail, son curriculum vitae et divers documents administratifs y figuraient. En revanche plusieurs notes élogieuses que j'avais rédigées à son sujet depuis son embauche avaient disparu. J'ouvris plusieurs tiroirs et tombai sur une trousse en vinyle brun contenant une brosse à dents, du dentifrice, un rasoir, de la crème à raser et un flacon d'eau de Cologne *Red*.

Fût-ce le léger mouvement de l'air lorsqu'on poussa silencieusement la porte, ou bien, à la manière d'un animal, ressentis-je une présence ? Toujours est-il qu'à l'instant où, toujours assise au bureau, je revissais le bouchon de la bouteille d'eau de Cologne, je levai les yeux et découvris Ben Stevens dans l'embrasure de la porte. Pendant un long et glacial moment, nos regards restèrent rivés l'un à l'autre et aucun de nous ne parla. Je ne ressentais aucune angoisse. Je n'éprouvais aucune honte à l'égard de ce qu'il venait de me surprendre en train de faire. J'étais envahie d'une froide colère.

– Ce n'est pas courant de vous voir rester si tard, Ben.

Je refermai sa trousse de toilette et la rangeai dans son tiroir, puis croisai les doigts sur son sous-main avec des gestes d'une lenteur délibérée.

– Moi aussi j'aime bien rester au bureau le soir, dis-je d'une voix posée. On est tranquille, tout le monde est parti. Personne ne vient vous déranger. Personne ne vient interrompre ce que vous êtes en train de faire. Pas d'yeux pour vous voir, pas d'oreilles pour vous entendre. Le silence total, sauf quand le gardien fait sa tournée, ce qui, comme vous le savez aussi bien que moi, est plutôt rare parce qu'il déteste entrer à la morgue. Je n'ai jamais connu de gardien qui ne détestait pas ça. Même chose pour l'équipe de nettoyage. Ils ne descendent jamais au rez-de-chaussée et ne montent dans les étages que pour faire le strict minimum. Et puis de toute façon il n'y a aucun risque de les voir arriver. Il est près de 9 heures et ils ne restent jamais après 7 heures et demie.

» Ce qui m'étonne, c'est de ne pas y avoir songé plus tôt. Ça montre bien à quel point j'étais préoccupée. Vous avez dit à la police que vous ne connaissiez presque pas Susan, alors qu'il vous arrivait souvent de passer la prendre chez elle ou de la ramener après le travail, comme le jour où j'ai autopsié Jennifer Deighton, ce fameux matin où il a tant neigé. J'avais trouvé Susan très distraite ce jour-là. Elle avait laissé le cadavre dans le couloir et était en train de téléphoner quand je suis arrivée. Elle a raccroché dès que je suis entrée. Je doute qu'elle ait eu à passer un coup de fil professionnel à 7 heures et demie du matin, surtout un jour où la plupart des gens étaient restés chez eux à cause de la neige. Et je ne vois pas qui elle aurait pu appeler dans l'immeuble, vu qu'il n'y avait personne. À part vous. Mais si c'est vous qu'elle appelait, pourquoi se serait-elle cachée ? À moins que vous n'ayez été pour elle plus qu'un simple supérieur hiérarchique.

» Ceci dit, votre relation avec moi est tout aussi intrigante. J'avais l'impression que nous nous entendions bien, et puis soudain vous déclarez que je suis le pire patron de la chrétienté. Ce qui me conduit à me demander si Jason Story est le seul à faire des confidences aux journalistes. C'est incroyable cette image de tyran et de névrosée qu'on veut me coller. On essaie de me faire endosser la responsabilité de la mort de Susan. Or Susan et moi avons toujours eu d'excellentes relations de travail, et jusqu'à une date récente, Ben, il en allait de même entre vous et moi. Mais désormais c'est ma parole contre la vôtre, surtout maintenant que tous les papiers susceptibles de prouver ce que je dis ont si providentiellement disparu. Je suis prête à parier que vous avez déjà confié à une oreille attentive que d'importants dossiers professionnels et notes de service ont disparu de mon bureau, en sous-entendant que c'est moi qui suis à l'origine de cette disparition. Quand des dossiers disparaissent, on peut bien raconter ce qu'on veut sur leur contenu, n'est-ce pas ?

– Je ne vois pas de quoi vous parlez, dit Ben Stevens. (Il fit quelques pas dans la pièce mais ne s'approcha pas du bureau et ne fit pas mine de s'asseoir. Il avait le visage tendu, le regard chargé de haine.) Je ne suis au courant d'aucune disparition de dossiers, mais si cette information est exacte, je serai contraint de la signaler aux autorités compétentes, tout comme je serai contraint de faire savoir qu'en repassant au bureau ce soir pour prendre quelque chose que j'avais oublié, je vous ai surprise en train de fouiller dans mes tiroirs.

– Qu'aviez-vous oublié, Ben ?

– Je n'ai pas à répondre à vos questions.

– Vous vous trompez. Vous êtes mon employé, et si vous venez sur votre lieu de travail tard le soir, je suis en droit de savoir pourquoi.

– Allez-y, essayez de me licencier. Ça m'étonnerait que ça arrange beaucoup vos affaires, surtout en ce moment.

– Vous êtes un vrai poulpe, Ben. (Il écarquilla les yeux et se passa la langue sur les lèvres.) Vos tentatives pour me mettre en difficulté sont un nuage d'encre que vous lancez parce que vous paniquez et voulez détourner l'attention. Est-ce vous qui avez tué Susan ?

– Vous êtes folle, fit-il d'une voix tremblotante.

– Elle est partie de chez elle en début d'après-midi le jour de Noël, soi-disant pour rendre visite à une amie. En réalité, c'est avec vous qu'elle avait rendez-vous, n'est-ce pas ? Savez-vous que lorsqu'on l'a retrouvée morte dans sa voiture, son foulard portait l'odeur d'une eau de Cologne masculine, l'odeur du flacon de *Red* que vous gardez dans votre tiroir pour vous parfumer avant d'aller faire la tournée des bars du Slip après le travail ?

– Je ne sais pas de quoi vous parlez.

– Qui lui donnait de l'argent ?

– Vous, peut-être.

– Ridicule, fis-je d'une voix calme. Vous et Susan étiez impliqués dans une combine, et d'après moi c'est vous qui l'avez entraînée là-dedans parce que vous saviez qu'elle était vulnérable. Elle s'était probablement confiée à vous. Vous saviez comment la convaincre de vous suivre, et Dieu sait que vous aviez besoin de cet argent. Ce que vous dépensez dans les bars doit faire éclater votre budget. Sortir tous les soirs coûte cher, et je sais combien vous gagnez.

– Vous ne savez rien du tout.

– Ben, fis-je en baissant la voix. Laissez tomber. Arrêtez-vous avant qu'il ne soit trop tard. Dites-moi qui est derrière tout ça.

Il fuyait mon regard.

– Les enjeux deviennent trop graves quand des gens meurent. Vous croyez que vous allez vous en tirer comme ça, si c'est vous qui avez tué Susan ?

Il demeura silencieux.

– Si c'est quelqu'un d'autre qui l'a tuée, croyez-vous être à l'abri ? Ne pensez-vous pas que la même chose pourrait vous arriver ?

– Des menaces ?

– Ne dites pas de bêtises.

– Vous ne pourrez jamais prouver que le parfum que vous avez remarqué sur le foulard de Susan était le mien. Il n'existe aucun test pour le prouver. On ne peut pas *conserver* une odeur, on ne peut pas la mettre dans un tube à essai.

– Ben, maintenant je vais vous demander de partir.

Il fit demi-tour et quitta le bureau. Lorsque j'entendis se refermer les portes de l'ascenseur, j'allai dans le couloir et gagnai une fenêtre qui dominait le parking. Je ne descendis prendre ma voiture que lorsque celle de Stevens eut disparu.

Le siège du FBI est une forteresse de béton édifiée au cœur de Washington, à l'angle de 9th Street et de Pennsylvania Avenue. Lorsque je m'y présentai le lendemain matin, j'étais entourée d'une nuée bruyante d'une centaine d'écoliers. En les voyant gravir les marches avec un bruit de cavalcade, se disputer les bancs et courir parmi les buissons et les arbres en pot, je ne pus m'empêcher de revoir Lucy à leur âge. Elle aurait adoré visiter les laboratoires, et elle me manqua soudain très fort.

Le babillage des voix aiguës s'estompa comme emporté par le vent, et je m'éloignai d'un pas vif et décidé, car j'étais venue ici assez souvent pour connaître par cœur mon chemin. Me dirigeant vers le centre du bâtiment, je traversai la cour intérieure, puis le parking réservé, franchis un poste de garde et arrivai enfin devant une grande porte en verre. Derrière s'ouvrait un hall au mobilier brun, avec des miroirs et des drapeaux. Le président souriait dans son cadre accroché à un mur, tandis que sur l'autre s'alignaient les portraits des dix criminels les plus recherchés du pays.

Au bureau d'accueil, je présentai mon permis de conduire à un jeune agent au visage aussi sombre que son complet gris.

– Je suis le Dr Kay Scarpetta, médecin expert général de Virginie.

– Avec qui avez-vous rendez-vous ?

Je le lui dis.

Il compara mon visage avec la photo de mon permis, vérifia que je n'étais pas armée, donna un coup de téléphone et me remit un badge. Contrairement à l'Académie de Quantico, l'ambiance régnant au quartier général du FBI avait tendance à vous empeser l'âme et vous raidir l'échine.

Je n'avais jamais rencontré l'agent spécial Minor Downey, bien que le comique de son nom m'ait fait venir à l'esprit des images erronées. Son patronyme évoquait en effet un homme fragile et efféminé, le corps couvert d'une pâle toison de poils blonds, à l'exception de son crâne, forcément chauve. Je m'attendais à lui trouver le regard fuyant, une peau allergique au soleil. Ça devait être un homme qui menait sa vie sans que personne ne lui prête jamais la moindre attention. En réalité je m'étais trompée du tout au tout. Je me levai à l'arrivée d'un individu bien bâti, en manches de chemise, qui planta son regard dans le mien.

– Je suppose que vous êtes Mr Downey, dis-je.

– Dr Scarpetta, dit-il en me serrant la main. Appelez-moi Minor, je vous prie.

Il était âgé de 40 ans tout au plus. Ses lunettes sans monture, ses cheveux bruns bien coupés et sa cravate à rayures brunes et bleues lui conféraient un charme tout académique. Il se dégageait de lui une aisance et une intensité intellectuelles qui ne pouvaient échapper à quiconque avait enduré de longues années d'études supérieures, car je ne me souvenais d'aucun professeur de Georgetown ou de John Hopkins qui n'ait entretenu d'étroites affinités avec ce qui sort de l'ordinaire, tout en estimant impossible de communiquer avec l'homme de la rue.

– Pourquoi vous êtes-vous spécialisé dans les plumes ? lui demandai-je tandis que nous entrions dans l'ascenseur.

– J'ai une amie ornithologue au Smithsonian's Museum of Natural History, me répondit-il. J'ai commencé à m'intéresser à la question lorsque des officiels gouvernementaux ont commencé à la consulter à propos de ce qu'on appelle en aéronautique le péril aviaire. Voyez-vous, il arrive assez fréquemment que des oiseaux soient aspirés dans les moteurs d'avions, et quand on nettoie les dégâts une fois revenu au sol, et qu'on trouve toutes ces plumes, on a envie de savoir de quelle sorte d'oiseau il s'agissait. Car une fois avalé par le moteur, je vous garantis qu'à part les plumes, il ne reste que de la bouillie. Une mouette peut provoquer l'écrasement d'un bombardier B1, et si vous êtes à bord d'un gros appareil bourré de passagers et qu'un oiseau détruit un des réacteurs, inutile de vous dire que vous êtes dans une situation délicate. Nous avons connu aussi le cas d'un canard plongeon qui a décapité le pilote d'un Lear Jet après avoir fracassé sa ver rière. Voilà en partie en quoi consiste mon travail. Je bûche sur l'ingestion d'oiseaux en vol. Nous testons des modèles de turbines et d'hélices en leur faisant avaler des poulets. Pour savoir si l'avion pourra résister à une ou deux volailles.

» Mais les oiseaux interviennent dans des tas de situations. Par exemple, vous trouvez du duvet de pigeon sur les semelles d'un suspect : est-ce que ça veut dire qu'il a marché dans la ruelle où a été découvert le cadavre ? Ou bien un type vole un perroquet du genre *Amazona* lors d'un cambriolage, et vous retrouvez dans son coffre de petites plumes qu'on identifie comme appartenant à un *Amazona ochrocephala*. Il nous est arrivé de trouver une plume adhérant au cadavre d'une femme violée qui avait été abandonnée dans un conteneur à ordures, à l'intérieur d'un emballage de haut-parleurs Panasonic. J'ai identifié la plume comme étant une plume de colvert, en quoi était le duvet de la couette du suspect. Cette affaire a pu être élucidée à partir d'une plume et de deux poils.

Le deuxième étage de l'immeuble était une véritable ville de laboratoires où les experts analysaient explosifs, écailles de peinture, pollen, outils, pneumatiques et autres débris récoltés sur les lieux d'un crime. Détecteurs de chromatographie en phase gazeuse, microspectrophotomètres et ordinateurs fonctionnaient nuit et jour, tandis que dans des salles adjacentes des collections de référence présentaient les différents types de peinture pour automobiles, d'adhésifs et de plastiques. Je suivis Downey le long d'un couloir blanc contigu au laboratoire d'analyse d'ADN, puis nous parvînmes à l'Unité de recherche sur les plumes et poils où il travaillait. Son propre bureau faisant également office de laboratoire, ses meubles de bois sombres et ses étagères de livres côtoyaient des plans de travail surmontés de microscopes. Murs et moquettes étaient gris, et les naïfs dessins de couleurs vives punaisés à un tableau de feutre m'apprirent que ce spécialiste mondiale ment respecté était aussi un papa.

D'une enveloppe bulle je sortis trois poches de plastique transparent. Deux contenaient les plumes recueillies sur les lieux des meurtres de Jennifer Deighton et Susan Story, la troisième une lame montée avec un bout de la substance adhésive récoltée sur les poignets d'Eddie Heath.

– Celle-ci devrait être la plus lisible, dis-je en désignant la plume trouvée sur la chemise de nuit de Jennifer Deighton.

Il la sortit de sa pochette.

– C'est bien du duvet, dit-il. Une plumule de poitrine ou de dos. Elle a une aigrette bien nette. Tant mieux. Plus la plume est grosse, mieux c'est.

À l'aide d'une pince, il détacha quelques barbes, ces filaments implantés de chaque côté du rachis et, s'installant devant le microscope stéréoscopique, les plaça sur une lame où il venait de déposer quelques gouttes de xylène. Ce produit était destiné à mettre en évidence les filaments en les séparant les uns des autres. Lorsque Downey estima qu'ils se présentaient suffisamment bien, il absorba le xylène en y trempant le coin d'un buvard. Ensuite il ajouta le milieu de montage Flo-Texx, recouvrit le tout d'une lamelle et le plaça sous un microscope comparatif relié à une caméra vidéo.

– Tout d'abord, dit-il, sachez que toutes les plumes d'oiseaux ont la même structure de base. Elles sont formées d'un axe central, ou rachis, de barbes elles-mêmes terminées en barbules qui sont des crochets fins comme des poils, et d'une partie inférieure un peu plus large en haut de laquelle se trouve un orifice appelé ombilic supérieur. Les barbes sont les filaments qui créent l'aspect plumeux de la plume, et si vous les observez au microscope, vous constaterez qu'elles ressemblent elles-mêmes à de minuscules plumes rattachées au rachis. (Il alluma le moniteur.) Voici une barbe.

– On dirait une fougère, remarquai-je.

– Dans de nombreux cas, c'est exact. À présent nous allons l'agrandir de façon à distinguer les barbules, car c'est leur forme qui permet d'identifier la provenance de la plume. Et surtout, ce qu'il faut examiner, ce sont les barbicelles.

– Donc si j'ai bien compris, dis-je, les barbicelles sont des composants des barbules, les barbules des composants des barbes, les barbes des composants des plumes, et les plumes des composants des oiseaux ?

– Exact. Et chaque espèce d'oiseau a une structure de plume particulière.

Ce que je voyais sur l'écran du moniteur aurait pu passer pour le schéma grossier d'une plante ou d'une patte d'insecte. Les lignes étaient reliées entre elles par des structures triangulaires tridimensionnelles que Downey nommait les barbicelles.

– Ce qui va nous renseigner, c'est la taille, la forme, le nombre, la pigmentation et la disposition des barbicelles le long des barbules, expliqua-t-il sur un ton pédagogique. Par exemple, des barbicelles en étoile indiquent qu'on a affaire à un pigeon, les barbicelles circulaires trahissent le poulet ou le dindon, des bourrelets saillant de chaque côté de la barbicelle indiquent le coucou. Celles-ci, commenta-t-il en approchant l'index de l'écran, sont sans conteste triangulaires, de sorte que je peux déjà vous dire que votre plume provient d'un canard ou d'une oie. Ça n'est pas surprenant. D'une manière générale, les plumes collectées dans les cas de cambriolage, viol ou meurtre proviennent de couettes, d'oreillers, de vêtements et de gants fourrés. En général la garniture de ces objets et vêtements contient un hachis de plumes et de duvet de canard ou d'oie, et même, dans les articles bon marché, de poulet.

» Ici, nous pouvons éliminer tout de suite le poulet. Et je crois pouvoir dire que cette plume n'est pas une plume d'oie.

– Pourquoi ? dis-je.

– Bien sûr, la distinction serait plus facile à établir si nous disposions d'une vraie plume. Les plumules sont plus difficiles à identifier. Mais d'après ce que je vois là, il me semble que les barbicelles ne sont pas assez nombreuses. En plus elles ne sont pas distribuées de manière homogène, elles ont plutôt une implantation distale, c'est-à-dire groupées à l'extrémité des barbules. Et ceci est caractéristique du canard.

Il ouvrit un placard et en sortit plusieurs tiroirs de préparations.

– Voyons. J'ai une soixantaine de lames sur les canards. Pour plus de sûreté, nous allons toutes les passer en revue, et nous procéderons par élimination.

Il entreprit alors d'examiner les préparations l'une après l'autre au microscope comparatif, obtenu *grosso modo* par la combinaison de deux microscopes monoculaires en un appareil binoculaire. Sur le moniteur vidéo apparut un cercle lumineux divisé en deux par une fine ligne verticale. Le spécimen de plume connue apparaissait dans le demi-cercle de gauche, tandis qu'à droite figurait celle à identifier. Ainsi défilèrent le colvert, le canard de Barbarie, le garrot arlequin, la macreuse, l'érismature roux, le siffleur d'Amérique et des dizaines d'autres. Il ne fallait pas longtemps à Downey, en regardant un nouveau spécimen, pour savoir qu'il ne s'agissait pas encore du canard correspondant à notre plume.

– Est-ce que je me trompe, ou bien celle-ci est plus délicate ? fis-je en parlant de ladite plume.

– Vous ne vous trompez pas. Elle est plus délicate, plus effilée. Vous avez remarqué que les structures triangulaires sont moins évasées ?

– En effet, maintenant que vous le dites.

– Ceci nous fournit un renseignement important sur l'oiseau. C'est ce qui est fascinant, voyez-vous. La nature ne fait jamais rien sans raison, et je pense qu'ici, la raison, c'est l'isolation. La raison d'être du duvet, c'est de retenir l'air. Or, plus les barbules sont fines, plus les barbicelles sont effilées, fuselées, plus leur emplacement est distal, et plus le duvet retiendra l'air. Et quand l'air est retenu et immobilisé, c'est comme de se trouver dans une petite pièce fermée et sans ventilation : on a très vite chaud.

Lorsqu'il plaça une nouvelle lame sous le microscope, je compris que nous approchions. Les barbules étaient plus fines, les barbicelles effilées et groupées aux extrémités.

– De qui s'agit-il, cette fois ? m'enquis-je.

– J'ai gardé les principaux suspects pour la fin, dit-il avec une certaine satisfaction. Les canards marins. Et en haut de la liste, nous avons les eiders. Nous allons augmenter le grossissement à quatre cents. (Il manœuvra les lentilles et fit le point, puis nous examinâmes plusieurs autres lames.) Ça n'est pas l'eider à tête grise ni l'eider à lunettes. Et je ne pense pas non plus que ce soit l'eider de Steller à cause de cette pigmentation brunâtre à la base des barbicelles. Vous voyez, votre plume n'est pas tout à fait pareille.

– Je vois.

– Nous allons donc essayer l'eider commun. Voilà. La pigmentation est similaire, dit-il en fixant intensément l'écran. Nous avons aussi, voyons, une moyenne de deux barbicelles distales par barbule. Plus un effilement parfait pour l'isolation thermique – ce qui est important lorsque vous plongez dans l'océan Arctique. Oui, je pense que nous avons affaire à *Somateria mollissima*, répandu en Islande, Norvège, Alaska et sur les côtes sibériennes. Je vais vérifier au MBE, ajouta- t-il en faisant allusion au microscope à balayage électronique.

– Pour chercher quoi ?

– Les cristaux de sel.

– Évidemment, fis-je fascinée. Parce que les eiders sont des oiseaux de mer.

– Exactement. Et des oiseaux intéressants avec ça, un exemple d'exploitation rationnelle de la nature. En Islande et en Norvège, les gens protègent leurs colonies de nidification contre les prédateurs et autres nuisances afin de récupérer le duvet avec lequel la femelle tapisse le nid et couvre ses œufs. Le duvet est ensuite lavé et vendu à des fabricants.

– Des fabricants de quoi ?

– Essentiellement des fabricants de duvets et de couettes.

Tout en parlant, il montait une lame avec quelques barbes de la plume trouvée dans la voiture de Susan Story.

– Il n'y avait rien de la sorte chez Jennifer Deighton, dis-je. Aucun objet garni de plumes.

– Alors nous devons avoir affaire à une transmission secondaire ou tertiaire, au cours de laquelle la plume a été transmise au tueur, qui à son tour l'a transmise à sa victime. Très intéressant, à vrai dire.

La nouvelle préparation apparut à l'écran.

– C'est aussi de l'eider, dis-je.

– Je le pense aussi. Changeons de lame. Celle-ci, c'est Eddie Heath, n'est-ce pas ?

– Oui, dis-je. On a trouvé des résidus d'une substance adhésive sur les poignets d'Eddie.

– Bon sang de bon sang !

Les débris microscopiques apparurent à l'écran dans une incroyable variété de couleurs, de formes, de fibres, parmi lesquelles on reconnaissait les barbules et barbicelles triangulaires à présent familières.

– Eh bien, voilà qui remet sérieusement en cause mes théories, fit Downey. Si tant est que nous parlions de trois meurtres commis en des lieux différents et à des heures différentes.

– C'est exactement de quoi nous parlons.

– Si une seule de ces plumes provenait d'un eider, j'aurais tendance à considérer l'hypothèse d'un contaminant. Vous savez, ces étiquettes qui vous disent que le tissu est cent pour cent acrylique, alors qu'en fait il est quatre-vingt-dix pour cent acrylique et dix pour cent Nylon. On ne peut pas se fier aux étiquettes. Si, juste avant qu'on fabrique le chandail en acrylique que vous avez acheté, la chaîne a sorti des blousons en Nylon, les premiers chandails qui en sortiront comporteront obligatoirement des contaminants en Nylon. Ces contaminants disparaissent au fur et à mesure que la chaîne tourne.

– En d'autres termes, dis-je, si quelqu'un porte un blouson garni de duvet d'eider, ou possède une couette ayant absorbé des contaminants d'eider au moment de sa fabrication, alors la probabilité selon laquelle le blouson ou la couette de cette personne ne laisse échapper que les contaminants d'eider est presque nulle.

– Exactement. C'est pourquoi nous admettrons que l'article en question est garni en eider pur, ce qui est très curieux. En général, les indices que j'ai à examiner sont des blousons et des gants de supermarché, ou alors des couettes garnies de plumes de poulet ou, parfois, d'oie. La garniture en eider est rare, on ne la trouve qu'en magasin spécialisé. Un gilet, un blouson, une couette ou un duvet garni de duvet d'eider ne perdra pour ainsi dire jamais ses plumes et sera toujours d'une fabrication soignée – et d'un prix prohibitif.

– Avez-vous déjà eu à examiner du duvet d'eider en rapport avec une affaire criminelle ?

– C'est la première fois.

– Pourquoi vaut-il si cher ?

– À cause des qualités isolantes dont je vous ai parlé tout à l'heure. Mais il y a aussi la qualité esthétique qui joue. Le duvet d'eider est d'un blanc neigeux, alors que le duvet ordinaire est grisâtre.

– Et si j'achetais un article garni de duvet d'eider, est-ce que je saurais tout de suite qu'il est bourré de ce duvet blanc comme neige ou bien l'étiquette indique-t-elle simplement qu'il s'agit de « duvet », sans autre précision ?

– Ça serait sans aucun doute spécifié, répliqua Downey. L'étiquette préciserait que c'est du « 100 % duvet d'eider ». Il faut bien que le prix soit justifié.

– Votre ordinateur comporte-t-il une liste des distributeurs de duvet d'eider ?

– Bien sûr, mais ils ne vous seront pas d'un grand secours. Aucun ne pourra vous certifier que la plumule que vous avez recueillie provient de chez lui, à moins bien sûr d'apporter le vêtement ou l'article d'où elle est tombée. Malheureusement, une plume ne suffit pas.

– Je ne sais pas, dis-je. Peut-être que si.

Vers midi j'avais regagné ma voiture, garée à deux blocs de là, et monté le chauffage. Je me trouvais si près de New Jersey Avenue que je me sentis, comme la marée, attirée par la lune. Je bouclai ma ceinture, cherchai une station de radio et, par deux fois, faillis décrocher mon téléphone avant de changer d'avis. Croire qu'on pouvait contacter Nicholas Grueman comme ça était une idée insensée.

De toute façon il ne sera pas chez lui, me dis-je en composant son numéro.

– Grueman, fit sa voix.

– Dr Carpetta à l'appareil, fis-je en élevant la voix pour couvrir le ventilateur du chauffage.

– Tiens, bonjour. J'ai justement lu un article sur vous l'autre jour. On dirait que vous m'appelez d'une voiture.

– C'est exact. Je suis à Washington.

– Je suis flatté que vous ayez pensé à moi en traversant notre humble cité.

– Votre cité est tout sauf humble, Mr Grueman, et je ne vous appelle pas pour vous demander des nouvelles de votre santé. Je me suis dit que c'était l'occasion pour nous de discuter de Ronnie Joe Waddell.

– Je vois. Êtes-vous loin du Law Center ?

– Dix minutes environ.

– Je n'ai pas encore déjeuné. Vous non plus, je suppose ? Voulez-vous que je commande des sandwiches ?

– Ça sera parfait, dis-je.

Le Law Center était situé à quelque trente-cinq blocs du principal campus universitaire, et je me souvins de la déception que j'avais éprouvée à l'époque lorsque j'avais réalisé que mes études ne me permettraient pas de me promener dans les vieilles rues ombragées des Heights, ni de fréquenter les salles de cours des beaux bâtiments de brique du XVIIIe. Au lieu de ça, j'avais passé trois longues années dans des bâtiments modernes dépourvus du moindre charme situés dans un quartier bruyant et agité de Washington. Toutefois ma déception n'avait pas duré longtemps. Il y avait quelque chose d'excitant, sinon de pratique, dans le fait d'étudier le droit à l'ombre du Capitole. Mais peut-être plus important encore, j'avais très vite rencontré Mark.

De mes premiers contacts avec Mark James au cours du premier semestre de notre première année, je me souvenais avant tout de l'effet physique qu'il produisait sur moi. Au début, le seul fait de le regarder me mettait, je ne sais pourquoi, dans tous mes états. Plus tard, lorsque nous eûmes fait connaissance, sa seule présence envoyait des décharges d'adrénaline dans mes veines. Mon cœur s'emballait et je suivais, avec une acuité extraordinaire, le moindre de ses gestes, même le plus banal. Pendant des semaines, nos conversations, poursuivies jusque tard dans la nuit, m'avaient amenée au bord de l'extase. Nos paroles étaient moins des éléments de discours qu'une suite de notes concourant à quelque secret et inévitable crescendo, lequel survint une nuit avec l'imprévisibilité et la violence d'un accident.

Depuis cette époque, le Law Center s'était étendu et transformé. Le Département de justice criminelle se trouvait au troisième étage. Lorsque je sortis de l'ascenseur, je ne vis personne dans les couloirs. Les bureaux devant lesquels je passais semblaient inoccupés. Mais c'était encore les vacances, et seuls les zélés et les désespérés avaient envie de travailler. La porte de la pièce 418 était ouverte, le secrétariat vide, la porte du bureau privé de Grueman entrebâillée.

Pour ne pas le surprendre, je prononçai à haute voix son nom tout en m'approchant de la porte. Il ne répondit pas.

– Hello, Mr Grueman ? Êtes-vous là ? répétai-je tout en poussant la porte.

Son bureau était un vaste désordre réparti autour de l'ordinateur. Dossiers d'affaires en cours et comptes rendus d'audiences s'empilaient par terre au pied d'étagères croulant sous les livres. À gauche du bureau une table supportait une imprimante et un fax en train d'envoyer quelque chose. Pendant que je détaillais la pièce, le téléphone sonna trois fois puis se tut. Les stores de la fenêtre située derrière le bureau étaient baissés, sans doute pour atténuer les reflets sur l'écran du moniteur. Une vieille serviette de cuir usé et râpé était posée sur le rebord de la fenêtre.

– Désolé pour ce retard. (La voix derrière moi me fit presque sauter au plafond.) J'ai dû m'absenter quelques minutes. Je ne pensais pas que vous arriveriez si vite.

Nicholas Grueman ne me tendit pas la main et s'abstint de toute salutation personnelle. Son unique préoccupation semblait être de regagner son siège, ce qu'il fit avec lenteur et à l'aide d'une canne au pommeau d'argent.

– Je vous proposerais bien du café, mais personne ne s'en occupe quand Evelyn n'est pas là, dit-il en s'asseyant enfin dans son fauteuil de juge. Mais j'ai commandé à boire avec les sandwiches. J'espère que vous pourrez patienter. En attendant, prenez une chaise, je vous en prie, Dr Scarpetta. Ça me rend nerveux de sentir qu'une femme me regarde de haut.

Tout en approchant une chaise du bureau, je constatai avec une certaine surprise que Grueman n'était pas le monstre dont je gardais le souvenir depuis l'université. Tout d'abord il semblait avoir rapetissé, à moins, et c'était plus que probable, que ce soit mon imagination qui lui ait conféré des proportions exagérées. Je découvrais au contraire un homme mince, avec des cheveux blancs et un visage que les années avaient rendu encore plus impressionnant. Il avait conservé son goût pour les nœuds papillon et les gilets, fumait toujours la pipe et me détaillait avec des yeux gris acérés comme des scalpels. Je ne leur trouvai pourtant aucune froideur. Simplement, ils ne trahissaient rien – comme les miens la plupart du temps.

– Pourquoi boitez-vous ? lui demandai-je tout de go.

– À cause de la goutte. La maladie des despotes, dit-il sans sourire. Ça me prend de temps en temps. Mais je vous en prie, épargnez-moi vos conseils. Il n'y a rien qui me mette plus hors de moi que d'entendre des toubibs, sans que je leur demande rien, me donner leur avis sur tout, depuis les pannes de chaises électriques jusqu'aux boissons et aliments que je devrais exclure de mon régime déjà misérable.

– La chaise électrique n'a eu aucun problème, en tout cas pour ce qui concerne le cas auquel, j'en suis sûre, vous faites allusion.

– Il vous est impossible de présumer ce à quoi je fais allusion, et il me semble me souvenir que durant votre bref passage ici je vous ai sermonné plus d'une fois sur votre tendance à faire des suppositions. Je regrette que vous ne m'ayez pas écouté. Vous persistez à faire des suppositions, même si, j'en conviens, celle que vous venez de faire est correcte.

– Mr Grueman, je suis heureuse de constater que vous vous souvenez de moi comme étudiante, mais je ne suis pas venue évoquer avec vous les heures pénibles que j'ai passées dans votre classe. Pas plus que je ne suis venue me livrer à une de ces démonstrations d'art martial intellectuel que vous semblez priser si fort. Je vous signale que vous avez l'honneur douteux d'être le professeur le plus misogyne et le plus arrogant que j'aie rencontré au cours de mes quelque trente ans de formation. Et je dois vous remercier pour m'avoir si bien appris à affronter les salauds, car le monde en est plein et j'ai affaire à eux tous les jours.

– Je sais que vous les affrontez tous les jours, mais je ne me suis pas encore fait d'opinion sur la façon dont vous les abordiez.

– Votre opinion sur le sujet ne m'intéresse pas. Je préférerais que vous me parliez de Ronnie Joe Waddell.

– Que voulez-vous que je vous en dise, sinon que cette affaire s'est terminée de façon lamentable ? Comment réagiriez-vous, Dr Scarpetta, si c'étaient des considérations politiques qui décidaient ou pas de votre mise à mort ? Regardez ce qui vous arrive en ce moment. Ces articles accusateurs à votre égard n'ont-ils pas, en partie au moins, des origines politiques ? Toutes les parties impliquées poursuivent leur propre objectif et espèrent l'atteindre en vous grillant aux yeux de l'opinion. Cela n'a rien à voir avec la vérité ou la justice. Alors imaginez un peu si ces gens avaient le pouvoir de vous priver non seulement de votre liberté, mais de votre vie.

» Ronnie a été broyé par un système irrationnel et injuste. Il n'a servi à rien d'invoquer la jurisprudence ni d'adresser des demandes de révision, directe ou collatérale. J'avais beau soulever tel ou tel problème, on ne m'entendait pas, car dans votre cher Commonwealth, l'*habeas corpus* ne sert même plus à garantir que le tribunal et les juges d'appel mènent la procédure selon les règles définies par les principes constitutionnels. Personne n'a manifesté le moindre intérêt pour certaines violations constitutionnelles flagrantes dont l'examen aurait permis d'approfondir notre réflexion dans plusieurs domaines du droit. Durant les trois ans pendant lesquels je me suis battu pour Ronnie, j'aurais aussi bien pu danser la gigue.

– Vous parlez de violations constitutionnelles. À quoi faites-vous allusion ?

– J'espère que vous avez le temps, parce que je risque d'être long. Commençons par l'utilisation abusive et raciste du droit de récusation de la part du ministère public. Les droits de Ronnie au titre de la clause d'égale protection ont été piétinés du début à la fin, et le comportement de l'accusation a enfreint de manière flagrante les stipulations du Sixième Amendement qui garantissent à l'accusé le droit à un jury représentant un échantillon équilibré des différentes composantes de la population. Je présume que vous n'avez pas assisté au procès de Ronnie, ni même que vous en ayez beaucoup entendu parler, car il a eu lieu il y a plus de neuf ans, et vous ne viviez pas encore en Virginie. L'affaire a bénéficié d'une publicité énorme ici, et pourtant il n'y a pas eu de décision de renvoi devant une autre juridiction. Le jury comprenait huit femmes et quatre hommes. Six femmes et deux hommes étaient blancs. Les quatre jurés noirs comprenaient un vendeur de voitures, une employée de banque, une infirmière et un professeur de collège. Les professions des jurés blancs allaient d'un chef d'aiguillage à la retraite, qui appelait encore les Noirs « nègres », jusqu'à une femme aisée qui ne voyait des Noirs qu'au journal télévisé, quand on signalait que l'un d'eux en avait tué un autre dans une cité de banlieue. La composition démographique du jury ôtait toute chance à Ronnie de bénéficier d'un jugement équitable.

– Et vous affirmez que cette violation des droits constitutionnels, ainsi que toutes celles qui ont selon vous entaché le procès Waddell, auraient procédé d'une volonté politique ? Pour quelle raison politique aurait-on pu souhaiter la condamnation à mort de Ronnie Waddell ?

Grueman jeta un coup d'œil vers la porte :

– À moins que mes oreilles ne me jouent des tours, je crois que notre repas est arrivé.

J'entendis des pas rapides, un froissement de papier, puis une voix cria :

– Salut Nick ! Vous êtes là ?

– Entre, Joe, fit Grueman sans se lever.

Un jeune Noir débordant d'énergie, en jean et tennis, fit son entrée et déposa deux sacs en papier devant Grueman.

– Les boissons sont ici, et dans celui-là, vous avez un sandwich au thon, des pommes de terre en salade et des cornichons. Ça fera 15 dollars 40.

– Tiens, et garde la monnaie. Tu sais, Joe, j'apprécie ton service, mais comment se fait-il qu'ils ne te donnent jamais de congé ?

– Les gens mangent tous les jours, mon vieux. Allez, faut qu'j'y aille.

Grueman étala des serviettes devant nous et partagea la nourriture pendant que je m'efforçais de trouver une contenance. J'étais de plus en plus déroutée par son comportement et son langage, car je ne décelais rien de fuyant en eux, rien qui me parût condescendant ou trompeur.

– Nous parlions de motivations politiques, lui rappelai-je en dépliant le papier de mon sandwich.

Il décapsula une boîte de *ginger ale* et ôta le couvercle de sa salade de pommes de terre.

– Il y a quelques semaines de cela, j'ai cru tenir enfin la réponse à cette question, dit-il. Mais la personne qui aurait pu m'aider a été retrouvée morte dans sa voiture. Et je suis sûr, Dr Scarpetta, que vous savez de qui je veux parler. Vous êtes chargée entre autres du dossier de Jennifer Deighton, et bien qu'on n'ait pas annoncé qu'il s'agissait d'un suicide, c'est ce qu'on essaie de nous faire croire. Mais la date de sa mort est surprenante, pour ne pas dire terrifiante.

– Dois-je comprendre que vous connaissiez Jennifer Deighton ? demandai-je d'une voix aussi anodine que possible.

– Oui et non. Je ne l'ai jamais rencontrée. Nous n'avons eu que quelques brèves conversations téléphoniques. Je ne l'ai contactée qu'après la mort de Waddell.

– D'où je déduis qu'elle connaissait également Waddell.

Grueman avala un bout de sandwich et but une gorgée de ginger ale.

– Elle et Ronnie se connaissaient bien, dit-il. Comme vous le savez, miss Deighton établissait des horoscopes et s'occupait de parapsychologie. Or il y a huit ans, alors que Ronnie était enfermé dans le couloir de la mort à Mecklenburg, il est tombé sur une publicité qu'elle avait fait passer dans un magazine. Il lui a écrit. Au début je pense que c'était juste pour lui demander de regarder dans sa boule de cristal et lui dévoiler son avenir. Il voulait savoir s'il mourrait sur la chaise électrique. C'est un phénomène assez courant parmi les détenus. Beaucoup écrivent à des voyantes, se font déchiffrer les lignes de la main et lire l'avenir, d'autres demandent à des prêtres de prier pour eux. Ce qui est un peu plus inhabituel dans le cas de Ronnie, c'est que miss Deighton et lui ont entamé une correspondance intime qui dura des années et ne s'interrompit que quelques mois avant son exécution. Tout d'un coup, il ne reçut plus aucune lettre.

– Pensez-vous qu'on ait pu intercepter les lettres de Jennifer Deighton ?

– Ça ne fait aucun doute. Quand j'ai téléphoné à miss Deighton, elle m'a assuré qu'elle n'avait jamais cessé d'écrire à Ronnie. Et comme elle n'avait rien reçu de lui depuis plusieurs mois, je soupçonne qu'on interceptait aussi les lettres de Ronnie.

– Pourquoi avez-vous attendu que Waddell ait été exécuté pour la recontacter ? demandai-je avec étonnement.

– Jusqu'alors je ne connaissais même pas son existence. Ronnie ne m'a parlé d'elle qu'à l'occasion de notre dernière conversation, qui est peut-être la plus étrange que j'aie jamais eue avec un client. (Grueman tripota un moment son sandwich puis le repoussa et prit sa pipe.) Je ne sais pas si vous êtes au courant, Dr Scarpetta, mais Ronnie m'a laissé tomber.

– Je ne comprends pas.

– La dernière fois que j'ai vu Ronnie, c'était une semaine avant son transfert de Mecklenburg à Richmond. À ce moment, il savait qu'il allait être exécuté et que je n'y pourrais rien. Il a ajouté que ce qui allait lui arriver était prévisible dès le départ et qu'il avait accepté l'inévitabilité de sa mort. Cette perspective le soulageait même et il préférait que je renonce à faire appel. Puis il m'a demandé de ne plus venir le voir ni de lui téléphoner.

– Mais il ne vous a pas récusé.

Grueman approcha la flamme du fourneau de sa pipe en bruyère et tira quelques rapides bouffées :

– Non, il n'a pas été jusque-là. Il a simplement refusé de me revoir ou de me parler au téléphone.

– Il me semble que ce simple fait justifiait un sursis à exécution dans l'attente d'une détermination de compétence, remarquai-je.

– J'ai essayé. J'ai tout essayé, depuis les attendus du jugement *Hays contre Murphy* jusqu'à l'invocation de Notre Seigneur. La cour a tourné brillamment la question en déclarant que Ronnie n'avait pas demandé à être exécuté. Il a simplement dit qu'il attendait sa mort avec soulagement, et ma requête a été rejetée.

– Si vous n'avez eu aucun contact avec Waddell dans les semaines précédant son exécution, comment avez-vous appris l'existence de Jennifer Deighton ?

– Au cours de ma dernière conversation avec lui, Ronnie m'a demandé trois choses. La première était que je fasse publier dans un journal, quelques jours avant sa mort, une méditation qu'il avait écrite. Il m'a donné son texte et je l'ai fait paraître dans le *Richmond Times-Dispatch*.

– Je l'ai lu, dis-je.

– Sa deuxième demande, et je cite ses propres mots, était que je fasse en sorte qu'« il n'arrive rien à mon amie ». Quand je lui ai demandé de qui il s'agissait, il m'a répondu, je cite, « Si vous êtes un homme de cœur, veillez sur elle. Elle n'a jamais fait de mal à personne. » Il m'a donné son nom et m'a dit de ne la contacter qu'après son exécution. Je devais alors l'appeler et lui expliquer à quel point elle avait été importante pour lui. J'avoue que je n'ai pas obéi à la lettre. J'ai essayé de la contacter aussitôt, parce que je sentais que Ronnie s'éloignait de moi et que quelque chose clochait. J'espérais que son amie pourrait faire quelque chose. S'ils avaient échangé du courrier, elle pourrait peut-être m'éclairer.

– Avez-vous réussi à la joindre ? demandai-je en me souvenant que Marino m'avait dit qu'elle avait passé une quinzaine de jours en Floride en novembre, aux alentours de Thanksgiving.

– Personne n'a répondu à mes coups de téléphone, répliqua Grueman. Je l'ai appelée pendant des semaines, et puis, en toute franchise, parce que j'étais débordé de travail, que c'était les vacances et que je souffrais d'une violente crise de goutte, je l'ai un peu oubliée. Je n'ai repensé à appeler Jennifer Deighton qu'après l'exécution, pour lui faire part, comme me l'avait demandé Ronnie, de l'importance qu'elle avait eue pour lui, etc.

– Quand vous cherchiez en vain à la joindre, fis-je, lui avez-vous laissé des messages sur son répondeur ?

– Il n'était pas branché. Ce qui s'explique, rétrospectivement. Sinon à son retour de vacances elle aurait trouvé cinq cents messages de gens incapables de prendre une décision avant qu'elle leur ait établi leur horoscope. Et enregistrer un message expliquant qu'elle s'absentait pour deux semaines aurait équivalu à ouvrir sa porte aux cambrioleurs.

– Que s'est-il passé lorsque vous avez pu lui parler ?

– Elle m'a révélé qu'ils s'étaient écrit pendant huit ans et qu'ils étaient tombés amoureux. Elle affirmait que *la vérité ne serait jamais connue*. Je lui ai demandé ce qu'elle voulait dire, mais elle n'a pas répondu et a mis fin à notre conversation peu après. Finalement je lui ai envoyé une lettre l'implorant de venir parler avec moi.

– Quand la lui avez-vous envoyée ?

– Voyons... C'était au lendemain de l'exécution, donc le 14 décembre.

– Vous a-t-elle répondu ?

– Oui, par fax. J'ignorais qu'elle en possédait un, mais le numéro du mien figure sur mon papier à lettre. J'ai gardé son fax, si ça vous intéresse.

Il fouilla parmi les classeurs et papiers jonchant son bureau, trouva le dossier qu'il cherchait, le compulsa et en sortit le fax que je reconnus aussitôt. « Oui, je suis prête à coopérer, disait-elle, mais c'est trop tard, trop tard, trop tard. Le mieux serait que vous veniez. Tout ceci est si injuste ! » Je me demandai quelle aurait été la réaction de Grueman s'il avait su que cette correspondance avait été décryptée grâce à l'améliorateur d'image de Neils Vander.

– Que voulait-elle dire ? demandai-je. Il était trop tard pour faire quoi ? Et qu'est-ce qui était si injuste ?

– Sans aucun doute elle voulait dire qu'il était trop tard pour empêcher l'exécution de Ronnie, puisqu'elle avait eu lieu quatre jours avant. Quant à ce qu'elle disait être si injuste, je ne sais pas très bien ce qu'elle entendait par là, Dr Scarpetta. Voyez-vous, j'ai senti très vite qu'il y avait quelque chose de malsain dans l'affaire Waddell. Lui et moi n'avons jamais réussi à établir une relation, ce qui est déjà très inhabituel. En général, un avocat et son client deviennent vite proches. En tant qu'avocat, je suis le seul à vouloir vous sauver la vie dans un système qui veut votre mort, le seul à travailler *pour* vous dans un système qui travaille *contre* vous. Or Ronnie s'était montré si distant envers son premier avocat que celui-ci avait jugé l'affaire sans espoir et avait renoncé. Quand j'ai repris le dossier, Ronnie s'est montré tout aussi distant. C'en était démoralisant. Chaque fois qu'une certaine confiance commençait à s'instaurer, un nouveau mur s'élevait soudain entre lui et moi. Il se réfugiait dans le silence et se mettait, littéralement, à transpirer.

– Vous donnait-il l'impression d'avoir peur ?

– Il avait peur. Il était déprimé, parfois en colère.

– Voulez-vous dire qu'il existait une sorte de complot dans cette affaire, complot qu'il aurait révélé à son amie dans une de ses lettres ?

– J'ignore ce que savait Jennifer Deighton, mais je soupçonne qu'elle était au courant de quelque chose.

– Waddell l'appelait-il « Jenny » ?

– Oui, répondit Grueman en rallumant son briquet.

– Vous a-t-il parlé d'un roman du nom de *Paris Trout* ?

– Tiens, c'est intéressant, dit-il sans dissimuler sa surprise. Ça fait longtemps que je n'y avais pas repensé, mais lors d'une de mes premières entrevues avec Ronnie, il y a plusieurs années, nous avions discuté littérature et il m'avait parlé des poèmes qu'il écrivait. Il aimait beaucoup lire et m'avait conseillé ce roman, *Paris Trout*. Je lui ai dit que je l'avais déjà lu, mais que j'étais curieux de savoir pourquoi il me le recommandait. Il m'avait répondu d'un ton très calme : « Parce que c'est comme ça que ça marche, Mr Grueman. Et qu'il n'y a pas moyen de changer quoi que ce soit. » À l'époque, j'avais pensé qu'il voulait dire par là qu'il n'était qu'un Noir du Sud confronté au système des Blancs, et qu'aucun *habeas corpus* ni aucune incantation magique que je pourrais proférer au cours d'un procès en appel ne changerait son destin d'un iota.

– Et depuis, avez-vous modifié cette interprétation ?

Il contempla rêveusement un nuage de fumée odorante.

– Je crois, oui. Mais pourquoi vous intéressez-vous tant aux goûts littéraires de Ronnie ? s'enquit-il en croisant mon regard.

– Jennifer Deighton avait un exemplaire de *Paris Trout* à côté de son lit. À l'intérieur se trouvait un poème. Je pense que c'est Waddell qui l'avait écrit pour elle. Ça n'est pas important. Simple curiosité de ma part.

– Si c'était aussi peu important, vous n'auriez pas posé la question. Vous pensez que Ronnie lui avait recommandé ce roman pour les mêmes raisons qu'à moi. Dans son esprit, le livre racontait un peu sa propre histoire. Ce qui nous ramène à la question de ce qu'il avait révélé à miss Deighton. En d'autres termes, quel secret de Ronnie a-t-elle emporté avec elle ?

– Quelle est votre opinion, Mr Grueman ?

– Je pense qu'on a voulu étouffer une vilaine affaire, et que Ronnie était au courant. Peut-être que c'est en rapport avec ce qui se passe derrière les barreaux, je veux parler de la corruption sévissant dans le système carcéral ? Je ne sais pas. Mais j'aimerais bien connaître la vérité.

– Pourquoi persister à se taire quand on est à la veille d'être exécuté ? Pourquoi ne pas se décider à parler ?

– Ce serait le plus logique, n'est-ce pas ? Mais maintenant que j'ai répondu à vos questions, Dr Scarpetta, vous comprenez peut-être mieux pourquoi je voulais m'assurer qu'aucune violence n'avait été exercée à l'encontre de Ronnie juste avant son exécution. Vous comprenez peut-être mieux ma farouche opposition à la peine capitale, une peine d'exception cruelle. Même sans bleus, ecchymoses ou saignement de nez.

– Nous n'avons trouvé aucune marque de violence physique, répliquai-je. Ni trace de drogue. Vous avez lu mon rapport.

– Vous persistez à rester dans le vague, dit Grueman en tapotant sa pipe pour en faire tomber le tabac. Vous êtes venue me voir aujourd'hui parce que vous attendez quelque chose de moi. Je vous en ai déjà dit beaucoup alors que rien ne m'y obligeait. Mais je l'ai fait parce que je suis un fana tique de la vérité et de la justice, malgré ce que vous pensez de moi. Et puis il y a une autre raison. Une de mes anciennes étudiantes a des ennuis.

– Si vous voulez parler de moi, alors je vous rappellerai votre propre dicton : méfiez-vous des suppositions.

– Je ne pense pas me livrer à de grandes spéculations en disant cela.

– Alors laissez-moi exprimer mon extrême curiosité devant cette attitude soudainement si charitable de votre part. Je dois dire, Mr Grueman, que le mot charité ne m'était jamais venu à l'esprit à votre sujet.

– C'est peut-être que vous ne connaissez pas le vrai sens de ce terme. La charité est un acte ou une pensée de bienveillance, une aumône à ceux qui sont dans le besoin. C'est donner à quelqu'un ce dont il a besoin, non ce que vous avez envie de lui donner. Je vous ai toujours donné ce dont vous aviez besoin. Je vous ai donné ce dont vous aviez besoin lorsque vous étiez mon étudiante, et je vous donne aujourd'hui ce dont vous avez besoin, même si je le fais de manière très différente parce que vos besoins ont changé.

» Me voilà un vieil homme à présent, Dr Scarpetta. Vous croyez que j'ai oublié l'époque où vous étiez à Georgetown. Cela vous surprendra peut-être, mais je me souviens au contraire très bien de vous parce que vous étiez parmi les plus prometteurs de tous les étudiants que j'ai eus. S'il y avait quelque chose dont vous n'aviez pas besoin, c'était bien de louanges et de félicitations. Le danger qui vous guettait n'était pas de perdre confiance en vous et en vos exceptionnelles capacités, mais tout simplement de vous perdre vous-même. Pensez-vous que lorsque je vous voyais les traits tirés et fatigués en cours, j'en ignorais la raison ? Croyez-vous que je ne me rendais pas compte que vous étiez fascinée par Mark James, lequel était d'ailleurs bien médiocre à côté de vous ? Et si je vous suis apparu comme dur et sévère, c'était parce que je voulais absolument *attirer votre attention*. Je voulais vous faire *enrager*. Je voulais que vous vous sentiez vivre grâce au droit, pas seulement grâce à l'amour. Je craignais vous voir gâcher une magnifique carrière en raison du surmenage de vos hormones et de vos émotions. Parce que, voyez-vous, il arrive qu'on se réveille un jour en se mordant les doigts d'avoir pris ce genre de décision. On se réveille dans un lit vide, au seuil d'une journée vide, sans aucune perspective devant soi que des semaines, des mois et des années vides. Je ne voulais surtout pas vous voir gâcher vos talents et gaspiller vos forces.

Je le fixai d'un regard intense, le visage empourpré.

– Je n'ai jamais été sincère dans mes insultes et ma rudesse envers vous, poursuivit-il avec la même intensité paisible et la même précision qui le rendaient si terrifiant devant un tribunal. C'était une simple tactique de ma part. Nous autres avocats sommes les champions de la tactique. La tactique, pour nous, c'est l'équivalent, au billard, de l'effet qu'on imprime à la bille, des angles d'attaque et de la puissance de tir nécessaire pour marquer. Ce qui m'a fait devenir ce que je suis, c'est le désir sincère et passionné de durcir la carapace de mes étudiants, tout en souhaitant qu'ils apportent un peu d'équilibre au monde bancal dans lequel nous vivons. Et vous, vous ne m'avez pas déçu. Vous êtes peut-être l'une des étoiles les plus brillantes de mon firmament.

– Pourquoi me dites-vous tout cela ? demandai-je.

– Parce qu'à ce stade de votre vie, vous avez besoin de le savoir. Vous avez des ennuis, comme je l'ai déjà dit. Mais vous êtes trop fière pour l'admettre.

Je restai silencieuse, l'esprit en effervescence.

– Si vous en êtes d'accord, ajouta-t-il, je suis prêt à vous aider.

S'il disait la vérité, je me devais de lui retourner sa confiance. Je tournai la tête vers la porte ouverte et songeai que n'importe qui pouvait entrer dans son bureau à l'improviste. Je m'imaginai à quel point il était facile de l'agresser pendant qu'il allait chercher sa voiture en clopinant.

– Si d'autres articles désobligeants à votre égard devaient à nouveau paraître, il serait de votre intérêt de mettre au point une riposte qui...

– Mr Grueman, l'interrompis-je, quand avez-vous vu Ronnie Joe Waddell pour la dernière fois ?

Il garda le silence quelques instants en contemplant le plafond.

– La dernière fois que je l'ai vu en chair et en os, dit-il enfin, ça devait être il y a un an. En général, nos contacts avaient lieu par téléphone. Je l'aurais accompagné en ses derniers instants si, comme je vous l'ai dit, il n'avait refusé ma présence.

– Donc vous ne l'avez pas vu et ne lui avez pas parlé durant tout le temps qu'il est censé avoir passé à Spring Street dans l'attente de son exécution ?

– *Censé*, dites-vous ? Voilà un mot bien curieux, Dr Scarpetta.

– Il nous est impossible d'affirmer que c'est bien Waddell qui a été exécuté le 13 décembre sur la chaise électrique.

– Vous plaisantez ? fit-il d'un air abasourdi.

Je lui exposai alors tout ce que nous savions, en particulier que la mort de Jennifer Deighton n'était pas un suicide mais un assassinat, et qu'on avait relevé l'empreinte de Waddell chez elle. Je lui parlai d'Eddie Heath et de Susan Story, des indices de manipulation dans AFIS. Lorsque j'eus terminé, Grueman resta aussi immobile qu'un bloc de marbre, ses yeux rivés aux miens.

– Seigneur, marmonna-t-il.

– Nous n'avons pas retrouvé la lettre que vous avez adressée à Jennifer Deighton, poursuivis-je. La police n'a retrouvé chez elle ni votre lettre ni l'original du fax qu'elle vous a envoyé en réponse. Peut-être que quelqu'un les a récupérés. Peut-être que son assassin les a brûlés dans la cheminée le soir du meurtre. À moins qu'elle ne s'en soit elle-même débarrassée, parce qu'elle avait peur. Je suis convaincue qu'elle a été supprimée à cause de ce qu'elle savait.

– Et c'est pour la même raison qu'on aurait éliminé Susan Story ? Parce qu'elle en savait trop ?

– C'est possible, et même probable, dis-je. Le fait est que deux personnes liées à Ronnie Waddell ont été assassinées. Et parmi celles dont on peut penser qu'ils savent quelque chose sur Waddell, je dirais que vous figurez parmi les premiers de la liste.

– Vous pensez que mon tour viendra ? fit-il avec un sourire pâlot. Vous savez, le plus gros reproche que je puisse adresser à Notre Seigneur Tout-Puissant, c'est que la différence entre la vie et la mort dépende trop souvent d'une question de moment. Me voici donc prévenu, Dr Scarpetta. Mais je ne suis pas assez fou pour penser que, si quelqu'un a l'intention de me supprimer, je serai assez malin pour l'éviter.

– Vous pourriez au moins essayer, dis-je. Vous pourriez prendre un minimum de précautions.

– J'y veillerai.

– Vous pourriez partir en vacances avec votre femme, vous mettre au vert quelque temps.

– Beverly est morte depuis trois ans, dit-il.

– Je suis navrée de l'apprendre, Mr Grueman.

– Elle était malade depuis des années, presque depuis que nous nous connaissions, à vrai dire. Et depuis que je n'ai personne sur qui veiller, j'ai décidé de laisser libre cours à mes penchants. Je suis devenu un incurable drogué de travail qui espère changer le monde.

– J'ai l'impression que si quelqu'un était à même de le changer, ça serait quelqu'un dans votre genre.

– Voilà une opinion totalement dépourvue d'objectivité, répliqua-t-il. Ce qui ne m'empêche pas de l'apprécier. Et je tiens à vous exprimer à mon tour toute la tristesse que m'a causée la mort de Mark. Je ne l'ai pas très bien connu à l'époque, mais il m'avait l'air d'un type bien.

– Je vous remercie.

Je me levai et enfilai mon manteau. Je mis un moment à trouver mes clés de voiture.

Grueman se leva aussi.

– Qu'allons-nous faire, Dr Scarpetta ?

– Possédez-vous des lettres ou d'autres documents susceptibles de porter les empreintes de Ronnie Waddell ?

– Je n'ai pas de lettres, et les différents documents qu'il a signés ont été manipulés par des tas de gens. Mais je vous les transmettrai volontiers.

– Je vous préviendrai si nous ne trouvons pas d'autre solution. Mais je voudrais vous poser une dernière question. (Nous nous immobilisâmes sur le seuil du bureau. Grueman s'appuya sur sa canne.) Vous avez dit que lors de votre dernière conversation avec Waddell, il vous avait demandé trois choses. L'une était de faire publier sa méditation, la deuxième de téléphoner à Jennifer Deighton. Quelle était sa troisième requête ?

– Il voulait que j'invite Norring à son exécution.

– L'avez-vous fait ?

– Bien sûr, fit Grueman. Et votre satané gouverneur n'a même pas eu la délicatesse de répondre.

10

En fin d'après-midi, alors que la silhouette de Richmond se dessinait à l'horizon, j'appelai Rose.

– Dr Scarpetta ? Où êtes-vous ? s'enquit ma secrétaire sur un ton frénétique. Vous m'appelez de votre voiture ?

– Oui. Je suis à cinq minutes du centre-ville.

– Continuez votre route. Ne venez pas ici.

– Pardon ?

– Le lieutenant Marino a essayé de vous joindre. Il veut que vous l'appeliez dès que possible. Il dit que c'est très très urgent.

– Rose, de quoi parlez-vous à la fin ?

– Vous avez écouté la radio ? Vous avez lu les journaux de ce soir ?

– J'ai passé la journée à Washington. Que se passe-t-il ?

– Frank Donahue a été retrouvé mort en début d'après-midi.

– Le directeur de la prison ? C'est bien de lui dont vous parlez ?

– Oui.

Je serrai le volant, le regard fixé sur la chaussée.

– Comment est-ce arrivé ?

– Il a été abattu. On l'a trouvé dans sa voiture il y a quelques heures à peine. Exactement comme Susan.

– J'arrive, dis-je en me glissant sur la file de gauche tout en enfonçant l'accélérateur.

– À votre place, je ne viendrais pas. Fielding a déjà commencé les examens. Appelez Marino, je vous en prie. Ils sont au courant pour les balles.

– *Qui ça, ils* ? fis-je.

– Les journalistes. Ils savent que ce sont les mêmes balles qui ont tué Susan Story et Eddie Heath.

J'appelai le bip de Marino et, lorsqu'il rappela, lui dis que j'allai chez moi. Aussitôt après avoir rentré ma voiture au garage, j'allai ramasser le journal sous le porche.

La photo de Frank Donahue souriait au-dessus du pli de la première page. La manchette disait : ASSASSINAT DU DIRECTEUR DU PÉNITENCIER DE L'ÉTAT. En dessous figurait un autre article illustré du portrait d'une autre personnalité – moi-même. Le texte révélait que les balles extraites des corps d'Eddie et de Susan avaient été tirées par la même arme, et concluait en disant qu'une série de coïncidences bizarres semblaient lier ces deux meurtres au médecin expert général de Virginie. Reprenant les mêmes insinuations publiées dans le *Post*, le journal donnait des informations encore plus inquiétantes.

J'appris avec stupéfaction que mes empreintes digitales avaient été relevées sur une enveloppe bourrée de billets que la police avait trouvée au domicile de Susan Story. J'avais fait preuve d'un « intérêt inhabituel » à l'égard de l'affaire Eddie Heath en me rendant au centre médical d'Henrico County juste avant sa mort afin d'examiner ses blessures. J'avais ensuite procédé à son autopsie, et c'est à cette occasion que Susan avait refusé d'être citée comme témoin et quitté « précipitamment » la morgue. Lorsqu'elle avait été assassinée deux semaines plus tard, je m'étais rendue sur les lieux, puis m'était présentée à l'improviste chez ses parents, que j'avais longuement interrogés, avant d'insister pour être présente lors de l'autopsie.

Sans m'imputer directement sa mort, le mobile suggéré pour expliquer le meurtre de Susan me stupéfia autant qu'il m'enragea. On insinuait que j'avais commis de graves erreurs dans mon travail. J'avais négligé d'établir la fiche d'empreintes de Ronnie Joe Waddell lors de son séjour à la morgue après l'exécution. J'avais laissé le cadavre de la victime d'un homicide au beau milieu d'un couloir, devant les portes d'un ascenseur utilisé par le nombreux personnel de la morgue, compromettant par ma négligence la fiabilité des indices. J'étais décrite comme une personne distante et imprévisible, et certains de mes collègues déclaraient que ma personnalité avait changé depuis la mort de mon amant, Mark James. On concluait en suggérant que du fait qu'elle avait travaillé à mes côtés, Susan savait peut-être quelque chose qui aurait pu ruiner ma carrière. Je lui avais peut-être donné de l'argent comme prix de son silence.

– *Mes empreintes* ? lançai-je à Marino au moment où il arriva chez moi. Qu'est-ce que c'est que cette histoire d'empreintes qui seraient les miennes ?

– Du calme, doc.

– Je vais finir par porter plainte. Cette fois, ça va trop loin !

– Je crois que vous feriez mieux de ne rien porter du tout pour l'instant.

Il sortit son paquet de cigarettes et me suivit dans la cuisine, où l'édition du soir était ouverte sur la table.

– C'est Ben Stevens qui est derrière tout ça.

– Doc, je crois que vous feriez mieux d'écouter ce que j'ai à vous dire.

– Ça ne peut être que lui qui a raconté cette histoire de balles aux...

– Doc, bon Dieu, taisez-vous.

Je m'assis.

– On essaie de me griller moi aussi, dit-il. Je travaille avec vous sur ces affaires, alors que vous risquez d'être mise en examen. Oui, on a trouvé une enveloppe chez Susan. Sous des vêtements, dans un tiroir de la commode. Il y avait trois billets de 100 dollars dedans. Vander a traité l'enveloppe, et plusieurs empreintes latentes sont apparues. Deux sont les vôtres. Vos empreintes, comme les miennes et celles d'un tas d'autres enquêteurs, sont dans AFIS, pour qu'on puisse les éliminer tout de suite si jamais quelqu'un faisait la connerie de laisser ses empreintes sur les lieux d'un meurtre.

– Je n'ai laissé aucune empreinte nulle part, dis-je. Il y a certainement une explication logique. C'est obligé. C'est peut-être une enveloppe qui traînait au bureau ou à la morgue, que j'ai manipulée et que Susan a emportée chez elle.

– Sauf que c'est pas une enveloppe de bureau, dit Marino. Elle mesure à peu près le double du format normal, et elle est en papier noir, brillant et assez rigide, sans rien de marqué dessus.

Je le regardai d'un air incrédule tandis que l'explication surgissait dans mon esprit.

– C'est le foulard que je lui ai donné.

– Quel foulard ?

– J'ai offert comme cadeau de Noël à Susan un foulard de soie rouge que j'avais acheté à San Francisco. L'enveloppe dont vous parlez était son emballage, une grande pochette en carton noir brillant. Le rabat était maintenu par un petit sceau doré. C'est moi qui avais fait le paquet. Pas étonnant qu'on y ait retrouvé mes empreintes.

– Et les 300 dollars ? fit-il en évitant mon regard.

– Je ne sais pas d'où vient cet argent.

– Peut-être, mais comment se fait-il qu'on l'a retrouvé dans l'enveloppe que vous lui avez donnée ?

– Elle cherchait peut-être quelque chose dans lequel ranger ses billets. Elle a trouvé l'enveloppe pratique. Peut-être qu'elle ne voulait pas la jeter. Je n'en sais rien. Comment vouliez-vous que je sache ce qu'elle allait en faire ?

– Est-ce qu'il y avait une tierce personne quand vous lui avez donné le foulard ?

– Non. Son mari n'était pas encore rentré.

– Hum, je vois. Parce que le seul cadeau dont on a parlé, c'est un poinsettia rose. Apparemment Susan a parlé de ce foulard à personne.

– Marino, au nom du ciel, elle portait ce foulard quand elle est morte !

– Ça nous dit pas d'où il venait.

– Dois-je comprendre que vous m'accusez ? fis-je d'un ton sec.

– Je vous accuse de rien du tout. Vous comprenez pas ? Je suis bien obligé de chercher à comprendre, bordel de merde ! Vous préférez que je vous dorlote en vous caressant la main pour qu'un autre flic s'amène et vous cuisine avec les questions que je viens de vous poser ?

Il se leva et se mit à arpenter la pièce, les mains dans les poches, les yeux au sol.

– Parlez-moi de Donahue, fis-je d'un ton calme.

– On l'a tué dans sa bagnole, sans doute tôt ce matin. D'après sa femme, il est parti de chez lui vers 6 heures et quart. On a retrouvé la Thunderbird vers 1 heure et demie de l'après-midi, du côté de Deep Water Terminal, avec lui dedans.

– J'ai lu tout ça dans le journal.

– Écoutez, moins on en parlera, mieux ça vaudra.

– Pourquoi ? Les journalistes vont dire que c'est moi qui l'ai tué, lui aussi ?

– Où étiez-vous ce matin vers 6 heures et quart, doc ?

– Je m'apprêtai à partir de chez moi pour aller à Washington.

– Vous avez des témoins qui pourront certifier que vous étiez pas en train de vous balader du côté de Deep Water Terminal ? C'est pas très loin de votre bureau, vous savez. C'est même à deux minutes.

– Tout ceci est absurde.

– Vous avez intérêt à vous habituer. C'est juste le commencement. Attendez que Patterson vous tombe sur le râble.

Avant de devenir avoué du Commonwealth, Roy Patterson était l'un des avocats criminels les plus combatifs et les plus imbus de sa personne qu'ait connu Richmond. À l'époque, il n'appréciait guère mes apparitions au tribunal, car, dans la majorité des cas, la déposition du médecin expert n'améliore pas l'indulgence des jurés à l'égard de l'accusé.

– Est-ce que je vous ai déjà dit que Patterson pouvait pas vous saquer ? poursuivit Marino. Vous l'avez mouché plus d'une fois quand il était avocat de la défense. Vous étiez là, tranquille comme Baptiste dans vos costumes chic, et lui en face il passait pour un crétin.

– C'est lui qui se conduisait comme un crétin. Je ne faisais que répondre à ses questions.

– Sans compter qu'un de vos ex, Bill Boltz, était un de ses meilleurs amis... Mais je préfère m'arrêter là.

– Je préfère aussi, dis-je.

– Je sens que Patterson va se mettre en chasse après vous. Merde, je parie qu'il se frotte déjà les mains.

– Marino, vous êtes rouge comme une betterave, vous n'allez tout de même pas prendre une attaque à cause de moi !

– Revenons à ce foulard que vous dites avoir donné à Susan.

– Que vous *dites* avoir donné ?

– Comment s'appelait le magasin où vous l'avez acheté, à San Francisco ?

– Ça n'était pas un magasin.

Il me vrilla du regard tout en continuant à faire les cent pas.

– C'était dans un marché. Des stands et des étalages où l'on vendait des objets d'art et des produits artisanaux. Comme à Covent Garden, ajoutai-je.

– Vous avez une facture ?

– Je n'avais aucune raison de la garder.

– Donc, vous savez pas comment s'appelait le stand. Donc, c'est impossible de vérifier que vous avez bien acheté un foulard à un de ces folklos et qu'il vous l'a bien emballé dans une pochette noire.

– Je ne peux pas le prouver.

Il continua à faire les cent pas. Je regardai par la fenêtre. Les nuages filaient sous une lune oblongue, et les silhouettes sombres des arbres se balançaient dans le vent. Je me levai pour baisser les stores.

Marino s'immobilisa.

– Doc, il va falloir que je mette le nez dans vos comptes.

Je restai coite.

– Je dois vérifier si vous n'avez pas fait de gros retraits ces derniers mois.

Je gardai le silence.

– Doc, vous n'avez pas fait ça, hein ?

Je me levai, les tempes palpitantes.

– Vous verrez ça avec mon avocat, dis-je.

Après le départ de Marino, je montai ouvrir le placard en cèdre du premier étage où je conserve mes papiers personnels, et rassemblai mes relevés de comptes bancaires, déclarations fiscales et autres documents financiers. Je songeai à tous les avocats de Richmond qui seraient sans doute enchantés de me voir mise sous les verrous ou exilée pour le restant de ma vie.

J'étais assise dans la cuisine en train de prendre des notes lorsque la sonnette de l'entrée retentit. Je fis entrer Benton Wesley et Lucy, et compris aussitôt par leur silence qu'il était inutile de leur expliquer ce qui se passait.

– Où est Connie ? m'enquis-je d'un ton las.

– Elle est allée passer le Jour de l'An dans sa famille à Charlottesville.

– Je vais dans ton bureau, tante Kay, me dit Lucy.

Sans m'embrasser ni me sourire, elle sortit de la cuisine avec sa valise.

– Marino a exigé de vérifier mes comptes, dis-je à Wesley tandis qu'il me suivait au salon. Ben Stevens veut ma peau. Des dossiers individuels et certaines notes de service ont été dérobés dans mon bureau. Il espère qu'on m'accusera de les avoir fait disparaître. Quant à Roy Patterson, Marino me dit qu'il doit boire du petit lait ces jours-ci. C'est l'heure de vérité.

– Où cachez-vous votre scotch ?

– Je garde le meilleur dans ce coffre, là-bas. Les verres sont dans le bar.

– Je ne veux pas boire votre meilleur whisky.

– Eh bien moi, si, dis-je en préparant un feu dans la cheminée.

– J'ai appelé votre adjoint en venant. Le labo de balistique a déjà examiné les balles retirées du cerveau de Donahue. Ce sont des Winchester en plomb de 9,70 grammes, non blindées, de calibre 22. Deux balles ont été tirées. L'une est entrée par la joue gauche et a perforé le crâne, l'autre a été tirée à bout portant à la base de la nuque.

– Il s'agit de la même arme utilisée lors des deux autres meurtres ?

– Oui. Vous voulez un glaçon ?

– S'il vous plaît. (Je fermai la vitre de l'écran de cheminée et suspendis le pique-feu au présentoir.) Est-ce que par hasard on aurait retrouvé des plumes sur ou à proximité immédiate du corps de Donahue ?

– Pas à ma connaissance. Mais on a pu établir que son agresseur se tenait debout à la portière côté conducteur et qu'il a tiré par la vitre ouverte. Ce qui ne veut pas dire qu'il n'était pas dans la voiture auparavant, mais je ne le pense pas. Pour moi, Donahue avait donné rendez-vous à quelqu'un sur le parking de Deep Water Terminal. Lorsque cet individu est arrivé, Donahue a baissé sa vitre et l'autre a tiré. Votre entrevue avec Downey a-t-elle été fructueuse ?

Il me tendit mon verre et s'installa sur le divan.

– Il a conclu que les plumes et fragments de plumes retrouvés sur les trois autres lieux sont des plumes d'eider commun.

– C'est un canard qui vit en bord de mer, non ? fit Wesley en fronçant les sourcils. Dans quoi trouve-t-on du duvet d'eider ? Dans les anoraks, les gants, ce genre de chose, non ?

– Rarement. Le duvet d'eider coûte très cher. Ce n'est pas courant de posséder un vêtement garni de duvet d'eider.

Je mis ensuite Wesley au courant des événements de la journée, y compris de mon entretien de plusieurs heures avec Nicholas Grueman, que j'estimai sans aucun rapport avec les meurtres.

– Je suis heureux que vous l'ayez rencontré, dit Wesley. J'espérais que vous le feriez.

– Êtes-vous surpris que je le pense innocent ?

– Non. Ça n'a rien d'étonnant. Grueman est un peu dans la même situation que vous. Il est normal que notre suspicion ait été éveillée du fait qu'il a reçu un fax de Jennifer Deighton, tout comme il est normal que nous nous posions des questions en retrouvant vos empreintes chez Susan, sur une enveloppe dissimulée dans le tiroir d'une commode. Quand la violence vous touche de près, vous êtes forcément éclaboussé. Sali.

– Je suis plus qu'éclaboussée. J'ai l'impression que je suis en train de me noyer.

– C'est normal, vous êtes l'objet d'une attaque en règle. Vous devriez en parler à Grueman.

Je gardai le silence.

– À votre place, je chercherais à l'avoir avec moi.

– J'ignorais que vous le connaissiez, dis-je.

Wesley but une gorgée et les glaçons s'entrechoquèrent dans son verre. Le feu faisait luire les ornements en cuivre de la cheminée. Les bûches craquaient, projetant des gerbes d'étincelles dans le conduit.

– Je ne connais pas Grueman mais j'ai entendu parler de lui, dit-il. Je sais qu'il est sorti premier de la Harvard Law School, où il dirigeait la *Law Review*, et qu'il avait refusé un poste d'enseignant dans cette université. C'est bien à contrecœur qu'il s'y était résolu, mais sa femme Beverly ne voulait pas quitter Washington. Elle avait de gros problèmes. À l'époque où elle et Grueman se sont rencontrés, elle avait dû, entre autres, faire interner à Saint Elizabeth la fille qu'elle avait eue d'un premier mariage. Il a fini par s'installer à Washington, et la jeune fille est morte quelques années plus tard.

– Vous avez enquêté sur lui, remarquai-je.

– En quelque sorte.

– Depuis quand ?

– Depuis que j'ai appris qu'il avait reçu un fax de Jennifer Deighton. D'après tous les éléments que nous avions, c'était Monsieur Propre en personne, mais personne ne lui avait encore parlé.

– Ça n'est pas la seule raison pour laquelle vous m'avez suggéré d'aller le voir, si ?

– C'était une raison importante, mais ça n'était pas la seule. Je pensais qu'il était bien que vous renouiez le contact avec lui.

Je pris une profonde inspiration.

– Merci, Benton. Vous êtes décidément doté des meilleures intentions du monde. (Il porta le verre à sa bouche, le regard perdu dans le feu.) Mais je préférerais que vous ne vous mêliez pas de mes affaires, ajoutai-je.

– Ça n'est pas mon genre.

– Bien au contraire. Vous excellez même à ce petit jeu. Vous savez comment manipuler, pousser en avant ou mettre sur la touche un individu mêlé à une affaire. Vous savez si bien dresser des obstacles ou faire sauter des ponts qu'après votre passage, même moi j'aurais du mal à retrouver ma rue.

– Marino et moi nous nous occupons à fond de cette affaire, Kay. La police de Richmond y travaille sans relâche. Le FBI est de la partie. Mais nous ne savons pas si nous avons affaire à un psychopathe qui aurait dû être exécuté, ou si quelqu'un essaie de nous faire croire que nous avons affaire à ce psychopathe qui aurait dû être exécuté.

– Marino ne veut plus que je m'occupe de rien, dis-je.

– Lui aussi est dans une situation impossible. C'est le principal enquêteur criminel de la ville, il fait partie de l'équipe locale du VICAP rattachée au FBI, et en même temps c'est un collègue et un ami à vous. Il est obligé de chercher à savoir ce qui s'est passé à la morgue. Même si son premier réflexe est de vous protéger. Essayez un peu de vous mettre à sa place.

– J'essayerai. Mais il doit se mettre à la mienne.

– C'est bien normal.

– À l'écouter, Benton, on dirait que la moitié de la terre m'en veut et serait ravie de m'envoyer au bûcher.

– Peut-être pas la moitié de l'humanité, mais il est certain qu'à part Ben Stevens, il y a des tas de gens qui ont préparé des jerrycans d'essence et des allumettes pour l'occasion.

– Qui ça, à part Stevens ?

– Je ne peux pas vous donner de noms car je ne les connais pas. Et je ne pense pas que celui qui est derrière tout ça a pour objectif principal de briser votre carrière. Mais je soupçonne que c'est un des buts visés, ne serait-ce que parce que la fiabilité des résultats de l'enquête serait gravement compromise s'il apparaissait que le travail effectué par vos services était entaché d'irrégularités. Sans parler du fait qu'avec vous, le Commonwealth perdrait un de ses témoins experts les plus précieux. (Nos regards se croisèrent.) Imaginez ce que vaudrait une déposition de votre part dans la situation actuelle. Si vous témoigniez devant un tribunal demain, pensez-vous que vous aideriez Eddie Heath ou que vous lui feriez du tort ?

Sa remarque me fit l'effet d'un coup de couteau.

– En ce moment, ça ne l'aiderait guère, en effet. Mais si je m'abstiens de témoigner, en quoi cela l'aiderait-il, lui ou n'importe qui d'autre ?

– Bonne question. En attendant, Kay, Marino ne veut plus vous voir la cible de ces attaques.

– Dans ce cas essayez de lui faire comprendre que la seule réponse logique à cette situation irrationnelle, c'est que je le laisse faire son boulot et qu'il me laisse faire le mien.

– Je peux me resservir ?

Il se leva et alla chercher la bouteille. Nous oubliâmes les glaçons.

– Benton, parlons plutôt de ce tueur. Le meurtre de Donahue vous a-t-il fourni de nouvelles pistes ?

Il posa la bouteille de whisky et tisonna le feu. Ensuite il resta quelques instants devant la cheminée, me tournant le dos, les mains dans les poches. Il finit par s'asseoir au bord du foyer, les coudes sur les genoux. Cela faisait longtemps que je n'avais pas vu Wesley dans un tel état d'agitation.

– Si vous voulez que je vous dise la vérité, Kay, ce salopard me fout la trouille.

– En quoi est-il différent des autres ?

– Je pense qu'il a commencé par agir selon certaines règles, mais qu'il les a modifiées par la suite.

– Étaient-ce ses propres règles ou celles d'un autre ?

– Je pense qu'au départ, ça n'était pas les siennes. Les premières décisions ont été prises par celui qui a manigancé la libération de Waddell, mais maintenant l'assassin agit selon ses propres règles. Ou peut-être devrais-je dire que désormais, il n'y a plus de règles du tout. C'est un type habile et prudent. Jusqu'à présent, c'est lui qui mène la danse.

– Quel mobile voyez-vous ?

– Difficile à dire. Je crois qu'il vaut mieux parler en termes de mission ou de contrat. Je sens qu'il est méthodique dans sa folie, mais que cette folie le fait jouir. Il s'amuse avec l'esprit des gens. Waddell a été enfermé pendant dix ans, et soudain nous revivons le cauchemar de son premier crime. La nuit de son exécution, un jeune garçon est tué avec un sadisme sexuel qui rappelle l'assassinat de Robyn Naismith. D'autres gens meurent, tous plus ou moins liés à l'affaire Waddell. Jennifer Deighton était son amie. Il semble que Susan ait été liée, même de loin, au complot de la libération de Waddell. Frank Donahue, en tant que directeur de la prison, a assisté à l'exécution du 13 décembre. Quel effet produisent toutes ces morts sur les autres acteurs de ce drame ?

– Je suppose que tous ceux qui ont eu affaire à Waddell, soit au cours de son histoire judiciaire, soit autrement, doivent se sentir menacés.

– Exact. Si un tueur de flics sévit et que vous êtes flic, vous savez que vous serez peut-être le suivant de la liste. Quand je partirai de chez vous tout à l'heure, ce type pourrait surgir d'un buisson et me descendre. À moins qu'il soit dans sa voiture, à la recherche de Marino ou de l'endroit où j'habite. Ou qu'il prépare l'exécution de Grueman.

– Ou la mienne.

Wesley se leva et se remit à tisonner le feu.

– Pensez-vous que je devrais renvoyer Lucy à Miami ? demandai-je.

– Bon sang, Kay, je ne sais que vous conseiller. Il est clair, parce qu'elle ne s'en cache pas, qu'elle n'a aucune envie de rentrer chez elle. Vous vous sentiriez sans doute rassurée si elle prenait l'avion dès ce soir. Et moi je serais encore plus rassuré si vous partiez avec elle. À vrai dire, tout le monde – vous, Marino, Grueman, Vander, Connie, Michele, moi – tout le monde se sentirait mieux si nous quittions *tous* la ville. Mais dans ce cas, qui resterait-il ?

– *Lui*, dis-je. Quel qu'il soit.

Wesley jeta un coup d'œil à sa montre et posa son verre sur la table basse.

– Nous devons nous serrer les coudes, dit-il. Nous ne pouvons pas nous permettre de nous chamailler.

– Benton, je dois laver les soupçons dont je suis l'objet.

– Je ferais la même chose à votre place. Par quoi voulez-vous commencer ?

– Par une plume.

– Expliquez-vous.

– Il est possible que le tueur ait acheté un vêtement ou un article doublé en eider, mais je pense plus probable qu'il l'a volé.

– L'hypothèse paraît plausible.

– La façon la plus simple de retrouver la trace de ce vêtement ou de cet article serait de récupérer son étiquette ou un autre élément nous permettant de remonter jusqu'au fabricant. Mais il existe peut-être une autre solution. Nous pourrions laisser filtrer une information dans les journaux.

– Je ne pense pas que ce soit une bonne idée de révéler au tueur qu'il sème des plumes partout. Sinon il se débarrassera aussitôt de l'article en question.

– Bien sûr. Mais rien n'empêche de demander à un des journalistes que vous avez dans votre manche de faire paraître un petit article à propos de l'eider et de son précieux duvet, expliquant que le prix des articles fabriqués à partir de cette matière est si cher qu'ils sont devenus une proie privilégiée pour les voleurs. On pourrait mettre ça en relation avec la saison de ski ou quelque chose dans ce genre.

– Dans quel but ? Dans l'espoir qu'un lecteur nous signale qu'on lui a volé un blouson garni d'eider dans sa voiture ?

– Oui. Si l'article cite un enquêteur présenté comme responsable de la répression de ce type de vols, les gens l'appelleront. Vous savez, les lecteurs retrouvent souvent dans ce genre d'article une histoire qui leur est arrivée, alors ils ont envie d'aider. Ils veulent se sentir importants et ils décrochent leur téléphone.

– J'y réfléchirai.

– Je reconnais que c'est hasardeux.

Nous nous levâmes et nous dirigeâmes vers la porte.

– J'ai parlé à Michele avant de quitter le Homestead, dit Wesley. Elle a appelé Lucy et dit que votre nièce a quelque chose d'effrayant.

– Elle a été une petite terreur dès sa naissance.

Wesley accueillit la remarque avec un sourire.

– Ça n'est pas ce que voulait dire Michele. C'est l'intelligence de Lucy qui l'effraie.

– Ça m'inquiète aussi, parfois. Je me dis que la puissance est trop forte pour un compteur encore fragile.

– Je ne suis pas sûr qu'elle soit aussi fragile que vous dites. N'oubliez pas que je viens de passer presque deux jours en sa compagnie. Lucy m'impressionne beaucoup, sur plusieurs plans.

– Vous n'allez tout de même pas la recruter au FBI.

– J'attendrai qu'elle ait fini ses études. Elle en a encore pour combien de temps ? Un an tout au plus, non ?

Lorsque Lucy sortit du bureau, Wesley venait de partir et j'étais en train de remporter nos verres à la cuisine.

– Le séjour t'a plu ? lui demandai-je.

– Bien sûr.

– Il paraît que ça s'est bien passé avec les Wesley ?

Je fermai le robinet et m'assis à la table où j'avais laissé mon bloc-notes.

– Je les trouve très agréables.

– Il semble que ce soit réciproque.

Elle ouvrit le réfrigérateur et en examina le contenu.

– Comment ça se fait que Pete soit venu ?

Ça me fit un drôle d'effet d'entendre appeler Marino par son prénom. J'en déduisis qu'ils étaient passés de la guerre froide à la détente depuis qu'il lui apprenait à tirer.

– Qu'est-ce qui te fait penser ça ? demandai-je.

– J'ai senti une odeur de tabac en entrant. Je suppose que c'était lui, à moins que tu ne te sois remise à fumer.

Elle referma le frigo et s'approcha de la table.

– Je ne me suis pas remise à fumer et Marino m'a rendu une visite amicale.

– Que voulait-il ?

– Il avait des tas de questions à me poser, répondis-je.

– À quel propos ?

– Pourquoi veux-tu le savoir ?

Son regard alla de mon visage à la pile de papiers administratifs puis au bloc-notes noirci de mon écriture indéchiffrable.

– Oublions la question puisque tu ne veux pas m'en parler.

– C'est compliqué, Lucy.

– Tu dis toujours ça quand tu veux me tenir à l'écart, dit-elle en faisant demi-tour pour quitter la pièce.

J'avais l'impression que mon univers s'écroulait et que, l'un après l'autre, tous ceux qui comptaient pour moi étaient dispersés de tous côtés comme des graines par le vent. Quand j'observais des parents avec leurs enfants, je m'émerveillais à chaque fois de leur secrète communication, et craignais au fond de moi d'être dépourvue d'un instinct qui ne s'apprend pas.

Je retrouvai ma nièce dans mon bureau, assise devant l'ordinateur. L'écran était couvert de colonnes de chiffres et de lettres, parmi lesquels je distinguais les fragments de mots que constituaient les données. Elle faisait des calculs sur une feuille de papier quadrillée et ne leva pas la tête à mon entrée.

– Lucy, je sais que ta mère a eu beaucoup d'hommes dans sa vie et je comprends ce que tu dois ressentir en les voyant défiler à la maison. Mais ici tu n'es pas chez toi et je ne suis pas ta mère. Tu n'as pas à te sentir menacée par mes collègues ou amis masculins. Il est inutile de chercher sans arrêt les preuves qu'un homme est venu chez moi. Quant à tes soupçons sur la nature de mes relations avec Marino, Wesley ou je ne sais qui, je t'assure qu'ils sont tout à fait injustifiés.

Elle resta silencieuse.

Je posai la main sur son épaule.

– Je ne suis peut-être pas la présence permanente que je voudrais être dans ta vie, mais tu dois savoir que tu es très importante pour moi.

Elle gomma un nombre et écarta du dos de la main les miettes de caoutchouc répandues sur le papier.

– Est-ce qu'on va t'accuser de quelque chose ?

– Bien sûr que non. Je n'ai commis aucun délit, fis-je en me penchant sur l'écran.

– Ce que tu vois là, c'est un vidage en hexa, dit-elle.

– Tu avais raison. Ce sont de vrais hiéroglyphes.

Lucy déplaça le curseur en enfonçant quelques touches sur le clavier.

– J'essaie de trouver la position exacte du SID. SID signifie *State Identification*, c'est un numéro d'identification individuel. Chaque personne dans le système possède un numéro d'identification, y compris toi, puisque tes empreintes sont aussi dans AFIS. Avec un langage de quatrième génération, comme SQL, je pourrais effectuer la recherche à l'aide d'un nom de colonne. Mais dans un environnement hexadécimal le langage est purement mathématique. Il n'y a pas de nom de colonne, seulement des positions dans le processus d'enregistrement. En d'autres termes, si je voulais aller à Miami, en SQL je me contenterais de dire à l'ordinateur que je veux me rendre à Miami, alors qu'en hexadécimal, il faudrait que je lui explique que je veux me rendre à un point situé à telle latitude et telle longitude.

» Pour reprendre cette comparaison géographique, j'essaie de déterminer la latitude et la longitude du numéro d'identification individuel et aussi du nombre qui indique le type d'opération enregistrée. Ensuite il faudra que j'écrive un programme capable de détecter les numéros d'identification ayant subi une opération de type 2, c'est-à-dire une suppression, ou de type 3, qui est une mise à jour. Ensuite je n'aurai plus qu'à faire examiner les bandes du journal par ce programme.

– Tu pars donc du principe que si on a altéré un dossier, on l'a fait en modifiant son numéro d'identification ? demandai-je.

– Disons que c'est bien plus facile de modifier le numéro d'identification que de modifier l'image de l'empreinte elle-même, stockée sur le disque optique. Parce qu'au fond, c'est exactement comme ça que fontionne AFIS : à chaque numéro d'identification correspond une fiche d'empreintes. Le nom de la personne, sa notice biographique et autres informations individuelles se trouvent dans son CCH, ou *Computerized Criminal History*, qui est accessible sur le CCRE, ou *Central Criminal Records Exchange*.

– Si je comprends bien, fis-je, les fiches du CCRE peuvent donc être mises en relation avec les empreintes d'AFIS grâce aux numéros d'identification.

– Exactement.

Lucy était encore au travail lorsque j'allai me coucher. Je sombrai aussitôt dans le sommeil, mais me réveillai à 2 heures du matin pour ne me rendormir que vers 5 heures. Moins d'une heure après, mon réveil sonnait. Le jour n'était pas levé lorsque je me rendis dans le centre-ville en écoutant le bulletin d'informations d'une radio locale. Le journaliste annonçait que la police m'avait interrogée, mais que j'avais refusé de donner des précisions sur mes opérations financières. Il rappela ensuite que Susan Story avait déposé 3 500 dollars sur son compte quelques semaines avant son assassinat.

Arrivée au bureau, j'eus à peine le temps d'ôter mon manteau que Marino appela.

– Ce foutu commandant peut pas s'empêcher d'ouvrir son clapet, fit-il aussitôt.

– En effet.

– Merde, je suis désolé.

– Vous n'y êtes pour rien. Je sais bien que vous devez lui rendre compte.

Marino hésita un instant.

– Je... hum, je dois vous demander des précisions sur les armes en votre possession. Vous avez pas de calibre 22, n'est-ce pas ?

– Vous savez fort bien que je n'ai qu'un Ruger et un Smith & Wesson. Mais si vous le répétez au commandant Cunningham, je parie que dans une heure toutes les radios vont en parler.

– Doc, il veut que nous les fassions examiner par le labo de balistique.

Pendant quelques secondes, je crus que Marino plaisantait.

– Il pense que vous devriez les soumettre de vous-même au labo, ajouta-t-il. Il dit que la meilleure parade, ça serait de démontrer au plus vite que les balles récupérées sur Susan, Eddie et Donahue ont pas pu être tirées par vos armes.

– Est-ce que vous lui avez signalé que mes armes tiraient du *trente-huit* ? fis-je avec exaspération.

– Oui.

– Et il sait que les balles extraites des corps sont de calibre *vingt-deux* ?

– Ouais. Je le lui ai répété sur tous les tons.

– Eh bien ! demandez-lui de ma part s'il connaît un adaptateur permettant de tirer des munitions de vingt-deux à percussion annulaire avec un revolver de calibre trente-huit. Si c'est le cas, je lui conseille de préparer une communication pour le prochain congrès de l'Académie des sciences médico-légales.

– Vous ne pensez quand même pas que je vais lui dire ça...

– Tout ceci est une affaire politique, une magouille politique. Ça n'est même pas rationnel.

Marino s'abstint de tout commentaire.

– Écoutez, fis-je d'un ton radouci. Je n'ai enfreint aucune loi. Je ne ferai examiner ni mes comptes, ni mes armes, ni quoi que ce soit de personnel tant que l'on ne me l'aura pas officiellement demandé. Je sais que vous avez un travail à faire et je ne veux pas vous empêcher de le faire. Mais je veux qu'on me laisse faire le mien. J'ai trois autopsies qui m'attendent en bas, et Fielding est au tribunal.

Pourtant, lorsque je raccrochai quelques instants plus tard, je compris, en voyant Rose entrer dans mon bureau, qu'on ne me laisserait pas tranquille. Ma secrétaire avait le visage pâle, le regard plein d'appréhension.

– Le gouverneur veut vous voir, m'annonça-t-elle.

– Quand ? fis-je en ayant l'impression que mon cœur s'arrêtait de battre.

– À 9 heures.

Il était déjà 8 h 40.

– Que veut-il, Rose ?

– La personne qui a appelé n'a pas précisé.

Je saisis au vol manteau et parapluie, puis sortis sous une pluie froide qui commençait à geler. Tout en marchant d'un pas vif dans 14th Street, j'essayai de me souvenir de ma dernière rencontre avec le gouverneur Joe Norring. Elle avait eu lieu un an auparavant, lors d'une réception très collet monté organisée au Virginia Museum. Le gouverneur était républicain, épiscopalien et diplômé en droit de l'université de Virginie. J'étais italienne, catholique, originaire de Miami et avais suivi mes études dans le Nord. Et j'étais démocrate de cœur.

Le Capitole, juché sur Shockhoe Hill, est entouré d'une grille ornementale édifiée au début du XIXe siècle pour tenir à distance le bétail. Le bâtiment de briques blanches conçu par Jefferson est un exemple typique de ses conceptions architecturales, pure symétrie de corniches et de colonnes inspirées des temples romains. Des bancs bordaient l'escalier de granite qui gravissait la pelouse, et sous le grésil qui ne cessait de tomber, je me souvins qu'à chaque printemps je prenais la résolution de profiter du soleil en venant un jour pique-niquer sur un de ces bancs pendant ma pause déjeuner. Mais je ne l'avais encore jamais fait. D'innombrables jours de ma vie s'écoulaient dans la lumière artificielle de pièces sans fenêtres, dans des espaces confinés échappant à toute classification architecturale.

Une fois à l'intérieur du Capitole, je cherchai des toilettes et tentai de reprendre confiance en moi en procédant à quelques rectifications esthétiques. Mais rouge à lèvres et brosse à cheveux n'améliorèrent guère l'image que me renvoyait le miroir. Et c'est avec le visage brouillé et l'esprit troublé que je pris l'ascenseur jusqu'à la Rotonde, où les sévères portraits à l'huile des anciens gouverneurs m'accueillirent du haut de leurs cadres, dominant de trois étages la statue en marbre de George Washington exécutée par Houdon. À mi-chemin du couloir longeant la façade sud se pressait un groupe de journalistes bardés de calepins et de micros. Ce n'est qu'en les voyant braquer sur moi les caméras vidéo, dégainer leurs micros et faire crépiter leurs appareils-photo avec la rapidité d'armes automatiques que je réalisai que c'était après moi qu'ils en avaient.

– Pourquoi refusez-vous de dévoiler vos comptes ?

– Dr Scarpetta...

– Avez-vous donné de l'argent à Susan Story ?

– Quelle arme possédez-vous ?

– Docteur...

– Est-il exact que certains dossiers du personnel ont disparu de votre bureau ?

L'esprit paralysé, je gardai le regard fixé droit devant moi et continuai mon chemin sous un déluge de questions agressives. Les micros me heurtaient le menton, des corps effleuraient le mien, les flashs m'éclataient au visage. J'eus l'impression de mettre un temps infini pour atteindre la lourde porte en acajou et me réfugier dans la quiétude qui régnait au-delà.

– Bonjour, me dit la réceptionniste depuis son rempart de bois précieux dominé par un portrait de John Tyler.

C'était une femme d'un certain âge, vêtue de tweed. De l'autre extrémité de la pièce, un officier en civil de l'Unité de protection des personnalités officielles m'examina d'un regard impénétrable.

– Comment se fait-il que la presse ait été prévenue ? demandai-je à la réceptionniste.

– Pardon ? fit-elle.

– Comment les journalistes ont-ils appris que je devais rencontrer le gouverneur ce matin ?

– Je suis désolée, mais je n'en ai aucune idée.

Je m'assis sur un sofa à deux places. Les murs étaient tapissés de bleu pâle, les meubles anciens, le siège des chaises recouvert d'une broderie représentant le sceau de l'État. Dix longues minutes s'écoulèrent, puis une porte s'ouvrit et un jeune homme apparut que je reconnus comme étant l'attaché de presse de Norring.

– Dr Scarpetta, me dit-il en souriant, le gouverneur est prêt à vous recevoir.

C'était un homme mince, blond, vêtu d'un costume bleu marine égayé par une paire de bretelles jaunes.

– Je m'excuse de vous avoir fait attendre. Quel temps exécrable. Il paraît que ça va descendre à - 10° C. ce soir. Les rues seront sans doute verglacées demain matin.

Il me guida à travers un dédale de bureaux où des secrétaires tapaient sur le clavier de leur ordinateur tandis que des assistants à l'air affairé allaient et venaient en silence. Enfin il frappa à une porte imposante, en tourna la poignée de cuivre et me propulsa d'une légère poussée dans les reins dans l'espace privé de l'homme le plus puissant de Virginie. Le gouverneur Norring ne quitta pas son fauteuil de cuir capitonné où il était installé derrière un bureau en noyer presque vide. Deux chaises étaient installées devant, et mon guide m'en indiqua une tandis que Norring poursuivait la lecture du document qu'il avait entre les mains.

– Puis-je vous servir quelque chose à boire ? s'enquit l'attaché de presse.

– Non, je vous remercie.

Il sortit et referma la porte avec discrétion.

Le gouverneur reposa le papier sur le bureau et s'appuya à son dossier. C'était un homme d'allure distinguée, avec juste ce qu'il fallait d'irrégularité dans les traits pour qu'on le prenne au sérieux dès le premier abord. Il ne passait jamais inaperçu lorsqu'il entrait quelque part. Comme George Washington, qui dominait de ses 1,85 m la taille modeste de ses contemporains, Norring était bien plus grand que la moyenne actuelle. Il avait conservé d'épais cheveux bruns à un âge où beaucoup deviennent chauves ou grisonnants.

– Docteur, je me demande s'il y a moyen d'éteindre ce foyer de controverses avant que l'incendie n'échappe à tout contrôle, déclara-t-il sur le ton lénifiant propre à la bonne société virginienne.

– J'espère bien qu'il existe un moyen, gouverneur.

– Alors expliquez-moi pour quelle raison vous refusez de coopérer avec la police.

– Je préférerais d'abord solliciter les conseils d'un avocat, mais je n'en ai pas eu le temps jusqu'à présent. Je ne considère pas mon attitude comme un refus de coopérer.

– Vous avez parfaitement le droit de ne pas vouloir vous porter tort, répliqua-t-il avec lenteur. Mais le simple fait d'invoquer le Cinquième Amendement ne fait qu'épaissir le nuage de suspicion qui vous entoure. Je suis sûr que vous en avez conscience.

– J'ai surtout conscience que je serai la cible d'attaques quelle que soit mon attitude. Chercher à me protéger n'est qu'une question de bon sens et de prudence.

– Avez-vous remis des sommes d'argent à votre subordonnée préposée à la morgue, Susan Story ?

– Non, gouverneur, je ne lui ai pas donné le moindre *cent*. Je n'ai rien fait d'illégal ni de répréhensible.

– Dr Scarpetta... (Il se pencha en avant, posa ses mains sur le bureau et joignit l'extrémité des doigts.) Je crois comprendre que vous refusez de coopérer en remettant les documents susceptibles d'étayer vos déclarations.

– Personne ne m'a notifié officiellement que j'étais soupçonnée de quoi que ce soit. Et en tout état de cause, je n'entends pas renoncer à mes droits. Mais pour l'instant, n'ayant pas eu le temps de solliciter des conseils juridiques, je n'ai aucune intention de soumettre mes dossiers professionnels ou personnels à la police ou à qui que ce soit.

– En résumé, vous refusez donc de vous soumettre à examen.

Lorsqu'un haut fonctionnaire est accusé de défendre des intérêts contraires à sa fonction, ou de s'être livré à une quelconque malversation, il n'a qu'une alternative : se soumettre à examen ou être mis à la porte. Cette dernière perspective s'ouvrait devant moi comme un abîme. Il était clair que le gouverneur manœuvrait pour m'y précipiter.

– Vous êtes un expert légiste de stature nationale, et le médecin expert général du Commonwealth, poursuivit-il. Vous avez poursuivi une carrière sans faute et jouissez d'une réputation irréprochable dans les milieux policier et judiciaire. Mais vous semblez faire preuve d'un singulier aveuglement dans cette affaire. Vous ne donnez pas une image suffisamment irréprochable de vous.

– Je ne suis pas aveugle, gouverneur, et je n'ai rien commis d'illégal, répétai-je. L'examen des faits le montrera. En attendant, je ne souhaite pas discuter de ce sujet avant d'avoir consulté un avocat. Et je n'accepterai d'être soumise à examen que représentée par lui, et lors d'une audition à huis clos.

– Pourquoi le huis-clos ? fit-il en étrécissant les yeux.

– Parce que certains détails de ma vie personnelle pourraient affecter d'autres personnes que moi.

– Qui ? Un mari, des enfants, un amant ? Je crois savoir que vous n'avez rien de tout ça, que vous vivez seule et que, pour reprendre un vieux cliché, vous n'êtes mariée qu'à votre travail. Qui pourriez-vous désirer protéger ?

– Vous essayez de me piéger, gouverneur.

– Pas du tout, docteur. J'essaie de comprendre, c'est tout. Vous venez de dire que vous désiriez protéger certaines personnes, c'est pourquoi j'essaie de savoir qui sont ces personnes. Il ne s'agit certainement pas de vos patients, puisqu'en général ils sont morts.

– J'ai l'impression que votre démarche n'est ni objective ni impartiale, dis-je en ayant conscience de la froideur de ma voix. Dès le départ cet entretien a été biaisé. J'ai été prévenue vingt minutes avant l'heure du rendez-vous, on ne m'a pas donné de motif à cette convocation et je...

– Docteur, m'interrompit-il, je pensais que vous en devineriez la raison.

– Tout comme j'aurais dû deviner que notre entretien allait bénéficier d'une large publicité dans les médias.

– En effet, on m'a dit que les journalistes étaient venus en force, dit-il sans que son visage change d'expression.

– J'aimerais savoir qui les a prévenus, fis-je avec animosité.

– Si vous voulez savoir si mon bureau a averti la presse, je puis vous assurer que ça n'est pas le cas.

Je gardai le silence.

– Docteur, je ne sais pas si vous comprenez bien qu'en tant que serviteurs de l'État, nous devons agir selon certaines règles. Dans un certain sens, toute vie privée nous est interdite. Ou plutôt, lorsque notre moralité ou notre compétence est mise en doute, l'opinion publique a le droit de pénétrer dans les aspects les plus intimes de notre existence. Chaque fois que j'entreprends quelque chose, chaque fois que je signe un chèque, je me demande d'abord si ce que je fais est suffisamment transparent pour résister à l'examen le plus approfondi.

Je remarquai qu'il gardait les mains pratiquement immobiles lorsqu'il parlait, et que les motif et tissu de son costume et de sa cravate étaient d'une extravagance de bon aloi. Je le détaillai de brefs regards tandis qu'il poursuivait son sermon, et je compris que rien de ce que je pourrais dire ou faire ne sauverait ma tête. Bien qu'ayant été nommée par le commissaire à la Santé, je savais bien que je n'aurais pu obtenir mon poste ni m'y maintenir sans l'aval du gouverneur. La façon la plus rapide de perdre ce poste était de le mettre dans l'embarras ou de m'opposer à lui. Or j'avais fait les deux. Il avait le pouvoir de me contraindre à démissionner. Je n'avais que le pouvoir de gagner un peu de temps en le menaçant de lui causer encore plus d'embarras.

– Docteur, voulez-vous me dire ce que vous auriez fait à ma place ?

Derrière la fenêtre, des grêlons se mêlaient à présent à la pluie, et les immeubles du quartier des banques se découpaient sur un ciel couleur d'étain. Avant de répondre à Norring, je le fixai quelques instants en silence.

– Gouverneur Norring, je crois que je me serais abstenue de convoquer le médecin expert général dans mon bureau pour l'insulter de manière gratuite tant sur le plan professionnel que privé, et lui demander ensuite de renoncer à ses droits, pourtant garantis à tout citoyen par notre Constitution.

» Je crois également que j'aurais considéré le médecin expert comme innocente jusqu'à ce que sa culpabilité ait été établie, et je n'aurais pas cherché à enfreindre à la fois son éthique et le serment d'Hippocrate en lui demandant de dévoiler aux yeux du public des dossiers confidentiels, au risque de la mettre en danger, elle et d'autres personnes. Je me plais à penser, gouverneur Norring, que je me serais abstenue de ne donner, à quelqu'un qui a toujours servi avec fidélité le Commonwealth, d'autre choix que la démission pour raisons personnelles.

D'un air absent, le gouverneur s'empara d'un stylo en argent et pesa les conséquences de ma tirade. Si je présentais ma démission pour raisons personnelles à la sortie de mon entrevue avec lui, tous les journalistes qui attendaient devant sa porte comprendraient que je démissionnais parce que Norring m'avait demandé de faire une chose contraire à mon éthique professionnelle.

– Je n'ai aucun intérêt à vous voir démissionner maintenant, dit-il d'un ton glacial. Je refuserais même votre démission si vous la présentiez. Je suis un homme juste, Dr Scarpetta, et aussi, je l'espère, un homme sage. Or la sagesse me dit que je ne peux laisser une personne effectuer l'autopsie de victimes d'homicides lorsque cette personne est elle-même accusée de meurtre ou de complicité de meurtre. Je pense donc que la meilleure solution est de vous suspendre avec traitement jusqu'à ce que cette affaire soit clarifiée. (Il décrocha son téléphone.) John, voulez-vous avoir la gentillesse de raccompagner le médecin expert général ?

Le souriant attaché de presse apparut presque aussitôt.

En sortant du bureau du gouverneur, je fus assaillie de toutes parts. Les éclairs de phosphore m'aveuglèrent et tout le monde se mit à hurler en même temps. Toute la journée et toute la matinée du lendemain, les médias répétèrent sur tous les tons que le gouverneur m'avait suspendue de mes fonctions jusqu'à ce que la lumière soit faite sur les soupçons pesant sur moi. Un éditorialiste présenta la mesure prise par Norring comme le geste d'un gentleman, ajoutant que si j'étais une vraie dame, je devrais proposer spontanément ma démission.

11

Je passai le vendredi à la maison, devant la cheminée, attelée à la tâche fastidieuse et frustrante de noter mes faits et gestes des dernières semaines. Par malchance, à l'heure où Eddie Heath était enlevé, je rentrais chez moi du bureau, seule dans ma voiture. Au moment où Susan était assassinée, j'étais seule chez moi, Marino ayant emmené Lucy s'entraîner au tir. Je me trouvais également seule le matin où Donahue avait été tué. Je n'avais aucun témoin pouvant confirmer mes activités au moment des trois meurtres.

Le mobile et le *modus operandi* des crimes seraient toutefois plus difficiles à m'imputer. Il est très rare qu'une femme tue de sang-froid, comme le fait l'exécuteur d'un contrat, et à moins de me faire passer pour une sadique, je ne vois pas quel mobile on aurait pu invoquer pour l'assassinat d'Eddie Heath.

J'étais absorbée dans mes pensées lorsque Lucy me cria qu'elle avait trouvé quelque chose.

Installée devant l'ordinateur, elle avait tourné la chaise de côté et posé les pieds sur une ottomane. Ses cuisses disparaissaient sous un amas de papiers, et mon .38 Smith & Wesson était posé à droite du clavier.

– Comment se fait-il que mon revolver soit ici ? demandai-je avec un certain trouble.

– Pete m'a dit de tirer à blanc dès que j'avais un moment, alors je me suis entraînée pendant que mon programme décryptait les *journal tapes*, les enregistrements journaliers.

Je pris le revolver, basculai le barillet et, à tout hasard, en vérifiai les chambres.

– J'ai pas tout à fait fini de les vérifier, reprit-elle, mais je crois que je suis tombée sur ce que nous cherchions.

C'est avec un élan d'optimisme que j'approchai une chaise.

– Le *journal tape* du 9 décembre, poursuivit-elle, présente trois MISAFE intéressantes.

– MISAFE ? fis-je.

– Mise à jour de fiches d'empreintes, expliqua Lucy. Elles concernent trois fichiers. L'un a été carrément effacé. Le numéro d'identification du deuxième a été modifié. Et un troisième fichier a été créé à peu près au même moment où les deux autres ont été supprimés ou modifiés. Je suis entré dans CCRE et j'ai envoyé les deux numéros d'identification du fichier modifié et du nouveau fichier créé. Le fichier modifié est celui de Ronnie Joe Waddell.

– Et le nouveau fichier ?

– Très bizarre. Il ne renvoie à aucune fiche de police. J'ai entré cinq fois de suite le numéro d'identification et à chaque fois j'ai eu le message « aucun fichier correspondant ». Tu vois ce que ça veut dire ?

– Sans fichier dans le CCRE, on ne peut pas savoir qui est cette personne.

Lucy acquiesça.

– Exact. AFIS comporte la fiche d'empreintes et le numéro de quelqu'un, mais n'indique aucun nom ni aucun renseignement individuel permettant de l'identifier. Ce qui me fait dire qu'on a effacé le nom de cet individu sur le CCRE. En d'autres termes, on a bidouillé aussi le CCRE.

– Occupons-nous d'abord de Ronnie Joe Waddell, dis-je. Peux-tu reconstituer ce qu'on a fait à son fichier ?

– J'ai ma petite idée. D'abord, il faut savoir que le numéro individuel est un identificateur exclusif doté d'un index exclusif, ce qui signifie que le système ne te permet pas d'entrer deux informations identiques. Donc si par exemple je voulais échanger mon numéro d'identification avec le tien, il faudrait d'abord que je sorte ton fichier, ensuite que je passe le mien sous ton numéro d'identification, et qu'enfin je rentre ton fichier sous mon ancien numéro.

– Tu penses que c'est ce qui s'est passé ?

– Une telle manipulation expliquerait les MISAFE que j'ai repérées dans le *journal tape* du 9 décembre.

Soit quatre jours avant l'exécution de Waddell, me dis-je.

– Mais ce n'est pas tout, reprit Lucy. Le 16 octobre, on a effacé le fichier de Waddell sur AFIS.

– Comment est-ce possible ? fis-je abasourdie. Il y a plus d'une semaine, Vander a entré une empreinte relevée chez Jennifer Deighton, et AFIS l'a identifiée comme appartenant à Waddell.

– AFIS est tombé en panne le matin du 16 décembre à 10 h 56, soit quatre-vingt-dix-neuf minutes après qu'on a supprimé le fichier de Waddell, répliqua Lucy. La base de données a certes été restaurée grâce aux *journal tapes*, mais le système ne procède à une copie globale de sauvegarde qu'une seule fois par jour, en fin de journée. Donc les modifications opérées sur la base de données le matin du 16 décembre n'avaient pas été sauvegardées quand est survenue la panne. Ce qui fait que lorsque la base de données a été reconstituée, le fichier de Waddell l'a été aussi.

– Tu veux dire qu'on a modifié le numéro d'identification de Waddell quatre jours avant son exécution ? Et que trois jours après l'exécution, on a voulu supprimer son fichier AFIS ?

– Apparemment, oui. Ce que je ne comprends pas, c'est pourquoi on n'a pas supprimé son fichier tout de suite. Pourquoi s'embêter à modifier son numéro avant de changer d'avis et d'effacer le fichier ?

La réponse était simple, et ce fut Neils Vander qui me la fournit lorsque je l'appelai quelques instants plus tard.

– Il n'est pas rare que l'on supprime d'AFIS les empreintes d'un détenu exécuté, m'expliqua-t-il. Le seul cas dans lequel on ne les supprime pas, c'est lorsqu'on estime possible de retrouver ces empreintes dans une affaire non élucidée. Waddell étant emprisonné depuis une dizaine d'années, ça n'était plus la peine de conserver sa fiche.

– Donc la suppression effectuée le 16 décembre n'était qu'une opération de routine ? dis-je.

– Oui. En revanche, il n'y avait aucune raison d'effacer sa fiche le 9 décembre, date à laquelle Lucy pense qu'on a modifié son numéro d'identification, puisque à cette date Waddell était encore en vie.

– Neils, qu'est-ce que ça veut dire, à votre avis ?

– Kay, modifier un numéro d'identification revient à modifier l'identité. Si je fais une recherche à partir de l'empreinte d'un individu donné, je retrouverai sa fiche, mais lorsque j'entrerai le numéro d'identification correspondant dans le CCRE, je n'obtiendrai pas sa notice biographique. Soit je n'obtiendrai rien du tout, soit j'obtiendrai la biographie criminelle d'un autre.

– Vous avez retrouvé la fiche correspondant à l'empreinte relevée chez Jennifer Deighton, résumai-je. Puis vous avez entré son numéro d'identification dans le CCRE, qui vous a fourni le nom de Ronnie Waddell. Or nous avons quelques raisons de croire que le numéro qu'on lui avait attribué a été modifié. Donc nous ne pouvons pas savoir à qui appartient l'empreinte dans la salle à manger de Jennifer Deighton. C'est bien ça ?

– Exact. Et il devient de plus en plus évident que quelqu'un s'est donné beaucoup de mal pour qu'on ne puisse pas identifier la personne à qui appartient cette empreinte. Je ne peux prouver ni que c'est celle de Waddell, ni que ça n'est pas la sienne.

Tout en l'écoutant, des images se bousculaient dans mon esprit.

– Pour prouver que ça n'est pas Waddell qui a laissé cette empreinte sur la chaise de Jennifer Deighton, poursuivit-il, il me faudrait une vieille empreinte, identifiée sans doute possible comme lui appartenant. Mais ça, je ne vois pas où la trouver.

Je vis de sombres lambris et parquets, des taches de sang séché couleur grenat.

– Chez elle, marmonnai-je.

– Chez qui ? demanda Vander.

– Chez Robyn Naismith, dis-je.

Dix ans auparavant, lorsque la police avait passé au peigne fin la maison de Robyn Naismith, on ne connaissait pas encore les méthodes de balayage au laser ou au Luma-Lite. Ni l'identification par l'ADN. La Virginie ne disposait pas d'un fichier d'empreintes informatisé, ni de système d'amélioration d'image permettant de lire une empreinte partielle laissée par un doigt sanglant sur un mur ou toute autre surface. Bien qu'il soit en général inutile d'appliquer les innovations technologiques à des affaires anciennes, il existe certaines exceptions. J'étais d'avis que le meurtre de Robyn Naismith en constituait une.

Si nous pouvions vaporiser des produits chimiques dans l'ancienne maison de Robyn, nous aurions une chance de ressusciter littéralement la scène. Beaucoup de sang avait été répandu, sous forme de caillots, de gouttes, de filets, d'éclaboussures ou de taches. Il s'était infiltré dans les fissures et les craquelures, glissé sous les lattes de parquet, collé aux coussins. Bien que les lavages répétés en éliminent la plus grande partie au cours des années, il ne disparaît jamais tout à fait. De la même façon que les mots gravés sur la feuille blanche trouvée sur le lit de Jennifer Deighton n'étaient pas lisibles d'emblée, du sang invisible à l'œil nu se trouvait encore dans l'appartement où Robyn Naismith avait été agressée et tuée. Dépourvue de moyens techniques, la police n'avait relevé qu'une seule empreinte sur les lieux. Peut-être que Waddell en avait laissé d'autres. Et qu'elles s'y trouvaient encore.

Neils Vander, Benton Wesley et moi-même nous rendîmes en voiture à l'université de Richmond, splendide ensemble de bâtiments de style géorgien répartis autour d'un lac entre Three Chopt Road et River Road. C'est là que Robyn Naismith avait obtenu autrefois son diplôme avec mention. Elle avait tellement aimé le site qu'elle avait acheté une maison à deux blocs à peine du campus.

Sa maisonnette de briques au toit mansardé était bâtie sur un lot d'environ deux mille mètres carrés. Je constatai sans surprise que c'était le lieu idéal pour un cambriolage. Le jardin était planté d'arbres touffus, l'arrière de la maison dominé par trois immenses magnolias qui interceptaient les rayons du soleil. Même si les voisins immédiats avaient été chez eux au moment du meurtre, je doutai qu'ils eussent vu ou entendu quoi que ce soit de suspect. Or le matin du meurtre, tous étaient au travail.

Vu la conjoncture à l'époque où la maison avait été mise sur le marché, le prix en avait été modeste pour le quartier. Nous avions appris que l'université avait racheté la maison pour y loger des enseignants, et qu'on avait laissé les affaires qui s'y trouvaient. Robyn était fille unique et vivait seule, et ses parents installés dans le nord de l'État n'avaient pas voulu récupérer ses meubles. Je suppose qu'ils ne tenaient pas à les avoir en permanence sous les yeux. Un professeur d'allemand célibataire, Sam Potter, louait la maison depuis son rachat.

Tandis que nous déchargions de la voiture le matériel vidéo, les bidons de produits chimiques et autres équipe ments, la porte arrière de la maison s'ouvrit. Un homme à l'allure quelque peu négligée apparut et nous souhaita le bonjour d'un ton anodin.

– Vous voulez un coup de main ? fit Sam Potter en descendant les marches du seuil.

Il fumait une cigarette et écarta de ses yeux une mèche de ses longs cheveux bruns qui se dégarnissaient sur le haut du front. C'était un individu court et boulot, avec de larges hanches de femme.

– Tenez, prenez donc cette boîte, lui dit Vander.

Potter jeta sa cigarette mais négligea de l'écraser. Nous gravîmes les marches du seuil à sa suite et débouchâmes dans une petite cuisine équipée de vieux meubles vert avocat encombrés de vaisselle sale. Potter nous fit traverser la salle à manger, où des piles de linge propre s'entassaient sur les tables, puis le salon en façade, où nous posâmes notre matériel. J'éprouvai un choc en reconnaissant la console de télévision, le câble qui le reliait à la prise, les tentures, le divan de cuir brun et le parquet, que l'absence d'entretien et la négligence avaient rendu aussi mat que de la boue séchée. Des livres et des papiers traînaient partout. Potter se mit à les rassembler au petit bonheur.

– Comme vous pouvez le constater, dit-il avec un fort accent germanique, je n'ai pas un grand sens de l'ordre. Je vais mettre tout ça dans la salle à manger. (Il passa dans la pièce contiguë et réapparut quelques instants plus tard.) Voilà, fit-il. Vous voulez que j'enlève autre chose ?

Il sortit un paquet de Camel de la poche de sa chemise blanche et une pochette d'allumettes de son jean délavé. Une montre gousset était fixée à un passant de sa ceinture par un cordon de cuir et, pendant qu'il la sortait pour consulter l'heure puis allumait sa cigarette, j'eus le temps de remarquer qu'il avait les mains qui tremblaient, les doigts enflés, le nez et les pommettes constellés de vaisseaux éclatés. Il n'avait pas vidé les cendriers, mais il avait fait disparaître verres et bouteilles et jeté les ordures.

– Ça ira comme ça, dit Wesley. Ne vous cassez pas la tête. Si nous devons déplacer un objet, nous le remettrons en place.

– Et vous dites que ce produit chimique n'abîme pas les meubles et n'est pas toxique ?

– Non, rassurez-vous, lui répondis-je. Il n'y a aucun risque. Le produit ne laissera qu'un résidu granuleux, un peu comme l'eau salée quand elle s'évapore. Nous ferons notre possible pour tout nettoyer.

– Je ne tiens pas à assister aux opérations, dit Potter en tirant nerveusement sur sa cigarette. Pouvez-vous me dire à peu près pour combien de temps vous en avez ?

– Pas plus de deux heures, j'espère, dit Wesley.

Son regard fouillait la pièce et, quoique son visage fût dépourvu de toute expression, je me doutais de ce qui devait défiler dans son esprit.

J'ôtai mon manteau et restai un instant sans savoir où le poser. Vander sortit un rouleau de pellicule.

– Si jamais vous aviez terminé avant mon retour, dit Potter, fermez bien la porte et assurez-vous que le loquet soit mis. Je n'ai pas de système d'alarme.

Sur quoi il disparut dans la cuisine, et quelques instants plus tard sa voiture démarra avec un bruit de camion diesel.

– Quel dommage, fit Vander en sortant deux flacons de produit de leur boîte. Ça pourrait être une maison charmante, mais l'intérieur n'est pas plus reluisant que beaucoup de taudis que j'ai pu voir. Vous avez remarqué la poêle sur la gazinière, avec le bout d'omelette à moitié pourrie ? Par où voulez-vous commencer ? (Il s'accroupit sur le parquet.) Je préparerai le mélange quand nous serons prêts.

– Je pense qu'il faut d'abord débarrasser la pièce, dit Wesley. Kay, vous avez les photos ?

Je sortis les clichés judiciaires du meurtre.

– Vous avez remarqué que notre ami le professeur a gardé les meubles de Robyn, dis-je.

– Alors laissons-les en place, fit Vander comme s'il lui paraissait tout à fait normal que des meubles ayant assisté à un meurtre dix ans auparavant soient toujours là. Mais il faut enlever le tapis. Je sens qu'il n'y était pas à l'époque.

– Comment pouvez-vous le savoir ? demanda Wesley.

En disant ces mots il baissa les yeux sur l'ouvrage de fils tressés bleus et rouges étendu à ses pieds. Le tapis était crasseux et ses bords s'ourlaient.

– Si vous le soulevez, vous verrez que le parquet est aussi mat et usé dessous qu'ailleurs dans la pièce. Il n'y a pas longtemps que ce tapis est là. En plus, il n'a pas l'air très solide. Il n'aurait pas duré dix ans.

J'étalai les photos par terre et les déplaçai jusqu'à trouver la bonne perspective, pour que nous puissions voir quels meubles il fallait enlever. Nous remîmes ceux de Robyn à leur emplacement originel et recréâmes peu à peu la physionomie de la pièce au moment du meurtre.

– Le ficus va là-bas, dis-je avec le ton d'un metteur en scène. C'est bon, Neils, maintenant reculez le divan d'une cinquantaine de centimètres. Là, encore un peu, ça va. L'arbuste arrivait à environ dix centimètres de l'accoudoir gauche. Un peu plus près. Là !

– Mais non, les branches touchent le divan...

– N'oubliez pas qu'il a poussé.

– Je n'arrive pas à croire qu'il ait survécu. Je m'attendais à ce que rien ne prospère dans l'entourage du professeur Potter, sauf peut-être les bactéries et les champignons.

– Bon, on enlève le tapis ? demanda Wesley en ôtant sa veste.

– Oui. Elle avait un paillasson devant la porte et une natte orientale sous la table basse. La plus grande partie du parquet était à nu.

Wesley se mit à quatre pattes et roula le tapis.

Je m'approchai du téléviseur et examinai le magnétoscope posé dessus, ainsi que le câble allant jusqu'à la prise.

– Il faut mettre ça contre le mur, face au divan et à la porte. Est-ce que l'un de vous s'y connaît en magnétoscope et branchements vidéo, messieurs ?

– Non, répondirent-ils à l'unisson.

– Alors il va falloir que je me débrouille en essayant de me souvenir comment est branché le mien. Voyons...

Je débranchai le câble du magnétoscope puis la prise du téléviseur, et fis rouler le meuble sur le parquet nu et poussiéreux. En me reportant aux clichés, je le déplaçai d'environ un mètre jusqu'à ce qu'il soit juste en face de la porte. Puis je m'occupai des murs. Porter était amateur d'art et possédait plusieurs tableaux d'un peintre dont je ne parvins pas à déchiffrer la signature, mais qui me parut français. Les dessins étaient des études de nus féminins au fusain, avec de nombreuses courbes, taches roses et triangles. Nous les décrochâmes un par un et je les alignai contre les murs de la salle à manger. Le salon se retrouva bientôt presque vide et la poussière me piqua la gorge.

Wesley s'essuya le front du revers de sa manche.

– Est-ce que nous sommes bientôt prêts ? fit-il en se tournant vers moi.

– Je crois que oui. Naturellement, il manque quelques meubles. Elle avait trois fauteuils ronds à cet endroit, dis-je en tendant le doigt.

– Ils sont dans les chambres, dit Vander. Deux dans l'une, un dans l'autre. Vous voulez que j'aille les chercher ?

– Ça ne serait pas plus mal.

Wesley et lui les apportèrent.

– Elle avait un tableau sur ce mur et un autre à droite de la porte de la salle à manger, dis-je. Une nature morte et un paysage anglais. Potter ne doit pas apprécier les goûts artistiques de Robyn, puisqu'il a enlevé ses tableaux alors qu'il a conservé presque tout le reste.

– Maintenant nous allons faire le tour de la maison et fermer rideaux, stores et volets, dit Vander. S'il y a la moindre lumière qui filtre, déchirez un bout de ce papier... (Il désigna un rouleau d'épais papier brun posé par terre.)... et aveuglez les fentes.

Pendant le quart d'heure suivant, la maison retentit de bruits de pas, de stores vénitiens qu'on abaisse, de ciseaux fendant le papier. De temps à autre on entendait éclater un juron lorsque le bout de papier se révélait trop court ou que le Scotch s'entortillait dans les doigts. Je restai au salon pour colmater le carreau de la porte d'entrée et les deux fenêtres donnant sur la rue. Un peu plus tard, à nouveau réunis au salon, nous éteignîmes toutes les lampes et la maison fut plongée dans le noir total. Je ne pus même pas distinguer la main que je levai devant moi.

– Parfait, décréta Vander lorsque le plafonnier se ralluma. (Il enfila des gants et disposa sur la table basse des flacons d'eau distillée, des boîtes de produits chimiques et des pulvérisateurs en plastique.) Voilà comment nous allons procéder, reprit-il. Dr Scarpetta, vous pulvériserez pendant que je filmerai, et si une zone réagit, vous continuerez à l'asperger jusqu'à ce que je vous dise de vous déplacer.

– Et moi, qu'est-ce que je ferai ? s'enquit Wesley.

– Essayez de ne pas vous mettre dans nos pattes.

– C'est quoi votre mélange ? fit Wesley en voyant Vander dévisser le couvercle d'une boîte de produit chimique en poudre.

– Ça ne vous dira rien, répliquai-je.

– Je suis un grand garçon. Vous pouvez tout me dire.

– Le réactif est un mélange de perborate de sodium, que Neils va dissoudre dans de l'eau distillée, de 3-aminophthalhydrazide et de carbonate de sodium, expli quai-je en sortant une paire de gants de mon sac.

– Et vous êtes sûrs que ça va marcher avec du sang aussi ancien ? demanda Wesley.

– À vrai dire, le sang séché réagit mieux au luminol que le sang frais car plus il s'oxyde, mieux c'est. Or plus le sang est vieux, plus il est oxydé.

– J'espère que le bois n'a pas reçu de traitement salin, qu'en pensez-vous ? fit Vander en jetant un regard circulaire.

– Je ne pense pas, dis-je avant d'ajouter à l'intention de Wesley : Le plus gros problème avec le luminol, ce sont ses réactions erronées. Beaucoup de choses font réagir le luminol, comme le cuivre ou le nickel, ou même les résidus de cuivre dans le bois traité avec un produit salin.

– Sans compter qu'il aime bien la rouille, les lessives, l'iode et le formol, ajouta Vander. Et aussi les peroxydases présentes dans les bananes, les pastèques, les agrumes et certains légumes. Et dans le raifort.

Wesley me regarda avec un sourire.

Vander ouvrit une enveloppe dont il sortit deux carrés de papier filtre imprégnés de sang séché. Il ajouta alors le produit A au produit B et dit à Wesley d'éteindre la lumière. Une ou deux pulvérisations, et une lueur blanc bleuâtre de néon brilla sur la table basse, puis s'estompa aussi vite qu'elle était apparue.

– Tenez, me dit Vander.

Sentant le pulvérisateur me heurter le bras, je me retournai et m'en saisis. Un minuscule voyant rouge s'alluma lorsque Vander mit la caméra vidéo sous tension. Puis la lampe de vision nocturne s'alluma et, tel un œil luminescent, suivit le regard de Vander partout où il se braquait.

– Où êtes-vous ? entendis-je Vander me demander sur ma gauche.

– Au centre de la pièce. Ma jambe touche le bord de la table basse, répliquai-je comme si nous étions deux gosses en train de jouer dans le noir.

– Je ne suis pas trop dans vos pattes, comme ça ? fit Wesley depuis la salle à manger.

La petite lumière blanche de Vander avança lentement vers moi. Je tendis le bras et lui touchai l'épaule.

– Prêt ?

– Je filme. Vous pouvez y aller. Avancez jusqu'à ce que je vous dise d'arrêter.

Pompant sur la poignée, je me mis à pulvériser le produit sur le parquet. Un brouillard de gouttelettes m'enveloppa tandis que des formes imprécises et des configurations géométriques se matérialisaient à mes pieds. Pendant quelques secondes, ce fut comme de survoler de très haut une ville la nuit. Le sang séché qui imprégnait les lattes du parquet émettait une lueur blanc-bleu. Je continuai à pulvériser sans très bien savoir où je me trouvais à présent par rapport aux meubles, et découvris des empreintes de pas dans toute la pièce. Je heurtai le ficus et de pâles lignes blanchâtres apparurent sur le pot. À ma droite, des empreintes de doigts sanguinolents surgirent sur le mur.

– Lumière ! fit Vander.

Wesley ralluma le plafonnier et Vander monta un appareil-photo 35 mm sur un trépied. La seule source de lumière serait la fluorescence dégagée par le luminol, et il faudrait une longue pause pour obtenir une image assez nette. J'ouvris un nouveau flacon de luminol et, lorsque Wesley éteignit, me remis à pulvériser le mur pendant que l'appareil fixait les macabres empreintes sur la pellicule. Puis nous reprîmes notre cheminement. De grandes traînées d'essuyage au torchon apparurent sur les lambris et le parquet, et la couture du divan de cuir se transforma en un néon hachuré dessinant grossièrement la forme des coussins.

– Vous pouvez les enlever ? demanda Vander.

Je posai un par un les coussins sur le parquet, et pulvérisai le cadre du divan. Les espaces entre les coussins se mirent à luire. Sur le dossier apparurent de nouveaux coups de torchon et d'autres taches de sang, tandis que le plafond se constellait de petites étoiles brillantes. Ce fut sur la télévision que nous eûmes notre premier feu d'artifice de réactions erronées, lorsque l'écran et le métal entourant les boutons s'illuminèrent et que les connecteurs de câbles devinrent de la couleur blanc-bleu du petit lait. Si le téléviseur lui-même, hormis quelques taches qui auraient pu être du sang, ne nous révéla pas grand-chose, en revanche le parquet s'étendant à ses pieds, c'est-à-dire l'endroit précis où avait été découvert le corps de Robyn, se mit à flamboyer. Le sang avait tellement imprégné le bois que sa luminescence me permit de distinguer le dessin des lattes et l'orientation des fibres du bois. Je découvris une trace de traînage à environ un mètre de la plus dense concentration lumineuse, et juste à côté, réparties un peu au hasard, les traces d'un objet rond d'une circonférence légèrement inférieure à celle d'un ballon de basket.

Nos recherches ne se limitèrent pas au salon. Nous entreprîmes de suivre les empreintes de pas. De temps à autre nous étions obligés de rallumer, de préparer une nouvelle dose de luminol et de débarrasser le parquet des objets qui le jonchaient, en particulier dans la déchetterie linguistique qui avait été la chambre de Robyn, et dans laquelle vivait à présent le professeur Potter. Nous pataugions dans un fouillis de papiers, notes, articles de revues, copies d'examens et de dizaines de livres en allemand, français et italien. Des vêtements étaient éparpillés un peu partout, jetés sur les meubles et les objets comme si un ouragan avait emporté la penderie avant de balayer la pièce. Nous entassâmes ce que nous pûmes sur le lit double aux draps défaits, puis suivîmes la trace sanglante de Waddell.

Elle conduisait dans la salle de bains, dans laquelle Vander entra à ma suite. Des empreintes de semelles et des taches non identifiées se profilèrent sur le sol, et les mêmes traces circulaires que nous avions découvertes au salon apparurent près de la baignoire. Je me mis à asperger les murs de luminol, et soudain, à mi-hauteur de la cloison et de chaque côté de la cuvette des WC, surgirent deux énormes empreintes de main. La petite lampe de la caméra vidéo s'en approcha.

– Allumez, fit Vander sans pouvoir dissimuler son excitation.

La salle de bains de Potter était dans un état aussi douteux que le reste de la maison. Vander, le nez presque collé au mur, examinait la zone où venaient d'apparaître les deux mains.

– Est-ce que vous les voyez ?

– Mmm. Peut-être, oui. À peine. (Il pencha la tête d'un côté, puis de l'autre, cligna des paupières.) C'est fantastique ! Vous voyez, le motif de la tapisserie est bleu foncé, ce qui fait qu'on ne voit pas grand-chose à l'œil nu. Mais comme c'est du papier plastifié ou vinylique, il a bien pris les empreintes.

– Bon dieu, fit Wesley dans l'embrasure de la porte. On dirait qu'il n'a même pas nettoyé le chiotte depuis qu'il est ici. Regardez-moi ça, il ne tire même pas la chasse après usage.

– De toute façon, même s'il passe une éponge ou une serpillière de temps en temps, c'est presque impossible d'enlever toute trace de sang, dis-je. Sur un sol en linoléum comme celui-ci, le sang s'est répandu dans les irrégularités de la surface. Le luminol n'aura aucune peine à le débusquer.

– Voulez-vous dire que si nous pulvérisions du luminol ici, dans dix ans on trouverait encore du sang ? demanda Wesley avec étonnement.

– Si vous vouliez en enlever la plus grande partie, il faudrait tout repeindre, retapisser, poncer les parquets et reteinter les meubles, dit Vander. Mais le seul moyen de vous en débarrasser complètement serait de démolir la maison et de la reconstruire.

Wesley consulta sa montre.

– Ça fait déjà trois heures et demie que nous sommes là, dit-il.

– Voilà ce que je propose, dis-je. Benton, vous et moi pourrions commencer à remettre les pièces dans l'état de chaos où nous les avons trouvées pendant que Neils finit ce qu'il a à faire.

– Entendu. Je vais installer le Luma-Lite dans la salle de bains. Croisez les doigts pour qu'il réussisse à améliorer le détail des empreintes.

Nous retournâmes au salon. Pendant que Vander transférait le Luma-Lite portatif et le matériel photo dans la salle de bains, Wesley et moi regardâmes une fois de plus le divan, la vieille télé, le parquet rayé et poussiéreux. Nous étions tous deux comme hébétés. Une fois les lumières rallumées, il ne restait plus trace de l'horreur que l'obscurité nous avait révélée. Par cet après-midi d'hiver ensoleillé, nous étions remontés dans le temps et avions assisté à ce que Ronnie Joe Waddell avait fait.

Wesley se tenait immobile près de la fenêtre aveuglée par l'écran de papier.

– Seigneur, je n'ose plus m'asseoir ni toucher quoi que ce soit dans cette maison, dit-il. Il y a du sang partout.

Tout en promenant mon regard du divan au parquet puis au téléviseur, je revis les formes lumineuses qui venaient de surgir dans l'obscurité. Les coussins du divan étaient restés par terre, à l'endroit où je les avais posés. Je m'accroupis pour les examiner. Le sang qui imprégnait la couture était à nouveau invisible, comme les taches qui souillaient le dossier de cuir brun. Mais mon examen me révéla un détail important, même s'il n'était guère surprenant. Sur le flanc d'un des coussins de siège je découvris une entaille d'environ deux centimètres de long.

– Benton, Waddell était-il gaucher, par hasard ?

– Il me semble, oui.

– On a cru qu'il l'avait battue et poignardée par terre devant la télé à cause de tout le sang répandu autour d'elle, dis-je, alors qu'il n'en est rien. Il l'a tuée sur le divan. Je crois qu'il faut que je sorte un moment. Si cette maison n'était pas si crasseuse, je serais tentée d'emprunter une cigarette au professeur.

– Ça serait dommage de jeter vos bonnes résolutions aux orties, dit Wesley. En plus, après ces longues semaines d'abstinence, une Camel sans filtre vous ferait tourner la tête. Allez respirer un peu d'air frais. Je vais ranger.

En sortant de la maison je l'entendis qui commençait à arracher le papier des fenêtres.

Ce soir-là commença le réveillon du Jour de l'An le plus étrange que Benton Wesley, Lucy et moi-même ayons jamais connu. Je ne m'aventurerais pas à dire qu'il en alla de même pour Neils Vander. À 19 heures, lorsque je lui téléphonai, il était toujours enfermé dans son labo, ce qui était normal pour un homme dont la *raison d'être*[1] serait réduite à néant si les empreintes digitales de deux individus s'avéraient identiques.

Vander avait monté les cassettes enregistrées chez Robyn sur un magnétoscope et m'en avait fait parvenir les copies en fin d'après-midi. Benton et moi passâmes le début de la soirée devant mon téléviseur, prenant des notes et dressant des plans au fur et à mesure. Pendant ce temps, Lucy préparait le repas et ne faisait que de brèves incursions au salon. Les images luminescentes qui défilaient à l'écran ne semblaient pas trop la perturber. Il faut dire qu'un non-initié y jetant un coup d'œil distrait ne pouvait en saisir la signification.

À 20 h 30 Wesley et moi avions fini de visionner les cassettes et complété nos notes. Nous estimions avoir reconstitué les déplacements de Waddell depuis l'instant où Robyn Naismith était rentrée chez elle jusqu'au moment où il était reparti par la porte de la cuisine. C'était la première fois de ma carrière que je reconstituais le déroulement d'un meurtre que l'on croyait élucidé depuis de longues années. Et le scénario qui en ressortait était important pour une excellente raison. Il prouvait, à nos yeux en tout cas, que Wesley ne s'était pas trompé dans ce qu'il m'avait dit au Homestead : Ronnie Joe Waddell ne correspondait pas au profil du monstre que nous pourchassions à présent.

Pour la première fois de ma carrière, les gouttes, taches, souillures et éclaboussures latentes que nous avions détectées nous permettaient de reconstituer pour ainsi dire au ralenti le déroulement du meurtre. Un tribunal aurait certainement taxé d'opinions personnelles la plupart de nos déductions, mais cela n'importait guère. Ce qui comptait, c'était la personnalité de Waddell, et nous étions quasiment certains de l'avoir cernée.

Puisque le sang que nous avions trouvé dans les autres pièces de la maison avait été sans l'ombre d'un doute transporté par Waddell lui-même, il nous semblait légitime de conclure qu'il avait agressé puis tué Robyn Naismith dans le salon. L'entrée principale et la porte de la cuisine étaient équipées de

1. En français dans le texte.

verrous impossibles à ouvrir sans clé. Comme Waddell avait pénétré dans la maison par une fenêtre et qu'il en était ressorti par la porte de la cuisine, les enquêteurs avaient conclu que Robyn était rentrée de la pharmacie par la porte de la cuisine. Peut-être avait-elle négligé de reverrouiller la porte, à moins, et c'était plus probable, qu'elle n'en ait pas eu le temps. On avait conjecturé qu'alors qu'il était en train de fouiller l'appartement, Waddell l'avait entendue arriver en voiture et se garer derrière la maison. Il était allé dans la cuisine et s'était emparé d'un des couteaux à découper suspendus à un présentoir en inox. Alors qu'elle déverrouillait la porte de la cuisine, il s'était embusqué, aux aguets. Ensuite il l'avait probablement maîtrisée et entraînée jusqu'au salon. Il lui avait peut-être parlé. Il lui avait peut-être demandé de l'argent. Peut-être ne s'était-il écoulé que quelques minutes avant qu'il ne l'agresse.

Robyn, encore vêtue, devait se tenir, assise ou allongée, à l'extrémité du divan, près du ficus, lorsque Waddell lui avait porté le premier coup de couteau. Les éclaboussures que nous avions relevées sur le dossier du divan, le pot du ficus et le lambris pouvaient avoir été provoquées par le jet puissant d'une artère sectionnée. L'éclaboussure irrégulière qui se produit alors rappelle un tracé d'électrocardiogramme en raison des fluctuations de la pression artérielle. Or un individu n'a de tension artérielle que s'il est en vie.

C'est pourquoi nous étions en mesure d'affirmer que Robyn Naismith était en vie et sur le divan lorsqu'il avait commencé à la violenter. Mais il était peu probable qu'elle respirait encore lorsque Waddell lui avait ôté ses vêtements, dont le chemisier sanguinolent portant sur le devant une entaille d'environ deux centimètres à l'endroit où l'assassin avait plongé le couteau dans sa poitrine avant de le remuer dans la plaie pour être sûr de sectionner l'aorte. Vu qu'elle avait été poignardée et mordue à de nombreuses reprises, nous nous sentions autorisés à conclure que le « piqueurisme » frénétique auquel s'était livré Waddell n'avait eu lieu qu'après la mort.

Ensuite, celui qui devait affirmer plus tard qu'il ne se souvenait pas avoir tué « la dame de la télé » finit, si l'on peut dire, par reprendre ses esprits. Il s'écarta du cadavre et réalisa ce qu'il venait de faire. L'absence de traces de traînage aux pieds du divan semblait indiquer que Waddell avait transporté le corps jusqu'à l'autre bout de la pièce, puis l'avait posé, traîné sur le parquet et adossé au téléviseur. Puis il s'était mis à nettoyer. Pour moi, les traces circulaires que nous avions découvertes sur le parquet avaient été laissées par un seau qu'il avait transporté à plusieurs reprises du salon à la salle de bains. Chaque fois qu'il retournait au salon pour éponger le sang avec des serviettes, ou pour contempler son œuvre macabre tout en continuant à fouiller les affaires de sa vic time et à vider son bar, il imprégnait ses semelles de sang. Ce qui expliquait les nombreuses traces de pas qui sillonnaient la maison. Mais ces va-et-vient nous révélaient autre chose. Le comportement de Waddell après son forfait n'était pas celui d'un individu dépourvu de remords.

– Il faut imaginer ce fils de fermier sans éducation qui arrive en ville, expliqua Wesley. Il commet des vols pour satisfaire une toxicomanie qui lui ronge peu à peu le cer veau. D'abord c'est la marijuana, puis l'héroïne, la cocaïne et enfin le PCP. Et un beau matin, dans un instant de lucidité, il se découvre en train de brutaliser une inconnue.

Les bûches craquèrent dans la cheminée tandis que nous examinions, luisant comme un dessin à la craie sur l'écran sombre du téléviseur, deux grandes empreintes de main.

– La police n'a pas retrouvé de traces de vomi sur le siège des toilettes ni autour, dis-je.

– Il l'avait sans doute nettoyé. Dieu merci il a oublié d'éponger le mur au-dessus de la cuvette. Il faut vraiment avoir l'estomac retourné pour s'appuyer comme ça au mur.

– Les empreintes sont quand même assez haut au-dessus du siège, remarquai-je. À mon avis il a dû vomir, puis quand il s'est redressé il a eu un vertige, s'est plié en deux et a eu juste le temps de se retenir pour empêcher sa tête de cogner contre le mur. Qu'en pensez-vous ? C'étaient des remords, ou bien il était ivre ou drogué à ne plus pouvoir tenir debout ?

Wesley me regarda un instant avant de répondre.

– Essayons d'abord de voir ce qu'il a fait avec le cadavre. Il l'a adossé à la télé, il a essayé de le nettoyer avec des serviettes et il a entassé les vêtements aux pieds du corps en une pile approximative. On peut voir ça de deux façons. Soit il mettait en scène le cadavre pour lui manifester son mépris. Soit au contraire il se livrait à ce qu'il estimait être de petites attentions. Personnellement, je penche pour cette dernière hypothèse.

– Pensez-vous que ça soit la même chose pour Eddie Heath ?

– Ça me paraît différent. Le positionnement du garçon reflète celui de Robyn, mais, dans le cas d'Eddie, j'ai le sentiment qu'il manque quelque chose.

Au moment même où Wesley prononçait ces paroles, je compris de quoi il s'agissait.

– Une image *reflétée*, dis-je d'un air ahuri à Wesley. Un miroir reflète une image inversée de l'original.

Il me considéra avec curiosité.

– Vous vous souvenez qu'on a comparé les clichés pris sur les lieux du meurtre de Robyn Naismith avec le schéma reproduisant la position d'Eddie Heath quand on l'a découvert ?

– Oui, je m'en souviens très bien.

– Vous aviez remarqué que ce qu'on avait fait au gosse – les traces de morsures, la façon dont son corps était adossé à un parallélépipède, la pile de vêtements à ses pieds – était le reflet de ce qu'on avait fait à Robyn. Or les morsures infligées à Robyn sur sa cuisse et au-dessus du sein se trouvaient sur son côté gauche. Alors que les blessures d'Eddie – ce qu'on suppose être des morsures camouflées ensuite par excision – se trouvent à *droite*. On lui a mordu l'épaule droite et la face interne de la cuisse droite.

– D'accord, fit Wesley d'un air perplexe.

– La photographie de Robyn rappelant le plus la mise en scène du corps d'Eddie est celle où on la voit adossée nue au téléviseur.

– Exact.

– Il se peut donc que l'assassin d'Eddie ait vu la même photo de Robyn que nous. Or son point de vue était basé sur sa propre droite et sa propre gauche. Sa droite était la gauche de Robyn, et sa gauche était la droite de Robyn, puisque sur la photo elle fait face à l'objectif.

– Voilà une idée très déplaisante, dit Wesley alors que le téléphone se mettait à sonner.

– Tante Kay ? fit la voix de Lucy dans la cuisine. C'est Mr Vander.

– Ça y est, c'est confirmé, me dit-il lorsque j'eus pris la communication.

– C'est bien Waddell qui a laissé son empreinte chez Jennifer Deighton ? demandai-je.

– Non, justement. C'est impossible que ça soit lui.

12

Durant les quelques jours suivants, je pris Nicholas Grueman comme avocat et lui fis parvenir les relevés de comptes et autres documents qu'il demandait ; le commissaire à la Santé me convoqua pour me suggérer de démissionner, et la campagne de presse se poursuivit sans répit. Mais j'en savais beaucoup plus qu'une semaine auparavant.

C'est bien Ronnie Joe Waddell qui était mort sur la chaise électrique le 13 décembre. Mais, même mort, son identité lui avait survécu et provoquait une belle pagaille dans la ville. Autant que nous ayons pu l'établir, le numéro d'identification de Waddell figurant dans AFIS avait été échangé avec un autre quelques jours avant l'exécution. Puis le numéro de l'individu à qui on avait attribué celui de Waddell avait été purement et simplement effacé du Central Computerized Records Exchange, ou CCRE. Ce qui signifiait qu'un criminel dangereux se promenait en liberté, et qu'il n'avait plus besoin de gants pour commettre ses crimes. Chaque fois que l'on entrerait ses empreintes dans AFIS, l'ordinateur répondrait que leur propriétaire était mort depuis longtemps. Nous savions que le tueur laissait dans son sillage fragments de plumes et éclaboussures de peinture, mais nous n'apprîmes rien de nouveau à son sujet jusqu'au 3 janvier de la nouvelle année.

Ce matin-là, le *Richmond Times-Dispatch* publia un article bidon à propos des garnitures en duvet d'eider, dont le prix prohibitif attirait les voleurs. À 14 h 14 exactement, l'officier Tom Lucero, chef de la fictive section d'investigation mise sur pied à ce propos, reçut son troisième appel de la journée.

– Salut. Je m'appelle Hilton Sullivan, déclara le correspondant d'une voix sonore.

– Que puis-je faire pour vous, monsieur ? répliqua la voix grave de Lucero.

– C'est à propos de ces vols sur lesquels vous enquêtez. Les vêtements et les objets garnis d'eider qui attirent les voleurs. Il y avait un article dans le journal ce matin. Ils disent que vous êtes le détective qui s'en occupe.

– Exact.

– Eh bien ! ça me met en rogne de m'apercevoir que les flics sont si *stupides*. (La voix monta d'un cran.) Le journal dit que depuis Thanksgiving on a volé ceci et cela dans des magasins, des voitures et des maisons de la communauté urbaine de Richmond. Vous savez, des couettes, un sac de couchage, trois anoraks, bla, bla, bla. Le journaliste cite plusieurs victimes.

– Où voulez-vous en venir, Mr Sullivan ?

– Eh bien c'est évident que le journaliste a obtenu le nom des victimes auprès des flics. C'est-à-dire de vous.

– C'est une information qui est du domaine public.

– Je me fous que ça soit du domaine public. Je voudrais juste savoir pourquoi vous avez pas cité mon nom à moi. Je parie que mon nom ne vous dit rien du tout, n'est-ce pas ?

– Je suis désolé, monsieur, mais j'avoue que je ne vous remets pas.

– Ça m'étonne pas. Un connard braque mon appartement, et à part répandre de la poudre noire dans toute la maison – je précise que ce jour-là j'étais habillé en cachemire blanc – les flics n'ont pas bougé le petit doigt. Moi aussi je suis une putain de victime !

– Quand a-t-on cambriolé votre appartement ?

– *Vous ne vous en souvenez pas ?* C'est moi qui ai fait tout un scandale à cause de mon gilet en eider. Sans moi, les flics sauraient toujours pas ce que c'est qu'une garniture en eider ! Quand j'ai raconté au flic qui m'interrogeait qu'entre autres on m'avait fauché mon gilet en eider qui m'avait coûté 500 dollars *en solde*, vous savez ce qu'il m'a dit ?

– Je n'en ai aucune idée, monsieur.

– Il m'a demandé s'il était bourré de cocaïne ou quoi. Alors je lui ai dit : « Non, Sherlock Holmes, il est bourré de duvet d'eider. » Il a jeté des coups d'œil nerveux autour de lui et il a baissé la main vers son feu. Ce connard avait compris quelque chose comme « du védéder » et il croyait avoir affaire à une nouvelle sorte de came ou à un explosif inconnu. Je l'ai planté là et je suis rentré à...

Wesley arrêta le magnétophone.

Nous étions assis dans ma cuisine. Lucy était partie faire de la gymnastique à mon club.

– Hilton Sullivan a signalé le cambriolage de son appar tement le samedi 11 décembre, expliqua Wesley. Il s'était absenté de la ville et à son retour le samedi après-midi il a découvert qu'on avait pénétré chez lui.

– Où est situé son appartement ? demandai-je.

– Dans le centre, sur West Franklin, un vieux bâtiment en brique divisé en appartements. Rien en dessous de 100 000 dollars. Sullivan habite au rez-de-chaussée. Le cambrioleur est entré par une fenêtre dépourvue de système de sécurité.

– Pas d'alarme ?

– Non.

– Qu'est-ce qu'on lui a volé, à part le gilet ?

– Des bijoux, de l'argent et un revolver de calibre vingt-deux. Ça ne veut pas forcément dire que c'est le revolver de Sullivan qui a tué Eddie Heath, Susan et Donahue, mais je suis presque sûr que nous allons en avoir confirmation, parce qu'il ne fait aucun doute que c'est notre type qui est l'auteur du cambriolage.

– On a relevé des empreintes ?

– Plusieurs. Elles nous attendaient bien sagement à la police municipale, mais, comme vous le savez, ils sont débordés. Avec tous ces meurtres, les cambriolages ne sont pas prioritaires. Du coup ils ont entré les empreintes sur ordinateur et ne s'en sont plus occupés. Pete les leur a demandées juste après le coup de fil de Sullivan à Lucero. Vander les a entrées dans son système et a obtenu la réponse moins de trois secondes plus tard.

– Waddell, encore une fois ?

Wesley acquiesça.

– L'appartement de Sullivan se trouve à quelle distance de Spring Street ?

– Quelques minutes à pied. Je crois que nous pouvons en déduire d'où le type s'est évadé.

– Vous avez vérifié les libérations récentes ?

– Bien sûr. Mais il n'y a aucune chance pour que nous trouvions son nom sur une liste de l'administration. Le directeur était trop prudent pour ça. Et malheureusement il est mort depuis. Je pense qu'il a fait sortir un détenu qui a aussitôt commis un cambriolage pour trouver de l'argent et de quoi s'habiller.

– Pourquoi Donahue aurait-il libéré un détenu ?

– Mon hypothèse est que le directeur avait un sale boulot à faire faire. Il a donc sélectionné un détenu pour lui servir de commis et il a lâché le fauve. Mais Donahue a fait une petite erreur tactique. Il n'a pas choisi le bon numéro, parce que celui qui commet ces crimes ne se laissera jamais contrôler par quiconque. À mon avis, Kay, Donahue n'avait pas prévu que des gens allaient mourir, et lorsqu'il a appris la mort de Jennifer Deighton, il a paniqué.

– C'est sans doute lui qui a appelé mon bureau en se présentant comme John Deighton.

– C'est fort possible. L'intention de Donahue était de faire fouiller la maison de Jennifer Deighton parce qu'il espérait y trouver quelque chose – peut-être une partie de la correspondance de Waddell. Mais un simple cambriolage n'est pas marrant. Le toutou du directeur préfère le spectacle de la souffrance.

Je repensai aux marques sur le tapis du salon de Jennifer Deighton, aux blessures de son cou et à l'empreinte relevée sur la chaise de la salle à manger.

– Il l'a peut-être fait asseoir sur une chaise au milieu de la pièce, lui debout derrière elle avec son bras qui lui enserrait le cou, pendant qu'il l'interrogeait.

– Pour essayer de lui faire dire où elle avait caché ce qu'il devait récupérer, reprit Wesley. Mais il n'a pu refréner ses instincts sadiques. C'est peut-être aussi par sadisme qu'il lui a fait ouvrir ses cadeaux de Noël.

– Est-ce qu'un tel individu prendrait ensuite la peine de maquiller le meurtre en suicide en transportant le corps dans la voiture ?

– Possible, fit Wesley. Il a été emprisonné, il connaît la musique. Il ne tient pas à se faire reprendre, mais ça l'intéresse de savoir jusqu'à quel point il pourra nous mener en bateau. Il a excisé les marques de morsures sur le corps d'Eddie Heath.

Même s'il a fouillé la maison de Jennifer Deighton, il n'a laissé aucune trace. Le seul indice qu'il a laissé lors du meurtre de Susan, ce sont deux balles de calibre vingt-deux et une plume. Et en plus, il a modifié sa fiche d'empreintes.

– Vous croyez que c'est lui qui y a pensé ?

– Non, je crois plutôt que c'est une idée du directeur. Il a échangé ses fiches d'empreintes avec celles de Waddell parce que c'était le plus pratique. Waddell allait être exécuté. Si j'avais eu à échanger les empreintes d'un détenu avec celles d'un autre, j'aurais choisi moi aussi celles de Waddell. De cette façon, l'examen des empreintes à l'ordinateur renverra à un individu décédé, à moins, ce qui est encore plus probable, que la fiche du détenu exécuté soit tout simplement supprimée du système informatique de la police de l'État. Ainsi, même si notre oiseau laissait traîner ses empreintes quelque part, elles ne seront jamais identifiées.

Je le regardai, abasourdie.

– Qu'y a-t-il ? fit-il d'un air étonné.

– Benton, vous rendez-vous compte des conséquences de ce que nous sommes en train de dire ? Nous discutons tranquillement de fichiers informatiques qui auraient été altérés avant la mort de Waddell. Nous parlons d'un cambriolage et de l'assassinat d'un gamin, commis avant que Waddell ne meure. Ce qui veut dire que le commis du directeur de la prison, comme vous dites, a été relâché *avant* l'exécution de Waddell.

– À mon avis, ça ne fait aucun doute.

Donc il fallait avoir la certitude que Waddell allait mourir, lui fis-je remarquer.

– Bon sang ! lâcha Wesley avec une grimace. Comment pouvait-on en être si sûr ? Le gouverneur peut accorder sa grâce jusqu'à la dernière minute.

– C'est donc qu'on savait que le gouverneur n'interviendrait pas.

– Or seul le gouverneur pouvait avoir cette certitude, dit-il en achevant ma pensée.

Je me levai et allai regarder par la fenêtre. Un cardinal qui picorait des graines de tournesol dans la mangeoire s'envola dans une gerbe de plumes rouge sang.

– Pourquoi ? fis-je sans me retourner. Pourquoi le gouverneur s'intéresserait-il à Waddell ?

– Je l'ignore.

– Si tout ceci est vrai, il fera tout pour que le tueur ne soit pas arrêté. En cas d'arrestation, n'importe qui a tendance à parler.

Wesley garda le silence.

– Celui ou ceux qui ont trempé là-dedans sont sans doute prêts à tout pour éviter l'arrestation du meurtrier. Tout comme ils feront tout pour me voir débarrasser le plancher. Ça serait beaucoup plus pratique si je démissionnais ou si j'étais virée. Et beaucoup plus simple si les enquêtes étaient sabotées. Patterson est dans la manche de Norring.

– Kay, il nous reste à éclaircir deux points. L'un est le mobile. L'autre concerne les intentions de l'assassin. Ce type est décidé à faire les choses à sa façon. C'est ce qu'il a montré en commençant par Eddie Heath.

Je me retournai et lui fis face :

– Moi je crois qu'il a commencé par Robyn Naismith. Je crois que ce monstre a étudié les photos du cadavre de Robyn, et que consciemment ou non il en a reproduit une quand il a martyrisé Eddie Heath avant de l'adosser au conteneur.

– C'est bien possible, fit Wesley en tournant à son tour les yeux vers le jardin. Mais comment un détenu aurait-il pu avoir accès aux photos du meurtre de Robyn Naismith ? Waddell ne les transportait certainement pas dans sa chemise de prisonnier.

– C'est peut-être un des services qu'a rendus Ben Stevens. Vous vous souvenez, je vous ai dit que c'est lui qui avait été chercher les photos aux Archives. Il a très bien pu en faire des photocopies. La question, c'est de savoir à quel usage étaient destinées ces photos. Pourquoi Donahue ou un autre voulait-il les récupérer ?

– Parce que le détenu les voulait. Il les a peut-être exigées comme récompense pour services rendus.

– C'est écœurant, fis-je en sentant monter en moi une colère froide.

– C'est le mot, en effet, rétorqua Wesley en plantant son regard dans le mien. Et c'est là que nous en revenons aux objectifs du tueur, à ses besoins et projets. Il est très possible qu'il ait beaucoup entendu parler du meurtre de Robyn Naismith. Il a peut-être côtoyé Waddell en prison, et penser à ce que Waddell avait fait à sa victime le mettait dans tous ses états. Ces photos doivent constituer un véritable excitant chez un individu enclin aux fantasmes sexuels violents. On peut penser que ce type a intégré une ou plusieurs de ces photos à ses fantasmes. Et puis soudain il se retrouve libre dans la rue, il voit un jeune garçon qui sort d'un magasin, tard le soir. Le fantasme devient accessible. Il le met en pratique.

– Il recrée la scène du meurtre de Robyn Naismith ?

– Oui.

– Quel est son fantasme, à présent ?

– Être pourchassé.

– Par nous ?

– Par des gens comme nous. Il s'imagine être plus malin que les autres, il croit que personne ne pourra l'arrêter. Il fantasme sur les jeux auxquels il peut se livrer, sur les meurtres susceptibles de renforcer les images qui le hantent. Pour lui, le fantasme n'est pas un substitut, c'est un préalable à l'action.

– Donahue n'aurait pu libérer un tel monstre ni modifier des fichiers informatiques sans bénéficier de complicités.

– Je le pense aussi. Donahue devait avoir des contacts, peut-être au quartier général de la police ou au service des fichiers municipaux, ou même au FBI. Il est facile d'acheter quelqu'un quand on sait des choses sur lui. Il suffit de lui proposer de l'argent.

– Comme Susan.

– Je ne pense pas que ce soit Susan qui ait été son contact. Je pense plutôt à Ben Stevens. Il fréquente beaucoup les bars, il boit, il va dans des soirées. Savez-vous qu'il prend de la coke à l'occasion ?

– Rien ne me surprend plus.

– J'ai envoyé quelques collègues se renseigner à son sujet. Votre administrateur mène un train de vie que son salaire ne lui permet pas. Et quand vous touchez à la came, vous finissez par avoir des fréquentations douteuses. Les vices de Stevens en faisaient une proie facile. Donahue a sans doute envoyé un de ses sbires dans un bar où il était sûr de rencontrer Stevens. Ils se mettent à parler et, quelques minutes plus tard, Stevens se voit proposer un moyen de se faire de l'argent sans se donner trop de mal.

– En échange de quoi, à votre avis ?

– D'après moi, en s'assurant qu'on ne relèverait pas les empreintes de Waddell à la morgue, et en faisant disparaître des Archives la photo de son empreinte relevée chez Robyn Naismith. C'est sans doute comme ça que ça a commencé.

– Ensuite il enrôle Susan.

– Laquelle aurait refusé si elle n'avait été prise à la gorge par ses propres problèmes financiers.

– Qui leur remettait l'argent, d'après vous ?

– Sans doute le type qui a contacté Stevens dans le bar. Un des hommes de Donahue, peut-être un des gardiens de la prison.

Il me revint en mémoire le regard glacial du surveillant Roberts, celui qui nous avait fait visiter le quartier des condamnés, à Marino et moi.

– Si l'intermédiaire était un gardien, dis-je, alors à qui donnait-il ses rendez-vous ? À Susan ou à Stevens ?

– Sans doute à Stevens. Il est probable que Stevens ne faisait pas confiance à Susan. Il préférait récupérer la totalité de l'argent pour pouvoir se payer en premier, parce que les gens malhonnêtes sont persuadés que tout le monde est malhonnête.

– Il rencontre l'intermédiaire qui lui remet l'argent, dis-je. Ensuite vous pensez que Stevens fixait rendez-vous à Susan pour lui donner sa part ?

– C'est probablement ce qui s'est passé le jour de Noël, quand Susan est partie de chez ses parents en disant qu'elle allait voir une amie. Elle avait rendez-vous avec Stevens, mais le tueur est passé avant.

Je repensai à l'odeur d'eau de Cologne que j'avais sentie sur le col et le foulard de Susan, et aussi à l'attitude de Stevens le soir où il m'avait surprise en train de fouiller son bureau.

– Non, dis-je. Ça ne s'est pas passé comme ça.

Wesley me regarda en silence.

– C'est la personnalité de Stevens qui est la cause de ce qui est arrivé à Susan, poursuivis-je. Il ne pense qu'à lui. Et c'est un lâche. Dès que les choses se gâtent, il ne pense qu'à sauver sa peau et faire porter le chapeau à un autre.

– Comme il fait avec vous en répandant des calomnies et en vous volant des dossiers.

– Exactement, dis-je.

– Susan a déposé 3 500 dollars sur son compte début décembre, une quinzaine de jours avant la mort de Jennifer Deighton.

– Exact.

– Bon, fit-il. Maintenant, Kay, revenons un peu en arrière. Susan, ou Stevens, ou tous les deux ont pénétré dans votre ordinateur quelques jours après l'exécution de Waddell. Ils cherchaient quelque chose dans le rapport d'autopsie, un détail qui avait échappé à Susan parce qu'elle n'avait pas été présente tout le temps.

– L'enveloppe qu'il voulait faire enterrer avec lui.

– Ça, c'est encore un mystère. Les codes des tickets de caisse n'ont pas confirmé notre première hypothèse, c'est-à-dire que les restaurants et péages dont ils proviennent ne se situent pas entre Richmond et Mecklenburg, et que donc les factures ne peuvent avoir été émises pendant le transfert de Waddell, quinze jours avant l'exécution. Seules les dates correspondent, pas les lieux. D'après leurs codes les factures proviennent de la portion de l'I-95 située entre Richmond et Petersburg.

– Benton, ne pensez-vous pas que l'explication de ces factures est tellement simple que nous avons le nez dessus sans la voir ? dis-je.

– Je vous écoute.

– Quand vous êtes en déplacement pour le compte du FBI, je suppose que vous faites comme moi quand je voyage pour raisons professionnelles. Vous notez chaque dépense et gardez des justificatifs de tous vos frais. Si vous êtes appelé à vous déplacer souvent, vous conservez sans doute ces factures pour faire une demande de remboursement groupée afin de vous éviter trop de paperasserie. Et en attendant, vous les rangez quelque part.

– Ceci peut expliquer l'origine des factures, dit Wesley. Un membre du personnel de la prison, par exemple, a sans doute dû se rendre à Petersburg. Mais comment ces factures se seraient-elles retrouvées dans la poche de Waddell ?

Je repensai à l'enveloppe, avec sa note demandant qu'on l'enterre avec Waddell. C'est alors qu'un détail, aussi poignant que banal, me revint en mémoire. La mère de Waddell avait été autorisée à lui rendre visite l'après-midi précédant l'exécution.

– Benton, avez-vous parlé à la mère de Waddell ?

– Pete est allé la voir à Suffolk il y a quelques jours. Elle n'a pas ce que j'appellerai une attitude amicale ou coopérative envers des gens comme nous. À ses yeux, nous avons envoyé son fils à la chaise électrique.

– A-t-elle parlé du comportement de Waddell à la veille de son exécution ?

– D'après le peu qu'elle en a dit, il était très calme et très angoissé. Mais il y a autre chose. Pete lui a demandé ce qu'étaient devenus les effets personnels de son fils. Elle a répondu que l'administration pénitentiaire lui avait remis la montre et la bague de Waddell, mais lui avait expliqué qu'il avait fait don de ses livres et de ses écrits à la NAACP.[1]

– Ça ne l'a pas étonnée ?

– Non. Elle trouvait ça logique de la part de Waddell.

– Pourquoi ?

– Elle ne sait ni lire ni écrire. Mais le plus important, c'est qu'on lui a menti, comme on nous a menti lorsque Vander a essayé de récupérer les effets de Waddell dans l'espoir d'y trouver une empreinte. Et la source de ces mensonges, c'était vraisemblablement Donahue.

– Waddell savait quelque chose, dis-je. Pour que Donahue veuille mettre la main sur le moindre écrit de Waddell, sur la moindre lettre qu'il avait reçue, c'est que Waddell était au courant de quelque chose que certaines personnes ne veulent pas voir divulguer.

Wesley demeura silencieux.

– Comment s'appelle cette eau de Cologne qu'utilise Stevens ? demanda-t-il au bout de quelques instants.

– *Red.*

– Et vous êtes certaine que c'est le parfum que vous avez senti sur le foulard et le col de Susan ?

– Je n'en mettrais pas ma main au feu, mais c'est une odeur qu'il est difficile de confondre avec une autre.

1. *National Association for the Advancement of Colored People.*

– Je pense qu'il est grand temps que Pete et moi ayons une petite entrevue avec votre administrateur.

– Bien. Je crois pouvoir contribuer à le mettre dans de bonnes dispositions si vous me laissez jusqu'à demain midi.

– Qu'allez-vous faire ?

– Lui faire faire du mouron, dis-je.

En fin d'après-midi, je travaillais à la table de la cuisine lorsque, entendant Lucy rentrer la voiture au garage, je me levai pour l'accueillir. Elle était vêtue d'un survêtement bleu marine et d'un de mes anoraks, et portait un sac de sport.

– Je suis sale, dit-elle.

Elle se dégagea de mon étreinte, mais j'eus le temps de sentir l'odeur de la poudre dans ses cheveux. Je baissai les yeux. Sa main droite était couverte d'une telle quantité de résidu de poudre qu'elle aurait fait les délices d'un expert en balistique.

– Eh ben dis donc ! fis-je alors qu'elle s'éloignait. Où est-il ?

– Qui ça ? rétorqua-t-elle d'un air innocent.

– Le revolver.

Elle sortit à contrecœur le Smith & Wesson de la poche de son anorak.

– J'ignorais que tu avais une licence de port d'arme dissimulée, dis-je en lui prenant le revolver et en m'assurant qu'il n'était pas chargé.

– Je n'en ai pas besoin si je la porte dissimulée chez moi. Pour venir, je l'avais laissée sur le siège passager, en pleine vue.

– C'est bien, mais pas encore parfait, dis-je. Viens un peu par ici.

Sans un mot elle me suivit jusqu'à la table de la cuisine, où nous nous installâmes.

– Tu m'avais dit que tu allais faire de la gymnastique à Westwood, lui dis-je.

– Je sais que je t'ai dit ça.

– Où étais-tu, Lucy ?

– Au Firing Line, sur l'autoroute Midlothian. C'est un stand de tir couvert.

– Je connais. Combien de fois y es-tu allée ?

– Quatre fois, répondit-elle en me regardant droit dans les yeux.

– Mon Dieu, Lucy !

– Eh bien quoi ? Qu'est-ce que tu voulais que je fasse ? Pete ne m'emmène plus tirer.

– Le lieutenant Marino est très occupé en ce moment, dis-je. (Je prononçai cette remarque d'un ton si paternaliste que j'en fus embarrassée.) Tu sais bien que nous avons de gros problèmes, ajoutai-je.

– Bien sûr que je suis au courant. Pour l'instant il est obligé de ne plus te voir. Et s'il ne te voit pas, il ne me voit pas non plus. Donc il est obligé de patrouiller les rues parce qu'un cinglé s'est mis à tuer des gens, comme ton employée à la morgue ou le directeur du pénitencier. Pete est assez grand pour se débrouiller tout seul, mais moi ? Il m'a montré une seule fois comment tirer. Merci beaucoup ! C'est comme si on me donnait une seule leçon de tennis avant de me lâcher à Wimbledon.

– Tu exagères.

– Non, le problème, c'est que tu ne te rends pas compte.

– Lucy...

– Comment tu réagirais si je te disais que chaque fois que je viens ici, je repense à ce fameux soir ?

Je savais exactement de quelle soirée elle voulait parler, même si depuis lors nous avions fait comme si rien ne s'était passé.

– Je culpabiliserais si je savais que tu te faisais du mauvais sang à cause de cet incident.

– Un *incident ?* Tu appelles ça un *incident ?*

– Bon d'accord, ça n'était pas un simple incident.

– Il m'arrive de me réveiller en sursaut en rêvant d'un coup de feu. Alors j'écoute cet affreux silence et je me souviens de ce soir-là, quand j'étais restée dans mon lit, les yeux ouverts dans le noir. J'avais si peur que je n'osais pas bouger. J'avais mouillé mes draps. Après il y a eu des sirènes, des gyrophares, les voisins ouvraient les fenêtres et sortaient pour regarder ce qui se passait. Et tu m'as empêchée de voir le cadavre du type qu'on emmenait, tu m'as empêchée de monter au premier. J'aurais préféré, tu sais, parce que c'est bien pire de s'imaginer.

– Il est mort, Lucy. Il ne peut plus faire de mal à personne.

– Il y en a d'autres comme lui, peut-être encore pires.

– Je ne peux pas te dire le contraire.

– Et qu'est-ce que tu fais pour te protéger, hein ?

– Je passe le plus clair de mon temps à ramasser les morceaux d'existences que des gens comme lui ont brisées. Que veux-tu que je fasse de plus ?

– Si quelque chose devait t'arriver par ta négligence, je te jure que je te détesterai, déclara ma nièce.

– S'il m'arrive quelque chose, peu m'importe de savoir qui me détestera à ce moment-là. Mais je ne voudrais pas que tu haïsses quelqu'un à cause de ce que sa mort te ferait.

– Tant pis, je te détesterai quand même. Je te le jure.

– Lucy, je veux que tu me promettes de ne jamais plus me mentir.

Elle ne répondit pas.

– Je ne veux pas que tu estimes avoir quoi que ce soit à me cacher, poursuivis-je.

– Si je t'avais dit que je voulais aller au stand, est-ce que tu m'aurais laissée y aller ?

– Pas sans le lieutenant Marino ou moi.

– Tante Kay, qu'est-ce qui va se passer si Pete n'arrive pas à l'attraper ?

– Le lieutenant Marino n'est pas seul sur cette affaire, dis-je en évitant de répondre car je n'avais pas de réponse.

– En tout cas, j'ai de la peine pour Pete.

– Pourquoi ça ?

– Il doit arrêter ce type, et il ne peut même pas te parler.

– Pete sait ce qu'il doit faire. C'est un pro.

– Ça n'est pas l'avis de Michele.

Je levai les yeux vers elle.

– Je lui ai parlé ce matin. Elle dit que Pete est passé voir son père l'autre soir et qu'il avait l'air à plat. Il avait le visage rouge comme une voiture de pompiers et il était d'une humeur massacrante. Mr Wesley lui a conseillé d'aller voir un docteur ou de prendre quelques jours de congé, mais il n'a rien voulu entendre.

La nouvelle me déprima. J'eus envie d'appeler Marino sur-le-champ, mais je savais que ça n'aurait pas été judicieux de ma part. Je m'empressai de changer de conversation.

– De quoi d'autre avez-vous parlé avec Michele ? Vous avez découvert quelque chose dans les ordinateurs de la police de l'État ?

– Non, rien. Nous avons tout essayé pour tenter de retrouver la personne avec qui on a interverti le numéro d'identification de Waddell, mais, depuis, on a sauvegardé de nouvelles données sur le disque dur par-dessus les dossiers effacés. Et celui qui a fait ce bidouillage a été assez futé pour effectuer des sauvegardes système après la modification des fichiers, ce qui veut dire qu'on ne peut plus comparer les numéros d'identification avec une version antérieure du CCRE pour constater les différences. En général, on conserve les sauvegardes pendant trois à six mois, mais pas dans ce cas.

– Donc le bidouilleur est sans doute dans la place.

Je réalisai à quel point il me semblait naturel de me trouver chez moi en compagnie de Lucy. Elle n'était plus une invitée ni une fillette irascible.

– Nous devrions appeler nos mères, dis-je.

– On est obligées de le faire ce soir ?

– Non. Mais il faut bien qu'on commence à parler de ton retour à Miami.

– Les cours ne reprennent que le 7, dit-elle, et ça n'est pas très grave si je rate quelques jours.

– C'est important, l'école.

– C'est très facile, surtout.

– Alors tu devrais chercher quelque chose pour la compliquer.

– L'école buissonnière, ça compliquera les choses, dit-elle.

Le lendemain matin je téléphonai à Rose à 8 h 30, heure à laquelle se déroulait la réunion hebdomadaire du personnel, pour que Ben Stevens, qui y assistait, ne sache pas que j'avais appelé.

– Comment ça va ? demandai-je à ma secrétaire.

– Mal. Le Dr Wyatt n'a pas pu quitter son bureau de Roanoke à cause de la neige. Les routes de montagne sont dangereuses en ce moment. Ce qui fait que Fielding a dû faire quatre autopsies hier sans personne pour l'aider. En plus il a dû se rendre au tribunal, et la police l'a appelé pour des constatations. Est-ce que vous l'avez eu au téléphone ?

– Dites-lui de m'appeler quand il aura une minute. En attendant, ça serait le moment de contacter d'anciens collègues pour voir si l'un d'eux pourrait venir donner un coup de main à la morgue. Je sais que Jansen a ouvert un cabinet à Charlottesville. Pourriez-vous le contacter et lui dire de m'appeler ?

– Bien sûr. C'est une bonne idée.

– Et Stevens ? m'enquis-je.

– On ne le voit pas beaucoup ces jours-ci. Il s'absente pour des raisons si fumeuses que personne ne sait où il va. Je le soupçonne de chercher une autre place.

– Dites-lui bien de ne pas compter sur moi pour une lettre de recommandation.

– Je préférerais que vous lui en fassiez une belle pour qu'on nous débarrasse de lui le plus vite possible.

– Rose, pourriez-vous appeler le labo d'analyse ADN et demander à Donna de me rendre un service ? Elle doit avoir reçu une demande d'analyse du tissu fœtal de Susan.

Rose resta silencieuse. Je sentis sa tension.

– Je suis désolée de reparler de ça, fis-je d'une voix douce.

Elle prit une profonde inspiration.

– Quand avez-vous demandé cette analyse ?

– C'est le Dr Wright qui en a fait la demande, puisque c'est lui qui a effectué l'autopsie. Il doit avoir gardé le double du formulaire dans son bureau de Norfolk, avec le dossier de Susan.

– Vous ne voulez pas que j'appelle Norfolk pour qu'ils nous envoient une photocopie ?

– Non. Ça peut attendre, et je ne veux pas qu'on apprenne que j'ai demandé une copie. Je préférerais qu'on croie que la morgue a reçu un double par hasard. C'est pourquoi je veux que vous vous adressiez directement à Donna. Demandez-lui de récupérer immédiatement la demande du labo, et dites-lui que vous irez la chercher vous-même.

– Et ensuite ?

– Ensuite vous la mettrez dans le casier de la morgue, avec les demandes d'analyses en attente.

– Vous êtes sûre de vous ?

– Tout à fait, dis-je.

Je raccrochai et pris l'annuaire. J'étais en train de le consulter lorsque Lucy réapparut dans la cuisine. Elle était pieds nus et avait gardé le survêtement dans lequel elle avait dormi. Elle me dit bonjour d'un air ensommeillé et farfouilla dans le réfrigérateur pendant que mon doigt parcourait une colonne de noms. Il devait y avoir une quarantaine de Grimes, mais aucune Helen correspondante. Le Fléau de Dieu s'appelait-elle vraiment Helen ? Trois des patronymes Grimes étaient suivis de l'initiale H., dont deux étaient des prénoms principaux et l'un, un second prénom.

– Qu'est-ce que tu fabriques ? demanda Lucy en posant sur la table un verre de jus d'orange et en tirant une chaise.

– J'essaie de trouver une adresse, dis-je en tendant le bras vers le téléphone.

Aucun des Grimes que j'appelai n'était le bon.

– Peut-être qu'elle est mariée, suggéra Lucy.

– Je ne pense pas.

J'appelai les renseignements pour obtenir le numéro du nouveau pénitencier de Greensville.

– Pourquoi crois-tu qu'elle n'est pas mariée ?

– Une intuition, fis-je en composant le numéro. J'essaie de joindre Helen Grimes, dis-je à la femme qui répondit.

– S'agit-il d'une détenue ?

– Non, c'est une surveillante.

– Un instant, je vous prie.

On transféra mon appel.

– Watkins, fit une voix masculine.

– Je voudrais parler à Helen Grimes, s'il vous plaît, dis-je.

– À qui ?

– À l'officier Helen Grimes.

– Oh ! elle ne travaille plus chez nous.

– Pourriez-vous me dire où je pourrais la joindre, Mr Wat kins ? C'est important.

– Ne quittez pas.

Le combiné heurta une surface en bois. On entendait Randy Travis chanter en arrière-fond. Mon correspondant revint en ligne quelques minutes plus tard.

– Désolé, madame, mais nous ne sommes pas autorisés à communiquer ce genre d'information, dit-il.

– Ça ne fait rien, Mr Watkins. Si vous voulez bien me donner votre prénom, je vous enverrai tout ça et vous le lui ferez suivre.

Il y eut un silence.

– C'est quoi, « tout ça » ?

– Une commande qu'elle a passée. J'appelais pour savoir si elle désirait un envoi en urgent.

– Quelle commande ? fit-il d'un ton prudent.

– Une encyclopédie en plusieurs volumes. Ça fait quatre cartons de dix kilos.

– Vous ne pouvez pas envoyer ça ici.

– Alors que faut-il que j'en fasse, à votre avis, Mr Watkins ? Elle a réglé d'avance et elle n'a donné que votre adresse.

– Hé ! Attendez une minute.

J'entendis des froissements de papier, puis le bruit de touches frappées sur un clavier.

– Écoutez, tout ce que je peux faire c'est vous donner un numéro de boîte postale, fit mon interlocuteur. Expédiez vos trucs là-bas. Surtout n'envoyez rien ici.

Il me donna l'adresse d'un bureau de poste et s'empressa de raccrocher. Helen Grimes se faisait adresser son courrier dans une poste de Goochland County. J'appelai aussitôt un huissier que je connaissais au palais de justice de Goochland. Moins d'une heure plus tard il avait trouvé l'adresse d'Helen Grimes dans les fichiers du tribunal, mais ne put me donner son téléphone, placé sur liste rouge. À 11 heures, je pris mon manteau et mon sac, et rejoignis Lucy dans mon bureau.

– Je dois m'absenter quelques heures, lui dis-je.

– Tu as menti à la personne à qui tu téléphonais, dit-elle les yeux rivés sur l'écran. Tu n'as pas d'encyclopédies à livrer.

– Tu as raison. C'était un mensonge.

– Donc parfois c'est bien de mentir, et d'autres fois c'est mal ?

– Ça n'est jamais vraiment bien, Lucy.

Je la laissai devant l'ordinateur, à côté des témoins allumés du modem, parmi les manuels d'informatique ouverts sur le bureau et par terre. Sur l'écran, le curseur clignotait. J'attendis d'être hors de vue pour glisser le Ruger dans mon sac. Bien que détentrice d'un permis de port d'arme dissimulée, je n'en emportais que rarement avec moi. Je branchai l'alarme, quittai la maison par le garage et me dirigeai vers l'ouest par Cary Street jusqu'à River Road. Le ciel était marbré de gris. Nicholas Grueman ne m'avait toujours pas appelée. Une bombe tictaquait dans les documents que je lui avais remis, et je n'étais guère pressée de connaître la réaction de l'avocat en la découvrant.

Helen Grimes habitait en bordure d'une route de campagne boueuse, près d'un restaurant à l'enseigne du North Pole, à la lisière d'une exploitation agricole. La maison, bâtie sur une minuscule parcelle de terrain plantée de quelques arbres, ressemblait à une petite grange. Les jardinières juchées sur les rebords de fenêtres étaient hérissées de rameaux de géraniums desséchés. Aucune plaque n'indiquait qui vivait là, mais la vieille Chrysler garée devant la porche prouvait que la maison n'était pas inoccupée.

Lorsque Helen Grimes m'ouvrit sa porte, je compris à l'absence d'expression de son regard que j'étais aussi étrangère à ses yeux que ma voiture allemande. Vêtue d'un jean et d'une chemise flottante de même matériau elle carra les mains sur ses vastes hanches et resta plantée sur le seuil. Ni le froid ambiant ni mon identité, que je déclinai, ne parurent l'émouvoir, et ce n'est que lorsque je lui rappelai ma visite au pénitencier qu'une lueur vacilla dans ses petits yeux fouineurs.

– Qui vous a donné mon adresse ?

Elle avait les joues rouges et je craignis un instant qu'elle ne me frappe.

– Je l'ai demandée au tribunal de Coochland County.

– Vous n'auriez pas dû. Qu'est-ce que vous diriez si je dégotais votre adresse personnelle ?

– Si vous aviez autant besoin de mon aide que j'ai besoin de la vôtre, ça ne me ferait rien du tout, Helen, rétorquai-je.

Elle se contenta de me regarder. Je remarquai qu'elle avait les cheveux humides et qu'un de ses lobes d'oreilles était noirci par la teinture.

– Votre ancien patron a été assassiné, repris-je. Une de mes employées a été assassinée. Ce ne sont pas les seuls. Je suis sûre que vous avez suivi tout ça. Nous avons quelques raisons de croire que le coupable de ces meurtres est un ancien détenu de Spring Street. Quelqu'un qui a été relâché à peu près à la date de l'exécution de Ronnie Joe Waddell.

– Officiellement, personne n'a été libéré, fit-elle.

Son regard se perdit dans la rue vide au-delà de mon épaule.

– Aucun détenu n'a disparu ? Il se peut qu'un prisonnier ait été libéré discrètement, sans l'aval des autorités. Avec le travail que vous aviez, vous deviez être au courant de toutes les allées et venues, non ?

– Je n'ai entendu parler d'aucune disparition de détenu.

– Pourquoi avez-vous abandonné votre travail ?

– Pour raisons de santé.

Du fond de l'espace qu'elle gardait, j'entendis se refermer une porte de placard. Je tentai à nouveau ma chance.

– Est-ce que vous vous souvenez de la dernière visite de la mère de Ronnie Waddell, dans l'après-midi précédant son exécution ?

– J'étais là quand elle est arrivée.

– Je suppose que vous l'avez fouillée, elle et ce qu'elle transportait ? Est-ce que je me trompe ?

– Non, c'est exact.

– Ce que j'aimerais savoir, c'est si Mrs Waddell a remis quelque chose à son fils. Je sais bien que les règles interdisent aux visiteurs d'apporter quoi que ce soit aux détenus, mais...

– Sauf si vous avez l'autorisation. Et elle l'avait.

– Mrs Waddell a obtenu l'autorisation de donner quelque chose à son fils ?

– Helen, tu refroidis toute la maison, fit une voix dans son dos.

Deux yeux d'un bleu intense apparurent entre l'épaule charnue d'Helen Grimes et le cadre de la porte et, tels deux canons de fusil, se braquèrent sur moi. J'eus juste le temps d'entrevoir une joue pâle et un nez aquilin, puis ce fut de nouveau l'espace vide. On referma doucement la porte derrière l'ancienne gardienne de prison. Elle s'appuya au panneau, les yeux fixés sur moi. Je répétai ma question.

– Oui elle avait apporté quelque chose pour Ronnie, un tout petit truc. J'ai appelé le directeur pour lui demander la permission de la laisser entrer avec.

– Vous avez appelé Frank Donahue ?

Elle acquiesça.

– Et il a accordé l'autorisation ?

– Comme je vous dis, c'était pas grand-chose, ce qu'elle lui apportait.

– Helen, de quoi s'agissait-il ?

– C'était une image de Jésus, format carte postale, avec quelque chose d'écrit derrière. Je me souviens plus exactement. C'était quelque chose comme « Je te rejoindrai au paradis », sauf qu'il y avait une faute d'orthographe. C'était écrit « au père radis » en deux mots, ajouta Helen Grimes sans la moindre ébauche de sourire.

– C'est tout ? fis-je. C'est ça qu'elle voulait donner à son fils avant son exécution ?

– Je vous avais dit que c'était pas grand-chose. Maintenant il faut que je rentre, et ne revenez plus m'embêter.

Elle posa la main sur la poignée de la porte au moment même où des gouttes de pluie commencèrent à tomber, s'écrasant en taches sombres de la taille d'une grosse pièce de monnaie sur le ciment du seuil.

Lorsque Wesley me rejoignit chez moi plus tard ce même jour, il arborait un bombardier de cuir noir, une casquette bleu marine, et l'ombre d'un sourire aux lèvres.

– Que se passe-t-il ? lui demandai-je tandis que nous gagnions la cuisine, devenue le théâtre si rituel de nos entrevues qu'il s'asseyait à chaque fois sur la même chaise.

– Nous n'avons pas réussi à faire craquer Stevens, mais je crois que nous l'avons bien secoué. Votre idée de laisser traîner la demande du labo à un endroit où il la remarquerait forcément s'est révélée excellente. Il a de bonnes raisons de craindre les résultats de l'analyse ADN du tissu fœtal de Susan.

– Ils avaient une relation, dis-je.

Je constatai avec une certaine surprise que j'étais moins choquée de l'infidélité de Susan que déçue par ses goûts.

– Stevens a admis avoir eu une relation avec elle, mais il a nié tout le reste.

– Y compris d'avoir son idée sur l'origine des 3 500 dollars ? demandai-je.

– Il affirme ne rien savoir. Mais nous n'en avons pas fini avec lui. Un indic de Marino a déclaré avoir vu une Jeep noire avec des plaques personnalisées dans le quartier où Susan a été tuée, à peu près à l'heure présumée. Ben Stevens possède une Jeep noire avec la plaque « 1 4 Me »[1].

– Benton, ça n'est pas Stevens qui l'a tuée, dis-je.

1. C'est-à-dire : *One for me*. (NdT)

– Non, je ne pense pas non plus. À mon avis, Stevens a renâclé quand le type avec qui il était en cheville a exigé des informations sur la mort de Jennifer Deighton.

– Ce qui implique une chose très claire, dis-je. Stevens savait que Jennifer Deighton avait été assassinée.

– Et trouillard comme il est, il décide d'envoyer Susan encaisser le versement suivant, et lui donne rendez-vous juste après pour récupérer sa part.

– Et elle se fait tuer entre-temps.

Wesley acquiesça.

– Au lieu de la payer, le type tue Susan et garde l'argent. Plus tard – peut-être à peine dix minutes plus tard – Stevens arrive à l'endroit convenu avec elle, dans la ruelle qui donne sur Strawberry Street.

– Votre hypothèse expliquerait la position du corps dans la voiture, dis-je. Il est évident que le tueur a profité d'un moment où elle était penchée en avant pour lui tirer dans la nuque. Or quand on l'a retrouvée, elle était adossée au siège.

– C'est Stevens qui l'a redressée.

– En approchant de la voiture, il ne s'aperçoit pas tout de suite qu'il y a quelque chose qui cloche. Il ne voit pas son visage, puisqu'elle est affalée sur le volant. Il la redresse et l'appuie au dossier.

– Avant de prendre les jambes à son cou.

– Et comme s'il s'était rafraîchi à l'eau de Cologne avant d'aller la retrouver, il en avait sur les mains. Quand il a redressé Susan, ses mains ont touché son manteau au niveau des aisselles et des épaules. C'est le parfum que j'ai senti la première fois.

– On finira bien par le coincer.

– Il y a plus important à faire, Benton, dis-je.

Je lui racontai alors ma visite à Helen Grimes et ce que cette dernière m'avait révélé au sujet de la dernière visite de Mrs Waddell à son fils.

– Ma théorie, poursuivis-je, est que Ronnie Waddell voulait être enterré avec l'image de Jésus, et que c'était ça sa dernière requête. Il glisse l'image pieuse dans l'enveloppe et inscrit dessus : « Ultra confidentiel », etc.

– Il n'aurait pu l'emporter sur la chaise sans l'autorisation de Donahue, dit Wesley. Selon le protocole, la dernière requête du condamné doit être transmise au directeur de l'établissement.

– Exact, et Donahue était trop paranoïaque pour laisser partir le cadavre de Waddell avec une enveloppe cachetée dans sa poche. Pour éviter les inévitables complications qu'aurait entraînées un rejet de sa part, il accède donc à la requête de Waddell, tout en cherchant le moyen de savoir ce que contient cette fameuse enveloppe. Il charge donc un gardien de préparer une enveloppe identique, puis de récupérer celle de Waddell aussitôt après sa mort et de la remplacer par l'enveloppe factice. C'est ici que les factures et tickets entrent en scène.

– Nous y voilà, dit Wesley.

– Eh oui, le gardien en question commet une bévue. Il a sur sa table une enveloppe blanche contenant les justificatifs de frais d'un récent déplacement à Petersburg. Il prend une enveloppe similaire, dans laquelle il a glissé un papier anodin, et y recopie l'inscription que Waddell avait écrite sur la sienne.

– Sauf que le gardien se trompe d'enveloppe.

– Exact, fis-je. Il recopie l'inscription de Waddell sur l'enveloppe contenant les justificatifs.

– Ça n'est que quelques jours plus tard qu'il découvre son erreur lorsque, ouvrant l'enveloppe où devaient se trouver ses justificatifs de frais, il trouve le papier sans importance qu'il avait cru mettre dans la poche de Waddell.

– Absolument, dis-je. Et c'est là que Susan intervient. Imaginez-vous à la place de ce gardien : vous seriez très inquiet. Vous voudriez savoir si le médecin expert a ouvert l'enveloppe à la morgue, ou si elle a été incinérée sans être décachetée. Si vous étiez par ailleurs le contact de Ben Stevens, que vous avez soudoyé pour être sûr qu'on ne prenne pas les empreintes de Waddell à la morgue, alors vous sauriez aussitôt vers qui vous tourner.

– Je contacterais Stevens pour lui demander de vérifier si l'enveloppe a été ouverte. Et si oui, si ce qu'on y a trouvé a paru bizarre et suscité des questions. C'est exactement ce qui se passe quand vous cédez à la paranoïa et que vous vous retrouvez avec des problèmes bien plus graves que si vous vous étiez tenu tranquille. Pourtant il me semble que Stevens aurait pu répondre facilement à cette question.

– Détrompez-vous, rétorquai-je. Il aurait pu demander à Susan, mais celle-ci n'a pas assisté à l'ouverture de l'enveloppe. C'est Fielding qui l'a ouverte dans son bureau, en a photocopié le contenu et l'a restituée avec les autres effets personnels de Waddell.

– Stevens n'aurait-il pas pu avoir accès au dossier et voir la photocopie ?

– Si, en brisant la serrure de ma crédence, répondis-je.

– Donc, il s'est dit que l'ordinateur était la seule autre solution.

– À moins de nous interroger, Fielding ou moi. Mais il savait que c'était inutile. Nous n'aurions jamais divulgué un telle information. Ni à Susan, ni à lui, ni à personne.

– S'y connait-il assez en informatique pour pirater votre répertoire ?

– Pas que je sache, mais Susan avait pris des cours de perfectionnement et elle avait plusieurs manuels UNIX dans son bureau.

Le téléphone sonna. Je laissai Lucy répondre. Lorsqu'elle réapparut à la porte de la cuisine, elle avait l'air embarrassé.

– C'est ton avocat, tante Kay.

Elle m'apporta le téléphone de la cuisine, que je décrochai sans quitter ma chaise. Nicholas Grueman ne perdit pas de temps en politesses. Il alla droit au but.

– Dr Scarpetta, le 12 décembre vous avez liquidé pour 10 000 dollars d'actions. Or je ne trouve aucune trace, dans vos relevés bancaires, indiquant que cet argent a été versé sur l'un de vos comptes.

– Je ne l'ai pas viré.

– Vous êtes sortie de la banque avec 10 000 dollars en liquide ?

– Non. J'ai rédigé le chèque à l'ordre de la Signet Bank, à Richmond, qui m'a remis un chèque de caisse en livres sterling.

– À quel ordre était rédigé le chèque de caisse ? s'enquit mon ancien professeur tandis que Benton Wesley me dévisageait d'un air tendu.

– Mr Grueman, c'était une transaction à caractère privé qui n'avait absolument aucun rapport avec mon travail.

– Allons, Dr Scarpetta. Vous savez bien que ça ne tient pas.

Je pris une profonde inspiration.

– Il faudra fournir des explications claires, reprit-il. Vous comprenez bien que ça tombe très mal que, peu de temps avant que Susan Story ne dépose une grosse somme en liquide d'origine incertaine à sa banque, vous ayez vous-même retiré une grosse somme en liquide.

Alors que je fermais les yeux en me passant la main dans les cheveux, Wesley se leva de table et approcha dans mon dos.

– Kay... (Je sentis les mains de Wesley sur mes épaules.)... pour l'amour du ciel, dites-lui !

13

Si Grueman n'avait jamais exercé le droit, je ne lui aurais pas confié la défense de mes intérêts. Mais avant d'enseigner, il avait été un avocat renommé, s'était battu pour les droits civiques et avait participé, avec le Justice Department, à la lutte contre le crime organisé à l'époque de Robert Kennedy. Il assurait désormais la défense de gens sans moyens financiers et condamnés à mort. J'appréciais le sérieux de Grueman et avais besoin de son cynisme.

Il ne chercha pas à négocier ni à clamer mon innocence. Il refusa de communiquer la moindre information à Marino ou à qui que ce soit. Il ne parla à personne du chèque de 10 000 dollars, lequel constituait à ses yeux l'élément le plus accablant pour moi. Je me souvins du conseil qu'il enseignait à ses élèves dès son premier cours : *Dites non, encore non, toujours non.* Mon ancien professeur suivait ce principe à la lettre et déjouait tous les efforts de Roy Patterson.

Jusqu'à ce jeudi 6 janvier où Patterson m'appela chez moi pour me demander de venir discuter avec lui dans son bureau.

– Je suis sûr que nous parviendrons à tirer tout ça au clair, dit-il d'un ton aimable. J'ai juste quelques petites questions à vous poser.

Il paraissait sous-entendu que si j'acceptais de coopérer, j'éviterais le pire, et je m'émerveillai que Patterson soit assez naïf pour penser qu'il me piégerait par une manœuvre aussi grossière. Quand l'avoué du Commonwealth vous propose une petite conversation, c'est qu'il entend se lancer dans une partie de pêche où il ne laissera pas échapper la moindre pièce. Exactement comme avec la police. En bonne élève de Grueman, je dis non à Patterson. Le lendemain matin j'étais citée à comparaître devant un grand jury spécial le 20 janvier. Puis je reçus une *subpoena duces tecum* m'enjoignant à me présenter avec tous les documents financiers en ma possession. Grueman commença par invoquer le Cinquième Amendement, puis présenta une requête en annulation afin d'invalider la citation à comparaître. Une semaine plus tard, nous n'eûmes d'autre choix que de nous soumettre si nous voulions éviter l'offense à magistrat. C'est à ce moment-là que le gouverneur Norring nomma Fielding médecin expert général de Virginie par intérim.

– Encore un camion de la télé, dit Lucy. Il vient juste de passer.

Elle était au salon, devant la fenêtre.

– Viens manger ! lui criai-je de la cuisine. Ton potage refroidit.

Silence, puis soudain :

– Tante Kay !

Elle paraissait tout excitée.

– Qu'est-ce qu'il y a ?

– Tu ne devineras jamais qui vient d'arriver.

De la fenêtre au-dessus de l'évier, je vis une Ford LTD blanche s'arrêter devant la maison. La portière conducteur s'ouvrit et Marino descendit. Il remonta son pantalon et rectifia sa cravate pendant que ses yeux enregistraient le moindre détail alentour. Je fus si émue de le voir dans l'allée menant à mon porche que j'en sursautai presque.

– Je ne sais si je dois me réjouir ou me désoler de votre visite, lui dis-je en ouvrant la porte.

– Vous inquiétez pas, doc. Je suis pas venu vous arrêter.

– Alors entrez, je vous prie.

– Salut, Pete ! lança joyeusement Lucy.

– Tu ne devrais pas être à l'école, toi ?

– Non.

– Comment ça ? Vous êtes en vacances tout le mois de janvier, en Amérique du Sud ?

– Tout juste, rétorqua ma nièce. C'est à cause du mauvais temps. Quand ça descend en dessous de vingt degrés, tout est fermé.

Marino sourit. Il était dans le pire état où je l'aie jamais vu.

Quelques minutes plus tard, j'avais allumé un feu dans la cheminée et Lucy était partie faire des courses.

– Comment allez-vous, ces temps-ci ? demandai-je au lieutenant.

– Est-ce que je dois sortir pour fumer ?

Je fis glisser un cendrier vers lui.

– Marino, vous avez des valises sous les yeux, vous êtes pâle et ce n'est pas la chaleur qui règne ici qui vous fait transpirer.

– Je vois que je vous ai manqué. (Il tira un mouchoir douteux de la poche arrière de son pantalon et s'épongea le front. Puis il alluma une cigarette et regarda le feu.) Patterson est un vrai trou du cul, doc. Il veut votre peau.

– Qu'il essaie.

– Il essaiera. Vous avez intérêt à vous tenir prête.

– Il n'a rien contre moi, Marino.

– Il a votre empreinte sur l'enveloppe trouvée chez Susan.

– Je peux fournir une explication à ça.

– Mais vous n'avez aucune preuve. Et puis il a une autre carte dans sa manche. Je sais bien que je devrais pas vous le dire, mais je vais le faire quand même.

– Quelle carte ?

– Vous vous rappelez de Tom Lucero ?

– Je vois qui c'est, dis-je, mais on ne peut pas dire que je le connaisse.

– Il sait utiliser son charme et, pour dire la vérité, c'est un sacré bon flic. Bref, il a fouiné du côté de la Signet Bank et baratiné une employée pour qu'elle lui donne quelques petites informations sur vous. Le fait est qu'il avait pas le droit de lui demander ça et qu'elle avait pas à le renseigner. Toujours est-il qu'elle lui a dit que vous aviez retiré une grosse somme en liquide quelque temps avant Thanksgiving. D'après elle, il s'agissait de 10 000 dollars.

Je restai de marbre et le fixai droit dans les yeux.

– Vous pouvez pas en vouloir à Lucero, il a juste fait son boulot, reprit Marino. Mais maintenant, Patterson saura quoi chercher quand il épluchera vos comptes. Il va vous assommer devant le grand jury.

Je restai silencieuse.

– Doc, fit-il en se penchant vers moi. Vous croyez pas qu'on devrait parler de cette histoire ?

– Non.

Il se leva, s'approcha de la cheminée et entrouvrit la vitre pour jeter sa cigarette dans la braise.

– Merde, doc, fit-il. Je tiens pas à vous voir condamnée.

– Je ne dois pas boire de café et je sais que vous ne devriez pas en boire non plus, mais j'ai envie de quelque chose. Aimez-vous le chocolat chaud ?

– Je prendrai un café.

Je me levai pour aller le préparer. Mes pensées bourdonnaient avec l'entêtement d'une grosse mouche. Je ne savais sur qui reporter ma fureur. Je préparai un pot de décaféiné en espérant que Marino ne remarquerait pas la différence.

– Comment va votre tension ? lui demandai-je.

– Vous voulez vraiment que je vous dise ? Y'a certains jours, si j'étais une bouilloire, je me mettrais à siffler.

– Je ne sais pas ce que je vais pouvoir faire de vous.

Il s'assit au bord de l'âtre. Le feu ronflait avec un bruit de tempête et le reflet des flammes dansait sur le cuivre.

– D'abord, poursuivis-je, j'ai l'impression que vous ne devriez même pas être ici. Je ne veux pas vous causer d'ennuis.

– Qu'ils aillent se faire foutre, Patterson, la municipalité, le gouverneur et toute la bande ! s'exclama-t-il avec colère.

– Marino, ça n'est pas le moment de baisser les bras. Quelqu'un connaît l'identité du tueur. Avez-vous parlé au surveillant qui nous a fait visiter le pénitencier ? L'officier Roberts ?

– Ouais. Ça a mené nulle part.

– Je n'ai pas obtenu grand-chose non plus de votre amie Helen Grimes.

– Vous l'avez vue ? Vous avez dû passer un bon moment.

– Savez-vous qu'elle ne travaille plus au pénitencier ?

– Elle a jamais fait aucun *travail* là-bas, si vous voulez que je vous dise. Le Fléau de Dieu en fichait pas une, à part quand il s'agissait de papouiller une visiteuse. Là elle mettait du cœur à l'ouvrage. Donahue l'appréciait, ne me demandez pas pourquoi. Quand il s'est fait buter, on l'a flanquée sur un mirador à Greensville, mais elle a prétendu qu'elle avait des problèmes aux genoux ou je sais pas quoi.

– J'ai le sentiment qu'elle en sait plus qu'elle n'en dit, fis-je. Surtout si elle était proche de Donahue.

Marino but une gorgée de café et regarda dehors, au-delà des baies coulissantes. Le sol était givré et les flocons paraissaient tomber plus vite. Je songeai à la nuit enneigée où l'on m'avait appelée au domicile de Jennifer Deighton, et l'imaginai, obèse, avec ses bigoudis, assise sur une chaise au milieu de sa salle à manger. Si son assassin l'avait interrogée, c'est qu'il avait de bonnes raisons de le faire. Que cherchait-il ? Que cherchait celui qui lui avait confié ce sale travail ?

– Pensez-vous que l'assassin voulait récupérer des lettres chez Jennifer Deighton ?

– En tout cas il cherchait quelque chose en rapport avec Waddell, répondit Marino. Des poèmes, des lettres. Des trucs qu'il lui avait envoyés.

– Pensez-vous que le tueur a trouvé ce qu'il cherchait ?

– Comment savoir ? Il a peut-être cherché, mais il était si méticuleux qu'on peut pas en être sûr.

– Moi, je pense qu'il n'a rien trouvé, dis-je.

Tout en allumant une autre cigarette, Marino me considéra d'un air sceptique.

– Et vous vous basez sur quoi ? fit-il.

– Sur les circonstances. Elle était en chemise de nuit et bigoudis. Elle était sans doute en train de lire dans son lit. Donc elle n'attendait pas de visite.

– Jusqu'ici, je suis d'accord.

– C'est alors qu'on sonne à la porte. Elle fait entrer la personne, puisqu'on n'a trouvé aucune trace d'effraction ni de lutte. L'individu demande alors à Jennifer de lui remettre ce qu'il est venu chercher. Jennifer refuse. Le type s'énerve, va chercher une chaise à la salle à manger et la place au milieu du salon. Il force Jennifer à s'asseoir, lui bloque le cou par derrière par une clé des bras et commence à la torturer. Quand elle refuse de répondre à une question, il resserre son étreinte. Ça dure un moment, et puis il serre trop fort. Il transporte le cadavre au garage et l'installe dans la voiture.

– Il est sans doute entré et sorti par la cuisine, puisque la porte était pas verrouillée, observa Marino.

– Possible. Toujours est-il qu'il n'avait pas prévu que Jennifer meure si vite. Il tente de maquiller le meurtre en suicide, mais ne s'attarde pas dans la maison. A-t-il eu peur ? A-t-il soudain perdu tout intérêt dans sa mission ? Je ne sais pas, mais je doute qu'il ait fouillé la maison, et même s'il a cherché, je ne crois pas qu'il ait trouvé ce qu'il voulait.

– En tout cas nous, on n'a rien trouvé, fit Marino.

– Jennifer Deighton était paranoïaque, poursuivis-je. Dans son fax à Grueman elle disait que ce qu'on avait fait à Waddell était injuste. M'ayant vue à la télé, elle a essayé de me joindre à plusieurs reprises, mais raccrochait chaque fois sans laisser de message.

– Vous croyez qu'elle détenait des papiers ou des documents qui nous donneraient le fin mot de l'histoire ?

– Si c'est le cas, avec la peur qu'elle avait, elle a dû les mettre en lieu sûr, en dehors de chez elle.

– Elle les aurait planqués où ?

– Je n'en ai aucune idée, mais peut-être que son ex-mari le sait. Est-ce qu'elle n'a pas été passer une quinzaine de jours chez lui, vers la fin novembre ?

– Si, rétorqua Marino avec une lueur dans le regard. C'est vrai qu'elle est allée le voir.

Je trouvai à Willie Travers une voix agréable et énergique lorsque je finis par le joindre au téléphone. Il logeait au Pink Shell, à Fort Myers Beach en Floride. Mais il ne répondit que de manière vague à mes questions.

– Mr Travers, que puis-je faire pour gagner votre confiance ? fis-je en désespoir de cause.

– Descendre me voir.

– Ça me serait très difficile en ce moment.

– Je ne peux rien faire sans vous voir.

– Je vous demande pardon ?

– C'est comme ça que je fonctionne. Quand je vous aurai en face de moi, je pourrai lire en vous et savoir si je peux vous faire confiance. Jenny était pareille.

– Vous voulez dire que si je descendais à Fort Myers Beach et que vous puissiez me *voir*, vous m'aideriez ?

– Ça dépendra de ce que je sentirai.

Je réservai une place sur le vol de 6 h 50 le lendemain matin. Lucy et moi passerions d'abord à Miami. Je laisserais ma nièce à Dorothy et poursuivrais en voiture jusqu'à Fort Myers Beach, où, selon toutes probabilités, je passerais la soirée à me demander si je n'avais pas perdu la raison. Il y avait de fortes chances pour que l'ex-mari de Jennifer Deighton, dingue de santé globale, ne s'avère une pure perte de temps.

Le samedi à 4 heures, lorsque je m'éveillai, la neige avait cessé de tomber. J'allai réveiller Lucy. Pendant quelques instants, je l'écoutai respirer dans le noir, puis lui touchai doucement l'épaule en prononçant son nom. Elle s'étira et s'assit sur le lit. Dans l'avion, elle se rendormit jusqu'à Charlotte, puis se plongea jusqu'à Miami dans une de ces bouderies dont elle avait le secret.

– Je préférerais qu'on prenne un taxi, fit-elle en regardant par le hublot.

– Ça n'est pas possible, Lucy. Ta mère et son ami te chercheraient partout.

– Et alors ? Laissons-les tourner dans l'aéroport toute la journée. Pourquoi tu ne veux pas que je t'accompagne ?

– Tu dois rentrer chez toi, et moi il faut que j'aille à Fort Myers Beach. Je reprendrai l'avion là-bas pour rentrer à Richmond. Crois-moi, ça n'aura rien de rigolo.

– Rester avec maman et son dernier idiot en date n'a rien de très marrant non plus.

– Tu ne peux pas savoir s'il est idiot, tu ne l'as jamais rencontré. Attends de voir.

– Je voudrais que maman attrape le sida.

– Lucy, ne dis pas des choses pareilles.

– Elle le mérite. Je ne comprends pas comment elle peut coucher avec le premier abruti qui lui offre le restaurant et le cinéma. Je ne comprends pas comment elle peut être ta sœur.

– Ne parle pas si fort, chuchotai-je.

– Si je lui avais manqué à ce point, elle serait venue me chercher toute seule. Pas besoin d'amener quelqu'un.

– Ce n'est pas tout à fait juste de dire ça, rétorquai-je. Si tu tombes amoureuse un jour, tu comprendras.

– Qu'est-ce qui te fait croire que je n'ai jamais été amoureuse ? fit-elle en me lançant un regard furieux.

– Parce que si c'était le cas, tu saurais que l'amour fait ressortir le meilleur et le pire de nous-mêmes. Un jour on est généreux et sensible à l'excès, et le lendemain on tuerait tout le monde. Notre vie devient un balancier entre les extrêmes.

– Vivement que maman ait sa ménopause.

En milieu d'après-midi, alors que je roulais sur Tamiami Trail, je m'employai à rafistoler les trous que la culpabilité avait creusés dans ma conscience. Chaque fois que j'avais affaire à ma famille, je me sentais irritée et morose. Et quand je refusais tout contact avec elle, j'éprouvais la même chose que quand j'étais petite, à l'époque où j'apprenais l'art de m'échapper sans quitter la maison. Dans un certain sens, j'avais remplacé mon père après sa mort. J'étais devenue l'élément rationnel de la famille, celle qui collectionnait les A à l'école, savait cuisiner et gérer un budget. Je pleurais rarement et, face à la volatilité d'un foyer en voie de désintégration, ma réaction était plutôt de faire baisser ma propre tension et de me disperser dans l'atmosphère comme une vapeur. De sorte que ma mère et ma sœur me taxaient d'indifférence, et que j'avais grandi en dissimulant au fond de moi la peur et la honte qu'elles aient raison.

J'arrivai à Fort Myers Beach avec l'air conditionné en marche et le pare-soleil abaissé. Le ciel et l'océan se fondaient en une seule masse d'un bleu vibrant, tandis que les palmiers ressemblaient à des touffes de plumes d'un vert vif fichées sur des troncs rappelant des pattes d'autruche. La résidence Pink Shell, qui avait la couleur de son nom[1], était nichée au fond d'Estero Bay et ses balcons s'ouvraient sur le golfe du Mexique. Willie Travers logeait dans un des bungalows, mais nous n'avions rendez-vous qu'à 20 heures. À peine refermée la porte du studio que j'avais loué, je me débarrassai de mes vêtements d'hiver et sortis un short et un T-shirt de mon sac. Sept minutes plus tard, j'étais sur la plage.

Je ne sais combien de kilomètres je parcourus, car je perdis bientôt toute notion du temps. Chaque nouvelle étendue de sable que je découvrais me paraissait aussi magnifique que la précédente. J'observai les pélicans ballottés par les vagues qui

1. *Pink Shell* : le Coquillage rose. (NdT)

avalaient des poissons en renversant la tête en arrière comme s'ils vidaient des verres de bourbon, et contournai prudemment les boules bleues et molles des méduses échouées. La plupart des promeneurs que je rencontrai étaient des retraités. De temps à autre, la voix aiguë d'un enfant traversait le vacarme des vagues comme un papier soufflé par le vent. Je ramassai des dollars des sables et d'autres coquillages, si usés par les flots qu'ils me rappelèrent des pastilles à la menthe longtemps sucées. Je pensai à Lucy et sentis qu'elle me manquait déjà.

Lorsque l'obscurité commença à tomber, je regagnai ma chambre. Je me douchai, me changeai, pris ma voiture et roulai sur Estero Boulevard jusqu'à ce que la faim me guide, à la manière d'une baguette de sourcier, jusqu'au parking du Skipper's Galley. Je dégustai une perche de mer en buvant du vin blanc pendant que l'horizon virait au bleu nuit. Bientôt on n'aperçut que les lumières des bateaux filant sur un océan invisible.

Lorsque je rejoignis le bungalow 182, près de la boutique d'appâts et du quai aux pêcheurs, j'étais plus calme que je ne l'avais été depuis longtemps. Et quand Willie Travers m'ouvrit sa porte, j'eus l'impression que nous nous connaissions depuis toujours.

– Le premier point à l'ordre du jour, dit-il, c'est de nous sustenter. J'espère que vous n'avez pas mangé ?

Je le détrompai avec regret.

– Ça ne fait rien. Vous allez remanger.

– Mais je n'ai plus faim, dis-je.

– Donnez-moi une petite heure et je vous prouverai le contraire. Rassurez-vous, ça sera léger : mérou grillé au beurre et jus de citron vert, saupoudré d'une bonne pincée de poivre frais moulu. Avec un pain aux sept céréales que je fais moi-même et dont vous me direz des nouvelles ! Quoi d'autre ? Ah oui... Une salade de chou cru mariné et de la bière mexicaine.

Tout en m'annonçant le menu, il avait décapsulé deux bouteilles de Dos Equis. L'ancien mari de Jennifer Deighton devait aller sur ses 80 ans. La peau de son visage était comme de la boue séchée fissurée par le soleil, mais ses yeux bleus étaient aussi alertes que ceux d'un jeune homme. Il était maigre, vif de gestes et souriait beaucoup en parlant. Ses cheveux blancs me firent penser au duvet d'une balle de tennis.

– Comment êtes-vous venu vous installer ici ? m'enquis-je en regardant les poissons naturalisés et le mobilier dépareillé qui nous environnaient.

– Il y a quelques années, j'ai décidé de prendre ma retraite et de ne vivre que de pêche, alors j'ai conclu un marché avec le Pink Shell. Je m'occupe de la boutique d'appâts, et eux me logent à un prix raisonnable dans ce bungalow.

– Que faisiez-vous avant ?

– Pareil qu'aujourd'hui, répondit-il en souriant. Je pratique la médecine holistique, et dans ce domaine comme dans celui de la religion, ce n'est pas parce qu'on a l'âge de la retraite qu'on cesse de pratiquer. La seule différence, c'est qu'à présent je travaille avec les gens qui me plaisent, et que je n'ai plus de cabinet en ville.

– Comment définissez-vous la médecine holistique ?

– Je traite la personne dans son ensemble, point à la ligne. Le but est de rétablir l'équilibre de chacun. (Il me scruta, puis posa sa bière et s'approcha de la chaise Windsor où j'étais assise.) Voulez-vous vous lever, je vous prie ?

Je n'étais pas d'humeur à le contredire.

– Tendez un bras. N'importe lequel, mais gardez-le parallèle au sol. Comme ça, bien... Je vais maintenant vous poser une question, et pendant que vous y répondrez j'essaierai de vous faire baisser le bras et vous me résisterez. Vous voyez-vous comme le héros de la famille ?

– Non.

Mon bras céda aussitôt à la pression et s'abaissa comme un pont-levis.

– Voilà qui prouve que vous vous voyez bien en héros de la famille. Ce qui m'apprend du même coup que vous êtes très dure avec vous-même, et ça depuis le tout premier jour. Bien. Maintenant tendez à nouveau le bras pendant que je vous pose une autre question. Est-ce que vous êtes bonne dans ce que vous faites ?

– Oui.

– J'essaie de toutes mes forces de faire plier votre bras, mais il reste dur comme fer. Ainsi vous êtes bonne dans votre travail.

Il regagna le divan et je me rassis.

– Je dois avouer que ma formation universitaire me rend quelque peu sceptique, dis-je avec un sourire.

– Eh bien, vous avez tort. Ma médecine n'est pas très différente de celle que vous exercez tous les jours. Le principe fondamental ? Le corps ne ment pas. Vous aurez beau vous raconter tout ce que vous voudrez, votre niveau d'énergie correspondra à la réalité vraie. Si votre tête dit que vous n'êtes pas le héros de la famille ou que vous vous aimez bien alors que ça n'est pas vrai, votre énergie s'affaiblit. Est-ce que vous me suivez ?

– Oui.

– Jenny venait me voir une ou deux fois par an pour que je la rééquilibre. Et quand elle est descendue la dernière fois, aux alentours de Thanksgiving, elle était dans un tel état que j'ai dû travailler avec elle plusieurs heures par jour.

– Vous a-t-elle dit pourquoi elle était dans cet état ?

– Beaucoup de choses n'allaient pas. Elle venait de déménager et n'aimait pas ses voisins, surtout ceux d'en face.

– Les Clary, dis-je.

– Je crois me souvenir de ce nom. Elle disait que la femme était une commère et que lui avait gardé la main leste jusqu'à son infarctus. En plus, cette histoire d'horoscope avait pris de telles proportions que Jenny s'y épuisait.

– Que pensiez-vous de ses activités ?

– Jenny avait un don mais elle le gaspillait en voulant l'exploiter.

– Diriez-vous qu'elle était médium ?

– Sûrement pas. Je ne m'aventurerais pas à lui coller une étiquette. Jenny s'occupait de tas de choses.

C'est alors que, me remémorant la feuille de papier et le cristal qu'on avait trouvés sur le lit de Jennifer, je demandai à Travers s'il savait si cela signifiait quelque chose, et quoi.

– Ça veut dire qu'elle était en train de se concentrer.

– De se concentrer ? fis-je avec étonnement. Sur quoi ?

– Quand Jenny voulait méditer, elle prenait une feuille de papier et posait dessus un cristal. Puis elle s'asseyait et faisait tourner lentement la boule en observant sur le papier les jeux de la lumière réfractée par les facettes. Ça lui faisait le même effet que quand je regarde de l'eau.

– Y avait-il autre chose qui tracassait Jennifer quand elle est venue vous voir, Mr Travers ?

– Vous pouvez m'appeler Willie. Oui, elle était tracassée et vous savez pourquoi. Elle était bouleversée à l'idée que ce condamné, Ronnie Waddell, puisse être exécuté. Jenny et Ronnie s'écrivaient depuis des années, et elle ne supportait pas l'idée de le voir s'asseoir sur la chaise électrique.

– Savez-vous si Waddell lui a révélé quelque chose qui aurait pu la mettre en danger ?

– En tout cas il lui a donné quelque chose de très compromettant.

Je saisis ma bouteille de bière sans détacher le regard de mon interlocuteur.

– Quand elle est descendue pour Thanksgiving, elle a apporté les lettres et tout ce qu'il lui avait envoyé depuis des années. Elle m'a tout laissé.

– Pourquoi ?

– Pour que ça soit en sécurité.

– Elle craignait que quelqu'un cherche à les récupérer ?

– Tout ce que je sais, c'est qu'elle avait peur. Elle m'a raconté que dans la première semaine de novembre, Waddell l'avait appelée en PCV pour lui dire qu'il était prêt à mourir et qu'il n'avait plus la force de se battre. Il semblait persuadé que rien ne pourrait le tirer d'affaire, il lui a même demandé d'aller à la ferme de ses parents, à Suffolk, et de demander à sa mère de lui donner le reste de ses affaires. Il voulait que ce soit Jenny qui les ait. Il lui disait que sa mère comprendrait.

– En quoi consistait le reste de ses affaires ? demandai-je.

– En une seule chose, dit-il en se levant. Je ne sais pas ce que c'est – et à vrai dire je n'ai guère envie de le savoir. C'est pourquoi je vais vous le donner, Dr Scarpetta. Vous pourrez le remporter avec vous en Virginie. Le remettre à la police. Vous en ferez ce que vous voudrez.

– Comment se fait-il que vous ayez attendu ce moment pour en parler ? Pourquoi ne pas l'avoir fait depuis plusieurs semaines ?

– Parce que personne n'a pris la peine de venir me voir ! cria-t-il de la pièce adjacente. Quand vous m'avez appelé je vous ai dit que je ne traitais aucune affaire au téléphone.

Il revint dans la pièce et déposa à mes pieds une mallette Hartmann noire. La serrure en cuivre avait été forcée et le cuir était éraflé.

– Pour tout vous dire, vous me rendriez un fier service si vous pouviez m'en débarrasser, dit Willie Travers avec un évident soulagement. Rien que d'y penser, je sens mon énergie battre de l'aile.

Les dizaines de lettres adressées à Jennifer Deighton par Waddell depuis le quartier des condamnés à mort étaient retenues en liasses par des bracelets de caoutchouc et classées par ordre chronologique. Je n'en parcourus que quelques-unes le soir même dans ma chambre d'hôtel, car leur importance fut éclipsée par les autres objets que je découvris dans la mallette.

Il y avait d'abord des blocs couverts de notes manuscrites peu compréhensibles car concernant des procès dans lesquels le Commonwealth avait été partie prenante plus de dix ans auparavant. Il y avait également plusieurs stylos et crayons, une carte de la Virginie, une boîte de cachets Sucrets contre le mal de gorge, un inhalateur Vicks et un tube de Chapstick. Je trouvai aussi, encore dans son emballage jaune, un EpiPen, injecteur automatique de 0,3 milligramme d'épinéphrine que doivent conserver à portée de main les personnes allergiques aux piqûres de guêpe et à certains mets. L'ordonnance indiquait la date et le nom du patient, et précisait que la dose d'EpiPen provenait d'une boîte de cinq. Il était clair que Waddell avait dérobé cette serviette chez Robyn Naismith le soir du meurtre. Il n'avait sans doute pas eu la moindre idée de l'identité de son propriétaire jusqu'à ce qu'il en fasse sauter la serrure. C'est alors que Waddell avait compris qu'il venait d'assassiner sauvagement une célébrité locale dont l'amant, Joe Norring, occupait alors le poste de premier procureur de Virginie.

– Waddell n'avait pas la moindre chance, dis-je. Non qu'il méritât la clémence, vu la gravité de son crime, mais dès qu'il a appris son arrestation, Norring a dû être rongé d'inquiétude. Il savait qu'il avait laissé sa serviette chez Robyn et que la police ne l'avait pas retrouvée.

Il était impossible de savoir pour quelle raison il avait laissé sa serviette chez sa maîtresse. Peut-être l'avait-il simplement oubliée là la veille au soir, sans que ni l'un ni l'autre ne puisse se douter que c'était la dernière soirée de Robyn en ce monde.

– Je n'ose même pas imaginer la réaction de Norring en apprenant la nouvelle, ajoutai-je.

Wesley me jeta un regard par-dessus ses lunettes tout en continuant à parcourir le papier qu'il avait sous les yeux.

– C'est tout simplement impossible à imaginer, reprit-il. Non seulement on risquait de découvrir sa liaison avec Robyn, mais il devenait du même coup le suspect numéro un.

– D'une certain façon, il a eu une sacrée veine que Waddell embarque la valoche, fit Marino.

– À mon avis, dis-je, quelle que soit la façon dont il envisageait les choses, il ne pouvait qu'avoir peur. Si la serviette avait été trouvée sur les lieux, il aurait été en mauvaise posture. Mais en la sachant volée, comme c'était le cas, il ne pouvait que redouter qu'on la trouve ailleurs.

Marino resservit du café pour tout le monde.

– Quelqu'un a bien dû faire quelque chose pour s'assurer du silence de Waddell, dit-il.

– Peut-être, fit Wesley en prenant le pot de crème. Mais peut-être aussi que Waddell n'a soufflé mot de cette serviette à personne. Pour moi, il a compris dès le début qu'il avait mis la main sur quelque chose qui risquait d'aggraver sa situation. Il pouvait se servir de la serviette comme d'une arme, mais qui allait-elle détruire ? Norring ou Waddell ? Waddell faisait-il assez confiance au système pour balancer le premier procureur de l'État ? Avait-il assez confiance dans ce système, plusieurs années plus tard, pour mettre en difficulté le gouverneur – c'est-à-dire le seul homme capable de lui sauver la vie ?

– Waddell a préféré se taire, dis-je. Il savait que sa mère veillerait sur ce qu'il avait apporté à la ferme jusqu'à ce qu'il trouve quelqu'un à qui le confier.

– Norring a eu dix ans pour retrouver sa putain de serviette, intervint Marino. Comment ça se fait qu'il ait pas cherché plus tôt ?

– Je soupçonne Norring d'avoir fait surveiller Waddell depuis le début, dit Wesley, et je pense que cette surveil lance s'est considérablement renforcée au cours des derniers mois. Plus la date de l'exécution approchait, moins Waddell avait à perdre et plus il risquait de parler. Il est possible qu'on ait intercepté sa conversation téléphonique avec Jen nifer Deighton au mois de novembre. Et il est possible que quand on en a rapporté la teneur à Norring, il ait paniqué.

– Il avait de quoi, fit Marino. J'ai examiné les affaires de Waddell pendant l'enquête. Il avait presque rien, et si d'autres affaires à lui étaient restées à la ferme, on les a pas trouvées.

– Et Norring le savait, dis-je.

– Bien sûr que oui, dit Marino. C'est pour ça qu'il a eu peur en apprenant que des affaires de Waddell entreposées à la ferme avaient été remises à une de ses amies. Norring a dû recommencer à faire des cauchemars sur ce foutu cartable. Et puis il était pas question de faire fouiller la maison de Jennifer Deighton tant que Waddell était en vie. S'il arrivait quelque chose à la fille, qui sait comment réagirait Waddell ? Norring pouvait craindre le pire, à savoir qu'il aille raconter son histoire à Grueman.

– Benton, dis-je, savez-vous pourquoi Norring se promenait avec de l'épinéphrine dans sa serviette ? À quoi est-il allergique ?

– Aux fruits de mer. Il trimbale en permanence une batterie d'EpiPen.

Pendant que les deux hommes causaient, je vérifiai la cuisson des lasagnes au four et ouvris une bouteille de Kendall-Jackson. La procédure contre Norring allait prendre très longtemps, son issue resterait incertaine et je commençai à comprendre, jusqu'à un certain point, ce que Waddell avait dû ressentir.

Ce n'est qu'à près de 23 heures que j'appelai Nicholas Grueman chez lui.

– Je suis finie en Virginie, lui dis-je. Tant que Norring sera à son poste, il fera tout pour m'empêcher de retrouver ma place. Ces salauds m'ont volé ma vie, mais je ne vais pas leur faire cadeau de mon âme. Je suis décidée à invoquer le Cinquième Amendement chaque fois que ce sera nécessaire.

– Dans ce cas vous serez certainement inculpée.

– Vu les salopards à qui j'ai affaire, j'ai toutes les chances de l'être de toute façon.

– Allons, allons, Dr Scarpetta. Avez-vous oublié le salopard qui doit vous défendre ? Je ne sais pas où vous avez passé votre week-end, mais moi j'ai passé le mien à Londres.

Je sentis le sang refluer de mon visage.

– Je ne peux pas vous garantir de faire avaler ça à Patterson, dit cet homme que j'avais longtemps cru haïr, mais je vais remuer ciel et terre pour faire venir Charlie Hale à la barre.

14

Le 20 janvier, le vent souffla comme au mois de mars, mais en bien plus froid, et le soleil m'aveuglait tandis que je roulais vers l'est par Broad Street pour me rendre au tribunal John Marshall.

– Je vais vous dire une autre chose que vous savez déjà, fit Nicholas Grueman. Les journalistes vont se jeter sur vous comme un banc de piranhas affamés. Si vous volez au ras des vagues vous vous ferez arracher une jambe. Nous allons marcher côte à côte, les yeux au sol. Surtout ne tournez pas la tête et ne parlez à personne, peu importe qui c'est et ce qu'il dit.

– On ne va pas trouver où se garer, dis-je en tournant dans 9th. Je le savais.

– Ralentissez. Cette bonne dame là sur le côté m'a tout l'air de se préparer à... Oui, magnifique ! Elle s'en va. Elle *va* s'en aller si elle arrive à tourner suffisamment les roues.

Un coup de Klaxon retentit derrière moi.

Je consultai ma montre, puis, comme une athlète s'apprêtant à recevoir les instructions de dernière minute de son entraîneur, me tournai vers Grueman. L'avocat portait un long manteau de cachemire bleu marine et une paire de gants en cuir noir. Sa canne à pommeau d'argent était appuyée contre le siège et sa serviette, usée par les batailles, reposait sur ses genoux.

– N'oubliez pas, dit-il, que comme c'est votre ami Mr Patterson qui appellera les témoins, nous devrons compter sur les jurés pour faire comparaître les nôtres. Et là, tout dépend de vous. Il faut coûte que coûte établir le contact avec eux, Kay. Il faut que vous arriviez à ce que ces onze ou douze inconnus soient vos amis dès l'instant où vous pénétrerez dans cette salle. Quoi qu'ils vous demandent, ne mettez pas un mur entre eux et vous. Soyez accessible.

– Je comprends, dis-je.

– Ce sera quitte ou double. Marché conclu ?

– Marché conclu.

– Bonne chance, docteur, fit-il avec un sourire en me tapotant le bras.

À l'entrée du tribunal, un garde nous arrêta pour nous ausculter au scanner. Il passa l'appareil sur mon sac à main et ma serviette, comme il l'avait déjà fait une centaine de fois quand je venais déposer en tant que témoin expert. Mais cette fois-ci il ne m'adressa pas la parole et évita de croiser mon regard. La canne de Grueman déclencha l'avertisseur du scanner, et c'est avec une patience et une courtoisie infinies qu'il dut expliquer que le pommeau et la pointe en argent ne pouvaient se dévisser, et que rien n'était dissimulé dans l'épaisseur du bois.

– Qu'est-ce qu'il croit ? Que je me promène avec une sarbacane ? fit-il lorsque nous entrâmes dans l'ascenseur.

Sitôt que les portes de la cabine s'ouvrirent au deuxième étage, la meute des journalistes, comme prévu, se jeta sur nous. L'avocat se déplaçait avec une grande vivacité pour un homme affligé de goutte, et le bruit de sa canne rythmait ses longues enjambées. Je me sentis étonnamment détachée jusqu'à ce que nous pénétrions dans la salle presque déserte du tribunal, où Benton Wesley se tenait assis dans un coin à côté d'un homme jeune et mince en qui je reconnus Charlie Hale. Le côté droit de son visage ressemblait à une carte routière sillonnée de fines cicatrices roses. Il se leva puis, l'air embarrassé, glissa sa main droite dans la poche de son blouson, mais j'eus le temps de remarquer ses doigts manquants. Vêtu d'un costume sombre qui tombait mal et d'une cravate mal venue, il jeta des coups d'œil nerveux autour de lui tandis que, tel un robot, j'allais m'asseoir à ma place et sortais des papiers de ma serviette. Je n'étais pas autorisée à lui parler, et les trois hommes eurent le tact de faire mine de ne pas remarquer l'émotion qui m'étreignait.

– Voyons qui nous aurons en face, dit Grueman. Je pense que Jason Story témoignera, ainsi que l'officier Lucero. Et bien sûr Marino. Je ne sais pas qui d'autre Patterson a embauché dans son numéro.

– Pour votre information, dit Wesley en se tournant vers moi, j'ai parlé avec Patterson et je lui ai dit qu'il n'y avait rien contre vous et que je le répéterai au procès.

– Pour l'instant partons du principe qu'il n'y aura pas procès, dit Grucman. Quand vous témoignerez devant les jurés, répétez-leur que vous avez dit à Patterson qu'il n'avait aucun motif d'inculpation, mais qu'il a insisté pour poursuivre la procédure. Chaque fois qu'il vous posera une question dont vous avez déjà débattu en privé, je veux que vous le précisiez. Dites par exemple : « Comme je vous l'ai dit dans votre bureau », ou :« Comme je l'ai souligné lorsque nous nous sommes vus tel jour », etc.

» Il est important que les jurés sachent que vous n'êtes pas seulement un agent spécial du FBI, mais aussi le responsable de l'Unité d'étude du comportement de Quantico, dont l'objectif est d'étudier les actes criminels et de dresser le profil psychologique des criminels particulièrement violents. Vous pourriez souligner à ce propos que le Dr Scarpetta ne correspond en rien à ce profil, et que l'idée même d'envisager cette hypothèse vous paraît absurde. Il est également important que vous fassiez bien comprendre aux jurés que vous étiez le conseiller et le meilleur ami de Mark James. Racontez le plus de choses possible, car vous pouvez être sûr que Patterson ne voudra pas entrer dans les détails. Et dites bien aux jurés que Charlie Hale est *dans cette salle*.

– Et s'ils ne m'appellent pas ? demanda Charlie Hale.

– C'est que nous serons mal partis, répliqua Grueman. Comme je vous l'ai expliqué à Londres, c'est le procureur qui organise les réjouissances. Le Dr Scarpetta n'ayant pas le droit d'apporter des preuves pour sa défense, nous devons faire en sorte qu'au moins un des jurés demande à entendre vos témoignages.

– Très étonnant, comme procédure, remarqua Charlie Hale.

– Vous avez bien apporté les photocopies du bordereau de dépôt et des honoraires que vous avez acquittés ?

– Oui.

– Parfait. N'attendez pas qu'on vous les demande. Posez-les devant vous au début de votre déposition. Rien de nouveau en ce qui concerne votre femme depuis la dernière fois ?

– Rien depuis qu'elle a subi une fécondation artificielle. Jusqu'ici, tout se passe bien.

– N'oubliez pas de le mentionner si vous en avez l'occasion, lui conseilla Grueman.

Quelques minutes plus tard, je fus appelée dans la salle où siégeait le jury.

– Logique, il commence par vous, dit Grueman en se levant aussi. Il n'appellera vos détracteurs qu'ensuite, de façon à semer le doute dans l'esprit des jurés. (Il m'accompagna jusqu'à la porte.) Je reste ici. Vous saurez où me trouver en cas de besoin.

Je hochai la tête, entrai dans la salle et m'assis sur la chaise qui m'était réservée en bout de table. Patterson n'était pas là, mais je savais que c'était une de ses tactiques. Il voulait me soumettre seule au regard muet et scrutateur de ces dix inconnus qui tenaient mon sort entre leurs mains. Je les regardai tour à tour, adressant un sourire à certains. Une jeune femme d'allure sérieuse à la bouche soulignée de rouge vif décida de ne pas attendre l'arrivée de l'avoué du Commonwealth.

– Qu'est-ce qui vous a poussé à vous occuper des morts plutôt que des vivants ? s'enquit-elle. Cela peut paraître un choix étrange de la part d'un médecin.

– C'est ma très grande préoccupation pour les vivants qui m'a fait étudier les morts, répondis-je. Ce que les défunts nous apprennent bénéficie aux vivants, et c'est aux vivants de faire justice.

– Est-ce que ça ne finit pas par vous peser ? voulut savoir un vieil homme aux mains rugueuses avec un air de sincère compassion.

– Bien sûr que si.

– Combien d'années d'études avez-vous faites après le lycée ? demanda une grosse Noire.

– Dix-sept ans en comptant les périodes de formation pratique et l'année où j'étais boursière.

– Dieu du ciel !

– Où vous étiez ?

– Vous voulez savoir dans qu'elles universités j'ai suivi mes études ? fis-je à l'adresse du mince jeune homme à lunettes.

– Oui, madame.

– À Saint-Michel, à l'académie de Notre-Dame-de-Lourdes, à Cornell, Johns Hopkins et Georgetown.

– Votre papa était docteur ?

– Mon père était propriétaire d'une épicerie à Miami.

– Il a dû drôlement se saigner pour payer vos études, non ?

Quelques-uns pouffèrent.

– J'ai eu la chance d'obtenir plusieurs bourses, dis-je. Dès ma sortie du lycée.

– J'ai un oncle qui travaille aux pompes funèbres Twilight[1], à Norfolk, dit un homme.

– Allons, Barry, vous nous charriez. On n'aurait pas donné un nom pareil à des pompes funèbres.

– Je vous charrie pas.

– Et encore, c'est rien. Chez nous, à Fayetteville, le type des pompes funèbres s'appelle Stiff[2]. Devinez un peu comment ils ont appelé leur boîte ?

– On veut pas le savoir.

– Donc vous n'êtes pas d'ici ?

– Je suis née à Miami, dis-je.

– Alors Scarpetta, c'est un nom espagnol ?

– Non, italien.

– Tiens, c'est curieux. Je croyais que les Italiens étaient bruns.

– Mes ancêtres sont originaires de Vérone, une ville du nord de l'Italie, où les gens se sont beaucoup mélangés aux Savoyards, aux Autrichiens et aux Suisses, expliquai-je patiemment. Aussi, beaucoup d'habitants de la région sont blonds aux yeux bleus.

– Vous devez bien savoir faire la cuisine, alors.

– C'est un de mes passe-temps préférés, c'est vrai.

– Dr Scarpetta, intervint un homme bien habillé d'à peu près mon âge, je n'ai pas bien saisi votre situation exacte. Vous êtes le médecin expert général de la seule ville de Richmond ?

– Non, de tout le Commonwealth. Nous avons quatre bureaux de district. Le bureau central, installé ici à Richmond,

1. *Twilight :* crépuscule. (NdT)
2. *Stiff :* macchabée. (NdT)

le bureau de Tidewater à Norfolk, celui de Virginie occidentale à Roanoke, et le bureau du district nord à Alexandria.

– Et le médecin expert général réside à Richmond ?

– Oui, c'est le plus logique. Les services du médecin expert sont une institution de l'État, et c'est à Richmond qu'est concentré le pouvoir législatif, répondis-je tandis que Roy Patterson faisait son entrée dans la pièce.

C'était un Noir à la forte carrure, plutôt séduisant, avec des cheveux très courts qui commençaient à grisonner. Il était vêtu d'un costume sombre à revers, et ses initiales étaient brodées sur les poignets de sa chemise jaune pâle. L'avoué du Commonwealth était célèbre pour ses cravates. Celle qu'il portait me parut peinte à la main. Il nous salua, les jurés avec cordialité, moi avec beaucoup plus de réserve.

Je découvris que la femme au rouge à lèvres était le chef du jury. Elle s'éclaircit la gorge avant de m'informer que je n'étais pas obligée de déposer, et que tout ce que je pourrais dire pourrait être retenu contre moi.

– Oui, je comprends, dis-je avant de prêter serment.

Patterson allait et venait près de ma chaise. Il ne fournit qu'un minimum d'informations personnelles à mon sujet, préférant s'étendre sur le pouvoir que me conférait ma position et la facilité avec laquelle je pouvais en abuser.

– Qui donc pourrait en témoigner ? demanda-t-il. Très souvent, personne n'assiste au travail du Dr Scarpetta, sauf quelqu'un qui la côtoyait pratiquement tous les jours : Susan Story. Malheureusement vous n'entendrez pas son témoignage, mesdames et messieurs, car elle et l'enfant qu'elle portait sont morts. Mais vous entendrez les dépositions d'autres personnes. Ces témoins vous peindront le portrait d'une femme ambitieuse et calculatrice, d'une femme qui entendait bâtir son propre empire mais qui accumulait les erreurs les plus graves dans l'exercice de ses fonctions. Elle a commencé par acheter le silence de Susan Story. Elle a fini par la tuer.

» Vous avez tous, mesdames et messieurs, entendu parler de crime parfait. Or demandez-vous un peu qui est le mieux placé pour commettre un tel crime que la personne dont c'est précisément le travail d'élucider les crimes ? Une telle spécialiste sait que pour tuer quelqu'un par balles dans une voiture, il faut choisir une arme de petit calibre afin d'éviter les ricochets. Elle sait comment ne laisser aucun indice sur les lieux, pas même une douille vide. Elle sait qu'il ne faut surtout pas se servir de son propre revolver – que ses collègues et amis connaissent. Elle sait qu'il faut se servir d'une arme dont il sera impossible de remonter la trace jusqu'à elle.

» À tout prendre, elle pourrait même emprunter une arme du laboratoire, car il faut que vous sachiez, mesdames et messieurs, que chaque année la justice confisque des centaines d'armes ayant été utilisées à des fins criminelles, et que certaines de ces armes sont données au laboratoire de balistique de l'État. Il se pourrait très bien que le calibre 22 qui a fracassé la nuque de Susan Story soit en ce moment même suspendu à un crochet dans le laboratoire de balistique, ou dans le stand de tir du sous-sol, là où les experts effectuent leurs tests et où le Dr Scarpetta s'entraîne régulièrement. Je souligne d'ailleurs qu'avec ses capacités le Dr Scarpetta n'aurait aucune difficulté à entrer dans un service de police. Et qu'elle a déjà tué un homme, même s'il faut préciser à sa décharge que la légitime défense a été reconnue.

Je contemplai mes mains croisées sur la table pendant que le greffier tapait en silence sur ses touches tandis que Patterson poursuivait. Sa rhétorique était toujours très éloquente, même si en général il ne savait pas où s'arrêter. Lorsqu'il me demanda d'expliquer la présence de mon empreinte sur l'enveloppe trouvée dans la commode de Susan, il insista tellement sur le fait que mon explication était incroyable que certains jurés durent se demander pourquoi ce que je disais *ne pouvait pas* être vrai. Enfin il en vint à l'argent.

– Dr Scarpetta, est-il exact que le 12 décembre dernier vous vous êtes présentée à l'agence locale de la Signet Bank pour retirer la somme de 10 000 dollars *en liquide ?*

– C'est exact, en effet.

Patterson, surpris, eut un instant d'hésitation. Il s'attendait à ce que j'invoque le Cinquième Amendement.

– Est-il exact qu'ensuite vous n'avez déposé cet argent sur aucun de vos comptes ?

– C'est exact, dis-je.

– Ainsi, quelques semaines avant que votre responsable de la morgue n'effectue un dépôt inexpliqué de 3 500 dollars sur son propre compte, vous êtes sortie de la Signet Bank avec 10 000 dollars en liquide sur vous ?

– Non, ce dernier point est inexact. Vous avez dû trouver dans mes documents financiers la photocopie d'un chèque de caisse de 7 318 livres sterling. J'ai apporté ma propre photocopie, ajoutai-je en la sortant de ma serviette.

Patterson n'y jeta qu'un bref coup d'œil avant de demander au greffier d'ajouter le papier aux autres éléments de preuve.

– Tout ceci est très intéressant, reprit-il. Vous avez fait rédiger un chèque de caisse à l'ordre d'un certain Charles Hale. Ne s'agissait-il pas là en réalité d'une opération de diversion destinée à vous procurer les liquidités dont vous aviez besoin ? Ce Charles Hale n'a-t-il pas tout simplement reconverti les livres en dollars et reversé la somme en liquide à une tierce personne – Susan Story, par exemple, ou quelqu'un d'autre ?

– Vous faites fausse route, rétorquai-je. Je n'ai pas remis ce chèque à Charles Hale.

– Non ? fit-il d'un air dérouté. Qu'en avez-vous fait ?

– Je l'ai donné à Benton Wesley, qui s'est occupé de le transmettre à Charles Hale. Benton Wesley est...

Il m'interrompit.

– Tiens, l'histoire se complique.

– Mr Patterson...

– Qui est Charles Hale ?

– J'aimerais pouvoir achever mon intervention, dis-je.

– Qui est Charles Hale ?

– J'aimerais entendre ce que le Dr Scarpetta voulait dire, intervint un homme en veste écossaise.

– Allez-y, je vous en prie, dit Patterson avec un sourire glacial.

– J'ai confié ce chèque à Benton Wesley, qui est agent spécial du FBI et profileur de suspect à l'Unité de recherche sur le comportement de Quantico.

Une femme leva timidement la main.

– Est-ce le même que celui dont on parle dans les journaux ? Celui qu'on fait venir quand il y a des meurtres horribles comme ceux de Gainesville ?

– C'est bien lui, dis-je. Nous sommes collègues. C'était aussi le meilleur ami d'un ami à moi, Mark James, qui était lui aussi un agent spécial du FBI.

– Dr Scarpetta, il importe de préciser ce point, dit Patterson avec impatience. Mark James était plus qu'un ami pour vous.

– Est-ce une question, Mr Patterson ?

– En dehors des conflits d'intérêts évidents que peut entraîner pour un médecin expert le fait de coucher avec un agent du FBI, je trouve ce détail tout à fait en dehors du sujet. C'est pourquoi je m'abstiendrai de...

Ce fut à mon tour de l'interrompre.

– J'ai connu Mark James à l'université. Il n'y avait donc aucun conflit d'intérêts entre nous. Par ailleurs je tiens à ce qu'il soit mentionné dans le procès-verbal que j'objecte à la façon dont l'avoué du Commonwealth évoque les personnes avec qui j'aurais couché.

Le greffier nota mon intervention.

J'avais les mains tellement serrées que mes jointures étaient blanches.

– Qui est Charles Hale, répéta Patterson, et pourquoi lui auriez-vous fait cadeau de l'équivalent 10 000 dollars ?

Des cicatrices roses me traversèrent l'esprit, et j'eus la vision de deux doigts pendouillant d'un moignon sanguinolent.

– Il était vendeur de tickets à Victoria Station, à Londres, dis-je.

– Il *était* ?

– Il l'était jusqu'au lundi 18 février, jour où la bombe a explosé.

Personne ne m'avait avertie. J'avais vu toute la journée des reportages télévisés mais ne m'étais doutée de rien jusqu'à ce que mon téléphone me réveille le 19 février à 2 h 41 du matin. Il était 6 h 41 à Londres. Mark était mort depuis près de vingt-quatre heures. J'éprouvai un tel choc que malgré les explications de Wesley, je n'avais pas compris tout de suite.

– Comment ? Mais... ça s'est passé hier, on en a parlé toute la journée. Vous voulez dire qu'il y a eu un autre attentat ?

– Non, une seule bombe a explosé. Hier matin, en pleine heure de pointe. Mais on vient juste de m'apprendre la mort de Mark. C'est notre attaché juridique à Londres qui m'a prévenu.

– Vous êtes sûr ? Vous êtes absolument sûr ?

– *Seigneur, je suis désolé, Kay.*

– On l'a identifié avec certitude ?

– Avec certitude.

– Vous êtes sûr ? Je veux dire...

– Kay, je suis à la maison. Je peux être chez vous dans une heure.

– Non, non.

Je frissonnais mais ne pouvais pleurer. J'avais erré longtemps dans la maison, en sanglots, gémissant en me tordant les mains.

– Mais enfin, vous ne connaissiez pas ce Charles Hale avant l'attentat, Dr Scarpetta. Pourquoi lui auriez-vous donné 10 000 dollars ? reprit Patterson en s'épongeant le front avec son mouchoir.

– Lui et sa femme voulaient des enfants mais ne pouvaient pas en avoir.

– Et comment avez-vous appris un détail aussi intime concernant des inconnus ?

– C'est Benton Wesley qui m'en a parlé, et j'ai aussitôt pensé à Bourne Hall, le centre de recherche le plus avancé en matière de fécondation in vitro. Les frais ne sont pas remboursés par la sécurité sociale.

– Vous dites que l'attentat a eu lieu en février. Or ce n'est qu'en novembre que vous avez rédigé ce chèque.

– Je n'ai appris le problème des Hale que durant l'automne. Le FBI avait sélectionné différents visages de suspects pour les montrer à Mr Hale. C'est à cette occasion que Charles leur a parlé de son problème. Dès le début, j'avais dit à Benton de me faire savoir si je pouvais faire quelque chose pour Mr Hale.

– Et vous avez décidé de financer la fécondation d'une femme qui vous est totalement étrangère ? fit Patterson comme si je venais de lui avouer que je croyais à l'existence des farfadets.

– Oui.

– Seriez-vous une *sainte*, Dr Scarpetta ?

– Non.

– Alors expliquez-nous vos motivations, je vous prie.

– Charles Hale a essayé d'aider Mark James.

– Il a essayé de l'aider ? répéta Patterson en faisant les cent pas le long de la table. Il l'a aidé à acheter son billet ? Il lui a indiqué le quai où prendre son train ? Ou l'emplacement des toilettes ? Que voulez-vous dire au juste ?

– Avant de mourir Mark est resté conscient quelques minutes. Charles Hale était étendu près de lui, grièvement blessé. Mr Hale a enlevé les débris du corps de Mark. Il lui a parlé, il a ôté sa veste pour... pour essayer de stopper l'hémorragie. Il a fait tout ce qui était en son pouvoir. Rien n'aurait pu sauver Mark, mais au moins il n'est pas mort seul. J'en serai éternellement reconnaissante à Mr Hale. C'est pourquoi je suis heureuse d'avoir pu lui rendre son geste en contri buant à ce qu'une nouvelle vie vienne au monde. Ça m'aide. Ça rend la mort de Mark moins absurde. Non, je ne suis pas une sainte. J'en avais autant envie qu'eux. En les aidant, je me suis aidée moi-même.

Un tel silence s'installa dans la pièce qu'on aurait pu la croire vide.

La femme au rouge à lèvres se pencha en avant pour attirer l'attention de Patterson.

– Je suppose que Charlie Hale est en Angleterre, dit-elle, mais serait-il au moins possible d'assigner Benton Wesley à comparaître ?

– Inutile de recourir à l'assignation, répondis-je. Ils sont tous les deux ici.

Je n'étais pas présente lorsque le chef des jurés annonça à Patterson que le grand jury spécial refusait d'inculper. Je n'étais pas là non plus quand on transmit cette décision à Grueman. Dès que j'eus fini de déposer, je me ruai à la recherche de Marino.

– Je l'ai vu sortir des toilettes il n'y a pas une demi-heure, m'informa un policier qui fumait une cigarette près d'un distributeur d'eau.

– Pouvez-vous essayer de le joindre par radio ? lui demandai-je.

Il haussa les épaules, défit la radio fixée à sa ceinture et demanda au dispatcher de lancer un appel à l'intention de Marino. Celui-ci ne répondit pas.

Je descendis l'escalier et m'éloignai du tribunal en trottinant. Je montai dans ma voiture, verrouillai les portières et mis le contact. Puis je décrochai le téléphone et tentai de joindre Marino au quartier général, situé juste en face du tribunal. Pendant qu'un détective m'informait que Marino n'était pas dans les locaux, je fis le tour du parking à petite allure en cherchant sa Ford LTD blanche. Elle n'était pas là. Je me rangeai alors sur un emplacement libre et appelai Neils Vander.

– Vous vous souvenez du cambriolage sur Franklin ? Les empreintes que vous avez entrées dans l'ordinateur et qui correspondaient à celles de Waddell ?

– Le cambriolage où on a volé un gilet garni de duvet d'eider ?

– Exact.

– Oui, je m'en souviens.

– Est-ce que vous aviez aussi entré les empreintes du plaignant afin d'éliminer la possibilité que ce soit une des siennes ?

– Non, on ne me les a pas transmises. Je n'avais que l'empreinte latente relevée sur les lieux.

– Merci, Vander.

Je rappelai le dispatcher.

– Savez-vous si le lieutenant Marino est en service ? lui demandai-je.

– Oui, il est en service, me confirma-t-il au bout de quelques instants.

– Essayez de le contacter. Dites-lui que c'est de la part du Dr Scarpetta et que c'est urgent.

Il revint en ligne moins d'une minute après.

– Il est à la station-service municipale.

– Je suis à côté. Dites-lui que j'arrive.

Les pompes à essence réservées à la police de la ville étaient installées sur un triste rectangle d'asphalte entouré d'un grillage. Il fallait se servir soi-même. Il n'y avait ni pompiste, ni toilettes, ni distributeurs de boissons, et si vous vouliez nettoyer votre pare-brise, il fallait apporter vous-même vos essuie-tout et votre produit à vitres. Alors que Marino rangeait sa carte d'essence dans le vide-poches où il la mettait toujours, je vins me ranger à côté de lui. Il descendit de voiture et s'approcha de ma vitre.

– Je viens d'apprendre la nouvelle à la radio, dit-il sans pouvoir réprimer un sourire. Où est Grueman ? Je veux lui serrer la main.

– Je l'ai laissé au tribunal, avec Wesley. Que se passe-t-il ? demandai-je en me sentant stupide.

– Vous n'êtes pas au courant ? fit-il d'un ton incrédule. Merde, doc, ils vous lâchent la grappe, voilà ce qui se passe ! J'ai pas dû voir deux cas dans toute ma carrière où un grand jury spécial demandait pas l'inculpation.

Je pris une profonde inspiration et secouai la tête.

– Je devrais me mettre à danser la gigue, n'est-ce pas ? Et pourtant je n'ai pas le cœur à ça.

– Je crois que ça me ferait pareil.

– Marino, comment s'appelait ce type qui a déclaré le vol de son gilet garni d'eider ?

– Sullivan. Hilton Sullivan. Pourquoi ?

– Pendant ma déposition, Patterson a eu le culot de suggérer que j'aurais pu me servir d'un revolver provenant du labo de balistique pour tuer Susan. En fait il voulait dire qu'il y avait toujours un risque à utiliser son arme personnelle, car si on l'examine et qu'on établit que c'est elle qui a tiré les balles, vous avez intérêt à fournir une explication convaincante.

– Quel rapport avec Sullivan ?

– Depuis quand est-il installé dans son appartement ?

– Je ne sais pas.

– Si j'avais l'intention de tuer quelqu'un avec mon Ruger, ça serait une bonne idée de le déclarer volé avant de commettre mon crime. Ensuite, si pour une raison ou une autre, l'arme était retrouvée – si par exemple je l'avais jetée quelque part en sentant que les recherches s'orientaient vers moi – les flics l'identifieraient grâce au numéro de série, mais je pourrai prétendre, déclaration de vol à l'appui, que l'arme n'était pas en ma possession au moment du crime.

– Vous suggérez que Sullivan aurait fait une fausse déclaration ? Que le casse de son appartement était une mise en scène ?

– Je suggère que vous réfléchissiez à la question, dis-je. Très pratique, quand on y songe, de ne pas avoir d'alarme et d'oublier de fermer une fenêtre. Très malin de se montrer désagréable avec les flics, comme ça ils étaient tellement pressés de le voir débarrasser le plancher qu'ils n'ont pas pris la peine de relever ses empreintes. D'autant qu'il était habillé de blanc et qu'il n'arrêtait pas de râler parce qu'il y avait de la poudre à empreintes partout chez lui. Ce que je veux dire, c'est comment pouvez-vous savoir que les empreintes relevées chez Sullivan n'étaient pas les siennes ? C'est son appartement, non ? Il y laisse forcément des tas d'empreintes.

– Et AFIS les a renvoyées à Waddell.

– Exactement.

– Si votre hypothèse est juste, comment se fait-il que Sullivan s'amuse à appeler la police en voyant l'article sur les vols de vêtements en eider ?

– D'après Benton, ce type adore jouer. Il aime mener les gens en bateau. Il prend des risques parce qu'il en tire du plaisir.

– Merde. Laissez-moi passer un coup de fil.

Il contourna le capot et vint s'asseoir sur le siège passager. Il appela les Renseignements, qui lui donnèrent le numéro de l'immeuble où habitait Sullivan. Lorsqu'il eut le gardien en ligne, Marino lui demanda à quelle date Hilton Sullivan avait acheté son appartement.

– Bon, mais alors qui ? fit-il après un moment de silence. (Il nota quelque chose dans son calepin.) À quel numéro ? Quelle est la rue juste en face ?... D'accord. Il a une voiture ?... Oui, si vous l'avez.

Marino raccrocha et se tourna vers moi.

– Bon Dieu, ce salopard est même pas propriétaire. Sa piaule appartient à un homme d'affaires. Sullivan la loue depuis la putain de première semaine de décembre. Il a payé sa caution le 6. (Il ouvrit sa portière et, avant de sortir, ajouta :) Et il roule en fourgonnette Chevrolet de couleur sombre. Un vieux modèle, sans vitres.

Marino me suivit jusqu'au parking du quartier général, où nous laissâmes ma voiture sur l'emplacement réservé du lieutenant. Puis nous fonçâmes dans Broad Street en direction de Franklin.

– Espérons que le gardien lui aura pas parlé de mon coup de fil ! cria Marino par-dessus le vrombissement du moteur.

Bientôt il ralentit et s'arrêta devant un immeuble en briques de sept étages.

– Son appartement donne sur l'arrière, m'expliqua-t-il en explorant les alentours du regard. Il ne devrait pas nous repérer.

Il plongea la main sous le siège et en sortit son 9 mm, en plus du .357 qu'il transportait dans son étui d'aisselle. Il coinça le pistolet entre sa ceinture et ses reins, glissa un chargeur de réserve dans sa poche et ouvrit sa portière.

– Si vous prévoyez une guerre, dis-je, je préfère vous attendre dans la voiture.

– Si la guerre éclate, je vous passerai mon .357 et deux ou trois chargettes. Ça sera le moment de me montrer que vous êtes aussi bon tireur que le prétend Patterson. Dans tous les cas, restez derrière moi. (Nous gravîmes les marches du seuil et il sonna à la porte.) Il sera sans doute pas là.

Quelques secondes plus tard le verrou tourna et la porte s'ouvrit. Un individu entre deux âges doté de sourcils gris en broussaille se présenta comme le gardien à qui Marino venait de parler au téléphone.

– Vous savez s'il est là ? lui demanda le lieutenant.

– Non, je ne sais pas.

– On va monter voir.

– Pas la peine, il habite au rez-de-chaussée. (Le gardien tendit le bras.) Vous suivez ce couloir et vous prenez le premier sur votre gauche. C'est l'appartement à l'angle, tout au bout. Numéro 17.

L'immeuble dégageait une sorte de luxe tranquille mais désuet, comme ces vieux hôtels où personne ne veut plus descendre parce que les chambres sont exiguës, la décora tion sinistre, les meubles éraflés. L'épaisse moquette rouge était trouée en plusieurs endroits par des brûlures de cigaret tes et les panneaux muraux étaient d'une teinte noirâtre indéfinissable. L'appartement d'Hilton Sullivan était signalé par un numéro 17 en cuivre mais ne comportait pas de judas. Marino frappa à la porte. Nous entendîmes un bruit de pas.

– Qui est-ce ? fit une voix.

– Service d'entretien, dit Marino. On vient changer le filtre du chauffe-eau.

La porte s'ouvrit et, dans la fraction de seconde où j'aperçus les yeux bleus perçants et qu'ils me virent, mon cœur s'arrêta de battre. Hilton Sullivan tenta de refermer la porte, mais Marino avait eu le temps de glisser son pied.

– Mettez-vous à l'abri ! me cria-t-il en dégainant son revolver et en penchant le buste en arrière, le plus loin possible de l'embrasure.

À l'instant où je me précipitai vers l'angle du couloir, je l'entendis lancer un violent coup de pied dans la porte, qui percuta avec fracas le mur intérieur. Revolver au poing, il entra dans l'appartement. J'attendis avec angoisse un bruit de lutte ou des coups de feu, mais rien ne se passa. Plusieurs minutes s'écoulèrent. Puis j'entendis Marino dire quelques mots dans sa radio portative. Enfin il réapparut, couvert de sueur, le visage écarlate et l'œil furieux.

– Merde, j'arrive pas à y croire. Il a filé par la fenêtre comme un foutu lièvre. Pfuit ! envolé ! Salopard de foutu fils de pute. Sa guimbarde est garée derrière, sur le parking. Il est parti à pied. J'ai alerté toutes les unités dans le secteur.

Il s'essuya le front d'un revers de manche et tenta de retrouver son souffle.

– Je l'avais pris pour une femme, dis-je d'une voix pâteuse.

– Hé ? fit Marino en me considérant d'un œil rond.

– Quand je suis allée voir Helen Grimes, il était chez elle. Il a passé la tête par la porte pendant que nous parlions sur le porche. J'ai cru que c'était une femme.

– Sullivan chez le Fléau de Dieu ? fit Marino d'une voix sonore.

– J'en suis sûre.

– Bon Dieu de bon Dieu. C'est à n'y rien comprendre !

Nous comprîmes vite en découvrant l'appartement de Sullivan. Il était meublé avec goût, mais Marino m'informa que d'après le gardien, les tapis et les bibelots anciens appartenaient au propriétaire, non à Sullivan. Une musique de jazz nous parvenait de la chambre, où nous trouvâmes le gilet garni en eider d'Hilton Sullivan sur le lit, à côté d'une chemise en velours beige et d'un jean délavé soigneusement pliés. Ses chaussures de course et ses chaussettes étaient par terre. Sur la commode en acajou étaient posées une casquette verte et une paire de lunettes noires, ainsi qu'une chemise d'uniforme bleue chiffonnée qui portait encore le badge d'Helen Grimes épinglé sur la poche de poitrine. Dessous, nous trouvâmes une grosse enveloppe pleine de photos, que Marino examina devant moi.

– Nom de Dieu de bordel, grommelait-il de temps à autre.

Sur une bonne douzaine de clichés Sullivan posait nu et ligoté dans différentes positions tandis qu'Helen Grimes tenait le rôle de la gardienne sadique. L'une de leurs scènes favorites semblait être celle où Sullivan était assis sur une chaise pendant qu'Helen jouait les interrogateurs, debout derrière lui, faisant mine de l'étrangler ou de lui infliger divers tourments. Sullivan était un jeune homme blond d'une beauté exquise, doté d'un corps mince mais que je soupçonnais être d'une étonnante vigueur. Il devait être très souple. Nous découvrîmes une photo du cadavre sanglant de Robyn Naismith adossé au téléviseur de son salon, et une autre la montrant allongée sur une table métallique à la morgue. Mais ce qui me troublait surtout, c'était le visage de Sullivan sur les clichés. Il était absolument dépourvu d'expression, et il devait avoir ce même regard glacial quand il tuait.

– Voilà peut-être pourquoi Donahue aimait tant ce jeune homme, dit Marino en remettant les clichés dans l'enveloppe. Il fallait bien que quelqu'un tienne l'appareil. La veuve de Donahue m'a dit que son mari était passionné de photo.

– Helen Grimes connaît certainement la véritable identité d'Hilton Sullivan, dis-je alors que les sirènes mugissaient tout près.

Marino jeta un coup d'œil par la fenêtre.

– Parfait. Lucero est là.

En examinant le gilet posé sur le lit j'aperçus une petite plume de duvet blanc dépassant d'une minuscule déchirure dans une des coutures.

On entendit arriver d'autres véhicules. Des portières claquèrent.

– On s'en va, annonça Marino à l'arrivée de Lucero. Oubliez pas de faire embarquer sa fourgonnette. C'est la bleue sur le parking. (Il se tourna vers moi.) doc ? Vous vous souvenez comment on va chez Helen Grimes ?

– Oui.

– Allons lui causer.

Helen Grimes fut incapable de nous dire grand-chose.

Lorsque nous arrivâmes chez elle trois quarts d'heure plus tard, constatant que la porte n'était pas verrouillée, nous entrâmes. Le chauffage était réglé au maximum, et cette odeur, n'importe où au monde, je l'aurais reconnue aussitôt.

– Sainte Mère de Dieu, fit Marino en entrant dans la chambre.

Le corps décapité d'Helen Grimes était assis sur une chaise poussée contre le mur. Ce n'est que trois jours plus tard que le fermier voisin trouva le reste. Il ne comprit pas que quelqu'un ait pu oublier un sac de bowling dans son champ. Mais il aurait préféré ne l'avoir jamais ouvert.

ÉPILOGUE

Le jardin de ma mère à Miami, derrière la maison, était moitié à l'ombre, moitié caressé par un doux soleil, et les hibiscus formaient une explosion de rouge de chaque côté de la porte-moustiquaire. Le citronnier planté près de la palissade ployait sous les fruits alors que presque tous ceux du voi sinage étaient malingres ou desséchés. Cela me paraissait incompréhensible, car je ne pensais pas que l'on puisse faire pousser des plantes à coups de critiques et de remontrances. Je croyais qu'il fallait leur parler gentiment.

– Katie ? appela ma mère par la fenêtre.

J'entendis de l'eau tambouriner dans l'évier. Inutile de répondre.

Lucy prit ma reine avec sa tour.

– Tu sais, lui dis-je, je déteste jouer aux échecs avec toi.

– Alors pourquoi tu me relances sans arrêt ?

– Moi, je te *relance* ? C'est toi qui m'obliges, et ensuite tu veux toujours en faire une autre.

– C'est pour te laisser une chance. Mais tu la gâches à chaque fois.

Nous étions installées face à face sur la table du patio. Les glaçons avaient fondu dans nos verres de jus de citron, et je sentais les premiers picotements d'un coup de soleil.

– Katie ? Est-ce que tu pourrais aller chercher du vin avec Lucy ? fit ma mère à travers la fenêtre.

Je distinguai la silhouette de son crâne et le cercle de son visage. Elle ouvrit et referma des portes de placards, puis le téléphone fit entendre sa sonnerie aigrelette. C'était pour moi. Ma mère me passa le téléphone sans fil.

– Benton à l'appareil, fit la voix familière. J'ai vu dans le journal qu'il faisait un temps splendide chez vous. Ici il pleut et il ne fait que sept degrés.

– Arrêtez, vous allez me donner envie de rentrer.

– Kay, nous pensons l'avoir identifié. C'était du bon boulot, d'ailleurs. Sa fausse identité était presque parfaite. Il a pu acheter une arme et louer son appartement sans le moindre problème.

– D'où venait son argent ?

– De sa famille. Il avait des économies. On a épluché les fichiers des prisons et interrogé pas mal de monde, et on a fini par établir avec quasi-certitude que Hilton Sullivan est le pseudonyme d'un individu de 31 ans nommé Temple Brooks Gault, originaire d'Albany en Géorgie. Son père possède une plantation de pacaniers qui rapporte gros. Par certains côtés, Gault correspond aux schémas habituels : il aime les armes, les couteaux, les arts martiaux, la pornographie violente, il est antisocial, etc.

– Et en quoi diffère-t-il de ces schémas ?

– Il est imprévisible. Il ne colle vraiment avec aucun profil, Kay. Ce type est hors normes. Il suffit qu'il ait une envie pour vouloir la satisfaire. Il est narcissique au dernier degré, très imbu de son physique – de ses cheveux, surtout. C'est lui qui se les teint. On a retrouvé tout l'attirail chez lui. À côté de ça, il a des côtés illogiques plutôt bizarres.

– Par exemple ?

– Il roulait dans cette vieille fourgonnette qu'il avait achetée à un artisan peintre. Il semble que Gault ne l'ait pas lavée ni débarrassée une seule fois, pas même après avoir charcuté Eddie Heath à l'intérieur. Ah ! au fait, on a relevé plusieurs indices solides et du sang de même type que celui d'Eddie. Tout ça, c'est le côté désorganisé. Et pourtant, Gault a pris soin d'exciser les marques de morsures et d'embrouiller sa fiche d'empreintes, ce qui indique au contraire un individu très organisé.

– Benton, résumez-moi son casier.

– Il a été condamné pour homicide involontaire il y a deux ans et demi. Il s'était énervé contre un type dans un bar et lui avait flanqué des coups de pied à la tête. Ça se passait à Abingdon, en Virginie. Ah ! j'oubliais : Gault est ceinture noire de karaté.

– L'a-t-on retrouvé ? demandai-je en regardant Lucy disposer les pièces sur l'échiquier.

– Pas encore. Mais je vous répète ce que j'ai dit à tous ceux qui travaillent sur cette affaire. Ce type ne connaît pas la peur.

Il se laisse guider par ses impulsions, ce qui rend difficile toute anticipation.

– Je comprends.

– Continuez à prendre vos précautions en toutes circonstances.

Quelles précautions pourraient te protéger contre un type pareil ? me dis-je.

– Nous devons tous rester sur nos gardes.

– Je comprends, répétai-je.

– Donahue ne s'est pas rendu compte du genre de fauve qu'il relâchait. Ou plus exactement, c'est Norring qui a fait preuve d'une grande inconscience. Mais je ne pense pas que ça soit notre cher gouverneur en personne qui ait choisi ce tordu. Tout ce qui l'intéressait, c'était de récupérer sa foutue serviette. Il a sans doute donné de l'argent à Donahue pour qu'il s'occupe de tout. Nous ne pourrons rien faire contre Norring. Il a été trop malin et trop de gens ne sont plus là pour dire ce qu'ils savaient. (Après une courte pause il ajouta :) Il ne reste plus que votre avocat et moi-même.

– Que voulez-vous dire ?

– Je lui ai fait comprendre qu'il serait très dommageable pour lui que la presse apprenne l'existence d'une certaine serviette volée chez Robyn Naismith. Grueman aussi est allé le voir. Norring était dans ses petits souliers quand Grueman lui a dit que ça avait dû être pénible de prendre sa voiture pour aller en salle d'urgences la veille du meurtre de Robyn.

En faisant des recherches dans la presse et en parlant à différents contacts que j'entretenais dans les salles d'urgences de différents hôpitaux de la ville, j'avais découvert que la veille de l'assassinat de Robyn, Norring avait été reçu en urgence à Henrico Doctor's après s'être administré lui-même une dose d'épinéphrine dans la cuisse gauche. La crise était semble-t-il due à une violente allergie à la nourriture chinoise dont la police avait retrouvé les boîtes dans la poubelle de Robyn Naismith. D'après moi, des crevettes ou autres petits crustacés avaient été mêlés par inadvertance aux plats que Robyn et lui avaient mangés ce soir-là. Sentant les premiers symptômes du choc anaphylactique, il s'était injecté un de ses EpiPen – peut-être en avait-il une réserve chez Robyn – puis avait pris sa voi-

pour aller à l'hôpital. Trop préoccupé, il avait oublié sa rviette chez sa maîtresse.

– J'espère ne plus avoir de contact avec Norring, dis-je.

– Tranquillisez-vous. Sa santé s'est dégradée et il veut démissionner pour chercher un poste tranquille dans le privé. Il pense partir sur la côte Ouest. Il ne vous embêtera plus. Ben Stevens non plus, parce que, comme Norring, il se méfie de Gault. Voyons, la dernière fois que j'ai eu de ses nouvelles, Stevens était à Detroit. Vous le saviez ?

– L'avez-vous menacé lui aussi ?

– Kay, je ne menace jamais personne.

– Benton, vous êtes l'une des personnes les plus menaçantes que je connaisse.

– Dois-je comprendre que vous refuseriez de travailler avec moi ?

Lucy, la tête inclinée sur son poing, tapotait de ses doigts sur la table.

– Travailler avec vous ? fis-je.

– Oui, c'est pour ça que j'appelais. Pour que vous ayez le temps de réfléchir. Nous aimerions vous avoir comme consultante auprès de l'Unité d'étude du comportement. À part les inévitables moments de folie, ça ne vous prendrait que quelques jours par mois. Vous vous chargeriez des aspects médico-légaux des affaires et nous aideriez à établir les profils. Vos observations nous seraient très utiles. De plus vous savez sans doute que le Dr Elsevier, notre consultant légiste depuis cinq ans, doit prendre sa retraite le 1er juin prochain.

Lucy vida son jus de citron dans l'herbe, se leva et se mit à effectuer des mouvements d'assouplissement.

– Je vais y réfléchir, Benton. Je dois d'abord remettre de l'ordre dans mon service. Il en a grand besoin. Il me faut trouver un nouveau responsable pour la morgue, un nouvel administrateur, relancer la machine. Quand dois-je vous donner ma réponse ?

– D'ici le mois de mars ?

– Entendu. Lucy vous donne le bonjour.

Lorsque j'eus raccroché, Lucy me regarda d'un air de défi.

– Pourquoi dis-tu cela alors que ça n'est pas vrai ? Je ne t'ai pas demandé de le saluer.

– Tu en mourais d'envie, dis-je. Je l'ai senti.

– Katie ? (C'était ma mère qui apparut une nouvelle fois à la fenêtre.) Tu devrais rentrer, tu sais. Tu es restée dehors toute la matinée. Est-ce que tu t'es mis de la crème, au moins ?

– On est à *l'ombre*, Mamie ! lui cria Lucy. Tu te rappelles de cet énorme ficus qu'il y a dans ton jardin ?

– À quelle heure ta mère a dit qu'elle arrivait ? demanda ma mère à sa petite-fille.

– Dès qu'ils auront fini de baiser avec machin-chose.

Le visage de ma mère disparut de l'encadrement de la fenêtre, et on entendit à nouveau l'eau couler dans l'évier.

– Lucy ! fis-je à mi-voix.

Elle bâilla et alla près de la palissade pour profiter du soleil qui s'apprêtait à disparaître derrière le toit. Elle exposa son visage aux rayons et ferma les yeux.

– Tante Kay, tu vas accepter, non ?

– Accepter quoi ?

– Ce que t'a proposé Mr Wesley.

Je commençai à ranger les pièces d'échec dans leur boîte.

– Ton silence en dit long, fit Lucy. Je te connais. Tu vas accepter.

– Viens, dis-je. Allons chercher ce vin.

– À la condition que je puisse en boire.

– D'accord, si tu ne prends pas la voiture ce soir.

Elle passa le bras autour de ma taille et nous rentrâmes dans la maison.

Table

Composition réalisée par DATALAND - 77400 GOUVERNES
Dépôt légal : 0002-10/1998
Édition : 01
ISBN : 2-7024-2867-3
ISSN : 1152-2526
Imprimé en Italie par « La Tipografica Varese S.p.A. »